À mon épouse Céline,
à mes deux fils
Steve et Christian,
à ma belle-fille
Claudia
et à mes deux
adorables petites-filles
Valérie et Rachel

DU MÊME AUTEUR

Introduction à la programmation linéaire, 3ᵉ éd., Trois-Rivières, Les Éditions SMG, 1977, xv et 189 pages.

Introduction aux méthodes statistiques en contrôle de la qualité avec applications industrielles, Trois-Rivières, Les Éditions SMG, 1980, 1995, xiv et 208 pages.

Introduction à la statistique descriptive, Trois-Rivières, Les Éditions SMG, 1981, xii et 130 pages.

Introduction au calcul des probabilités, Trois-Rivières, Les Éditions SMG, 1981, xiv et 208 pages.

Introduction à l'inférence statistique, Trois-Rivières, Les Éditions SMG, 1982, xiii et 244 pages.

Méthodes Statistiques, volume 2, 2ᵉ éd., Trois-Rivières, Les Éditions SMG, 1995, xvi et 274 pages.

Techniques Statistiques, Trois-Rivières, Les Éditions SMG, 1984, xviii et 542 pages.

Probabilités, Statistique, et Techniques et régression, Trois-Rivières, Les Éditions SMG, 1989, xviii et 631 pages.

Plans d'échantillonnage en contrôle de la qualité, 4ᵉ éd., Trois-Rivières, Les Éditions SMG, 1995, xiii et 268 pages.

Méthodes statistiques de l'ingénieur, volume 1, 3ᵉ éd., Trois-Rivières, Les Éditions SMG, 1990, xxi et 738 pages.

Méthodes statistiques de l'ingénieur, volume 2, Trois-Rivières, Les Éditions SMG, 1996, xii et 274 pages.

Introduction au logiciel SAS, Trois-Rivières, Les Éditions SMG, 1991, vii et 92 pages.

SAS/Régression, Trois-Rivières, Les Éditions SMG, 1992, vii et 121 pages.

Maîtrise statistique des procédés, 4ᵉ éd., Trois-Rivières, Les Éditions SMG, 1995, xiv et 362 pages.

Méthodes Taguchi, Trois-Rivières, Les Éditions SMG, 1994, xi et 214 pages.

Programmation linéaire en gestion, Trois-Rivières, Les Éditions SMG, 1996, xiv et 434 pages.

Programmation linéaire appliquée, Trois-Rivières, Les Éditions SMG, 1996, xiv et 434 pages.

Traitement de données avec Excel, 2ᵉ éd., Trois-Rivières, Les Éditions SMG, 1997, x et 320 pages.

Statistique appliquée et outils d'amélioration de la qualité, 2e éd., Trois-Rivières, Les Éditions SMG, 1999, xviii et 572 pages.

Statistique avec applications en gestion, production et informatique, 3e éd.,Trois-Rivières, Les Éditions SMG, 2001, xviii et 616 pages.

Introduction à la statistique pour les techniques administratives et informatique, 3e éd.,Trois-Rivières, Les Éditions SMG, 2001, xviii et 532 pages.

Probabilités et statistique avec applications en technologie et en ingénierie, Trois-Rivières, Les Éditions SMG, 2002, xviii et 728 pages.

Outils statistiques et analyse de données pour les sciences du management et des relations industrielles, 2e éd.,Trois-Rivières, Les Éditions SMG, 2003, xvi et 580 pages.

Probabilités et statistique avec applications en sciences de la nature, 2e éd.,Trois-Rivières, Les Éditions SMG, 2004, xvi et 494 pages.

Méthodes statistiques (Comptabilité et Gestion), 2e éd., Trois-Rivières, Les Éditions SMG, 2004, xviii et 490 pages.

Statistique appliquée pour gestionnaires., Trois-Rivières, Les Éditions SMG, 2005, xviii et 540 pages.

Statistique appliquée pour les sciences de la gestion et les sciences économiques, 3e éd., Trois-Rivières, Les Éditions SMG, 2005, xviii et 772 pages.

Statistique appliquée pour les techniques de l'informatique, 2e éd., Trois-Rivières, Les Éditions SMG, 2005, xviii et 456 pages.

Module R et R - Aptitude du système de mesure, Trois-Rivières, Les Éditions SMG, 2005, xviii et 50 pages.

Éléments de statistique descriptive avec applications en technologie de l'information, Trois-Rivières, Les Éditions SMG, 2005, xvii et 142 pages.

En collaboration

Exemples et Exercices d'application avec Excel par Josée Bourque et Gérald Baillargeon, Trois-Rivières, Les Éditions SMG, 1998, 236 pages

Analyse de données avec SPSS pour Windows, version 12.0 par Fernando Ouellet et Gérald Baillargeon, Trois-Rivières, Les Éditions SMG, 2005, xii et 184 pages.

En collaboration avec Louise Martin

Statistique appliquée à la psychologie, par L. Martin et G. Baillargeon, Trois-Rivières, Les Éditions SMG, 1989, xx et 800 pages.

Méthodes quantitatives et Analyse de données en Sciences humaines, par G. Baillargeon et L. Martin, Trois-Rivières, Les Éditions SMG, 1998, xx et 696 pages.

Traitement avec Excel :Application de Excel à la statistique en sciences humaines, par G. Baillargeon et L. Martin, Trois-Rivières, Les Éditions SMG, 1998, viii et 136 pages.

Outils statistiques pour les sciences du comportement et de la psychologie, par G. Baillargeon et L. Martin, Trois-Rivières, Les Éditions SMG, 2003, xiv et 322 pages.

Méthodes statistiques

**avec applications
en gestion, production,
marketing, relations industrielles
et sciences comptables
3e édition**

Gérald Baillargeon
Professeur associé
Université du Québec à Trois-Rivières

Les Éditions SMG

**5365 boul. Jean XXIII, bureau 203
Trois-Rivières G8Z 4A6**
Tel: (819) 376-5650
Télécopie: (819) 373-2904

Coordination éditoriale et
responsable de la production : Gérald Baillargeon
Traitement de texte et mise en page : Jacqueline Hayes
Illustrations et graphiques : Marie-Josée Périgny
Conception du couvert: Guy Jetté et Marie-Josée Périgny

Méthodes statistiques avec applications
en gestion, production, marketing, relations industrielles et sciences comptables, 3e édition

Copyright © 2005 Les Éditions SMG

Bibliothèque nationale du Québec
Bibliothèque nationale du Canada

Nouveau tirage révisé: août 2008

ISBN 978-2-89094-187-6

**Traitement
de données
avec Excel
SPSS et MINITAB**

Méthodes statistiques

avec applications en gestion, production, marketing, relations industrielles et sciences comptables
3e édition

Gérald Baillargeon
Professeur associé
Université du Québec à Trois-Rivières
Prix d'excellence en enseignement (1994)
Réseau UQ

 **Les Éditions SMG**
Trois-Rivières, Qc

Distributeur exclusif pour tous les pays (sauf le Canada) :
Lavoisier
14 rue de Provigny
F-94236 Cachan cedex France
www.Lavoisier.fr

Avant-propos à la 3e édition

L'objectif premier de cet ouvrage est de présenter les outils statistiques utilisés dans les différents secteurs des sciences de la gestion et des sciences comptables, à l'aide de données réelles provenant d'entreprises, de journaux, de magazines, de revues spécialisées, de rapports de recherche, de sondages, ... et ceci avec une variété d'applications provenant des domaines de la gestion et des sciences économiques, des ressources humaines et de la psychologie industrielle, de la production et du contrôle de la qualité, des relations industrielles et des sciences comptables.

Nous présentons les divers outils statistiques et probabilistes selon une approche pédagogique bien éprouvée, associée à une démarche participative qui permet l'apprentissage rapide et efficace et ceci à travers de nombreuses applications provenant de situations réelles.

L'analyse des données est supportée par une utilisation importante du tableur *Excel* de Microsoft (en annexe de chaque chapitre); on trouve sur le CD-ROM, les fichiers de données des divers exemples et exercices permettant une utilisation efficace d'Excel et facilitant l'apprentissage. On y trouve également plusieurs applications des logiciels statistiques SPSS et MINITAB.

Mentionnons également que le tableur Excel comporte au-delà de quatre-vingts fonctions statistiques et un Utilitaire d'analyse consistant en une vingtaine d'outils d'analyse statistique dont les «statistiques descriptives», «l'histogramme », «l'échantillonnage», «les tests d'hypothèses sur deux moyennes», «l'analyse de corrélation», «la régression linéaire», «l'analyse de variance»,...

Modifications et ajouts pour la 3e édition

Nous avons apporté dans cette 3e édition, plusieurs changements et ajouts. Plusieurs applications ont été remplacées par des études plus récentes. Certaines fonctions d'*Excel* ont été ajoutées, en particulier pour le dépouillement de données d'enquête. Une nouvelle section dans le chapitre 5 sur la démarche Six Sigma utilisé par de nombreuses entreprises et le modèle normal a été ajoutée.

Un nouveau chapitre (le chapitre 13) indique comment présenter les résultats d'une étude statistique ou d'une enquête à l'aide d'un rapport d'étude et comment en effectuer une présentation avec le logiciel PowerPoint de Microsoft et ceci basé sur une étude marketing. Le chapitre 13 de la 2e édition sur les séries chronologiques est devenu le chapitre 14 ; il a été mis à jour et est présenté en format pdf sur le CD-ROM; il en est de même pour l'annexe concernant une introduction au tableur Excel de Microsoft.

On trouve également dans cette troisième édition et ceci pour chaque chapitre, un résumé des concepts, un glossaire et une synthèse des principales formules ainsi qu'un test d'auto-évaluation des connaissances.

Un ajout important dans cette troisième édition est une série de huit activités de synthèse basées sur des données d'entreprise, de mémoires de recherche ou d'enquêtes; ces activités comportent habituellement un nombre de données plus important que les exercices d'application de fin de chapitre. On y trouve sur le CD-ROM les fichiers de données correspondants; les données peuvent être traitées avec les logiciels SPSS, MINITAB ou encore avec Excel de Microsoft.

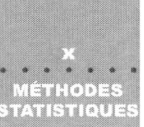

X
MÉTHODES
STATISTIQUES

Nous avons également ajouté à cette troisième édition une brochure synthèse qui résume l'essentiel des modèles probabilistes et des outils statistiques utilisés en sciences de la gestion. Cette brochure contient également de nombreuses fonctions statistiques d'Excel ainsi qu'un certain nombre de copies d'écran des menus des logiciels statistiques SPSS et MINITAB. C'est un outil pédagogique important qui permet une révision rapide de tous les concepts probabilistes et statistiques.

Structure pédagogique de l'ouvrage

La conception pédagogique de cet ouvrage se caractérise par les points suivants:

a) Chaque chapitre débute par une application de la statistique avec une situation réelle; un sommaire, qui permet d'avoir une vue d'ensemble et très détaillée des notions à acquérir; on y présente également les objectifs pédagogiques (objectif général et objectifs spécifiques) associés au contenu du chapitre.

b) Les outils statistiques sont présentés avec une approche intuitive, souvent à partir d'applications réelles; cette présentation se veut structurée et très visuelle.

c) La diversité et les contextes des applications provenant de divers secteurs des sciences de la gestion, des sciences économiques, des relations industrielles et des sciences comptables en font un ouvrage à caractère professionnel.

d) La majorité des exemples ou exercices sont constitués de données réelles d'entreprises ou d'organismes, d'articles de revues spécialisées, de journaux ou de rapports de recherche.

e) Tous les concepts importants sont définis avec clarté et sont cadrés pour en dégager l'importance, susciter la réflexion et faciliter la révision.

f) De nombreuses remarques font ressortir soit certains points importants, soit certains points complémentaires, soit une réflexion sur certaines notions qui seront traitées ultérieurement.

g) La participation active à travers de nombreux exercices d'apprentissage permet l'assimilation pratique et rapide des outils présentés. Ces exercices d'apprentissage peuvent servir de session de travail lors de formation en classe.

h) Tous les exemples et les exercices d'apprentissage que nous présentons sont titrés pour donner une idée immédiate du concept ou de l'outil que nous voulons mettre en évidence.

i) L'utilisation d'Excel de Microsoft Office (version 2002 et version Office 97) est fréquente et permet de réaliser rapidement et avec facilité le traitement informatique des données pour mieux se concentrer sur l'analyse; il permet également de réaliser des diagrammes et graphiques de présentation professionnelle.

j) La présentation des procédures requises pour le traitement de données avec le logiciel Excel est très visuelle et facile à suivre puisqu'on y retrouve imprimées les unes à la suite des autres les fenêtres et les zones de dialogue telles qu'elles apparaissent à l'écran. De plus, les fenêtres et les zones de dialogue sont souvent commentées pour assurer une meilleure compréhension de la démarche à suivre et une meilleure interprétation des résultats.

k) Chaque chapitre se termine par une série d'exercices qui permettent de mettre en application les connaissances acquises ainsi que des exercices de révision et de synthèse; on trouve à la fin de l'ouvrage le corrigé des exercices d'apprentissage de chaque chapitre et les réponses aux nombreux exercices de fin de chapitre.

l) On y trouve également, à la suite des exercices de chaque chapitre, un test d'évaluation des connaissances qui permet une révision en profondeur des concepts traités. Les réponses aux tests sont données à la fin de l'ouvrage.

En définitive, l'ouvrage est conçu pour assurer une grande autonomie au lecteur et le rendre immédiatement opérationnel dans l'application des outils statistiques aux différents secteurs de l'entreprise.

Contenu de l'ouvrage

L'ouvrage est divisé en 14 chapitres; les deux premiers chapitres traitent de l'analyse descriptive des données, de la collecte de données à l'aide d'un questionnaire et des mesures de tendance centrale et de dispersion; les trois chapitres suivants présentent les principaux éléments du calcul des probabilités, de variables aléatoires et de lois de probabilité discrètes et continues. Les chapitres 6 à 12 traitent d'échantillonnage, d'estimation, de tests d'hypothèses, de comparaisons de moyennes, de variances et de proportions, d'analyse de tableaux croisés à l'aide du khi-deux et de tests d'ajustement, d'analyse de variance suivant un et deux facteurs, de corrélation linéaire et de régression linéaire simple ainsi qu'une discussion substantielle sur la régression multiple.

Le chapitre 13 traite de différents éléments requis pour présenter un rapport d'une étude statistique; nous indiquons également dans ce chapitre comment utiliser PowerPoint pour une présentation dynamique et visuelle du rapport d'enquête.

Le dernier chapitre (chapitre 14) présente une introduction aux séries chronologiques (ce dernier chapitre est toutefois sur le CD-ROM en format pdf.

L'ouvrage comporte également les principales tables statistiques ainsi qu'un résumé de diverses fonctions statistiques et modèles probabilistes qui sont dans le tableur Excel. Une introduction au logiciel Excel est présentée en annexe sur le CD-ROM (format pdf).

Remerciements

L'auteur tient à souligner la précieuse collaboration de madame Jacqueline Hayes pour son support constant dans la réalisation et la mise en page de l'ouvrage et dans la révision du document. Nous tenons également à remercier les professeurs d'universités qui nous ont fait part de leurs remarques constructives, en particulier madame Josée Bourque de l'UQTR et monsieur Jean Cadieux de la Faculté d'Administration de l'Université de Sherbrooke.

Gérald Baillargeon

Juillet 2005

Sommaire de l'ouvrage

Table des matières

Avant-propos

1 Collecte et analyse descriptive des données

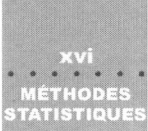

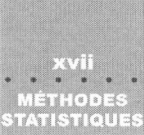
3 Calcul des probabilités (suite)

4 Modèles probabilistes discrets

5 Modèles probabilistes continus

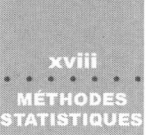

6 Échantillonnage et estimation de paramètres

7 Tests d'hypothèses

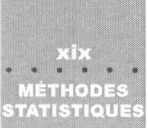

7 Tests d'hypothèses (suite)

8 Comparaison de moyennes et de variances

9 Test sur proportions, tableau croisé et test d'ajustement

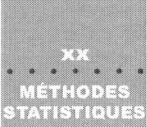
10 Introduction à l'analyse de variance

11 Corrélation linéaire simple et régression

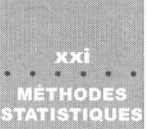

12 Régression linéaire multiple

13 Rapport d'enquête et présentation PowerPoint

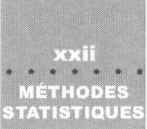
14 Introduction aux séries chronologiques (sur le CD-ROM, format pdf)

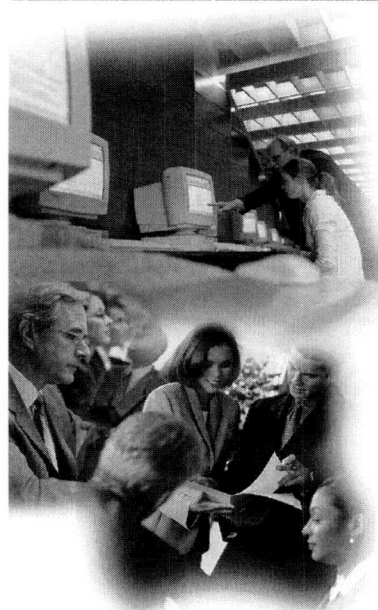

Chapitre 1

Collecte et analyse descriptive des données

On présente souvent dans des revues ou journaux à caractère économique, un dossier spécial sur les principales préoccupations d'affaires et économiques d'une région en particulier.

Des données de cette nature, présentées ci-après, sont résumées sous forme graphique et permettent de mettre en lumière les principaux indicateurs économiques de la région de Québec.

Investissements

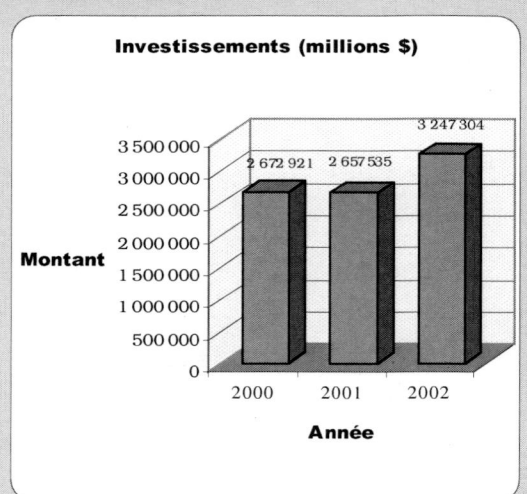

Taux de chômage

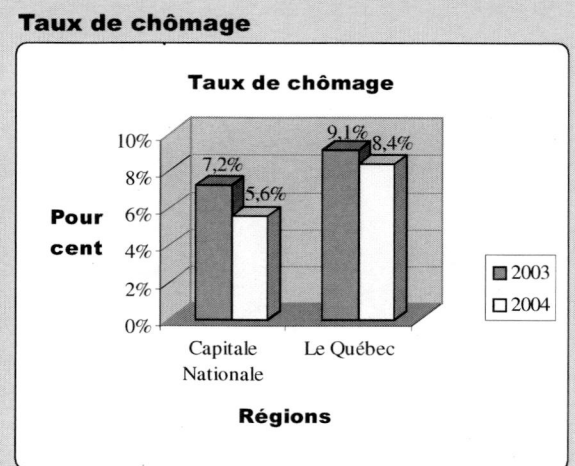

Répartition des emplois par secteur d'activité

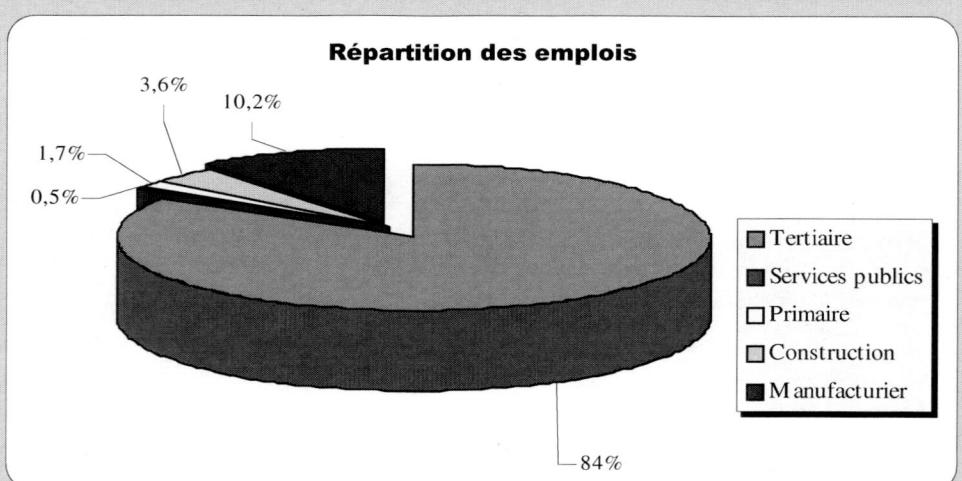

Un des objectifs de ce chapitre est de présenter l'information statistique à l'aide de divers graphiques pour mieux la visualiser et saisir l'essentiel.

* Source: Journal LES AFFAIRES, 11 mai 2002, 10 mai 2003 et 21 mai 2005. L'information statistique provient de l'Institut de la statistique du Québec, Statistique Canada et le Ministère de l'industrie et du Commerce.

Chapitre 1
Collecte et analyse descriptive des données

☐ **Objectif général.** *Ce chapitre nous renseigne sur l'information numérique et sur les divers outils probabilistes et statistiques pour résumer, analyser et vérifier certaines affirmations de nature quantitative selon le type de données à traiter. Il présente également certaines méthodes élémentaires (mais importantes) utilisées pour résumer sous forme de tableaux ou graphiques un ensemble de données.*

☐ **Objectifs spécifiques.** *Lorsque vous aurez complété l'étude du chapitre 1, vous pourrez:*

1. *mieux saisir l'importance de l'information numérique présentée sous diverses formes;*
2. *distinguer entre la statistique descriptive et la statistique inférentielle;*
3. *préciser ce qu'on entend par population, unité statistique, caractères, modalités, variable statistique, échantillon, fréquence absolue ...;*
4. *identifier les différents types de données et échelles de mesure;*
5. *distinguer entre les différents types de caractères et variables statistiques;*
6. *ranger les données d'une série statistique par valeurs non décroissantes et en établir la distribution de fréquences absolues;*
7. *tracer les principales représentations graphiques associées aux distributions de fréquence, notamment le diagramme en bâtons, l'histogramme et le polygone de fréquences;*
8. *préparer un diagramme en feuilles;*
9. *dresser le tableau des fréquences cumulées croissantes et en tracer la courbe correspondante;*
10. *tracer un diagramme à secteurs circulaires et un diagramme à rectangles horizontaux;*
11. *structurer une démarche à suivre pour élaborer une enquête à l'aide d'un questionnaire;*
12. *distinguer entre une question fermée et une question ouverte;*
13. *coder correctement les modalités de réponse d'un questionnaire;*
14. *effectuer la saisie de données dans un fichier;*
15. *utiliser Excel pour dépouiller des données et pour tracer divers diagrammes.*

1.1 Introduction: sondage et information numérique

Les quotidiens et revues présentent fréquemment des informations de nature quantitative ou encore illustrent leur propos à l'aide de diverses statistiques basées sur des rapports de recherche, d'études ou de sondages. Voici quelques affirmations tirées de journaux et magazines:

Relations de travail

❍ Un sondage réalisé par le Groupe Everest, pour le compte de la Banque Nationale et le journal *La Presse* auprès de 300 PME québécoises comptant 10 à 200 employés, indique que 54,5% des PME interrogées affirment trouver les relations de travail très bonnes, 37,5% plutôt bonnes. D'autre part, 8 PME sur 10 (81,1%) pensent que la non-syndicalisation est la meilleure recette pour maintenir de bonnes relations de travail. Moins d'une sur dix pense le contraire, à savoir que c'est la syndicalisation qui amène de bonnes relations.

*Source: Silvia Galipeau . « Les PME n'ont pas besoin de syndicats». *La Presse*, 14 mars 2001.

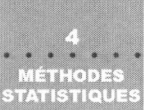
Cette dernière constatation est supportée par un diagramme à rectangles que nous présentons ici dans une forme 3D (le diagramme a été refait par l'auteur à l'aide d'Excel, version 2002 de Microsoft).

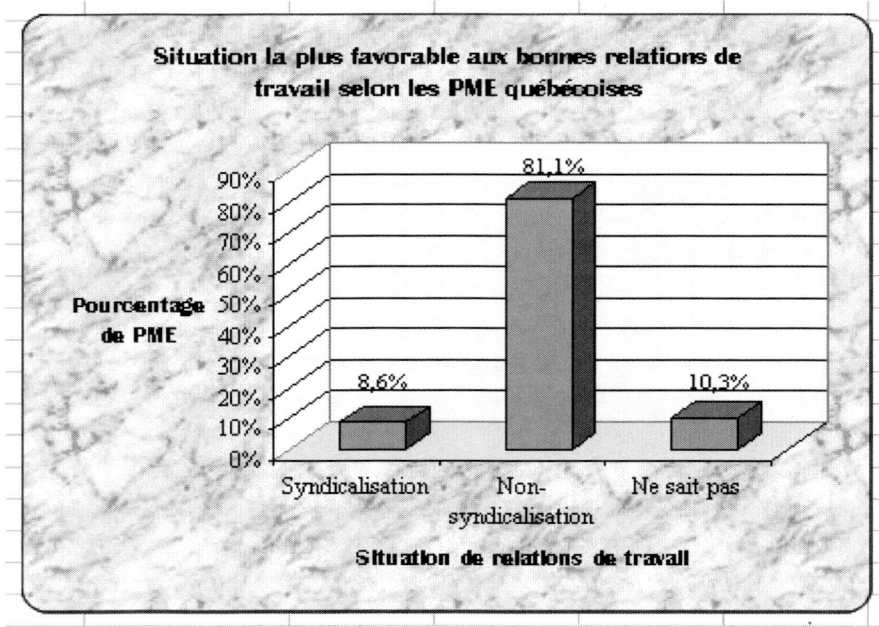

○ **Bien choisir son consultant, la clé d'allumage** (René Claude Simard, LES AF-FAIRES, hors série, édition 2003). Le choix d'un bon consultant auprès d'une entre-  prise est à la base du succès de la démarche de consultation. Les données* suivantes donnent la proportion d'entreprises québécoises ayant eu recours à un expert-con- seil au cours des 12 derniers mois.

Services utilisés	Proportion d'entreprises
Finances et comptabilité	58%
Informatique	53%
Affaires juridiques	48%
Marketing et ventes	26%
Ressources humaines	23%
Planification stratégique	20%
Génie	16%

*Source: Sondage Omniboss-Criq et Léger Marketing réalisé en août 2002 auprès de 363 entreprises québécoises.

Cette information est supportée par un diagramme à barres horizontales qui permet d'illustrer visuellement les principaux services utilisés par les entreprises (voir page suivante).

○ Le nombre d'utilisateurs canadiens* d'Internet a stagné en 2002, demeurant le même que l'année précédente. Il y a toujours 60 pour cent de la population qui sont adeptes d'Internet. L'endroit où l'usage de l'Internet est le plus fréquent est à la maison (50 pour cent) suivi du bureau (25 pour cent), de l'école ou de l'université (5 pour cent), de divers endroits tels les cafés et les bibliothèques (6 pour cent) et le cellulaire (2 pour cent).

*Source: Rollande Parent. *Pas plus d'utilisateurs d'Internet au pays en 2002.* Le NOUVELLISTE, 19 août 2002.

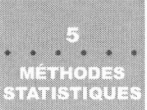

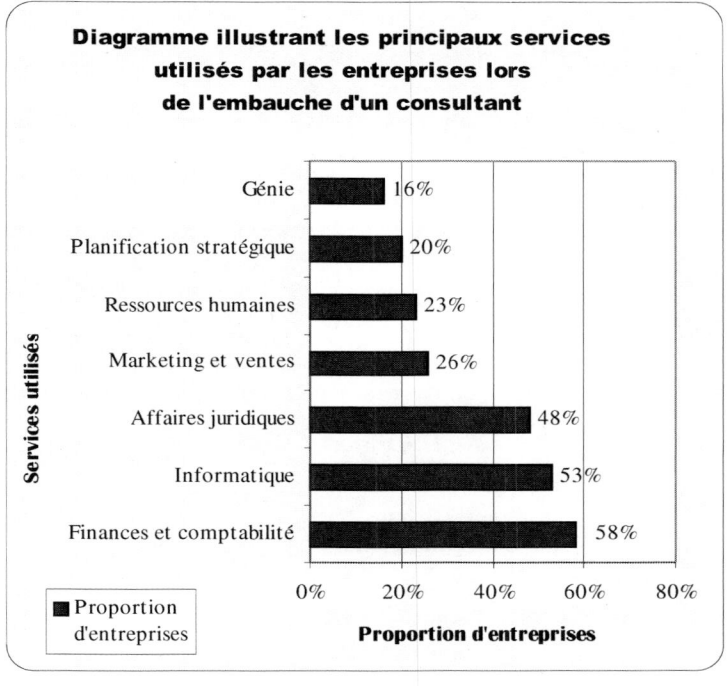

Diagramme illustrant les principaux services utilisés par les entreprises lors de l'embauche d'un consultant

○ «Selon un sondage* effectué pour le compte de l'Institut des fonds d'investissement du Canada (IFIC), 62% des Canadiens dont le revenu familial est supérieur à 60 000$ seront enclins à investir dans les fonds communs de placement au cours des cinq prochaines années. D'autre part, un sondage de Scor Recherche Marketing réalisé pour le Mouvement Desjardins, seulement 36% des investisseurs québécois achètent des fonds communs de placement, alors que 38% affirment avoir recours à l'épargne indicielle».

 **Véhicules de placement**

*Source: Décarie, J-P. *Fonds communs-Un enthousiasme inquiétant*. Journal de Montréal, 31 janvier 2004.

Les diverses conclusions du sondage étaient illustrées à l'aide d'un diagramme similaire à celui présenté ci-après:

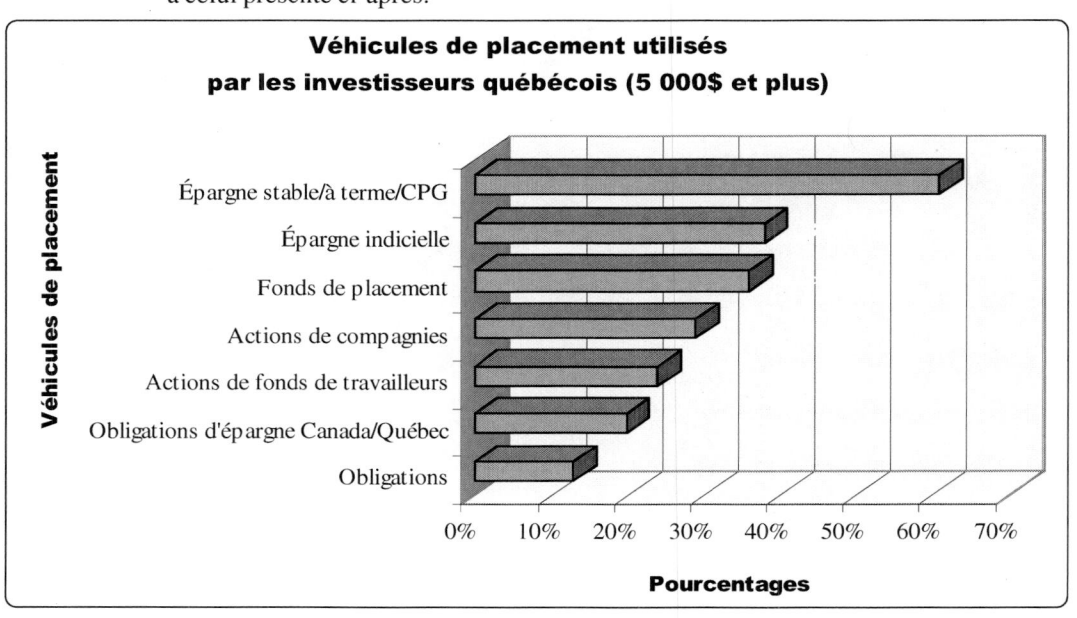

Véhicules de placement utilisés par les investisseurs québécois (5 000$ et plus)

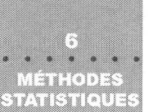

CHAPITRE 1

○ «À la fin du premier trimestre de 2002, on comptait* plus de 11 694 entreprises certifiées ISO 9000 au Canada, dont 6 408 en Ontario et 3 996 au Québec. Par ailleurs, en juin 2002, il y avait au Canada 445 établissements ayant une certification HACCP (norme utilisée dans la transformation alimentaire) dont 110 se trouvaient au Québec».

*Source: Alain Duhamel. *Le Québec prend peu à peu le virage de la qualité.* Journal LES AFFAIRES, 5 octobre 2002 et Mouvement québécois de la qualité.

Parts de marché Banques

○ **«La CIBC* et la Banque Royale en perte de vitesse auprès de PME**. Les caisses populaires et les caisses de crédit gagnent du terrain. Depuis 1989, les deux plus grandes banques canadiennes ont vu leurs parts du marché des PME diminuer au profit, notamment, des caisses populaires et des caisses de crédit.»

Ces affirmations étaient fondées sur le tableau de données ci-après; nous avons également présenté cette information à l'aide d'un diagramme fait à l'aide d'Excel de Microsoft.

Institutions	2000	1989	Variation
Banque Royale	21,2%	24,3%	-3,1%
CIBC	13,3%	19,3%	-6,0%
Banque de Montréal	12,6%	10,1%	+2,5%
Banque TD	12,1%	12,5%	-0,4%
Banque Scotia	11,2%	9,3%	+1,9%
Banque Nationale	5,0%	5,1%	-0,1%
Caisse pop./ de crédit	17,1%	13,4%	+3,7%
Autres institutions	7,5%	6,0%	+1,5%

*Source: Louise Bernard . «La CIBC et la Banque Royale en perte de vitesse auprès de PME». LES AFFAIRES, 23 septembre 2000.

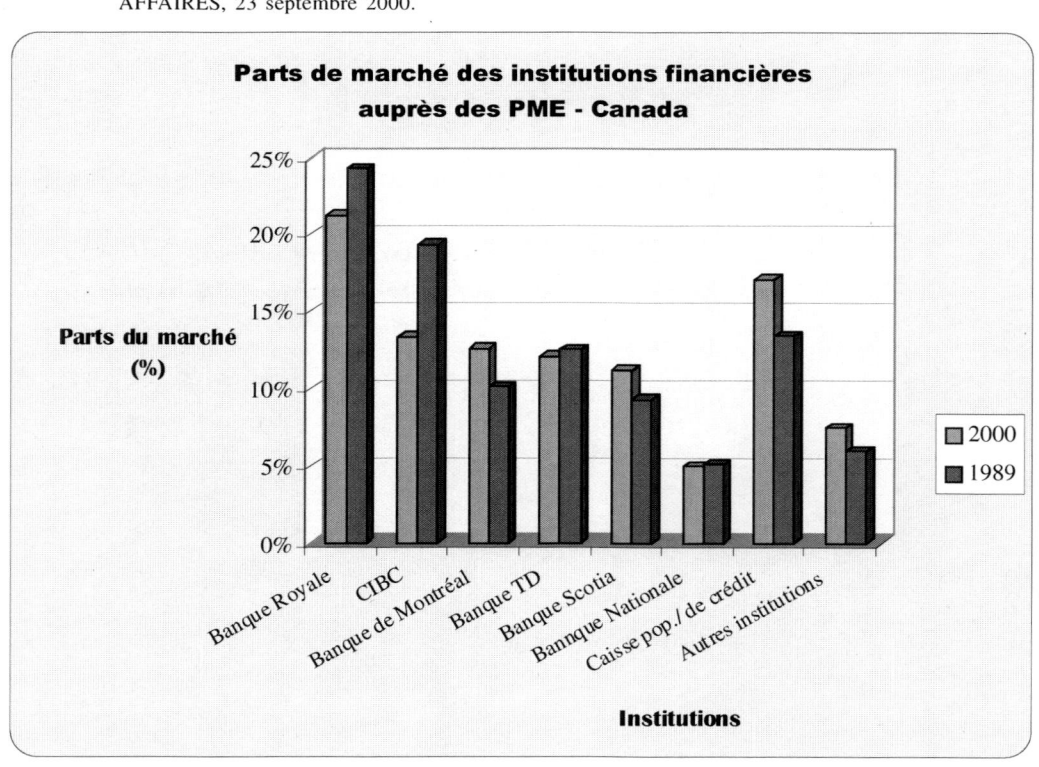

 **Environnement**

○ «**Les entreprises se préoccupent plus de l'environnement**» selon un sondage* commandé par la Fondation de la Faune du Québec à la firme Léger Marketing afin de cerner le sentiment de la communauté d'affaires québécoises à l'égard de la biodiversité.

Les résultats présentés ci-après sous forme de diagramme ont été obtenus à partir de la question suivante:

> ### Intentions des entreprises
>
> Est-ce que votre entreprise envisage de prendre des mesures pour améliorer la situation de la biodiversité, des espèces en péril et des habitants au Québec?

Parmi les autres autres données marquantes du sondage, on compte davantage d'entreprises (48% contre 45%) ayant adopté une politique environnementale ou une politique de développement durable.

*Source : R. Vézina. *Les entreprises se préoccupent plus de l'environnement*. LES AFFAIRES, 31 juillet 2004.

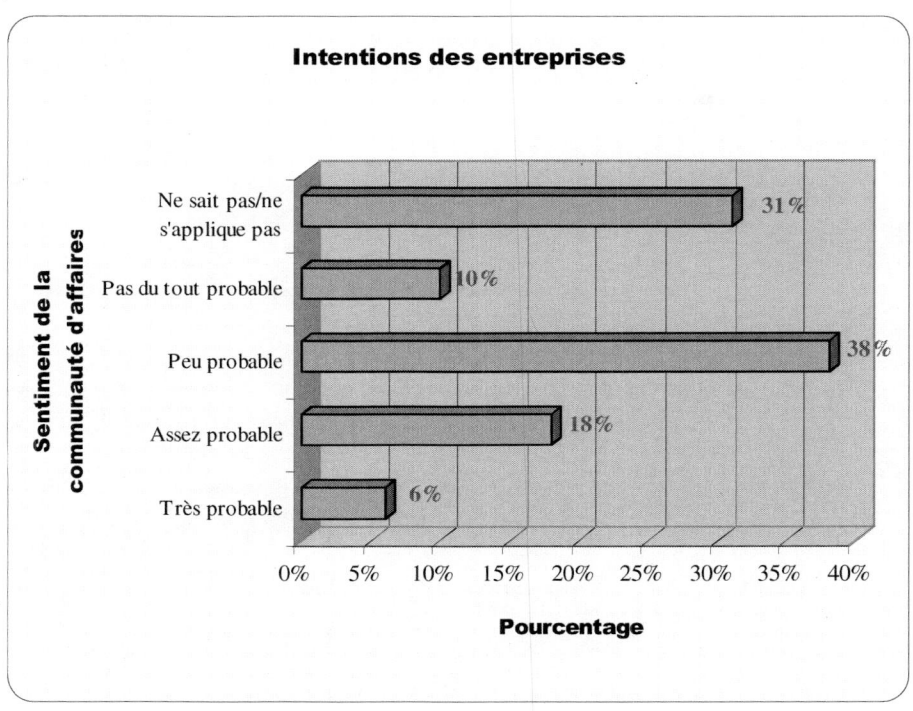

○ «**Les Québécois voyagent au Québec pendant leurs vacances d'été**. C'est ce qui ressort d'un sondage Léger marketing, réalisé du 2 au 8 juin 2004 auprès de 1 500 Canadiens adultes. En effet, le sondage révèle que 61 pour cent des Québécois interrogés ont l'intention de voyager principalement au Québec pour leurs vacances cet été».

*Source: Lévesque, L. *Les Québécois voyagent au Québec pendant leurs vacances d'été*. Presse Canadienne. Le Nouvelliste, 12 juillet 2004.

Cette information numérique - ou *données* - s'apparente dans le langage courant à ce que nous appelons des *statistiques*. Cette conception populaire des statistiques de résumer un ensemble de données soit par des tableaux ou graphiques, ou encore par

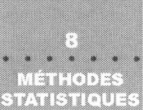
des pourcentages ou moyennes ne représente qu'une minime partie du domaine de la statistique.

Statistique

En effet, le mot *statistique*, lorsque pris sous forme singulière est une science qui englobe un ensemble de méthodes et de théories appliquées à l'analyse de phénomènes et de données dont le comportement ne peut être décrit avec exactitude, mais plutôt être analysé dans un contexte d'incertitude. Le but ultime de l'utilisation de ces méthodes et modèles est d'arriver à des conclusions pratiques pour éventuellement proposer des recommandations et des mesures correctives s'il y a lieu ou encore pour mieux comprendre ces phénomènes et éventuellement en prévoir le comportement.

On désigne aussi sous le vocable *statistique* une quantité particulière calculée à partir d'un échantillon comme la moyenne arithmétique, l'écart-type, la proportion de PME possédant un site Web, ...

L'application des outils statistiques est courante. Elle fait fréquemment partie d'un travail d'investigation expérimentale où l'on doit recueillir, analyser et interpréter des données avec des outils objectifs pour être en mesure de tirer des conclusions valables et d'en dégager les recommandations pratiques qui s'imposent.

L'objectif de cet ouvrage est de présenter un certain nombre d'outils statistiques et probabilistes en insistant sur l'utilisation que l'on peut en faire dans différents secteurs des sciences de la gestion à l'aide d'applications diverses.

Voici trois exemples comportant divers types de données et dont l'analyse nécessite les techniques appropriées.

Exemple 1.1

Divers types de données

a) Caractéristiques personnelles de dirigeants de PME

Dans une recherche visant à mettre en relation les pratiques de gestion financière à court terme et la vulnérabilité financière des PME, on a obtenu les données de la page suivante (présentées dans une feuille Excel) sur les caractéristiques personnelles de 85 dirigeants de PME dont l'existence est de 10 ans et moins.

> ▸ **Âge:** Âge de l'entrepreneur (années)
>
> ▸ **Direction:** Nombre d'années passées à la direction de la présente entreprise
>
> ▸ **Expérience:** Nombre d'années d'expérience dans le secteur d'activités
>
> ▸ **Scolarité:** Niveau de scolarité le plus élevé atteint comme indicateur du degré de formation
>
>   1. Primaire ❏
>
>   2. Secondaire ❏
>
>   3. Collégial ❏
>
>   4. Universitaire ❏
>
> ▸ **Spécialisation:** Spécialisation en comptabilité ou en finance à titre de mesure de compétences en gestion financière
>
>   ❏ Oui   ❏ Non

---

*Source: Adapté de Therrien, C. *L'effet de l'utilisation de pratiques de gestion financière à court terme sur la vulnérabilité financière en fonction de l'âge des PME.* Mémoire de recherche, UQTR, juin 2003.

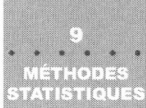

**Exemple 1.1 a)
Extrait du fichier de données**

	A	B	C	D	E	F
3	Dirigeant	Âge	Direction	Expérience	Scolarité	Spécialisation
4	1	48	9	18	2	non
5	2	43	7	14	4	non
6	3	42	6	13	3	non
7	4	46	8	16	1	non
8	5	45	8	15	4	non
9	6	45	8	15	2	non
10	7	38	6	13	3	non
11	8	46	8	16	4	oui
12	9	43	7	13	3	non
13	10	42	6	12	3	oui
14	11	44	7	15	4	non
15	12	42	6	12	3	oui
16	13	46	8	16	3	non
17	14	44	7	14	2	non
18	15	37	5	14	4	non
19	16	44	7	14	4	non
20	17	42	6	12	3	oui

Logiciels de traitement de données

Il existe sur le marché plusieurs logiciels statistiques, dont SPSS, MINITAB, SAS, Statistica, ...
Nous ferons usage dans cet ouvrage, du tableur Excel de Microsoft et des logiciels statistiques SPSS et MINITAB.

b) Résultats à un test d'aptitude: test de spatialisation[1]

Les données* suivantes correspondent aux résultats obtenus au test de spatialisation par des postulants à un poste d'opérateur dans une usine de tranformation de la région de l'Estrie (test faisant partie de la batterie de tests connue sous le nom de BGTA: batterie générale de tests d'aptitudes).

Exemple 1.1 b)

Sujet	Score	Sujet	Score	Sujet	Score	Sujet	Score	Sujet	Score
1	79	15	105	29	99	43	96	57	79
2	148	16	135	30	134	44	109	58	73
3	109	17	92	31	76	45	63	59	102
4	82	18	105	32	76	46	82	60	79
5	109	19	122	33	92	47	73	61	102
6	118	20	115	34	79	48	89	62	86
7	109	21	99	35	122	49	109		
8	86	22	96	36	112	50	82		
9	96	23	112	37	80	51	86		
10	102	24	102	38	109	52	102		
11	128	25	82	39	102	53	89		
12	118	36	125	40	79	54	86		
13	125	27	86	41	102	55	112		
14	107	28	80	42	132	56	66		

*Source: Nous remercions le professeur Normand Pettersen du département des sciences de la gestion de l'UQTR pour nous avoir fourni les données.

[1]Le test de spatialisation permet de mesurer l'aptitude à concevoir visuellement des formes géométriques et à comprendre la représentation d'objets en deux dimensions, à distinguer les rapports qui résultent du mouvement d'objets dans l'espace.

❑ Comment peut-on rendre plus intelligible cette série de données?

❑ Quelles sont les représentations graphiques qui sont requises pour mieux visualiser le comportement de cette variable et quelle interprétation peut-on en faire?

❑ Existe-t-il des valeurs typiques qui permettraient de résumer l'ensemble des données?

❑ Existe-t-il des valeurs aberrantes? Une valeur aberrante ici (sur le côté supérieur) pourrait vouloir dire une candidature exceptionnelle!

c) Sondage pour mieux cerner les besoins en nouvelles technologies

Voici quelques questions utilisées lors d'un sondage pour mieux répondre aux besoins de nouvelles technologies.

La première question requiert le degré d'accord sur les nouvelles technologies.

❶ a) Il est important pour vous de connaître les nouvelles technologies dès qu'elles sont disponibles sur le marché.

   ❑ Totalement   ❑ Assez   ❑ Assez en   ❑ Totalement
      d'accord   d'accord   désaccord   en désaccord

b) En général, vous êtes parmi les premières personnes à utiliser les nouveautés technologiques.

   ❑ Totalement   ❑ Assez   ❑ Assez en   ❑ Totalement
      d'accord   d'accord   désaccord   en désaccord

❷ Quel est votre degré d'intérêt pour une carte à puce offrant de multiples fonctions?

   ❑ Très   ❑ Assez   ❑ Peu   ❑ Pas du tout
    intéressé   intéressé   intéressé   intéressé

❸ Incluant vous-même, combien de personnes vivent présentement chez vous?

   ❑ 1   ❑ 2   ❑ 3   ❑ 4   ❑ 5   ❑ 6   ❑ 7   ❑ 8

❹ À quel groupe d'âge appartenez-vous?

   ❑ Moins de 18 ans   ❑ De 45 à 54 ans
   ❑ De 18 à 24 ans   ❑ De 55 à 64 ans
   ❑ De 25 à 34 ans   ❑ 65 ans ou plus
   ❑ De 35 à 44 ans

———

Adapté de Sondage Bell, septembre 1999.

Quelle échelle de mesure correspond à chacune de ces questions? Quel traitement statistique est approprié pour chacune des questions? Quels sont les diagrammes appropriés pour visualiser les résultats?

Ces aspects sont traités à l'aide de méthodes utilisées en *analyse descriptive de données*. L'analyse descriptive des données permet de donner un sens, une expression à l'information recueillie.

1.2   Types de recherche et collecte de données

La réalisation d'une enquête pour connaître, par exemple, les habitudes de consommation d'individus ou pour réaliser une étude de marché ou encore pour mesurer la satisfaction d'un service à la clientèle comporte diverses étapes.

Ces diverses étapes suivent une démache structurée et peuvent se résumer comme suit:

Étapes à suivre pour réaliser l'élaboration d'une étude statistique

❑ **Analyse de la situation.** Il faut d'abord identifier la situation problématique (par exemple, un changement dans les habitudes de consommation qui affectent le volume des ventes).

❑ **Identification des informations à recueillir.** Identifier les informations pertinentes qui peuvent être liées à la situation problématique (par exemple qu'est-ce qui explique la baisse du chiffre d'affaires d'un certain produit? Profil socio-démographique des consommateurs, style de vie, parts de marché des concurrents, ...)

Types de recherche

❑ **Choix du type de recherche et de la méthode de collecte de données.** Doit-on effectuer une *recherche exploratoire* (recherche qui permet d'analyser la situation problématique et qui vise à élaborer des hypothèses possibles sur les causes du problème ou de l'insatisfaction), une *recherche descriptive* (recherche qui consiste à décrire une situation comme par exemple quelles sont les habitudes de consommation d'un certain groupe d'âge, le profil socio-démographique de propriétaires de cinéma-maison, ... L'enquête à l'aide d'un questionnaire est l'outil de mesure approprié pour ce type de recherche, celle-ci pouvant être par correspondance, par téléphone, en milieu de travail, par Internet, ...

Le troisième type de recherche consiste en la *recherche causale* ou *explicative* dont l'objectif est de déterminer si les variations d'une variable ont un effet sur une autre variable ou encore si on peut expliquer le comportement d'une variable à l'aide d'une autre variable. Par exemple, quel est l'impact sur les ventes d'un magasin d'une campagne de publicité?

Nous résumons ci-après les principales caractéristiques des divers types de recherche (objectifs, nature des données à recueillir, méthodologie de la recherche).

Tableau 1.1
Caractéristiques de divers types de recherche

Types de recherche	Objectifs	Nature des données	Méthodologie	
			Sources d'information	Échantillonnage
❑ Recherche exploratoire	● Découvrir la nature générale du problème ● Formuler des hypothèses	Souvent de nature qualitative	● Entrevues avec des personnes-ressources ● Fichiers clients ● Analyse documentaire ● Web	● Petits échantillons représentatifs ou non ● Échantillon volontaire
❑ Recherche descriptive	● Caractériser quantitativement une situation donnée ● Estimer certains paramètres de la population ● Évaluer quantitativement l'occurence d'un fait, d'un comportement	De nature quantitative	● Enquêtes diverses à l'aide d'un questionnaire ● Observation directe avec une grille d'observation	● Échantillon important et généralement représentatif de la population
❑ Recherche causale ou explicative	● Tester des hypothèses statistiques ● Déterminer les variables explicatives significatives ● Déterminer la force du lien entre deux variables	Surtout de nature quantitative	● Enquêtes à l'aide d'un questionnaire ● Expérimentation (soit en laboratoire, soit sur le terrain)	● Échantillon représentatif de la population ● Collecte de données à l'aide d'un plan d'expérience (méthode avancée)

❑ **Identification des outils d'investigation et plan de sondage.** Cette étape consiste à préciser l'instrument de mesure de l'information qu'on veut recueillir. Cet instrument peut se présenter sous forme d'*étude documentaire* (surtout utilisé dans une recherche exploratoire pour améliorer la connaissance du sujet), sous forme d'une *grille d'observation* (surtout utilisé dans une recherche descriptive pour décrire le comportement et les habitudes de consommateurs, analyser la fréquence des comportements, ...), sous forme d'*enquête* soit par l'entretien

Préparation du
questionnaire

Nous donnons à la sec-
tion 1.13 les principa-
les étapes à suivre dans
la préparation d'un
questionnaire; nous
traitons également des
différents types de
questions les plus cou-
rantes.

(individuel ou en groupe), soit par le *questionnaire*. Cette dernière forme d'investigation est utilisée dans une recherche descriptive ou une recherche causale.

L'élaboration du plan de sondage repose sur certaines considérations de nature
statistique et probabiliste. Il faut d'abord bien identifier le cadre de référence de la
population qu'on veut sonder (les bases de données de divers organismes sont
un outil précieux, si vous pouvez y avoir accès), déterminer la taille d'échantillon
(qui est habituellement fixée pour ne pas excéder une certaine marge d'erreur
statistique dans les estimations qu'on fera lors de l'analyse des données), préciser la méthode d'échantillonnage des unités statistiques (qui correspondent dans
la plupart des cas à des individus) pour constituer l'échantillon. La méthode d'échantillonnage peut être probabiliste ou non probabiliste. Ces différents aspects du
plan d'échantillonnage (construction de l'échantillon, méthodes d'échantillonnage et taille de l'échantillon requis pour estimer une proportion ou une moyenne)
sont traités abondamment au chapitre 6.

❏ **Traitement statistique et codage des données.** Cet aspect est fondamental
et est lié directement à la rédaction du questionnaire. Il faut préparer à l'avance un
plan de traitement statistique pour s'assurer que les réponses fournies par l'enquête se présentent dans une forme adéquate pour le traitement et l'analyse des
données.

Les outils statistiques et graphiques utilisés pour l'analyse des données est en
fonction du type de données recueillies (nous traitons de cet aspect dans une
section subséquente). La formulation des questions doit tenir compte du traitement statistique éventuel et répondre aux objectifs de la recherche.

Pour procéder à un traitement informatique des résultats du sondage, il faut être en
mesure d'associer un code numérique à chaque réponse, à moins que celle-ci soit
de nature textuelle. La tâche est facilitée grandement si les réponses sont de nature
numérique ou que les modalités de réponses sont fixées au préalable (avec
précodification).

❏ **Rédaction du rapport d'étude.** Une fois l'analyse des données complétée, on
doit effectuer une synthèse des résultats et les mettre en relation avec les objectifs
de l'étude. Il ne faut pas oublier que ce rapport d'étude s'adresse habituellement
à des gestionnaires; le rapport doit être écrit dans une perspective managériale. Il
doit servir comme outil de référence d'aide à la décision. Nous présentons au
chapitre 13 comment structurer un rapport d'étude; nous nous servons d'une
analyse préliminaire concernant la mise en marché d'un sac à dos muni d'un
coussin amovible* pour en faire l'illustration.

*Source: Étude effectuée par Valérie Gauthier et Martine Rheault avec la participation de Martin
Mineau et Michel Cyr dans le cadre d'un cours d'Introduction au marketing, UQTR, novembre 2003.

1.3   Statistique descriptive et statistique inférentielle

L'*analyse des données* peut comporter plusieurs aspects qui sont habituellement regroupés sous deux thèmes soit la *statistique descriptive* et la *statistique inférentielle*.

La *statistique descriptive* permet de rendre plus intelligible une série d'observations en permettant de dégager les caractéristiques essentielles (moyenne, médiane,
écart-type, proportion,...) qui se dissimulent dans une masse de données. La présentation sous forme de tableaux, de diagrammes ou de graphiques permet d'illustrer
l'essentiel des résultats d'une enquête.

Statistique descriptive et
statistique inférentielle

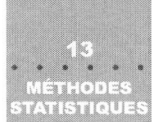
La *statistique inférentielle,* par contre, permet de tirer des conclusions sur tout le phénomène ou encore d'effectuer une analyse statistique plus approfondie avec les techniques statistiques appropriées (estimation par intervalle de confiance, tests d'hypothèses statistiques, analyses de corrélation et de régression, analyse statistique de tableaux croisés,...) en autant que certaines règles et conventions (comme par exemple le choix de l'échantillon, aspect que nous traitons subséquemment) ont été respectées. Ces conclusions comportent une marge d'erreur statistique qui peut être calculée.

Nous schématisons à la page 14, les principaux éléments qui constituent la statistique descriptive et la statistique inférentielle.

Analyse univariée et analyse bivariée

Dans le cas d'études de marché utilisées en recherche marketing, on utilise également les termes *analyse univariée*, lorsque les données associées aux diverses questions sont analysées individuellement (dépouillement, statistiques descriptives, intervalle de confiance sur certains paramètres), *analyse bivariée* lorsqu'une variable est associée à une autre variable lors du traitement statistique des données (tableau croisé, analyse de corrélation).

1.4   Les probabilités

Plusieurs phénomènes socio-économiques auxquels on peut s'intéresser comportent l'effet du hasard. De tels phénomènes sont caractérisés par des données qui varient d'une expérience à l'autre (même sous des conditions identiques). L'utilisation des outils statistiques exige donc de penser en termes d'improbable, d'incertitude et de marge d'erreur. Les conclusions seront entachées d'une certaine incertitude: cette incertitude doit être prise en considération: elle doit être évaluée. La théorie des probabilités permet de calculer ce risque.

Nous examinons d'abord divers aspects de l'analyse descriptive des données (chapitres 1 et 2) puis nous poursuivons avec l'étude de certains concepts probabilistes et de modèles probabilistes (chapitres 3, 4 et 5). Finalement, nous traitons de techniques statistiques puissantes utilisées (chapitre 6 et les suivants) pour inférer les conclusions de notre investigation à la population (au sens large du terme) concernée soit à l'aide de méthodes d'estimation, de tests d'hypothèses statistiques, de corrélation, de régression, d'analyse de variance et de régression multiple.

1.5   Quelques notions fondamentales

Avant d'aborder les différents types d'échelles de mesure utilisées dans le domaine de la statistique, précisons certains termes qui seront utilisés subséquemment. Nous ne donnons ici qu'un vocabulaire de base; d'autres termes associés à la statistique seront définis au moment opportun.

1.5.1 Ensemble statistique - Population statistique - Unité statistique

Un des objectifs de la statistique est d'étudier les propriétés numériques *d'ensembles* comportant de nombreux *individus* ou *unités statistiques*. Ainsi la réunion de toutes les unités statistiques possibles (ou éléments ou individus) constitue *l'ensemble statistique* ou *la population statistique*.

Ce sont sur les unités statistiques (ou individus au sens large) que sont recueillies les données. Il est important que la population étudiée soit définie correctement pour que l'on puisse dire si une unité statistique appartient ou non à la population.

Voici quelques exemples de populations et d'unités statistiques (voir page 15).

Schématisation des principaux éléments de la statistique descriptive et de la statistique inférentielle

Analyse de données

Statistique descriptive

▸ Collecte de données

▸ Tri de données

▸ Dépouillement selon une distribution de fréquences

▸ Visualisation selon divers diagrammes

▸ Construction de tableaux croisés

▸ Calculs de mesures de tendance centrale

▸ Calculs de mesures de dispersion

Statistique inférentielle

▸ Appliquer des méthodes d'échantillonnage appropriées à une population donnée

▸ Estimer les paramètres de la population (moyenne, variance, proportion, ...) par intervalle de confiance

▸ Formuler des hypothèses et les confirmer avec des tests statistiques

▸ Vérifier les hypothèses fondamentales requises par le test statistique

▸ Établir des relations entre variables

▸ Comparer les paramètres de plusieurs populations

▸ Effectuer des prévisions

Schématisation Population et unités statistiques

Population

Unités statistiques

Exemple 1.2

Description de population statistique et d'unités statistiques

a) Une association professionnelle regroupe 3000 membres. On veut effectuer une étude auprès des membres sur l'impact humain des nouvelles technologies. Les 3000 membres constituent la population statistique; chaque membre est une unité statistique de cette population.

b) Une étude porte sur les profits des usines établies au Québec et employant plus de 100 personnes. L'ensemble des usines établies au Québec et employant plus de 100 personnes constituent la population statistique; chaque usine de cette population constitue une unité statistique.

c) Un sondage a été effectué en février 2001 par Ipsos-Reid et réalisé auprès de 1 500 travailleurs bénéficiant d'un régime d'assurance collective. On veut évaluer , pour ces travailleurs le niveau de stress au travail. La population est constituée de l'ensemble des travailleurs bénéficiant d'un régime d'assurance collective; chaque travailleur bénéficiant d'un régime d'assurance collective constitue une unité statistique.

Statistique Canada définit une unité statistique comme suit: une unité statistique est une unité d'observation ou de mesure pour laquelle les données sont recueillies ou dérivées. (http://www.statcan.ca/)

De ces exemples, on constate qu'une population présente des caractères propres qui se retrouvent chez toutes les unités statistiques qui la composent. Ainsi les membres de l'association professionnelle se caractérisent par leur rémunération; les usines se caractérisent par leur profit. La population est donc constituée d'un ensemble d'unités statistiques satisfaisant à une définition commune et constituant la collectivité à laquelle on s'intéresse.

On pourrait également interpréter la population comme étant l'ensemble des mesures observées mais il semble plus pratique et compréhensible de se référer à l'ensemble des unités statistiques (tels les individus) au lieu de mesures (valeurs) prises par ces unités statistiques, bien que l'intérêt fondamental est toujours sur les valeurs prises par les unités statistiques et non sur les unités elles-mêmes.

1.5.2 Variables (caractères)

Dans une étude spécifique, on peut s'intéresser à certaines particularités des unités statistiques (ou des individus). Ces particularités que nous appelons *variables* (ou *caractères*) seront également celles de la population. On peut aussi mesurer sur la même unité statistique plusieurs variables.

Ces caractères peuvent être l'âge d'un individu, la taille, l'âge d'une entreprise, le quotient intellectuel, l'état matrimonial, le lieu d'habitation, l'évaluation du rendement, le nombre de transactions bancaires, le temps d'exécution d'une tâche répétitive, le niveau de responsabilité des cadres d'entreprises, le nombre de pièces non conformes, la couleur d'un tissu, le chiffre d'affaires, le nombre de travaux exécutés par un service d'informatique, le nombre de transmissions de commande, le nombre d'heures de travail, le nombre de visites sur un site Internet,... .

Dans cette liste, on remarque que certains caractères sont mesurables, d'autres non. Ceci nous amène à apporter la distinction suivante.

Une variable est dite qualitative lorsqu'on ne peut qu'identifier son état, sa nature.

Une variable est dite quantitative lorsque les valeurs obtenues pour cette variable correspondent à une mesure vraie, définissant une valeur numérique.

1.5.3 Caractère quantitatif - Caractère qualitatif

Les résultats de l'observation d'un *caractère* (d'une variable) pourront s'exprimer d'une manière *quantitative* ou *qualitative* selon qu'ils sont mesurables ou non.

1.5.4 Modalités des caractères

Les caractères peuvent présenter plusieurs modalités c.-à-d. des spécificités, états ou valeurs qui leur sont propres. Les modalités d'un caractère doivent être définies de telle sorte que toute unité statistique appartienne à une modalité et à une seule. Il est donc nécessaire que les modalités que peut présenter un caractère soient incompatibles et exhaustives.

Exemple 1.3

Modalités de différents caractères

a) Dans le cas d'un caractère qualitatif, les modalités ne sont pas mesurables. Par exemple, dans une étude sur la dextérité manuelle, on pourrait classer les individus selon trois modalités: plus habile de la main gauche, ambidextre, plus habile de la main droite.

b) Dans une enquête sur la perception des nouvelles technologies, on demande d'indiquer «À quel groupe d'âge appartenez-vous?»

Les classes suivantes sont indiquées:

      ○ Moins de 18 ans(1)   ○ De 35 à 44 ans (4)

      ○ De 18 à 24 ans (2)   ○ De 45 à 54 ans (5)

      ○ De 25 à 34 ans (3)   ○ 55 ans et plus (6)

Ces catégories d'âges constituent les modalités ou valeurs du caractère «Âge».

c) Dans une recherche sur la prise en charge multidisciplinaire des travailleurs atteints de maux de dos qui provenaient de l'une ou l'autre des 30 entreprises de la région de Sherbrooke, on a relevé le nombre de travailleurs restant absents de leur poste régulier un an après leur arrêt de travail pour cause de maux de dos. Les modalités du caractère «nombre de travailleurs restant absents» sont les valeurs prises par ce dernier.

d) Dans un effort d'amélioration continue, l'entreprise Westpak prélève au hasard un certain nombre de bons de commande préparés par les employés du département des achats pour vérifier s'ils comportent des non-conformités (date manquante ou incomplète, adresse erronée, no de produit inexact, ...). Les modalités du caractère «nombre de non-conformités par bon de commande sélectionné» sont les valeurs prises par le caractère.

1.5.5 Variable statistique - Variable discrète - Variable continue

Notion de variable statistique

Un caractère qui fait le sujet d'une étude est également connu sous le nom de *variable statistique*. Lorsque cette variable n'est pas susceptible d'une mesure, elle est dite *qualitative*.

Lorsque, au contraire, cette variable peut être exprimée numériquement, elle est dite *quantitative* (ou mesurable).

Dans le cas d'une variable quantitative, son intensité peut être soit mesurée, soit repérée par un nombre qu'on appelle *valeur* de cette variable. Dans le cas d'une variable qualitative, on ne peut qu'identifier sa nature; toutefois la nature de la variable peut être définie par un *code* (une valeur numérique arbitraire). Nous discutons à la section 1.5.7, de façon plus détaillée, du type de données et des échelles de mesure.

Une variable quantitative peut être discrète ou continue. Elle est *discrète* si elle ne peut prendre qu'un *nombre limité* de valeurs (souvent des valeurs entières). Lorsque la variable quantitative peut prendre *toutes les valeurs d'un intervalle fini ou infini*, elle est alors dite *continue*.

Exemple 1.4

Identification de divers types de variables

• • •

En études de marché ou recherche marketing, on utilise «variable métrique» pour identifier une variable quantitative et «variable non métrique» pour identifier une variable qualitative.

a) Dans une étude sur la psychologie du consommateur, on veut connaître l'effet sur les ventes de l'utilisation d'une musique douce comparativement à une musique forte comme musique d'ambiance dans une boutique spécialisée. Le type de musique est une variable de nature qualitative. On ne peut qu'identifier le type utilisé.

b) Dans une entreprise de service, on veut évaluer le temps (en minutes) requis pour répondre à un type de requêtes qui exige une recherche spéciale. La variable «temps requis» est une variable quantitative de nature continue.

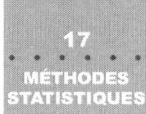
c) On veut analyser le nombre de plaintes reçues par le service à la clientèle d'une grande entreprise. La caractéristique «nombre de plaintes» est une variable quantitative de nature discrète.

d) On veut connaître le nombre d'erreurs de transcription dans un programme informatique. Ce caractère «nombre d'erreurs de transcription» dans un programme informatique est une variable quantitative de nature discrète.

e) Dans un sondage* portant sur l'apprentissage des dirigeants et des cadres supérieurs des organisations membres du Centre francophone d'informatisation des organisations (CEFRIO) et dont l'objectif était d'évaluer l'importance qu'ils accordent à l'amélioration de leurs compétences professionnelles, et de connaître le moyen qu'ils utilisent pour se former et s'informer, on veut connaître le temps consacré au développement des compétences professionnelles. La variable «temps consacré au développement des compétences professionnelles» est une variable quantitative de nature continue.

*Source : Audet, M.et S. Lépinay (1999). *L'acte d'apprendre: passion ou obligation*. CEFRIO, volume 1, n°2, mai 1999.

1.5.6 Variable indépendante et variable dépendante

Lorsque la recherche ou l'expérimentation vise à établir des relations, un des principaux éléments consiste à observer ou à manipuler une ou plusieurs variables et à en examiner l'effet sur une autre variable (par exemple, l'effet sur les ventes hebdomadaires selon le type de publicité et la politique de prix,...).

Ceci nous amène à identifier et à classifier les variables (qu'elles soient qualitatives ou quantitatives) en deux catégories selon leur rôle dans l'expérimentation. On distingue les variables indépendantes (ou explicatives) et les variables dépendantes (ou expliquées).

Variable indépendante (variable explicative) et variable dépendante (variable expliquée)

Les notions de *variable indépendante* et de *variable dépendante* sont importantes lorsqu'on s'intéresse à établir s'il existe un lien entre deux caractères (tableau croisé, chapitre 9) ou qu'on désire développer un modèle de prédiction pour prévoir les valeurs d'une variable dépendante en fonction de une ou plusieurs variables indépendantes (régression, chapitres 11 et 12).

Variable indépendante (ou facteur). La variable indépendante (ou facteur) est une caractéristique qui est sensée avoir un effet ou une influence systématique sur une autre variable. La variable indépendante est observée directement ou manipulée expressément par l'expérimentateur. Les valeurs que peut prendre la variable indépendante sont appelées *modalités* (ou *niveaux*) de cette variable et une variable indépendante comporte au moins deux modalités. On parlera par exemple, d'une variable indépendante à 2 modalités si elle peut prendre 2 valeurs différentes comme la variable «Sexe de l'employé» (dont les valeurs sont masculin et féminin) ou à 3 modalités (ou niveaux) si elle peut prendre 3 valeurs différentes comme la variable «Aménagement de l'espace de travail» (dont les valeurs pourraient être Aménagement A, Aménagement B, Aménagement C) et ainsi de suite.

Variable dépendante (ou réponse). La variable dépendante est une caractéristique dont on observe les variations et dont on tente d'expliquer le comportement à partir d'une ou de plusieurs variables indépendantes. C'est la variable dont on veut comprendre les différents états et dont l'expérimentateur enregistre les résultats (par exemple «Le temps d'assemblage d'un sous-produit selon l'aménagement de l'espace de travail »).

Exemple 1.5

Identification de variables dépendantes et de variables indépendantes

a) Une recherche* est effectuée auprès des PME manufacturières qu'elles soient ou non utilisatrices d'une innovation technologique (le contrôle numérique) et auprès des ateliers d'usinage.

Cette recherche vise à identifier, à étudier et à hiérarchiser certaines caractéristiques organisationnelles et managériales qui différencient ces trois secteurs au niveau de l'utilisation (ou de la non-utilisation) d'au moins une innovation technologique.

*Source: Julien, P.A., Carrière, J.B., Hébert, L.(1988). *La diffusion des nouvelles technologies dans trois secteurs industriels.* Conseil de la science et de la technologie, Document no 88-03.

• *Variable dépendante.* Présence ou absence d'équipement doté du contrôle numérique par ordinateur au niveau de n'importe lequel des segments de production de l'entreprise. Cette variable prend en fait deux valeurs: la valeur "1" lorsque l'entreprise possède au moins un équipement et la valeur "0" lorsque ce n'est pas le cas.

On a regroupé en quatre catégories les facteurs importants associés à l'adoption d'une innovation technologique en milieu industriel comme suit:

• *Variables indépendantes.* - Le profil du propriétaire-dirigeant

                 - Le profil des cadres

                 - Les caractéristiques générales et structurelles de la firme

                 - Les caractéristiques organisationnelles de la firme.

Dans la catégorie «profil du propriétaire-dirigeant» on retrouve les variables suivantes: l'âge du propriétaire-dirigeant, son niveau de scolarité, s'il possède ou non une formation en génie et son attitude vis-à-vis les changements technologiques.

b) La vice-présidente aux ressources humaines de l'entreprise JPX, veut connaître le niveau de satisfaction au travail des cadres de niveau intermédiaire de l'entreprise, et ceci à l'aide d'un questionnaire établi par un expert-conseil en psychologie industrielle.

On a prélevé un échantillon aléatoire de 20 cadres intermédiaires pour participer à cette étude. On a également relevé dans le fichier du personnel, certaines caractéristiques pouvant être liées au niveau de satisfaction au travail soit la rémunération, l'âge, les années de service avec l'entreprise, le nombre d'années d'expérience associé à la fonction avant l'engagement chez JPX.

• *Variable dépendante.* Niveau de satisfaction au travail.

• *Variables indépendantes (ou explicatives).*

                 - La rémunération (en milliers de dollars)

                 - L'âge (en années)

                 - Les années de service avec l'entreprise

                 - Le nombre d'années d'expérience associé à la fonction avant l'engagement chez JPX.

L'objectif de cette étude est d'établir une relation statistique entre le niveau de satisfaction au travail (variable dépendante) et les quatre variables explicatives mentionnées ci-haut.

Ce type d'analyse fait appel aux techniques de régression multiple que nous traitons au chapitre 12.

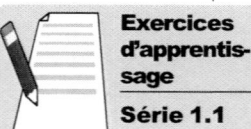

Exercices d'apprentissage

Série 1.1

📄 Identification de différents types de variables

Pour les cas suivants,
- spécifiez l'unité statistique,
- identifiez la variable statistique sur laquelle porte l'étude,
- mentionnez le type de variable (quantitative ou qualitative)
- et précisez, dans le cas où la variable est quantitative, si elle est continue ou discrète.

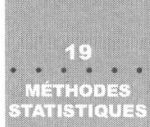

Étude	Unité statistique	Variable statistique	Type de variable Quantitative Qualitative		Variable quantitative Continue Discrète	
a) Âge d'une entreprise	Entreprise	Âge	✔		✔	
b) Chiffre d'affaires d'une entreprise						
c) Nombre d'heures de travail d'un dirigeant						
d) Temps d'accès à un CD-Rom						
e) Salaires annuels d'une main-d'œuvre spécialisée						
f) Nombre de tubes de verre non conformes						
g) Source d'énergie pour le chauffe-eau						

1.5.7 Les échelles de mesure

Échelle nominale, échelle ordinale, échelle d'intervalles et échelle de rapport

Dépendant des buts fixés, dépendant de la qualité de l'information accessible ou disponible, la mesure d'un caractère peut être plus ou moins précise et cette précision de la mesure affectera le traitement statistique qui suivra.

Il existe quatre types d'échelles de mesure: l'échelle nominale, l'échelle ordinale, l'échelle d'intervalles et l'échelle de rapport. Il est essentiel de saisir la subtilité entre ces échelles de mesure et le type de données correspondant dans le cas d'une enquête ou d'un suivi concernant par exemple la qualité d'un service ou d'un sondage concernant la satisfaction d'un produit ou encore pour évaluer la perception d'une marque de commerce,...

Comme nous l'indiquerons subséquemment, le type d'analyse statistique dépend du type de données.

Définitions des types d'échelle de mesure	Exemples
✦ **L'échelle nominale.** Une variable est mesurée sur une échelle nominale si les codes utilisés ne servent qu'à identifier la modalité à laquelle appartient l'unité statistique. Sur cette échelle, il n'y a pas de relation d'ordre entre les codes. Les données correspondantes sont dites *données nominales*.	Les enquêtes comportent fréquemment des variables mesurées sur une échelle nominale. Sexe de l'individu: féminin, masculin Statut: célibataire, marié(e), veuf, ... Région: urbaine, semi-urbaine, rurale, éloignée Rôle organisationnel: cadre supérieur, intermédiaire,... Classification d'un produit: conforme, non conforme.
On ne peut effectuer aucune opération arithmétique avec des données nominales; on ne peut qu'identifier sa modalité.	
✦ **L'échelle ordinale.** Une variable est mesurée sur une échelle ordinale si les codes utilisés permettent non seulement d'identifier la modalité à laquelle appartient l'unité statistique mais également d'établir une relation d'ordre entre les modalités observables et par le fait même, entre les unités statistiques. Les données recueillies dans l'échantillon sont dites *données ordinales*.	Les exemples suivants illustrent des variables mesurées sur une échelle ordinale. Potentiel entrepreneurial: faible, moyen, élevé Groupe d'âge: moins de 18, de 18 à 24, de 25 à 29, de 30 à 34, de 35 à 44, de 45 à 54, ... Niveau de scolarité: primaire, secondaire, collégial, universitaire Niveau d'appréciation d'un produit: Très bonne qualité, bonne qualité, qualité moyenne,...
On ne peut que mettre en ordre les différentes modalités.	

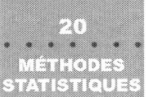

Définitions des types d'échelle de mesure	Exemples
✦ **L'échelle d'intervalles.** Une variable est mesurée sur une échelle d'intervalles si les codes utilisés permettent non seulement d'identifier la modalité à laquelle appartient l'unité statistique et d'établir un ordre entre les modalités observables mais aussi s'ils nous informent de l'écart (la distance) séparant deux modalités (ou deux unités statistiques). Elle suppose le choix d'une unité de mesure qui est répartie uniformément sur l'échelle. Un écart d'une unité ou de dix unités (en terme de distance) fournit la même information peu importe où l'on se situe sur l'échelle de mesure. Sur cette échelle la position du zéro est arbitraire. Les données recueillies dans l'échantillon sont dites *données d'intervalles*. On peut additionner et soustraire les données d'intervalles.	L'exemple suivant permet de mieux saisir l'échelle d'intervalles. Dans une étude sur la consommation d'énergie électrique, on a posé la question suivante: A quelle valeur réglez-vous normalement votre thermostat durant le jour? ____ ^{0}C. Le caractère quantitatif «réglage du thermostat» est mesuré sur une échelle d'intervalles. La valeur 0^0 C ne veut pas dire absence totale de chaleur. Ici le zéro est un point de référence arbitraire. Notons qu'un écart de 10^0 C entre 15^0 C et 25^0 C a la même signification qu'un écart de 10^0 C entre 20^0 C et 30^0 C.
✦ **L'échelle de rapport.** Une variable est mesurée sur une échelle de rapport si les codes correspondants possèdent les propriétés des codes d'une échelle d'intervalles et si le zéro constitue un zéro absolu. La valeur 0 indique l'absence complète du caractère que l'on mesure. C'est l'échelle de mesure avec laquelle nous sommes le plus familier dans la vie courante. Les données correspondantes sont dites *données de rapport*. On peut additionner, soustraire, multiplier et diviser les données de rapport.	Les exemples suivants illustrent des variables mesurées sur une échelle de rapport. Le chiffre d'affaires d'une entreprise. Le temps de réponse d'un système informatique. Le nombre d'employés d'une entreprise Le nombre d'heures de travail.

Exemple 1.6   **Questions et échelles de mesure**

Dans le but de mieux servir ses lecteurs et lectrices et de cerner une partie de son marché, voici quelques questions qui ont été posées dans un magazine d'une compagnie aérienne (octobre 1999).

Q1) *Sexe* 1 ❑ Masculin 2 ❑ Féminin   *nominal*
Q2) *Âge* 1 ❑ 18-24   2 ❑ 25-54   3 ❑ 55+ *ordinal*
Q3) *But du voyage*   1 ❑ Affaires   2 ❑ Agrément/Vacances   3 ❑ Personnel *no*
Q4) *Est-ce que votre destination est:*   1 ❑ à l'intérieur du Canada   2 ❑ à l'extérieur du Canada
Q5) *Nombre de voyages aériens effectués* au cours de la dernière année   *no*
     1 ❑ 1-2 2 ❑ 3-6   3 ❑ 7-10   4 ❑ 11-14   5 ❑ 15+   *or*
Q6) *Revenu familial annuel* :
     1 ❑ moins de 75 000$ 2 ❑ 75 000$ - 99 999$
     3 ❑ 100 000$ -149 999$ 4 ❑ 150 000$+   *or*

Une variable qui est mesurée sur une échelle nominale est de nature qualitative.

Une variable qui est mesurée sur une échelle d'intervalles ou de rapport est de nature quantitative.

Une variable qui est mesurée sur une échelle ordinale peut être de nature qualitative (degré d'appréciation d'un produit) ou de nature quantitative (catégories salariales).

Les échelles de mesure utilisées pour chacune des questions sont les suivantes:

Questions	Échelle de mesure
Q1	Nominale
Q2	Ordinale
Q3	Nominale
Q4	Nominale
Q5	Ordinale
Q6	Ordinale

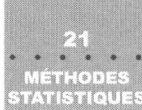

Exercices d'apprentis-sage

Série 1.2

📄 Échelles de mesure pour diverses variables

Dans une recherche effectuée auprès de deux entreprises du secteur des pâtes et papier de la région de l'Estrie, on a mesuré à l'aide d'un questionnaire divers aspects concernant la satisfaction au travail de contremaîtres.

Dans une section du questionnaire concernant l'emploi, on a posé les questions suivantes:

quali

Q1: Quel emploi ou profession exercez-vous présentement?   *no*

Veuillez préciser: _____

Q2: Depuis combien de temps êtes-vous sur le marché du travail?   *or*   *quanti*

Moins de 1 an	❏ 1	De 10 à moins de 13 ans	❏ 5
De 1 à moins de 4 ans	❏ 2	De 13 à moins de 16 ans	❏ 6
De 4 à moins de 7 ans	❏ 3	16 ans et plus	❏ 7
De 7 à moins de 10 ans	❏ 4		

Q3: Depuis combien de temps êtres-vous à l'emploi de l'organisation pour laquelle vous travaillez actuellement?   *or*   *quanti*

Moins de 1 an	❏ 1	De 10 à moins de 13 ans	❏ 5
De 1 à moins de 4 ans	❏ 2	De 13 à moins de 16 ans	❏ 6
De 4 à moins de 7 ans	❏ 3	16 ans et plus	❏ 7
De 7 à moins de 10 ans	❏ 4		

Q4: Depuis combien de temps occupez-vous le poste que détenez actuellement?   *or quanti*

Moins de 1 an	❏ 1	De 10 à moins de 13 ans	❏ 5
De 1 à moins de 4 ans	❏ 2	De 13 à moins de 16 ans	❏ 6
De 4 à moins de 7 ans	❏ 3	16 ans et plus	❏ 7
De 7 à moins de 10 ans	❏ 4		

Q5: Dans l'organisation ou l'entreprise où vous travaillez présentement, votre salaire est de: *or quanti*

39 999$ et moins	❏ 1
40 000 à 49 999$	❏ 2
50 000 à 59 999$	❏ 3
60 000 à 69 999$	❏ 4
70 000$ et plus	❏ 5

Q6: S'agit-il d'un travail   *no*

À temps plein? ❏ 1   À temps partiel? ❏ 2   *quali*

a) Pour chacune des questions posées, identifier le type de variable qui est concerné.
b) Pour chacune des questions posées, préciser l'échelle de mesure utilisée.

1.5.8 Échantillon - Échantillon aléatoire

Un *échantillon* est un groupe restreint (ou sous-ensemble) d'unités statistiques tirées de la population (dite également population-mère ou parente) préalablement définie. Le nombre d'unités détermine la *taille* de l'échantillon.

Un *échantillon aléatoire* est un sous-ensemble d'unités statistiques recueilli d'une manière telle que les résultats de l'analyse pourront être étendus (on emploie également le terme inférer) à la population. Nous traiterons, d'une façon plus approfondie, de cet aspect important de la statistique dans la partie «inférence statistique» de cet ouvrage (chapitre 6 et les suivants). Mentionnons toutefois qu'une méthode d'échantillonnage très répandue consiste à obtenir un échantillon en prélevant au *hasard* un sous-ensemble d'unités statistiques de la population.

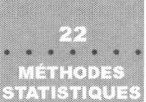

Diverses méthodes sont utilisées pour construire un échantillon, entre autres une table de nombres aléatoires (ou un programme d'ordinateur conçu à cet effet) ou encore par tirage systématique (voir chapitre 6).

1.5.9 Unité de mesure

L'intensité de la variable qui se retrouve à des niveaux différents chez toutes les unités statistiques qui constituent la population (ou l'échantillon) est appréciée avec la même *unité de mesure*, c.-à-d. avec une grandeur finie servant de base à la mesure de toutes les unités statistiques de même espèce. Par exemple, le mètre peut servir comme unité de longueur, le kilogramme comme unité de masse, la seconde comme unité de temps.

1.5.10 Fréquence absolue - Fréquence relative

La *fréquence absolue* (ou effectif) associée à une valeur d'une variable statistique est le nombre de fois que cette valeur se rencontre dans l'échantillon observé (ou dans la population). Dans le cas d'une distribution par classe, la fréquence absolue d'une classe correspondra au nombre de mesures dont les résultats appartiennent à cette classe particulière (nous traitons de cette notion dans une section subséquente).

Fréquence relative:

$$\frac{\text{Fréquence absolue}}{\text{Nombre total de données}}$$

La *fréquence relative* associée à une valeur d'une variable statistique est le rapport entre la fréquence absolue correspondant à cette valeur et le nombre total de valeurs qui ont été observées sur les unités statistiques. Dans le cas d'une distribution par classe, la fréquence relative sera le rapport entre la fréquence absolue d'une classe et la somme des fréquences absolues de toutes les classes (le nombre total de données).

Convention

Nous adopterons comme convention (sauf avis contraire) d'identifier une variable statistique par une lettre majuscule (X, Y, Z,...) et les observations de cette variable par une lettre minuscule. Il est fréquent d'employer X pour identifier une variable statistique et x_1, x_2, ..., x_n pour identifier les n observations de cette variable.

1.6   Exploitation de données d'intervalles/rapport

Nous abordons d'abord l'exploitation des données associées à des variables quantitatives mesurées sur une *échelle d'intervalles/rapport*. Il existe diverses formes de dépouillement de ce type de données; nous traitons ici du dépouillement des données par valeurs, du dépouillement selon une distribution de fréquences absolues avec données groupées en classes ainsi que du dépouillement selon un diagramme en feuilles.

Il existe divers logiciels qui permettent le dépouillement rapide d'une série de données selon une distribution de fréquences absolues; on peut effectuer divers traitements dont un tri des données (en ordre croissant ou décroissant). Ce tri peut être une première étape dans le dépouillement d'une série statistique.

Tri de données

Donnons un premier exemple.

Exemple 1.7   **Tri de données et dépouillement**

Utilisons la variable Direction: nombre d'années passées à la direction de la présente entreprise de l'exemple 1.1a) (caractéristiques personnelles de dirigeants de PME*).

Nous présentons à nouveau les données de cette variable pour les 85 dirigeants dont l'existence des entreprises était de 10 ans et moins.

---

*Source: Adapté de Therrien, C. *L'effet de l'utilisation de pratiques de gestion financière à court terme sur la vulnérabilité financière en fonction de l'âge des PME.* Mémoire de recherche, UQTR, juin 2003.

Tableau 1.2

Données associées à la variable Direction

Dirigeant	Direction	Dirigeant	Direction	Dirigeant	Direction	Dirigeant	Direction
1	9	23	7	45	9	67	8
2	7	24	8	46	9	68	9
3	6	25	7	47	6	69	8
4	8	26	8	48	6	70	8
5	8	27	7	49	8	71	7
6	8	28	6	50	7	72	7
7	6	29	8	51	6	73	7
8	8	30	7	52	7	74	8
9	7	31	7	53	6	75	6
10	6	32	8	54	6	76	6
11	7	33	7	55	7	77	7
12	6	34	7	56	5	78	7
13	8	35	8	57	8	79	7
14	7	36	7	58	7	80	6
15	5	37	7	59	8	81	7
16	7	38	7	60	7	82	7
17	6	39	7	61	8	83	7
18	7	40	7	62	9	84	8
19	8	41	9	63	9	85	6
20	10	42	6	64	9		
21	8	43	5	65	7		
22	7	44	7	66	7		

Si nous ordonnons les valeurs obtenues en ordre croissant, on obtient ce qui suit:

Tableau 1.3

Valeurs ordonnées du nombre d'années passées à la direction de la présente entreprise

Dirigeant	Direction	Dirigeant	Direction	Dirigeant	Direction	Dirigeant	Direction
15	5	14	7	65	7	35	8
43	5	16	7	66	7	49	8
56	5	18	7	71	7	57	8
3	6	22	7	72	7	59	8
7	6	23	7	73	7	61	8
10	6	25	7	77	7	67	8
12	6	27	7	78	7	69	8
17	6	30	7	79	7	70	8
28	6	31	7	81	7	74	8
42	6	33	7	82	7	84	8
47	6	34	7	83	7	1	9
48	6	36	7	4	8	41	9
51	6	37	7	5	8	45	9
53	6	38	7	6	8	46	9
54	6	39	7	8	8	62	9
75	6	40	7	13	8	63	9
76	6	44	7	19	8	64	9
80	6	50	7	21	8	68	9
85	6	52	7	24	8	20	10
2	7	55	7	26	8		
9	7	58	7	29	8		
11	7	60	7	32	8		

Nous constatons que le nombre d'années minimal qui a été observé est 5 ans, alors que le nombre maximal est 10.

Dépouillement des données par valeurs

On peut, à partir du tri que nous venons d'effectuer, dépouiller les données par valeurs; il s'agit simplement de noter le nombre de fois qu'apparaît chaque donnée dans la série. À partir du tableau 1,3, on obtient la répartition suivante:

Valeurs	Fréquences absolues	Visualisation(pictogramme)
5	3	●●●
6	16	●●●●●●●●●●●●●●●●
7	36	●●●●●●●●●●●●●●●●●●●●●●●●●●●●●●●●●●●●●●
8	21	●●●●●●●●●●●●●●●●●●●●●
9	8	●●●●●●●●
10	1	●

On constate que la valeur qui revient le plus fréquemment est 7 ans. On a visualisé l'allure de la répartition des fréquences absolues en utilisant un point (●) pour chaque valeur notée (on pourrait également utiliser un x).

Si on utilise un logiciel statistique comme SPSS, on obtient le dépouillement suivant

Frequencies

Statistics

Direction de l'entreprise (années)

N	Valid	85
	Missing	0

Direction de l'entreprise (années)

		Frequency	Percent	Valid Percent	Cumulative Percent
Valid	5	3	3,5	3,5	3,5
	6	16	18,8	18,8	22,4
	7	36	42,4	42,4	64,7
	8	21	24,7	24,7	89,4
	9	8	9,4	9,4	98,8
	10	1	1,2	1,2	100,0
	Total	85	100,0	100,0	

De cette sortie, on peut lire que 36 dirigeants (soit 42,4%) ont 7 années passées à la direction de la présente entreprise, alors que 8 ont 9 années passées à la direction de l'entreprise.

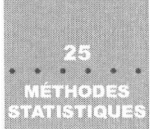
1.7   Dépouillement selon une distribution de fréquences absolues avec données groupées en classes

La façon la plus courante de dépouiller une série de données d'une variable quantitative est de grouper les données en classes en utilisant certaines règles pratiques. Si on effectue ce dépouillement de façon manuelle, on doit procéder comme suit. On suppose que les données ont d'abord été ordonnées pour en faciliter le dépouillement.

Distribution de fréquences absolues

Dépouillement des données et distribution de fréquences absolues. Le groupement des données en classes dans lequel on indique par un trait vertical chaque donnée appartenant à sa classe respective s'appelle *dépouillement des données*. Il est également de pratique courante de dépouiller les données par bloc de 5 (s'il y a lieu) en marquant d'un trait oblique (ou horizontal) un ensemble de 4 traits verticaux déjà notés. La somme du nombre de traits appartenant à chaque classe donne la fréquence absolue de cette classe (ce qui correspond au nombre de données appartenant à cette classe). La répartition des données dans les classes accompagnées des fréquences absolues respectives s'appelle la *distribution de fréquences absolues* ou *distribution des effectifs*.

Les nombres entre lesquels sont classées les données s'appellent *limites des classes*. De plus les classes sont définies en ordre croissant. En regroupant ainsi les valeurs de la série numérique, nous obtenons une *série classée*.

La *valeur centrale d'une classe* ou *centre de classe* (on utilise également point milieu) est simplement la somme des limites de chaque classe divisée par 2.

Considérations pratiques dans l'élaboration d'une distribution de fréquences absolues

Lorsqu'on veut grouper une série numérique suivant une distribution de fréquences absolues, on doit fixer au préalable le nombre de classes dans lesquelles les valeurs sont réparties. Un peu d'expérience et les quelques conseils qui suivent peuvent faciliter la tâche.

Nombre de données à dépouiller: n	Nombre souhaité de classes: k
10	4
$10 < n \leq 22$	5
$22 < n \leq 44$	6
$44 < n \leq 90$	7
$90 < n \leq 180$	8
$180 < n \leq 360$	9
$360 < n \leq 720$	10
$720 < n \leq 1000$	11

a) Détermination du nombre de classes

Mentionnons d'abord que le nombre de classes ne devrait, en général, être ni inférieur à 5 ni supérieur à 20. De préférence, il variera entre 6 et 12 classes.

Ce choix est fonction évidemment du nombre de données à dépouiller et de l'éparpillement de ces données.

En pratique, on peut utiliser une formule pour déterminer le nombre souhaitable de classes, c'est la formule de Sturges.

b) Détermination de l'amplitude de chaque classe

Règle de Sturges   Soit n, le nombre de données à dépouiller; selon la *règle de Sturges*, le nombre k de classes à utiliser est donné par la formule: $k \cong 1 + 3{,}322 \log_{10} n$.

Encore là, le choix définitif du nombre de classes sera dicté par un souci de clarté dans la présentation. Cette formule, qui peut paraître rébarbative, a permis d'obtenir le tableau ci-haut qui indique le nombre de classes que l'on pourrait utiliser pour différents nombres de données à dépouiller.

Ici pour éviter toute confusion dans la présentation des résultats ainsi que dans les représentations graphiques qui peuvent suivre,

on s'assurera, dans la mesure du possible, que chaque classe est présentée avec la même amplitude.

Pour trouver l'amplitude des classes, on peut procéder comme suit:

i) Noter, à l'aide du tableau précédent, le nombre de classes souhaitable k d'après le nombre de données à dépouiller.

ii) À l'aide du tableau que vous obtenez en rangeant les données par valeurs non décroissantes, noter la plus grande (x_{max}) et la plus petite valeur (x_{min}) de la série. On calcule par la suite l'étendue de la série comme suit:

$$E = x_{max} - x_{min}$$

Étendue d'une série. L'écart entre la plus grande et la plus petite valeur dans une série détermine l'étendue que nous notons E: $E = x_{max} - x_{min}$.

iii) On divise alors l'étendue de la série par le nombre de classes souhaité: E/k. Ceci nous donne une idée de l'amplitude que devrait avoir chaque classe. Comme ce résultat sera rarement un nombre entier, nous l'arrondissons au plus grand ou au plus petit entier. Le choix définitif de l'amplitude de chaque classe s'effectuera dans le but d'assurer le plus de clarté possible et de faciliter la présentation et la compréhension de la distribution de fréquences.

Une amplitude de classe trop grande aura comme effet de donner un petit nombre de classes et une amplitude trop petite amènera un nombre de classes trop élevé par rapport au nombre souhaité.

Exemple 1.8

Investissement dans des systèmes de conception et de fabrication

Dans une recherche* dont l'objectif managérial était de voir l'impact des systèmes d'information de gestion des opérations et de production (SIGOP) sur la performance financière de PME manufacturières oeuvrant dans différents secteurs, on a obtenu les données suivantes concernant l'investissement ($) réalisé dans des systèmes de conception et de fabrication.

Pour des fins pédagogiques, nous avons réduit la taille d'échantillon à 60; l'étude originale comportait un échantillon de 257 entreprises.

Investissement ($)					
25950	22750	25035	24212	25785	26100
24105	23480	23981	24980	23180	24394
23726	25038	24410	23920	22850	23415
25000	24185	24750	23936	24426	23254
24675	24284	23995	24654	25382	24370
24765	23200	24772	24362	25372	22605
23758	23612	24224	23798	23746	25175
25000	24220	23685	24070	23305	24170
23860	24950	24917	23966	24685	24795
23525	22900	23815	24172	23824	24360

*Source: Adapté de Nasr, S. B. *Impacts des systèmes d'information de GOP sur la performance financière des PME manufacturières*. Mémoire de recherche, UQTR, janvier 2002.

On désire dépouiller ces données suivant une distribution de fréquences absolues. Pour faciliter ce dépouillement, rangeons d'abord les données par valeurs non décroissantes.

a) *Présentation des données par valeurs non décroissantes*

C'est probablement la tâche la plus laborieuse dans la préparation d'une distribution de fréquences absolues. Ce travail est grandement facilité si vous avez accès à un ordinateur avec un programme conçu à cette fin. Si vous procédez manuellement, il n'y a pas de méthode de travail particulière si ce n'est de repérer d'abord la plus petite valeur dans la série et d'ordonner les autres en conséquence en barrant du tableau de la série chaque valeur repérée. On obtient alors le tableau ci-contre.

Investissement ($) - Valeurs ordonnées					
22605	23525	23920	24212	24654	25000
22750	23612	23936	24220	24675	25000
22850	23685	23966	24224	24685	25035
22900	23726	23981	24284	24750	25038
23180	23746	23995	24360	24765	25175
23200	23758	24070	24362	24772	25372
23254	23798	24105	24370	24795	25382
23305	23815	24170	24394	24917	25785
23415	23824	24172	24410	24950	25950
23480	23860	24185	24426	24980	26100

b) *Détermination du nombre de classes et de l'amplitude de chaque classe*

i) Puisque nous avons 60 données (n=60), le nombre de classes suggéré par la formule de Sturges est $k = 7$.

ii) D'après le tableau précédent, la plus grande valeur dans la série est $x_{max} = 26$ 100 et la plus petite est $x_{min} = 22\ 605$, ce qui donne: $E = 26\ 100 - 22\ 605 = 3\ 495$.

iii) Pour avoir une idée de l'amplitude de chaque classe, on calcule $E/k = 3\ 495/7 = 499{,}28$. Utilisons la valeur 500 comme amplitude de chaque classe.

$E = x_{max} - x_{min}$

Il s'agit d'abord de préciser la limite inférieure de la première classe. Celle-ci peut être la valeur minimale de la série ou une plus petite mais voisine de la valeur minimale.

La plus petite valeur de la série est 22 605; utilisons 22 600 comme limite inférieure de la première classe. La limite supérieure de la première classe sera donc 23 100 (22 600 + l'amplitude de chaque classe qui est 500).

En dénotant par X, l'investissement réalisé dans des systèmes de conception et de fabrication, on obtient alors la répartition suivante:

Classes	Dépouillement	Fréquences absolues
$22\ 600 \leq X < 23\ 100$	||||	4
$23\ 100 \leq X < 23\ 600$	‖‖‖ ||	7
$23\ 600 \leq X < 24\ 100$	‖‖‖ ‖‖‖ ‖‖‖	15
$24\ 100 \leq X < 24\ 600$	‖‖‖ ‖‖‖ ||||	14
$24\ 600 \leq X < 25\ 100$	‖‖‖ ‖‖‖ ||||	14
$25\ 100 \leq X < 25\ 600$	‖‖‖	5
$26\ 100 \leq X < 26\ 600$	|	1
	Total:	60

Dans le cas d'une variable continue, il arrive fréquemment que la distribution de fréquences absolues s'apparente à des distributions de forme et d'expression mathématique connues. Une de ces distributions est la *distribution normale* que nous traitons au chapitre 5.

On constate que la concentration des données se situe entre 23 600$ et 25 100$. Comme on le verra dans une section subséquente, on peut visualiser une distribution de fréquences absolues à l'aide d'un histogramme.

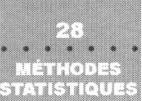

1.8 Autre forme de dépouillement élémentaire: le diagramme en feuilles

Une autre façon de dépouiller une série de données consiste à les représenter à l'aide d'un *diagramme en feuilles*. Cette forme de présentation visuelle consiste à décomposer une donnée en deux parties soit une tige ("stem") et une feuille ("leaf"). Pour l'ensemble de données, on obtiendra alors une série de lignes horizontales de nombres, chaque ligne étant identifiée par sa «tige»; les autres nombres de la ligne sont les «feuilles».

Pour construire un diagramme en feuilles, on peut procéder comme suit.

Construction d'un diagramme en feuilles

❶ Choisir les nombres qui serviront de tiges. Les tiges sont habituellement le premier ou les deux premiers nombres de chaque donnée. Bien que la tige puisse comporter plusieurs chiffres, la feuille n'en comportera toujours qu'un seul.

❷ Énumérer les lignes horizontales à l'aide des tiges choisies. La même tige servira à plusieurs feuilles.

❸ Lire les données de la série (de gauche à droite) en enregistrant sur la tige appropriée le chiffre utilisé comme feuille. Les tiges et les feuilles sont séparées par un trait vertical. Le nombre de feuilles correspond au nombre de données à dépouiller.

Illustrons cette forme de présentation avec l'exemple suivant.

Exemple 1.9

Présentation de données selon un diagramme en feuilles

a) Les données* suivantes représentent le délai de vente (en nombre de jours) pour la vente de 49 condos (prix moyen de 100 122$) de la région de Montréal-Nord, St-Léonard et Anjou pour le premier trimestre 2000.

*Source: Adapté Dubuc, A. *Le marché des condos bascule dans le camp des vendeurs*. LES AFFAI-RES, 16 septembre 2000.

Délai de vente (nombre de jours)									
133	130	128	115	154	124	157	126	151	144
150	140	116	132	158	144	157	142	109	160
151	170	122	133	141	142	135	106	154	137
160	123	128	149	139	156	113	144	113	148
136	107	149	150	138	159	144	116	124	

La plus petite valeur étant 106 et la plus grande 170, nous choisissons comme tiges, les valeurs 10,11,12,13,14,15,16,17. Les feuilles sont constituées du dernier chiffre de chaque donnée et sont indiquées à la droite du trait vertical.

Tige	Feuilles	Nombre de feuilles
10	6 7 9	3
11	3 3 5 6 6	5
12	2 3 4 4 6 8 8	7
13	0 2 3 3 5 6 7 8 9	9
14	0 1 2 2 4 4 4 4 8 9 9	11
15	0 0 1 1 4 4 6 7 7 8 9	11
16	0 0	2
17	0	1
		49

Le diagramme nous indique que la concentration des données se situe surtout entre 130 et 157 jours et que la tendance centrale de cette distribution serait éventuellement voisine de 145 jours.

b) Les cinquante données* présentées ci-après représentent le temps requis (en minutes) pour solutionner les demandes par le centre d'assistance à la clientèle d'une entreprise de service.

Temps requis (en minutes)									
62	56	72	83	66	77	62	71	50	58
74	81	76	67	70	70	69	67	80	81
74	53	73	55	66	88	73	61	63	70
72	63	75	68	78	75	61	69	80	82
87	57	74	74	85	68	75	63	81	73

Si on utilise 5, 6, 7 et 8 comme tiges et comme feuilles, le dernier chiffre de chaque donnée, on obtient le diagramme en feuilles suivant:

Tige	Feuilles	Nombre de feuilles
5	0 3 5 6 7 8	6
6	1 1 2 2 3 3 3 6 6 7 7 8 8 9 9	15
7	0 0 0 1 2 2 3 3 3 4 4 4 4 5 5 5 6 7 8	19
8	0 0 1 1 1 2 3 5 7 8	10

La deuxième
ligne
correspond
aux données
61,61,62,62,63,
..., 69

*Source: Adapté d'un document de formation sur la gestion des processus, Hydro-Québec, 1994.

Le diagramme est un peu trop serré. Choisissons de dépouiller les données en subdivisant chaque tige en deux.

Par exemple, la tige 6 contient les données dont le deuxième chiffre va de 0 à 4, alors que la tige 6* contient les données dont le deuxième chifrre est 5, 6, 7, 8, 9.

La plus forte concentration de données se situe sur la tige 7, les temps requis pour solutionner les demandes se situant entre 70 et 74 minutes. On constate également que la plus petite valeur de la série est 50, alors que la plus grande est 88.

Tige	Feuilles	Nombre de feuilles
5	03	2
5*	5778	4
6	1122333	7
6*	66778899	8
7	0001223334444	13
7*	555678	6
8	001123	7
8*	578	3
		50

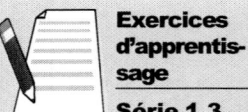

Exercices d'apprentissage

Série 1.3

📄 Distribution de fréquences du nombre d'heures de travail supplémentaires

1. Un sondage* auprès d'une cinquantaine de cadres de niveau intermédiaire, d'une importante entreprise de service de la région de Montréal, concernant le nombre d'heures supplémentaires travaillées par semaine (excédant une semaine de travail de 40 heures) donna les valeurs suivantes:

*Source: Adapté de Krol, A. *La disparition de la semaine «normale» de travail. La Presse*, 1er septembre 2001.

Nombre d'heures supplémentaires									
10,2	10,1	8,6	11,1	8,9	10,1	10,2	10,4	8,6	9,1
10,1	9,1	10,6	10,4	8,9	8,9	10,3	11,4	10,2	9,5
9,1	11,1	10,8	8,6	11,8	8,4	12,9	11,4	10,2	7,7
10,9	10,0	9,4	10,2	10,4	10,7	10,7	12,1	9,6	8,5
10,2	9,3	7,9	9,0	12,1	10,2	8,8	11,6	10,2	8,6

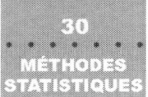

Exercices d'apprentissage

Série 1.3 (suite)

a) Quelle est la plus petite valeur qui a été observée? 7,7

b) Quelle est la plus grande valeur qui a été observée? 12,9

c) En utilisant 7,6 comme limite inférieure de la première classe et 0,8 comme amplitude de classe, déterminez la distribution de fréquences absolues du nombre d'heures de travail supplémentaires par semaine.

d) Est-ce que la distribution de fréquences présente une particularité? Expliquez.

Oui, il y a deux

📄 Dépouillement selon un diagramme en feuilles: indice de performance

2. Les données suivantes représentent l'indice de performance de 32 vendeurs de l'entreprise JMP, entreprise se spécialisant dans la vente de systèmes informatisés. Cet indice correspond au ratio des ventes du vendeur au cours de la dernière année et de l'objectif fixé par le vice-président aux ventes en début d'année. Un indice supérieur à 100 indique une performance qui dépasse l'objectif fixé.

Indice de performance (valeurs ordonnées)							
84	88	88	89	92	92	93	94
95	95	96	97	99	100	101	102
103	103	103	105	105	106	108	110
111	112	113	114	115	115	121	122

On veut dépouiller ces données selon un diagramme en feuilles.

a) Complétez le diagramme suivant.

```
 8 | 4
 9 |
10 |
11 |
12 |
```

b) Quel pourcentage de vendeurs ont dépassé l'objectif fixé?

📄 Diagrammes en feuilles : dépenses par nuitée pour des touristes

3. Les données* suivantes représentent les dépenses (au $ près) par nuitée (excluant la chambre d'hôtel) pour des touristes en provenance de l'Ontario et du Québec.

Ontario	Québec	Ontario	Québec	Ontario	Québec	Ontario	Québec	Ontario	Québec
78	53	75	51	64	52	71	47	71	54
71	50	65	52	71	51	76	48	71	47
72	56	62	51	64	52	70	50	68	53
70	50	78	46	74	41	64	55	62	47
80	45	60	52	69	51	75	52	72	51
73	49	73	50	69	53	69	49	69	54
67	52	70	48	71	51	68	47	69	
71	48	65	55	64	49	67	52	76	
72	51	72	50	66	53	68	51	68	
76	51	58	47	69	47	67	54	70	
70	50	75	52	67	50	75	45	73	
65	51	72	50	72	53	70	46	78	
69	53	63	51	69	50	69	50	72	

*Source: Adapté de Jolicoeur, M. *Blitz américain de Tourisme Québec*. LES AFFAIRES, 11 mai 2002.

Exercices d'apprentissage

Série 1.3 (suite)

Sortie MINITAB

On a utilisé le logiciel statistique Minitab, pour dépouiller ces données d'après un diagramme en feuilles et selon la provenance des touristes (voir ci-après).

```
Stem-and-leaf of ONTARIO        Stem-and-leaf of QUÉBEC
N  = 65                         N  = 58
Leaf Unit = 1,0                 Leaf Unit = 1,0

5|8                             4|1
6|0                             4|
6|223                           4|55
6|4444555                       4|66777777
6|67777                         4|888999
6|8888999999999                 5|000000000001111111111
7|0000001111111                 5|22222222333333
7|2222222333                    5|44455
7|45555                         5|6
7|666                               Tige  Feuille
7|888
8|0

  Tige  Feuille
```

a) Quelle est, pour chaque provenance des touristes, la valeur minimale de dépenses pour une nuitée?

b) Quelle est, pour chaque provenance des touristes, la valeur maximale de dépenses pour une nuitée?

c) Quelle est la dépense la plus fréquente pour les touristes en provenance de l'Ontario? En provenance du Québec?

d) Dans quel intervalle se situe la majorité des dépenses pour une nuitée,

    i) pour les touristes en provenance de l'Ontario?

    ii) pour les touristes en provenance du Québec?

e) Six nouvelles données sont disponibles, trois pour des touristes en provenance de l'Ontario, et trois autres pour des touristes en provenance du Québec:

    Ontario: 69$, 73$, 79$.

    Québec: 45$, 51$, 57$.

Ajoutez ces valeurs sur le diagramme en feuilles ci-haut.

1.9   Distribution de fréquences absolues : cas où le caractère étudié est discret

Lorsque le caractère étudié ne prend que des valeurs discrètes (nombres entiers), le dépouillement, dans ce cas, ne s'effectue pas par classes mais habituellement à même les valeurs du caractère (variable statistique). Le nombre d'enfants par famille, le nombre de personnes par ménage, le nombre de non-conformités observées dans un assemblage, le nombre d'arrivées de clients à un comptoir d'emballage, le nombre de transactions, le nombre d'entreprises informatisées, le nombre de retards de livraison, ...

Exemple 1.10

Dépouillement de résultats observés lors d'une enquête auprès de consommateurs

Dans une revue traitant de recherche en marketing, on a publié les résultats d'une enquête dont l'intérêt était de connaître le nombre de fois que les consommateurs avaient acheté une marque spécifique d'un certain produit, au cours des 48 dernières semaines.

Les données obtenues de 22 consommateurs sont présentées ci-après.
On veut dépouiller ces résultats selon une distribution de fréquences.

**Nombre de fois que le produit
a été acheté au cours des 48 dernières semaines**

0	1	9	8	0	0	3	1	0
0	2	5	9	2	4	2	3	8
1	9	3	2					

La répartition de ces observations se présente comme suit:

Nombre de fois que le produit a été acheté	Nombre de consommateurs (Fréquences absolues)	Fréquences relatives
0	5	0,2273
1	3	0,1364
2	4	0,1818
3	3	0,1364
4	1	0,0455
5	1	0,0455
6	0	0,0000
7	0	0,0000
8	2	0,0909
9	3	0,1364
	Total: 22	Somme: 1,0

5/22

La somme des fréquences relatives de toutes les classes est toujours égale à l'unité.

Les fréquences relatives s'obtiennent en divisant chaque fréquence absolue par le nombre total de consommateurs, soit 22. De cette distribution, on constate que 22,73% des consommateurs n'ont jamais acheté le produit alors que 9,09% l'ont acheté jusqu'à 8 fois. On remarque également que 27,28% (0,2728) des consommateurs ont acheté le produit 5 fois et plus.

1.10 Distribution de fréquences absolues avec classes ouvertes

Les cas traités jusqu'à présent permettaient d'obtenir des distributions avec des classes fermées. Il se peut toutefois, à cause de l'étalement des données, qu'on ait recours à une distribution de fréquences absolues avec classes ouvertes pour en présenter la répartition.

Exemple 1.11 **Tableau descriptif du coût mensuel moyen de connexion résidentielle**

Le tableau suivant représente la répartition des répondants selon le coût mensuel moyen de la connexion résidentielle. Ces données ont été obtenues lors de l'enquête du RISQ auprès de 6 032 internautes (mars 1997).

Coût mensuel moyen (classes)	Fréquences relatives (%)
Moins de 10$	4,6%
10$ - 15$	10,0%
15$ - 20$	9,3%
20$ - 25$	18,3%
25$ - 30$	38,7%
30$ - 35$	13,0%
35$ - 40$	2,5%
40$ et plus	3,7%

Ainsi, 10 % des répondants déboursent entre 10$ et 15$ par mois, en moyenne, pour leur connexion résidentielle alors que 38,7% déboursent entre 25$ et 30$ par mois.

Dans le cas de présentation d'une distribution de fréquences avec classes ouvertes, nous ne donnons aucune information ni sur le plus bas coût mensuel moyen ni sur le plus élevé si ce n'est que l'un est inférieur à 10$ et l'autre est au moins égal à 40$.

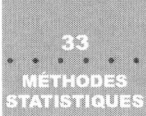
1.11   Principales représentations graphiques

Les représentations graphiques permettent de visualiser le résumé statistique que nous donne la distribution de fréquences absolues. On obtient alors une vue d'ensemble de la série statistique. Les représentations graphiques facilitent également la comparaison de séries différentes. Les plus usuelles sont le *diagramme en bâtons* et *l'histogramme*; on utilise également le polygone de fréquences absolues et les courbes de fréquences cumulées. Nous traiterons également du *diagramme à secteurs circulaires* et du *diagramme à rectangles horizontaux*.

1.11.1   Diagramme en bâtons

Lorsque la variable quantitative est discrète, la représentation graphique de la distribution de fréquences absolues s'effectue à l'aide d'un *diagramme en bâtons*.

> **Diagramme en bâtons.** Le diagramme en bâtons est constitué en portant en abscisse les valeurs de la variable discrète et en traçant parallèlement à l'axe des ordonnées un bâton (un trait plein) de longueur proportionnelle à la fréquence (absolue ou relative) de chaque valeur de la variable.

L'exemple suivant met en évidence la représentation des fréquences absolues au moyen d'un diagramme en bâtons.

Exemple 1.12

Tracé d'un diagramme en bâtons: nombre d'associés ou d'actionnaires

Dans une recherche* visant à identifier les éléments et stratégies de redressement les plus adéquats, en tenant compte du secteur industriel, qui permettent à une PME d'éviter la faillite, une des questions concernant les caractéristiques de l'entreprise était:

L'entreprise compte combien d'associés ou d'actionnaires?

Le dépouillement des réponses obtenues auprès de 45 entreprises conduit à la distribution de fréquences ci-contre:

À partir de cette information, traçons le diagramme en bâtons.

Nombre d'actionnaires	Nombre d'entreprises
1	20
2	16
3	7
4	2

Diagramme en bâtons

* * *
Dans cet exemple, on aurait pu également calculer les fréquences relatives; l'avantage d'un diagramme en bâtons par fréquence relative réside dans le fait que les nombres en ordonnée sont compris entre 0 et 1.

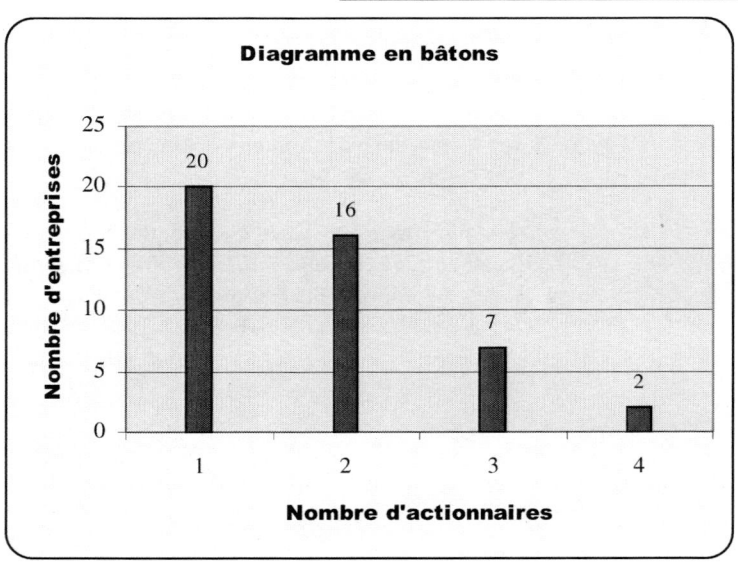

*Source: Adapté de Bennani, M. *Le processus et les stratégies de redressement dans le contexte des PME*. UQTR, mars 2000.

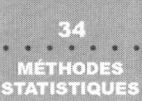

1.11.2 Histogramme et polygone de fréquences

Histogramme

Lorsque la variable quantitative est continue, les valeurs observées sont généralement dénombrées suivant une distribution en *classes*; la représentation graphique prendra alors la forme d'un *histogramme*.

> **Histogramme.** L'histogramme est une représentation graphique de la distribution de fréquences et est constitué de rectangles juxtaposés dont chacune des bases est égale à l'intervalle de chaque classe et dont la hauteur est telle que la surface soit proportionnelle à la fréquence (absolue ou relative) de la classe correspondante.

L'histogramme permet de visualiser rapidement l'allure de la série de données.

Considérations pratiques pour la détermination des hauteurs des rectangles

a) Lorsque les classes ont la même amplitude (qui est le cas le plus fréquent), chaque rectangle aura comme hauteur le nombre correspondant à la fréquence (absolue ou relative).

b) Si les amplitudes de certaines classes sont inégales, on doit alors rectifier la hauteur des rectangles pour que la surface de chacun soit proportionnelle à la fréquence.

c) La surface de chaque rectangle est: S = amplitude de la classe $\times$ hauteur du rectangle.

Ainsi dans le cas d'amplitude de classe égale, hauteur = fréquence. Dans le cas d'amplitude de classe inégale, il faut rectifier les hauteurs comme suit: si l'amplitude d'une classe de fréquence f_i est m fois plus grande (ou plus petite) que l'amplitude de base, son rectangle aura pour hauteur $\dfrac{f_i}{m}$ (ou $m f_i$).

Il est donc nécessaire de diviser (ou de multiplier) par 2 la fréquence de la classe quand l'amplitude de la classe est doublée (ou lorsqu'elle est la moitié de l'amplitude de base).

Polygone de fréquences

La seule utilité du polygone de fréquences est de présenter l'allure générale de la distribution du phénomène étudié.

> **Polygone de fréquences.** Le polygone de fréquences permet de représenter la distribution de fréquences (absolues ou relatives) sous forme de courbe. Il est obtenu en joignant les milieux des sommets de chaque rectangle de l'histogramme par des segments de droite.

Pour constituer le polygone de fréquences, il s'agit de joindre les points ayant respectivement pour coordonnées les centres des classes et les fréquences correspondantes. Il est également d'usage courant d'ajouter de part et d'autre de l'histogramme une classe de fréquence nulle, ce qui permet de fermer le polygone et de rendre égale la surface contenue à l'intérieur du polygone avec celle de l'histogramme (en autant que les classes ont la même amplitude).

Remarques. a) Dans le cas où la représentation est un diagramme en bâtons, la notion de polygone de fréquences n'a pas de sens réel, puisque nous sommes en présence d'une variable statistique qui présente un caractère de discontinuité.

b) Le nombre de côtés d'un polygone de fréquences sera toujours: nombre de côtés = nombre de classes + 1

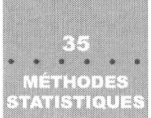
Exemple 1.13

Histogramme et polygone de fréquences: résultats à un test d'aptitude

Suite à un changement important de technologie dans tout le processus de fabrication d'une usine de transformation de la région de l'Estrie, tous les postes d'opérateur ont été reclassifiés. Le département des ressources humaines de l'entreprise a donc procédé à un affichage des postes (12 postes étaient disponibles) à l'intérieur de l'usine. Soixante-deux applicants se sont rendus jusqu'à l'étape des tests de sélection.

Les postulants ont dû subir, entre autres, une batterie de tests qui permettent de mesurer diverses aptitudes (cette batterie de tests est connue sous le nom de BGTA: batterie générale de tests d'aptitudes). Nous présentons ici les résultats à un test: le test d'intelligence[1].

Résultats au test d'aptitude générale à apprendre											
93	104	93	79	78	112	107	100	105	102	107	107
119	94	87	113	98	86	124	93	99	97	83	95
99	98	77	101	104	138	97	74	99	85	93	98
84	110	102	75	104	100	84	101	82	85	85	92
86	101	70	108	89	68	123	63	86	62	90	77
94	96										

Classes	Fréquences absolues
$60 \leq X < 70$	3
$70 \leq X < 80$	7
$80 \leq X < 90$	12
$90 \leq X < 100$	18
$100 \leq X < 110$	15
$110 \leq X < 120$	4
$120 \leq X < 130$	2
$130 \leq X < 140$	1

Source: Résultats obtenus auprès d'employés d'une usine de transformation. Pour préserver la confidentialité des données, nous n'avons pas identifié l'usine où a été administrée cette batterie de tests. Nous remercions le professeur Normand Pettersen pour nous avoir fourni les données.

Le dépouillement des données selon une distribution de fréquences absolues est présenté ci-haut. L'histogramme et le polygone de fréquences sont présentés ci-après.

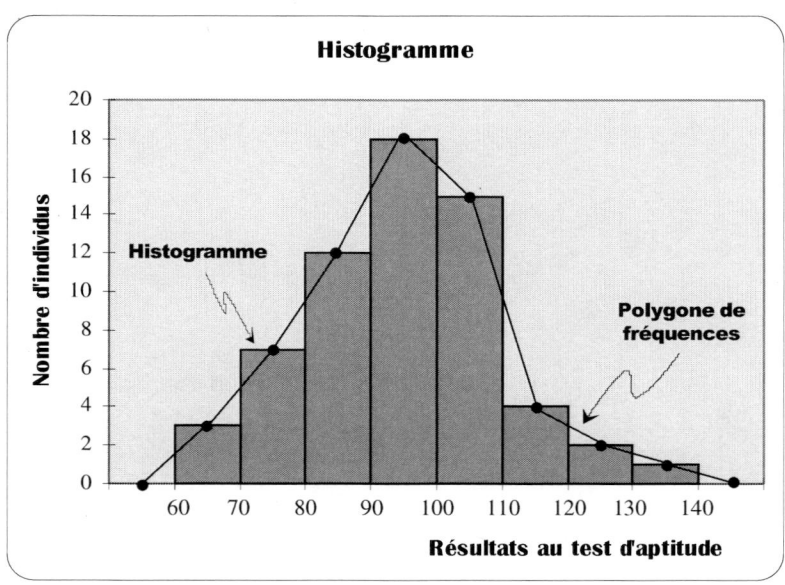

___
[1] Le test D'INTELLIGENCE. Aptitude à apprendre en général, à saisir ou à comprendre les instructions et les principes qui les sous-tendent: aptitude à raisonner et à porter des jugements. Elle est étroitement liée au succès scolaire.

Les centres des classes sont localisés à 65, 75,..., 135. Le polygone est fermé à 55 et 145. L'histogramme nous indique qu'il a une concentration d'individus entre 90 et 100. Le polygone de fréquences nous indique l'allure générale de la variable observée «résultat au test d'aptitude»; ici, elle semble s'apparenter à une distribution en forme de cloche.

Remarques. a) Il faut également préciser que le mode de représentation d'une série de données (variable continue) à l'aide d'une distribution de fréquences absolues et d'un histogramme admet comme hypothèse simplificatrice, la répartition uniforme des données à l'intérieur de chaque classe. En définitive, les valeurs regroupées dans la même classe se verront attribuer la même valeur, soit celle du centre de la classe.

b) Si on veut comparer des histogrammes constitués à partir d'échantillons de tailles différentes, il sera alors préférable d'utiliser en ordonnée, les fréquences relatives au lieu des fréquences absolues.

**Exercices
d'apprentis-
sage**

Séries 1.4

📄Histogramme et poly-
gone de fréquences :
achats de fournitures

1. Une enquête* effectuée auprès d'une quarantaine de responsables des achats, pour des entreprises de service, de produits de bureau a permis d'obtenir les données ci-après (valeurs ordonnées) concernant le montant annuel des achats de fournitures de bureau (excluant le mobilier de bureau et le matériel informatique).

Montant annuel - Achats de fournitures									
2890	3160	3375	3590	3750	3754	3808	3830	3875	4130
4150	4155	4170	4210	4215	4240	4255	4260	4384	4432
4520	4585	4680	4730	4785	4810	4842	5100	5114	5204
5215	5332	5360	5368	5374	5404	5575	6025	6030	6340

*Source: Adapté de *Sondage du suivi des produits de bureau 99*, Votre bureau, juin 1999.

a) Complétez la distribution de fréquences suivante où X représente le montant annuel d'achat. On demande également de cumuler les fréquences absolues ainsi que les fréquences relatives où

fréquences relatives (%) = [fréquences absolues / n] x 100 et *n* : nombre de données

dans la série.

Classes (Montant)	Fréquence absolues	Fréquences cumulées	Fréquences relatives cumulées (%)
$2800 \leq X < 3400$			
$3400 \leq X < 4000$			
$4000 \leq X < 4600$			
$4600 \leq X < 5200$			
$5200 \leq X < 5800$			
$5800 \leq X < 6400$			

b) Tracez l'histogramme et le polygone de fréquences.

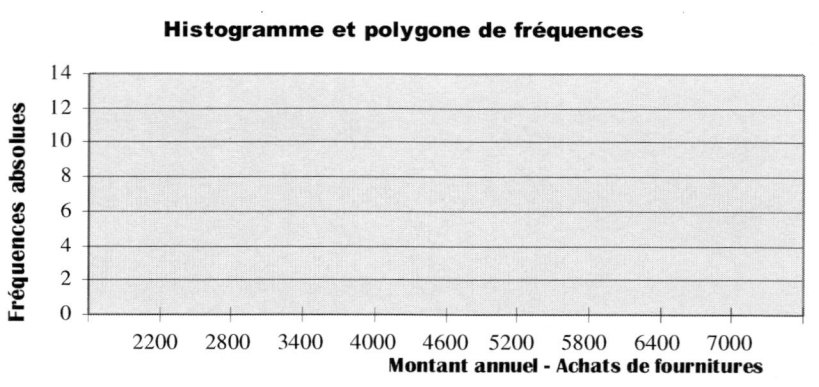

c) Dans quel intervalle de classe se situe le montant d'achats le plus fréquent?

Exercices d'apprentis- sage

Séries 1.4 (suite)

📖Histogramme et poly- gone de fréquences : achats de fournitures

2. Dans une recherche (Jocelyn Perreault, professeur de marketing, UQTR) effectuée auprès de propriétaires-dirigeants de dépanneurs dans le secteur alimentaire, on a obtenu les données ci-après (dont nous en indiquons un extrait)auprès de 48 propriétaires et ceci pour deux ques- tions du questionnaire, soit:

Q1 : Quel est le mode d'exploitation de votre entreprise?

Indépendant ❏ 1

Bannière ❏ 2

Franchisé ❏ 3

Q2 : Quel est le nombre d'heures de travail que vous allouez personnel- lement aux opérations du dépanneur, au cours d'une semaine normale?

Fichier de données SPSS*

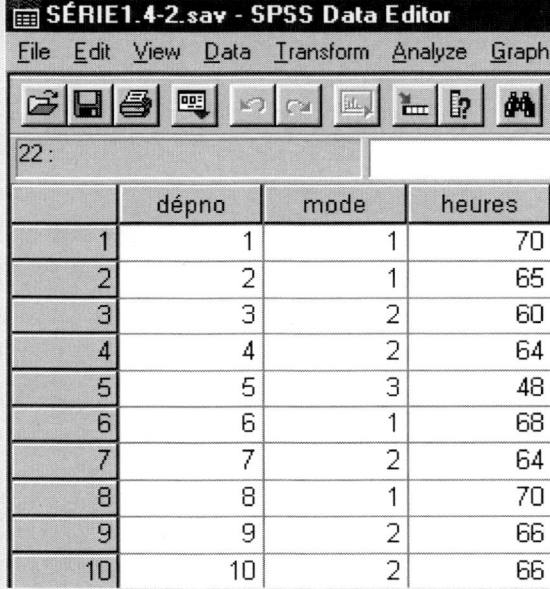

*Voir Ouellet et Baillargeon (2004) Ana- lyse de données avec SPSS pour Windows (versions 10.0 et 11.0) disponible chez le même éditeur pour une discus- sion détaillée de la dé- marche à suivre pour le traitement de données avec ce logiciel statisti- que.

Le dépouillement des données de la question Q1 (échelle nominale) avec le logiciel statistique SPSS donne la sortie suivante:

Sortie SPSS

Frequencies

Statistics

Mode d'exploitation

N	Valid	48
	Missing	0

Mode d'exploitation

		Frequency	Percent	Valid Percent	Cumulative Percent
Valid	Indépendant	22	45,8	45,8	45,8
	Bannière	15	31,3	31,3	77,1
	Franchisé	11	22,9	22,9	100,0
	Total	48	100,0	100,0	

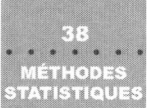

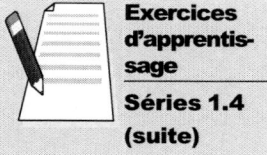

Exercices
d'apprentis-
sage
Séries 1.4
(suite)

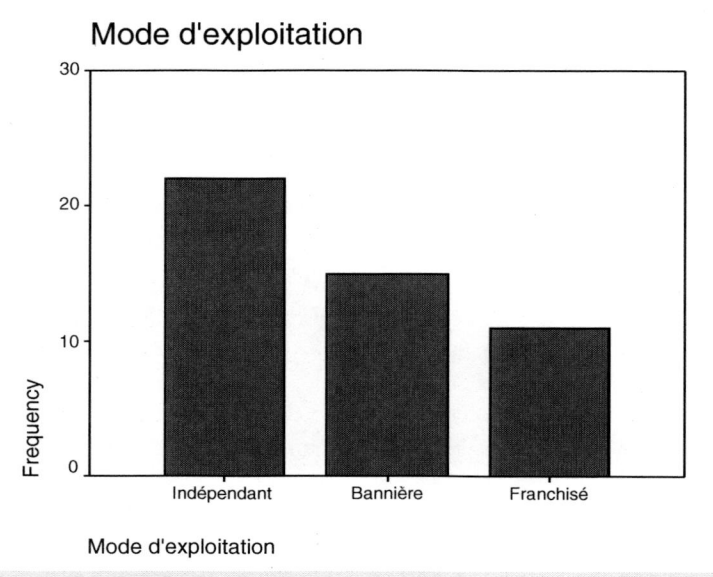

a) Selon cette enquête, quel pourcentage de propriétaires-dirigeants opèrent de façon indépendante?

Le dépouillement des données de la question Q2 (échelle de rapport) avec le logiciel statistique SPSS donne la sortie suivante:

Frequencies

Statistics

Nombre d'heures de travail

N	Valid	48
	Missing	0

Nombre d'heures de travail

		Frequency	Percent	Valid Percent	Cumulative Percent
Valid	48	3	6,3	6,3	6,3
	50	4	8,3	8,3	14,6
	52	2	4,2	4,2	18,8
	54	2	4,2	4,2	22,9
	60	8	16,7	16,7	39,6
	62	1	2,1	2,1	41,7
	64	6	12,5	12,5	54,2
	65	7	14,6	14,6	68,8
	66	7	14,6	14,6	83,3
	68	4	8,3	8,3	91,7
	70	4	8,3	8,3	100,0
	Total	48	100,0	100,0	

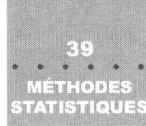

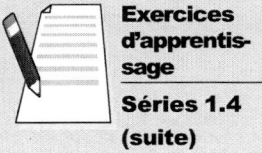

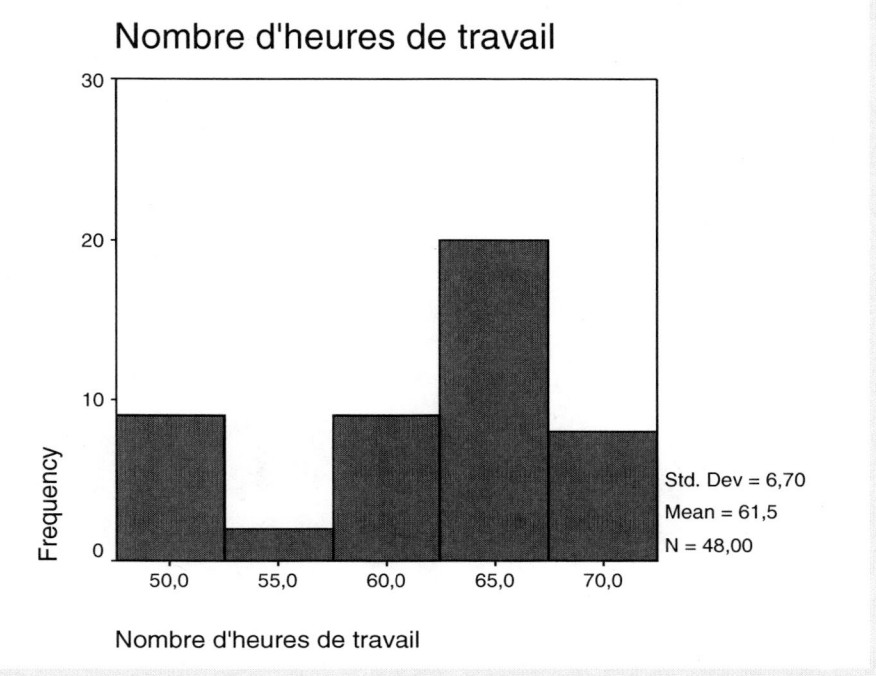

Nombre d'heures de travail

Std. Dev = 6,70
Mean = 61,5
N = 48,00

Nombre d'heures de travail

b) Est-ce que l'histogramme présente une particularité? Expliquez.

c) Selon la sortie SPSS, quel est le nombre d'heures qui revient le plus fréquemment?

d) Que peut-on faire pour rafiner le dépouillement de cette variable?

1.12 Courbe de fréquences cumulées

La courbe de fréquences cumulées croissantes permet de faire correspondre à une valeur de la série, le nombre d'observations qui lui sont inférieures. Cette courbe permet de répondre à des questions du genre: combien de répondants ont un revenu de moins de 30 000$? Combien d'employés ont plus de 20 ans d'ancienneté? Quelle proportion d'entreprises du secteur du multimédia ont un nombre d'années d'existence supérieur ou égal à 5 ans mais inférieur à 10 ans?

Définissons comme suit cette courbe.

Courbe cumulative croissante. La courbe cumulative croissante d'une série continue s'obtient à partir des fréquences cumulées croissantes (absolues ou relatives). Pour ce faire, on détermine une succession de points dont les abscisses correspondent aux limites supérieures des classes et dont les ordonnées sont égales aux fréquences cumulées croissantes correspondant aux classes, sauf pour le premier point dont la valeur de l'ordonnée est zéro. On n'a qu'à joindre les points par des segments de droite pour obtenir la courbe correspondante. Cette courbe permet d'obtenir le nombre (ou la proportion) de valeurs inférieures à la borne supérieure des diverses classes de la distribution de fréquences.

Exemple 1.14   Tableau de fréquences cumulées croissantes et tracé de la courbe correspondante

Une société de fiducie fournissant divers services financiers et fiduciaires a effectué une compilation des montants investis par des particuliers au cours du mois de mars dans des certificats de dépôt garanti.

La compilation des montants investis (minimum 1000$) par 127 particuliers est résumée dans un tableau de distribution de fréquences. On veut dresser un tableau des fréquences cumulées croissantes et tracer la courbe cumulative correspondante. Pour obtenir la courbe de fréquences cumulées, on opère de la même façon que dans le cas d'un polygone de fréquences;

Montants investis	Nombre de particuliers
$1\ 000 \leq X < 5\ 000$	52
$5\ 000 \leq X < 9\ 000$	25
$9\ 000 \leq X < 13\ 000$	18
$13\ 000 \leq X < 17\ 000$	13
$17\ 000 \leq X < 21\ 000$	7
$21\ 000 \leq X < 25\ 000$	6
$25\ 000 \leq X < 29\ 000$	4
$29\ 000 \leq X < 33\ 000$	2

on ajoute une classe de fréquence nulle antérieure à la première classe (ici $0 \leq X < 1000$). Ceci nous permettra d'obtenir le premier point de la courbe cumulative croissante.

Le tableau des fréquences absolues cumulées croissantes se présente alors comme suit.

Limites supérieures des classes	Fréquences cumulées croissantes
Moins de 1000	0
Moins de 5000	52
Moins de 9000	77
Moins de 13 000	95
Moins de 17 000	108
Moins de 21 000	115
Moins de 25 000	121
Moins de 29 000	125
Moins de 33 000	127

Les coordonnées des points de la courbe cumulative croissante sont donc:

Abscisse	1000	5000	9000	13 000	17 000	21 000	25 000	29 000	33 000
Ordonnée	0	52	77	95	108	115	121	125	127

Courbe cumulative croissante

Le tracé de la courbe cumulative croissante est indiqué sur la figure suivante.

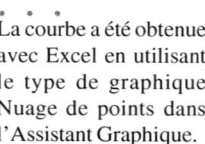

....
La courbe a été obtenue avec Excel en utilisant le type de graphique Nuage de points dans l'Assistant Graphique.

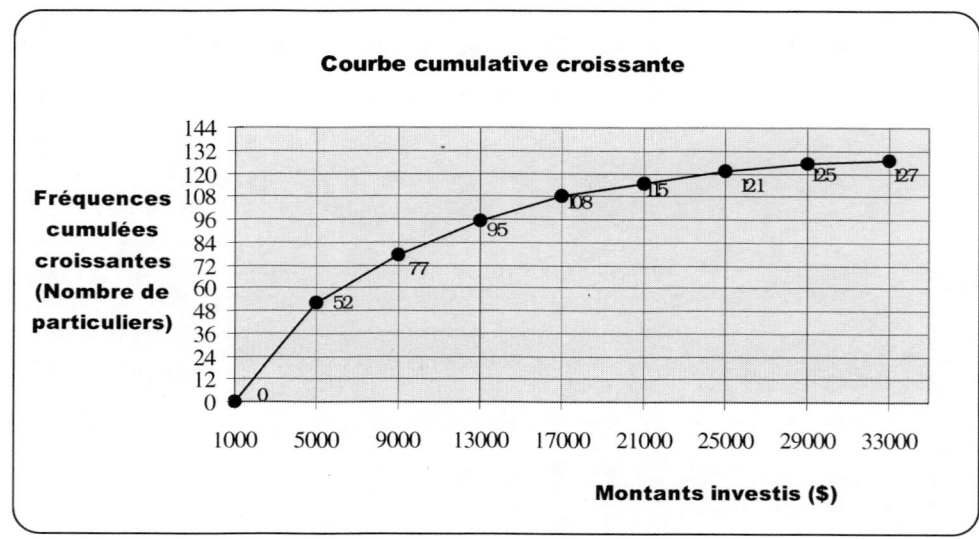

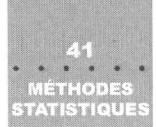
De cette courbe, on peut dire que 77 particuliers ont investi un montant inférieur à 9000$ alors que 115 ont investi moins de 21 000$. On pourrait également tracer la courbe en utilisant les pourcentages cumulés au lieu des fréquences cumulées.

Courbe cumulative croissante(%)

· · ·
a) Les résultats qu'on obtient avec la courbe cumulative pour des valeurs autres que les limites des classes, sont entachés d'une erreur d'approximation due à l'interpolation linéaire à l'intérieur des classes.
b) Pour chaque valeur de la variable, la somme des fréquences absolues cumulées croissantes est toujours égale au nombre total de valeurs de la série.
c) Dans le cas de distributions de fréquences à classes inégales, on ne rectifie jamais les fréquences (absolues ou relatives) pour tracer les courbes cumulatives.

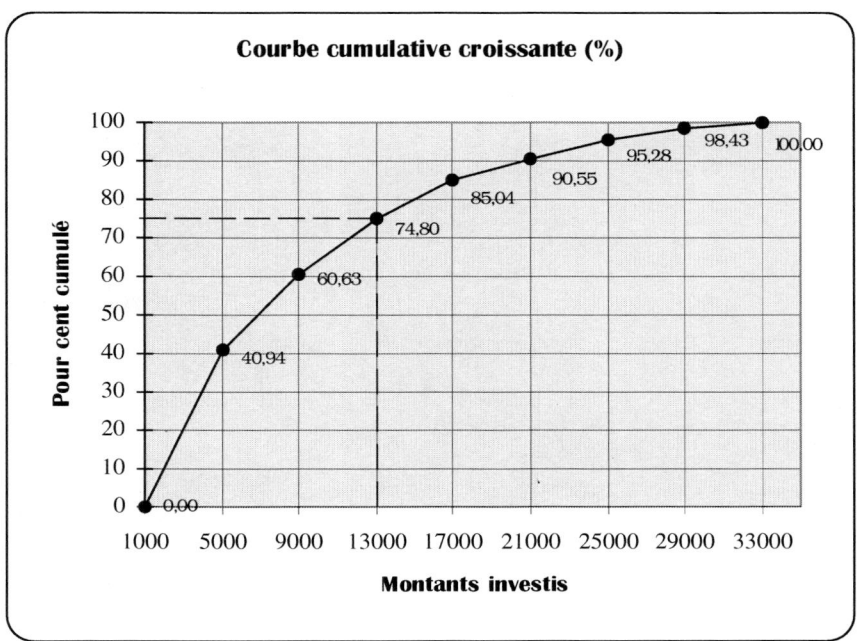

Ainsi 74,8% des particuliers ont investi moins de 13 000$.

1.13   Outil de collecte de données: le questionnaire

Un outil fréquemment employé pour effectuer un sondage d'opinion, une étude marché, une évaluation du service à la clientèle ou encore une étude sur le comportement du consommateur est le questionnaire. Nous résumons à la page suivante les principales étapes à suivre dans la préparation d'une enquête par questionnaire.

L'utilisation d'un questionnaire comme outil de collecte de données implique qu'on sait ce qu'on cherche. Le questionnaire permet d'obtenir de l'information à caractère qualitatif et à caractère quantitatif. Il est donc important d'élaborer un plan de traitement statistique avant d'administrer le questionnaire pour s'assurer que les données fournies par l'étude permettent d'effectuer les analyses statistiques appropriées. Cet aspect est important pour éviter des erreurs de conception.

1.14   Les différents types de questions

Pour rédiger correctement une question qui est en conformité avec l'objectif de l'enquête, il faut en préciser le format. Nous ne traitons ici que des formes de questions les plus courantes: les *questions ouvertes* et les *questions fermées*.

Les questions ouvertes. Une question ouverte peut conduire à une réponse numérique ou une réponse textuelle, le répondant ayant toute la latitude de donner une réponse en ses propres mots.

Voici quelques exemples de questions ouvertes (exemple 1.15).

Démarche à suivre dans la préparation d'une enquête par questionnaire

Définition de la problématique de l'étude	Dans cette première étape, préciser la problématique générale de l'enquête, les objectifs de l'étude et les hypothèses de recherche s'il y a lieu.
Identification de la population visée	Indiquer à qui s'adresse l'enquête et préciser en quoi peut consister la base de sondage (fichiers de noms, fichiers de fournisseurs, annuaire téléphonique, liste de membres d'une association, ...)
Préparation du questionnaire	Dresser d'abord la liste des informations à recueillir. Préciser la forme de chaque question (voir section 1.14) et indiquer les modalités de réponse lorsque c'est possible. Débuter par les questions à caractère général, puis les questions plus spécifiques concernant les objectifs de l'étude puis finalement, terminer par les questions à caractère personnel. Éviter les questions compliquées et s'assurer que la séquence des questions maintient l'intérêt du répondant.
Prétest du questionnaire	Valider votre questionnaire auprès d'un petit groupe de personnes qui pourrait correspondre à la population visée. Ceci permet d'évaluer le niveau de compréhension des questions. Réviser la formulation des questions, le choix des réponses et la séquence des questions, s'il y a lieu. Un deuxième prétest peut être nécessaire avant d'obtenir la version finale.
Détermination de la taille de l'échantillon et de la méthode d'échantillonnage	Déterminer la taille de l'échantillon selon les critères statistiques appropriés ainsi que la méthode d'échantillonnage de la population à mettre en oeuvre. Ces deux aspects sont traités au chapitre 5.
Mode d'administration du questionnaire	Le mode d'administration du questionnaire dépend des objectifs de l'enquête; les plus courants sont le questionnaire par voie postale, par voie téléphonique, sur réseau Internet, ou en face à face pour les sujets plus complexes.

Exemple 1.15   **Questions ouvertes**

Exemple. Combien de films avez-vous loués au club vidéo, depuis les quatre dernières semaines?

La réponse consiste à donner un chiffre.

Exemple. Quels sont les principaux facteurs de concurrence dans votre secteur d'activité?

La réponse consiste à énumérer certains facteurs (réponse multiple) comme par exemple, qualité des produits, délais de livraison, situation financière, satisfaction des clients, ...

Les éléments de réponse sont souvent multiples mais ils peuvent être uniques.

Exemple. Quel est le principal facteur de concurrence dans votre secteur d'activité?

La réponse pourrait être le prix des produits.

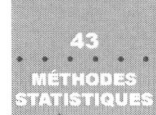

> **Les questions fermées**. Une question fermée comporte une liste de réponses préparées à l'avance en conformité avec l'objectif de l'étude. Le répondant doit obligatoirement choisir sa réponse parmi celles présentées. Toute autre réponse est exclue.

Le choix des réponses se présente habituellement sous une forme *dichotomique* comme Oui ou Non ou *multichotomique* comme Entièrement d'accord Plutôt d'accord En désaccord Entièrement en désaccord Sans opinion.

Voici quelques exemples de questions fermées.

Exemple 1.16

Questions fermées

Exemple. Quel est le mode d'exploitation de votre dépanneur?

❏ Indépendant ❏ Bannière ❏ Franchise

Exemple. Quelle est la forme légale de votre entreprise?

❏ Propriétaire unique ❏ Société avec associés ❏ Compagnie avec actionnaires

Exemple. En ce qui concerne les technologies de fabrication utilisées, comment situez-vous votre entreprise par rapport à la moyenne de l'industrie?

❏ Très en retard ❏ En retard ❏ En avance ❏ Très en avance

Exemple. Quel est l'âge moyen de votre personnel?

❏ 20-24 ❏ 25-29 ❏ 30-34 ❏ 35-39
❏ 40-44 ❏ 45-49 ❏ 50-54 ❏ 55-59

Exemple. Connaissez-vous les concurrents de votre entreprise?

1 _____ 2 _____ 3 _____ 4 _____ 5

Je connais
peu de con-
currents

Je connais
plusieurs
concurrents

Je connais
tous mes con-
currents

Exemple. Indiquez dans quelle mesure vous êtes d'accord que les objectifs suivants sont importants pour votre système de contrôle interne.

	Entièrement d'accord	Plutôt d'accord	En désaccord	Entièrement en désaccord	Sans opinion
1. Prévenir et détecter les fraudes	❏	❏	❏	❏	❏
2. Prévenir et détecter les erreurs dans les livres	❏	❏	❏	❏	❏

Exemple. Dans quelle mesure il importe à votre entreprise que les logiciels achetés soient en français?

Très important ❏
Plutôt important ❏
Peu important ❏
Pas du tout important ❏

Exemple. Votre entreprise utilise-t-elle des logiciels commerciaux développés au Québec?

Oui ❏ Non ❏ Ne sais pas ❏

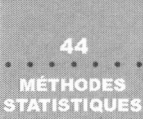
1.15   Codage des modalités de réponse

Dans le cas de questions fermées, la phase de codification se résume à indiquer directement les codes (soit à la gauche, soit à la droite) des modalités de réponse pour chaque question. Les codes habituellement utilisés sont 1, 2, 3, 4, ... à moins que la question exige une valeur numérique spécifique. On utilise un code élevé comme par exemple 8 ou 98 pour identifier la modalité de réponse Ne sais pas/Refus, Sans opinion, ...

Les données manquantes peuvent être identifiées (selon le logiciel utilisé) par les codes 9, 99, 999, dépendant de l'ordre de grandeur des réponses numériques ou des codes utilisés pour les données nominales ou ordinales.

Pour les questions dont les modalités de réponse mesurent les attitudes des répondants, les codes correspondent au degré d'accord ou désaccord indiqué. Ces codes comportent habituellement cinq ou sept éléments (la valeur du centre étant une position neutre), comme par exemple

1	2	3	4	5	8
Tout à fait en accord	Plutôt d'accord	Ni en accord ni en désaccord	Plutôt en désaccord	Tout à fait en désaccord	Ne sais pas

Dans le cas de questions ouvertes à réponse numérique, il n'y a pas de codes à préciser puisque la réponse consiste à donner un chiffre. Pour ce qui est des questions ouvertes à réponse textuelle, le codage est plus laborieux et parfois impossible. Il faut se donner des règles précises pour dépouiller les différents éléments de réponse comme une grille d'analyse permettant de définir a posteriori des catégories ou sous-catégories à l'aide de mots-clés. La validité de la codification dépend de la qualité des catégories qui ont été définies.

Dépendant du sujet de l'étude ou du type de questions, on pourrait également utiliser des classifications déjà établies par des organismes.

Pour faciliter le traitement (dépouillement, mesures descriptives, tableaux croisés, ...), on numérote chaque question, par exemple de 1 à 20 pour un questionnaire comportant 20 questions. On peut par la suite, pour la saisie de données sur support informatique, associer à chaque question un nom de variable (comme par exemple Q1, Q2, ..., Q20); les modalités de réponse de chaque question avec les codes appropriés sont les valeurs de ces variables.

Illustrons l'application de ces concepts à l'aide du questionaire suivant. Pour des fins pédagogiques, nous nous sommes limités à quelques questions.

Exemple 1.17   **Modèle de questionnaire et codage des modalités**

Nous présentons certaines questions d'une enquête effectuée par une entreprise de service auprès d'entreprises québécoises avec les codes associés aux modalités de réponse, ainsi que les résultats obtenus pour quelques répondants et la saisie des données dans un fichier pouvant être traité par la suite avec Microsoft Excel. On pourrait procéder de façon similaire avec les logiciels statistiques SPSS et MINITAB.

> Une entreprise de service a effectué une enquête auprès de sa clientèle pour obtenir divers renseignements qui permettraient de mieux cibler les offres à valeur ajoutée qui peuvent s'avérer utiles pour ces entreprises.
>
> Le questionnaire utilisé est présenté à la page suivante.

**Modèle de
questionnaire**

Q1 : Quel est le secteur d'activité de votre entreprise?

Vente au détail	❑ 1	Manufacturier	❑ 4
Services	❑ 2	Vente en gros	❑ 5
Finances	❑ 3		

Q2 : Exploitez-vous une entreprise à domicile?

Oui ❑ 1   Non ❑ 2

Q3 : Depuis combien de temps exploitez-vous ou dirigez-vous votre entreprise?

Depuis moins de 3 ans	❑ 1
Depuis 3 à 6 ans	❑ 2
Depuis 7 ans ou plus	❑ 3

Q4 : Combien votre entreprise compte-t-elle d'employés, y compris vous-même?

De 1 à 4 ❑ 1   De 5 à 9 ❑ 2   10 ou plus ❑ 3

Q5 : Combien investissez-vous en publicité dans une année?

Moins de 1 000$	❑ 1
Entre 1 000$ et 3 000$	❑ 2
Plus de 3 000$	❑ 3

Exemple 1.18

Réponses de trois entreprises

Voici les résultats de trois répondants.

Entreprise no 1

Q1 : Quel est le secteur d'activité de votre entreprise?

Vente au détail	❑ 1	Manufacturier	❑ 4
Services	☑ 2	Vente en gros	❑ 5
Finances	❑ 3		

Q2 : Exploitez-vous une entreprise à domicile?

Oui ❑ 1   Non ☑ 2

Q3 : Depuis combien de temps exploitez-vous ou dirigez-vous votre entreprise?

Depuis moins de 3 ans	❑ 1
Depuis 3 à 6 ans	☑ 2
Depuis 7 ans ou plus	❑ 3

Q4 : Combien votre entreprise compte-t-elle d'employés, y compris vous-même?

De 1 à 4 ☑ 1   De 5 à 9 ❑ 2   10 ou plus ❑ 3

Q5 : Combien investissez-vous en publicité dans une année?

Moins de 1 000$	❑ 1
Entre 1 000$ et 3 000$	☑ 2
Plus de 3 000$	❑ 3

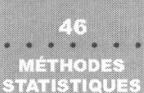
Entreprise no 2

Q1 : Quel est le secteur d'activité de votre entreprise?

Vente au détail ☐ 1   Manufacturier ☐ 4

Services ☐ 2   Vente en gros ☑ 5

Finances ☐ 3

Q2 : Exploitez-vous une entreprise à domicile?

Oui ☐ 1   Non ☑ 2

Q3 : Depuis combien de temps exploitez-vous ou dirigez-vous votre entreprise?

Depuis moins de 3 ans ☐ 1

Depuis 3 à 6 ans ☐ 2

Depuis 7 ans ou plus ☑ 3

Q4 : Combien votre entreprise compte-t-elle d'employés, y compris vous-même?

De 1 à 4 ☐ 1   De 5 à 9 ☑ 2   10 ou plus ☐ 3

Q5 : Combien investissez-vous en publicité dans une année?

Moins de 1 000$ ☐ 1

Entre 1 000$ et 3 000$ ☐ 2

Plus de 3 000$ ☑ 3

Entreprise no 3

Q1 : Quel est le secteur d'activité de votre entreprise?

Vente au détail ☐ 1   Manufacturier ☐ 4

Services ☑ 2   Vente en gros ☐ 5

Finances ☐ 3

Q2 : Exploitez-vous une entreprise à domicile?

Oui ☐ 1   Non ☑ 2

Q3 : Depuis combien de temps exploitez-vous ou dirigez-vous votre entreprise?

Depuis moins de 3 ans ☐ 1

Depuis 3 à 6 ans ☐ 2

Depuis 7 ans ou plus ☑ 3

Q4 : Combien votre entreprise compte-t-elle d'employés, y compris vous-même?

De 1 à 4 ☐ 1   De 5 à 9 ☑ 2   10 ou plus ☐ 3

Q5 : Combien investissez-vous en publicité dans une année?

Moins de 1 000$ ☐ 1

Entre 1 000$ et 3 000$ ☑ 2

Plus de 3 000$ ☐ 3

Exemple 1.18

Réponses de trois entreprises (suite)

Préparation du fichier de données

**Fichier
Excel**

Nous indiquons ci-après une feuille de travail Excel utilisée pour la saisie des données du sondage.

	A	B	C	D	E	F
1	Exemple 1.18					
2	Données nominales et ordinales					
3		Q1	Q2	Q3	Q4	Q5
4	Répondant no	Secteur d'activité	Entreprise à domicile	Temps gestion entreprise	Nombre d'employés	Investissement en publicité
5	1	2	2	2	1	2
6	2	5	2	3	2	3
7	3	2	2	3	2	2

Entreprise no 3

Q1 : Quel est le secteur d'activité de votre entreprise?

Vente au détail ☐ 1   Manufacturier ☐ 4

Services ☑ 2   Vente en gros ☐ 5

Finances ☐ 3

Les premières questions

Q2 : Exploitez-vous une entreprise à domicile?

Oui ☐ 1   Non ☑ 2

Q3 : Depuis combien de temps exploitez-vous ou dirigez-vous votre entreprise?

Depuis moins de 3 ans   ☐ 1

Depuis 3 à 6 ans   ☐ 2

Depuis 7 ans ou plus   ☑ 3

Nous indiquons également la feuille de données pour un traitement avec le logiciel statistique SPSS (version étudiante).

Fichier SPSS

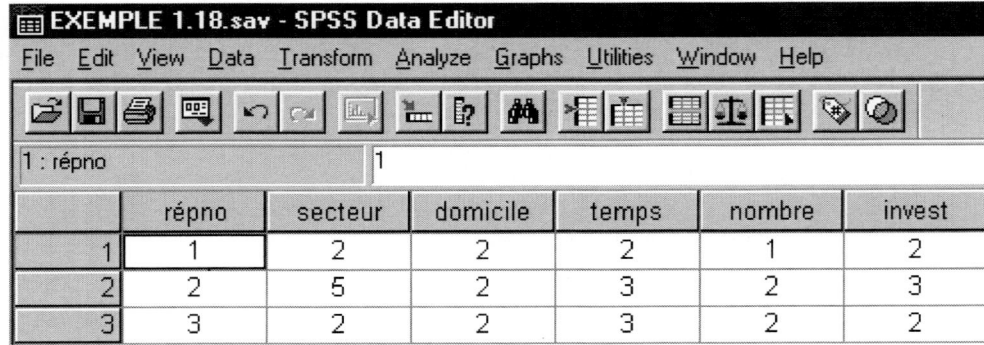

	répno	secteur	domicile	temps	nombre	invest
1	1	2	2	2	1	2
2	2	5	2	3	2	3
3	3	2	2	3	2	2

Exercice d'apprentissage

Série 1.5

Codage des modalités de réponse et préparation du fichier de données pour traitement informatique

Nous présentons ci-après un modèle de questionnaire utilisé par l'entreprise Interchèques pour connaître la perception de sa clientèle concernant la qualité de ses produits, ainsi que certaines informations complémentaires concernant le traitement de la commande du client.

Sondage sur la satisfaction de la clientèle

1. Veuillez lire les énoncés suivants et coter chacun d'entre eux sur une échelle de 1 à 5, **5** étant excellent et **1** médiocre. Un seul ✔ par énoncé.

	Excellent				Médiocre	Ne sais pas
	5	4	3	2	1	8
a) Évaluation générale d'Interchèques en tant que fournisseur de chèques	❏	❏	❏	❏	❏	❏
b) Respect de la commande de chèques	❏	❏	❏	❏	❏	❏
c) Qualité des images imprimées sur les chèques	❏	❏	❏	❏	❏	❏
d) Traitement rapide de la commande	❏	❏	❏	❏	❏	❏
e) État de la commande reçue	❏	❏	❏	❏	❏	❏

2. Après combien de temps avez-vous ouvert votre commande de chèques, une fois que vous l'avez eue entre les mains?

❏ Immédiatement   ❏ De 1 à 5 jours   ❏ De 6 à 14 jours   ❏ De 15 à 30 jours   ❏ Plus d'un mois

3. Combien de temps s'est-il écoulé entre le moment où vous avez passé votre commande et celui où vous avez reçu vos chèques?

❏ De 1 à 3 jours ouvrables   ❏ De 4 à 5 jours ouvrables   ❏ Plus de 5 jours ouvrables

4. De quelle façon avez-vous passé votre commande de chèques?

❏ Téléphone   ❏ Télécopieur   ❏ En succursale   ❏ Poste   ❏ Internet

---

a) Précisez l'échelle de mesure pour chaque question.

Q1:
Q2:
Q3:
Q4:

b) Indiquez sur le questionnaire ci-haut, un code pour chaque modalité de réponse des questions 2, 3 et 4.

c) Voici les réponses obtenues de dix clients(es):

Client 001:
Question1: a) 4   b) 5   c) 4   d) 5   e) 5
Question2: De 1 à 5 jours
Question3: De 4 à 5 jours ouvrables
Question4: En succursale

Client 002:
Question1: a) 4   b) 4   c) 3   d) 5   e) 4
Question2: De 1 à 5 jours
Question3: De 1 à 3 jours ouvrables
Question4: Télécopieur

Client 003:
Question1: a) 5   b) 5   c) 4   d) 4   e) 5
Question2: Immédiatement
Question3: De 4 à 5 jours ouvrables
Question4: En succursale

**Exercice
d'apprentis-
sage**

**Série 1.5
(suite)**

Client 004:
Question1: a) 4   b) 5   c) 4   d) 5   e) 5
Question2: De 1 à 5 jours
Question3: Plus de 5 jours ouvrables
Question4: Internet

. . . .

Client 005:
Question1: a) 4   b) 4   c) 4   d) 4   e) 4
Question2: De 6 à 14 jours
Question3: De 4 à 5 jours ouvrables
Question4: En succursale

. . . .

Client 006:
Question1: a) 8   b) 4   c) 4   d) 4   e) 4
Question2: De 6 à 14 jours
Question3: Plus de 5 jours ouvrables
Question4: Internet

. . . .

Client 007:
Question1: a) 4   b) 5   c) 4   d) 5   e) 5
Question2: De 6 à 14 jours
Question3: De 4 à 5 jours ouvrables
Question4: En succursale

. . . .

Client 008:
Question1: a) 3   b) 4   c) 4   d) 4   e) 4
Question2: De 6 à 14 jours
Question3: Plus de 5 jours ouvrables
Question4: Internet

. . . .

Client 009:
Question1: a) 8   b) 4   c) 4   d) 4   e) 4
Question2: De 6 à 14 jours
Question3: Plus de 5 jours ouvrables
Question4: Internet

. . . .

Client 010:
Question1: a) 4   b) 5   c) 4   d) 5   e) 5
Question2: De 1 à 5 jours
Question3: Plus de 5 jours ouvrables
Question4: Internet

. . . .

À partir de ces réponses, complétez le fichier de données ci-après avec les codes appropriés.

Client no	Q1a	Q1b	Q1c	Q1d	Q1e	Q2	Q3	Q4
001	4	5	4	5	5	2	2	3
002								
003								
004								
005								
006								
007								
008								
009								
010								

1.16   Exploitation de données nominales et ordinales

La procédure pour dépouiller des données obtenues à l'aide d'un questionnaire (ou à l'aide d'un autre instrument de mesure) dont les modalités de réponse ont été structurées selon une échelle nominale ou ordinale est plutôt simple.

Il s'agit de compter le nombre de données qui appartient à chaque modalité de réponse ou à chaque catégorie (classe) dans le cas de données ordinales où le choix de réponses se présente sous forme de catégories ordonnées.

Les notions requises pour la compilation de données sont présentées ci-après.

Fréquence absolue (ou effectif). La fréquence absolue (f) d'une modalité (ou catégorie) est le nombre de fois que cette modalité apparaît dans les résultats. Dans le cas d'une variable quantitative, la fréquence absolue associée à une valeur de la variable est le nombre de fois que cette valeur (donnée) se rencontre dans la série.

Fréquence relative. La fréquence relative d'une modalité (ou d'une catégorie ou d'une valeur) s'obtient en divisant la fréquence absolue de cette modalité par n, le nombre total de répondants ou le nombre total de données de la série:

$$f_r = \frac{f}{n}.$$

Dans le cas où les données ont été dépouillées en classes (variable continue), la fréquence relative (f_r) d'une classe s'obtient en divisant la fréquence absolue (f) de cette classe par n, le nombre total de données qui ont été dépouillées.

Pourcentage. Le pourcentage ($p\%$) d'une modalité ou d'une classe est la fréquence relative de cette modalité (ou de cette classe) multipliée par 100:

$$p\% = f_r \times 100 = \frac{f}{n} \times 100.$$

Illustrons les différents outils applicables à l'exploitation des données d'un questionnaire à l'aide de la situation que nous avons traitée aux exemples 1.17 et 1.18.

Exemple 1.19   **Dépouillement de données nominales et ordinales: entreprise de service**

Fichier
E X E M P L E
1.19

Le fichier de données (selon la codification indiquée sur le questionnaire) comporte les réponses de 225 répondants dont nous présentons un extrait ci-après dans une feuille de travail Excel.

	A	B	C	D	E	F
		Q1	Q2	Q3	Q4	Q5
1	Exemple 1.19 - Dépouillement de données et représentations graphiques					
2	Données nominales et ordinales					
3		**Q1**	**Q2**	**Q3**	**Q4**	**Q5**
4	Répondant no	Secteur d'activité	Entreprise à domicile	Temps gestion entreprise	Nombre d'employés	Investissement en publicité
5	1	2	2	2	1	2
6	2	5	2	3	2	3
7	3	2	2	3	2	2
8	4	4	2	2	1	2
9	5	1	2	3	2	2
10	6	4	2	3	1	2
11	7	5	2	2	1	3
12	8	1	2	3	2	1
13	9	2	2	2	1	2

On veut d'abord dépouiller les résultats de cette enquête des questions Q1 (échelle nominale), Q2 (échelle nominale) et Q3 (échelle ordinale).

Il s'agit simplement de noter le nombre de fois qu'apparaît le code pour chaque question et de lui associer par la suite, dans le tableau des résultats, la modalité de réponse qui lui correspond.

Nous indiquons ici le dépouillement qu'on obtient avec le tableur Excel.

Dépouillement des données de la question Q1

> **Q1** : Quel est le secteur d'activité de votre entreprise?
>
> Vente au détail ❏ 1   Manufacturier ❏ 4
>
> Services ❏ 2   Vente en gros ❏ 5
>
> Finances ❏ 3

Le dépouillement s'effectue très facilement en utilisant la fonction FREQUENCE d'Excel; les résultats qu'on obtient pour cette question sont présentés ci-après.

Nous indiquons à l'annexe 1 comment se servir de la fonction FREQUENCE pour effectuer le dépouillement de données.

Secteur d'activité des entreprises	
Codes	**Fréquences absolues**
1	25
2	52
3	13
4	103
5	32
Total	225

Nous avons ajouté le total des fréquences absolues, soit le nombre de répondants.
Le dépouillement selon les diverses modalités de la question Q1 conduit au tableau suivant.

Tableau 1.4

Tableau des résultats concernant le secteur d'activité des répondants

Tableau des résultats de l'enquête concernant le secteur d'activité

Secteur d'activité	Nombre de répondants	Pourcentage
Vente au détail	25	11,11%
Services	52	23,11%
Finances	13	5,78%
Manufacturier	103	45,78%
Vente en gros	32	14,22%
Total: 225	

$$\frac{52}{225} \times 100 = 23,11\%$$

Cette enquête révèle que pratiquement 46% des répondants sont du secteur «Manufacturier».

Poursuivons maintenant le dépouillement avec la deuxième question.

Dépouillement des données de la question Q2

> **Q2** : Exploitez-vous une entreprise à domicile?
>
> Oui ❏ 1   Non ❏ 2

Le dépouillement selon les diverses modalités de la question Q2 conduit au tableau ci-contre:

Entreprise à domicile	
Codes	**Fréquences absolues**
1	20
2	205

Tableau 1.5

Tableau des résultats concernant l'exploitation d'une entreprise à domicile

Tableau des résultats de l'enquête concernant l'exploitation d'une entreprise à domicile

Entreprise à domicile	Nombre de répondants	Pourcentage
Oui	20	9,76%
Non	205	90,24%
Total: 225		

Moins de 10% (9,76%) des répondants exploite une entreprise à domicile.

Dépouillement des données de la question Q3

Q3 : Depuis combien de temps exploitez-vous ou dirigez-vous votre entreprise?

Depuis moins de 3 ans ❑ 1
Depuis 3 à 6 ans ❑ 2
Depuis 7 ans ou plus ❑ 3

Le dépouillement de la question Q3 avec la fonction FREQUENCE d'Excel donne les résultats suivants:

Temps d'exploitation de l'entreprise	
Codes	Fréquences absolues
1	18
2	128
3	79
Total	225

Tableau 1.6

Tableau des résultats concernant le temps d'exploitation de l'entreprise

Tableau des résultats de l'enquête concernant le le temps d'exploitation de l'entreprise

Temps d'exploitation de l'entreprise	Nombre de répondants	Pourcentage
Moins de 3 ans	18	8,00%
Depuis 3 à 6 ans	128	56,89%
Depuis 7 ans ou plus	79	35,11%
Total: 225		

Pratiquement 57% (56,89%) des répondants exploite ou dirige son entreprise depuis 3 ans mais moins de 7 ans.

Utilisation du logiciel statistique SPSS

Les données des deux autres questions ont été dépouillées avec le logiciel statistique SPSS (version étudiante).

Dépouillement des données de la question Q4

Q4 : Combien votre entreprise compte-t-elle d'employés, y compris vous-même?

De 1 à 4 ❑ 1   De 5 à 9 ❑ 2   10 ou plus ❑ 3

La sortie SPSS est présentée à la page suivante.

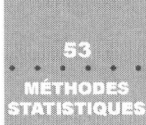
Frequencies

Dépouillement de la question Q4: nombre d'employés

Statistics

Nombre d'employés

N	Valid	225
	Missing	0

Nombre d'employés

		Frequency	Percent	Valid Percent	Cumulative Percent
Valid	De 1 à 4	149	66,2	66,2	66,2
	De 5 à 9	69	30,7	30,7	96,9
	10 ou plus	7	3,1	3,1	100,0
	Total	225	100,0	100,0	

66,2% des entreprises ont de 1 à 4 employés.

Dépouillement des données de la question Q5

Q5 : Combien investissez-vous en publicité dans une année?

Moins de 1 000$	❏ 1
Entre 1 000$ et 3 000$	❏ 2
Plus de 3 000$	❏ 3

Frequencies

Dépouillement de la question Q5: investissement en publicité

Statistics

Investissement en publicité

N	Valid	225
	Missing	0

Investissement en publicité

		Frequency	Percent	Valid Percent	Cumulative Percent
Valid	Moins de 1 000$	44	19,6	19,6	19,6
	Entre 1 000$ et 3 000$	148	65,8	65,8	85,3
	Plus de 3 000$	33	14,7	14,7	100,0
	Total	225	100,0	100,0	

Seulement 14,7% des entreprises investissent plus de 3 000$ en publicité.

Ces tableaux s'accompagnent habituellement de diagrammes (diagrammes à secteurs, diagrammes à barres,...) pour illustrer les résultats d'une enquête ou d'une étude de marché. Nous traitons de ces divers diagrammes dans les sections qui suivent.

1.17   Diagrammes à secteurs et diagrammes à barres

Les formes de représentations qui sont utilisées pour les données nominales et ordinales sont les diagrammes à barres ou diagrammes à rectangles horizontaux (ou verticaux) et les diagrammes à secteurs circulaires. Nous indiquons comment tracer ces types de diagrammes; toutefois un logiciel comme Excel de Microsoft ou Quattro Pro de Corel permettent d'obtenir des effets spectaculaires dans la présentation de ces figures.

Précisons d'abord en quoi consistent ces diagrammes.

> **Diagramme à secteurs circulaires.** Le diagramme à secteurs circulaires consiste en un cercle dont l'aire est décomposée en secteurs circulaires représentant respectivement la proportion de chacune des composantes d'un tout.

> **Diagramme à rectangles horizontaux.** Le diagramme à rectangles horizontaux consiste en une représentation graphique dont l'ordonnée correspond à la liste des diverses modalités du caractère étudié. À la droite de chaque modalité on construit horizontalement des rectangles de même largeur et dont les longueurs sont égales ou proportionnelles à la fréquence absolue ou relative aux modalités représentées.
> **Diagramme à rectangles verticaux.** C'est le même type de graphique mais avec les modalités du caractère portées en abscisse et les rectangles tracés à la verticale.

L'exemple suivant permet d'illustrer l'application de ces représentations graphiques.

Exemple 1.20

Diagrammes à secteurs et diagrammes à barres avec Excel : enquête d'une entreprise de service

Visualisons quelques dépouillements effectués à l'exemple précédent concernant l'enquête auprès d'entreprises québécoises. Les tableaux précédents qui résument les résultats de cette enquête peuvent être enrichis à l'aide de diagrammes. Nous avons utilisé un diagramme à secteurs circulaires pour les résultats concernant le secteur d'activité des entreprises, un diagramme à rectangles horizontaux pour les résultats concernant le temps à la direction de l'entreprise, et un diagramme à rectangles verticaux pour les résultats concernant l'investissement en publicité.

Diagramme à secteurs circulaires

Secteurs	Pourcentages
Vente au détail	11,11
Services	23,11
Finances	5,78
Manufacturier	45,78
Vente en gros	14,22

Nous indiquons en annexe 1, comment réaliser ces divers diagrammes avec l'Assistant graphique d'Excel.

Répartition du secteur d'activité des entreprises

14,22%   11,11%

23,11%

45,78%   5,78%

- Vente au détail
- Services
- Finances
- Manufacturier
- Vente en gros

> Pour ce type de diagramme, il faut que les pourcentages associés aux diverses modalités de réponse totalisent 100%; la taille des secteurs reflète l'importance de chaque modalité.

Diagramme à rectan-
gles horizontaux

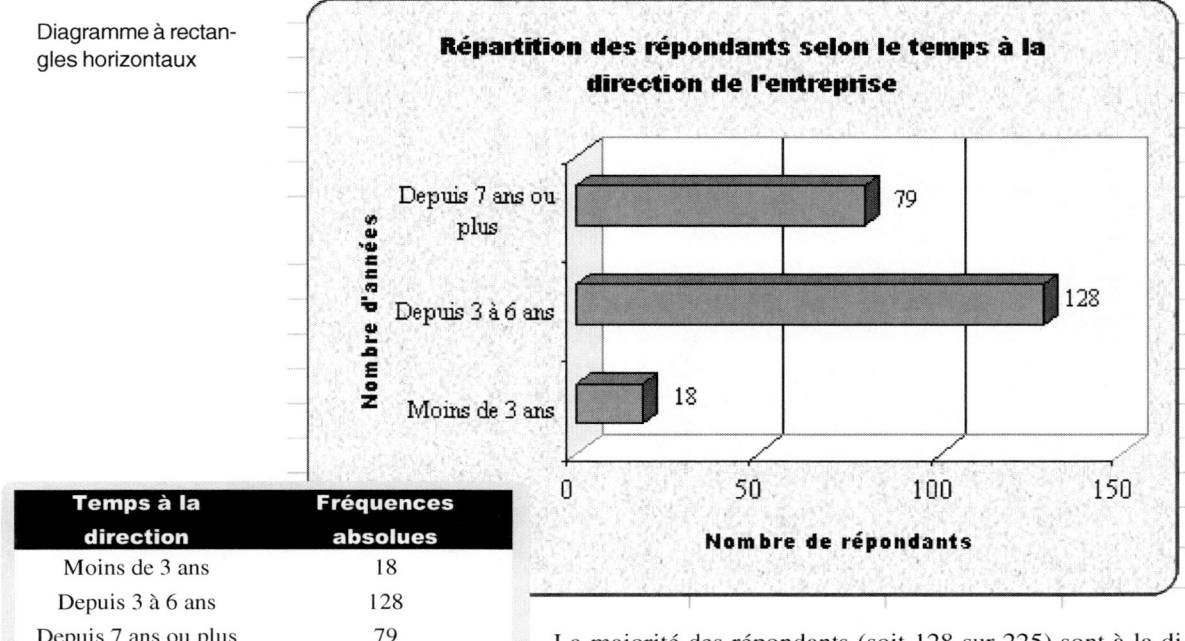

**Répartition des répondants selon le temps à la
direction de l'entreprise**

Temps à la direction	Fréquences absolues
Moins de 3 ans	18
Depuis 3 à 6 ans	128
Depuis 7 ans ou plus	79

La majorité des répondants (soit 128 sur 225) sont à la direction ou exploite l'entreprise depuis 3 à 6 ans.

Diagramme à
rectangles verticaux

**Répartition des répondants selon
l'investissement en publicité**

Investissement en publicité	Pourcentages
Moins de 1 000$	19,6
Entre 1 000$ et 3 000$	65,8
Plus de 3 000$	14,7

Pratiquement 66% des entreprises investissent entre 1 000$ et 3 000$ annuellement
en publicité.

Exercice d'apprentis- sage

Série 1.6

📄Diagrammes à barres et à secteurs: visualisation des résultats d'une enquête

Le tableau 1 donne la répartition des investissements effectués par les propriétaires-dirigeantes pour démarrer leur entreprise.

Le tableau 2 donne la répartition des entreprises en fonction du nombre d'années d'existence.

Le tableau 3 indique la façon dont les propriétaires-dirigeants considèrent l'évolution de leur entreprise.

Les femmes propriétaires-dirigeantes: mythes et réalités

Jacques Grisé et Hélène Lee-Gosselin

Revue P.M.O. volume 3 numéro 2.

Les résultats présentés ci-après ont été obtenus à partir d'un questionnaire détaillé, acheminé par la poste à 816 propriétaires-dirigeantes de la région de Québec.

Tableau 1. Investissement initial	
Mise de fonds	**% de propriétaires**
Aucun déboursé	6,70%
500$ ou moins	7,00%
500$ - 5 000$	29,40%
5 000$ - 7 000$	7,10%
8 000$ - 20 000$	24,90%
Plus de 20 000$	24,90%

a) Visualisez les résultats du tableau 1 à l'aide d'un diagramme à rectangles horizontaux.

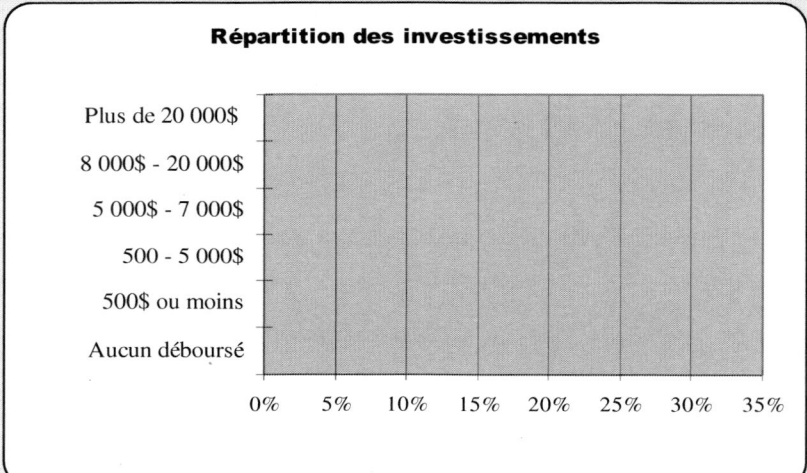

Tableau 2. Âge de l'entreprise	
Nombre d'années	**% des entreprises**
Moins de 2 ans	15,10%
3 - 5 ans	25,40%
6 - 10 ans	26,50%
11 - 20 ans	19,50%
21 ans et plus	13,50%

Tableau 3. Évolution de l'entreprise	
Phases d'évolution	**% de propriétaires**
Début	6,50%
Expansion	28,80%
Encore fragile	16,10%
Stable	45,40%
Déclin	3,20%

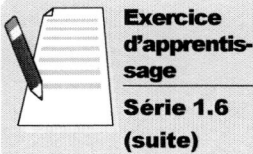

Exercice
d'apprentis-
sage
Série 1.6
(suite)

b) Visualisez les résultats du tableau 2 à l'aide d'un diagramme à secteurs.

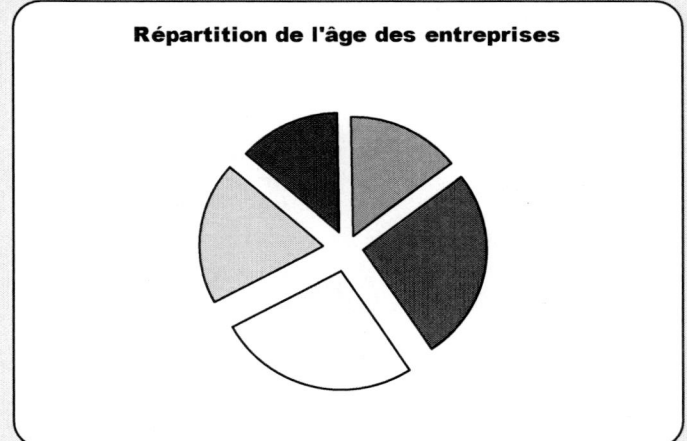

Répartition de l'âge des entreprises

c) Visualisez les résultats du tableau 3 à l'aide d'un diagramme à rectangles verticaux.

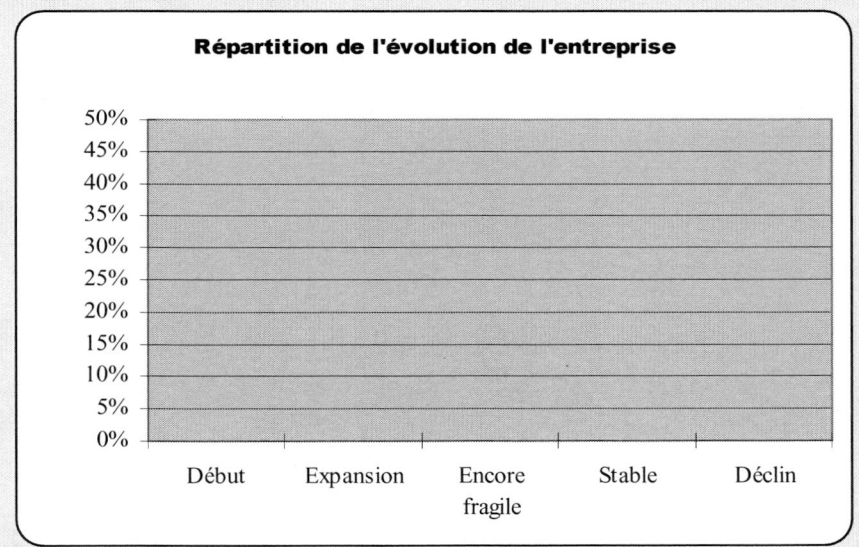

Répartition de l'évolution de l'entreprise

1.18   Autres types de diagrammes

Les diagrammes que nous avons traités sont, si on peut dire, les plus courants; il existe toutefois plusieurs autres types de diagrammes qui sont utilisés pour créer un impact visuel sur le lecteur. Un logiciel comme Excel comporte, à travers ses quatorze types de graphiques, plus de 100 formats différents. Voici deux autres exemples de graphiques soit un diagramme linéaire et un histogramme avec effet 3D.

Exemple 1.21   **Diagramme linéaire et histogramme à effet 3D pour visualiser les résultats d'enquête**

a) Diagrammes linéaires (Barres) : Sondage sur la satisfaction des Québécois concernant certaines activités d'Hydro-Québec

Les données suivantes ont été obtenues lors d'un sondage CROP-*La Presse* à partir de 1040 entrevues téléphoniques effectuées du 23 au 26 mai 1991. Ce sondage concernait la qualité de l'environnement et la réalisation de grands projets de développement économique. Voici les résultats (présentés dans une feuille de calcul Excel) associés à une question concernant certaines activités d'Hydro-Québec.

Êtes-vous satisfait, assez satisfait, peu satisfait ou pas du tout satisfait d'Hydro-Québec pour ce qui est...

Sondage CROP-*La Presse* : Activités Hydro-Québec			
Activités	**Satisfait**	**Peu satisfait**	**Ne sait pas**
Du service à la clientèle	80%	10%	10%
De la réparation des pannes	80%	17%	4%
De l'aménagement des grands projets hydro-électriques	57%	26%	17%
Du respect de l'environnement	57%	32%	11%
Des tarifs d'électricité	30%	64%	6%

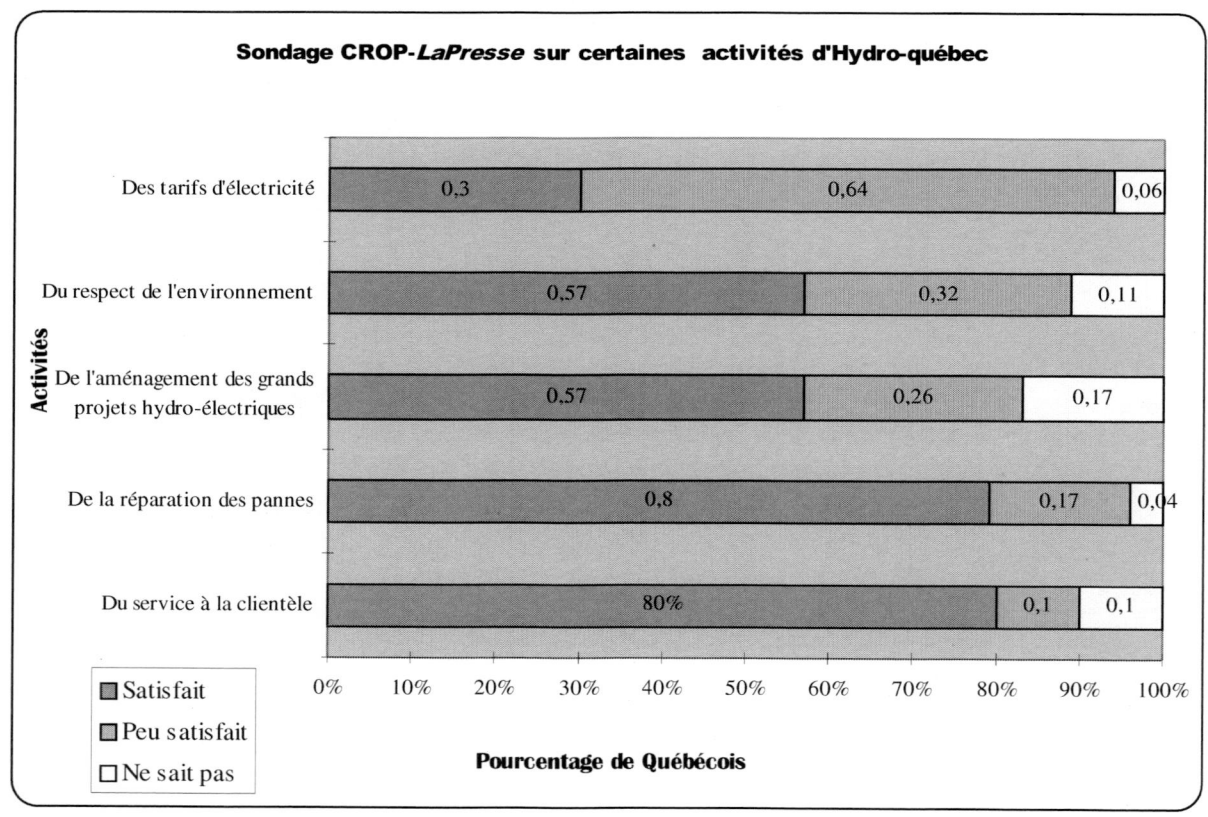

b) Histogramme à effet 3D : Sondage sur la perception de la population concernant le développement des sciences et de la technologie au Québec

Une enquête (1990) effectuée par les professeurs Filiatrault et Ducharme du Centre de Recherche en Gestion de l'UQAM portait sur la perception de la population (ensemble des Québécois et Québécoises de 18 ans et plus, appartenant à des ménages, accessibles par téléphone à composition directe, pouvant tenir une conversation téléphonique en français ou en anglais) concernant le développement des sciences et de la technologie au Québec.

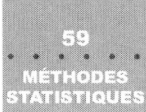

Voici une des questions du sondage :

Voici une liste de produits nouveaux qui ont été développés grâce aux activités de la science et de la technologie ces dernières années ; pour chacun d'eux, je voudrais que vous me disiez si c'est une chose très utile, assez utile, assez inutile ou tout à fait inutile pour vous...

	Très utile	*Assez utile*	*Assez inutile*	*Tout à fait inutile*
a) le four à micro-ondes	1	2	3	4
b) le lecteur de disques laser	1	2	3	4
c) le micro-ordinateur	1	2	3	4
d) les machines à calculer électroniques	1	2	3	4
e) le magnétoscope (Betamax ou VHS)	1	2	3	4

Les résultats obtenus pour le produit «micro-ordinateur» sont présentés ci-après (feuille de calcul Excel); nous n'avons considéré ici que la répartition des données selon le groupe d'âge et selon le degré d'accord avec l'énoncé de la question.

	A	**B**	**C**	**D**	**E**	**F**
1						
2	Question: Je voudrais que vous me disiez si le micro-ordinateur est une					
3	chose très utile, assez utile ou tout à fait inutile pour vous...					
4						
5	Age	Très utile	Assez utile	Assez inutile	Tout à fait inutile	Total des lignes
6	18-24 ans	76	76	25	38	215
7	25-54 ans	295	324	164	162	945
8	55 ans et plus	46	89	67	126	328
9	**Total des colonnes**	417	489	256	326	1488

Dans ce tableau croisé, on peut lire que 324 répondants, âgés entre 25 et 54 ans trouvent que le micro-ordinateur une chose assez utile. On peut visualiser la perception de ce produit par les répondants selon les deux caractères mentionnés ici (Niveau d'utilité et âge) en utilisant un histogramme à effet 3D qu'on trouve par exemple sur le tableur Excel.

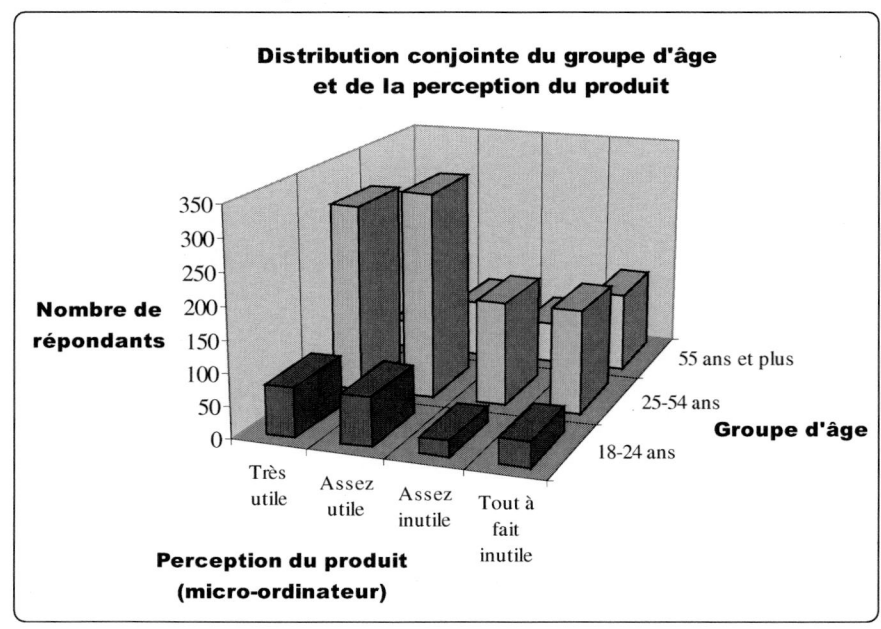

On constate que les 25-54 ans semblent bien apprécier ce merveilleux produit.

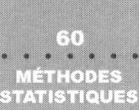

1.19   Série de données évoluant dans le temps : série chronologique

On trouve ce type de données pratiquement dans tous les secteurs de l'activité humaine. Nous donnons la définition suivante d'une série chronologique.

> **Série chronologique.** Une série chronologique (ou série temporelle) est une série de données de nature quantitative qui ont été obtenues dans le temps; les données sont habituellement obtenues à intervalles de temps réguliers. Ce type de série permet d'examiner le comportement dans le temps de la variable statistique et d'en étudier, s'il y a lieu, les tendances. On visualise une série chronologique en reportant en ordonnée les valeurs de la variable statistique et en abscisse, la mesure correspondante du temps. On relie par la suite ces couples d'observations à l'aide de segments de droite; on obtient ainsi un graphe linéaire.

Exemple 1.22   **Visualisation de séries chronologiques**

a) Portrait du secteur immobilier canadien. Les représentations graphiques qui suivent permettent de visualiser l'évolution de divers indicateurs économiques (mises en chantier, l'indice des prix des maisons, le niveau de revente des maisons, les taux hypothécaires) concernant le secteur immobilier canadien.

Portrait du secteur immobilier canadien*

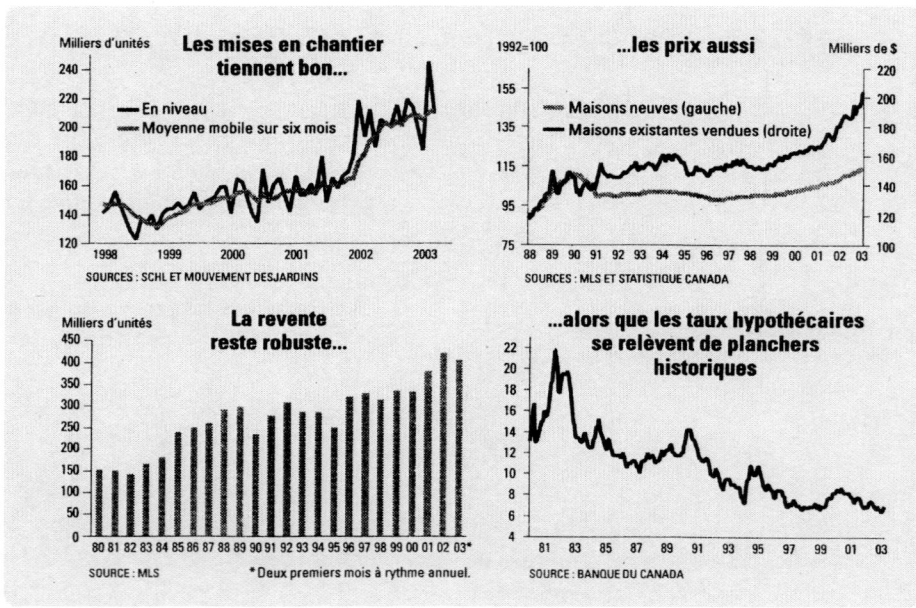

*Source: Beauchamp, D. *La manne de l'habitation défie les sceptiques.* LES AFFAIRES, 26 avril 2003.

b) Évolution des investissements privés. Les données* de la page suivante représentent les investissements privés en immobilisations (en milliards de dollars) entre 1994 et 2003 (valeur estimative) pour le Québec.

*Source: Statistique Canada et le journal LES AFFAIRES, HORS SÉRIE, édition 2003.

Période	Investissements
1994	20,3
1995	18,8
1996	20,7
1997	24,0
1998	25,3
1999	27,1
2000	27,8
2001	27,7
2002	28,5
2003	30,6

Le graphique suivant permet de visualiser l'évolution des investissements privés.

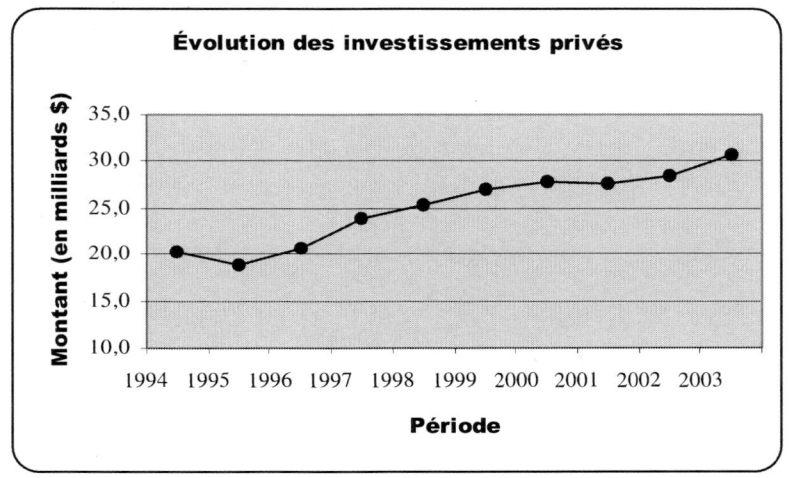

c) Ventes au détail. Les données* suivantes représentent les ventes au détail au Québec (en milliards de $ constants de 1990) pour la période de 1990 à 2000.

Année	Ventes au détail
1990	47,58
1991	42,49
1992	41,84
1993	42,95
1994	45,34
1995	44,12
1996	45,88
1997	48,45
1998	49,09
1999	51,26
2000	51,60

*Source: Statistique Canada, Association des économistes québécois et le journal LES AFFAIRES, 13 janvier 2001.

On utilise également un diagramme à barres verticales (ou horizontales) pour mettre en relief cette information économique.

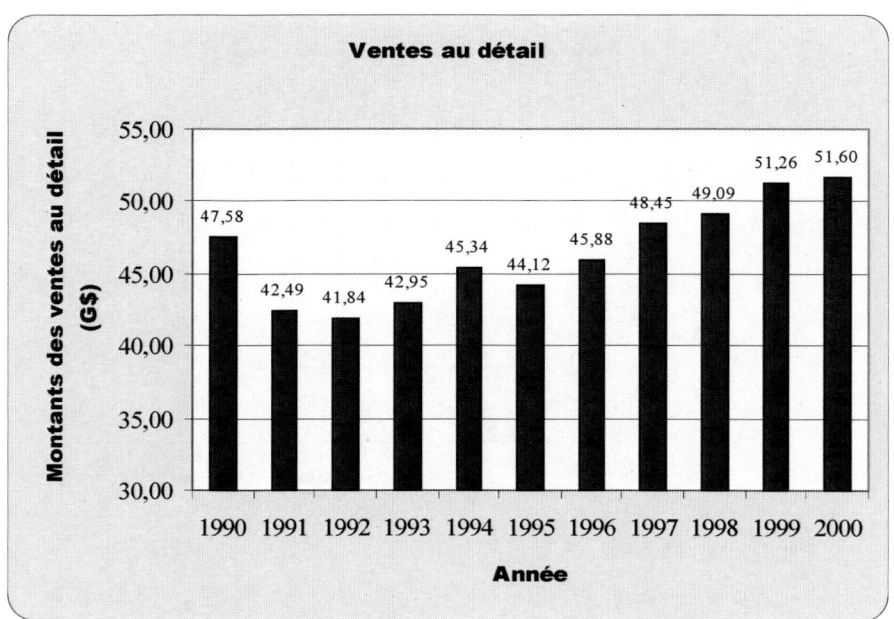

1.20   Présentation des résultats dans un tableau croisé

Il est fréquent d'observer dans les rapports de recherche, d'enquête ou dans les articles de revues et de journaux, la présentation de tableaux où on y trouve les modalités d'un caractère croisées avec les modalités d'un autre caractère.

> **Tableau croisé.** Un tableau croisé est un tableau à double entrée où les modalités d'un caractère sont croisées avec les modalités d'un autre caractère. La première colonne précise les modalités d'un des caractères tandis que la première ligne précise les modalités de l'autre. À l'intersection d'une ligne et d'une colonne, on lit le nombre ou la proportion d'individus appartenant aux deux modalités correspondantes. Ce type de tableau est fréquent lorsqu'on veut examiner s'il existe une certaine dépendance entre deux caractères, en particulier lorsque ceux-ci sont mesurés sur une échelle nominale ou ordinale.

· · · ·
Le tableau croisé est également connu sous le nom de *tableau de contingence*, aspect qui est traité au chapitre 9 où on s'intéresse à tester l'indépendance entre deux caractères.

Exemple 1.23

Répartition des répondants selon un tableau croisé

Dans une enquête* effectuée par Léger Marketing (septembre 2002) concernant les Canadiens et l'importance accordée au travail, on a posé la question suivante:

> Vous arrive-t-il souvent, occasionnellement, rarement ou jamais d'apporter du travail à la maison?

Le tableau de la page suivante présente la répartition des répondants en fonction de leur catégorie salariale et leur tendance à apporter du travail à la maison après les heures de bureau. Les modalités de la variable «tendance à apporter du travail à la maison » sont listées sur la première ligne alors que les modalités de la variable «catégorie salariale» sont écrites dans la première colonne.

*Source: Adapté de *Les Canadiens et l'importance accordée au travail*, Léger Marketing, septembre 2002.

Catégorie salariale	Souvent	Occasionnellement	Rarement	Jamais	Total
Moins de 20 000$	25	5	8	175	213
20 000$ à 39 999$	32	24	31	146	233
40 000$ à 59 999$	52	32	55	117	256
60 000$ et plus	69	49	42	83	243
Total	178	110	136	521	945

Dans ce tableau,
- On lit que 945 individus ($n = 945$) ont répondu à la question.
- On constate que 32 répondants sont dans la catégorie salariale *20 000$ à 39 999$* inclusivement et apportent *souvent* du travail à la maison après les heures de bureau.
- Par ailleurs, 146 répondants qui sont dans cette même catégorie salariale n'apportent *jamais* de travail à la maison.
- Dans la dernière ligne (titrée «Total»), on lit que 110 des 945 répondants apportent *occasionnellement* du travail à la maison.
- Dans la dernière colonne (aussi titrée «Total»), on lit que 243 répondants sont la catégorie salariale *60 000$ et plus*.

Tableaux croisés avec pourcentages

On présente également les tableaux croisés avec des pourcentages. De tels tableaux permettent d'effectuer aisément des comparaisons. Le pourcentage qui apparaît dans une case du tableau indique la proportion d'unités statistiques pour une modalité particulière de la variable indépendante qui appartiennent à une modalité de la variable dépendante. Le total de chaque colonne doit donner 100% (ou presque à cause des arrondis). On indique également dans la colonne et entre parenthèses le nombre de répondants y figurant. L'exemple suivant en est une illustration.

Sondage pour le compte de l'Association des banquiers

Un sondage a été effectué en mai 2002 pour le compte de l'Association des banquiers canadiens pour connaître les attitudes des clients en ce qui a trait aux nouvelles technologies et principalement Internet pour effectuer la majorité de leurs transactions financières.

Une des questions du sondage (qui en comportait une dizaine) était la suivante:

Est-ce que vous croyez que la technologie et Internet changent votre façon de gérer vos finances personnelles? Est-ce que vous diriez que la technologie change votre façon de gérer vos finances personnelles ...

De manière très importante   Modérément   De manière peu importante   Aucunement

Répartition en pourcentage des répondants selon la catégorie d'âge et leurs attitudes concernant leurs finances personnelles

Les réponses à cette question ont été croisées avec le groupe d'âge des répondants; la répartition des répondants est présentée (en pourcentages) ci-après.

	Répartition des répondants			
	Catégorie d'âge			
Attitudes concernant la façon de gérer ses finances personnelles	18-34 ans (n = 289) %	35-44 ans (n = 288) %	45-54 ans (n = 243) %	55 ans et plus (n = 359) %
De manière très importante	65	64	59	47
Modérément	30	26	28	29
De manière peu importante	2	4	6	6
Aucunement	2	4	4	12
Ne sais pas/Refus	1	2	3	6
Total	100	100	100	100

* Source: *Technology and Banking: A Survey of Canadian Attitudes*, 2002 (www.cba.ca).

Du tableau de la page précédente, on constate que 65% des répondants appartenant à la catégorie d'âge 18-34 ans, considèrent que la technologie et Internet ont modifié de *manière très importante* leur façon de gérer leurs finances personnelles, alors que 28% des répondants de la catégorie d'âge 45-54 ans considèrent que la technologie et Internet ont modifié *modérément* leur façon de gérer leurs finances personnelles. Le tableau indique également par exemple, que 288 répondants appartiennent à la catégorie d'âge 35-44 ans, alors que 359 appartiennent à la catégorie d'âge 55 ans et plus.

1.21 Sources de données et sites Internet

• • •
Données primaires. Données recueillies spécifiquement pour les besoins d'une recherche ou pour résoudre une situation industrielle problématique, à l'aide d'un questionnaire ou d'un plan d'expérience.

La science de la statistique est bien peu de choses sans la disponibilité de données. Les données obtenues de l'échantillonnage d'un procédé industriel par exemple, permettent de suivre et de maîtriser d'importantes caractéristiques de qualité et ceci à l'aide d'outils statistiques appropriés. On pourrait dire que cette source de données est de nature primaire. Il en serait de même pour des données recueillies à partir d'un questionnaire (par exemple, une enquête sur la préférence de consommateurs et consommatrices concernant la couleur d'une voiture ou encore, identifier , à l'aide d'une enquête auprès de gestionnaires, les facteurs qui nuisent à la productivité du travail d'équipe). Ce sont des exemples de *données primaires*.

• • •
Données secondaires. Données disponibles et recueillies souvent de façon régulière mais qui ne s'adressent pas à un besoin spécifique d'une recherche.

Il existe d'autre part, une autre source de données dites secondaires; les *données secondaires* sont des données déjà disponibles, souvent auprès d'organismes gouvernementaux (comme Statistique Canada ou encore l'Institut de la Statistique du Québec) ou encore auprès d'organismes ou associations commerciales, financières ou industrielles.

Un outil important de recherche de données secondaires est l'Internet. Toutefois, la quantité d'information statistique disponible sur Internet est immense (et ceci dans toutes les sphères de l'activité humaine). Nous nous limiterons donc à présenter quelques sites importants qui permettent d'obtenir une information fiable sur des données commerciales, financières et industrielles. Ces données permettent de supporter une étude de marché, une analyse de l'évolution de la situation économique d'une région ou encore de mieux cerner le comportement du consommateur.

www.stat.gouv.qc.ca   **L'Institut de la statistique du Québec**

Rapport

en qualité
2003

Vie des
générations
et
personnes
âgées

Élevage
• Mise à jour de tableaux dans la section Lait

13 juillet 2004
Toutes nos publications - Santé
• Les personnes âgées à travers les enquêtes de Santé
Québec
**Société - Marché du travail et rémunération -
Indicateurs du marché du travail**
• Mise à jour de tableaux dans la section Statistiques
régionales
Économie et finances - Conjoncture économique
• Mise à jour de tableaux de la section Comparaisons
interprovinciales

9 juillet 2004
**Les régions - Profils des régions et des MRC -
Société - Marché du travail et rémunération**
• Mise à jour du tableau mensuel Caractéristiques du
marché du travail, données mensuelles désaisonnalisées,
juin 2003 à juin 2004 pour chacune des régions
administratives
Structure économique - Filière bioalimentaire
• Mise à jour du tableau Recettes provenant de l'agriculture
selon le type de production de la section Indicateurs de
l'industrie bioalimentaire

6 juillet 2004
**Structure économique - Filière bioalimentaire -
Cultures**
• Indicateurs sur l'état des cultures au Québec au cours de
la saison de végétation 2004 Rapport au 29 juin 2004
**Société - Démographie - Perspectives de la
population**
• Ajout de cartes géographiques des régions de projection

30 juin 2004
**Toutes nos publications - Études et documents
d'analyse - Institutions financières et coopératives**
• L'actif des Québécois dans les fonds communs de
placement 1er trimestre 2004 (pdf)
**Économie et finances - Institutions financières et
coopértives**
• Mise à jour des sections Les fonds communs de
placement et Le taux d'endettement à la consommation

29 juin 2004
Économie et finances - Conjoncture économique
• Mise à jour de tableaux de la section Comparaisons
interprovinciales
Société - Culture et communications
• Mise à jour de tableaux dans la section Film (Avril 2004)
Économie et finances - Commerce extérieur
• Mise à jour des tableaux mensuels de la section
Commerce international

28 juin 2004
Toutes nos publications - Commerce extérieur
• Commerce international de marchandises du Québec,
Données du 1er trimestre 2004
**Toutes nos publications - Études et documents
d'analyse**

Société - Culture et communications
• Mise à jour de tableaux dans les sections Centres
d'artistes, Danse, Musique, Théâtre Éditeurs de périodiques
culturels

**Structure économique - Filière bioalimentaire -
Élevage**
• Ajout de tableaux dans la section Lait
• Ajout de tableaux dans la section Oeufs

Archives ○

En cliquant sur l'onglet «Les régions», on obtient le profil statistique détaillé sur la région administrative sélectionnée.

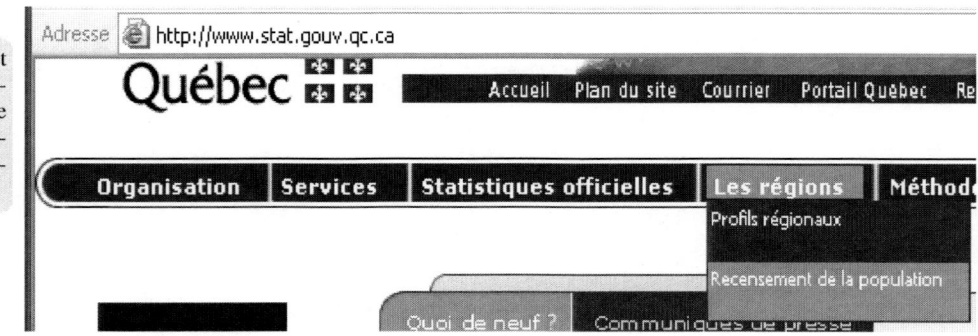

Adresse http://www.stat.gouv.qc.ca

Québec

Accueil   Plan du site   Courrier   Portail Québec   Re

Organisation   Services   Statistiques officielles   Les régions   Méthod

Profils régionaux

Recensement de la population

Quoi de neuf ?   Communiqués de presse

Cliquez sur le numéro d'une région pour accéder aux différents profils statistiques.

Pour imprimer le coup d'œil sur une région,   choisissez une région.

Pour des renseignements supplémentaires su   ommuniquer avec
Maxime Legault, (418) 691-2411, poste 3084
maxime.legault@stat.gouv.qc.ca
ou
Denis Lessard, (418) 691-2411, poste 3244
denis.lessard@stat.gouv.qc.ca

Mise à jour : 17 avril 2003

a page

choisissez une région.
Ensemble du Québec
01 - Bas-Saint-Laurent
02 - Saguenay-Lac-Saint-Jean
03 - Capitale-Nationale
04 - Mauricie
05 - Estrie
06 - Montréal
07 - Outaouais
08 - Abitibi-Témiscamingue
09 - Côte-Nord
10 - Nord-du-Québec
11 - Gaspésie-Îles-de-la-Madeleine
12 - Chaudière-Appalaches
13 - Laval
14 - Lanaudière
15 - Laurentides
16 - Montérégie
17 - Centre-du-Québec

Institut de la statistique du Québec

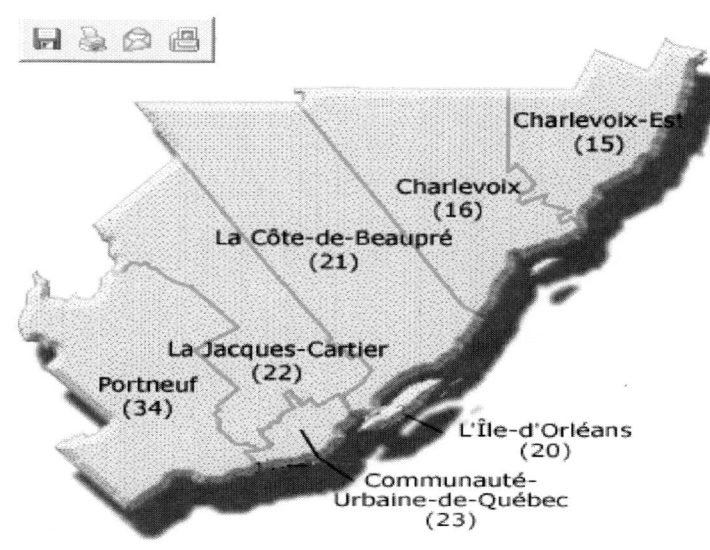

Charlevoix-Est
(15)

Charlevoix
(16)

La Côte-de-Beaupré
(21)

La Jacques-Cartier
(22)

Portneuf
(34)

L'Île-d'Orléans
(20)

Communauté-
Urbaine-de-Québec
(23)

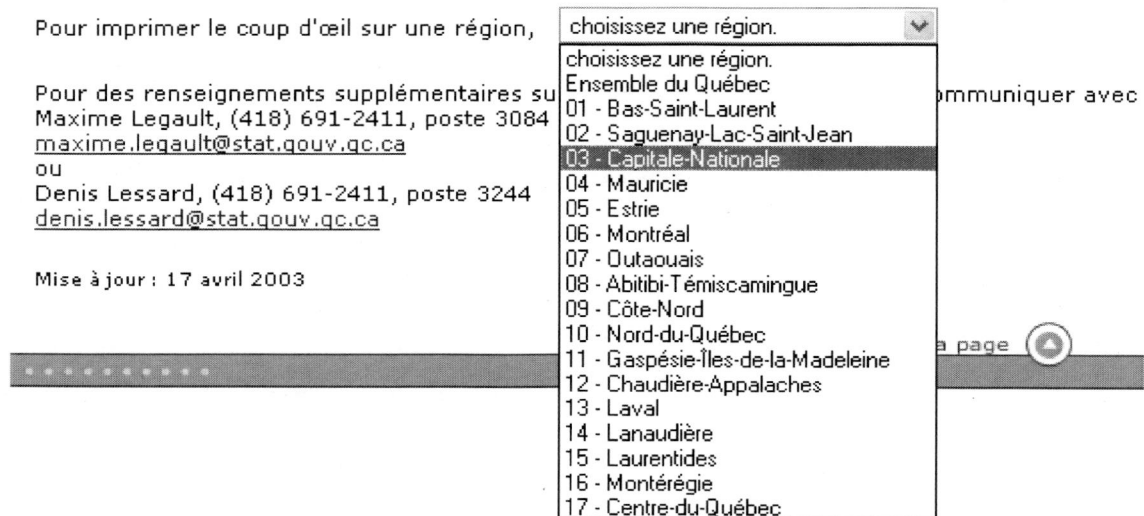

03 - Capitale-Nationale

Superficie en terre ferme (2002)	19 038 km2
Densité de population (2002)	34,3 hab./km2
Population totale (2002)	652 267 hab.
0-14 ans	98 387 hab.
15-24 ans	83 420 hab.
25-44 ans	194 781 hab.
45-64 ans	183 593 hab.
65 ans et plus	92 086 hab.
Solde migratoire (2001-2002)	1 377 hab.
Perspectives démographiques (variation 2001-2011)	2,0 %
Emplois (2002)	322,7 k
Taux d'activité (2002)	64,4 %
Taux d'emploi (2002)	60,3 %
Taux de chômage (2002)	6,5 %
Dépenses en immobilisations (2002)	3 247 304 k$
Valeur ajoutée manufacturière (1998)	2 182 105 k$
Valeur des expéditions manufacturières (1998)	4 071 432 k$
Dépenses en R-D industriels (2000)	128 696 k$
Revenu personnel disponible par hab. (2002)	21 307 $ courant

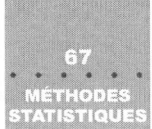
Autre site important du gouvernement du Québec

www.mfer.gouv.qc.ca   **Ministère des Finances, de l'Économie et de la Recherche**

Adresse | http://www.mfer.gouv.qc.ca/ | ✓ → OK Liens

Finances, Économie et Recherche
Québec

| Accueil | Plan du site | Pour nous joindre | Portail Québec | English |

Mise à jour : 2003-04-15

Finances

Industrie et Commerce

Recherche, Science et Technologie

Trois ministères sont maintenant intégrés sous le nom de <u>ministère des Finances, de l'Économie et de la Recherche</u> (MFER). Un site regroupant les trois missions du nouveau ministère sera développé.

À surveiller

Nouvelles

BUDGET 2003-2004

- <u>Tournée de consultations de la vice-première ministre</u>
- <u>Lancement du site Balise sur l'analyse comparative</u>
- <u>Nouveaux bureaux d'Épargne Placements Québec à Montréal</u>
- <u>Dossier sur le déséquilibre fiscal</u>
- <u>Les Prix du Québec</u>
- <u>Les Grands Prix québécois de la qualité</u>
- <u>Démarrez votre entreprise</u>
- <u>Export Alliance Construction</u>
- <u>Concours Chapeau les Filles !</u>

- **Stratégie de plein emploi**

  o <u>Vers le plein emploi, Horizon 2005</u>
  o <u>Vers le plein emploi, Horizon 2005, document complémentaire</u>
  o <u>Abaisser le taux de chômage au Québec. L'objectif, les contraintes et les moyens</u>
- **Quel modèle québécois pour les années 2000 ?**
  | <u>Allocution de Mme Pauline Marois</u> | 6 novembre

2003-04-15 - Ouverts ou fermés pour le magasinage de Pâques ?
| <u>Communiqué</u> |

2003-03-16 - La Caisse de dépôt et placement du Québec : la vice-première ministre Pauline Marois rétablit les faits| <u>Communiqué</u> |

2003-03-11 - Budget 2003-2004 - Le maintien de l'équilibre budgétaire et des actions concrètes en faveur d'une société plus humaine et plus prospère | <u>Communiqué</u> |

2003-03-11 - Budget 2003-2004 - Une société plus prospère
| <u>Communiqué</u> |

2003-03-11 - Budget 2003-2004 - Une société plus humaine
| <u>Communiqué</u> |

2003-03-11 - Budget 2003-2004 - Trois gestes concrets pour le soutien des entreprises québécoises | <u>Communiqué</u> |

2003-03-11 - Le gouvernement du Québec adopte une politique de développement des coopératives | <u>Communiqué</u> |

2003-03-11 - 60,7 millions de dollars de plus pour soutenir les exportations du Québec | <u>Communiqué</u> |

2003-03-10 - Présence accrue d'entreprises exportatrices québécoises sur les marchés des Amériques. | <u>Communiqué</u> |

**Finances, Économie
et Recherche**

Québec ✚✚✚
✚✚✚

Accueil　Plan du site　Courrier　Portail Québec　Recherche　　English

Ministre　　Ministre déléguée　　Ministère　　Index　　Centre de presse　　Sites d'intérêt

Affaires et
commerce électroniques

Commerce extérieur

Coopératives et
économie sociale

Économie

Entrepreneuriat féminin

Entreprise et commerce

Entreprise et commerce

Formation

Innovation

Investir et vivre
au Québec

Placement étudiant

Programmes et services

Régions

Secteurs industriels

29 avril 2003 - Atelier-visite en PVA aux Meubles Laurier ltée à Saint-Flavien.
Thèmes : Réingénierie des procédés, équipement flexible et Kaizen pour une
plus grande flexibilité et témoignage en images sur une mission au Japon.

30 avril 2003 - Séminaire sur Les meilleures pratiques en développement de
logiciels et de système informatiques, Québec.

Un outil d'initiation à l'analys
comparative (*benchmarkinç*

Nouveautés

Bulletin sur le commerce international du Québec - Mise à jour 2002 complétée.

Bulletin "L'Aérospatial" - Avril 2003

L'industrie des équipements de transport

Mise à jour des Profils économiques régionaux et des Comparatifs régionaux.

**Stratégie québécoise
pour améliorer la
compétitivité des entreprises**

1 866 INFOMIC
**La porte d'entrée
des gens d'affaires**

DÉCENNIE QUÉBÉCOISE
DES AMÉRIQUES

Les Grands Prix québécois
de la qualité

**Démarrez
votre
entreprise**

www.statcan.ca   **Statistique Canada**

Adresse http://www.statcan.ca

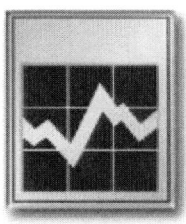

Statistics   Statistique
Canada   Canada

Welcome to Statistics Canada

Bienvenue à Statistique Canada

Canadä

English   **Français**

Important notices   Avis importants

Statistique   Statistics
Canada   Canada

Canadä

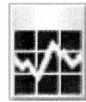

English	Contactez-nous	Aide	Recherche	Site du Canada
Le Quotidien	Le Canada en statistiques	Profils des communautés	Nos produits et services	Accueil
Recensement				Autres liens

Recherche dans le site   Aller!

☐ Information gratuite seulement   **Index A à Z**   **Parcourir par sujet**

Aujourd'hui dans Le Quotidien

Le Quotidien sera publié ce matin à 8 h 30, heure de l'Est. Entre-temps, voici les parutions diffusées récemment.

28 avril 2003 HTML PDF
25 avril 2003 HTML PDF
24 avril 2003 HTML PDF
23 avril 2003 HTML PDF
22 avril 2003 HTML PDF

Dépannage pour fichiers PDF

2001
Recensement

Indicateurs les plus récents	
Estimation de la population (Janvier 2003)	31 499 560
Indice des prix à la consommation (Mars 2003)	4,3 %
Taux de chômage (Mars 2003)	7,3 %
Produit intérieur brut (PIB) (Janvier 2003)	0,4 %
Voir aussi Le Canada en statistiques	

Première visite?

Ressources éducatives

Renseignements pour les répondants aux enquêtes

Méthodes statistiques

À propos de Statistique Canada

Études par Statistique Canada

Données pour les entreprises

Section spéciale pour obtenir de l'information statistique spécifique aux entreprises

ANNUAIRE

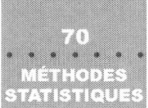

Portaildesaffaires●ca

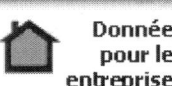

Données
pour les
entreprises

Foire aux
questions

Nos produits
et services

Renseignements
pour les
répondants
aux enquêtes

Contactez-nous

---

10 produits populaires pour les entreprises

1. L'Observateur économique canadien
2. Le Recueil statistique des études de marché 2001
3. Tendances du revenu au Canada
4. Statistiques sur les aliments au Canada
5. L'emploi et le revenu en perspective
6. Liens de parenté entre sociétés
7. Un Canada réseauté
8. Un profil des exportateurs canadiens
9. Structure des industries canadiennes
10. Commerce de détail

■ STATISTIQUE CANADA
Données pour les entreprises

La ressource de statistiques en ligne, de publications, de tableaux statistiques, d'analyse et autres

 Évaluer les caractéristiques du marché à l'aide d'information tirée du recensement

 Recueillir des données pour comparer votre entreprise à votre secteur d'activité

 Analyser les tendances de l'emploi et du revenu

 Obtenir des données sur le commerce au Canada et à l'étranger

 Parcourir notre liste exhaustive de sujets touchant les entreprises

Guides de l'utilisateur et outils

1. Guide d'utilisation de l'indice des prix à la consommation
2. Guide des données sur le marché du travail et le revenu
3. Nouvelle mesure du PIB
4. Autres guides

Indicateurs les plus récents

Estimation de la population (Janvier 2003)	31 499 560
Indice des prix à la consommation (Mars 2003)	4,3 %
Taux de chômage (Mars 2003)	7,3 %
Produit intérieur brut (Janvier 2003)	0,4 %

Voir aussi Le Canada en statistiques

Cernez les marchés les plus prometteurs

Recueil statistique des études de marché 2001

Voici un site important pour effectuer une étude de marché ou une recherche sur le comportement du consommateur.

On trouvera une discussion très détaillée de divers sites Web axés sur le comportement du consommateur dans l'ouvrage de Pettigrew, Zouiten et Menvielle (2002) «Le consommateur: acteur clé en marketing» disponible chez le même éditeur.

Claritas

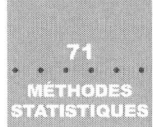

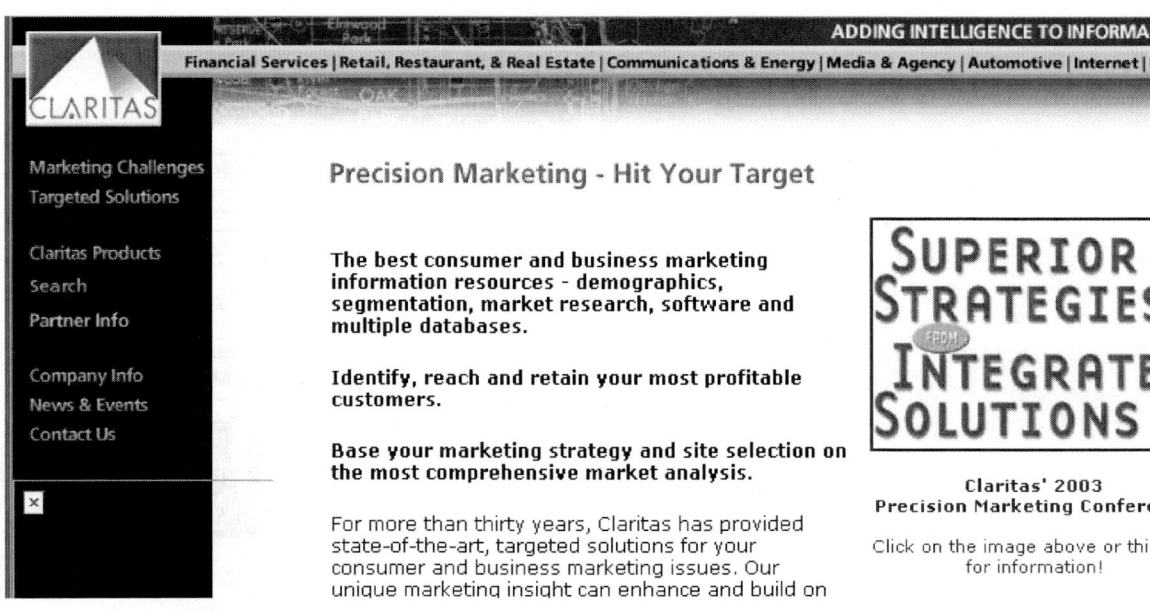

Nous terminons notre traitement concernant les sources de données avec le site du Mouvement Desjardins, qui comporte une importante section sur différents aspects économiques, sous la rubrique Économie et finances.

www.desjardins.com   **MOUVEMENT DESJARDINS/Études économiques**

MOUVEMENT DESJARDINS/
Études économiques

RENSEIGNEMENTS ◄
GÉNÉRAUX
ARCHIVES ◄

Études économiques
Nos plus récentes publications

Calendrier économique financier
Indicateurs économiques de la semaine
Calendrier des réunions des banques centrales
Communiqué hebdomadaire
Revue mensuelle des cours, des produits de base

Indicateurs économiques de la semaine  **Desjardins**

Du 28 avril au 2 mai 2003

Études économiques
www.desjardins.com/economie

CANADA

	Consensus	⬡	Donnée précédente
Lundi 28			
Mardi 29			
8:30 - Rémunération hebdomadaire moyenne			
- Février (base annuelle)	1,9 %	1,9 %	1,8 %
8:30 - Heures travaillées			
- Février	n.d.	32,2h	32,2h
15:30 - Discours du gouverneur de la Banque du Canada, M. David Dodge			
Mercredi 30			
8:30 - Indice des prix des produits industriels			
- Mars (base mensuelle)	0,2 %	0,2 %	0,6 %
8:30 - Indice des prix des matières brutes			
- Mars (base mensuelle)	-0,9 %	-4,5 %	3,1 %
8:30 - PIB réel par industrie			
- Février (base mensuelle)	0,3 %	0,3 %	0,4 %
8:30 - Production industrielle			
- Février (base mensuelle)	n.d.	-0,4 %	0,9 %
16:00 - Discours du gouverneur de la Banque du Canada, M. David Dodge			
Jeudi 1			
Vendredi 2			
8:30 - Perspectives du monde des affaires : industries manufacturières			
- 2ᵉ trimestre	n.d.	5,0	3,0

Note explicative :

Ce tableau donne la date et l'heure de divulgation des statistiques économiques et financières d'importance pour le Canada et les États-Unis. De plus, certains événements internationaux sont ajoutés au calendrier.

Consensus : Médiane des prévisions des économistes canadiens (pour le Canada) et américains (pour les États-Unis) telles que compilées par la firme *Bloomberg*.

⬡ *Prévisions de la vice-présidence Études économiques de la*

ÉTATS-UNIS

	Consensus	Donnée précédente
8:30 - Dépenses de consommation		**Lundi 28**
- Mars (base mensuelle)	0,6 %	0,0 %
8:30 - Revenu personnel		
- Mars (base mensuelle)	0,4 %	0,3 %
8:30 - Indice du coût de l'emploi		**Mardi 29**
- 1ᵉʳ trimestre (à taux annualisé)	0,8 %	0,7 %
10:00 - Confiance des consommateurs (Conference Board)		
- Avril	69,4	62,5
10:00 - Indice PMI de Chicago		**Mercredi 30**
- Avril	48,5	48,4
10:00 - Discours du président de la Réserve fédérale, M. Alan Greenspan		
8:30 - Demandes d'assurances-chômage		**Jeudi 1**
- Semaine du 21 au 25 avril	428 000	455 000
8:30 - Productivité non agricole (préliminaire)		
- 1ᵉʳ trimestre (à taux annualisé)	2,5 %	0,8 %
8:30 - Coût unitaire de main d'oeuvre (préliminaire)		
- 1ᵉʳ trimestre (à taux annualisé)	1,5 %	3,8 %
10:00 - Dépenses de construction		
- Mars (base mensuelle)	0,1 %	-0,2 %
10:00 - Indice ISM		
- Avril	47,0	46,2
N.D. - Ventes d'automobiles		
- Avril (à taux annualisé)	16,9 M	16,2 M
8:30 - Création d'emplois non agricoles		**Vendredi 2**
- Avril	-50 000	-108 000
8:30 - Taux de chômage		
- Avril	5,9 %	5,8 %
8:30 - Salaire horaire moyen		
- Avril (base mensuelle)	0,2 %	0,1 %
8:30 - Heures hebdomadaire travaillées		
- Avril	34,2h	34,3h

1.22   Résumé, glossaire et synthèse des principales formules

▶ Nous avons présenté dans ce chapitre, différents types de recherche à travers les étapes à suivre pour effectuer une enquête à l'aide d'un questionnaire.

▶ Une partie importante de ce chapitre a traité des notions fondamentales associées à la statistique appliquée. Les principales notions concernant les échelles de mesure associées aux variables et la façon de faire dans la collecte de données avec un questionnaire ont été abondamment illustrées.

▶ Nous avons également indiqué comment coder les résultats d'une enquête selon les diverses modalités de réponse.

▶ Nous avons poursuivi en présentant diverses formes de dépouillement de données ainsi que diverses formes de représentations visuelles selon le type de données. Nous avons indiqué comment dépouiller les données nominales et ordinales provenant d'une enquête et nous avons visualisé les distributions de fréquences obtenues à l'aide des diagrammes appropriés (diagramme à secteurs circulaires, à rectangles horizontaux, ...).

▶ Nous avons également indiqué comment se construit un tableau croisé lorsqu'on veut examiner s'il existe une certaine dépendance entre deux variables mesurées sur une échelle nominale ou ordinale.

▶ Nous avons étudié par la suite comment résumer les données associées à des variables quantitatives discrètes ou continues (dépouillement et représentations graphiques).

▶ Finalement, nous avons illustré à l'aide de graphes linéaires l'évolution d'une série chronologique.

Nous résumons ci-après les principaux types de dépouillement et les représentations visuelles qui sont appropriés selon le type de données à traiter.

Formes de dépouillement de données selon l'échelle de mesure

Dépouillement selon le type de données		
	Type de données	Dépouillement
Une variable qualitative	Nominale	Répartition des données sous forme de tableau de fréquences absolues, de fréquences relatives et de pourcentages
	Ordinale	
Une variable quantitative	Ordinale	Répartition selon une distribution de fréquences
	Intervalles/ Rapport	Distribution par valeurs
		Diagramme en feuilles Distribution de fréquences absolues avec données groupées en classes
Deux variables qualitatives (liaison)	Nominale/Ordinale	Tableau croisé

Représentations graphiques selon le type de données		
	Type de données	**Représentation graphique**
Une variable qualitative	Nominale	Diagramme à barres (rectangles horizontaux) Diagramme à secteurs Diagramme à barres groupées si 2 catégories
	Ordinale	Diagramme à barres (rectangles verticaux) Diagramme à barres empilées
Une variable quantitative	Ordinale	Histogramme
	Intervalles/Rapport	Diagramme en bâtons Diagramme en boîte[1] Histogramme Polygone de fréquences Courbe cumulative
Deux variables qualitatives (liaison)	Nominale/Ordinale	Histogramme à effet 3D (distribution conjointe)
Deux variables quantitatives (liaison)	Intervalles/Rapport	Diagramme de dispersion (corrélation)[2]
Une variable quantitative évoluant dans le temps	Rapport	Courbe de tendance Graphe linéaire

[1] Ce type de diagramme est traité au chapitre 2.
[2] Ce type de diagramme est traité au chapitre 11.

Nous présentons ci-après, sous forme de glossaire, les principaux concepts que nous avons traités dans ce chapitre.

Glossaire

La statistique: Science qui comporte un ensemble de méthodes et de théories appliquées à l'analyse de données.

Statistique: Quantité déterminée à partir d'un ensemble restreint de données.

Statistique descriptive: Outil d'analyse qui permet de résumer, sous forme de tableaux, diagrammes, graphiques ou à l'aide de caractéristiques esssentielles, une série de données.

Statistique inférentielle: Outil d'analyse statistique qui permet de tirer des conclusions, avec un certain risque d'erreur, sur les paramètres d'une population dont on a extrait un échantillon.

Unité statistique: Élément (individu, objet) d'une population qui fait le sujet d'une ou plusieurs mesures.

Population: Ensemble de toutes les unités statistiques (ou de toutes les mesures) sur lequel on veut effectuer une recherche, une étude.

Variable: Particularité d'une unité statistique (objet, individu). Elle peut être mesurable ou dénombrable.

Variable quantitative: Variable qui est soit mesurée, soit repérée par un nombre.

Variable qualitative: Variable qui présente une nature différente sur les unités statistiques; on ne peut qu'identifier sa nature, son état.

Variable discrète: Variable qui ne prend qu'un nombre limité de valeurs, souvent des valeurs entières.

Variable continue: Variable qui prend toutes les valeurs d'un intervalle fini ou infini.

**Glossaire
(suite)**

Modalités: Spécificités, états ou valeurs qui sont propres à une variable.

Variable métrique: Variable de nature quantitative.

Variable non métrique: Variable de nature qualitative.

Variable indépendante: Variable qui est sensée avoir un effet ou une influence systématique sur une autre variable. Elle est observée directement ou manipulée.

Variable dépendante: Variable dont on observe les variations et dont on tente d'expliquer le comportement à partir d'une ou de plusieurs variables indépendantes.

Échelle nominale: Échelle de mesure dont les codes utilisés (au moins 2) ne permettent que de classer les unités statistiques selon diverses modalités, classes ou catégories.

Échelle ordinale: Échelle de mesure dont les codes permettent non seulement d'identifier la modalité à laquelle appartient l'unité statistique mais également d'établir une relation d'ordre entre les modalités. Elle permet d'apprécier le degré d'importance aux différentes modalités.

Échelle d'intervalles: Échelle de mesure qui nous informe de la distance entre deux modalités. Dans un questionnaire, la réponse correspond au choix d'une modalité associée à une échelle ordonnée dont l'intensité (uniformément répartie sur l'échelle va de la plus faible à la plus forte valeur. Sur cette échelle, la position du zéro est arbitraire.

Échelle de rapport: Échelle de mesure qui possède les mêmes propriétés qu'une échelle d'intervalles mais dont la valeur zéro a une signification concrète. Une échelle de rapport reflète la grandeur des valeurs prises par la variable de sorte que la valeur zéro indique l'absence du caractère que l'on veut observer sur une unité statistique.

Échantillon: Groupe restreint d'unités statistiques prélevées d'une population.

Base de sondage: Liste de toutes les unités statistiques de la population.

Échantillon aléatoire: Groupe restreint d'unités statistiques prélevées au hasard dans une population.

Unité de mesure: Grandeur servant de base à la mesure.

Question ouverte: Question dont la formulation laisse au répondant toute la latitude de donner une réponse en ses propres mots.

Question fermée: Question dont la formulation comporte une liste de réponses préparées à l'avance et dont le répondant doit obligatoirement choisir sa réponse parmi cette liste.

Codification de modalités: Procédure qui consiste à assigner un code numérique aux diverses modalités de réponse.

Fréquence absolue: Nombre de fois qu'une modalité apparaît dans les résultats. Dans le cas d'une variable quantitative, la fréquence absolue associée à une valeur de la variable est le nombre de fois que cette valeur (donnée) se rencontre dans la série.

Fréquence relative: La fréquence relative d'une modalité (ou d'une catégorie ou d'une valeur) s'obtient en divisant la fréquence absolue de cette modalité par n, le nombre total de répondants ou le nombre total de données de la série.

Pourcentage: Le pourcentage ($p\%$) d'une modalité ou d'une classe est la fréquence relative de cette modalité (ou de cette classe) multipliée par 100.

Étendue d'une série: Écart entre la plus grande et la plus petite valeur dans une série

Diagramme en bâtons: Diagramme obtenu en portant en abscisse les valeurs de la variable discrète et en traçant parallèlement à l'axe des ordonnées un bâton (un trait plein) de longueur proportionnelle à la fréquence (absolue ou relative) de chaque valeur de la variable.

Histogramme: Représentation graphique de la distribution de fréquences constituée de rectangles juxtaposés dont chacune des bases est égale à l'intervalle de chaque classe et dont la hauteur est telle que la surface soit proportionnelle à la fréquence (absolue ou relative) de la classe correspondante.

Glossaire (suite)

Polygone de fréquences: Représentation graphique obtenue en joignant les milieux des sommets de chaque rectangle de l'histogramme par des segments de droite.

Courbe cumulative croissante: Courbe cumulative croissante obtenue à partir des fréquences cumulées croissantes (absolues ou relatives) de la distribution de fréquences.

Diagramme à secteurs circulaires: Représentation graphique qui consiste en un cercle dont l'aire est décomposée en secteurs circulaires représentant respectivement la proportion de chacune des composantes d'un tout.

Diagramme à rectangles horizontaux: Diagramme dont l'ordonnée correspond à la liste des diverses modalités du caractère étudié. À la droite de chaque modalité on construit horizontalement des rectangles de même largeur et dont les longueurs sont égales ou proportionnelles à la fréquence absolue ou relative aux modalités représentées.

Diagramme à rectangles verticaux: Diagramme similaire au diagramme à rectangles horizontaux mais avec les modalités du caractère portées en abscisse et les rectangles tracés à la verticale.

Tableau croisé: Tableau à double entrée où les modalités d'une variable sont croisées avec les modalités d'une autre variable.

Série chronologique: Série de données de nature quantitative qui ont été obtenues dans le temps; les données sont habituellement obtenues à intervalles de temps réguliers.

Données primaires: Données recueillies spécifiquement pour les besoins d'une recherche, d'une étude.

Données secondaires: Données disponibles et recueillies souvent de façon régulière mais qui ne s'adressent pas à un besoin spécifique d'une recherche.

Analyse descriptive

Principales formules

Fréquence relative

$$f_r = \frac{f}{n}$$

où f est la fréquence absolue de la modalité et n, le nombre total de données dans la série.

Pourcentage

$$p\% = f_r \times 100 = \frac{f}{n} \times 100$$

où f_r est la fréquence relative.

Étendue

$$E = x_{max} - x_{min}.$$

où x_{max} est la plus grande valeur de la série et x_{min}, , la plus petite.

1.23 Exercices d'application

1. Précisez le type de variable et indiquez sur quelle échelle de mesure la variable est mesurée pour chacune des situations suivantes:

i) Variable: Nombre d'années d'existence de l'entreprise

❑ *Moins de 2 ans*
❑ *2 mais moins de 5 ans*
❑ *5 mais moins de 10 ans*
❑ *10 ans ou plus*

ii) Variable: Secteurs industriels

❑ *Primaire*
❑ *Fabrication*
❑ *Construction*
❑ *Services publics*
❑ *Transport et communication*

iii) Variable: Taille de l'entreprise

Petite   *1* ❑
Moyenne   *2* ❑
Grande   *3* ❑
Très grande   *4* ❑

iv) Variable: Chiffre d'affaires de l'entreprise

moins de 50 000$ *1* ❑
50 000 mais moins de 100 000$ *2* ❑
100 000 mais moins de 500 000$ *3* ❑
500 000$ et plus   *4* ❑

v) Variable: Intérêt concernant les nouvelles technologies

En général, vous êtes parmi les premières personnes à utiliser les nouveautés technologiques.

❑ *Totalement*   ❑*Assez*   ❑*Assez en*   ❑ *Totalement*
d'accord   *d'accord*   *désaccord*   *en désaccord*

vi) Variable: Nombre de plaintes/jour au service de la clientèle au cours du mois de février.   *2, 4, 0, 12,14, 8,...*

vii) Variable: L'âge des répondants selon les tranches d'âge suivantes:

18-24 ans   *25-34 ans*   *35-44 ans*   *45-54 ans.*

viii) Variable: Opinion sur l'utilisation de l'informatique dans votre travail

Très satisfait(e)   *Satisfait(e)*   *Plus ou moins satisfait(e)*   *Insatisfait(e)*

Très insatisfait(e)   *Ne s'applique pas*

ix) Variable: Type de connexion Internet
     ❑ *Ordinaire*   ❑ *Haute vitesse*   ❑ *Ne sais pas*

x) Variable: Travail à la maison
Vous arrive-t-il d'apporter du travail à la maison?
     ❑ *Souvent*   ❑ *Occasionnellement*   ❑ *Rarement*   ❑ *Jamais*

xi) Variable: Charge de travail
Est-ce que votre charge de travail a augmenté ces dernières années?
     ❑ *Oui, beaucoup*   ❑ *Oui, un peu*   ❑ *Non, pas du tout*

xii) Variable: Secteur de travail
Vous travaillez dans le secteur:
     ❑ *privé*   ❑ *public*

xiii) Variable: Niveau d'endettement
     ❑ *endettement faible*   ❑ *endettement moyen*   ❑ *endettement élevé*

xiv) Variable: Nombre de sources de financement sollicités
     ❑ *aucune*   ❑ *1*   ❑ *2*   ❑ *3*   ❑ *4 ou plus*

2. Dans une enquête* sur la gestion du marketing direct dans les petites et moyennes entreprises industrielles québécoises, on a obtenu le diagramme à barres de la page suivante concernant la répartition des 100 répondants pour la variable «Sollicitation des clients potentiels».

*Source: Cheron, E. et F. Cheyssial. *La gestion du marketing direct dans les petites et moyennes entreprises industrielles québécoises.* Revue française de marketing, no 139, 1992.

a) Quelle est la nature des données correspondant à cette variable?

b) Quelle est la fréquence absolue associée à la modalité «Quelquefois»?

c) Quel pourcentage de répondants sollicite «Rarement» des clients potentiels?

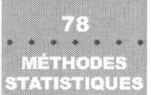

**Diagramme pour
l'exercice no 2**

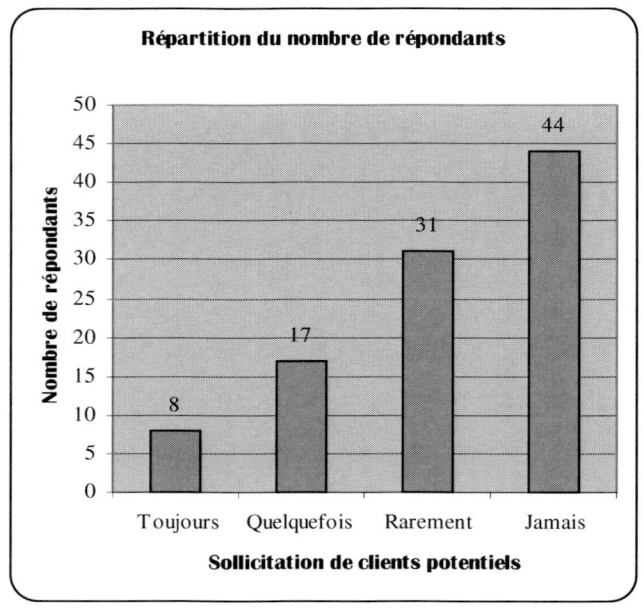

Répartition du nombre de répondants

Nombre de répondants

50	
45	44
40	
35	31
30	
25	
20	
15	17
10	8
5	
0	

Toujours Quelquefois Rarement Jamais

Sollicitation de clients potentiels

3. Le comptable de l'entreprise Camtek a effectué un relevé de 36 comptes-clients. Les montants sont résumés dans le tableau suivant:

a) Identifiez la variable statistique sur laquelle porte cette étude.

b) Rangez les données par valeurs non décroissantes.

c) Quelle est l'étendue de la série?

Compte-clients					
327,88	272,26	326,98	303,73	283,50	278,37
314,90	312,71	338,88	356,46	369,10	281,26
325,69	347,90	376,09	348,21	259,87	291,88
309,74	319,76	331,72	273,29	284,19	296,46
257,32	358,93	374,37	340,16	334,95	286,69
354,34	295,55	370,77	339,47	365,81	319,56

d) D'après la règle de Sturges, quel est le nombre souhaité de classes pour la distribution de fréquences? Quelle sera alors l'amplitude des classes?

e) En utilisant 250 comme limite inférieure de la première classe et 25 comme amplitude de classe, dépouillez les observations selon une distribution de fréquences.

f) Dans quelle classe trouve-t-on la plus forte concentration de données?

4. Selon l'économiste C. Harris, les ménages canadiens ont dépensé, en moyenne, pratiquement 50 000$ aux divers postes de dépenses du budget familial (la source de données étant Statistique Canada).

Les données* suivantes représentent le montant annuel (en $) pour le poste «Lectures» et ceci pour un échantillon de 60 ménages.

Montant annuel (Lectures)									
240	266	200	220	265	260	400	275	360	360
285	160	270	220	315	244	270	260	212	365
285	326	230	314	290	268	320	224	266	320
325	295	380	222	255	330	324	270	202	184
280	374	300	248	280	252	174	256	315	304
280	358	205	220	260	360	258	322	252	295

*Source: Adapté de Harris, C. *Le budget familial*. Le Banquier, novembre/décembre 1999.

a) Identifiez la variable statistique sur laquelle porte cette étude.

b) Rangez les données par valeurs non décroissantes.

c) Quelle est l'étendue de la série?

d) D'après la règle de Sturges, quel est le nombre souhaité de classes pour la distribution de fréquences? Quelle sera alors l'amplitude des classes?

e) En utilisant 160 comme limite inférieure de la première classe et 35 comme amplitude de classe, dépouillez les observations selon une distribution de fréquences.

f) Dans quelle classe trouve-t-on la plus forte concentration de données?

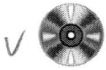 **5.** Les ventes mensuelles, basées sur une période de quatre années, d'une imprimante laser de l'entreprise MTX, sont présentées ci-après.

a) Rangez ces observations par valeurs non décroissantes.

b) Quelle est l'étendue de cette série?

c) D'après la règle de Sturges, quel devrait être le nombre de classes pour effectuer le dépouillement de ces observations?

d) Quelle devrait être l'amplitude de chaque classe?

e) Déterminez la distribution de fréquences. Utilisez 100 comme limite inférieure de la première classe et 50 comme amplitude de chaque classe.

Mois	Ventes mensuelles			
	2001	2002	2003	2004
Janvier	145	104	122	158
Février	170	210	184	205
Mars	225	240	214	262
Avril	260	284	302	295
Mai	425	440	490	435
Juin	360	380	396	478
Juillet	204	235	212	245
Août	310	290	276	285
Septembre	355	340	330	364
Octobre	158	190	220	170
Novembre	215	230	225	256
Décembre	304	285	324	276

f) Tracez sur le même graphique l'histogramme et le polygone de fréquences.

g) Dans quelle classe trouve-t-on les ventes mensuelles les plus élevées?

 6. Une recherche* effectuée auprès de PME manufacturières, qu'elles soient ou non utilisatrices d'une innovation technologique (le contrôle numérique) a permis d'établir, à partir de certains caractères, le profil du propriétaire-dirigeant. Une de ces variables est l'âge du propriétaire-dirigeant dont les valeurs sont indiquées pour une cinquantaine de répondants.

*Source : *La diffusion des nouvelles technologies dans trois secteurs industriels* par P.A. Julien, J.B. Carrère et L. Hébert, CREPME, UQTR, 1988.

Sujet	Âge	Sujet	Âge	Sujet	Âge	Sujet	Âge	Sujet	Âge
1	43	11	53	21	50	31	54	41	52
2	48	12	50	22	48	32	49	42	49
3	50	13	51	23	48	33	48	43	45
4	43	14	46	24	41	34	43	44	50
5	48	15	49	25	49	35	46	45	51
6	51	16	48	26	44	36	48	46	46
7	52	17	45	27	44	37	48	47	49
8	52	18	38	28	49	38	48	48	42
9	48	19	48	29	45	39	49	49	50
10	41	20	50	30	46	40	45	50	48

a) Dépouillez ces valeurs avec un diagramme en feuilles en utilisant la dizaine comme tige et l'unité comme feuille. Pour éviter que le diagramme soit trop serré, subdivisez chaque tige en deux (décimale 0 à 4 et puis 5 à 9).

b) Quel est l'âge le moins élevé? Le plus élevé?

c) Quelle valeur d'âge est la plus fréquente?

d) La grande concentration des valeurs de ce caractère se situe entre 45 et 49? Vrai ou faux?

7. Lors d'une enquête* auprès d'individus adultes, on a obtenu, pour la tranche d'âge 18-24 ans, le temps de sommeil par jour. Les données pour 35 individus sont présentées ci-contre.

a) Dépouillez ces valeurs à l'aide d'un diagramme en feuilles en utilisant la décimale comme feuille.

b) Quel est le temps de sommeil le plus court? Le plus long?

c) Entre quelles valeurs se situe la plus grande concentration de données?

Temps de sommeil				
8,0	6,1	7,6	5,6	6,6
5,9	8,2	6,5	5,8	6,7
7,4	6,8	7,5	7,0	7,3
9,0	7,8	6,8	6,3	6,4
6,8	8,2	7,3	8,4	7,8
8,8	8,2	8,1	6,0	8,1
8,1	7,8	6,4	7,9	7,9

*Source: Adapté de Janvrin, M.-P. (1997). *Typologie des comportements de santé des Français: quelles perspectives pour les actions de prévention*? Colloque Connaître et surveiller pour agir sur la santé des populations. Montréal.

8. Une entreprise de service a relevé au cours des derniers mois, le nombre de plaintes par jour qui a été effectué à son service à la clientèle. Les résultats obtenus sont indiqués dans le tableau ci-après.

a) Identifiez la variable statistique et précisez-en la nature.

b) Peut-on qualifier la variable statistique que l'on observe, de discrète? Pourquoi?

c) Compilez cette série en complétant la distribution suivante.

d) Calculez également les fréquences relatives exprimées en %.

e) Tracez le diagramme en bâtons pour illustrer graphiquement la distribution du nombre de plaintes par jour; utilisez, en ordonnée, les fréquences relatives en %.

f) Dans quelle proportion observe-t-on 2 plaintes et moins par jour?

Nombre de plaintes par jour								
0	0	1	1	2	0	0	0	0
1	0	2	2	0	0	1	0	2
1	0	3	1	0	0	0	1	1
0	2	4	1	0	0	1	1	1
1	0	0	1	3	2	0	1	1
0	3	0	1	1	0	1	1	1
0	1	0	1	1	2	2	0	2
2	1	3	4	2	1	0	2	2
0	1	1	1	2	1	2	0	3
0	2	2	2	0	0	0	0	0

Nombre de plaintes x	Nombre de jours comportant x plaintes
0	_____
1	_____
2	_____
3	_____
4	2

9. L'agence de service de personnel SEDEC offre un service professionnel dans le choix d'emplois pour secrétaires et en particulier au niveau de secrétaires de direction. La directrice de l'agence veut effectuer une compilation des salaires annuels qui ont été

obtenus par les personnes qui ont fait appel à son agence de placement. Elle a également noté le laps de temps, en jours, nécessaire pour l'obtention d'un emploi à partir du moment où l'on fait appel à ses services. Les valeurs de ces deux variables sont présentées dans les tableaux ci-contre, par valeurs non décroissantes.

Laps de temps pour l'obtention d'un emploi (jours)							
3	4	4	5	6	6	7	7
7	7	8	8	8	8	9	9
9	9	9	10	10	10	10	10
10	10	10	10	10	11	11	12
12	12	13	13	13	13	13	14

a) Précisez la nature de chaque variable quantitative qui fait l'objet de cette analyse.

b) Dépouillez la variable «laps de temps» par valeurs entières, 3, 4, 5, ...

c) Quel est le laps de temps le plus court qui a été observé? Le plus long?

d) Quel est le laps de temps qui revient le plus fréquemment?

e) Tracez le diagramme en bâtons de la variable «laps de temps».

Salaires annuels en dollars				
32 875	33 105	33 469	33 626	33 944
34 200	34 329	34 557	34 593	34 758
34 952	35 026	35 065	35 210	35 256
35 394	35 406	35 452	35 506	35 552
35 568	35 619	35 627	35 647	35 673
35 729	35 826	35 994	36 178	36 245
36 384	36 675	36 704	36 807	36 898
36 910	36 996	37 234	38 217	39 067

f) Groupez en classes les valeurs notées pour le laps de temps en utilisant 3 comme limite inférieure de la première classe et 2 comme amplitude de chaque classe. Calculez les fréquences relatives (en %) de chaque classe.

g) Tracez l'histogramme correspondant en utilisant, en ordonnée, les fréquences relatives en %.

h) Quel pourcentage des secrétaires ont obtenu un emploi en moins de 9 jours?

10. a) En utilisant les valeurs notées pour le salaire annuel dans les quarante dossiers de la directrice de SEDEC, dressez une distribution de fréquences de cette variable en utilisant 32 500$ comme limite inférieure de la première classe et 1000$ comme amplitude de chaque classe.

b) Calculez également les fréquences relatives (en %) de chaque classe.

c) Tracez l'histogramme correspondant et le polygone des fréquences relatives en %.

d) Quel pourcentage de cas ont un salaire annuel supérieur ou égal à 34 500$ mais inférieur à 36 500$?

e) D'après vous, en examinant la distribution de fréquences (ou l'histogramme) est-ce que les secrétaires ont, en moyenne, un salaire annuel autour de 35 500$, 36 000$ ou 36 500$?

f) Dans le dépliant publicitaire que la directrice vient de préparer, on mentionne qu'au-delà de 50% des personnes qui ont fait appel aux services de l'agence ont trouvé un emploi en 10 jours ou moins et qu'également plus de 50% ont obtenu un salaire supérieur ou égal à 35 000$/an. D'après les données en présence, est-ce que cette affirmation pourrait être qualifiée de «publicité trompeuse»? Discutez.

11. a) À l'aide de la distribution par classes obtenue à l'exercice 10 (l'agence SEDEC), dressez le tableau des fréquences relatives cumulées (en %) croissantes.

b) Tracez la courbe cumulative croissante.

c) Évaluez le pourcentage de secrétaires qui ont obtenu un salaire inférieur à 34 500$; à 36 500$; à 38 500$.

d) Pour quelle valeur de salaire on ne trouve pas plus de 50% des secrétaires?

12. Le styrène est un solvant organique largement utilisé dans l'industrie des résines et des plastiques de type polyester renforcés à la fibre de verre. Les travailleurs exposés absorbent le styrène par voie pulmonaire. Une étude a été effectuée dans trois usines québécoises de l'industrie de fabrication d'articles en plastique pour vérifier la concentration de styrène de travailleurs associés à diverses fonctions dans l'entreprise.

Les données* présentées ci-contre représentent la concentration de styrène ambiant (en mg/m³) dans la zone respiratoire de 30 travailleurs.

Concentration de styrène					
410	547	395	419	528	518
564	527	487	571	460	511
486	550	712	497	660	487
614	571	506	547	465	500
452	544	455	326	519	453

a) Rangez ces observations par ordre croissant.

b) Quelle est la plus petite valeur qui a été enregistrée? La plus élevée?

c) Quelle est l'étendue de la série?

d) On veut dépouiller ces données selon une distribution de fréquences absolues. Quel est le nombre de classes souhaitable?

e) Dépouillez les observations en utilisant 320 comme limite de la première classe et 60 comme amplitude de chaque classe.

f) Tracez l'histogramme de la distribution obtenue en e).

g) Dans quel intervalle de classe se situe le plus grand nombre d'observations?

h) Quel pourcentage de travailleurs sont exposés à une concentration de styrène inférieure à 560 mg/m³?

*Source: Adapté de Truchon, G., C. Ostiguy et all. *Surveillance des effets neurotoxiques de l'exposition au styrène en milieu de travail*. Travail et santé (1992), Vol 8, no 2.

13. Les données suivantes représentent les salaires payés à un échantillon de représentants aux ventes dans le secteur industriel.

Salaires annuels											
76950	66635	67500	63800	78500	69450	60040	66925	67800	74000	64624	55875
63098	72550	56580	51850	78115	48075	69770	64390	57080	68340	45800	72500
67875	53260	54754	66380	54490	70285	63550	62280	66770	54385	57900	62715
59758	68080	62300	66320	73425	64310	55460	72550	62945	61938	59850	60942

*Source: Adapté de Vailles, F. *Les firmes devront mieux payer les jeunes. La Presse*, 29 septembre 2002 et le Groupe Hay, consultants en ressources humaines.

a) Rangez ces observations par ordre croissant.

b) Quel est le plus petit salaire qui a été payé aux représentants aux ventes? Le plus élevé?

c) Quelle est l'étendue de la série?

d) On veut dépouiller ces données selon une distribution de fréquences absolues. Quel est le nombre de classes souhaitable?

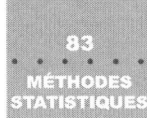
e) Dépouillez les observations en utilisant 45 000$ comme limite de la première classe et 5 000$ comme amplitude de chaque classe.

f) Tracez l'histogramme de la distribution obtenue en e).

g) Dans quel intervalle de classe se situe le plus grand nombre de salaires?

h) Est-ce exact de préciser que plus de 95% des représentants aux ventes se sont vus offrir un salaire excédant 50 000$?

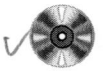

14. Les données suivantes représentent les dépenses par voyage effectuées au Québec par des touristes en provenance de l'Ontario.

a) Dépouillez ces données selon un diagramme en feuilles en utilisant les valeurs 20,30,... comme tiges.

b Quelle est la dépense minimale par voyage pour cette série de données? La dépense maximale?

c) Combien de valeurs excèdent une dépense par voyage de 300$?

Dépenses par voyage ($)				
206	208	200	300	401
307	302	206	309	501
400	202	405	503	302
205	206	403	305	205

*Source: Adapté de Jolicoeur, M. *Blitz américain de Tourisme Québec.* LES AFFAIRES, 11 mai 2002.

15. Dans une étude sur la gestion des approvisionnements au sein de PME manufacturières québécoises, on a posé la question suivante, dans la section Profil de l'entreprise:

> Quel est le statut juridique de votre entreprise?
>
> Corporation (Cie)   ❏ 1
>
> Société   ❏ 2
>
> Coopérative   ❏ 3

On a obtenu l'information suivante auprès de 30 entreprises.

Répondant no	Statut	Répondant no	Statut
1	Corporation	16	Corporation
2	Corporation	17	Coopérative
3	Corporation	18	Corporation
4	Corporation	19	Corporation
5	Corporation	20	Corporation
6	Société	21	Corporation
7	Corporation	22	Société
8	Corporation	23	Corporation
9	Corporation	24	Corporation
10	Corporation	25	Corporation
11	Corporation	26	Corporation
12	Corporation	27	Coopérative
13	Société	28	Corporation
14	Corporation	29	Corporation
15	Corporation	30	Corporation

a) Quelle est la nature de la variable «statut juridique de l'entreprise»?

b) Dépouillez les résultats obtenus en les résumant sous forme d'un tableau qui indiquerait le statut juridique, les fréquences absolues et les pourcentages correspondants.

c) Quel est le statut juridique le plus utilisé?

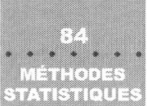

16. Dans une enquête auprès d'une quarantaine de petites entreprises (moins de 24 employés selon la classification de l'Institut de la Statistique du Québec), on veut connaître la proportion d'entreprises qui ont informatisé certaines tâches reliées aux activités de bureau de l'entreprise. Les résultats suivants ont été obtenus concernant trois tâches (Grand livre, Comptes fournisseurs, Comptes clients) où on a recours Oui (1) ou Non (2) à l'informatique.

Nombre de répondants: 40

	Grand livre	Comptes fournisseurs	Comptes clients
Oui	32	30	34
Non	8	10	6

a) Déterminez, pour chaque activité comptable mentionnée, la proportion de petites entreprises qui utilisent l'informatique pour effectuer cette tâche.

b) Visualisez, pour chaque activité, les résultats obtenus avec un diagramme à secteurs circulaires. Voir annexe 1 de ce chapitre pour utiliser Excel.

17. Dans une étude sur la gestion du fonds de roulement de PME, on a obtenu diverses informations auprès de 32 entreprises. Ces informations concernaient l'activité principale de l'entreprise, le nombre d'employés, le délai (en nombre de jours) du paiement des comptes fournisseurs et le nombre de jours de crédit (durée de paiement) accordé aux clients.

Les questions utilisées pour obtenir cette information sont présentées ci-après:

Q1: Quelle est l'activité principale de l'entreprise?

Manufacturière ❑ 1

Distribution ❑ 2

Grossiste ❑ 3

Autre ❑ 4

Q2: Quel est le nombre d'employés de l'entreprise?

1 à 50 ❑ 1

51 à 100 ❑ 2

101 à 150 ❑ 3

151 à 200 ❑ 4

Plus de 200 ❑ 5

Q3: Quel est normalement le délai de paiement des comptes fournisseurs (en nombre de jours)? _____

Q4: Quel est normalement le nombre de jours de crédit que vous accordez à vos clients? _____

a) Quelle est l'échelle de mesure utilisée pour chaque question?

b) Dépouillez les données des questions Q1 et Q2.

c) Résumez sous forme de tableau les résultas obtenus pour les questions Q1 et Q2, en indiquant les fréquences absolues et les pourcentages correspondants.

d) Triez les données des questions Q3 et Q4.

e) Dépouillez les réponses obtenues pour les questions Q3 et Q4 par valeurs.

Les réponses aux diverses questions sont présentées ci-après.

Données de l'exercice no 17

Répondant no	Q1	Q2	Q3	Q4
1	1	1	46	48
2	1	4	48	51
3	1	3	48	50
4	1	5	47	49
5	1	4	50	53
6	2	2	47	49
7	1	1	46	48
8	2	3	46	49
9	1	1	46	48
10	1	3	49	51
11	1	4	47	49
12	1	3	47	49
13	1	1	44	46
14	1	2	48	50
15	2	1	46	48
16	1	2	49	51
17	1	1	44	46
18	3	1	45	47
19	1	3	48	50
20	1	1	43	45
21	1	4	48	50
22	2	2	51	53
23	1	1	46	48
24	1	3	47	49
25	2	4	48	50
26	1	1	46	49
27	1	1	44	46
28	3	1	45	48
29	2	2	51	53
30	4	4	47	49
31	1	1	46	48
32	2	1	44	46

f) Résumez les dépouillements obtenus en e) sous forme d'une distribution de fréquences absolues.

g) Quel est le délai du paiement des comptes fournisseurs le plus fréquent?

h) Quelle est la durée de paiement la plus fréquente accordée aux clients?

18. Dans une enquête* auprès de 88 gestionnaires de projet, on a obtenu les données de la page suivante concernant le secteur d'activité des gestionnaires; ceci était en réponse à la question suivante:

> Quel est votre secteur d'activité en ce qui a trait à la gestion de projet?
>
> Construction ❏ 1
>
> Télécommunications ❏ 2
>
> Technologie de l'information ❏ 3
>
> Aéronautique ❏ 4
>
> Consultation en gestion de projet ❏ 5
>
> Autres ❏ 6

*Source: Adapté de Blais, D. *L'emploi du temps des gestionnaires de projet*. Mémoire de recherche, UQTR, novembre 2002.

Répondant no	Secteur d'activité	Répondant no	Secteur d'activité	Répondant no	Secteur d'activité	Répondant no	Secteur d'activité
1	5	23	1	45	3	67	3
2	6	24	5	46	3	68	3
3	5	25	6	47	3	69	2
4	4	26	2	48	3	70	4
5	6	27	2	49	3	71	6
6	1	28	3	50	5	72	1
7	3	29	2	51	3	73	6
8	6	30	1	52	3	74	3
9	3	31	6	53	4	75	3
10	3	32	3	54	6	76	2
11	2	33	6	55	3	77	6
12	3	34	2	56	2	78	6
13	3	35	3	57	6	79	3
14	5	36	3	58	3	80	1
15	3	37	3	59	1	81	3
16	2	38	6	60	5	82	4
17	5	39	3	61	3	83	5
18	2	40	6	62	4	84	1
19	3	41	5	63	6	85	6
20	1	42	6	64	5	86	2
21	3	43	3	65	6	87	1
22	5	44	5	66	2	88	6

a) Dépouillez les résultats obtenus en les résumant sous forme d'un tableau qui indiquerait le secteur d'activité des gestionnaires de projet, les fréquences absolues et les pourcentages correspondants.

b) Préparez un diagramme à secteurs circulaires pour illustrer la répartition des répondants.

 19. Dans le cadre d'une analyse du processus de livraison d'une entreprise fabriquant des contenants en matière plastique utilisés principalement par des distributeurs d'eau de source naturelle, on a relevé le nombre de retards de livraison au cours de 25 premiers jours du mois de mai.

Retards de livraison (mai)							
11	9	5	4	10	6	9	4
6	4	12	6	7	4	7	1
5	5	2	4	7	7	4	7

a) Préparez une distribution de fréquences absolues, en dépouillant ces données par valeur.
b) Quel est le nombre de retards le plus fréquent qui a été observé au cours de cette période?

Certaines améliorations ont été apportées au processus de livraison et un nouveau relevé a été effectué au cours du mois de juin.

Retards de livraison (juin)						
5	4	3	2	3	4	2
3	1	6	2	1	3	5
3	2	3	4	7	6	3

c) Dépouillez les données du mois de juin comme en a).

19. (suite)

d) Si on compare les deux distributions, peut-on constater une amélioration du processus? Discutez.

Note: Les exercices suivants peuvent s'effectuer avec Excel . Nous indiquons comment tracer divers diagrammes avec Excel sur le CD-ROM (voir Annexe 1 - Traitement avec Excel).

 20. Internet: les PME doivent s'y mettre ... Au cours* des dernières années, 50% des PME canadiennes ont intégré des solutions d'affaires électroniques à la gestion de leur entreprise. Celles qui n'ont pas encore prévu le faire devront se raviser rapidement, si elles veulent demeurer compétitives.

*Source : Sébastien Ménard. Le Journal de Montréal, section AFFAIRES, 2 novembre 2002.

Le tableau ci-contre provient de l'Étude canadienne Net Impact 2002, et donne la proportion des PME canadiennes qui ont recours à des solutions d'affaires électroniques pour gérer différents aspects de l'entreprise.

Illustrez les résultats de cette étude en préparant un diagramme à barres avec effet 3D.

Activités de gestion	Pour cent
Service à la clientèle	56,9%
Marketing	55,0%
Comptabilité	36,9%
Ressources humaines	23,5%
Achats et stocks	21,2%

 21. RONA a beau faire flèche de tout bois, la québécoise continue de faire face à une concurrence féroce qu'elle ne peut sous-estimer. Les données suivantes représentent la segmentation du marché canadien de la quincaillerie-rénovation en 2003.

Magasins-entrepôts	Pourcentage
Home Depot	14,0%
Canadian Tire	12,0%
Home Hardware	13,0%
Rona	14,0%
Autres indépendants	47,0%

*Source : Jolicoeur, J. La concurrence demeure féroce, mais RONA est bien en selle. LES AFFAIRES, 12 juin 2004.

Préparez un diagramme à secteurs pour illustrer la répartition du marché canadien de la quincaillerie.

 22. Le commerce électronique va bien au-delà de l'achat de livres, de disques, du règlement de factures ou de la mise en place d'un site Internet selon Joëlle Noreau, conseillère économique (En perspective, études économiques, Desjardins). Le tableau ci-après nous informe des dépenses moyennes annuelles (US $) en ligne par ménage, de 1998 à 2003.

Année	Dépenses (US $)
1998	400
1999	700
2000	938
2001	1 333
2002	1 786
2003	2 167

Visualisez cette série chronologique sur un graphe linéaire.

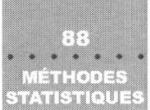

 **23.** Les données* ci-après représentent le nombre de tonnes métriques (en 000) qui a transité au port de Bécancour depuis 1990.

Année	1990	1991	1992	1993	1994	1995	1996	1997	1998	1999	2000	2001
Production	1 480	1 686	1 613	1 283	1 392	1 416	1 396	1 443	1 496	1 747	1 825	1 680

*Source : Aubry, M. *Baisse de 10% des activités portuaires*. Le Nouvelliste, 19 janvier 2002.

Visualisez la quantité de marchandises transbordées au cours de ces années.

 **24.** La couleur de carosserie la plus prisée des consommateurs d'automobiles en 2003 demeure le gris argenté*. C'est ce qui ressort de la toute dernière étude menée par la firme américaine Dupont Automotive. Voici les les couleurs de carosserie préférées en 2003, toutes catégories de véhicules confondues.

Couleur	Pourcentage
Blanc	18,4%
Noir	11,6%
Gris moyen/foncé	11,5%
Vert moyen/foncé	5,3%
Rouge foncé	0,9%
Gris argenté	20,2%
Brun-beige	8,8%
Bleu moyen/foncé	8,5%
Rouge moyen	6,9%
Rouge pompier	3,8%

*Source : Filion, N. *Le gris reste la couleur préférée des acheteurs. La Presse*, 2 février 2004.

a) Ordonnez le choix des consommateurs selon les couleurs préférées.

b) Préparez un diagramme à barres de formes cylindriques pour illustrer la préférence des acheteurs en matière de couleur de carosserie.

 **25.** Les données* suivantes représentent la répartition du marché mondial concernant le marché de stockage de données.

Fournisseurs	Part de marché
HP	23,6%
IBM	20,6%
EMC	14,3%
DELL	7,2%
Hitachi DS	6,0%
Sun	5,9%
Autres	22,4%
Total	100,0%

Préparez un diagramme à secteurs pour illustrer la répartition du maché de stockage de données selon les fournisseurs.

*Source : Le Corre-Laliberté, G. *HP toujours en tête du marché des systèmes de stockage*. LES AFFAIRES et International Data Corporation, 16 avril 2005.

26. Le chef de service d'étude du travail de l'entreprise Sigmex veut analyser le temps requis (en centiminutes) par sa main-d'œuvre spécialisée pour effectuer la même opération dans les mêmes conditions et en employant les mêmes méthodes. L'agent d'étude du travail a chronométré cette opération et a recueilli soixante données.

a) Identifiez la variable statistique sur laquelle porte cette étude.

b) Cette variable est-elle continue ou discrète?

c) Quelle est l'unité de mesure utilisée par l'agent d'étude de travail?

Temps observé									
61	67	63	63	63	66	66	62	65	65
66	69	67	62	61	65	64	64	65	67
59	62	66	64	64	63	65	68	64	59
66	63	65	62	64	66	67	64	64	66
64	63	65	60	66	68	62	64	65	66
66	62	66	64	65	67	61	60	62	68

d) Rangez les temps observés par valeurs non décroissantes.

e) Quel est le temps le plus court qu'on a observé? Le plus long?

f) Quel est l'écart entre le temps le plus long et le temps le plus court pour effectuer cette opération?

g) L'agent d'étude veut classer les temps observés dans un tableau de distribution de fréquences absolues comportant six classes, dont la limite inférieure de la première classe serait 58 cm. Quelle devrait être, en complétant au plus grand entier, l'amplitude de chaque classe?

h) Dénombrez ces données suivant la distribution de fréquences absolues que veut utiliser l'agent d'étude en indiquant également les fréquences relatives.

i) Dans quelle classe se situent les temps les plus fréquents?

j) D'après la distribution de fréquences, pourriez-vous donner une estimation approximative du temps moyen réalisé par la main-d'œuvre pour effectuer l'opération?

27. Dans une une enquête sur l'informatisation des entreprises québécoises, on a obtenu des données (section Profil des équipements et des compétences du questionnaire) concernant le nombre d'analystes de niveau universitaire. Les données obtenues auprès de 40 PME sont présentées ci-après.

a) Quelle est la nature de la variable concernée?

b) Dépouillez ces données selon une distribution de fréquences.

PME no	Nombre d'analystes	PME no	Nombre d'analystes
1	3	21	0
2	3	22	1
3	2	23	3
4	1	24	1
5	3	25	1
6	2	26	0
7	2	27	1
8	2	28	2
9	1	29	1
10	0	30	2
11	6	31	2
12	3	32	1
13	1	33	3
14	2	34	1
15	2	35	2
16	2	36	2
17	5	37	4
18	2	38	4
19	0	39	4
20	2	40	1

Testez vos connaissances
Test no 1

Répondez par Vrai ou Faux.

1. La collecte de données est une des principales phases d'une étude statistique.

2. L'unité d'observation sur laquelle les données sont recueillies s'appelle unité statistique.

3. Les particularités que peut présenter une unité statistique sont appelées caractères.

4. Une même unité statistique peut comporter plusieurs caractères.

5. Les spécificités propres à un caractère sont appelées modalités.

6. Une variable quantitative qui ne peut prendre que des valeurs entières est dite continue.

7. Une variable qui est sensée avoir un effet ou une influence systématique sur une autre variable est dite variable indépendante.

8. Une variable indépendante est également appelée variable explicative.

9. La variable dont on essaie d'expliquer le comportement est dite variable dépendante.

10. Une variable comme Rôle organisationnel est mesurée sur une échelle nominale.

11. Une variable comme Catégorie d'emploi est mesurée sur une échelle ordinale.

12. La variable «Perception d'un produit dont l'appréciation va de très utile à tout à fait inutile» est mesurée sur une échelle de rapport.

13. La variable «Nombre de jours d'absentéisme» est mesurée sur une échelle de rapport.

14. La variable «Salaires annuels des cadres» déterminée à l'aide de diverses catégories salariales est mesurée sur une échelle nominale.

15. La répartition des données en classes accompagnées des fréquences respectives s'appelle distribution de fréquences.

16. La représentation graphique d'une distribution de fréquences s'appelle histogramme.

17. Lorsque les classes ont même amplitude, chaque rectangle de l'histogramme a comme hauteur le nombre correspondant à la fréquence de chaque classe.

18. La somme des fréquences relatives de toutes les classes est toujours supérieure à 1.

19. Une distribution de fréquences se présente toujours avec des classes fermées.

20. La courbe cumulative croissante d'une série continue s'obtient à partir des fréquences cumulées croissantes.

21. Une question fermée donne toute la latitude au répondant de répondre à sa guise.

22. Une question fermée ne comporte jamais des modalités de réponse mesurées sur une échelle nominale.

23. Une question ouverte peut conduire à une réponse numérique.

24. Dans un questionnaire, l'échelle de mesure la plus faible est l'échelle nominale.

25. Les données nominales sont habituellement visualisées à l'aide d'un diagramme à secteurs circulaires ou d'un diagramme à rectangles.

Questions à choix multiples. Encerclez la bonne réponse.

26. Dans une enquête* auprès des lecteurs et lectrices de la revue Optimum (revue de gestion du secteur public) dont un des objectifs était de mesurer la taille du groupe des lecteurs et d'obtenir une évaluation globale de la revue, on a pu, parmi les 3800 ques-

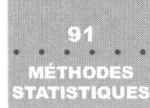

tionnaires adressés aux cadres supérieurs de la fonction publique fédérale, analyser 292 de ces questionnaires.

Dans la présentation des résultats, on donne le profil démographique de l'échantillon (voir tableau suivant).

Source : Adapté de Ahmed, S. et G. Paquet (1994). Enquête auprès des lecteurs d'Optimum. Optimum, été.

a) La variable «Âge» est mesurée sur une échelle
 i) nominale
 ii) ordinale
 iii) d'intervalles.

b) La variable «Langue» est mesurée sur une échelle
 i) nominale
 ii) ordinale
 iii) de rapport.

c) La variable «Position» est mesurée sur une échelle
 i) ordinale
 ii) de rapport
 iii) nominale.

d) Le pourcentage manquant pour la variable «Âge» est:
 i) 36   ii) 46   iii) 44.

Variables démographiques	%
Âge:	
30-39 ans	6
40-49 ans	50
50 ans et plus	——
Langue:	
anglais	78
français	22
Niveau d'éducation:	
secondaire	3
1er cycle universitaire	21
2e ou 3e cycle universitaire	——
désignation professionnelle	13
autres	——
Position:	
gestion de programmes	50
formulation de politiques	——
analyse de politiques	6
services généraux	23

e) Le pourcentage manquant pour la variable «Position» est:
 i) 12   ii) 21   iii) 24.

f) Sachant que pour la variable «Niveau d'éducation», 30% des répondants ont un niveau d'éducation appartenant aux catégories «désignation professionnelle» et «autres», le pourcentage manquant pour la catégorie «2e ou 3e cycle universitaire» est

 i) 44   ii) 46   iii) 26.

 Le pourcentage manquant pour la catégorie «Autres» est

 i) 14   ii) 16   iii) 17.

27. Dans une recherche exploratoire* auprès de PME québécoises sur l'implantation et la mise en oeuvre d'un système qualité ISO 9001-9002, on donne le diagramme ci-contre (p. 76 du mémoire) concernant le niveau de difficulté rencontré par l'entreprise dans l'élaboration des procédures portant sur les besoins et les méthodes de formation requises.

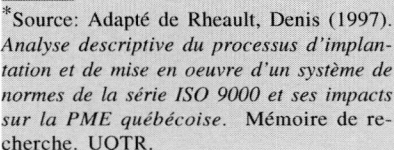

Source: Adapté de Rheault, Denis (1997). Analyse descriptive du processus d'implantation et de mise en oeuvre d'un système de normes de la série ISO 9000 et ses impacts sur la PME québécoise. Mémoire de recherche. UQTR.

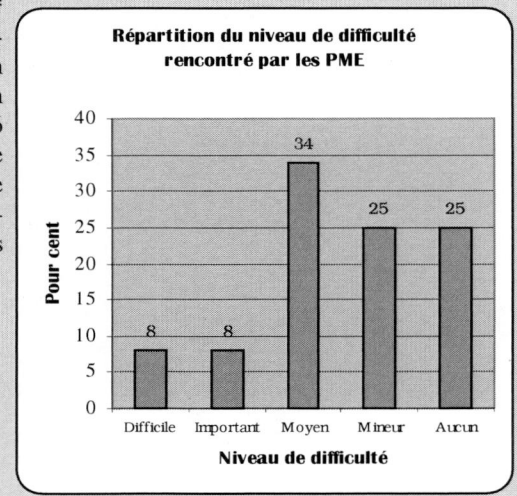

Répartition du niveau de difficulté rencontré par les PME

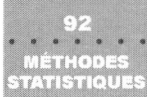

a) La nature des données correspondant à la variable «niveau de difficulté» est:
   i) Nominale   ii) Ordinale   iii) Rapport.
b) Le pourcentage de PME qui ont trouvé le niveau de difficulté «difficile» est:
   i) 25%   ii) 34%   iii) 8%.
c) Le pourcentage de PME qui ont trouvé le niveau de difficulté «mineur» ou «aucun» est:
   i) 25%   ii) 34%   iii) 50%.

28. La plus petite valeur dans une série de données est de 60 alors que la plus grande est 140. Dans une distribution de fréquences absolues comportant 8 classes, l'amplitude de chaque classe est:

   i) 8   ii) 12   iii) 10.

29. Le tableau suivant représente la répartition* des employés à temps partiel, suite au dépouillement de questionnaires retournés par des employeurs de commerce de détail de la région du Grand Montréal.

Classes	Nombre
Moins de 20 employés	17
20 mais moins de 40	13
40 mais moins de 60	52
60 mais moins de 80	28
80 et plus	5

*Source : Adapté de *Le travail à temps partiel au Québec dans le commerce de détail et les services privés*, 2e partie. Le Marché du travail, janvier 1992.

a) La fréquence absolue pour la classe «40 mais moins de 60» est:
   i) 13   ii) 52   iii) 28.
b) L'amplitude de chaque classe est:
   i) 17   ii) 13   iii) 20.
c) Le centre de classe pour la classe «60 mais moins de 80» est:
   i) 8   ii) 28   iii) 70.
d) Si on devait plutôt présenter la répartition des employés avec les fréquences relatives, la fréquence relative pour la classe «40 mais moins de 60» serait:
   i) 0,24   ii) 0,45   iii) 0,15.
e) Si on cumulait les fréquences absolues (fréquences cumulées croissantes) de chaque classe, alors le nombre d'employeurs dans le commerce de détail qui ont moins de 60 employés serait:
   i) 30   ii) 110   iii) 82.

30. Dans l'élaboration d'un diagramme en feuilles, le dépouillement des valeurs 371, 373, 392, 462 et 504 serait:

   i)   3 | 7 7 9
            4 | 6
            5 | 0

   ii)   37 | 1 3
           39 | 2
           46 | 2
           50 | 4

   iii)   3 | 71 73 92
            4 | 62
            5 | 04

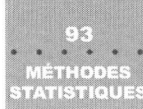

31. Dans une enquête effectuée auprès de secrétaires oeuvrant dans les entreprises employant de 5 à 200 personnes, on a voulu recueillir diverses informations concernant leur emploi. Voici certaines questions qui ont été posées dans la section *Informations sur vos conditions de travail*.

Q1. Quel est votre nombre d'heures de travail par semaine? _____

Q2. Quel est votre salaire annuel brut? _____

Q3. Combien d'années d'expérience avez-vous comme secrétaire? _____

Q4. Quel est le niveau hiérarchique de votre patron?

❏ Supérieur   ❏ Moyen   ❏ Inférieur

Q5. Croyez-vous que le niveau hiérarchique de votre patron ait une effet sur votre salaire?

❏ Oui   ❏ Non

Q6. Êtes-vous syndiqué(e)?

❏ Oui   ❏ Non

---

a) La variable de la question Q1 est mesurée sur une échelle

    i) nominale   ii) ordinale   iii) de rapport.

b) La variable de la question Q2 est mesurée sur une échelle

    i) d'intervalles   ii) ordinale   iii) de rapport.

c) La variable de la question Q3 peut être qualifiée de variable qualitative.

    i) Vrai   ii) Faux.

d) La question posée en Q4 est considérée comme une question ouverte.

    i) Vrai   ii) Faux

e) La question posée en Q3 est considérée comme une question fermée.

    i) Vrai   ii) Faux

f) La variable de la question Q5 est mesurée sur une échelle

    i) d'intervalles   ii) ordinale   iii) nominale.

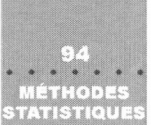

Annexe 1-Traitement avec Excel
Microsoft Office 2002 et Office 1997

Dépouillement, histogramme et diagrammes

Tous les exemples traités dans cette annexe sont dans le fichier du chapitre 1.

Nous indiquons dans cette annexe comment comment élaborer une distribution de fréquences absolues pour une variable continue et comment tracer divers diagrammes.

EXEMPLE 1: Distribution de fréquences et histogramme

Nous utilisons les données de l'exemple 1.8. Considérons que nous voulons dépouiller les données selon les classes indiquées ci-contre.

À noter que le dépouillement avec Excel s'effectue comme suit:

Borne inférieure < Valeur ≤
Borne supérieure de la classe

Feuille Excel du chapitre 1:
ANNEXE EX1

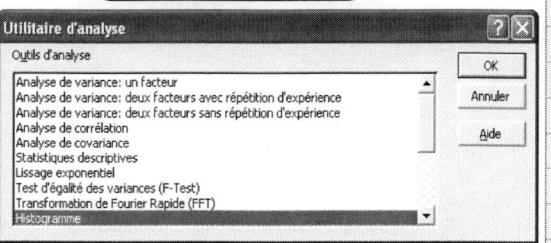

	A	B	C	D	E
1	Annexe Exemple 1 - Dépouillement des données de l'exemple 1.8				
2					
3		Investissement	Classes		
4	1	25950	22599		
5	2	24105	23099		
6	3	23726	23599		
7	4	25000	24099		
8	5	24675	24599		
9	6	24765	25099		
10	7	23758	25599		
11	8	25000	26099		
12	9	23860	26599		
13	10	23525			
14	11	23750			

Procédure (Version 8.0 et Version 10.0)

❶ Entrez les données (Ici colonne B, cellules B4:B63).

❷ Précisez les classes qui vont servir au dépouillement (ici Colonne C,cellules C4:C12).

❸ Dansla barre de menus, sélectionnez **Outils /Utilitaire d'analyse**.

❹ Dans la zone Outil d'analyse, choisissez **Histogramme**.

❺ Cliquez sur OK.

❻ Entrez les paramètres requis.

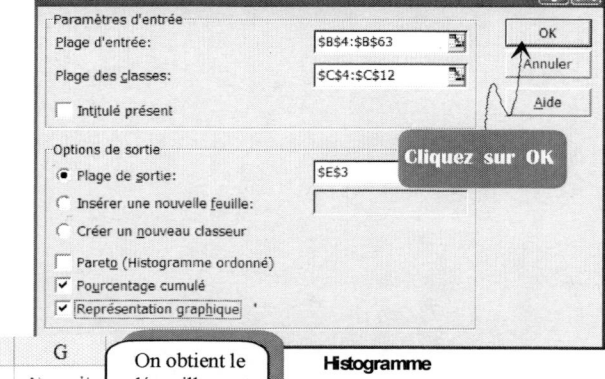

La distribution de fréquences générée par Excel correspond à la répartition suivante:

Classes	Fréquences absolues
22 600 ≤ Investissement < 23 100	4
23 100 ≤ Investissement < 23 600	7
23 600 ≤ Investissement < 24 100	15
24 100 ≤ Investissement < 24 600	14
24 600 ≤ Investissement < 25 100	14
25 100 ≤ Investissement < 25 600	5
26 100 ≤ Investissement < 26 600	1

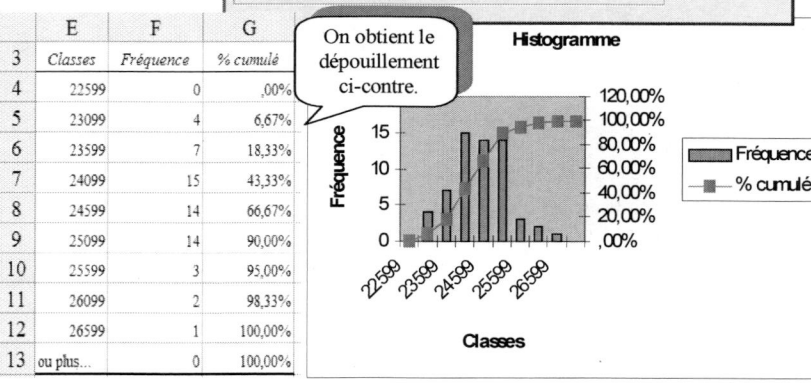

	E	F	G
3	Classes	Fréquence	% cumulé
4	22599	0	,00%
5	23099	4	6,67%
6	23599	7	18,33%
7	24099	15	43,33%
8	24599	14	66,67%
9	25099	14	90,00%
10	25599	3	95,00%
11	26099	2	98,33%
12	26599	1	100,00%
13	ou plus...	0	100,00%

On obtient le dépouillement ci-contre.

On peut modifier tous les éléments du graphique. Nous avons utilisé la police Britanic Bold pour le titre et l'identification des axes.

Nous avons également réduit à 0, l'intervalle entre les rectangles de l'histogramme comme l'indique la fenêtre ci-contre. Pour obtenir ces résultats, double-cliquez sur l'histogramme et sélectionnez le bouton Options.

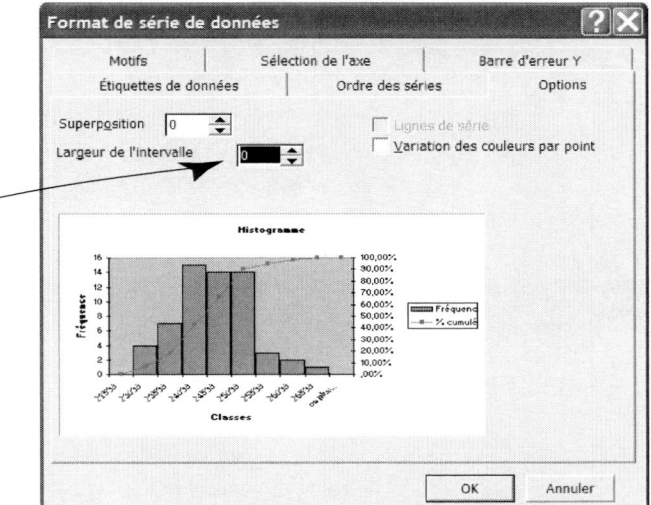

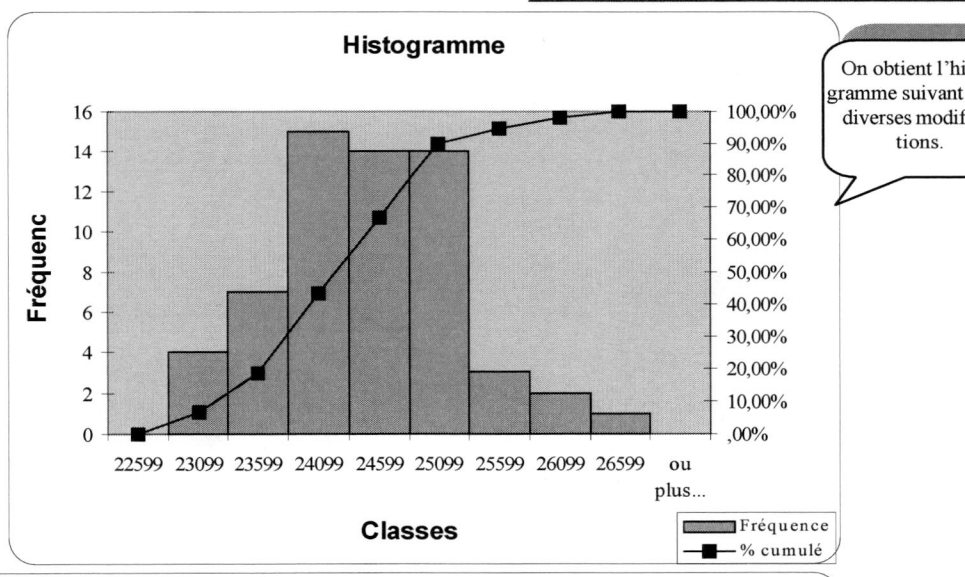

On obtient l'histogramme suivant après diverses modifications.

Histogramme des investissements dans des systèmes de conception et de fabrication

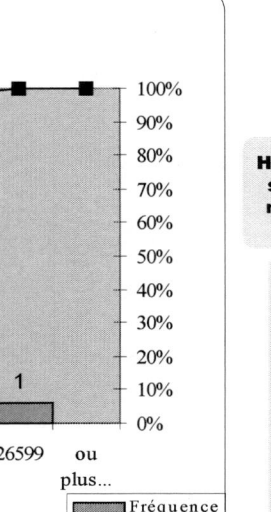

Nous avons ajouté les fréquences absolues (On sélectionne un rectangle de l'histogramme puis l'onglet *Étiquettes de données* dans le menu *Format / Série de données sélectionnée;* il s'agit de cocher *Afficher valeur* ou simplement *Valeur* dans Office 2002).

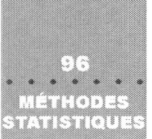
EXEMPLE 2: Dépouillement de données (nominales ou ordinales) dont les modalités sont codées

Nous indiquons dans cet exemple comment dépouiller les données (mesurées sur une échelle nominale ou ordinale) dont les modalités ont été codées.

Pour dépouiller ce type de données (codes 1, 2, 3, ...) on utilise la fonction FREQUENCE d'Excel. Nous allons illustrer la procédure avec la question Q1 du sondage de l'entreprise de service auprès de sa clientèle (questionnaire, exemple 1.17 et données exemple 1.19). La procédure est similaire pour toutes les questions de ce sondage.

**Feuille Excel du chapitre 1:
ANNEXE EX2**

Q1 : Quel est le secteur d'activité de votre entreprise?			
Vente au détail ❑ 1		Manufacturier ❑ 4	
Services ❑ 2		Vente en gros ❑ 5	
Finances ❑ 3			

Nous avons placé les données dans la colonne B (cellules B6 à B230). Comme la feuille Excel suivante l'indique, nous avons entré dans les colonnes D et E, les codes à dépouiller et l'en-tête Fréquences absolues (cellule B5); nous avons indiqué une matrice verticale correspondant au nombre de codes que nous voulons dépouiller (cellules D6 à D10). La procédure à suivre est indiquée ci-contre.

Procédure

❶ Il faut d'abord sélectionner les cellules dans lesquelles va apparaître le dépouillement des codes, puis cliquer sur le bouton 𝑓𝑥 (ou encore sélectionner dans la barre de menus **Insertion / Fonction**). (Ici, cellules E6 à E10).

❷ On choisit la catégorie **Statistiques** puis **FREQUENCE** dans le menu déroulant Insérer une fonction (Coller une fonction dans Office 97). Cliquer sur OK.

❸ Sélectionner la série de valeurs dont on veut obtenir les fréquences absolues (ici, cellules A7 à A231).

❹ Sélectionner les cellules qui contiennent les codes, ici D6 à D10 (Matrice_intervalles).

❺ Ne pas cliquer sur OK, mais plutôt presser simultanément les touches Ctrl-Maj-Entrée.

	A	B	C	D	E
1	Annexe Exemple 2 - Dépouillement des données de la question Q1 de l'exemple 1.19				
2					
3	Données nominales et ordinales				
4		**Q1**		**Secteur d'activité des entreprises**	
5	**Répondant no**	**Secteur d'activité**		**Codes**	**Fréquences absolues**
6	1	2		1	
7	2	5		2	
8	3	2		3	
9	4	4		4	
10	5	1		5	
11	6	4			
12	7	5			

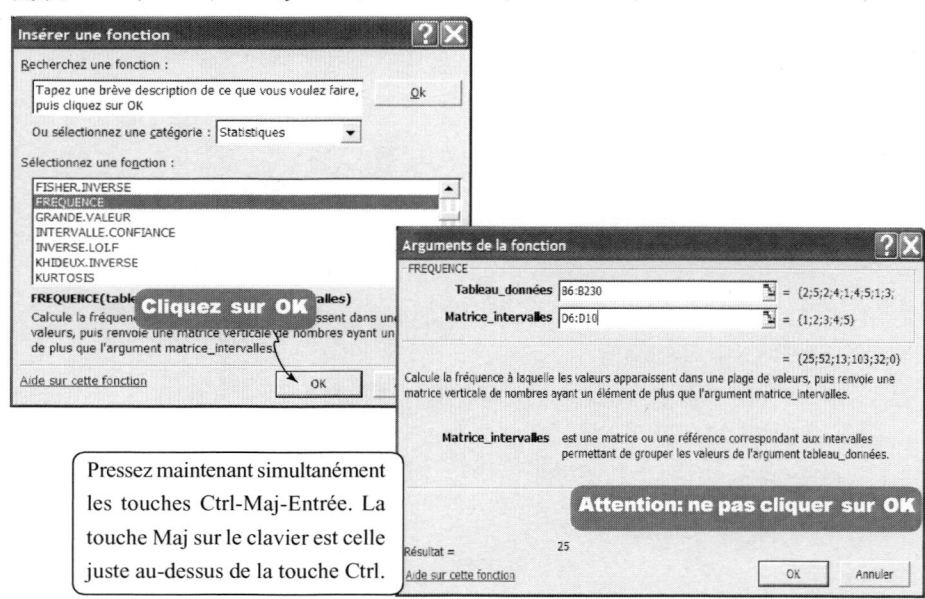

Pressez maintenant simultanément les touches Ctrl-Maj-Entrée. La touche Maj sur le clavier est celle juste au-dessus de la touche Ctrl.

| E6 | ▼ | fx | {=FREQUENCE(B6:B230;D6:D10)} | |

	A	B	C	D	E
1	**Annexe Exemple 2 - Dépouillement des données de la question Q1 de l'exemple 1.19**				
2					*Les fréquences absolues apparaissent dans les cellules E6 à E10.*
3	Données nominales et ordinales				
4		**Q1**		Secteur d'activité des entreprises	
5	**Répondant no**	**Secteur d'activité**		**Codes**	**Fréquences absolues**
6	1	2		1	25
7	2	5		2	52
8	3	2		3	13
9	4	4		4	103
10	5	1		5	32
11	6	4			

Nous avons également ajouté une colonne Pourcentages, en utilisant la formule =E6/225 dans la cellule F6; cliquez sur le signe de validation ✕ ✓ fx . Les autres valeurs s'obtiennent avec la Recopie incrémentée.

| F6 | ▼ | fx | =E6/225 | | |

	A	B	C	D	E	F
1	**Annexe Exemple 2 - Dépouillement des données de la question Q1 de l'exemple 1.19**					
2						
3	Données nominales et ordinales					
4		**Q1**		Secteur d'activité des entreprises		
5	**Répondant no**	**Secteur d'activité**		**Codes**	**Fréquences absolues**	**Pourcentages**
6	1	2		1	25	0,1111
7	2	5		2	52	0,2311
8	3	2		3	13	0,0578
9	4	4		4	103	0,4578
10	5	1		5	32	0,1422

$ € ⟨%⟩ 000 ⁺·⁰⁄·₀₀ ⁺·⁰⁰⁄·₀

Cliquez sur le signe % pour afficher les valeurs obtenues en pourcentages.

On pourrait également ajouter la somme des fréquences absolues dans la cellule E114 à l'aide de la fonction =SOMME(E6:E10).

Une formule débute toujours avec le signe =

	D	E	F
4	**Secteur d'activité des entreprises**		
5	**Codes**	**Fréquences absolues**	**Pourcentages**
6	1	25	11,11%
7	2	52	23,11%
8	3	13	5,78%
9	4	103	45,78%
10	5	32	14,22%
11		225	

Comment réaliser divers diagrammes

L'Assistant Graphique d'Excel permet de réaliser de nombreux graphiques et diagrammes. Il offre la possibilité de choisir parmi plusieurs types de graphiques (graphiques en aires, à barres, histogrammes, courbes, diagrammes à secteurs, nuage de points, ...). Nous indiquons ici comment réaliser quelques diagrammes avec la version 10.0 d'Excel.

EXEMPLE 3: Tracé d'un diagramme à secteurs circulaires

Nous nous servons d'une question adaptée d'un questionnaire utilisé par une revue d'Informatique et de technologies pour la PME et le milieu des affaires, questionnaire qui permettait de cerner certains éléments associés aux technologies de l'information et aux solutions d'affaires.

Illustrons comment obtenir un diagramme à secteurs avec les résultats obtenus à la question suivante (niveau de participation aux décisions d'achat).

Feuille Excel du chapitre 1: ANNEXE EX3

> **Dans quelle mesure participez-vous aux décisions d'achat de votre entreprise concernant les technologies de l'information?**
>
> **Décision finale** ❏1
>
> **Influence majeure** ❏2
>
> **Influence minime** ❏3
>
> **Aucune influence** ❏4

La compilation des résultats est indiquée dans la feuille Excel suivante:

	A	B
1	**Élaboration d'un diagramme à secteurs circulaires**	
2	Sondage sur les technologies de l'information	
3		
4	**Niveau de participation aux décisions d'achat**	**Pourcent**
5	Décision finale	20,4%
6	Influence majeure	25,8%
7	Influence mineure	37,8%
8	Aucune influence	16,0%

1. Sélectionnez le type **Secteurs**.
2. Nous avons sélectionné le sous-type **Secteurs avec effet 3D**.

Cliquez sur Suivant

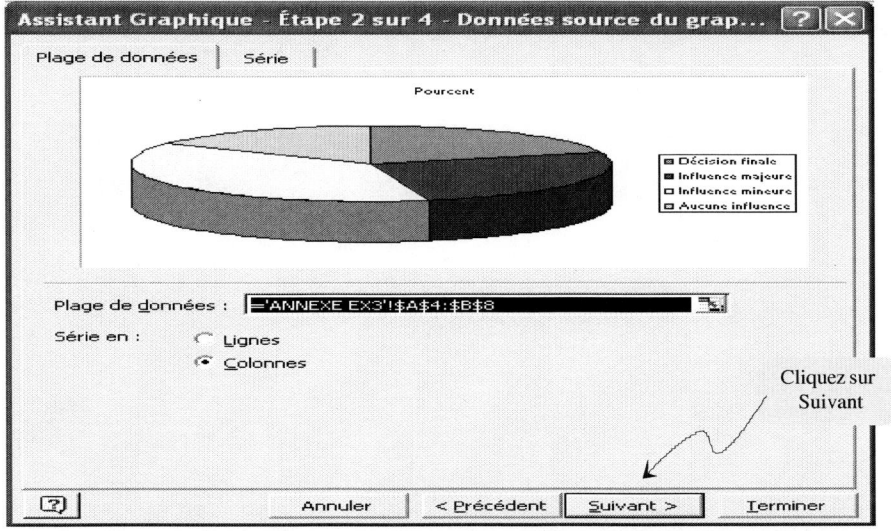

Cliquez sur
Suivant

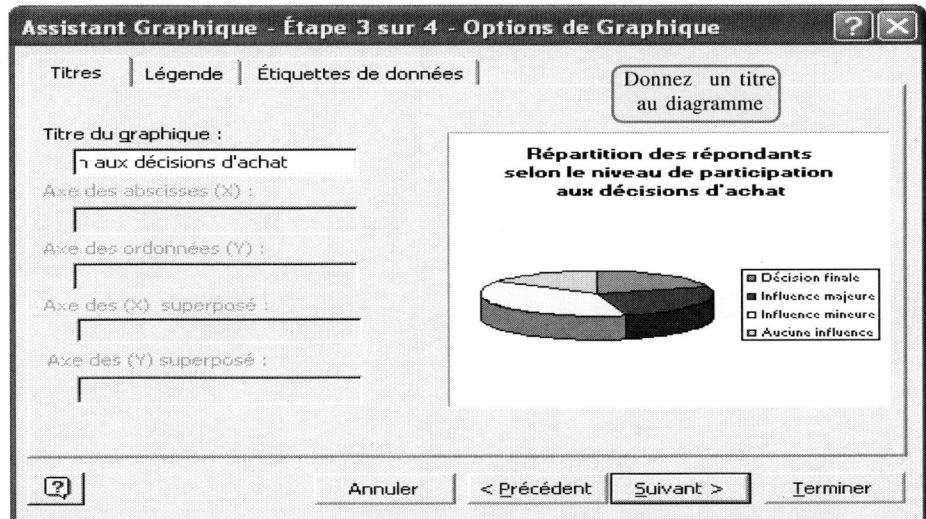

Donnez un titre
au diagramme

Sélectionnez l'onglet **Étiquette de données** puis choisir **Afficher étiquette et pourcent (Office 97)**; dans le cas de Office 2002, sélectionnez **Pourcentage** et **Afficher les lignes d'étiquettes**.

On pourrait également ajouter le Nom de la catégorie.

Cliquez sur
Terminer

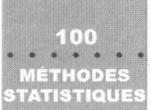
Modifications apportées au diagramme

On peut modifier à sa guise les différents éléments du graphique. Il s'agit de cliquer dans le graphique et de sélectionner l'élément à modifier.

a) Nous voulons afficher les pourcentages avec deux décimales.

b) Nous voulons mettre en relief un secteur du diagramme.

c) Nous voulons modifier la police du titre du graphique.

Affichage des pourcentages avec deux décimales

1. Cliquez dans le graphique.

2. Sélectionnez les pourcentages affichés (cliquez sur n'importe lequel).

3. Dans la barre de menus, sélectionnez **Format / Étiquette de données sélectionnée.**

4. Sélectionnez dans la fenêtre Format d'étiquette de données **Nombre** et indiquez 1 comme nombre de décimales. Cliquez sur OK.

Mettre en relief un secteur du diagramme

1. Pour mettre en relief un secteur du diagramme, cliquez dans le graphique.

2. Sélectionnez le secteur voulu et faites glisser.

Modification de la police du titre du graphique

1. Pour modifier la police, cliquez dans le graphique.

2. Sélectionnez le titre puis choisissez la police requise ainsi que le nombre de points.

Nous avons sélectionné ici la police **Arial Black** , 9 points.

Modification de la police concernant les niveaux de participation

Nous avons également modifié la police du Formatde légende identifiant les différents secteurs du diagramme. La police utilisée est **Times New Roman**, 10 points.

Pour obtenir le diagramme ci-contre, nous avons déplacé les étiquettes des différents secteurs, sélectionné dans la fenêtre Format de la zone de graphique *Coins arrondis*, puis nous avons ajouté un motif au diagramme en procédant comme suit:

Format de la zone de graphique/ Motifs

Cliquez sur l'onglet Motifs et textures ... puis Texture.

Nous avons sélectionné Parchemin. Cliquez sur OK.

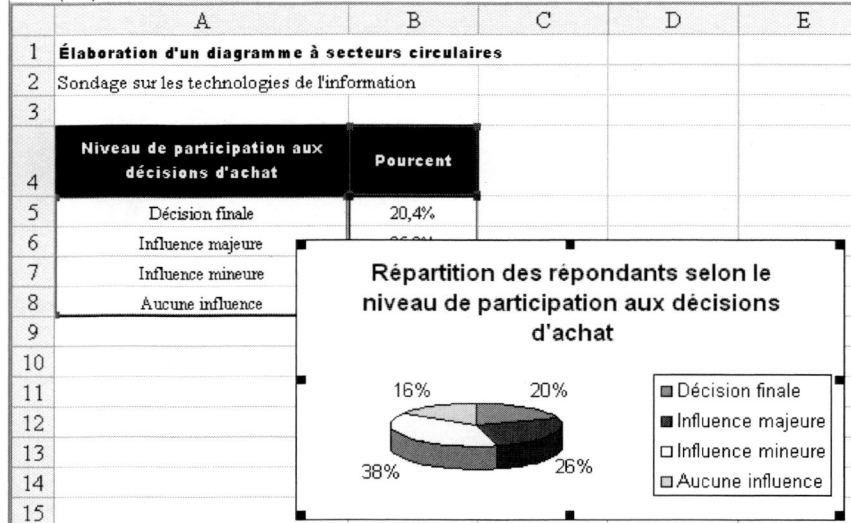

	A	B	C	D	E
1	Élaboration d'un diagramme à secteurs circulaires				
2	Sondage sur les technologies de l'information				
3					
4	Niveau de participation aux décisions d'achat	Pourcent			
5	Décision finale	20,4%			
6	Influence majeure				
7	Influence mineure				
8	Aucune influence				
9					
10					
11					
12					
13					
14					
15					

Répartition des répondants selon le niveau de participation aux décisions d'achat

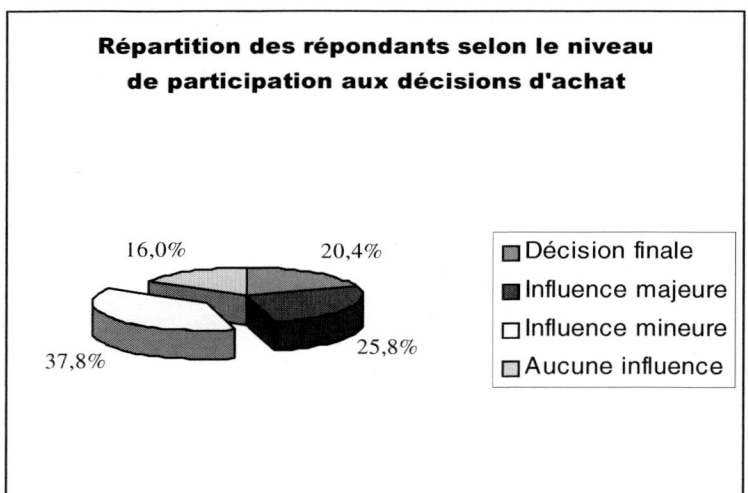

Répartition des répondants selon le niveau de participation aux décisions d'achat

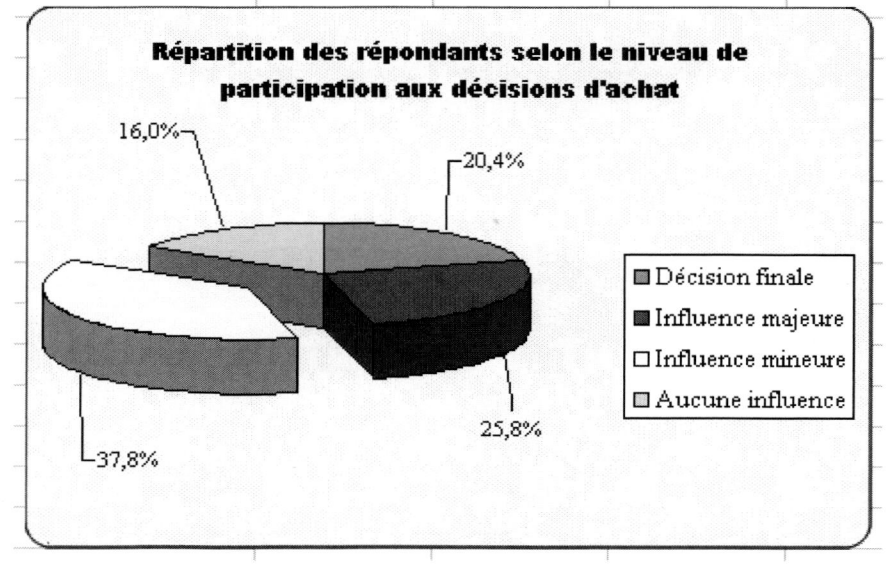

Répartition des répondants selon le niveau de participation aux décisions d'achat

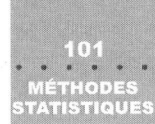

EXEMPLE 4: Tracé d'un diagramme à barres horizontales

Illustrons comment obtenir un diagramme à barres horizontales avec les résultats obtenus à la question Q3 de l'exemple 1.19.

**Feuille Excel du chapitre 1:
ANNEXE EX4**

Q3 : Depuis combien de temps exploitez-vous ou dirigez-vous votre entreprise?

Depuis moins de 3 ans   ❏ 1

Depuis 3 à 6 ans   ❏ 2

Depuis 7 ans ou plus   ❏ 3

La compilation des résultats est indiquée dans la feuille Excel suivante:

	B	C	D
5	**Temps à la direction**	**Fréquences absolues**	**Pourcentages**
6	Moins de 3 ans	18	8,00%
7	Depuis 3 à 6 ans	128	56,89%
8	Depuis 7 ans ou plus	79	35,11%

On veut tracer un diagramme à rectangles horizontaux (diagramme à barres) pour visualiser les résultats du sondage selon le type d'application bureautique utilisée.

Procédure

❶ Sélectionnez les données (Colonnes B et C, de la ligne 6 à ligne 8). Pour sélectionner les données, cliquez dans la cellule A4 et maintenez le bouton gauche de la souris enfoncé; glissez le pointeur jusqu'à la cellule C8. La plage de cellules sélectionnées dans la feuille de calcul est alors en surbrillance.

❷ Cliquez sur l'icône de l'Assistant Graphique 📊 dans la barre d'outils.

❸ Suivez les étapes de l'Assistant Graphique.

	A	B	C	D
1	**Exemple 4- Élaboration d'un diagramme à rectangles horizontaux**			
2	Données de la question Q3 (Depuis combien de temps exploitez-vous ou			
3	Le dépouillement conduit au tableau ci-après.			
4				
5		**Temps à la direction**	**Fréquences absolues**	**Pourcentages**
6		Moins de 3 ans	18	8,00%
7		Depuis 3 à 6 ans	128	56,89%
8		Depuis 7 ans ou plus	79	35,11%

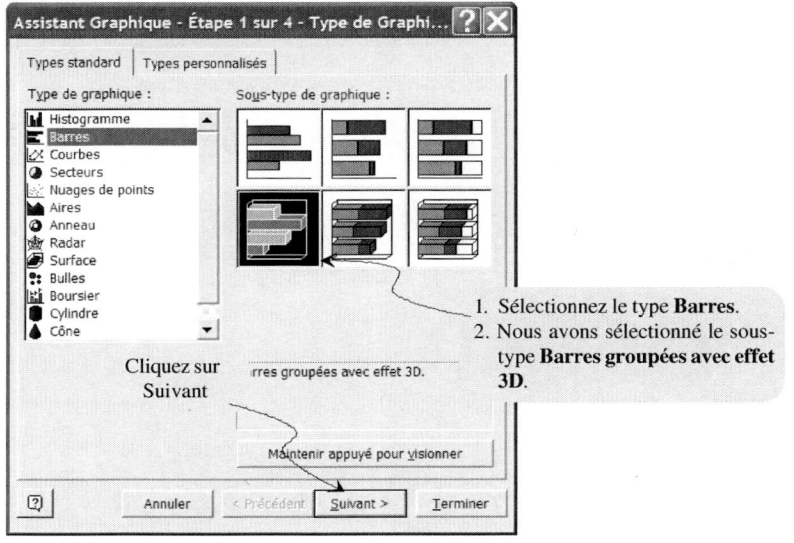

1. Sélectionnez le type **Barres**.
2. Nous avons sélectionné le sous-type **Barres groupées avec effet 3D**.

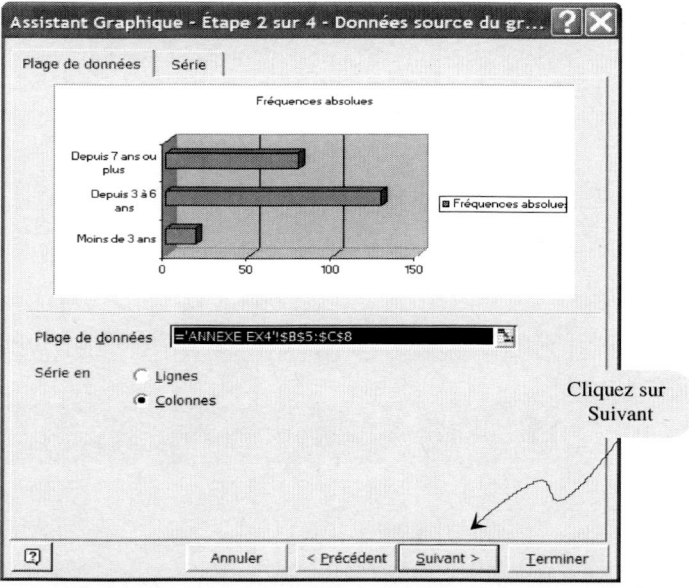

Cliquez sur
Suivant

Sélectionnez l'onglet
Titres.
Ajoutez un titre au
graphique et identifiez les
axes.

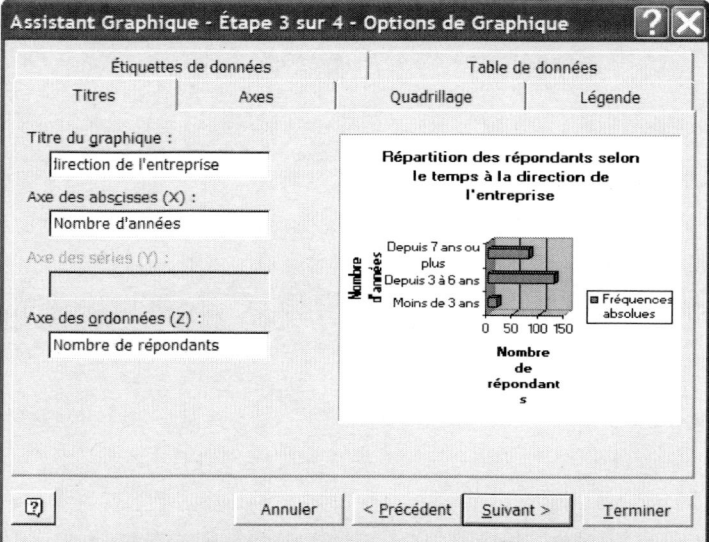

Sélectionnez l'onglet
Légende puis désacti-
vez **Afficher la
légende**.

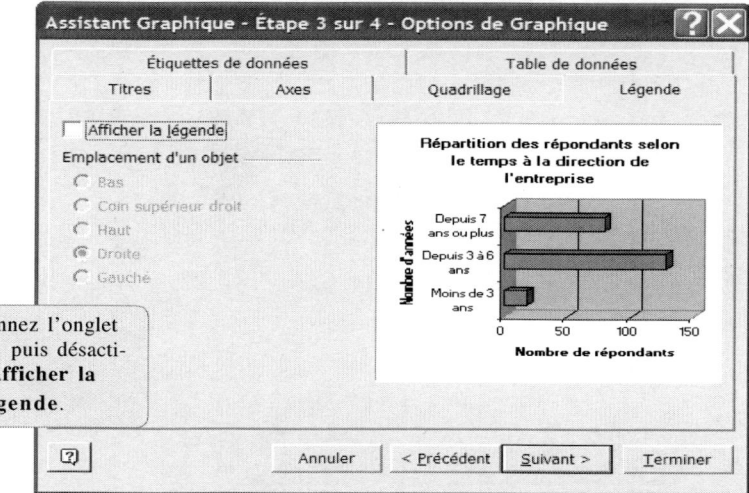

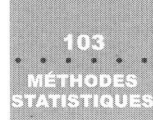

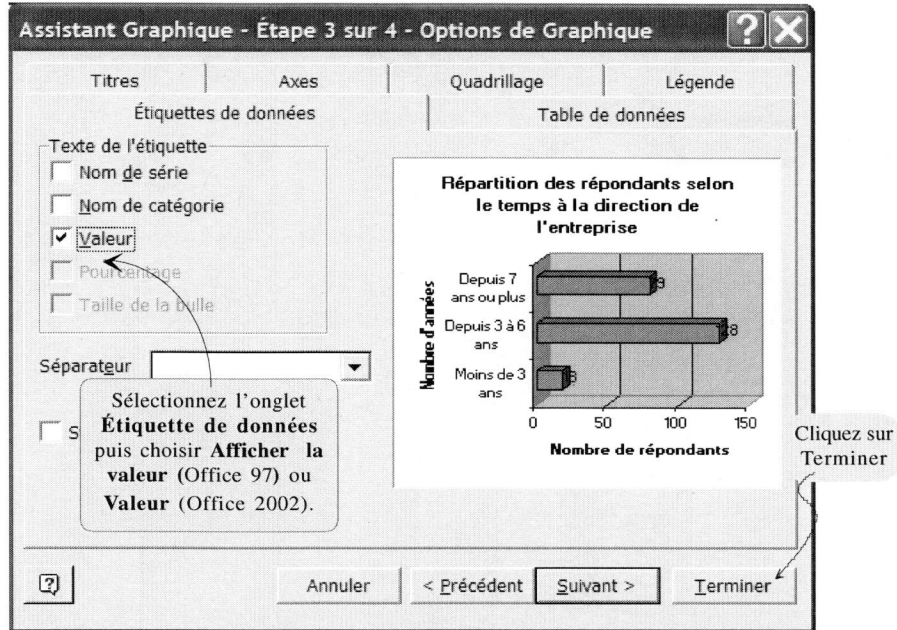

En étirant le graphique avec les poignées, on obtient le graphique ci-contre. Les fréquences absolues (Étiquettes de données) sont automatiquement indiqués sur le graphique. Nous avons utilisé la police Arial Black pour le titre et l'identification des axes et la police Times New Roman pour les autres éléments du diagramme.

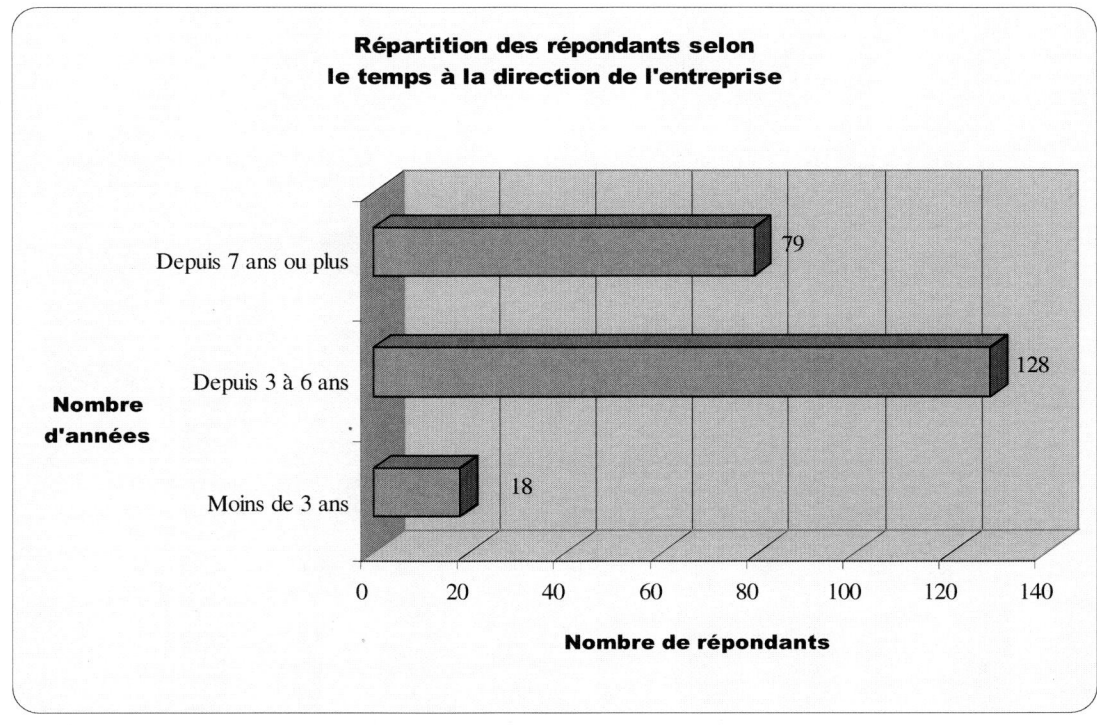

Remarque: On obtient les diagrammes à rectangles verticaux de façon similaire mais en utilisant le type de graphique **Histogrammes.**

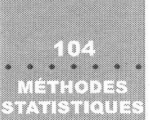
EXEMPLE 5: Visualisation d'une série chronologique

Les données* suivantes, présentées dans une feuille Excel, correspondent aux dépenses (en millions$) des touristes d'affaires et de congrès (24 heures et plus) à Montréal de 1990 à 2001.

On veut visualiser sur un graphique l'évolution dans le temps de la variable «Dépenses des touristes d'affaires et congrès».

Feuille Excel du chapitre 1: ANNEXE EX5

	A	B	C
1	**Exemple 5- Visualisation d'une série chronologique**		
2			
3	**Dépenses des touristes d'affaires et congrès (1990 à 2001)**		
4	**Année**	**Dépenses (M$)**	
5	1990	452	
6	1991	469	
7	1992	486	
8	1993	464	
9	1994	441	
10	1995	475	
11	1996	501	
12	1997	555	
13	1998	582	
14	1999	537	
15	2000	670	
16	2001	684	

*Source: Service de la recherche. Tourisme Montréal - Office des congrès et du tourisme du grand Montréal, mars 2003.

Indiquons comment visualiser le comportement de la série sur un graphique à l'aide du type de graphique Nuage de points.

Procédure

❶ Sélectionnez les données (Colonnes A et B, de la ligne45 à ligne 16). Pour sélectionner les données, cliquer dans la cellule A4 et maintenir le bouton gauche de la souris enfoncé; glisser le pointeur jusqu'à la cellule B16. Relâcher le bouton de la souris. La plage de cellules sélectionnées dans la feuille de calcul est alors en surbrillance.

❷ Cliquez sur l'icône de l'Assistant Graphique dans la barre d'outils.

❸ Suivez les étapes de l'Assistant Graphique.

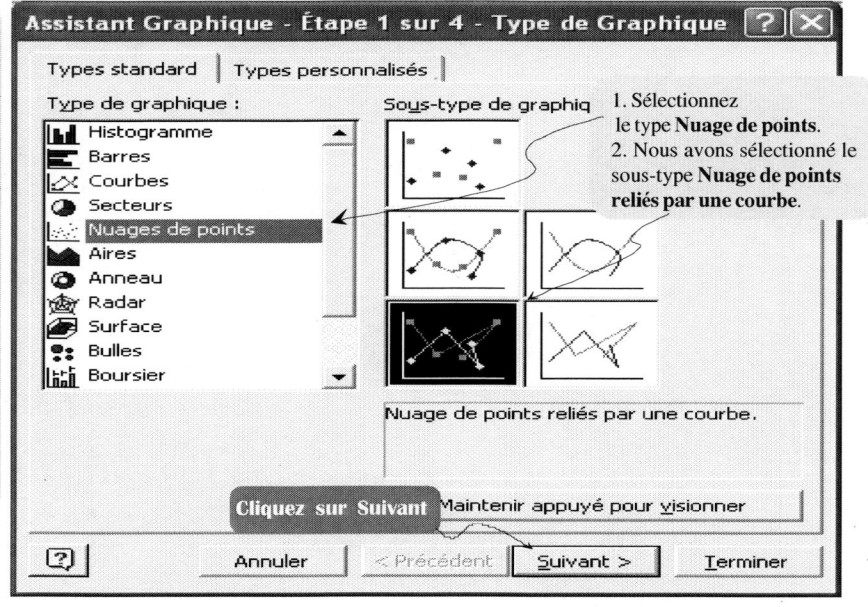

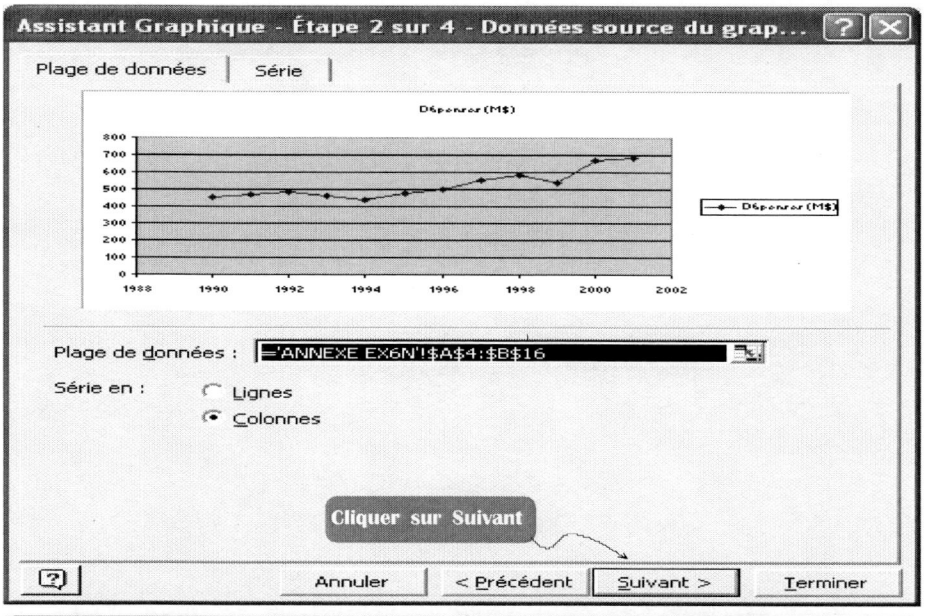

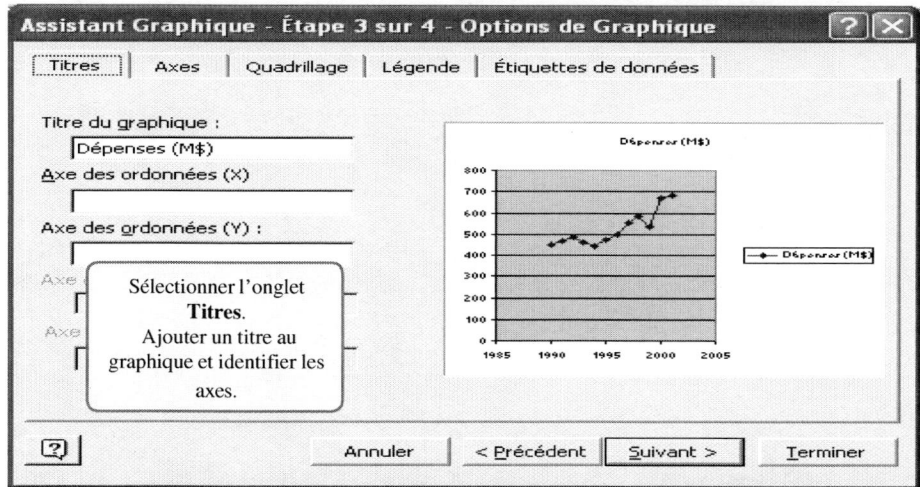

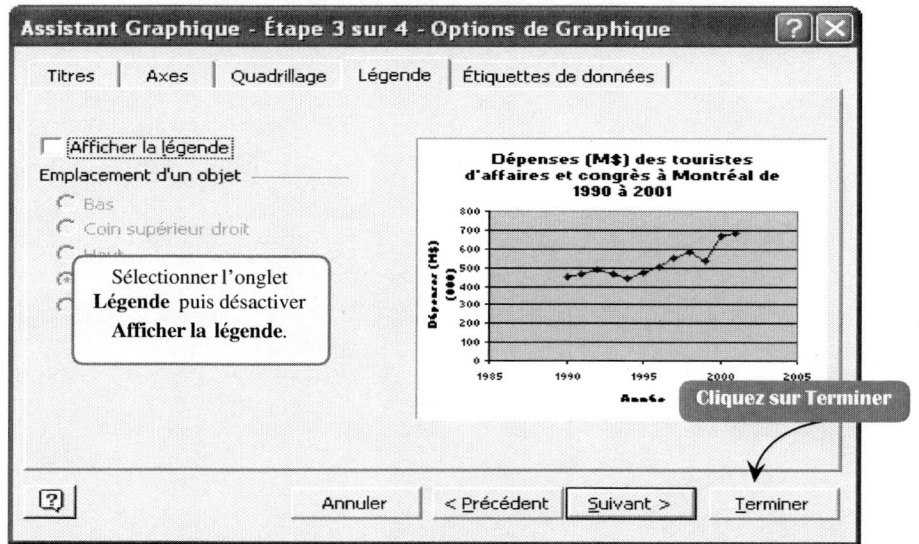

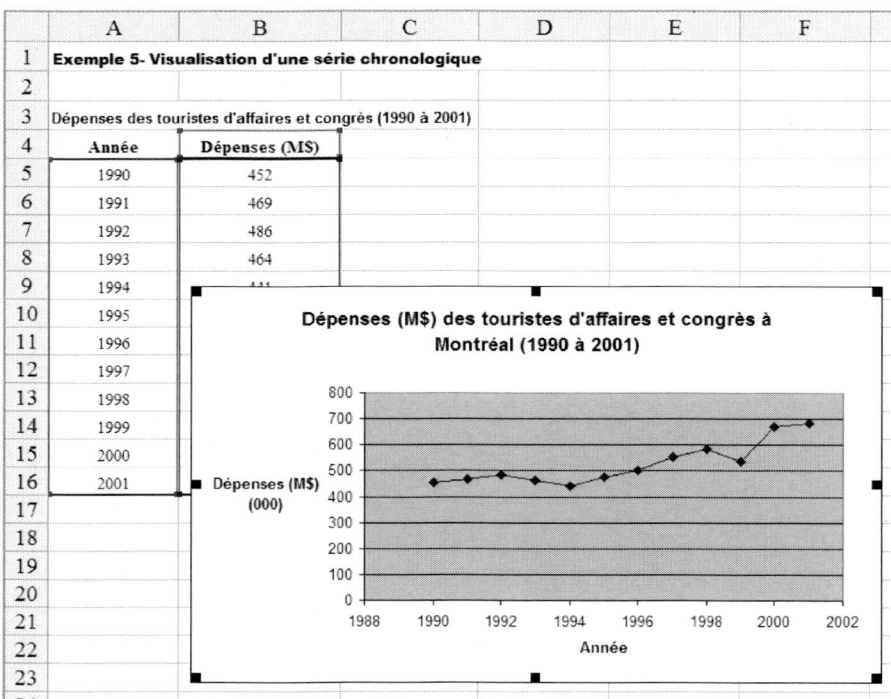

En étirant le graphique avec les poignées, on obtient le graphique ci-après. Nous avons utilisé la police Arial Black pour le titre et l'identification des axes et la police Times New Roman pour les autres éléments du diagramme.

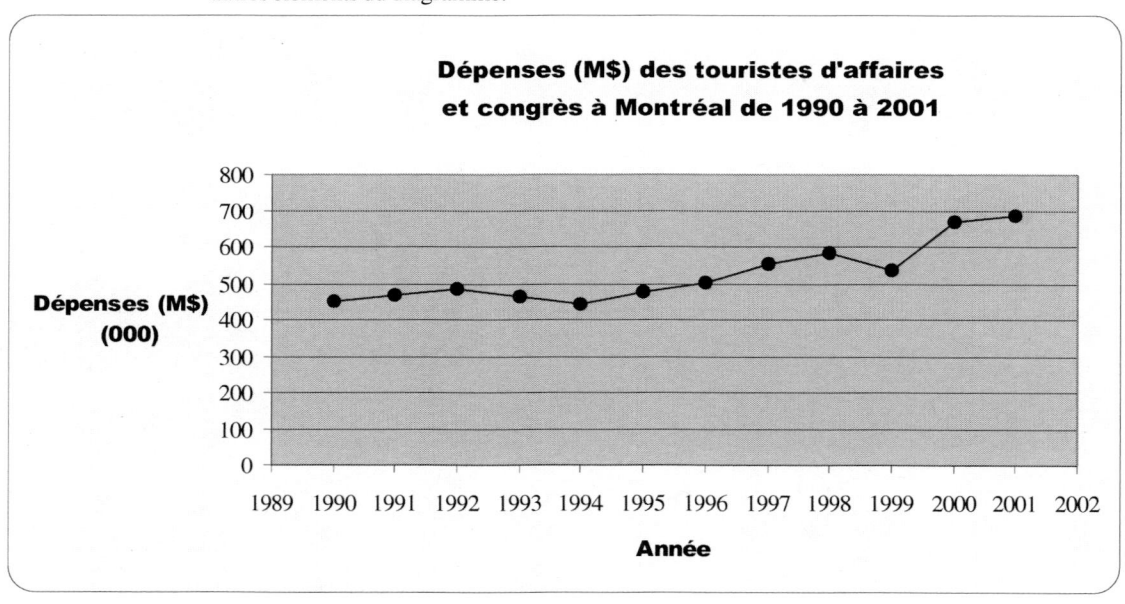

On pourrait également modifier d'autres éléments du graphique comme ajouter la valeur des dépenses associée à chaque point du graphique.

Cliquez sur les points du graphique puis sur Format/Série de données sélectionnée ...

Cochez Valeur Y puis sur OK.

Format de série de données [?] [X]

| Motifs | Sélection de l'axe | Barre d'erreur X | Barre d'erreur Y |

| Étiquettes de données | Ordre des séries | Options |

Texte de l'étiquette
- ☐ Nom de série
- ☐ Valeur X
- ☑ Valeur Y
- ☐ Pourcentage
- ☐ Taille de la bulle

Séparateur [▼]

☐ Symbole de légende

OK   Annuler

On peut position-
ner chaque valeur
des dépenses sur le
graphique au-des-
sus de chaque
point.

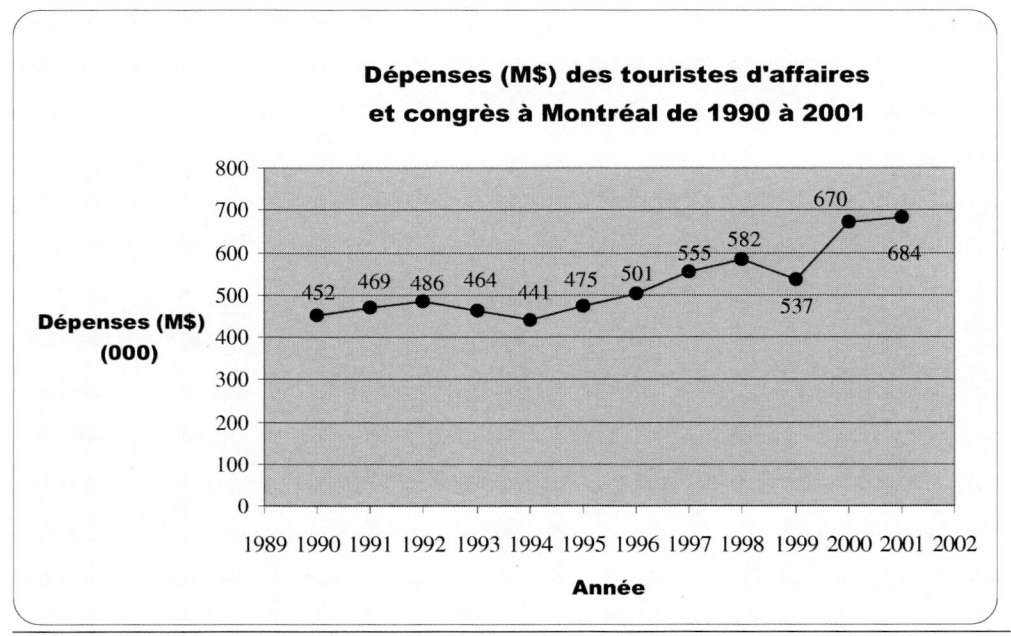

**Dépenses (M$) des touristes d'affaires
et congrès à Montréal de 1990 à 2001**

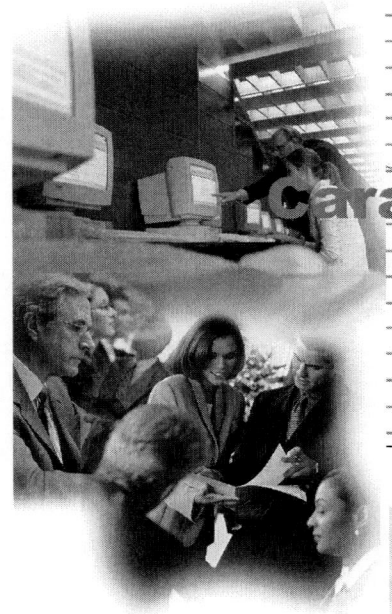

Chapitre 2

Caractéristiques de tendance centrale et de dispersion

L'Institut pour la concurrence et la prospérité, présidé par Roger Martin, doyen de la Rotman School of Management de l'Université de Toronto s'est penché sur le PIB par habitant de 16 juridictions ayant plus de six millions de résidents pour déterminer les facteurs qui contribuent aux différences entre elles.

Parmi les états analysés, le Massachusetts présente le PIB par habitant le plus élevé à 44 878 dollars américains, alors que le PIB médian est de 35 300$ US. Le Québec arrive au dernier rang avec un PIB équivalent à 25 052$ US par habitant. L'écart par rapport à la valeur médiane est de -10 248$.

Le Québec traîne de la patte

PIB per capita au Québec, en Ontario
et dans certains États américains

TERRITOIRE	PIB PER CAPITA*	ÉCART AVEC LA MÉDIANE**
Massachusetts	44 878$	9 578$
New Jersey	43 151$	7 851$
New York	42 115$	6 816$
Californie	39 698$	4 398$
Illinois	37 626$	2 326$
Virginie	36 922$	1 623$
Géorgie	36 175$	875$
Texas	35 598$	298$
MÉDIANE	35 300$	
Caroline du Nord	35 002$	-298$
Pennsylvanie	32 895$	-2 405$
Ohio	32 823$	-2 477$
Michigan	32 740$	-2 560$
Indiana	31 608$	-3 691$
ONTARIO	30 420$	-4 880$
Floride	29 539$	-5 761$
QUÉBEC	25 052$	-10 248$

* En PPP (parité du pouvoir d'achat), dollars américains.
** La médiane est la valeur centrale, divisant l'échantillon en deux groupes égaux.

* Source: Couture, M. Le Québec et l'Ontario en retard face aux États-Unis. *La Presse*, 22 août 2002.

L'illustration ci-haut fait appel à une mesure de tendance centrale que nous traitons dans ce chapitre, soit la médiane d'une série de données. Nous y abordons également d'autres mesures de tendance centrale et de dispersion.

....

Caractéristiques de tendance centrale et de dispersion

❏ **Objectif général.** *Dans ce chapitre, notre objectif est de présenter les diverses caractéristiques (de tendance centrale, de dispersion et de forme) d'une série de données.*

❏ **Objectifs spécifiques.** *Lorsque vous aurez complété l'étude du chapitre 2, vous pourrez :*

1. *faire la distinction entre les caractéristiques de tendance centrale, de dispersion et de forme ;*

2. *calculer, avec les différentes formules qui sont présentées, la moyenne arithmétique, la variance, l'écart-type et le coefficient de variation et donner la signification concrète de chacune de ces mesures statistiques ;*

3. *localiser dans une série, groupée ou non, la médiane et en donner sa signification ;*

4. *déterminer le mode ou la classe modale d'une série ;*

5. *identifier ce que représentent les mesures de position comme les quartiles, déciles et centiles ;*

6. *préciser ce qu'on entend par asymétrie et aplatissement d'une distribution ;*

7. *calculer divers indices statistiques utilisés en gestion et en économie ;*

8. *obtenir diverses statistiques descriptives avec Excel.*

2.1   Introduction

Nous voulons, suite à l'examen qualitatif d'une série de données à l'aide de tableaux et de diverses représentations graphiques, caractériser la distribution des valeurs observées d'une variable statistique. Cette caractérisation sera obtenue par certains nombres représentatifs qui pourraient résumer d'une façon suffisamment complète l'ensemble des valeurs de la distribution.

Ces nombres représentatifs permettront d'ajouter une signification concrète à l'interprétation des résultats et faciliteront la comparaison de deux ou plusieurs séries de données.

On distingue quatre types de caractéristiques.

❶ Les caractéristiques (ou mesures) de *tendance centrale*: elles permettent d'obtenir une idée de *l'ordre de grandeur* des données constituant la série et indiquent également la *position* où semblent se rassembler les données de la série.

❷ Les caractéristiques (ou mesures) de *dispersion*: elles quantifient les *fluctuations* des valeurs observées *autour de la valeur centrale*. Elles permettent d'apprécier l'*étalement de la série*, c.-à-d. de préciser dans quelle mesure les données obtenues s'écartent les unes des autres ou s'écartent de leur valeur centrale.

❸ Les caractéristiques de *forme*: elles donnent une idée de la symétrie et de l'aplatis-sement d'une distribution. Ces dernières sont toutefois d'usage moins fréquent.

❹ Les mesures de *position*: elles permettent de situer de diverses manières un résultat par rapport à son groupe.

Toutefois, les mesures descriptives les plus couramment utilisées sont résumées dans le tableau ci-après:

Tableau 2.1

Principales mesures descriptives

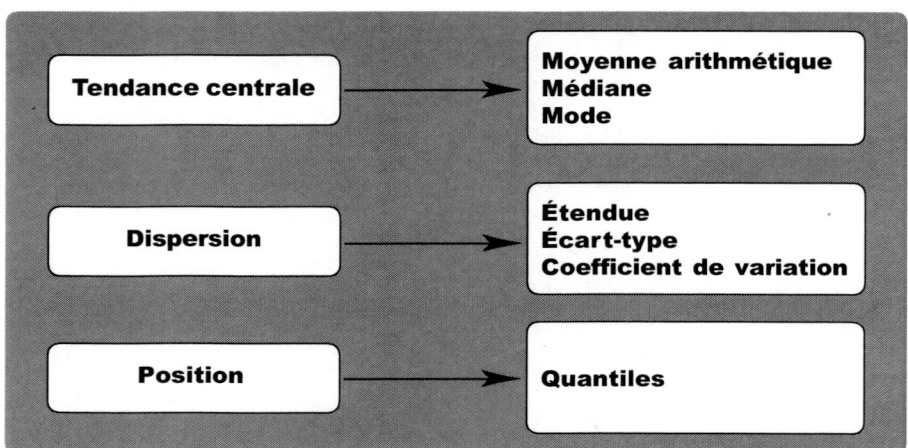

2.2   Définitions des mesures descriptives

Nous présentons ci-après les définitions des principales mesures de tendance centrale et de dispersion.

Mesure de tendance centrale

Définition de la moyenne arithmétique

Moyenne arithmétique. La moyenne arithmétique, que nous notons $\bar{x}$ d'une série numérique $x_1, x_2, x_3, ..., x_n$ est la somme des valeurs de la série divisée par le nombre n:

$$\bar{x} = \frac{x_1 + x_2 + x_3 + ... + x_n}{n} = \frac{\sum_{i=1}^{n} x_i}{n}$$ Le symbole $\bar{x}$ se lit "x barre", $\sum$ (grand sigma) désigne la somme de.

Si la caractéristique prend les valeurs distinctes x_i (ou encore si les valeurs sont groupées en classes avec x_i comme centres de classe), avec un certain nombre de répétitions f_i (fréquence absolue de la valeur x_i ou de la classe où se situe le centre x_i), on utilise alors l'expression ci-contre. k représentant le nombre de valeurs distinctes de la série ou encore le nombre de classes de la série groupée. On pourrait également utiliser v_i comme identification des centres de classe.

$$\bar{x} = \frac{\sum_{i=1}^{k} f_i \cdot x_i}{\sum_{i=1}^{k} f_i} = \frac{\sum_{i=1}^{k} f_i \cdot x_i}{n}$$

Mesures de dispersion

Définitions de ll'étendue, de la variance, de l'écart-type et du coefficient de variation

Étendue. L'étendue est la différence entre la plus grande et la plus petite valeur de la série (d'un échantillon ou d'un sous-groupe): $E = x_{max} - x_{min}$.
Cette mesure ne tient compte que des valeurs extrêmes de la série; on note également qu'elle est indépendante du nombre de données dans la série. Elle est toutefois peu utilisée lorsque le nombre de données est de 10 et plus.

Variance et écart-type. La dispersion des valeurs x_i de la série autour de leur moyenne $\overline{x}$ est obtenue en calculant la somme des carrés des écarts des valeurs x_i par rapport à $\overline{x}$ divisée par $(n$-$1)$. Cette mesure s'appelle la *variance* de la série de valeurs (ou de l'échantillon) et s'écrit:

$$s^2 = \frac{\sum_i (x_i - \overline{x})^2}{n-1} = \frac{\sum_i x_i^2 - (\sum_i x_i)^2 / n}{n-1}.$$

La racine carrée de s^2 donne l'écart-type: $s = \sqrt{s^2}$.

La moyenne arithmétique et l'écart-type s'expriment dans la même unité de mesure que celle des valeurs x_i de la caractéristique observée. Une série qui est peu dispersée autour de la moyenne arithmétique (ce qui est souhaitable) conduit à une valeur d'écart-type faible.

Dans le cas de valeurs distinctes x_i ou valeurs groupées en classes avec x_i comme centres de classe et fréquence absolue f_i, on utilise l'expression suivante pour le calcul de la variance:

$$s^2 = \frac{\sum_i f_i x_i^2 - \frac{(\sum_i f_i x_i)^2}{n}}{n-1}.$$

Coefficient de variation. Le coefficient de variation, que nous notons CV, est obtenu en divisant l'écart-type par la moyenne arithmétique $\overline{x}$. Exprimé sous forme d'un pourcentage, il s'écrit:

$$CV = \frac{s}{\overline{x}} \times 100, \overline{x} \neq 0.$$

Cette mesure de dispersion relative est indépendante de l'unité de mesure de la caractéristique observée. Si $\overline{x}$ est négative, on retiendra alors la valeur absolue de CV. Plus le coefficient de variation est faible, plus la série de données est homogène (concentrée autour de $\overline{x}$), indiquant ainsi que la moyenne $\overline{x}$ est bien représentative de l'ensemble des données de la série.

Donnons quelques exemples de l'application de ces mesures descriptives.

Exemple 2.1

Calcul du temps moyen de la semaine de travail de dirigeants de PME

Les données du tableau 2.2 représentent le temps en nombre d'heures correspondant à la semaine de travail de 22 dirigeants(es) de PME provenant des régions de l'Estrie et de la Montérégie. On veut connaître pour chaque groupe, diverses statistiques descriptives.

---

* Source. Adapté de Gagnon, G. *Quatre PME sur cinq perçoivent la mondialisation comme une occasion de croissance.* LES AFFAIRES, hors série, édition 2001.

Tableau 2.2

Tableau de données

Estrie	
Dirigeant Estrie	Nombre d'heures de travail
1	47
2	50
3	49
4	43
5	46
6	54
7	48
8	47
9	50
10	48
11	46
12	48

Montérégie	
Dirigeant Montérégie	Nombre d'heures de travail
1	57
2	56
3	55
4	44
5	50
6	53
7	51
8	46
9	55
10	53

$E = x_{max} - x_{min}$

$$\overline{x} = \frac{\sum\limits_{i=1}^{n} x_i}{n}$$

a) On veut déterminer pour les dirigeants provenant de chaque région,
   i) le nombre d'heures de travail le plus élevé; le plus faible;
   ii) l'étendue des données;
   iii) la semaine moyenne de travail (en nombre d'heures).

Ces calculs s'effectuent facilement et les résultats sont résumés dans le tableau ci-après.

Estrie	
Minimum	43
Maximum	54
Étendue	11
Somme	576
Moyenne	48

Montérégie	
Minimum	44
Maximum	57
Étendue	13
Somme	520
Moyenne	52

Les deux séries ont sensiblement la même étendue mais la semaine moyenne de travail est plus élevée pour le groupe de dirigeants de la région de la Montérégie:

$$\overline{x}_{Estrie} = \frac{576}{12} = 48 \qquad \overline{x}_{Montérégie} = \frac{520}{10} = 52$$

Les diagrammes suivants permettent de visualiser les notions de moyenne et étendue.

Visualisation des notions de moyenne et d'étendue

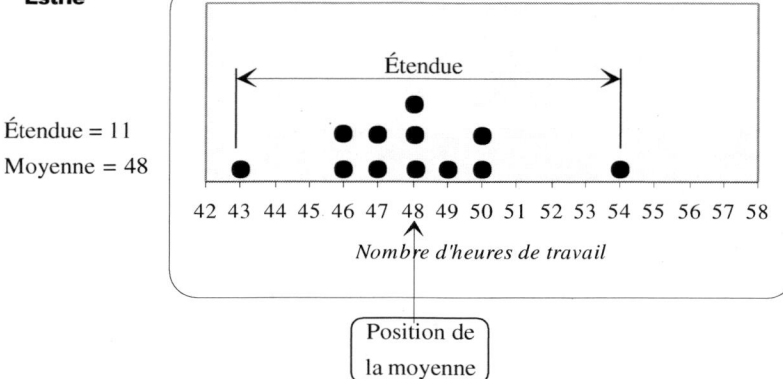

Estrie

Étendue = 11
Moyenne = 48

Montérégie

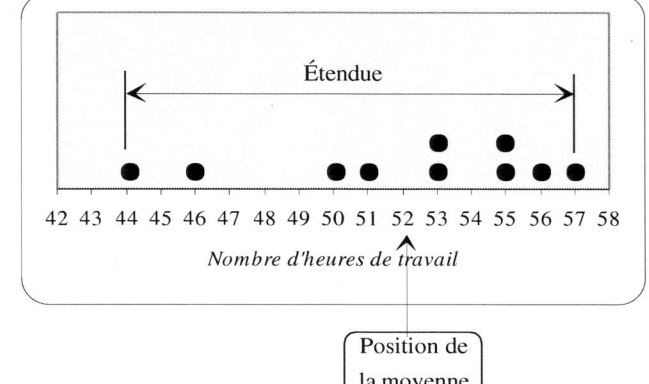

Étendue = 13
Moyenne = 52

b) On veut déterminer, en calculant la variance s^2, l'ampleur de la dispersion des don-nées obtenues par rapport au nombre moyen d'heures de travail de ces dirigeants de PME, et ceci pour chaque région.

$$s^2 = \frac{\sum_i (x_i - \overline{x})^2}{n-1}$$

$$= \frac{\sum_i x_i^2 - (\sum_i x_i)^2 / n}{n-1}.$$

Estrie			
Dirigeant	Nombre d'heures de travail (x_i)	Écart $(x_i - \overline{x})$	Carré des écarts $(x_i - \overline{x})^2$
1	47	-1	1
2	50	2	4
3	49	1	1
4	43	-5	25
5	46	-2	4
6	54	6	36
7	48	0	0
8	47	-1	1
9	50	2	4
10	48	0	0
11	46	-2	4
12	48	0	0

$$\sum_{i=1}^{12}(x_i - \overline{x}) = 0 \qquad \sum_{i=1}^{12}(x_i - \overline{x})^2 = 80$$

• • • •
La somme des écarts en-tre les valeurs x_i d'une sé-rie et leur moyenne arithmétique $\overline{x}$ est nulle:

$$\sum_{i=1}^{n}(x_i - \overline{x}) = 0$$

Le calcul de la variance donne:

$$s^2 = \frac{\sum_{i}^{12}(x_i - \overline{x})^2}{n-1} = \frac{80}{11} = 7,273.$$

La valeur de la mesure de dispersion, en termes d'heures de travail, est donnée par l'écart-type s:

$$s = \sqrt{s^2} = \sqrt{7,273} = 2,70 \text{ heures.}$$

Effectuons maintenant les mêmes calculs pour la série de données des dirigeants de la région de Montérégie.

Montérégie			
Dirigeant	Nombre d'heures de travail (x_i)	Écart $(x_i - \bar{x})$	Carré des écarts $(x_i - \bar{x})^2$
1	57	5	25
2	56	4	16
3	55	3	9
4	44	-8	64
5	50	-2	4
6	53	1	1
7	51	-1	1
8	46	-6	36
9	55	3	9
10	53	1	1

$$\sum_{i=1}^{10}(x_i - \bar{x}) = 0 \qquad \sum_{i=1}^{10}(x_i - \bar{x})^2 = 166$$

La variance s^2 pour cette série de données est donc

$$s^2 = \frac{\sum_{i=1}^{10}(x_i - \bar{x})^2}{n-1} = \frac{166}{9} = 18,444$$

et l'écart-type $s = \sqrt{s^2} = \sqrt{18,444} = 4,295$ heures.

c) Déterminez, pour chaque série de données, le coefficient de variation.

$$CV\% = \frac{s}{\bar{x}} \times 100$$

$$CV\%_{Estrie} = \frac{s}{\bar{x}} \times 100 = \frac{2,70}{48} \times 100 = 5,62\%$$

$$CV\%_{Montérégie} = \frac{s}{\bar{x}} \times 100 = \frac{4,295}{52} \times 100 = 8,26\%$$

La dispersion relative du nombre d'heures de travail pour les dirigeants de PME de la région de Montérégie est plus importante (la série de données est moins homogène que celle de la région de l'Estrie).

Visualisation de la notion d'écart par rapport à la moyenne

Visualisons à l'aide des schémas suivants, la notion de dispersion par rapport à la moyenne.

Estrie	
Nombre d'heures de travail (x_i)	Écart par rapport à la moyenne
47	-1
50	2
49	1
43	-5
46	-2
54	6
48	0
47	-1
50	2
48	0
46	-2
48	0

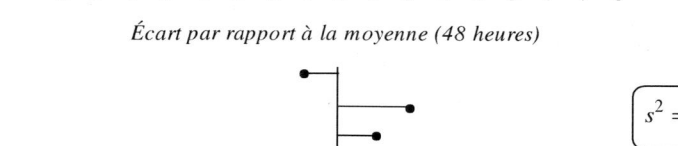

-8 -7 -6 -5 -4 -3 -2 -1 0 1 2 3 4 5 6 7 8

Écart par rapport à la moyenne (48 heures)

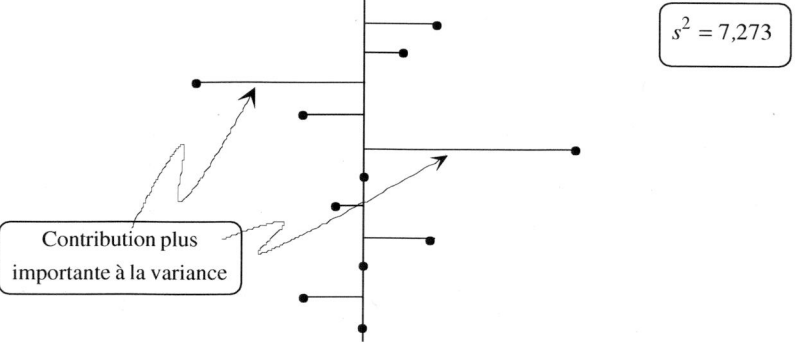

$s^2 = 7,273$

Contribution plus importante à la variance

Montérégie	
Nombre d'heures de travail (x_i)	Écart par rapport à la moyenne
57	5
56	4
55	3
44	-8
50	-2
53	1
51	-1
46	-6
55	3
53	1

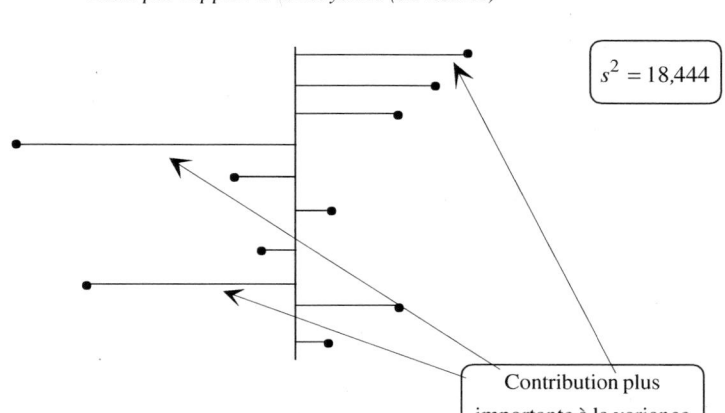

Écart par rapport à la moyenne (52 heures)

$s^2 = 18,444$

Contribution plus importante à la variance

Ces schémas permettent de visualiser le fait que la série de données associées aux dirigeants de la région de la Montérégie est moins homogène que celle de la région de l'Estrie, d'où une plus grande variance et un plus grand coefficient de variation.

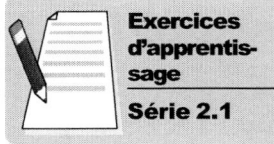

Exercices d'apprentis-sage

Série 2.1

📄 Calculs de diverses mesures descriptives concernant la création d'entreprises

1. Entre 1996 et 2000, dans plusieurs régions, la création d'entreprises* a surpassé le nombre de fermetures. Le tableau suivant (ces données ont été compilées par la professeure Nathaly Riverin du service de l'enseignement du management de l'école des Hautes Études Commerciales à partir d'un fichier des entreprises tenu par la Commission de la santé et sécurité au travail) donne la création nette d'entreprises (Création - Fermeture) dans certaines régions du Québec au cours de la période analysée.

Région	Création nette d'entreprises
Laurentides	580
Mauricie	505
Bas-Saint-Laurent	649
Centre-du-Québec	675
Saguenay/Lac Saint-Jean	716
Montréal	4052
Estrie	856
Abitibi-Témiscamingue	680
Outaouais	980

*Source: Adapté de Duhamel, A. *La création d'entreprises surpasse les fermetures.* LES AFFAIRES, 14 avril 2001.

a) Déterminez la création nette moyenne d'entreprises pour ces régions.

b) Déterminez la somme de carrés des écarts de la variable «création nette d'entreprises» par rapport à la création nette moyenne.

c) Quelle région a la plus forte contribution à la somme de carrés calculée en b)?

d) Déterminez la variance et l'écart-type de cette variable.

e) Déterminez le coefficient de variation de cette série de données.

f) Peut-on considérer que la création nette moyenne calculée ici est représentative des régions listées dans le tableau ci-haut?

Exercices d'apprentis-sage

Série 2.1 (suite)

📖 Calculs de diverses mesures descriptives concernant la création d'entreprises

2. On veut reprendre les calculs des diverses statistiques descriptives, mais en éliminant cette fois la donnée associée à la région de Montréal.

a) De combien sera réduite la somme des données?

b) Déterminez la création nette moyenne avec les 8 régions restantes.

c) Quel est l'écart-type de cette nouvelle série?

d) Est-ce que cette série de données est plus homogène ou moins homogène que celle du tableau en 1? Justifiez votre conclusion.

Exemple 2.2

Calcul simplifié de la variance

Les données* suivantes (x_i) représentent le nombre d'employés pour 10 entreprises canadiennes du secteur de la haute technologie et de l'électronique.

Entreprise	Nombre d'employées
1. Viasystems Canada	2642
2. Ericsson Canada	2300
3. Matrox	1900
4. EXFO	1303
5. Systèmes SC1 (Canada)	800
6. Primetech Électroniques	745
7. SR Telecom	940
8. Harris Canada	627
9. Mégatech Électro	390
10. Equipement Electroline	290

*Source : *Les moteurs de l'économie*. LES AFFAIRES, édition hors série, 2001.

On veut calculer la variance et l'écart-type du nombre d'employés en utilisant la formule simplifiée de la variance:

$$s^2 = \frac{\sum_i (x_i - \bar{x})^2}{n-1} = \frac{\sum_i x_i^2 - (\sum_i x_i)^2 / n}{n-1}$$

Tableau des calculs préliminaires

x_i	x_i^2
2642	6980164
2300	5290000
1900	3610000
1303	1697809
800	640000
745	555025
940	883600
627	393129
390	152100
290	84100

Du tableau des calculs ci-contre, on obtient

$$\sum_{i=1}^{10} x_i = 11937$$

$$(\sum_{i=1}^{10} x_i)^2 = (11937)^2 = 142491969$$

$$(\sum_{i=1}^{10} x_i)^2 / n = (11937)^2 / 10 = 14249196,9 \qquad \sum_{i=1}^{10} x_i^2 = 20285927$$

La variance est donc: $s^2 = \dfrac{20285927 - 14249196,9}{9} = 670747,79$ et

l'écart-type $s = \sqrt{670747,79} = 818,992$ soit 819 employés.

2.3 Calcul de la moyenne et de la variance: valeurs individuelles et groupées

Valeurs individuelles

On suppose que la variable statistique prend les valeurs distinctes x_i, $i = 1,...,k$ présentant un certain nombre de répétitions f_i (qui est la fréquence absolue de la valeur x_i). Les formules nécessaires au calcul de la moyenne et de la variance sont alors les suivantes.

Moyenne arithmétique	Variance
$$\bar{x} = \frac{\sum_{i=1}^{i=k} f_i \cdot x_i}{\sum_{i=1}^{i=k} f_i}$$	$$s^2 = \frac{\sum_{i=1}^{i=k} f_i (x_i - \bar{x})^2}{\sum_{i=1}^{i=k} f_i - 1}$$

L'effectif total de la série est $n = \sum_{i=1}^{i=k} f_i$. k représente dans ce cas le nombre de valeurs distinctes de la variable statistique.

Valeurs groupées en classes

La moyenne arithmétique que l'on obtient de ce calcul pour une variable statistique continue dont les valeurs sont groupées en intervalles de classes ne sera qu'une valeur approximative.

Comme nous l'avons déjà précisé en remarque, on admet que la répartition des valeurs à l'intérieur de chaque classe est uniforme. Le calcul de la moyenne et de la variance va s'effectuer en utilisant le *centre de classe* (point milieu) de chaque classe comme valeur x_i de la variable et f_i, la fréquence absolue correspondant à chaque classe respective. Les formules de calcul sont celles mentionnées ci-haut.

Sous forme développée, l'expression de la variance s'écrit:

$$s^2 = \frac{\sum_{i=1}^{i=k} f_i (x_i - \bar{x})^2}{\sum_{i=1}^{i=k} f_i - 1} = \frac{\sum_{i=1}^{i=k} f_i \cdot x_i^2 - (\sum_{i=1}^{i=k} f_i \cdot x_i)^2 / n}{n-1}.$$

Exemple 2.3 — Évaluation de l'absentéisme dans une entreprise locale

Le bureau chef de l'entreprise Gescom a demandé à la directrice des ressources humaines de lui faire parvenir quelques statistiques sur le taux d'absentéisme depuis environ les six derniers mois. Chaque contremaître (au nombre de 4) a fait parvenir à la directrice un relevé indiquant le nombre (x_i) de personnes absentes durant une journée quelconque et le nombre de fois (f_i) qu'on a observé ce nombre x_i durant la période étudiée. Le tableau suivant résume l'information recueillie.

	A.L.		J.R.		G.B.		S.B.
x_i	f_i	x_i	f_i	x_i	f_i	x_i	f_i
0	24	0	15	0	75	0	90
1	56	1	30	1	78	1	70
2	58	2	48	2	30	2	27
3	30	3	46	3	12	3	6
4	15	4	34		195 jours	4	2
5	7	5	22				195 jours
	190 jours	6	5				
			200 jours				

Le contremaître A.L. a noté, par exemple, que 3 personnes ont été absentes en une journée quelconque et que ceci a été observé 30 fois sur une période de 190 jours ou encore qu'il s'est produit à 30 reprises (30 jours) que 3 personnes ne se sont pas présentées au travail. Si le nombre de jours n'est pas le même pour chaque contremaître, c'est que certains départements ont été fermés durant un certain nombre de jours pour la période couvrant ce relevé.

a) Calculez le taux moyen d'absentéisme dans chaque département.

Contremaître A.L.

$$\bar{x}_1 = \frac{(0)(24) + (1)(56) + (2)(58) + (3)(30) + (4)(15) + (5)(7)}{190}$$

$$= \frac{0 + 56 + 116 + 90 + 60 + 35}{190} = \frac{357}{190} = 1{,}88 \text{ / jour}$$

Contremaître J.R.

$$\bar{x}_2 = \frac{(0)(15) + (1)(30) + (2)(48) + (3)(46) + (4)(34) + (5)(22) + (6)(5)}{200}$$

$$= \frac{0 + 30 + 96 + 138 + 136 + 110 + 30}{200} = \frac{540}{200} = 2{,}70 \text{ / jour}$$

Contremaître G.B.

$$\bar{x}_3 = \frac{(0)(75) + (1)(78) + (2)(30) + (3)(12)}{195} = \frac{0 + 78 + 60 + 36}{195} = \frac{174}{195} = 0{,}89 \text{ / jour}$$

Contremaître S.B.

$$\bar{x}_4 = \frac{(0)(90) + (1)(70) + (2)(27) + (3)(6) + (4)(2)}{195}$$

$$= \frac{0 + 70 + 54 + 18 + 8}{195} = \frac{150}{195} = 0{,}77 \text{ / jour}$$

Départements	Taux moyen d'absentéisme (Personnes/jour)
Contremaître A.L.	1,88
Contremaître J.R.	2,70
Contremaître G.B.	0,89
Contremaître S.B.	0,77

b) Dans quel département trouve-t-on, en moyenne, le plus grand nombre de personnes absentes en une journée?

Le taux moyen d'absentéisme le plus élevé correspond à 2,7 personnes/jour, soit celui du contremaître J.R.

c) On a demandé également de fournir une statistique globale pour l'ensemble de l'usine. On suggère deux façons de calculer le taux moyen d'absentéisme.

i) Calculez la moyenne des taux moyens d'absentéisme obtenus en b) comme suit:

$$\bar{x} = \frac{\bar{x}_1 + \bar{x}_2 + \bar{x}_3 + \bar{x}_4}{4}$$

soit $\bar{x} = \dfrac{1{,}88 + 2{,}7 + 0{,}89 + 0{,}77}{4} = \dfrac{6{,}24}{4} = 1{,}56 \text{ / jour}$

ii) Calculez une moyenne pondérée selon le nombre de jours compilé pour chaque département. Notons ce nombre de jours par w_i; la moyenne pondérée se calcule alors comme suit:

$$\bar{x} = \frac{w_1\bar{x}_1 + w_2\bar{x}_2 + w_3\bar{x}_3 + w_4\bar{x}_4}{w_1 + w_2 + w_3 + w_4} = \frac{\sum w_i x_i}{\sum w_i}$$

soit

$$\bar{x} = \frac{(190)(1,88) + (200)(2,7) + (195)(0,89) + (195)(0,77)}{190 + 200 + 195 + 195}$$

$$= \frac{357,2 + 540 + 173,55 + 150,15}{780} = \frac{1220,9}{780}$$

$$= 1,5652 \, / \, \text{jour}$$

Laquelle des deux quantités est la valeur exacte? i) ou ii)? Rép. : ii).

Remarque. Lorsque les données sont groupées en classes de même amplitude, on peut obtenir une valeur approximative de la moyenne et de la variance à l'aide des expressions suivantes: $\bar{x} = \dfrac{\sum f_i x_i}{n}$,

$$s^2 = \frac{\sum f_i x_i^2 - \dfrac{(\sum f_i x_i)^2}{n}}{n-1}$$ où f_i est la fréquence absolue de la classe, x_i le centre de classe et n, le nombre total de données.

Exemple 2.4

Calculs, à l'aide des formules simplifiées, de la moyenne et de la variance: nombre d'heures consacrées à Internet

Le tableau* suivant donne la répartition du nombre d'heures consacrées à Internet pour le travail.

À partir de ces valeurs groupées, calculons la moyenne, la variance et l'écart-type.

Classes (Nombre d'heures)	Nombre de répondants
$0 \leq X < 2$	225
$2 \leq X < 4$	280
$4 \leq X < 6$	232
$6 \leq X < 8$	134
$8 \ \leq X < 10$	109

*Source : Adapté d'une enquête sur le Web par RISQ, mars 1997.

Tableau 2.3

Calculs avec les formules simplifiées

Intervalles de classes	Centre de classe (x_i)	Fréquences absolues (f_i)	$f_i x_i$	x_i^2	$f_i x_i^2$
$0 \leq X < 2$	1	225	225	1	225
$2 \leq X < 4$	3	280	840	9	2520
$4 \leq X < 6$	5	232	1160	25	5800
$6 \leq X < 8$	7	134	938	49	6566
$8 \leq X < 10$	9	109	981	81	8829

$$n = \sum f_i = 980 \qquad \sum f_i x_i = 4144 \qquad \sum f_i x_i^2 = 23940$$

On peut maintenant calculer facilement les mesures de tendance centrale et de dispersion qui sont requises. Le nombre moyen d'heures (valeur approximative) consacrées à Internet pour le travail est donc:

$$\bar{x} = \frac{\sum f_i x_i}{n} = \frac{4144}{980} = 4,23 \ \text{heures.}$$

La variance est: $s^2 = \dfrac{\sum f_i x_i^2 - \dfrac{(\sum f_i x_i)^2}{n}}{n-1} = \dfrac{23940 - (4144)^2 / 980}{980 - 1} = 6,55$.

L'écart-type est: $s = \sqrt{6,55} = 2,56$ heures par semaine.

2.4   La règle de Tchebycheff

La connaissance de la moyenne et de l'écart-type d'une série de données, peu importe la forme de la distribution de données, permet d'établir un intervalle dans lequel se situe un certain pourcentage de données.

> **Règle de Tchebycheff.** Pour tout ensemble de données et un nombre k, $k \geq 1$, la proportion de données comprise dans l'intervalle $(\bar{x} - ks, \bar{x} + ks)$ est supérieure ou égale à $1 - \dfrac{1}{k^2}$.

Le tableau suivant nous indique la proportion de données se situant dans l'intervalle précisé.

Tableau 2.4

Règle de Tchebycheff

k	Intervalle	Proportion de données dans l'intervalle
1	$(\bar{x} - s, \bar{x} + s)$	Au moins 0 (0%)
1,5	$(\bar{x} - 1,5s, \bar{x} + 1,5s)$	Au moins 5/9 (55,55%)
2	$(\bar{x} - 2s, \bar{x} + 2s)$	Au moins 3/4 (75%)
2,5	$(\bar{x} - 2,5s, \bar{x} + 2,5s)$	Au moins 21/25 (84%)
3	$(\bar{x} - 3s, \bar{x} + 3s)$	Au moins 8/9 (89%)

Exemple 2.5

Application de la règle de Tchebycheff: salaire annuel de Web designer

Les données* ci-après représentent le salaire annuel pour les concepteurs de site Web, salaire basé sur une étude par une société conseil en gestion des ressources humaines auprès d'entreprises du secteur du multimédia.

Salaire annuel					
35330	34742	34945	34980	35100	35330
35070	34285	35320	34665	34990	34496
35690	35085	33735	35565	34295	34636
35180	34956	34650	35040	35580	35375
34398	36024	35700	34225	34388	34725

*Source : Adapté de Noël, K. *La gestion du personnel, une lacune dans le multimédia.* Journal LES AFFAIRES, 13 janvier 2001.

Le salaire annuel moyen pour ces trente valeurs est 34 950$ avec un écart-type de 520$.

a) En appliquant la règle de Tchebycheff, déterminez la proportion de salaires des concepteurs de site Web dont le salaire annuel se situe dans l'intervalle $(\bar{x}-2s, \bar{x}+2s)$. On a $\bar{x} = 34\,950\$$ et $s = 520\$$. L'intervalle est $34\,950 \pm 1\,040$ soit entre $33\,910\$$ et $35\,990\$$. Puisque $k = 2$, on peut conclure qu'au moins 75% des salaires se situent entre $33\,910\$$ et $35\,990\$$.

b) En appliquant la règle de Tchebycheff, quel intervalle autour de la moyenne englobe au moins 80% des données?

On a $1 - \dfrac{1}{k^2} = 0,80$, $\dfrac{1}{k^2} = 0,20$, $k^2 = 5$, $k = \sqrt{5}$, $k = 2,236$.

La borne inférieure de l'intervalle est : $34\,950 - (2,236)(520) = 34\,950 - 1\,162,72 = 33\,787,28\$$
La borne supérieure de l'intervalle est : $34\,950 - (2,236)(520) = 34\,950 + 1\,162,72 = 36\,112,72\$$
Ainsi, au moins 80% des salaires se situent entre $33\,787,28\$$ et $36\,112,72\$$.

2.5 Autre mesure de tendance centrale: la médiane

La moyenne arithmétique est sans contredit la mesure de tendance centrale la plus utilisée. D'ailleurs, dans les prochaines parties de cet ouvrage, notre intérêt se portera principalement sur cette mesure statistique (ou le paramètre équivalent au niveau de la population) ainsi que sur la variance. Les autres mesures nous seront donc moins utiles mais il est bon de les connaître et de savoir quand il est souhaitable de les utiliser.

La médiane

Contrairement à la moyenne arithmétique qui est considérée comme une moyenne de grandeur, la médiane est plutôt considérée comme un centre de position.

> **La médiane.** La médiane, notée M_e, est la valeur (observée ou possible) de la variable statistique, dans la série de données ordonnée en ordre croissant ou décroissant, qui partage cette série en deux parties, de la façon suivante:
> i) le nombre de données inférieures à M_e est au plus n/2;
> ii) le nombre de données supérieures à M_e est au plus n/2.

La médiane, contrairement à la moyenne arithmétique, n'est pas influencée par les valeurs extrêmes éventuellement très grandes ou très petites. Elle est toutefois influencée par le nombre de données; elle ne dépend pas de la valeur des données, ce qui la rend inutilisable subséquemment lorsque nous traiterons d'estimation et de tests statistiques (chapitre 6 et les suivants).

a) Les données ne sont pas groupées en classes

Il faut d'abord ranger les données par *ordre de grandeur croissant* (ou décroissant).

Nombre impair de données: La *médiane* est alors parfaitement déterminée, elle correspond à la $\dfrac{(n+1)^e}{2}$ valeur dans la série ordonnée. Il y a donc $\dfrac{n-1}{2}$ valeurs de chaque côté de M_e.

Nombre pair de données: Dans ce cas, la *médiane* sera généralement la moyenne arithmétique des deux valeurs centrales dans la série ordonnée. Ainsi si $n = 2k$, M_e est la moyenne de la k^e et $(k+1)^e$ observations.

Si la variable statistique est discontinue, il se peut qu'il n'y ait pas de valeur médiane. La médiane doit correspondre à une valeur possible de la variable statistique.

Exemple 2.6

Calcul de la médiane : concentration de styrène en milieu de travail

Le styrène est un solvant organique largement utilisé dans l'industrie des résines et des plastiques de type polyester renforcés à la fibre de verre. Les travailleurs exposés absorbent le styrène par voie pulmonaire. Une étude a été effectuée dans trois usines québécoises de l'industrie de fabrication d'articles en plastique pour vérifier la concentration de styrène de travailleurs associés à diverses fonctions dans l'entreprise. Les données que nous présentons ci-contre correspondent à la concentration de styrène ambiant (en mg/m³) mesurée dans la zone respiratoire de chaque travailleur et ceci, pour la fonction

Concentration de styrène					
562	646	821	343	483	387
442	445	292	437	752	710
432	334	684	319	443	586

*Source: Adapté de Truchon G., C. Ostiguy et al (1992). *Surveillance des effets neurotoxiques de l'exposition au styrène en milieu de travail.* Travail et santé, Vol. 8, no 2.

«lamineur». On veut déterminer la concentration médiane de styrène. Il faut d'abord ordonner les valeurs en ordre croissant.

Concentration de styrène - Valeurs ordonnées

Rang	1	2	3	4	5	6	7	8	9	10	11	12	13	14	15	16	17	18
Valeurs	292	319	334	343	387	432	437	442	443	445	483	562	586	646	684	710	752	821

Puisque le nombre de données est pair, $n = 18 = 2k$, la médiane est la moyenne de l'observation de rang 9 (soit 443) et celle de rang 10 (soit 445):

$$M_e = \frac{443 + 445}{2} = 444 \, \text{mg} / \text{m}^3$$

292 319 334 343 387 432 437 442   443 445   483 562 586 646 684 710 752 821

← 9 données inférieures à 444 | 9 données supérieures à 444 →

$M_e = 444$

Pas plus de 50% des travailleurs ont une concentration de styrène inférieure à 444 mg/m³ et pas plus de 50% des travailleurs ont une concentration de styrène supérieure à 444 mg/m³.

b) Les données sont groupées en classes

Il arrive fréquemment que, dans un rapport de recherche ou dans une revue spécialisée, on représente les résultats sous forme d'une distribution de fréquences avec classes ouvertes. On ne peut alors calculer la moyenne arithmétique. La mesure de tendance centrale appropriée est alors la médiane.

Dans le cas d'une variable statistique continue groupée en classes, on peut obtenir la médiane,
i) en effectuant une interpolation linéaire à l'intérieur de la classe médiane afin de trouver la valeur de l'observation centrale;
ii) en utilisant la courbe des fréquences relatives cumulées croissantes. Il s'agit de localiser l'intersection de la courbe avec la droite horizontale d'ordonnée égale à 0,50 (ou 50%), le point d'abscisse correspondant est M_e.

Dans le cas d'interpolation linéaire à l'intérieur de la classe médiane, la formule requise pour déterminer la médiane est présentée ci-après.

La médiane: Interpolation linéaire. La formule requise est:

$$M_e \cong B_I + \left[\frac{(\frac{n}{2} - F)}{f_{M_e}} \right] \cdot a$$

où B_I: limite inférieure de la classe médiane

n : le nombre total de données dans la série

F : la somme des fréquences absolues de toutes les classes précédant la classe médiane

f_{M_e} : la fréquence absolue de la classe médiane

a : l'amplitude de la classe médiane.

Pour déterminer la classe médiane, il s'agit de déterminer la quantité $n/2$ (ce qui correspond à 50% des observations) et on compare cette valeur avec les fréquences cumulées. La classe médiane sera celle dont la fréquence cumulée englobe la $n/2$ ième valeur (celle dont la fréquence cumulée lui est immédiatement supérieure ou égale mais non inférieure). L'exemple suivant illustre l'application de cette formule.

Exemple 2.7

Détermination du taux médian d'investissement en recherche et développement

Dans une recherche* visant à comparer l'accès au financement des PME innovantes par raport aux PME non-innovantes, on a obtenu, dans la partie de la recherche concernant certaines caractéristiques des PME innovantes en fonction de leur taux d'investissement en Recherche et Développement, le tableau ci-après concernant le pourcentage du chiffre d'affaires dédié aux activités de recherche et développement.

On aimerait obtenir une idée de la tendance centrale de la distribution du taux de cette caractéristique financière en calculant le taux médian d'investissement. On ne peut ici calculer la moyenne arithmétique puisque nous sommes en présence d'une distribution de fréquences avec classes ouvertes.

Taux d'investissement en R-D	Nombre de PME
Moins de 3%	101
3% mais moins de 8%	93
8% mais moins de 13%	88
13% et plus	92
	Total: 374

*Source: Adapté de Barreau, J. *Financement de l'innovation: les PME innovantes sont-elles plus contraintes sur les marchés financiers que les non-innovantes?* Mémoire de recherche, UQTR, septembre 2003.

L'innovation correspond à l'intégration de nouvelles idées dans les produits (biens et services) et procédés commercialement réalisables ou l'adoption par une entreprise de technologies nouvelles pour son industrie.

Pour faire usage de la formule spécifiée précédemment, dressons d'abord le tableau suivant.

Classes	Fréquences absolues	Fréquences cumulées croissantes
Moins de 3%	101	101
3% mais moins de 8%	93	194
8% mais moins de 13%	88	282
13% et plus	92	374

Déterminons la classe médiane. Le taux médian sera celui de la $\dfrac{n}{2} = \dfrac{374}{2} = 187$e PME dans le classement par ordre croissant. La fréquence cumulée immédiatement supérieure (ou égale) à cette quantité est 194. La classe médiane est donc: 3% mais moins de 8%. Il s'agit de trouver dans cette classe, le taux (possible) de la 187e PME. On aura donc:

$B_I = 3, n = 374, F = 101, f_{M_e} = 93, a = 5.$

Substituant dans la formule, on trouve

$$M_e \cong B_I + \frac{(\dfrac{n}{2} - F)}{f_{M_e}}(a) = 3 + \frac{(\dfrac{374}{2} - 101)}{93}(5) = 3 + \frac{(187 - 101)}{93}(5)$$

$$M_e \cong 3 + \left(\frac{86}{93}\right)(5) = 3 + 4,62 = 7,62\%.$$

Pas plus de 50% des PME innovantes dédient moins de 7,62% de leur chiffre d'affaires aux activités de recherche et de développement et pas plus de 50% des PME innovantes dédient plus de 7,62%.

L'interpolation à l'intérieur de la classe médiane peut se schématiser comme suit:

3%	Classe médiane	Moins de 8%
	93 PME	

| 102e PME | 187e PME: sera la 86e parmi les 93 PME dont le taux d'investissement varie de 3% à moins de 8%. | 194e PME |

← 86 →

| 3% | PME médiane | Moins de 8% |

Exercices d'apprentissage

Série 2.2

📄 Calcul de la médiane: aide financière à des entreprises

1. Les données* suivantes représentent la liste des 25 entreprises ayant le plus bénéficié de l'aide financière (en millions $) du gouvernement fédéral entre 1982 et 1997. L'étude a été menée par la Fédération des contribuables canadiens.

Entreprise	Montant (millions $)
1. Pratt & Whitney Canada	949
2. De Havilland	425
3. Bombardier / Canadair	245
4. Le Groupe MIL inc.	244
5. Air Ontario	241
6. Bell Helicopter Textron	224
7. Spar Aerospatiale Ltée	169
8. Air BC	133
9. Trentonworks Limited	127
10. Time Air inc.	115
11. Marconi Canada	110
12. Canarie inc.	104
13. Allied Signal Aerospace Canada	103
14. Bombardier inc.	101
15. Pétromont inc.	95
16. Litton Systems Canada Limited	93
17. Curragh Resources inc.	93
18. CAE Electronique Ltée	91
19. Air Nova	91
20. AllCell Technologies	87
21. Repap Entreprises inc.	86
22. Air Atlantic	86
23. Messier-Dowty inc.	75
24. American Motors Canada inc.	67
25. Piedmont Airlines inc.	67

*Source: Le Nouvelliste, 17 avril 1998.

a) Déterminez l'aide financière totale pour ces 25 entreprises.

b) Déterminez le montant moyen.

c) Déterminez le montant médian.

d) Combien y-a-t-il d'observations de part et d'autre de la médiane M_e?

Exercices d'apprentis-sage

Série 2.2 (suite)

📄 Calcul de deux mesures de tendance centrale: aide financière à des entreprises

2. a) Complétez l'affirmation suivante en utilisant les résultats obtenus en 1:

Dans cette liste d'entreprises, on peut dire qu'il n'y a pas plus de _____%
des entreprises qui ont reçu une aide financière inférieure ou supérieure à
_____ millions $.

b) Supposons qu'on enlève de cette liste d'entreprises, le montant de 949 millions $
alloué à Pratt & Withney.

Déterminez à nouveau le montant moyen ainsi que le montant médian.

c) Laquelle des deux statistiques est la plus affectée? La moyenne ou la médiane?

2.6   Le mode

Le mode, bien qu'il soit identifié comme une mesure de tendance centrale, n'est ni un
centre d'équilibre, ni un centre de position mais plutôt un centre de concentration.

Le mode: Le mode, noté M_0 (ou valeur dominante), est la valeur de la variable statistique la plus fréquente que l'on observe dans une série.

• • •
Une série de données peut ne
comporter aucune valeur
modale. Si le mode existe, il
peut être unique (distribution
unimodale) comme il peut
être multiple (distribution
bimodale dans le cas où il y a
deux modes),...

C'est donc la valeur qui a été observée le plus grand nombre de fois.

Dans le cas d'une variable discrète, la détermination du mode est immédiate.

Dans le cas d'une variable continue dont les observations ont été groupées par classes,
la détermination du mode est peu objective et est plutôt laissée à l'arbitraire. Dans ce
cas, on parle plutôt de *classe modale*. La classe modale est la classe à laquelle correspond la fréquence (absolue ou relative) la plus élevée. Par convention, on pourrait dire
que le mode est alors la valeur qui correspond au centre de la classe modale.

Exemple 2.8

Détermination du salaire payé le plus fréquent

Le tableau suivant représente la distribution des salaires* payés en 2002 pour le groupe
professionnel «comptable», secteur financier, résultats provenant d'une enquête effectuée par un bureau de consultants en ressources humaines.

La classe modale est celle
correspondant à la fré-
quence absolue la plus élevée.
Les salaires les plus fréquents se situent donc entre 53 000$ et 58 000$.
Si on lui attribue le centre de
classe, on pourrait dire que
$M_0 \cong 55\ 500\$$.

Classes (Salaires)	Nombre de professionnels
38 000 mais moins de 43 000	4
43 000 mais moins de 48 000	6
48 000 mais moins de 53 000	8
53 000 mais moins de 58 000	12
58 000 mais moins de 63 000	7
63 000 mais moins de 68 000	3

*Source : Adapté de Vailles, F. *Les firmes devront mieux payer les
jeunes. La Presse*, 29 septembre 2002.

Exemple 2.9

Détermination de la valeur dominante

La responsable de la gestion de projets d'envergure concernant le développement de
logiciels destinés à l'industrie du transport ferroviaire a relevé le nombre d'heures supplémentaires qui a été requis par son service au cours des 30 dernières semaines. Les
valeurs obtenues sont présentées dans le tableau de la page suivante.

Semaine	Nombre d'heures supp.	Semaine	Nombre d'heures supp.	Semaine	Nombre d'heures supp.
1	17	11	19	21	18
2	16	12	17	22	11
3	12	13	16	23	16
4	16	14	20	24	13
5	15	15	14	25	16
6	15	16	21	26	15
7	14	17	11	27	15
8	11	18	18	28	13
9	12	19	21	29	14
10	14	20	16	30	13

Le dépouillement par valeur donne la distribution ci-après.

Nombre d'heures	Dépouillement	Fréquences absolues
11	✔✔✔	3
12	✔✔	2
13	✔✔✔	3
14	✔✔✔✔	4
15	✔✔✔✔	4
16	✔✔✔✔✔✔	6
17	✔✔	2
18	✔✔	2
19	✔	1
20	✔	1
21	✔✔	2

La valeur dominante (mode) est 16.

2.7 Autres mesures de position: les quantiles

Ces mesures permettent de situer, de diverses manières, un individu par rapport à son groupe.

Les quantiles (ou percentiles) sont des caractéristiques de position puisqu'ils correspondent à des valeurs de la variable statistique qui partagent la série statistique ordonnée (ordre croissant) en l parties égales.

Quartiles

Si $l = 4$, les quantiles sont appelés *quartiles*. Il y a donc trois quartiles, que l'on désigne par Q_1, Q_2 et Q_3.

Les quartiles. Les quartiles d'une série de taille n sont trois nombres qui partagent la série de données rangées par valeurs non décroissantes (ou non croissantes) de la façon suivante:

● Le nombre de données inférieures au premier quartile Q_1 est au plus n/4 tandis que le nombre de données supérieures à Q_1 est au plus 3n/4.

● Le nombre de données inférieures au deuxième quartile Q_2, tout comme le nombre de données supérieures à Q_2, est au plus n/2 (ce qui correspond à la médiane).

● Le nombre de données inférieures au troisième quartile Q_3 est au plus 3n/4 tandis que le nombre de données supérieures à Q_3 est au plus n/4.

Ces concepts sont illustrés sur le schéma de la page suivante.

Figure 2.1

Schématisation de la notion de quartiles

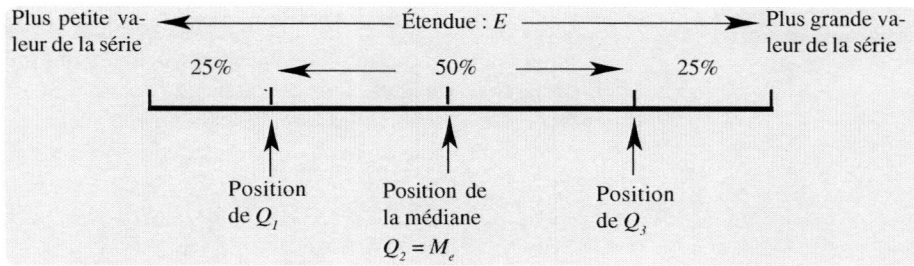

Remarques. a) Tout comme pour le calcul de la médiane lorsqu'il y a plusieurs données identiques, on observera moins de 25% des données à la gauche de Q_1 et moins de 75% à sa droite. Q_1 s'avère une caractéristique représentative si la proportion de données qui lui sont inférieures n'est pas trop loin de 25% et si la proportion de données qui lui sont supérieures n'est pas trop loin de 75%. Il en est de même pour le quartile Q_3.

b) Les quartiles permettent d'effectuer des commentaires du genre:
Environ 25% (ou 50% ou 75%) des individus ont un revenu inférieur à telle valeur.
Environ 75% (ou 50% ou 25%) des individus ont un revenu supérieur à telle valeur.

c) *Déciles.* Si $l = 10$, les quantiles sont appelés **déciles**. Il y a 9 déciles, chacun contenant au plus 10% du total des observations. On les note:
$$D_1 \quad D_2 \quad D_3 \dots D_5 \dots D_8 \quad D_9.$$
Au plus 10% des observations sont inférieures à D_1, 20% à D_2,..., 50% à $D_5 = M_e$.

d) *Centiles.* Si $l = 100$, les quantiles sont appelés **centiles**. Il y a 99 centiles, chacun contenant 1% du total des observations. On les note $C_1 \dots C_{99}$. Ainsi pas plus de 99% des observations sont inférieures à C_{99}.

2.8 Calcul des quartiles

Le calcul des quartiles à partir des données d'une série s'effectue comme suit. Il faut d'abord ordonner la série par valeurs non décroissantes.

> **Calcul de Q_1.** Si $n/4$ est un nombre entier, le premier quartile (Q_1) est la moyenne des données de rang $n/4$ et de rang $n/4 + 1$.
> Si $n/4$ n'est pas un entier, on complète $n/4$ à la valeur entière immédiatement supérieure. On obtient alors le rang de la donnée qui constitue le premier quartile.
> **Calcul de Q_3.** Si $3n/4$ est un nombre entier, le troisième quartile (Q_3) est la moyenne des données de rang $3n/4$ et de rang $3n/4 + 1$.
> Si $3n/4$ n'est pas un entier, on complète $3n/4$ à la valeur entière immédiatement supérieure. On obtient alors le rang de la donnée qui constitue le troisième quartile.

Lorsque les données sont groupées en classes, on utilise les expressions suivantes pour calculer Q_1 et Q_3:

$$Q_1 \cong B_I + \left[\frac{(n/4 - F)}{f_{Q_1}} \right] \cdot a \qquad\qquad Q_3 \cong B_I + \left[\frac{(3n/4 - F)}{f_{Q_3}} \right] \cdot a$$

B_I: limite inférieure de la classe qui contient Q_1
n: nombre de données dans la série
F: somme des fréquences absolues des classes précédant la classe qui contient le premier quartile

f_{Q_1} : fréquence absolue de la classe contenant le premier quartile
a: amplitude de classe

B_I: limite inférieure de la classe qui contient Q_3
n: nombre de données dans la série
F: somme des fréquences absolues des classes précédant la classe qui contient le troisième quartile

f_{Q_3} : fréquence absolue de la classe contenant troisième quartile
a: amplitude de classe

Exemple 2.10

Calcul de quartiles: durée du processus décisionnel

Dns une recherche* visant à identifier les facteurs qui influencent le processus décisionnel du consommateur lors de l'achat sur Internet de produits offerts par des PME québécoises, on a obtenu les données suivantes concernant la durée (en secondes) du processus décisionnel pour 36 consommateurs ayant une familiarité élevée avec l'ordinateur.

*Source : Adapté de Andaloussi, M. *Les facteurs qui influencent la durée du processus décisionnel du consommateur en commerce électronique*. UQTR, juin 2002.

Durée du processus décisionnel (secondes)								
481	368	665	950	644	593	638	432	467
715	547	546	363	327	641	502	851	363
657	553	576	413	395	439	445	577	538
540	436	545	350	571	589	646	453	832

Tableau 2.5

Valeurs ordonnées: durée du processus décisionnel

Les données ordonnées par valeurs non décroissantes sont présentées ci-après.

Rang	1	2	3	4	5	6	7	8	9
Valeurs	327	350	363	363	368	395	413	432	436
Rang	10	11	12	13	14	15	16	17	18
Valeurs	439	445	453	467	481	502	538	540	545
Rang	19	20	21	22	23	24	25	26	27
Valeurs	546	547	553	571	576	577	589	593	638
Rang	28	29	30	31	32	33	34	35	36
Valeurs	641	644	646	657	665	715	832	851	950

Détermination des 3 quartiles et interprétation

Quartile Q_1 : Puisque le nombre de données est pair, $n = 36$, alors $n/4 = 9$ et le premier quartile correspond à la moyenne de la 9e donnée et 10e donnée dans la série ordonnée:

$$Q_1 = \frac{436+439}{2} = 437,5.$$

Interprétation de Q_1 : Il n'y a pas plus de 25% d'individus dont la durée du processus décisionnel soit inférieure à 437,5 secondes (en fait, il y en a 9 sur un total de 36 soit 25%).

Quartile Q_2 : Puisque le nombre de données est pair, $n = 36$, alors $n/2 = 18$ et le deuxième quartile correspond à la moyenne de la 18e et la 19e donnée dans la série ordonnée:

$$Q_2 = \frac{545+546}{2} = 545,5.$$

Interprétation de Q_2 : Il n'y a pas plus de 50% des individus dont la durée du processus décisionnel soit inférieure à 545,5 secondes (en fait, on en observe 18 individus sur 36, soit 50%).

Quartile Q_3 : Puisque le nombre de données est pair, $n = 36$, alors $3n/4 = 27$ et le troisième quartile correspond à la moyenne de la 27e et la 28e donnée dans la série ordonnée:

$$Q_3 = \frac{638+641}{2} = 639,5.$$

Interprétation de Q_3 : Il n'y a pas plus de 75% des individus dont la durée du processus décisionnel soit inférieure à 639,5 secondes (en fait, on en observe 27 individus sur 36, soit 75%).

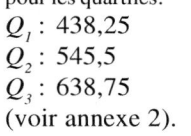

Si on utilise la fonction QUARTILE d'Excel, on obtient les valeurs suivantes pour les quartiles:
Q_1 : 438,25
Q_2 : 545,5
Q_3 : 638,75
(voir annexe 2).

Distribution de la durée du processus décisionnel des individus par valeurs et position des quartiles

Valeurs ordonnées	Fréquences absolues	
327	1	
350	1	
363	2	
368	1	
395	1	
413	1	9 données
432	1	
436	1	
439	1	
445	1	
453	1	
467	1	
481	1	
502	1	
538	1	18 données
540	1	
545	1	
546	1	
547	1	
553	1	
571	1	
576	1	
577	1	
589	1	27 données
593	1	
638	1	
641	1	
644	1	
646	1	
657	1	
665	1	
715	1	
832	1	
851	1	
950	1	

$Q_1 = 437,5$ (à la valeur 439)

$Q_2 = 545,5$ (à la valeur 545)

$Q_3 = 639,5$ (à la valeur 638/641)

2.9 Règle pour détecter les valeurs aberrantes

Il existe une règle pratique qui permet de détecter les valeurs aberrantes d'une série de données.

Règle pratique pour détecter une valeur aberrante. On peut, à l'aide des quartiles, énoncer une règle pour détecter les valeurs aberrantes. Une valeur aberrante est une donnée qui s'écarte de façon marquée de l'ensemble des données. Tukey a donné une règle pratique pour identifier une valeur aberrante. Elle s'énonce comme suit :

Une donnée peut être appelée valeur aberrante si elle s'écarte d'une distance d'au moins $1,5 \times (Q_3 - Q_1)$ au-dessus du troisième quartile ou en dessous du premier quartile.

La quantité $(Q_3 - Q_1)$ s'appelle *intervalle interquartile*: $IQ = (Q_3 - Q_1)$. Cette quantité s'interprète comme suit: 50% des données du centre de la distribution se situent dans l'intervalle d'amplitude IQ.

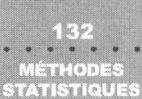
2.10   Quartiles et diagramme en boîte

Un outil souvent employé pour illustrer sur le même graphique la concentration des données et l'éparpillement est le *diagramme en boîte*; en effet, il permet de présenter sur un même graphique construit à l'échelle, les quartiles, la position de la médiane et l'étendue de la série de données ainsi que la valeur minimale et la valeur maximale. Il permet également de mettre en évidence, si tel est le cas, les valeurs aberrantes ou encore de comparer plusieurs séries de données associées à une même caractéristique.

Sommaire numérique et diagramme en boîte

Diagramme en boîte ("box plot"). Le diagramme en boîte est un résumé visuel du *sommaire numérique* d'une série de données, sommaire constitué de cinq nombres: la médiane, les quartiles Q_1 et Q_3, et la plus petite et la plus grande valeur de la série. Pour le construire, on positionne, de manière ordonnée et à l'échelle, le sommaire numérique constitué des cinq nombres. Le tracé de la boîte s'effectue comme suit:

❶ Une boîte rectangulaire relie les quartiles Q_1 et Q_3, de sorte que la longueur de la boîte est égale à *l'intervalle interquartile $IQ = (Q_3 - Q_1)$.*

❷ Un trait vertical tracé à l'intérieur de la boîte et respectant l'échelle représente la médiane.

❸ Deux traits sont tirés à partir des extrémités de la boîte et représentent les données qui ne sont pas dans la boîte mais qui ne s'écartent pas plus de $1,5 \times (Q_3 - Q_1)$ de Q_1 ou de Q_3. Le premier trait représentant les données inférieures à Q_1 se termine à la plus petite donnée qui ne soit pas une valeur aberrante. Le second représentant les données supérieures à Q_3 se termine à la plus grande donnée qui ne soit pas une valeur aberrante.

❹ On indique les valeurs aberrantes par un signe distinctif comme ⊙.

On choisit la médiane et les quartiles comme sommaire numérique même si cette mesure de centre et cette mesure de dispersion sont moins populaires que la moyenne et l'écart-type parce que ce sont des mesures plus résistantes aux valeurs aberrantes.

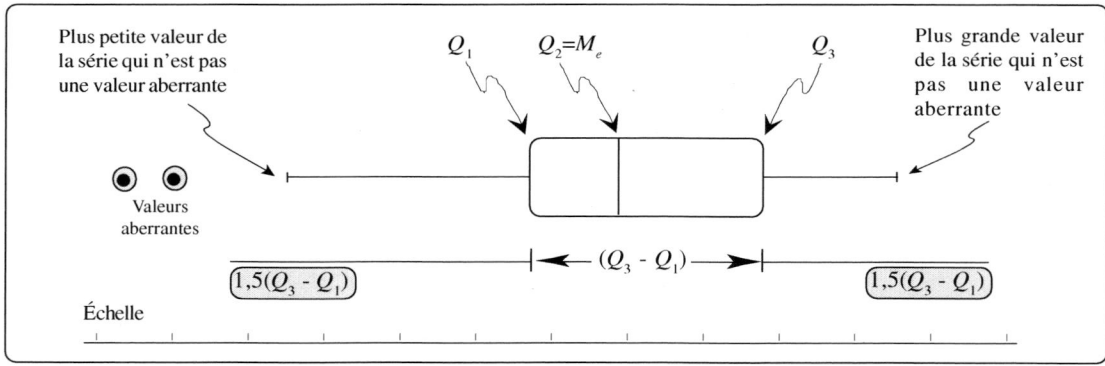

Remarques. 1. La boîte représente le 50% central de l'ensemble des données avec un trait à la médiane séparant le 25% inférieur du 25% supérieur.

2. Le trait horizontal de gauche représente les données du 25% inférieur qui ne sont pas des données extrêmes et le trait horizontal de droite représente les données du 25% supérieur qui ne sont pas des données extrêmes.

3. Lorsque le trait représentant la médiane est au centre de la boîte, on pourra parler de distribution symétrique. S'il est plus proche de Q_1, on parlera de distribution avec asymétrie positive et s'il est plus proche de Q_3, on parlera de distribution avec asymétrie négative.

Exemple 2.11   **Vérification s'il y a présence de valeurs aberrantes et tracé du diagramme en boîte**

Utilisons à nouveau les données de l'exemple 1.13 où, suite à un changement important de technologie dans tout le processus de fabrication d'une usine de transformation de la région de l'Estrie, tous les postes d'opérateur ont été reclassifiés.

Les postulants qui se sont rendus à l'étape des tests de sélection ont dû subir, entre autres, une batterie de tests qui permettent de mesurer diverses aptitudes (cette batterie de tests est connue sous le nom de BGTA: batterie générale de tests d'aptitudes).

Les résultats au test d'intelligence sont présentés dans le tableau ci-après (valeurs ordonnées):

Rang	1	2	3	4	5	6	7	8	9	10	11	12	13	14	15	16	17	18	19	20
	62	63	68	70	74	75	77	77	78	79	82	83	84	84	85	85	85	86	86	86
Rang	21	22	23	24	25	26	27	28	29	30	31	32	33	34	35	36	37	38	39	40
	87	89	90	92	93	93	93	93	94	94	95	96	97	97	98	98	98	99	99	99
Rang	41	42	43	44	45	46	47	48	49	50	51	52	53	54	55	56	57	58	59	60
	100	100	101	101	101	102	102	104	104	104	105	107	107	107	108	110	112	113	119	123
Rang	61	62
	124	138

Source: Résultats obtenus auprès d'employés d'une usine de transformation. Pour préserver la confidentialité des données, nous n'avons pas identifié l'usine où a été administrée cette batterie de tests. Nous remercions le professeur Normand Pettersen pour nous avoir fourni les données.

Le calcul des quartiles (qu'on pourra vérifier) donne les valeurs suivantes:
$$Q_1 = 85, \qquad Q_2 = 95,5, \qquad Q_3 = 102.$$

On veut vérifier s'il existe, parmi les données obtenues pour le test d'intelligence des employés de l'usine de transformation de l'Estrie, des valeurs aberrantes. Appliquons la règle mentionnée à la section 2.9.

On a $Q_1 = 85$, $Q_2 = 95,5$, $Q_3 = 102$.

L'intervalle interquartile est: $(Q_3 - Q_1) = 102 - 85 = 17$.

D'où $1,5 \times (Q_3 - Q_1) = (1,5)(17) = 25,5$.

Ainsi, on peut déclarer une donnée valeur aberrante

si elle est inférieure à $Q_1 - 1,5 \times IQ = 85 - 25,5 = 59,5$ ou

si elle est supérieure à $Q_3 + 1,5 \times IQ = 102 + 25,5 = 127,5$

• • •
Les valeurs aberrantes affectent la moyenne arithmétique.

Pour les données qui ont été obtenues, on constate qu'il y a une valeur qui peut être déclarée valeur aberrante soit le résultat 138.

La valeur 138 pourrait être vérifiée pour s'assurer qu'il n'y a pas eu erreur de transcription.

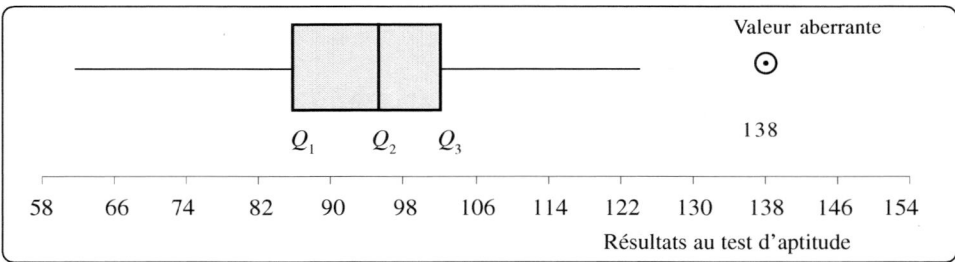

Remarques. Une valeur aberrante peut être attribuable à:

i) la saisie ou l'observation ou l'enregistrement a été fait incorrectement;

ii) l'observation provient d'une population différente;

iii) la valeur est correcte mais représente un événement rare.

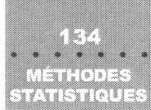

Exercices d'apprentissage

Série 2.3

📖 Calcul des quartiles: salaires annuels pour concepteurs de site Web

1. Utilisons à nouveau les données* de l'exemple 2.5. Elles représentent le salaire annuel pour les concepteurs de site Web, salaire basé sur une étude par une société conseil en gestion des ressources humaines auprès d'entreprises du secteur du multimédia.

Salaires annuels (valeurs ordonnées)									
33735	34225	34285	34395	34388	34398	34496	34636	34650	34665
34725	34742	34945	34956	34980	34990	35040	35070	35085	35100
35180	35320	35330	35330	35375	35565	35580	35690	35700	36024

*Source : Adapté de Noël, K. *La gestion du personnel, une lacune dans le multimédia.* Journal LES AFFAIRES, 13 janvier 2001.

$n = 30$

a) Déterminez le premier quartile Q_1. Le premier quartile correspond à la ___ dans la série ordonnée.

$Q_1 =$

b) Déterminez la médiane. Le deuxième quartile correspond à la _____ dans la série ordonnée:

$M_e = Q_2 =$

c) Déterminez le troisième quartile Q_3. Le troisième quartile correspond à la _____ dans la série ordonnée:

$Q_3 =$

d) Appliquez la règle pour déterminer s'il y a présence de valeurs aberrantes.

On a $Q_1 =$ _____ , $Q_2 =$ _____ , $Q_3 =$ _____ .

L'intervalle interquartile est: $(Q_3 - Q_1) =$ _____ = _____.

D'où $1,5 \times (Q_3 - Q_1) =$ _____ = 1 041$.

Ainsi, on peut déclarer une donnée valeur aberrante

  si elle est inférieure à $Q_1 - 1,5 \times IQ =$ _____ = _____
    ou
  si elle est supérieure à $Q_3 + 1,5 \times IQ =$ _____ = _____ .

e) Existe-t-il, pour cet échantillon, des valeurs aberrantes?

2. a) On vient de constater que la quatrième observation dans la série ordonnée précédente devrait se lire 34 295$ au lieu de 34 395$. Devrait-on reprendre le calcul des quartiles? Discutez.

b) Quelles mesures descriptives seraient influencées par une telle erreur de transcription?

c) Tracez le diagramme en boîte.

33250 33500 33750 34000 34250 34500 34750 35000 35250 35500 35750 36000 36250 36500 36750 37000

Salaires annuels ($)

2.11   Caractéristiques de forme: asymétrie et aplatissement

Traitons maintenant des notions d'asymétrie et d'aplatissement des distributions. Deux mesures descriptives caractérisent la forme des courbes des distributions. Divers coefficients sont utilisés pour traduire ces notions; nous n'allons employer que les plus courants. Précisons ce qu'on entend d'abord par distribution symétrique.

Distribution symétrique. Une distribution est symétrique si les valeurs de la variable statistique sont également dispersées de part et d'autre d'une valeur centrale.

Dans une distribution parfaitement symétrique, la moyenne, la médiane et le mode sont confondus.

Moyenne = médiane = mode.

Le degré d'asymétrie est caractérisé par un coefficient, noté S_k, dont la valeur est habituellement comprise entre -1 et +1.

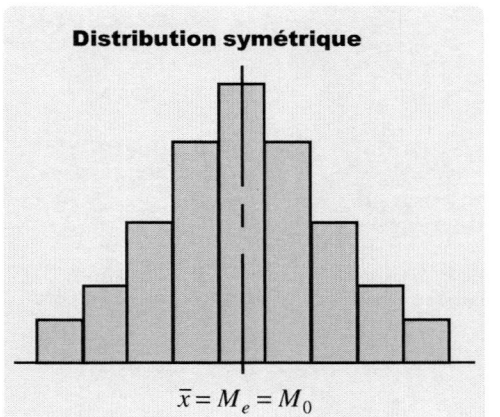

Distribution symétrique

$$\bar{x} = M_e = M_0$$

Valeurs de S_k	Type d'asymétrie
Négative	Asymétrie négative
Nulle	Distribution symétrique
Positive	Asymétrie positive

Distribution avec asymétrie positive

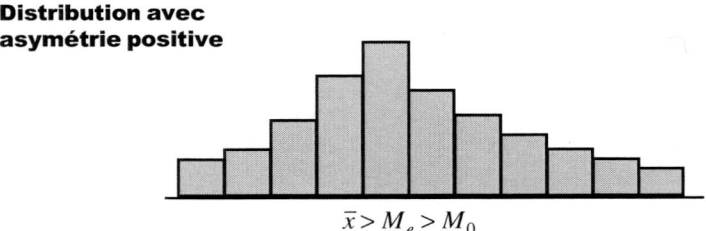

$$\bar{x} > M_e > M_0$$

Les observations présentent un étalement plus important sur le côté supérieur de la distribution.

Distribution avec asymétrie négative

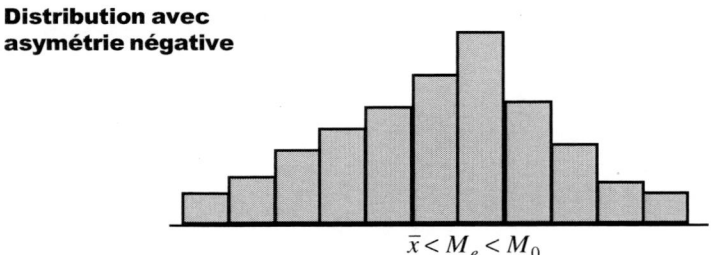

$$\bar{x} < M_e < M_0$$

Les observations présentent un étalement plus important sur le côté inférieur de la distribution.

Aplatissement

Précisons maintenant ce qu'on entend par aplatissement d'une distribution.

Aplatissement d'une distribution. Une distribution est plus ou moins aplatie selon que les fréquences des valeurs voisines des valeurs centrales diffèrent peu ou beaucoup les unes par rapport aux autres.

On démontre que, pour une distribution normale (distribution symétrique que nous traitons dans un prochain chapitre), le degré d'aplatissement noté α_4 est égal à 3. Selon le degré d'aplatissement, les courbes ont été classées comme suit:

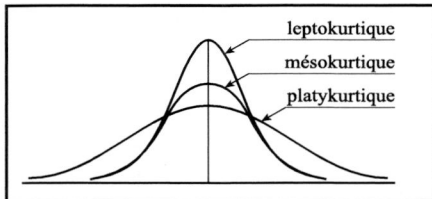

Si $\alpha_4 > 3$, la courbe est leptokurtique (courbe aiguë)
Si $\alpha_4 = 3$, la courbe est mésokurtique (courbe normale)
Si $\alpha_4 < 3$, la courbe est platykurtique (courbe aplatie).

La notion d'aplatissement d'une distribution s'applique dans le cas de distributions qui présentent une asymétrie peu prononcée. Nous ferons peu usage de cette caractéristique.

2.12 Statistiques descriptives et échelles de mesure

Le tableau 2.5 résume les diverses mesures de tendance centrale et de dispersion qui sont appropriées selon l'échelle de mesure utilisée.

Tableau 2.5

Statistiques descriptives et échelles de mesure

Échelles de mesure	Caractère	Mesures de
Échelle nominale	Ex: Sexe de l'employé	**Tendance centrale** ❏ Le mode **Dispersion** ❏ Indice de variabilité qualitative*
Échelle ordinale	Ex: Revenu de cadres selon diverses catégories (classes ouvertes)[1]	**Tendance centrale** ❏ Le mode ❏ La médiane **Dispersion** ❏ Intervalle interquartile ❏ Étendue semi-interquartile**
Échelle d'intervalles/rapport	Ex: Nombre d'heures de travail	**Tendance centrale** ❏ Le mode ❏ La médiane ❏ La moyenne arithmétique **Dispersion** ❏ L'étendue ❏ L'écart-type ❏ Le coefficient de variation*** ❏ Intervalle interquartile ❏ Étendue semi-interquartile

* Cette notion est traitée en exercice.
** L'étendue semi-interquartile correspond à la moitié de l'amplitude de l'intervalle Q_3-Q_1; on la note $Q=(Q_3-Q_1)/2$. Q mesure la dispersion de la moitié centrale de la dispersion.
*** Uniquement pour l'échelle de rapport.
[1] Si les classes sont fermées, on pourra calculer également la moyenne arithmétique et l'écart-type.

Nous résumons ci-après les avantages et inconvénients des principales mesures de tendance centrale et de dispersion.

Mesures	Avantages et inconvénients
Moyenne arithmétique	• Caractéristique de tendance centrale la plus appropriée. • Elle dépend de la grandeur de chaque donnée. • Elle est affectée par les valeurs anormalement faibles ou élevées de la série. • Elle est unique pour une série de données. • On ne peut la calculer si les données sont présentées selon une distribution de fréquences avec classes ouvertes.
Médiane	• Mesure descriptive la plus appropriée lorsque la distribution comporte des classes ouvertes. • Elle permet de mieux évaluer la tendance centrale si la distribution est très asymétrique. • Elle dépend du nombre de données et de leur rang. • Elle élimine l'effet des valeurs aberrantes. • Elle est unique pour une série de données.
Mode	• Il est la mesure de tendance centrale appropriée lorsque le caractère est qualitatif. • Il dépend uniquement de la fréquence des données. • Il peut ne pas exister. • Il n'est pas toujours unique. • Il est facile à déterminer.
Étendue	• Mesure de dispersion surtout utilisée lorsque le nombre de données est de l'ordre de 4 ou 5 dans la série. • Elle ne tient compte que de deux valeurs dans la série soit les deux extrêmes. • Elle est unique pour une série de données. • Utilisée fréquemment en milieu industriel pour maîtriser la variabilité d'une caractéristique de qualité.
Écart-type	• C'est la mesure de dispersion la plus utilisée. • Il tient compte de toutes les données de la série. • Il est affecté par les valeurs aberrantes de la série. • Il est unique pour une série de données. • On ne peut calculer cette mesure de dispersion si les données sont présentées selon une distribution de fréquences avec classes ouvertes.

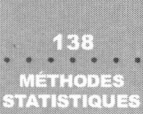
2.13   Autres indicateurs statistiques

On présente fréquemment dans un article de journal à contenu économique ou dans une revue spécialisée ou dans un rapport statistique, la variation, soit en valeur absolue, soit en pourcentage, d'une donnée statistique; on y trouve également parfois le ratio de deux modalités ou encore le calcul du taux d'un événement.

Calcul de la variation (en valeur absolue et en %) d'une donnée statistique

On obtient la *variation* (ou l'écart) *absolue* entre deux données de périodes différentes d'une caractéristique socio-économique, en effectuant la différence entre la donnée de la période 2 (*y*) et la donnée de la période 1 (*x*): *y - x*.

La variation de la quantité concernée en pourcentage s'obtient de:

Calcul de la variation
d'une caractéristique
socio-économique en %

$$= \left(\frac{y - x}{x} \right) \times 100$$

$$= \left(\frac{y}{x} - 1 \right) \times 100$$

$$\text{Variation en \%} = \frac{\text{Donnée de la période 2 - Donnée de la période 1}}{\text{Donnée de la période 1}} \times 100$$

$$= \left(\frac{y - x}{x} \right) \times 100$$

$$= \left(\frac{y}{x} - 1 \right) \times 100 .$$

Exemple 2.12   Écart absolu et variation en %

a) Les données* ci-après proviennent du rapport de l'exercice financier (quatrième trimestre 2002) du transporteur aérien Air Canada.

	EXPLOITATION PRINCIPALE		
	2002	**2001**	**Écart**
TOTAL	75,20%	72,90%	+2,3 pts
Réseau intérieur	73,30%	74,70%	-1,4 pt
Réseau transfrontalier	65,50%	65,50%	+0,0 pt
Réseau transatlantique	81,40%	77,70%	+3,7 pts
Réseau transpacifique	82,60%	72,90%	+9,7 pts
Autres et vols nolisés	72,90%	69,90%	+3,0 pts

*Source : *Air Canada annonce des pertes pour le quatrième trimestre et l'exercice financier en cours.* Presse Canadienne. Le Nouvelliste, 14 janvier 2003.

On indique que l'exploitation du Réseau transatlantique présente une augmentation de 3,7 pts (81,4 - 77,7 = 3,7%) par rapport à l'année 2001, alors que le Réseau intérieur a subi une diminution de 1,4 pt (73,3 - 74,7 = -1,4%).

b) **Le Québec prend peu à peu le virage de la qualité***. Le tableau de la page suivante indique le nombre d'entreprises certifiées ISO 9000 (normes internationales pour le management de la qualité) au Canada depuis 1998.
Le tableau n'indique que quelques provinces.

---

*Source : Duchame, A. *Le Québec prend peu à peu le virage de la qualité.* Journal LES AFFAIRES, 5 octobre 2002.

Les entreprises certifiées ISO 9000 au Canada	1998	1999	2000	2001-02[1]
Alberta	606	676	666	812
Colombie-Britannique	467	511	539	645
Ontario	3324	3810	4188	5401
Québec	2637	3034	3158	3807
Total Canada	7631	8740	9305	11694

Source: Mouvement québécois da la qualité
[1]À la fin du premier trimestre 2002.

La variation en % du nombre d'entreprises certifiées ISO 9000 en 2000 par rapport au nombre certifié, disons en 1998, s'exprime comme suit:

$$\text{Variation en \% (Entreprises certifiées ISO 9000)} = \frac{\text{Nombre d'entreprises certifiées ISO 9000 en 2000} - \text{Nombre d'entreprises certifiées ISO 9000 en 1998}}{\text{Nombre d'entreprises certifiées ISO 9000 en 1998}} \times 100$$

On obtient respectivement, pour les provinces de l'Ontario et du Québec, les variations suivantes en %:

$$\text{Variation en \% (Ontario)} = \frac{4188 - 3324}{3324} \times 100 = \frac{864}{3324} \times 100 = +25,99\%.$$

$$\text{Variation en \% (Québec)} = \frac{3158 - 2637}{2637} \times 100 = \frac{521}{2637} \times 100 = +19,76\%.$$

La variation (en %) du nombre d'entreprises certifiées ISO 9000 entre l'année 2000 et l'année 1998 est plus importante en Ontario qu'au Québec.

Calcul de ratios

Le calcul d'un ratio est utilisé lorsqu'on veut comparer deux modalités d'un caractère. Il s'obtient en divisant l'effectif (n_i) de la modalité M_i par l'effectif (n_j) de la modalité M_j:

Calcul de ratios

$Ratio = \dfrac{n_i}{n_j}$

$$\text{Ratio} = \frac{n_i}{n_j}.$$

Toutefois, le ratio est plus facile d'interprétation lorsqu'il est exprimé comme le rapport de deux nombres entiers. Ainsi, pour obtenir cette quantité comme le rapport de deux nombres entiers, on doit d'abord l'exprimer comme suit

$$\text{Ratio} = \frac{n_i}{n_j} = \frac{n_i / n_i}{n_j / n_i} = \frac{1}{n_j / n_i} \, ,$$

puis on multiplie le numérateur et le dénominateur par la même constante (2, 3, 4, ...) jusqu'à ce que le dénominateur soit pratiquement un entier, au centième près.

Exemple 2.13

Calcul d'un ratio: marché mondial du PC

a) Selon International Data Corporation* (IDC), le nombre de PC livrés au Canada pour les marques Hewlett-Packard et Compaq, et ceci pour l'année 2000, a été respectivement de 269 290 et 463 624 unités.

Le calcul du ratio de ces deux données donne:

$$\left(\frac{\text{Hewlett} - \text{Packard}}{\text{Compaq}}\right) : \frac{269\,290}{463\,624} = \frac{269\,290\,/\,269\,290}{463\,624\,/\,269\,290} = \frac{1}{1,72},$$

(ce qui correspond à une proportion de 0,581).

Multiplions maintenant le numérateur et le dénominateur par les constantes 2, 3, 4, ... jusqu'à ce que le dénominateur soit un nombre entier (ou presque):

$$\frac{1}{1,72} = \frac{2}{3,4} = \frac{3}{5,16} = \frac{4}{6,88} = \frac{5}{8,6} = \frac{6}{10,32} = \frac{7}{12,04}.$$

Puisque $12,04 \cong 12$, on peut donc dire, qu'en 2000, les ventes d'ordinateurs personnels de marque Hewlett-Packard ont été de 7 unités pour 12 unités de marque Compaq (ce qui correspond à une proportion de 0,583).

b) D'après International Data Corporation*, les unités expédiées en 2000 selon les différents fournisseurs sont présentées dans le tableau ci-après:

Livraisons canadiennes de PC en 2000	
Fournisseurs	**Unités expédiées**
IBM	498922
Dell	483147
Compaq	463624
Hewlett-Packard	269290
IPC	160050
Autres	1525967

Source: International Data Corporation

*Source : Plantevin, J. *Le marché mondial du PC est en perte de vitesse.* LES AFFAIRES, 10 mars 2001.

Quelle est, pour l'année 2000, la part de marché du fabricant IBM?

Pour déterminer la part de marché de IBM, il faut d'abord déterminer le nombre total d'unités expédiées au cours de l'année par tous les fournisseurs.

Nombre total d'unités = 498 922 + 483 147 + $\cdots$ + 1 525 967 = 3 401 000 unités.

La part de marché de IBM est donc:

$$\begin{array}{c}\text{Part de marché} \\ (\%) \\ (\text{IBM})\end{array} = \frac{\begin{array}{c}\text{Nombre d'unités expédiées} \\ \text{par IBM}\end{array}}{\begin{array}{c}\text{Nombre total d'unités expédiées} \\ \text{par tous les fournisseurs}\end{array}} \times 100$$

$$= \frac{498\,922}{3\,401\,000} \times 100 = 14,67\%.$$

Exercices d'apprentissage

Série 2.4

📄 Calculs d'indicateurs statistiques

1. Selon un communiqué de la Presse Canadienne*, les ventes au détail au Canada ont augmenté au troisième trimestre par rapport à la période correspondante de l'an dernier.

*Source : *Ventes au détail*. La Presse Canadienne. Le Nouvelliste, 21 décembre 2002.

a) Pour l'ensemble du Canada, les ventes au détail au troisième trimestre 2001 ont été de 73 385 millions de $ alors que pour le trimestre 2002, les ventes au détail ont été de 78 778 millions de $. Déterminez, en comparant ces deux périodes, la variation en % des ventes au détail.

b) Sachant que les ventes au détail pour les articles d'ameublement et appareils électroniques présentent une augmentation de 7,47% au troisième trimestre 2002, par rapport à celle du troisième trimestre 2001, qui ont été de 5 558 millions de $, quelles ont été les ventes au détail au troisième trimestre 2002?

2. Selon le bilan 2003 du Conseil de la transformation agroalimentaire et des produits de consommation (CTAC), les emplois étaient au nombre de 64 947 dans l'industrie québécoise de la transformation alimentaire en 1999, alors que les effectifs sont de 74 332 en 2003.

Quel a été le taux de progression des effectifs de l'industrie de la transformation alimentaire?

*Source : Théroux, P. *Transformation alimentaire. Les ventes sont toujours en hausse*. LES AFFAIRES, 20 mars 2004.

3. Lors d'une enquête* sur le potentiel entrepreneurial et les intentions de créations d'entreprises des élèves et diplômés de Cégep, on a obtenu la répartition suivante concernant les intentions de démarrage d'entreprise.

Secteur	Nombre de répondants
Manufacturier	31
Commerce de gros	18
Commerce de détail	52
Services	227

*Source : Sabourin, J.P. et Y. Gasse (1989). *Le potentiel entrepreneurial et les intentions de créations d'entreprises des élèves et des diplômés de Cégep*. Revue P.M.O., volume 4, no 1.

Déterminez le ratio entre les deux modalités «Commerce de détail» et «Services».

4. Le tableau suivant représente les heures travaillées* en génie civil et grands travaux (2001-2002) pour les régions de Québec et du Saguenay-Lac-St-Jean.

Région	2001	2002
Québec	1 692 000	1 937 000
Saguenay-Lac-St-Jean	795 000	943 000

*Source : Duhamel, A. *Encore de bonnes années à l'horizon dans les grands travaux*. Commission de la construction du Québec et journal LES AFFAIRES, 19 avril 2003.

Quelle région présente la plus forte variation en %?

5. Selon le bulletin régional sur le marché du travail (3e trimestre 2002), le nombre d'emploi à temps partiel (000) dans la région de Laval au troisième trimestre 2001 était de 27,4.

Sachant que la variation en % a été de -15%, du troisième trimestre 2001 au troisième trimestre 2002, quel était le nombre d'emplois à temps partiel (000) au troisième trimestre 2002?

*Source : Agossou,D. Économiste régional. Bulletin Régional sur le marché du travail Région de Laval, troisième trimestre 2002, volume 22, numéro 3. Direction de la planification, du partenariat et de l'information sur le marché du travail-Laval.

📄 Détermination de diverses statistiques descriptives avec un logiciel statistique (Minitab): enquête auprès de ménages

6. Une enquête auprès d'un échantillon aléatoire de 50 ménages de la région de Rimouski donne les résultats* suivants concernant les dépenses annuelles de fonctionnement du ménage.

*Source: Adapté de Harris, C. *Le budget familial*. Le Banquier, novembre/décembre 1999.

Ménage no	Dépenses annuelles Fonctionnement du ménage	Ménage no	Dépenses annuelles Fonctionnement du ménage
1	2165	26	2205
2	2600	27	2098
3	2496	28	2475
4	2420	29	2074
5	1954	30	2865
6	2290	31	2345
7	2300	32	2115
8	2080	33	2140
9	2525	34	1945
10	2288	35	2270
11	2345	36	2824
12	2290	37	2312
13	3050	38	2148
14	1945	39	2146
15	2038	40	1895
16	1920	41	2235
17	2470	42	1862
18	1880	43	2530
19	2004	44	2130
20	2334	45	2250
21	2375	46	2325
22	2466	47	2170
23	2090	48	2880
24	2370	49	2470
25	2460	50	2795

Une analyse des données conduit aux résultats suivants (le traitement a été effectué avec le logiciel statistique MINITAB). Les sorties informatiques ont été éditées par l'auteur.

```
STATISTIQUES DESCRIPTIVES

Variable            N         Moyenne      Médiane
DÉPENSES            50        2293,2       2289,0

Variable             Mtronquée*      Écart-type     Erreur-type
DÉPENSES               2277,9          275,4           38,9

Variable    Minimum    Maximum         Q1          Q3
DÉPENSES    1862,0     3050,0        2096,0      2467,0
```

*Moyenne tronquée: 5% des données les plus petites et 5% des données les plus élevées ont été éliminées du calcul de la moyenne.

Voir explication, page suivante, concernant le calcul des quartiles avec Minitab.

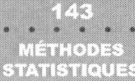

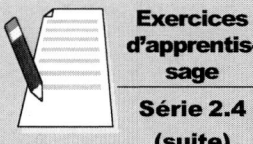

Valeurs ordonnées des dépenses annuelles

Nous indiquons ci-contre une partie des dépenses annuelles de fonctionnement des ménages, en ordre croissant.

Le calcul des quartiles avec Minitab s'effectue de la façon suivante:

i) *Premier quartile*. Minitab détermine le rang $(n+1)/4$; si le rang n'est pas un nombre entier, Minitab effectue une interpolation linéaire entre les deux données adjacentes dont les rangs correspondent respectivement à la partie entière et à (la partie entière +1) du rang obtenu précédemment, dans la série ordonnée.

↓	C1 DÉPENSES
1	1862
2	1880
3	1895
4	1920
5	1945
6	1945
7	1954
8	2004
9	2038
10	2074
11	2080
12	2090
13	2098
14	2115
15	2130

↓	C1 DÉPENSES
33	2345
34	2370
35	2375
36	2420
37	2460
38	2466
39	2470
40	2470
41	2475
42	2496
43	2525
44	2530
45	2600
46	2795
47	2824
48	2865
49	2880
50	3050

Ici, on obtient le rang $(50+1)/4 = 12{,}75$; alors $x_{(12)}=2090$ et $x_{(13)}=2098$. Le premier quartile sera donc:

$Q_1 = 2090 + 0{,}75(2098-2090)$

$\quad = 2090 + 0{,}75(8) = 2090 + 6 = 2096.$

ii) *Troisième quartile*. Minitab détermine le rang $3(n+1)/4$; si le rang n'est pas un nombre entier, on procède de la même façon qu'en i).

Ici, on obtient le rang $3(50+1)/4 = 38{,}25$; alors $x_{(38)}=2466$ et $x_{(39)}=2470$. Le troisième quartile sera donc:

$Q_1 = 2466 + 0{,}25(2470-2466)$

$\quad = 2466 + 0{,}25(4) = 2466 + 1 = 2467.$

Diagrammes en boîte de la variable «Dépenses annuelles pour le fonctionnement du ménage» obtenus avec Minitab

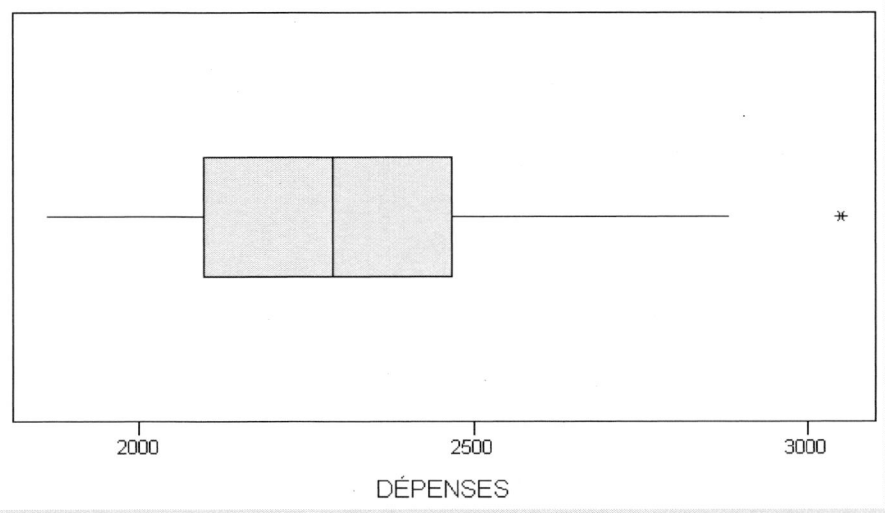

a) Quelle est, pour cet échantillon, la dépense moyenne annuelle pour le fonctionnement des ménages?

Exercices
d'apprentis-
sage
Série 2.4
(suite)

b) Quelle est, pour cet échantillon, la dépense moyenne annuelle pour le fonctionnement des ménages qui correspond au 90% central des données?

c) Quel est le coefficient de variation en %, des dépenses annuelles pour le fonctionnement des ménages?

d) Il n'y a pas plus de 25% des ménages dont des dépenses annuelles pour le fonctionnement sont inférieures à quelle valeur?

e) Il n'y a pas plus de 50% des ménages dont des dépenses annuelles pour le fonctionnement sont inférieures à quelle valeur?

f) Il n'y a pas plus de 75% des ménages dont des dépenses annuelles pour le fonctionnement sont supérieures à quelle valeur?

g) Quelle est l'amplitude de l'intervalle qui englobe 50% des données du centre de la
distribution?

h) Est-ce que cette série de données comporte des valeurs aberrantes? Justifiez votre
conclusion avec les calculs appropriés?

7. Dans une étude* visant à expliquer les difficultés qu'éprouvent les PME manufacturières à évaluer leurs systèmes d'information pour la gestion des opérations et de la
production, on a obtenu les données suivantes concernant l'investissement dans les
systèmes d'information liés à la gestion de la production auprès d'un échantillon de 28
PME manufacturières.

* Source: Adapté de Remilli, N. *L'impact des technologies de l'information de la gestion de la
production sur la performance opérationnelle des PME manufacturières.* UQTR, mars 2002.

Les données sont présentées dans un fichier SPSS.

APP SÉRIE NO 2.4.7 - SPSS Data Editor

File   Edit   View   Data   Transform   Statistics   Gr

	pmeno	invest	va
1	1	308975	
2	2	260185	
3	3	264300	
4	4	247180	
5	5	324200	
6	6	273525	
7	7	229000	
8	8	261465	
9	9	265700	
10	10	295355	
11	11	250740	
12	12	209330	
13	13	243460	
14	14	288170	

	pmeno	invest
15	15	212685
16	16	190330
17	17	314442
18	18	172465
19	19	274998
20	20	249574
21	21	215020
22	22	268230
23	23	161708
24	24	287938
25	25	266060
26	26	196976
27	27	204030
28	28	258975

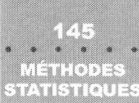

On veut obtenir diverses statistiques descriptives avec le logiciel statistique SPSS.

Descriptives

Descriptive Statistics

Sortie SPSS

	N	Range	Minimum	Maximum	Mean	Std. Deviation	Variance
INVEST	28	162492	161708	324200	249822,00	42022,54	1,77E+09
Valid N (listwise)	28						

a) Quel est, pour cet échantillon de PME manufacturières, l'investissement moyen dans les systèmes d'information liés à la gestion de la production?

b) Quel est l'écart-type de la variable concernée?

c) Quel est l'investissement maximal qui a été observé pour cet échantillon?

d) Dans quel intervalle se situe 75% des investissements dans les systèmes d'information liés à la gestion de la production?

2.14 Résumé, glossaire et synthèse des principales formules

Résumé

▶ Nous avons traité dans ce chapitre des principales mesures descriptives d'une série de données, les deux plus importantes étant la *moyenne arithmétique* et l'*écart-type*.

▶ Dans le cas où la série de données présente des valeurs extrêmes (ou encore une asymétrie importante) qui peuvent influencer la valeur de la moyenne arithmétique, la *médiane* peut être alors la mesure descriptive la plus appropriée.

▶ Pour évaluer l'ampleur de la dispersion d'une série de données, on utilise l'*écart-type*; c'est la mesure de variation la plus importante et elle a l'avantage d'utiliser toutes les données de la série dans son calcul. Le ratio de l'écart-type par rapport à la moyenne arithmétique, appelé *coefficient de variation*, permet d'obtenir une mesure de dispersion relative, qui est utile pour évaluer le degré d'homogénéité d'une série ou encore pour comparer deux séries entre elles.

▶ Deux mesures de position importantes ont été traitées soit le *premier quartile* et le *troisième quartile*; on peut, à partir de ces quartiles, établir une règle pratique pour détecter les valeurs aberrantes d'une série. Nous avons également présenté le *mode* d'une série de données, statistique qui est considérée comme une mesure de concentration des données. Nous avons terminé ce chapitre en donnant quelques indicateurs statistiques qu'on trouve fréquemment dans les articles à contenu économique.

Nous présentons ci-après, sous forme de glossaire et de formulaire, les principaux concepts qui ont été traités dans ce chapitre.

Glossaire

Moyenne arithmétique: Mesure de tendance centrale qui est la somme des données de la série divisée par le nombre de données.

Étendue: Mesure de dispersion qui s'obtient de la différence entre la valeur maximale et la valeur minimale d'une série.

Variance: Mesure de variabilité d'une série calculée à partir de la somme des carrés des écarts des données par rapport à la moyenne arithmétique de la série, divisée par le nombre de données moins un.

Écart-type: Mesure de dispersion, ayant la même unité de mesure que celle des données, et qui correspond à la racine carrée positive de la variance.

Coefficient de variation: Mesure de dispersion relative qui permet d'évaluer le degré d'homogénéité d'une série de données; il s'obtient en divisant l'écart-type de la série par sa moyenne. Il peut s'exprimer en pourcentage.

Règle de Tchebycheff: Règle qui permet de déduire, pour un nombre k, $k \geq 1$, le pourcentage de données qui se situe dans l'intervalle $(\bar{x} - ks, \bar{x} + ks)$.

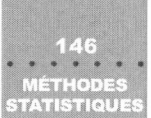
Glossaire (suite)

Médiane: Mesure de tendance centrale d'une série ordonnée qui partage en deux les données de la série de sorte qu'au plus 50% des données lui sont inférieures et au plus 50% lui sont supérieures.

Mode: Donnée qui revient le plus fréquemment dans une série.

Quartiles: Mesures de position qui divisent la série de données ordonnées en quatre parties; le deuxième quartile correspond à la médiane.

Valeur aberrante: Donnée dans une série qui est très éloignée des autres valeurs de la série.

Intervalle interquartile: Mesure de dispersion qui est obtenue de la différence entre le troisième quartile et le premier quartile; 50% des données du centre de la série ordonnée se situe dans cet intervalle.

Sommaire numérique: Sommaire constitué de cinq nombres: la médiane, les quartiles Q_1 et Q_3, la plus petite valeur de la série et la plus grande valeur.

Diagramme en boîte: Illustration graphique de la concentration et de l'éparpillement des données à l'aide du sommaire numérique.

Distribution symétrique: Distribution dont les données sont également dispersées de part et d'autre de la valeur centrale.

Principales formules

Mesures de tendance centrale

Moyenne arithmétique

Série $x_1, x_2, ..., x_n$

$$\bar{x} = \frac{x_1 + x_2 + x_3 + ... + x_n}{n} = \frac{\sum_{i=1}^{n} x_i}{n}$$ où $\bar{x}$ est la moyenne arithmétique de la série de taille n.

Série comportant k valeurs distinctes x_i ou si les valeurs sont groupées en k classes avec x_i comme centre de classe et fréquences absolues f_i

$$\bar{x} = \frac{\sum f_i x_i}{n}$$ où $\bar{x}$ est la moyenne arithmétique approximative de la série groupée.

Médiane

Série ordonnée - Nombre impair de données

Elle correspond à la $\dfrac{(n+1)^e}{2}$ valeur dans la série ordonnée de taille n.

Série ordonnée - Nombre pair de données

$n = 2k$, M_e, la médiane, est la moyenne de la k^e et $(k+1)^e$ données.

Série groupée en classes

$$M_e \cong B_1 + \left[\frac{(\frac{n}{2} - F)}{f_{M_e}} \right] \cdot a$$

où B_1 : limite inférieure de la classe médiane

n : le nombre total de données dans la série

F : la somme des fréquences absolues de toutes les classes précédant la classe médiane

f_{M_e} : la fréquence absolue de la classe médiane

a : l'amplitude de la classe médiane.

Mode

Donnée de la série qui revient le plus fréquemment.

Principales formules (suite)

Mesures de dispersion

Variance d'une série de données   *Série $x_1, x_2, ..., x_n$*

$$s^2 = \frac{\sum_i (x_i - \bar{x})^2}{n-1} = \frac{\sum_i x_i^2 - (\sum_i x_i)^2 / n}{n-1}$$ où s^2 est la variance de la série de taille n.

Coefficient de variation

$$CV = \frac{s}{\bar{x}} \times 100$$ où CV est le coefficient de variation exprimé en pourcentage.

Étendue

$E = x_{max} - x_{min}$ où E, l'étendue, est la différence entre la plus grande et la plus petite valeur de la série.

Variance d'une série de données groupées en classes

$$s^2 = \frac{\sum f_i x_i^2 - \frac{(\sum f_i x_i)^2}{n}}{n-1}$$ avec x_i comme centre de classe et fréquence absolue f_i de la classe correspondante.

Écart-type

$$s = \sqrt{s^2}$$

Mesures de position

Premier quartile(Q_1) et troisième quartile(Q_3)

Si $n/4$ est un nombre entier, le premier quartile (Q_1) est la moyenne des données de rang $n/4$ et de rang $n/4 + 1$.

Si $n/4$ n'est pas un entier, on complète $n/4$ à la valeur entière immédiatement supérieure. On obtient alors le rang de la donnée qui constitue le premier quartile.

Si $3n/4$ est un nombre entier, le troisième quartile (Q_3) est la moyenne des données de rang $3n/4$ et de rang $3n/4 + 1$.

Si $3n/4$ n'est pas un entier, on complète $3n/4$ à la valeur entière immédiatement supérieure. On obtient alors le rang de la donnée qui constitue le troisième quartile.

Série groupée en classes

$$Q_1 \cong B_I + \left[\frac{(n/4 - F)}{f_{Q_1}} \right] \cdot a \qquad\qquad Q_3 \cong B_I + \left[\frac{(3n/4 - F)}{f_{Q_3}} \right] \cdot a$$

B_I: limite inférieure de la classe qui contient Q_1

n: nombre de données dans la série

F: somme des fréquences absolues des classes précédant la classe qui contient le premier quartile

f_{Q_1} : fréquence absolue de la classe contenant le premier quartile

a: amplitude de classe

B_I: limite inférieure de la classe qui contient Q_3

n: nombre de données dans la série

F: somme des fréquences absolues des classes précédant la classe qui contient le troisième quartile

f_{Q_3} : fréquence absolue de la classe contenant le troisième quartile

a: amplitude de classe

Valeur aberrante

Une donnée peut être appelée valeur aberrante si elle s'écarte d'une distance d'au moins $1,5 \times (Q_3 - Q_1)$ au-dessus du troisième quartile ou en dessous du premier quartile.

Indicateurs statistiques

Variation en % $= \left(\frac{y - x}{x} \right) \times 100$ où y est la donnée de la période 2 et x, la donnée de la période 1.

Ratio $= \frac{n_i}{n_j} = \frac{1}{n_j / n_i}$ où (n_i) représente l'effectif de la modalité M_i et (n_j) l'effectif de la modalité M_j.

2.15   Exercices d'application

1. Le directeur des ressources humaines de l'entreprise Electrotek a mis au point, avec la collaboration d'un spécialiste en psychologie industrielle, un test permettant de mesurer la dextérité manuelle des employés affectés à l'assemblage de montages transistorisés. Avant de généraliser l'emploi de ce test à tous les employés de l'entreprise, on veut effectuer un pré-test pour corriger, s'il y a lieu, cet instrument d'évaluation. On a donc sélectionné au hasard vingt employés de l'entreprise affectés à l'assemblage et on leur a fait subir le test. Les résultats obtenus sont indiqués dans le tableau suivant:

a) Calculez le résultat moyen.

b) Déterminez la variance et l'écart-type.

c) Quelle proportion d'employés ont un résultat variant entre $\bar{x} - 2s$ et $\bar{x} + 2s$?

d) D'après l'expérience et le rendement des employés qui ont subi le test, le psychologue industriel mentionne que si le test mesure bien leur dextérité, la distribution des résultats devrait indiquer une bonne homogénéité. D'après lui, le coefficient de variation ne devrait pas excéder 12%. Est-ce le cas ici?

Résultats au test de dextérité manuelle				
72	79	70	88	76
83	77	73	74	72
82	79	84	73	81
80	75	79	82	81

2. Les cinquante données* ci-après représentent le temps requis (en minutes) pour solutionner les demandes par le centre d'assistance à la clientèle d'une entreprise de service.

Temps requis (en minutes)									
62	56	72	83	66	77	62	71	50	58
74	81	76	67	70	70	69	67	80	81
74	53	73	55	66	88	73	61	63	70
72	63	75	68	78	75	61	69	80	82
87	57	74	74	85	68	75	63	81	73

*Source: Adapté d'un document de formation sur la gestion des processus, Hydro-Québec, 1994.

a) Calculez le temps moyen requis pour solutionner les demandes.

b) Quelle est l'étendue des données?

c) Calculez la variance et l'écart-type du temps requis.

d) En appliquant la règle de Tchebycheff, quel intervalle, autour de la moyenne, englobe au moins 90% des données?

3. Le tableau ci-contre représente la distribution des salaires* payés en 2002 pour le groupe professionnel «comptable», secteur financier, résultats provenant d'une enquête effectuée par un bureau de consultants en ressources humaines.

Classes (Salaires)	Nombre de professionnels
38 000 mais moins de 43 000	4
43 000 mais moins de 48 000	6
48 000 mais moins de 53 000	8
53 000 mais moins de 58 000	12
58 000 mais moins de 63 000	7
63 000 mais moins de 68 000	3

a) Déterminez, d'après les résultats de cette enquête, le salaire moyen pour cette catégorie de professionnels.

b) Calculer la variance et l'écart-type du salaire.

c) Quel est le salaire médian?

d) Il n'y a pas plus de 75% de ces professionnels dont le salaire est inférieur à quelle valeur?

*Source : Adapté de Vailles, F. *Les firmes devront mieux payer les jeunes. La Presse*, 29 septembre 2002.

4. Le tableau* ci-après représente le revenu par habitant (pour l'année 1999) pour les 17 régions du Québec.

a) Déterminez le revenu moyen pour l'ensemble des régions.

b) Déterminez, pour chaque région, l'écart par rapport à la moyenne obtenue en a).

c) Quelle région présente le plus grand écart par rapport à la moyenne de l'ensemble des 17 régions?

d) Déterminez le revenu médian par habitant.

e) Combien de régions ont un revenu par habitant inférieur à la valeur médiane?

Régions	Revenu par habitant ($)
Abitibi-Témiscamingue	21 613
Bas-Saint-Laurent	19 442
Capitale Nationale (Québec)	24 025
Centre du Québec	20 661
Chaudière-Appalaches	21 715
Côte-Nord	23 027
Estrie	21 910
Gaspésie	17 535
Lanaudière	21 968
Laurentides	23 106
Laval	24 964
Mauricie	20 513
Montérégie	24 644
Montréal	26 183
Outaouais	21 847
Saguenay / Lac Saint-Jean	20 720
Nord du Québec	18 408

*Source : MIC et *La Presse*, 8 décembre 2001.

5. Il est fréquent dans les entreprises ou dans les services publics de voir circuler de nombreux documents (revues spécialisées, rapports, communiqués,...) entre différents services. La liste des personnes que le (ou les) document(s) peut (peuvent) intéresser est habituellement brochée à chaque document.

Lorsqu'une des personnes de la liste le lit, elle raye son nom et le document est acheminé au nom suivant. Le directeur d'une grande entreprise décide par un beau lundi matin d'effectuer une étude sur les délais de circulation de différents documents au sein de l'entreprise.

Après consultation, il juge bon d'examiner la situation pour trois types de documents: revues spécialisées, rapports internes, communiqués d'intérêt général. Les mesures des délais de circulation pour chaque type sont résumées dans le tableau suivant.

Délais (en jours ouvrables)	Revues (Fréquences)	Rapports (Fréquences)	Communiqués (Fréquences)
$1 \leq X < 5$	3	2	8
$5 \leq X < 9$	5	4	10
$9 \leq X < 13$	2	7	6
$13 \leq X < 17$	1	5	2
$17 \leq X < 21$	1	1	-

a) Quel est, pour chaque type de document, le délai moyen de circulation? Utilisez les formules simplifiées.

b) Calculez la variance et l'écart-type du délai de circulation pour chaque type de document.

c) Déterminez également la dispersion relative du délai de circulation pour chaque type de document.

d) Quel document a le délai moyen de circulation le plus long?

e) Pour quel document peut-on dire que le délai moyen de circulation est le plus représentatif du délai encouru?

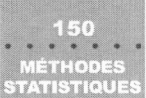

6. Les données du tableau ci-après représentent les résultats obtenus au test de perception des formes* par les 62 opérateurs de l'usine de transformation de la région de l'Estrie.

* Aptitudes à percevoir les détails pertinents des objets, reproductions ou documents écrits, à comparer visuelle-ment, à faire des distinctions et à voir les légères différences de formes et d'ombre des dessins, ainsi que les largeurs et les longueurs des lignes.

Sujet	Perception des formes	Sujet	Perception des formes	Sujet	Perception des formes
1	70	22	86	43	86
2	103	23	96	44	69
3	105	24	78	45	61
4	93	25	89	46	88
5	99	26	106	47	84
6	89	27	83	48	84
7	103	28	79	49	110
8	89	29	107	50	81
9	76	30	99	51	56
10	94	31	80	52	106
11	96	32	60	53	91
12	90	33	89	54	61
13	115	34	84	55	105
14	65	35	97	56	59
15	95	36	85	57	65
16	101	37	89	58	55
17	99	38	99	59	88
18	101	39	79	60	91
19	122	40	94	61	101
20	136	41	117	62	103
21	101	42	119		

*Source: Nous remercions le professeur Normand Pettersen du département des Sciences de la gestion de l'UQTR pour nous avoir fourni les données.

a) Déterminez le résultat moyen pour les 62 opérateurs d'usine.

b) Déterminez l'étendue des résultats ainsi que l'écart-type.

c) Est-ce que la dispersion relative des résultats au test de perception des formes est supérieure à 10%?

d) Sachant que la moyenne et l'écart-type obtenus par les 62 opérateurs au test d'apti-tude générale à apprendre sont respectivement de 94,43 et 14,54, peut-on dire que la distribution des résultats au test de perception des formes est moins homogène que celle des résultats au test d'aptitude générale à apprendre? Justifiez votre conclusion.

7. Un échantillon de 200 familles de la région de la Mauricie donna la répartition suivante concernant les dépenses annuelles pour l'alimentation. Si ces familles dépen-sent, en moyenne, 2 000$ par année pour les vêtements, quel est l'écart-type des dépenses pour les vêtements si les distri-butions des dépenses pour l'alimentation et les vêtements ont le même coefficient de variation?

Utilisez les formules simplifiées pour ef-fectuer vos calculs.

Dépenses	Nombre de familles
$2500 \leq X < 3000$	25
$3000 \leq X < 3500$	40
$3500 \leq X < 4000$	60
$4000 \leq X < 4500$	36
$4500 \leq X < 5000$	24
$5000 \leq X < 5500$	15

8. Lors d'une réunion hebdomadaire de représentants de la maison de courtage BMM, le directeur de la maison a indiqué dans son rapport, le rendement* (sur 5 ans) de 3 fonds d'actions internationales ainsi que l'écart-type du rendement sur 5 ans.

---
* Source: Quinky, M., *Investir cela n'est rien, mais choisir, choisir,...*, Affaires Plus, septembre 1996.

Nom du fonds	Rendement (%)	Écart-type (%)
Fonds Trimark	20,6	3,5
Actions internationales Templeton	18,7	3,6
Fonds de croissance MD	16,3	3,2

Dans le secteur des valeurs mobilières, l'écart-type traduit la volatilité du fonds; plus l'écart-type est élevé, plus le fonds est risqué.

a) Déterminez la dispersion relative de chaque fonds.

b) Quel fonds semble le moins risqué?

9. Dans une étude* visant à examiner le comportement des PME, dans la vente d'entreprises à entreprises, à l'égard de deux techniques de marketing direct (le télémarketing et le mailing direct), on a obtenu dans la section profil descriptif des PME industrielles qui utilisent et n'utilisent pas le mailing, les valeurs suivantes (pour 26 entreprises ne pratiquant pas le mailing direct) pour le montant annuel ($) alloué au budget de publicité.

---
* Source: Adapté de Cheion, C. et F. Cheyssial. *La gestion marketing dans les petites et moyennes entreprises industrielles québécoises.* Revue française de marketing, n° 139, 1992.

No.	Montant annuel	No.	Montant annuel
1	24990	14	25790
2	24325	15	24610
3	22725	16	27435
4	26070	17	25500
5	24020	18	24620
6	25650	19	25230
7	25700	20	24600
8	25695	21	23640
9	23315	22	22435
10	24470	23	26965
11	23475	24	27000
12	24180	25	24225
13	23235	26	26850

a) Déterminez, pour ces entreprises, le montant annuel moyen alloué à la publicité ainsi que l'écart-type.

b) Quel intervalle (au $ près) englobe 75% des montants annuels alloués à la publicité? Utilisez la règle de Tchebycheff.

c) Pas plus de 50% des entreprises ont un budget annuel de publicité inférieur à quelle valeur?

d) Il n'y a pas plus de 75% des entreprises ne pratiquant pas le mailing direct ont un budget en publicité supérieur à quelle valeur?

 10. Dans l'étude sur les effets neurotoxiques de l'exposition au styrène en milieu de travail (exemple 2.6) on a également mesuré la concentration urinaire d'acide mandélique (AML) à la fin du quart de travail.

Les données* pour les 18 lamineurs sont présentées ci-après.

Concentration								
2,1	1,73	1,1	0,59	0,7	0,43	1,38	1,82	1,25
1,66	1,2	1,66	1,2	1,06	2,38	1,54	2,22	0,76

* Source: Adapté de Truchon, G., C. Ostiguy et al (1992). *Surveillance des effets neurotoxiques de l'exposition au styrène en milieu de travail.* Travail et santé, Vol. 8, no 2.

a) Rangez les données en ordre croissant.

b) Déterminez la valeur médiane de la concentration urinaire d'acide mandélique.

c) Au plus 25% des lamineurs ont une concentration urinaire d'aide mandélique inférieure à quelle valeur?

 11. Une entreprise se spécialisant dans la vente d'articles de sport possède 72 points de vente répartis au Québec (40 points de vente) et en Ontario (32 points de vente). Le service de comptabilité de l'entreprise dont le siège social est à Montréal a en main le chiffre d'affaires de chaque point de vente pour le mois de décembre.

Chiffre d'affaires - Québec							
9016	9551	10179	9070	10220	8859	9460	9549
9393	9502	9219	9825	9845	9417	9345	10037
9852	9627	9771	9897	10140	10180	9186	8724
9729	9877	9370	9890	9688	9188	9107	9130
9118	9675	9286	9388	8297	8829	9595	9553

Chiffre d'affaires -Ontario							
10024	9936	9994	10188	10652	10266	10387	9878
10310	10510	10198	9947	10303	10237	9851	9973
10554	10107	10130	10056	10015	10520	9856	9709
9851	10063	9878	9487	10644	10755	10540	9925

a) Calculez le chiffre d'affaires moyen au cours du mois de décembre dans chaque province.

b) Déterminez la variance et l'écart-type du chiffre d'affaires réalisé dans chaque province.

c) Est-ce que le chiffre d'affaires présente sensiblement le même étalement dans chaque province?

d) Déterminez le chiffre d'affaires total réalisé dans les deux provinces.

12. Dans une enquête* effectuée par l'Institut de la Statistique du Québec sur l'industrie québécoise des services électroniques et du multimédia, on a obtenu la répartition ci-contre concernant l'âge des entreprises qui réalisent du développement d'applications et de logiciels spécialisés ou des activités de support.

Répartition par classes	Nombre d'entreprises
Moins de 3 ans	84
De 3 à moins de 5 ans	37
De 5 à moins de 10 ans	39
10 ans et plus	55

*Source: Lacroix, E. (1997). *Enquête sur l'industrie québécoise des services électroniques et du multimédia.* Institut de la Statistitque du Québec (autrefois Bureau de la Statistique du Québec).

a) Avec l'information que nous avons, peut-on répondre à la question suivante:

En moyenne, les entreprises actives dans le secteur du développement d'applications et de logiciels spécialisés existent depuis combien d'années?

12. (suite)

b) Il n'y a pas plus de 50% des entreprises dont l'existence est inférieure à quelle valeur (nombre d'années)?

13. Les données* suivantes représentent le nombre d'employés pour les principaux employeurs manufacturiers de la Capitale Nationale.

Fabricants	Nombre d'employés
Papiers Stadacona	1 150
Abitibi-Consolidated	845
Exfo	764
Alcoa Lauralco	550
Bowater	500
Ciment Québec	485
Biscuits Leclerc	420
Gérard Crête et Fils	400
Julien Inc.	400
Rothmans Benson & Hedges	327

*Source : EMPLOI-QUÉBEC et le journal LES AFFAIRES, 11 mai 2002.

a) Déterminez le nombre moyen d'employés de ces principaux fabricants de la région de Québec.

b) Quelle est la somme de carrés des écarts par rapport à la moyenne?

c) Déterminez le nombre d'employés médian.

d) Si on élimine de la série de données, le nombre d'employés du fabricant Papiers Stadacona, quel est l'impact sur le nombre moyen d'employés, sur la somme de carrés des écarts par rapport à la moyenne et sur la médiane de la série?

14. Deux revues mensuelles traitant d'actualité économique et de gestion des affaires sont distribuées dans les mêmes régions du Québec. Le tarif pour réclames publicitaires est le même dans chaque cas. Chacune a un tirage mensuel d'environ 10 000 exemplaires. Toutefois la répartition des lecteurs de ces revues suivant leur âge est un peu différente comme nous l'indiquent les histogrammes suivants.

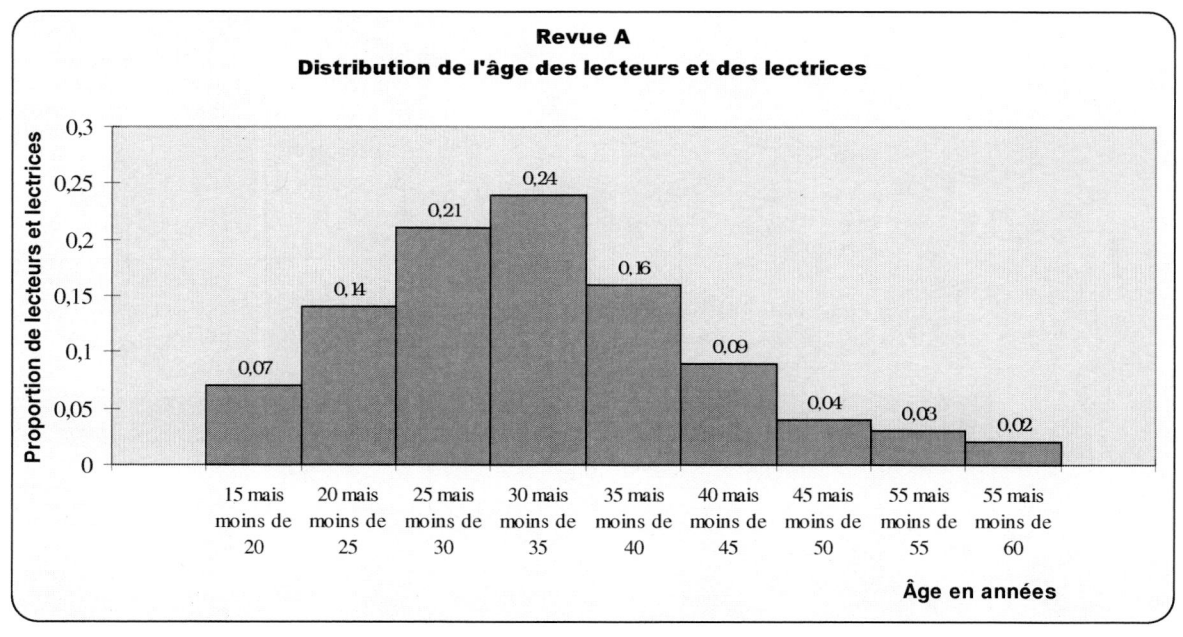

14. (suite)

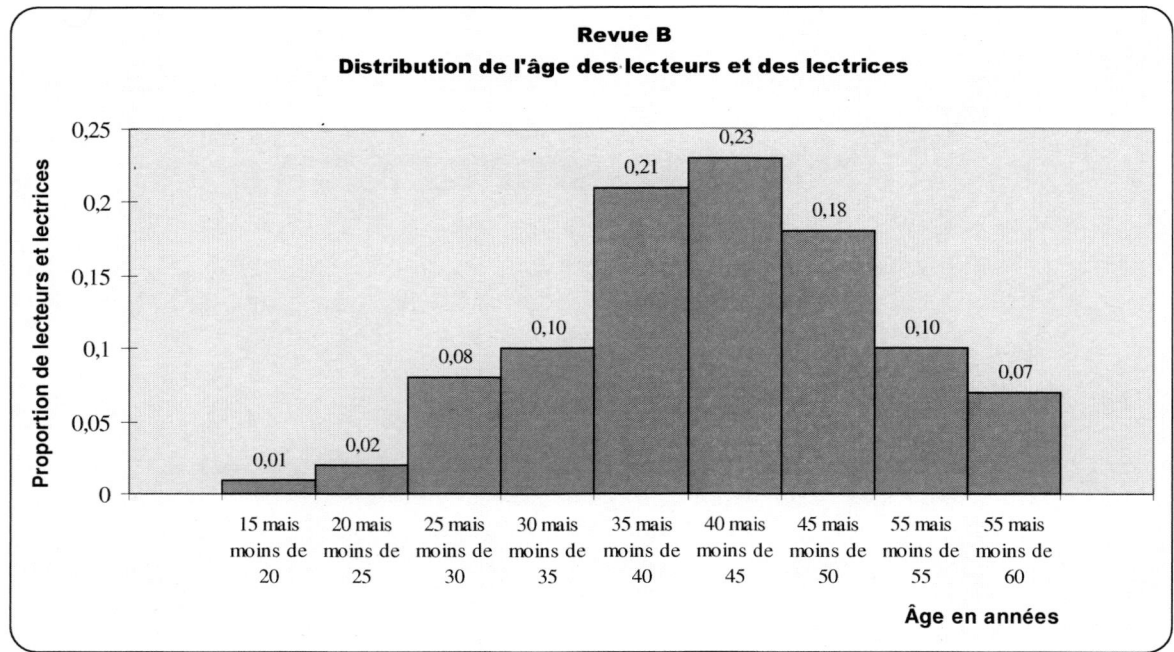

Revue B
Distribution de l'âge des lecteurs et des lectrices

a) À partir de ces histogrammes, reconstituez les distributions de fréquences de l'âge de la clientèle de chaque revue.

b En utilisant les formules simplifiées, déterminez l'âge moyen du lecteur de chaque revue.

c) Quel est l'âge médian des lecteurs de chaque revue?

d) D'après vous, dans quelle revue un fabricant de jeans s'adressant à une clientèle de moins de 35 ans devrait-il placer sa réclame publicitaire, son budget de publicité ne lui permettant d'annoncer que dans une seule revue?

15. Le tableau ci-contre représente la dépendance commerciale (pourcentage du chiffre d'affaires total réalisé avec les trois principaux clients) de 257 entreprises manufacturières oeuvrant dans différents secteurs.

*Source : Adapté de Nasr, S. B., N. Impacts des systèmes d'information de GOP sur la performance financière des PME manufacturières. UQTR, janvier 2002.

Dépendance commerciale	Nombre d'entreprises
Moins de 30%	10
30% mais moins de 35%	36
35% mais moins de 40%	70
40% mais moins de 45%	89
45% mais moins de 50%	40
50% et plus	12

a) Puisque la distribution du caractère «dépendance commerciale» se présente avec des classes ouvertes, quelle est la mesure de tendance centrale appropriée?

b) Complétez le tableau suivant.

Classes	Fréquences absolues	Fréquences cumulées croissantes
Moins de 30%	10	10
30% mais moins de 35%	36	_____
35% mais moins de 40%	70	_____
40% mais moins de 45%	89	_____
45% mais moins de 50%	40	_____
50% et plus	12	_____

15. (suite)

c) À partir du tableau précédent, déterminez la classe médiane.

d) Indiquez les valeurs associées aux éléments de la formule appropriée pour le calcul de la mesure de tendance centrale. Déterminez cette mesure.

e) Quelle interprétation peut-on donner à cette mesure?

16. Dans un sondage auprès des producteurs de logiciels québécois, on a posé la question suivante dans la section du questionnaire concernant le support technique (support lors de l'installation du logiciel, conseils techniques, mise-à-jour, ...):

Combien d'appels de support au client traitez-vous sur une base hebdomadaire?	
1. **Moins de 10**	❏
2. **Entre 10 et 25**	❏
3. **Entre 25 et 50**	❏
4. **Entre 50 et 75**	❏
5. **Entre 75 et 100**	❏
6. **100 et plus**	❏

On notera que les bornes supérieures des diverses catégories ne sont pas incluses. Les résultats ci-après correspondent aux codes associés aux diverses catégories mentionnées ci-haut et ceci pour 50 producteurs de logiciels.

Résultats de l'enquête (Codes des diverses catégories)									
1	3	4	4	2	2	1	2	2	5
2	2	6	2	2	3	1	1	2	2
2	1	4	2	1	1	4	1	2	1
4	2	5	1	3	1	1	3	2	2
1	2	4	1	1	1	2	2	2	2

a) Dépouillez les résultats selon les catégories présentées ci-haut.

b) Calculez la mesure de tendance centrale appropriée.

c) Interprétez cette quantité.

17. Dans une recherche* dont l'objectif était d'identifier l'impact des technologies d'information liées à la gestion des opérations sur la performance opérationnelle de la PME manufacturière, on a obtenu, pour une cinquante de dirigeants, l'expérience sectorielle du PDG (années pendant lesquelles le dirigeant a pu accumuler du savoir-faire en étant en contact avec les différents acteurs du secteur ainsi que les rouages du marché).

Expérience sectorielle (années)									
27	13	24	15	27	11	37	31	20	12
20	18	25	22	9	28	4	40	4	36
15	35	15	17	3	28	21	23	15	12
34	15	23	23	12	22	32	29	15	17
8	31	20	24	6	30	16	18	10	5

*Source : Adapté de Remilli, N. *L'impact des technologies de l'information de gestion de la production sur la performance opérationnelle des PME manufacturières.* UQTR, mai 2002.

a) Déterminez les trois quartiles.

b) Déterminez l'intervalle interquartile.

c) Existe-t-il, dans la série, des valeurs aberrantes?

18. On a établi, pour une firme d'informaticiens-conseils, que les projets d'envergure sont réalisés en moyenne en 20 semaines avec un coefficient de variation de 10%.

a) Dans 80% des cas, le temps requis pour réaliser les projets pourrait varier dans quel intervalle, autour du temps moyen?

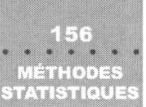

18. (suite)

b) En appliquant la règle de Tchebycheff, quelle proportion de données se situe à l'extérieur de l'intervalle 14 ≤ Temps requis pour la réalisation ≤ 26, centré sur la moyenne?

19. Depuis 1989, les deux plus grandes banques canadiennes* ont vu leurs parts de marché des PME diminuer au profit, notamment, des caisses populaires et des caisses de crédit.

Parts de marché des institutions financières auprès de PME-Canada		
	2000	**1989**
Banque Royale	21,20%	24,30%
CIBC	13,30%	19,30%
Banque de Montréal	12,60%	10,10%
Banque TD	12,10%	12,50%
Banque Scotia	11,20%	9,30%
Banque Nationale	5,00%	5,10%
Caisses pop/ de crédit	17,11%	13,40%

*Source : Bouchard, L. *La CIBC et la Banque Royale en perte de vitesse auprès des PME*. LES AFFAIRES, 23 septembre 2000.

a) Quelle banque a perdu la plus importante part de marché? Justifiez votre réponse.

b) Quelle institution a augmenté le plus sa part de marché et de combien?

20. Trois-Rivières gâche le portrait titrait Le Nouvelliste. La Mauricie a malgré tout surpassé la croissance du Québec en 2002. De 2001 à 2002, le nombre d'emplois est passé de 109 700 à 114 300. Or, la moyenne provinciale de création d'emplois en 2002 s'établissait à 3,4%.

*Source : Veillette, G. *Trois-Rivières gâche le portrait*. Le Nouvelliste, 18 janvier 2003.

Est-ce que l'affirmation disant que la Mauricie a malgré tout surpassé la croissance du Québec en 2002 est exacte? Justifiez votre conclusion.

21. Nous présentons à nouveau, les unités expédiées en 2000 (d'après International Data Corporation*) selon les différents fournisseurs d'ordinateurs personnels:

Livraisons canadiennes de PC en 2000	
Fournisseurs	**Unités expédiées**
IBM	498922
Dell	483147
Compaq	463624
Hewlett-Packard	269290
IPC	160050
Autres	1525967

Source: International Data Corporation

*Source : Plantevin, J. *Le marché mondial du PC est en perte de vitesse*. LES AFFAIRES, 10 mars 2001.

a) Déterminez le ratio d'unités expédiées entre le fabricant Dell et le fabricant Hewlett-Packard.

b) Décrivez en mots ce que représente ce ratio.

22. **Indice de variabilité qualitative.** Dans le cas de données nominales, la mesure de dispersion qui est utilisée est l'*indice de variabilité qualitative*. Le calcul suppose toutefois que les données soient dépouillées suivant une distribution de fréquences absolues selon les diverses modalités du caractère.

L'indice *IVQ* est essentiellement le rapport entre la variabilité qui existe dans une distribution par rapport à la variabilité maximale qui pourrait exister dans cette distribution. Cette mesure de dispersion ne tient compte que du nombre (k) de modalités observables (ou catégories), du nombre de données (n) et de la fréquence absolue (f_i) correspondant à chaque modalité. *L'indice de variabilité qualitative* se définit comme suit:

$$IVQ = \frac{k}{k-1}\left[1 - \frac{\sum f_i^2}{n^2}\right] = \frac{k(n^2 - \sum f_i^2)}{n^2(k-1)}$$

Cet indice varie entre 0 (aucune dispersion, toutes les données nominales sont concentrées dans une seule modalité) et 1 (dispersion maximale, toutes les données sont éparpillées également entre chaque modalité du caractère): $0 \leq IVQ \leq 1$.

À l'aide de cette notion, résoudre l'exercice suivant.

Une enquête* de besoins en matière de promotion de la santé auprès de dirigeants d'entreprises a permis d'obtenir la répartition des entreprises selon la raison principale qui les motivait à implanter la promotion de la santé sur les lieux de travail.

Raison principale	Nombre d'entreprises
Réduire l'absentéisme	4
Diminuer les accidents	2
Relations interpersonnelles	3
Rentabilité	19
Santé des employés	19
Autres	4

*Source: Brossard, B., P. Durand et S. Marquis (1991). *Étude de besoins en matière de promotion de la santé: La perspective des dirigeants d'entreprises*. Travail et santé, Vol. 7, no 1.

a) Déterminez l'indice de variabilité qualitative.
b) Peut-on qualifier la répartition des entreprises selon la raison invoquée d'homogène?

23. Dans une recherche* visant à rendre compte de la façon la plus exhaustive possible, de l'ensemble des activités de recherche effectuées dans les collèges privés québécois déclarés d'intérêt public, on a obtenu auprès de 132 répondants, la répartition de la page suivante concernant les recherches selon la méthode de recherche employée (question no 8 du questionnaire que nous résumons comme suit):

Q8. Quelle méthode de recherche avez-vous employée?

     Recherche expérimentale ❏

     Recherche théorique ❏

     Recherche opérationnelle ❏

     Recherche-action ❏

*Source: Gaudreau, J.P. et G. Sigouin (1991). *La recherche au collégial privé*. Rapport final d'une recherche intercollégiale par les collèges Jean-de-Brébeuf et Marie-Victorin.

a) Déterminez l'indice de variabilité qualitative.
b) Peut-on qualifier la répartition des répondants d'hétérogène?

23. (suite)

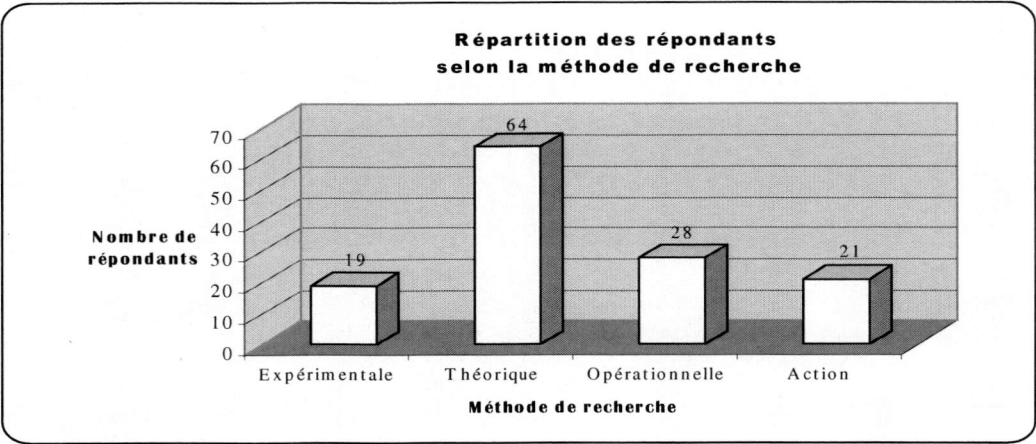

Répartition des répondants selon la méthode de recherche

24. Utilisons à nouveau les données de l'exercice d'apprentissage no 1, série 2.2, qui représentent la liste des 25 entreprises ayant le plus bénéficié de l'aide financière (en millions $) du gouvernement fédéral entre 1982 et 1997. L'étude a été menée par la Fédération des contribuables canadiens.

Entreprise	Montant (millions $)
1. Pratt & Whitney Canada	949
2. De Havilland	425
3. Bombardier / Canadair	245
4. Le Groupe MIL inc.	244
5. Air Ontario	241
6. Bell Helicopter Textron	224
7. Spar Aerospatiale Ltée	169
8. Air BC	133
9. Trentonworks Limited	127
10. Time Air inc.	115
11. Marconi Canada	110
12. Canarie inc.	104
13. Allied Signal Aerospace Canada	103
14. Bombardier inc.	101
15. Pétromont inc.	95
16. Litton Systems Canada Limited	93
17. Curragh Resources inc.	93
18. CAE Electronique Ltée	91
19. Air Nova	91
20. AllCell Technologies	87
21. Repap Entreprises inc.	86
22. Air Atlantic	86
23. Messier-Dowty inc.	75
24. American Motors Canada inc.	67
25. Piedmont Airlines inc.	67

*Source: Le Nouvelliste, 17 avril 1998.

Le calcul de la médiane effectué à l'exercice d'apprentissage no 1, série 2.2, conduit à $M_e = 103$ M$.

Déterminez les quantités qui permettraient de répondre aux affirmations suivantes:

a) Il n'y a pas plus de 25% des entreprises qui ont bénéficié d'aide financière dont le montant est inférieur à _____ M$.

b) Il n'y a pas plus de 50% des entreprises qui ont bénéficié d'aide financière dont le montant est inférieur à _____ M$.

c) Il n'y a pas plus de 75% des entreprises qui ont bénéficié d'aide financière dont le montant est inférieur à _____ M$.

d) Existe-t-il, dans cette liste d'entreprises, des valeurs aberrantes concernant le montant d'aide financière?

25. Le comptable de l'entreprise PMR a obtenu les valeurs ci-après dans un processus d'évaluation des stocks et ceci pour 26 éléments sur la liste des stocks.

Valeurs des articles en inventaire			
Item no.	Valeur ($)	Item no.	Valeur ($)
1	921,00 $	14	278,00 $
2	357,00 $	15	199,00 $
3	1 281,00 $	16	1 874,00 $
4	717,00 $	17	942,00 $
5	1 844,00 $	18	826,00 $
6	600,00 $	19	263,00 $
7	573,00 $	20	698,00 $
8	691,00 $	21	404,00 $
9	197,00 $	22	396,00 $
10	1 824,00 $	23	921,00 $
11	143,00 $	24	951,00 $
12	1 425,00 $	25	824,00 $
13	790,00 $	26	1 025,00 $

Déterminez la valeur totale de l'inventaire, la valeur moyenne ainsi que l'écart-type.

26. L'histogramme ci-après représente la répartition de l'épaisseur en micropouces d'un placage en or sur des panneaux de circuits imprimés. Les données ont été obtenues à partir de la mise en oeuvre d'un plan d'essais qui avait pour but d'évaluer les facteurs de production qui pouvaient affecter l'épaisseur moyenne de placage sur les panneaux.

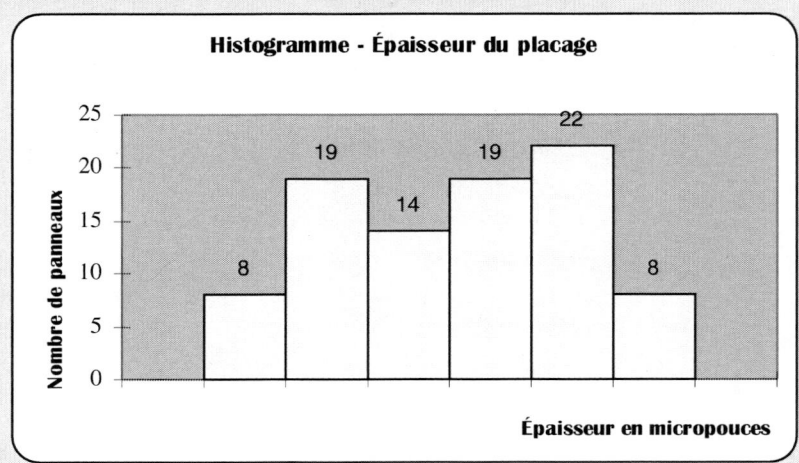

a) Déterminez, à partir de l'histogramme, la distribution de fréquences absolues.

b) Déterminez l'épaisseur médiane.

c) Il n'y a pas plus de 25% des panneaux dont l'épaisseur de placage est inférieure à quelle valeur?

d) Il n'y a pas plus de 75% des panneaux dont l'épaisseur de placage est inférieure à quelle valeur?

27. Une étude* effectuée dans trois usines québécoises de l'industrie de fabrication d'articles en plastique a permis d'obtenir les statistiques suivantes concernant la concentration de styrène ambiant (en mg/m³) mesurée dans la zone respiratoire de travailleurs affectés à l'atelier de peinture:

Moyenne = 517   Écart-type = 191.

————

*Source: Truchon G., C. Ostiguy et al (1992). *Surveillance des effets neurotoxiques de l'exposition au styrène en milieu de travail.* Travail et santé, Vol. 8, no 2.

Environ quel pourcentage de données concernant la concentration de styrène ambiant, se situe dans l'intervalle (230,5 , 803,5)?

28. *Étude descriptive sur la période de recouvrement des comptes clients.* Le vérificateur interne de l'entreprise CCP a relevé le délai de recouvrement (en jours) des comptes auprès de 100 clients de l'entreprise. Les résultats sont consignés dans le tableau ci-après.

Délai de recouvrement (jours)									
127	69	47	109	68	111	119	138	135	81
102	104	129	133	113	59	113	70	118	138
53	132	133	50	106	52	103	49	68	112
119	121	79	48	47	79	101	132	61	104
47	88	42	132	98	61	139	115	75	111
52	54	103	134	131	42	40	90	57	114
99	139	86	130	49	66	46	104	109	100
46	91	127	92	88	53	63	80	52	118
61	89	49	47	128	98	91	120	114	123
88	67	99	52	122	57	94	80	101	40

a) Dépouillez ces données suivant une distribution de fréquences absolues dont la limite inférieure de la première classe est 40, et dont l'amplitude de chaque classe est de 12. Indiquez également les fréquences relatives cumulées croissantes (en %).

b) Tracez l'histogramme correspondant.

c) Tracez la courbe cumulative des fréquences relatives (en %).

d) Déterminez le délai moyen de recouvrement des comptes, la variance et l'écart-type.

e) Déterminez la valeur médiane du délai de recouvrement. Que représente cette mesure de tendance centrale?

f) En utilisant la courbe cumulative, quelle proportion de comptes clients ont un délai de recouvrement entre $\bar{x} - 2s$ et $\bar{x} + 2s$?

g) En utilisant la série de données, déterminez les valeurs du quartile inférieur (Q_1) et du quartile supérieur (Q_3).

h) Tracez le diagramme en boîte.

i) La distribution présente-t-elle des valeurs aberrantes?

29. Les valeurs suivantes* représentent les dépenses personnelles (au $ près), au cours de leur dernier voyage, des répondants à une enquête sur le comportement touristique au Canada. Nous présentons des données pour deux catégories de revenu, soit ceux qui gagnent 39 999$ et moins et ceux qui gagnent 40 000$ et plus.

*Source: Adapté de Stafford, J. *Les comportements touristiques des personnes à capacité physique restreinte au Canada*. Téoros, Revue de recherche en tourisme, juin 2001.

Catégorie de revenu: 39 999$ et moins

Dépenses personnelles ($) lors du dernier voyage											
395	356	393	442	395	389	327	431	383	411	401	417
353	407	419	386	385	369	397	415	370	443	412	382
426	367	402	380	416	433	320	428	447	402	397	407
303	360	360	344	412	369	445	371	344	384	426	382
405	432	373	447	339	408	388	376	362	383	420	364
353	415	457	390	412							

Catégorie de revenu: 40 000$ et plus

Dépenses personnelles ($) lors du dernier voyage											
593	541	591	656	593	585	503	641	577	615	602	622
537	609	625	581	580	559	596	620	559	658	615	576
634	556	602	574	622	644	494	637	663	603	596	609
470	547	546	525	616	559	660	561	526	578	635	576
607	643	565	663	518	611	584	568	550	577	626	551
537	620	676	587	616	568	576	604	647	589		

a) Déterminez, pour chaque catégorie de revenu, les dépenses personnelles moyennes ainsi que l'écart-type des dépenses.

b) Dans chaque catégorie de revenu, 50% des répondants ont des dépenses personnelles inférieures à quelle valeur?

c) Déterminez, pour chaque catégorie de revenu, le coefficient de variation des dépenses personnelles. Quelle catégorie a la plus forte dispersion relative?

d) Déterminez, pour chaque catégorie de revenu, l'intervalle qui englobe 50% des données du centre de chaque série.

e) Tracez côte à côte le diagramme en boîte des dépenses personnelles, selon chaque catégorie de revenu. Quelle conclusion peut-on tirer de ces diagrammes?

f) On a également obtenu lors de cette enquête, la durée du séjour lors du dernier voyage, et ceci pour 545 répondants.

Nombre de jours	Nombre de répondants
1 - 2 jours	156
3 - 4 jours	144
5 jours et plus	245

i) Quelle mesure de tendance centrale serait appropriée pour résumer la durée du séjour?

ii) Déterminez la valeur de cette mesure de tendance centrale.

30. Les données ci-après représentent le pourcentage d'occupation d'un ordinateur central du lundi au vendredi et ceci, pour 8 semaines consécutives pour les mois de septembre et d'octobre.

	Semaine 1	Semaine 2	Semaine 3	Semaine 4	Semaine 5	Semaine 6	Semaine 7	Semaine 8
Lundi	78,3	78,3	87,9	81,6	87,9	81,6	82,5	89,4
Mardi	75,3	84,1	83,6	84,3	83,6	84,3	81,7	87,3
Mercredi	74,4	83,1	76,8	82,9	76,8	82,9	75,4	82,6
Jeudi	70,2	84,2	79,2	78,3	79,2	78,3	83,6	85,2
Vendredi	78,9	89,9	78,3	86,0	78,3	86	76,5	90,3
Pourcentage moyen	75,42	83,92	81,16	82,62	75,42	83,92	81,16	82,62

a) Déterminez le pourcentage moyen global d'occupation de l'ordinateur.
b) Calculez la variance et l'écart-type du pourcentage d'occupation.
c) Déterminez également la dispersion relative du pourcentage d'occupation.
d) On aimerait suivre l'évolution du pourcentage moyen d'occupation pour chaque semaine autour du pourcentage moyen global basé sur ces 8 semaines. Calculez le pourcentage moyen pour chaque semaine et reporter ces moyennes sur le graphique ci-après. Reliez chaque point entre eux.

31. Dans une étude* qui avait pour but de documenter la relation entre l'exposition au styrène et certaines altérations du système nerveux, on a obtenu diverses informations concernant les habitudes de vie et de conditions de travail auprès de 117 travailleurs de trois usines québécoises de l'industrie des plastiques renforcés.

Les données suivantes représentent la consommation d'alcool (g/semaine) des répondants, information recueillie en bouteilles de bière, de vin et en verres de boisson à forte teneur d'alcool. Une bière de 341 ml contient 13,45 g d'alcool.

*Source : Adapté de Mergler, D., D. Campagna et al (1992). *Surveillance des effets neurotoxiques de l'exposition au styrène en milieu de travail.II. Altérations neurophysiologiques et comportementales.* Travail et santé. Vol 8, n°3.

On aimerait résumer cette information recueillie auprès des 117 répondants à l'aide des principales statistiques (les données sont sur le CD-ROM).

a) Déterminez, pour cette série de données, la moyenne, l'écart-type et les trois quartiles.
b) Existe-il des valeurs aberrantes dans cette série de données?

Extrait du fichier de données

c) Il n'y a pas plus de 50% des répondants dont la consommation d'alcool est supérieure à quelle valeur?

Répondant n°	Consommation d'alcool	Répondant n°	Consommation d'alcool	Répondant n°	Consommation d'alcool
1	138	41	170	81	114
2	174	42	139	82	99
3	160	43	205	83	118
4	177	44	206	84	160
5	235	45	169	85	109
6	190	46	94	86	198
7	163	47	149	87	62
8	151	48	174	88	241
9	103	49	87	89	126
10	251	50	73	90	181
11	188	51	106	91	149
12	140	52	158	92	84
13	178	53	15	93	106
14	152	54	110	94	148

Activités de synthèse sur le CD-ROM

Fichier Excel: Activité de synthèse no 1 - Dépouillement de données

Fichier SPSS: Activité de synthèse no 1

Fichier MINITAB: Activité de synthèse no 1

Objectifs de l'activité

▶ Dépouiller des données associées à des variables mesurées sur une échelle nominale, ordinale et de rapport et visualiser les résultats avec les représentations graphiques appropriées.

▶ Déterminer diverses statistiques descriptives sur une variable importante de l'enquête selon le sexe des répondants.

Activité de synthèse no 1

Analyse descriptive des résultats d'une enquête auprès de consommateurs

Dans une recherche* visant à mesurer le degré de satisfaction que retirent le consommateur et la consommatrice lors de leur achat par Internet ou par le biais du commerce traditionnel, on a posé diverses questions concernant les achats effectués au cours de la dernière année ainsi qu'un certain nombre pour décrire le profil socio-démographique des répondants. La population de référence concerne une population étudiante de niveau universitaire.

Voici certaines questions associées aux achats et au profil socio-démographique des répondants.

La qualité de service perçue par les consommateurs dans le commerce électronique versus le commerce traditionnel

Informations sur les achats

Q1. Parmi les produits suivants, lesquels avez-vous achetés au cours de la dernière année? (Plusieurs réponses sont possibles).

    (1) Logiciels ❑   (4) Revues ❑

    (2) Équipements informatiques ❑   (5) Livres ❑

    (3) CD-Disques ❑

Q2. Utilisez-vous Internet?

    Oui ❑ 1   Non ❑ 2

Q3. Combien d'heures en moyenne par mois, utilisez-vous Internet? _____

Q4. Avez-vous effectué des achats par Internet?

    Oui ❑ 1   Non ❑ 2

Profil socio-démographique

Q5. Sexe

    Féminin ❑ 1 Masculin ❑ 2

Q6. À quelle catégorie d'âge appartenez-vous?

Moins de 19 ans	❑ 1	40 - 49 ans	❑ 4
20 - 29 ans	❑ 2	50 - 59 ans	❑ 5
30 - 39 ans	❑ 3		

Q7. Possédez-vous une carte de crédit?

    Oui ❑ 1   Non ❑ 2

---

*Source : Adapté de Touara, Z. *La qualité de service perçue par les consommateurs dans le commerce électronique versus le commerce classique*, UQTR, janvier 2000.

Le fichier de données comporte les réponses de 150 répondants(es) dont nous présentons un extrait ci-après.

	A	B	C	D	E	F	G	H	I	J	K	L
1	Activité de synthèse no 1 - Dépouillement de données et représentations graphiques											
2												
3			Q1(Commerce traditionnel)				Q2	Q3	Q4	Q5	Q6	Q7
4	Répondant no	Achats (1)	Achats (2)	Achats (3)	Achats (4)	Achats (5)	Internet	Heures/ mois	Achat-Internet	Sexe	Âge	Carte de crédit
5	1	0	0	0	0	0	2	8	2	1	1	2
6	2	0	0	0	0	1	1	7	2	2	2	2
7	3	1	0	1	1	1	1	6	2	1	2	1
8	4	1	1	1	1	1	1	6	2	1	2	1
9	5	1	1	1	1	1	1	5	2	1	2	1
10	6	0	0	1	1	1	2	6	2	1	2	1
11	7	1	1	1	1	0	1	4	2	1	2	1
12	8	0	0	1	1	0	1	6	2	2	1	2
13	9	1	1	1	1	0	1	5	2	1	2	1
14	10	0	0	1	1	1	1	6	2	1	2	2
15	11	1	1	1	1	1	1	4	2	2	2	1
16	12	1	1	1	1	1	1	4	2	2	2	1
17	13	0	0	1	1	1	1	6	2	2	2	2
18	14	0	0	1	1	1	1	6	2	2	2	2
19	15	0	0	0	0	1	1	7	2	1	5	2
20	16	1	1	1	1	1	1	4	2	2	2	1

Dans le cas de la question Q1(informations sur les achats), la valeur 0 indique aucun achat du produit alors que 1 indique l'achat du produit correspondant. Les codes utilisés pour les autres questions correspondent aux codes indiqués sur le questionnaire.

Travail à effectuer

a) Quelles sont les variables qui ont été mesurées sur

   i) une échelle nominale?

   ii) une échelle ordinale?

   iii) une échelle de rapport?

b) Dépouillez les données pour chaque question dont les données sont de nature nominale ou ordinale. Si vous utiliser Excel, il faut avoir recours à la fonction d'Excel FREQUENCE pour effectuer ce dépouillement.

c) Résumez les résultats sous formes de tableaux (fréquences absolues et pourcentages) en identifiant explicitement les modalités de réponse des questions.

   (Déterminez les pourcentages en utilisant une formule dans la feuille Excel).

d) Présentez les résultats obtenus concernant les produits achetés à l'aide d'un diagramme à barres horizontales.

e) Présentez les résultats obtenus pour les autres variables nominales à l'aide d'un diagramme à secteurs circulaires.

f) Visualisez les résultats obtenus pour la variable mesurée sur une échelle ordinale à l'aide d'un diagramme à barres verticales.

g) Dépouillez les données associées à l'utilisation d'Internet selon les valeurs 0, 1, 2, ..., 9. Utilisez à nouveau la fonction d'Excel FREQUENCE pour effectuer ce dépouillement.

h) Visualisez la distribution obtenue à la question g) à l'aide d'un diagramme Histogramme à effet 3D, en utilisant en ordonnée les fréquences absolues.

Travail à effectuer (suite)

i) On veut analyser les données associées à la question Q3 (utilisation par mois d'Internet) selon le sexe du répondant.

(1) Effectuez un tri de données selon le sexe du répondant.

(2) Déterminez pour chaque catégorie les statistiques suivantes concernant la variable «Utilisation par mois d'Internet»:

▶ Le nombre d'heures moyen d'utilisation d'Internet

▶ La médiane

▶ L'écart-type et le coefficient de variation

▶ Les quartiles Q_1 et Q_3.

Questions sur l'ensemble des résultats

i) Quel pourcentage de répondants a acheté de l'équipement informatique?

ii) Quel pourcentage utilise Internet?

iii) Quel est le nombre d'heures/mois le plus fréquent pour les usagers d'Internet?

iv) Quel pourcentage de répondants possède une carte de crédit?

v) Dans quelle catégorie d'âge se situe le plus grand nombre de répondants?

Questions associées à la variable «Utilisation par mois d'Internet» selon le sexe du répondant

Complétez le tableau suivant avec les résultats que vous avez obtenus, selon le nombre de répondants de chaque catégorie.

	Répondants de sexe masculin	Répondants de sexe féminin
Indiquez le nombre de répondants selon chaque catégorie		
Quel est le nombre d'heures moyen d'utilisation d'Internet ?		
Quel est le coefficient de variation de la variable «Utilisation par mois d'Internet»?		
Il n'y a pas plus de 50% des répondants qui font une utilisation d'Internet par mois inférieure à quelle valeur?		
Il n'y a pas plus de 25% des répondants qui font une utilisation d'Internet par mois inférieure à quelle valeur?		
Il n'y a pas plus de 75% des répondants qui font une utilisation d'Internet par mois inférieure à quelle valeur?		
Quelle est l'amplitude de l'intervalle qui englobe 50% des données du centre de la distribution?		

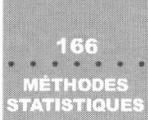

Testez vos

connaissances

Test no 2

Répondez par Vrai ou Faux.

1. La moyenne arithmétique est une mesure de dispersion.

2. On obtient une mesure de la dispersion d'une série de données en calculant la médiane.

3. On ne peut calculer la moyenne arithmétique d'une distribution avec classes ouvertes.

4. Toutes les données de la série sont utilisées dans le calcul de la médiane.

5. Avec des données qui ne sont pas dépouillées en classes, la mesure de tendance centrale la plus utilisée est le mode.

6. La somme des écarts des données d'une série par rapport à la moyenne de la série peut donner une valeur négative.

7. Une mesure statistique qui permet d'apprécier le degré d'homogénéité d'une série de valeurs est le coefficient d'asymétrie.

8. Le coefficient de variation est une mesure de dispersion relative.

9. 50% des données d'une série se situent au-dessus du mode.

10. Dans le cas d'une distribution symétrique, la moyenne, la médiane et le mode se confondent.

11. Une série de données ayant un étalement plus important sur le côté supérieur présente une asymétrie dite positive.

12. Il n'y a pas plus de 25% des données d'une série ordonnée qui sont inférieures à Q_1.

13. L'écart entre la plus grande et la plus petite valeur d'une série de données s'appelle intervalle interquartile.

14. Le quartile Q_2 équivaut à la médiane.

15. Les valeurs extrêmes d'une série de données affectent la valeur de la médiane.

16. L'intervalle interquartile IQ encadre 75% des données d'une série ordonnée.

17. Les mesures de position qui subdivisent une série statistique ordonnée en 10 parties égales s'appellent centiles.

18. La mesure de dispersion d'une série de données la plus utilisée est l'écart-type.

Questions à choix multiples. Encerclez la bonne réponse.

19. Quelle mesure descriptive n'est pas une mesure de tendance centrale?

i) Le mode   ii) La médiane   iii) La variance   iv) La moyenne.

20. Le nombre d'heures correspondant à une semaine de travail dite normale de cinq dirigeants (es) est respectivement: 50 54 48 42 46 heures. La somme des écarts de ces valeurs par rapport la moyenne de cette série est:

i) 4   ii) 8,2   iii) 0   iv) -2.

21. Le nombre* d'employés (année 2000) pour les principales industries d'équipement et vêtements sport est présenté ci-contre.

Entreprises	Nombre d'employés
Groupe Louis Garneau Sports	480
Groupe Procycle	550
Icon du Canada	450
Bauer Nike Hockey	746
Industries Raleigh	420

*Source : LES AFFAIRES, hors série, édition 2000.

21. (Suite) Encerclez la bonne réponse.

1. La moyenne est:
   a) 539,5   b) 529,2   c) 479,4.

2. La médiane est:
   d) 450   e) 550   f) 480   h) 465.

3. L'étendue de la série de données est:
   i) 130   j) 326   k) 296.

4. Quelle proportion d'entreprises comporte plus de 500 employés?
   l) 20%   m) 35%   n) 40%.

22. Les données* ci-après représentent le nombre d'employés pour les principales industries dans le secteur du meuble.

a) Le nombre moyen d'employés est:
   i) 619   ii) 650   iii) 694,68.

Entreprises	Nombre d'employés
Groupe Villageois	250
Industries A.P.	260
Artitalia	275
Meubles Jaymar	280
Rousseau Métal	290
Groupe Pro Plus	298
Meubles D & F	300
Morigeau-Lépine	350
Industries Amisco	370
JP Metal America	427
Bestar	560
Ameublement El Ran	619
Roy & Breton	630
Groupe Lacasse	650
Dutailler	650
Meubles Canadel	800
Industries de la Rive Sud	930
Shermag	1760
Industries Dorel	3500

*Source : De Smet, Michel. *La consommation se poursuit dans l'industrie.* LES AFFAIRES, hors série, édition 2000.

b) La valeur médiane de cette série de données est:
   i) 370   ii) 427   iii) 560.

c) Sachant que la somme de carrés des écarts par rapport à la moyenne donne 10 610 782, l'écart-type du nombre d'employés est:
   i) 754   ii) 767,78   iii) 794,52.

d) La mesure de tendance centrale la plus appropriée est:
   i) la moyenne arithmétique   ii) la médiane   iii) le troisième quartile.

23. Le tableau* de la page suivante représente la quantité de rejets industriels polluants dans l'air, l'eau et la terre dans diverses régions du Québec au cours de l'année 1998.

*Source : Environnement Canada et journal LES AFFAIRES, 30 septembre 2000.

a) La région qui présente la plus faible quantité de rejets industriels polluants est:
   i) Abitibi   ii) Laval   iii) Québec.

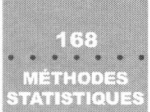

Régions	Quantité de polluants	Régions	Quantité de polluants
Abitibi	1 726	Laurentides	405
Bas-Saint-Laurent	793	Laval	63
Québec	188	Mauricie	2 081
Chaudière	1 267	Montérégie	5 863
Côte-Nord	701	Montréal	2 584
Estrie	703	Outaouais	579
Gaspésie	106	Saguenay	1 382
Lanaudière	161		

b) La région qui présente la plus grande quantité de rejets industriels polluants est:

     i) Montréal   ii) Saguenay   iii) Montérégie.

c) La quantité totale de rejets industriels polluants au Québec au cours de l'année 1998 a été de:

     i) 5 863   ii) 18 602   iii) 24 604.

d) Complétez l'affirmation suivante:

Il n'y a pas plus de 50% des régions dont les rejets de polluants industriels sont inférieurs à   tonnes.

     i) 701 ———   ii) 793   iii) 703.

24. Les données suivantes, présentées sous forme d'un diagramme en feuilles (la feuille correspondant au dernier chiffre), représentent les dépenses par voyage effectuées au Québec par des touristes en provenance de l'Ontario.

```
20 | 0 2 2 5 5 6 6 6
30 | 0 2 2 5 7 9
40 | 0 1 3 5
50 | 1 3
```

La dépense médiane pour ces 20 touristes est:

     i) 208$ ii) 300$ iii) 302$ iv) 305$.

25. Le tableau suivant représente les salaires annuels moyens pour diverses catégories de cadres à l'emploi de l'entreprise Bioplex, fabricant d'emballages pour les industries pharmaceutique et cosmétique.

	Nombre	Salaire annuel moyen
Cadres supérieurs	12	78 525 $
Cadres intermédiaires	18	52 600 $
Cadres juniors	14	42 400 $

Le salaire annuel moyen pour l'ensemble des cadres de cette entreprise est:

     i) 57 842$ ii) 56 425$ iii) 57 133$.

26. Un test de perception des formes, test qui sert à évaluer les aptitudes à percevoir les détails pertinents, reproductions ou documents écrits, à comparer visuellement, à faire des distinctions et à voir les légères différences de formes et d'ombre des dessins ainsi que des largeurs de lignes, a été appliqué à 12 individus qui veulent se qualifier pour un travail sur des plans de machines spécialisées.

Les résultats au test sont présentés à la page suivante (valeurs ordonnées):

**Testez vos
connaissances**

Test no 2

Résultats au test de perception des formes											
77	77	79	91	91	93	94	95	97	97	99	106

a) Il n'y a pas plus de 25% des postulants qui ont un résultat inférieur à:

  i) 84   ii) 85   iii) 90.

b) On ne trouve pas plus de 50% des résultats à la gauche de:

  i) 91   ii) 93   iii) 93,5.

c) Il n'y a pas plus de 75% des postulants qui ont un résultat inférieur à:

  i) 93   ii) 94   iii) 97.

d) Il n'y a pas plus de 25% des postulants qui ont un résultat supérieur à:

  i) 85   ii) 97   iii) 90.

e) 50% des données du centre de la distribution correspondant au test de perception des formes se situent dans l'intervalle dont la valeur est:

  i) 8,5   ii) 12   iii) 4,5.

f) Le critère inférieur pour détecter une valeur aberrante est:

  i) 77   ii) 67   iii) 57.

g) Le critère supérieur pour détecter une valeur aberrante est:

  i) 106   ii) 114   iii) 115.

27. Selon un article du journal Le Nouvelliste (18 janvier 2003), on précise que le secteur manufacturier explique, en très grande partie, la vigueur du marché du travail dans la région en 2002. Le nombre d'emplois manufacturiés est passé de 23 600 à 26 200.

La variation en % du nombre d'emplois a été de:

  i) 9,9%   ii) 11%   iii) 6,18%.

28. D'après un article du journal LES AFFAIRES, 12 janvier 2002, le prix moyen, dans la région de Québec, des propriétés de type unifamilial était de 91 000$ en septembre 2001, alors que les condos affichaient un prix moyen de 72 625$. Le même type d'analyse effectuée en septembre 2000 (journal LES AFFAIRES, 27 janvier 2001) indiquait un prix moyen pour les maisons unifamiliales de 89 394$ et de 73 506% pour les condos.

a) On peut conclure que le prix moyen des maisons unifamiliales a subi une hausse de

  i) 1,5%   ii) 1,8%   iii) 1,0%.

b) De même, on peut dire que le prix moyen des condos a subi une baisse de

  i) 2%   ii) 1,5%   iii) 1,2%.

29. Les ventes* au détail au troisième trimestre 2001 ont été (en millions de $) de 73 385, alors que celles du troisième trimestre 2002 ont augmenté de 7,35% par rapport à 2001.

Les ventes au 3ᵉ trimestre 2002 ont été (en millions de $) de (valeur arrondie)

  i) 78 385   ii) 78 779   iii) 77 878.

*Source : *Les ventes au détail au Canada ont augmenté*. Le Nouvelliste, 21 décembre 2002.

30. Les ventes* de véhicules vendus au Canada par le constructeur General Motors ont été de 516 531 unités alors que celles pour le contructeur japonais Toyota ont été de 146 252 unités.

*Source : Filion, N. Que réserve l'année 2003? *La Presse*, 24 février 2003.

Le ratio du nombre d'unités vendues est de:

i)   3 véhicules de marque Toyota pour 10 de marque GM

ii)   2 véhicules de marque Toyota pour 7 de marque GM

iii)   6 véhicules de marque Toyota pour 21 de marque GM.

Annexe 2-Traitement avec Excel

Microsoft Office 2002 et Office 1997

Tous les exemples traités dans cette annexe sont dans le fichier du chapitre 2.

Statistiques descriptives avec Excel

On peut obtenir facilement les principales statistiques d'une série de données en ayant recours à l'*Utilitaire d'analyse* d'Excel.

EXEMPLE 1 : Statistiques descriptives d'une série de données : nombre d'heures de travail

Feuille Excel du chapitre 2: ANNEXE EX1

Servons-nous des données de l'exemple 2.1 (nombre d'heures de travail des dirigeants de PME de la région de l'Estrie) pour illustrer l'application de cet outil. Les données avec l'intitulé que nous voulons traiter sont présentées en colonne (colonne B, de la ligne 4 à la ligne 16) soit B4:B16.

Nous travaillons dans une nouvelle feuille d'Excel.

Procédure

❶ Dans la barre de menus, sélectionnez
Outils /Utilitaire d'analyse.

❷ Dans la zone Outils d'analyse, choisissez **Statistiques descriptives**.

❸ Cliquez sur OK.

❹ Entrez les paramètres requis, puis cliquez sur OK.

Utilitaire d'analyse

Outils d'analyse

- Analyse de variance: un facteur
- Analyse de variance: deux facteurs avec répétition d'expérience
- Analyse de variance: deux facteurs sans répétition d'expérience
- Analyse de corrélation
- Analyse de covariance
- Statistiques descriptives
- Lissage exponentiel
- Test d'égalité des variances (F-Test)
- Transformation de Fourier Rapide (FFT)
- Histogramme

OK Annuler Aide

Statistiques descriptives

Paramètres d'entrée

Plage d'entrée: $B$4:$B$16

Groupées par: ⦿ Colonnes ○ Lignes

☑ Intitulés en première ligne

OK Annuler Aide

Cliquez sur OK

Options de sortie

⦿ Plage de sortie: $D$3

○ Insérer une nouvelle feuille:

○ Créer un nouveau classeur

☑ Rapport détaillé

☑ Niveau de confiance pour la moyenne: 95 %

☐ Kième maximum: 1

☐ Kième minimum: 1

Nous voulons toutes les statistiques.

	A	B
1	Exemple 1	
2		
3		Estrie
4	Dirigeant	Nombre d'heures de travail
5	1	47
6	2	50
7	3	49
8	4	43
9	5	46
10	6	54
11	7	48
12	8	47
13	9	50
14	10	48
15	11	46
16	12	48

Les résultats sont présentés à la page suivante. Ils sont affichés dans la feuille Excel, à partir de la cellule D3.

Formules

Étendue: $E = x_{max} - x_{min}$

Moyenne: $\bar{x} = \dfrac{\sum\limits_{i}^{n} x_i}{n}$

Variance: $s^2 = \dfrac{\sum\limits_{i}^{n}(x_i - \bar{x})^2}{n-1}$

Écart-type: $s = \sqrt{s^2}$.

> Les principales statistiques de la série de données.

	D	E	
3	*Nombre d'heures de travail*		
4			
5	Moyenne	48	$\bar{x}$
6	Erreur-type	0,778498944	$\dfrac{s}{\sqrt{n}}$
7	Médiane	48	M_e
8	Mode	48	M_0
9	Écart-type	2,69679945	s
10	Variance de l'échantillon	7,272727273	s^2
11	Kurstosis (Coefficient d'applatissement)	1,88925	α_4
12	Coefficient d'assymétrie	0,500593398	S_k
13	Plage	11	*Étendue de la série*
14	Minimum	43	
15	Maximum	54	
16	Somme	576	$\sum x_i$
17	Nombre d'échantillons	12	n
18	Niveau de confiance(95,0%)	1,71346549	

> Le libellé *Niveau de confiance* est inapproprié; il faudrait plutôt lire `Marge d'erreur statistique`. Nous traitons de cette notion au chapitre 4.

Quelques fonctions statistiques

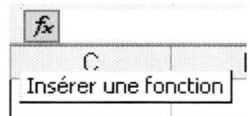
Insérer une fonction

EXEMPLE 2 : Quelques fonctions statistiques

Il existe de nombreuses fonctions statistiques dans Excel comme nous le précisons à la fin de cette annexe. Nous donnons dans cet exemple quelques fonctions utiles.

On peut obtenir rapidement la valeur minimale, la valeur maximale, la moyenne et l'écart-type d'une série de données.

Procédure

❶ Il faut d'abord sélectionner une cellule dans laquelle va apparaître le calcul de la statistique; nous avons identifié les diverses statistiques que nous voulons calculer respectivement dans les cellules A17 à A21.

Les résultats des calculs vont apparaître respectivement dans les cellules B17 à B21. On clique d'abord dans la cellule B17, puis on sélectionne f_x (ou encore on sélectionne dans la barre de menus **Insertion / Fonction**).

❷ Choisissez la catégorie **Statistiques** puis **MIN** dans le menu déroulant Nom de la fonction, puis cliquez sur OK.

Feuille Excel du chapitre 2: ANNEXE EX2

	A	B
3	**Estrie**	
4	Dirigeant	Nombre d'heures de travail
5	1	47
6	2	50
7	3	49
8	4	43
9	5	46
10	6	54
11	7	48
12	8	47
13	9	50
14	10	48
15	11	46
16	12	48
17	Minimum	
18	Maximum	
19	Moyenne	
20	Écart-type	

B17	▼	f_x	=MIN(B5:B16)

	A	B	C
3		Estrie	
4	Dirigeant	Nombre d'heures de travail	
5	1	47	
6	2	50	
7	3	49	
8	4	43	
9	5	46	
10	6	54	
11	7	48	
12	8	47	
13	9	50	
14	10	48	
15	11	46	
16	12	48	
17	Minimum	43	
18	Maximum		
19	Moyenne		
20	Écart-type		

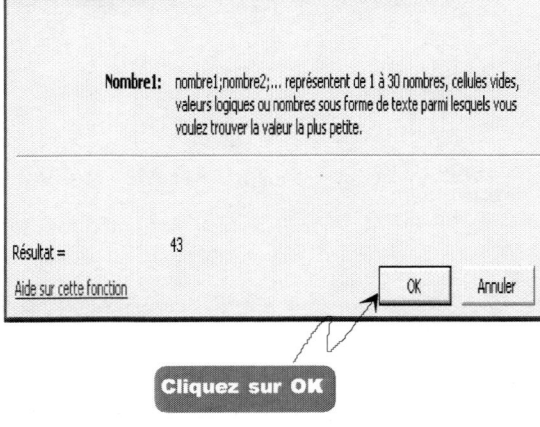

Insérer une fonction

Recherchez une fonction :

Tapez une brève description de ce que vous voulez faire, puis cliquez sur OK   Ok

Ou sélectionnez une catégorie : Statistiques ▼

Sélectionnez une fonction :

MAXA
MEDIANE
MIN
MINA
MODE
MOYENNE
MOYENNE.GEOMETRIQUE

MIN(nombre1;nombre2;...)
Renvoie la valeur minimale d'une série de nombre. Ignore les valeurs logiques et le texte.

Aide sur cette fonction   OK   Annuler

Arguments de la fonction

MIN

Nombre1 B5:B16   = {47;50;49;43;46;54

Nombre2   = nombre

= 43

Renvoie la valeur minimale d'une série de nombre. Ignore les valeurs logiques et le texte.

Nombre1: nombre1;nombre2;... représentent de 1 à 30 nombres, cellules vides, valeurs logiques ou nombres sous forme de texte parmi lesquels vous voulez trouver la valeur la plus petite.

Résultat =   43

Aide sur cette fonction   OK   Annuler

La plage des données

Cliquez sur OK

Les fonctions statistiques que nous voulons utiliser se résument comme suit :

=MIN(B5:B16)
=MAX(B5:B16)
=MOYENNE(B5:B16)
=ECARTYPE(B5:B16).

Il s'agit de répéter la procédure avec les fonctions appropriées.

	A	B
3		Estrie
4	Dirigeant	Nombre d'heures de travail
5	1	47
6	2	50
7	3	49
8	4	43
9	5	46
10	6	54
11	7	48
12	8	47
13	9	50
14	10	48
15	11	46
16	12	48
17	Minimum	43
18	Maximum	54
19	Moyenne	48
20	Écart-type	2,6968

Les diverses statistiques de la série de données.

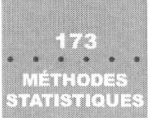

EXEMPLE 3 : Calcul des quartiles avec Excel

**Feuille Excel du chapitre 2:
ANNEXE EX3**

Servons-nous des données de l'exemple 2.6 pour illustrer l'application de cet outil. Les données avec l'intitulé sont présentées en colonne (colonne A, de la ligne 3 à la ligne 21) soit A3:A21.

Nous travaillons dans une nouvelle feuille d'Excel.

Calcul des quartiles : concentration de styrène

On veut déterminer les quartiles de la série de données (concentration de styrène).

	A	B
1	Exemple 3 - Calcul de quartiles	
2		
3	*Styrène*	
4	562	
5	442	
6	432	
7	646	
8	445	
9	334	
10	821	
11	292	
12	684	
13	343	
14	437	
15	319	
16	483	
17	752	
18	443	
19	387	
20	710	
21	586	

Procédure

❶ Il faut d'abord sélectionner une cellule dans laquelle va apparaître le calcul du quartile; nous avons identifié les trois quartiles que nous voulons calculer respectivement dans les cellules D3, D4 et D5.

	D	E
1		
2		
3	*Premier quartile*	
4	*Deuxième quartile*	
5	*Troisième quartile*	

Les résultats des calculs vont apparaître respectivement dans les cellules E3, E4 et E5. On clique d'abord dans la cellule E3, puis on sélectionne *fx* (ou encore on sélectionne dans la barre de menus **Insertion / Fonction**).

❷ Choisissez la catégorie **Statistiques** puis **QUARTILE** dans le menu déroulant Nom de la fonction.

Version Office 97   **Version Office 2002**

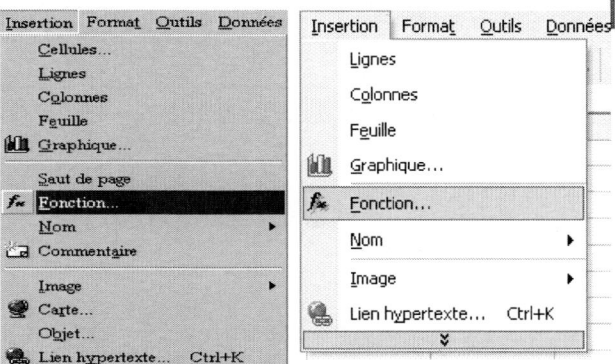

Nous illustrons ici la procédure avec la version 10.0 d'Excel. La procédure est similaire avec la version 8.0; la boîte de dialogue diffère toutefois de la version 10.0.

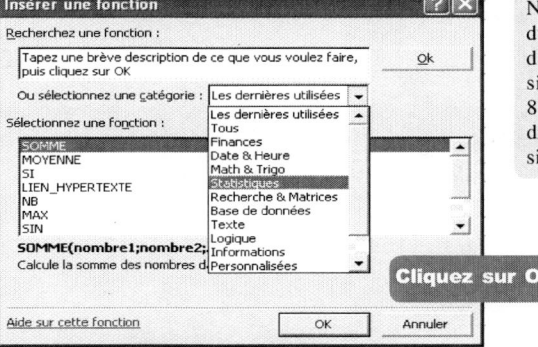

Nous voulons utiliser la fonction statistique *QUARTILE*.

La fonction apparaît alors dans la cellule (ainsi que dans la zone d'édition).

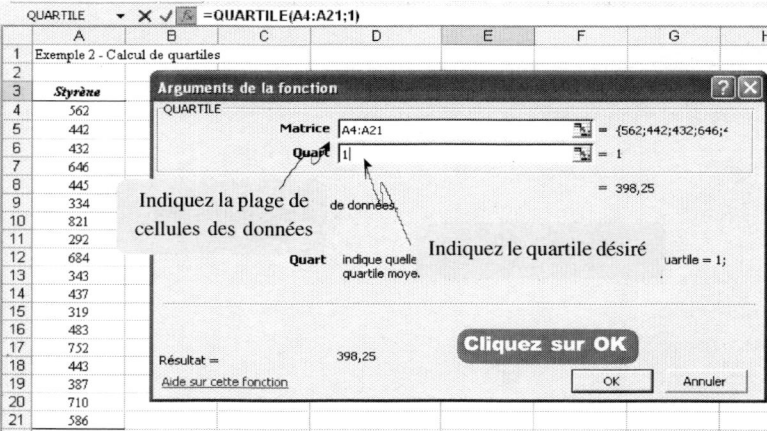

Remarque:

*Si quart égale **0**, la fonction quartile renvoie la **valeur minimale** de la série.*

*Si quart égale **1**, la fonction quartile renvoie le **premier quartile** de la série.*

*Si quart égale **2**, la fonction quartile renvoie **le deuxième quartile** (la médiane) de la série.*

*Si quart égale **3**, la fonction quartile renvoie le **troisième quartile** de la série.*

*Si quart égale **4**, la fonction quartile renvoie la **valeur maximale** de la série.*

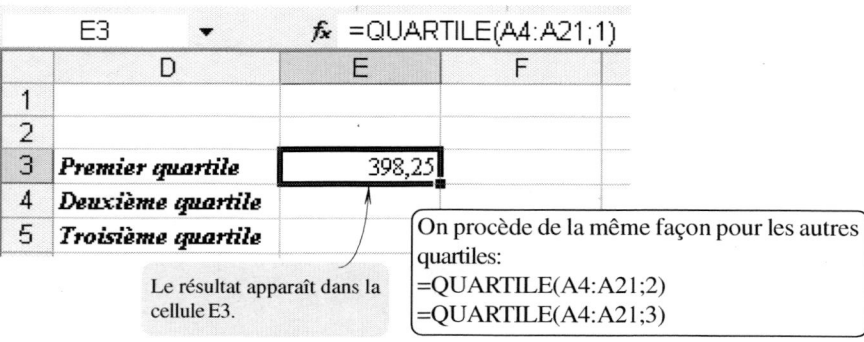

Le résultat apparaît dans la cellule E3.

On procède de la même façon pour les autres quartiles:
=QUARTILE(A4:A21;2)
=QUARTILE(A4:A21;3)

	D	E
3	**Premier quartile**	398,3
4	**Deuxième quartile**	444
5	**Troisième quartile**	631

Remarque. La façon de calculer les quartiles avec Excel est différente de celle proposée à la section 2.8. Il se peut que les résultats diffèrent de ceux obtenus selon la définition de la section 2.8. Pour obtenir les mêmes valeurs (et par conséquent le même diagramme en boîte), faites un tri croissant des données avec Excel. Déterminez par la suite les quartiles selon la définition de la section 2.8.

Fonctions statistiques avec Excel

Il existe 80 fonctions statistiques dans les versions 8.0 et 10.0 d'Excel. On accède à ces fonctions soit à l'aide de la barre de menus en sélectionnant **Insertion/Fonction** ou en cliquant sur *fx*. Les catégories de fonctions sont alors affichées. Les fonctions existantes dans ces versions sont indiquées ci-après:

Nom de la fonction:			
AVERAGEA	KURTOSIS	MAX	RANG
BETA.INVERSE	LNGAMMA	MAXA	RANG.POURCENTAGE
CENTILE	LOGREG	MEDIANE	SOMME.CARRES.ECARTS
CENTREE.REDUITE	LOI.BETA	MIN	STDEVA
COEFFICIENT.ASYMETRIE	LOI.BINOMIALE	MINA	STDEVPA
COEFFICIENT.CORRELATION	LOI.BINOMIALE.NEG	MODE	TENDANCE
COEFFICIENT.DETERMINATION	LOI.EXPONENTIELLE	MOYENNE	TEST.F
COVARIANCE	LOI.F	MOYENNE.GEOMETRIQUE	TEST.KHIDEUX
CRITERE.LOI.BINOMIALE	LOI.GAMMA	MOYENNE.HARMONIQUE	TEST.STUDENT
CROISSANCE	LOI.GAMMA.INVERSE	MOYENNE.REDUITE	TEST.Z
DROITEREG	LOI.HYPERGEOMETRIQUE	NB	VAR
ECART.MOYEN	LOI.KHIDEUX	NB.SI	VAR.P
ECARTYPE	LOI.LOGNORMALE	NB.VIDE	VARA
ECARTYPEP	LOI.LOGNORMALE.INVERSE	NBVAL	VARPA
ERREUR.TYPE.XY	LOI.NORMALE	ORDONNEE.ORIGINE	
FISHER	LOI.NORMALE.INVERSE	PEARSON	
FISHER.INVERSE	LOI.NORMALE.STANDARD	PENTE	
FREQUENCE	LOI.NORMALE.STANDARD.INVERSE	PERMUTATION	
GRANDE.VALEUR	LOI.POISSON	PETITE.VALEUR	
INTERVALLE.CONFIANCE	LOI.STUDENT	PREVISION	
INVERSE.LOI.F	LOI.STUDENT.INVERSE	PROBABILITE	
KHIDEUX.INVERSE	LOI.WEIBULL	QUARTILE	

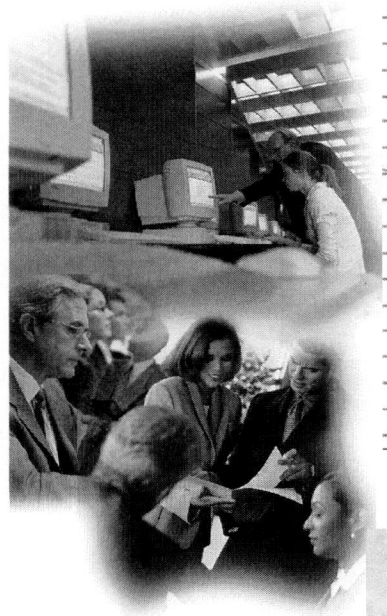

Chapitre 3
Calcul des probabilités

Application de la statistique | Le risque zéro ça n'existe pas*

La tempête de verglas de 1998 est un phénomène inédit, à la fois par son étendue (elle a touché une grande partie du Québec, dont Montréal), par sa durée (exceptionnelle), et par ses conséquences sur l'activité économique. La phase post-catastrophe est le moment privilégié pour repenser les risques qui nous entourent, ce sur quoi nous nous attardons dans ce qui suit.

Repenser les risques, c'est tout d'abord les recenser, puis évaluer leur probabilité et leurs conséquences.

Le risque zéro n'existe pas. Face à cette situation, donc, la tendance est de séparer les risques qui sont jugés acceptables des autres. Mais comment faire le tri? Est-ce par exemple une inondation dont la fréquence est évaluée à tous les 100 ans? À tous les 10 000 ans ? Un tremblement de terre qui ne touche pas les grandes villes? L'acceptabilité, on le voit, concerne à la fois les probabilités mais aussi les conséquences d'un risque, aussi bien pécuniaires que matérielles ou psychologiques. …

Le problème de la décision dynamique est que, d'une part, on joue avec des probabilités, c'est-à-dire de l'incertitude et que, d'autre part, les moyens financiers sont limités.

Comment, alors, décider? Y a-t-il des incitatifs à opter pour des mesures de mitigation? On peut faire ici le parallèle avec les systèmes anti-vol de nos voitures : ils ont un coût, mais les assureurs offrent des rabais sur les primes à leur achat. Si je ne fais jamais voler ma voiture, cela m'aura coûté, après quelques années, une certaine somme.

Aurait-il mieux valu ne rien faire et laisser payer l'assureur, suite à un vol? Encore une fois, nous sommes confrontés à des probabilités et celles-ci dépendent des bases de données du passé. Dans cet exemple de la voiture, la fréquence des incidents rend les probabilités plus fiables parce que bien documentées. Toutefois, lorsqu'on arrive à des catastrophes, la banque de cas sur laquelle se fonde le jugement est beaucoup plus limitée. …

Force est donc de constater qu'il n'y a pas de réponses faciles à toutes ces questions relatives à la phase de reconstruction. Les réponses impliquent en effet des décisions aussi bien individuelles que politiques au sens large. Elles supposent des choix qui, précisément en tant que choix, sont parfois difficiles à faire, à la fois parce qu'ils concernent un futur défini en terme de probabilités, et donc d'incertitude, et à la fois parce que nous vivons dans une situation de restrictions économiques.

* Source: *La Presse*, 14 février 1998, cahier B.

Cet article fait appel aux notions de risques et de probabilités, aspect que nous traitons dans ce chapitre. Nous y abordons les différents éléments qui régissent le calcul des probabilités.

Chapitre 3

Calcul des probabilités

❏ **Objectif général.** *L'objectif de ce chapitre est de présenter les principaux concepts probabilistes, concepts qui sont fondamentaux dans l'étude de divers modèles probabilistes (discrets et continus). Ils s'avèrent particulièrement utiles dans les chapitres sur l'inférence statistique où l'on doit tenir compte d'un certain risque d'erreur dans nos conclusions.*

❏ **Objectifs spécifiques.** *Lorsque vous aurez complété l'étude du chapitre 3, vous pourrez:*

1. *préciser ce qu'on entend par les notions d'épreuve, d'espace échantillonnal et d'événement et les appliquer dans divers contextes;*

2. *faire la distinction entre la définition classique de la probabilité et la définition fréquentiste;*

3. *énoncer les principaux axiomes régissant le calcul des probabilités;*

4. *évaluer correctement les probabilités associées à des événements compatibles, à des événements liés et à des événements indépendants;*

5. *appliquer la formule de Bayes;*

6. *appliquer le principe de multiplication;*

7. *énoncer ce qu'on entend par un arrangement, une permutation et une combinaison;*

8. *utiliser l'analyse combinatoire dans le calcul des probabilités.*

3.1   Introduction : phénomènes probabilistes

Plusieurs phénomènes qui relèvent du milieu des affaires, de l'économie, de l'informatique ou encore de différents secteurs des technologies comportent l'effet du hasard. De tels phénomènes sont caractérisés par des observations qui varient d'une expérience à l'autre (même sous des conditions identiques). En d'autres termes, un phénomène particulier comportera des données variant à l'intérieur d'un certain domaine et certaines valeurs apparaîtront plus fréquemment que d'autres. Comme nous l'avons vu dans le chapitre précédent, les données de divers phénomènes se résument et se visualisent facilement à l'aide d'un histogramme ou d'un diagramme en bâtons. Nous savons que l'allure générale de certains phénomènes pouvait s'apparenter à certaines distributions dites *distributions* ou *lois de probabilité*.

Avant d'aborder certaines distributions particulières, nous allons traiter de la notion de probabilité, non pas d'une manière rigoureuse mais plutôt intuitive. Nous ne voulons également donner que les notions les plus utilitaires qui nous permettront de progresser dans les autres chapitres de ce livre.

3.2 Notions d'épreuves, de résultat, d'espace échantillonnal et d'événement

Lorsqu'on prélève au hasard de la production un contenant comportant un produit alimentaire et qu'on mesure son poids ou bien lorsqu'on observe le temps requis pour répondre à une requête spéciale ou encore qu'on interroge un individu sur la notoriété des institutions financières, on réalise une *épreuve*. (On utilise également les termes *expérience aléatoire*).

• • •
Une expérience est aléatoire si elle est uniquement régie par le hasard.

Ainsi, le contenant peut avoir un poids de 450 g; le temps requis peut exiger 10 minutes; l'individu peut spontanément choisir les Caisses Populaires Desjardins. Ces caractéristiques observables constituent le *résultat* de l'épreuve. On peut déterminer à l'avance l'ensemble des résultats possibles. On peut prévoir par exemple, lorsque nous prélevons un contenant de la production et que nous mesurons son poids, qu'il peut varier entre, disons 440 et 460 g; mais on ne connaît pas à l'avance le poids exact qui nous sera fourni par ce contenant. Effectivement, l'ensemble de tous les résultats possibles d'une expérience aléatoire (ou épreuve) s'appelle *l'espace échantillonnal* que nous notons par S. À ces divers termes s'ajoute celui *d'événement*. Un événement peut être composé de un ou plusieurs résultats de l'expérience; il est donc un sous-ensemble de S.

Résumons comme suit ces concepts et appliquons-les à diverses situations.

Épreuve, espace échantillonnal, événement.
Épreuve (expérience aléatoire): Tout processus qui fait intervenir le hasard et qui est susceptible d'aboutir à un ou plusieurs résultats.
Espace échantillonnal S: L'ensemble de tous les résultats possibles (on dit également «résultats élémentaires») qui peuvent se produire dans l'expérience aléatoire.
Événement: Partie de l'ensemble des résultats (sous-ensemble de l'espace échantillonnal). Il peut contenir un ou plusieurs résultats élémentaires de l'épreuve.

Exemple 3.1 **Diverses expériences permettant de préciser les notions d'espace échantillonnal et d'événement**

Expérience	Événement	Espace échantillonnal
On prélève au hasard une facture d'un fichier central.	Facture est conforme (B) ou non conforme (D)	$S = \{B, D\}$
On sélectionne au hasard un CD-Rom et on mesure le temps d'accès.	Temps requis	$S = [0, \infty)$
On sélectionne au hasard un hôtel de Montréal et on détermine son taux d'occupation.	Taux d'occupation en %	$S = [0, 100\%]$
On choisit au hasard un ordinateur d'une chaîne de production et on vérifie le nombre de non-conformités critiques	Nombre de non-conformités critiques	$S = \{0, 1, 2,...\}$

Remarque. L'espace échantillonnal peut être : fini; Ex.: $S = \{B, D\}$, infini dénombrable; Ex.: $S = \{0,1,2,...\}$, infini non dénombrable; Ex.: $S = [0,\infty)$.

Exercices d'apprentis-sage

Série 3.1

📄 Tirage de bordereaux d'expédition et application des notions d'espace échantillonnal et d'événement

Une expérience consiste à prélever au hasard trois bordereaux d'expédition d'un grand lot et à observer si chaque bordereau est conforme ou non.

Dénotons par A, «bordereau conforme» et par D, «bordereau non conforme».

a) Faites la liste de tous les résultats possibles pour cette expérience, c.-à-d. définissez l'espace échantillonnal.

Ce travail est facilité en effectuant un diagramme en arbre comme suit.

Schématisation des résultats possibles du contrôle

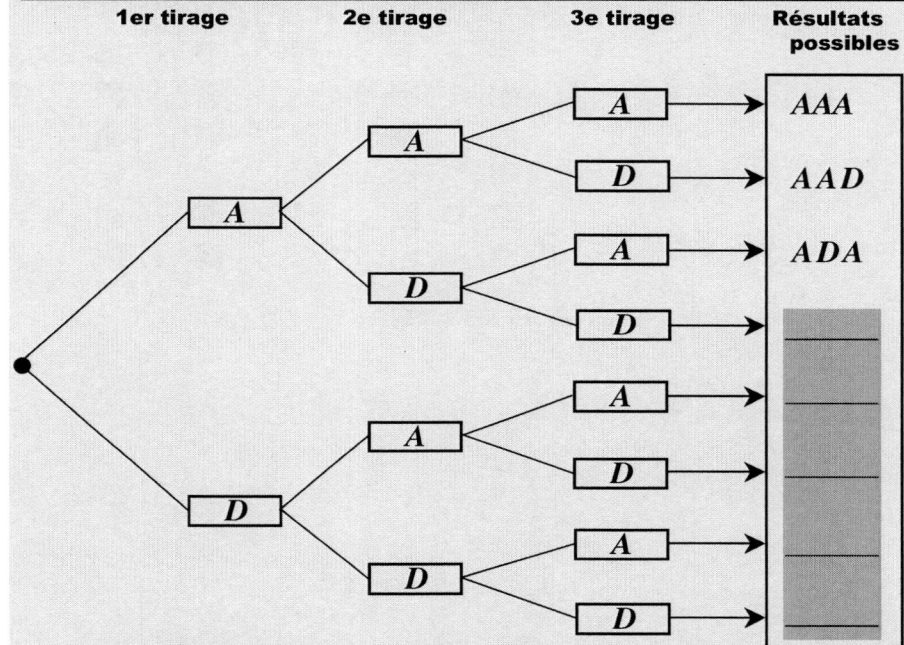

Il y a donc 8 résultats élémentaires possibles et l'espace échantillonnal est:

$S = \{AAA, AAD, ADA,$ _____ $\}$.

b) Dans la liste des éléments de S, à quoi correspond l'événement B: les trois bordereaux sont conformes.

$B = \{$ _____ $\}$.

c) Décrivez en mots à quoi correspond l'événement suivant: $C = \{AAD, ADA, DAA\}$.

Cet événement correspond à obtenir, comme résultat du prélèvement de trois bordereaux, _____ ou exactement _____ .

d) On s'intéresse à l'événement suivant: X: observer au plus un bordereau non conforme.

Faites la liste des éléments de S qui correspondrait à cet événement.

$X = \{$ _____ $\}$.

_____

Remarque. Chaque résultat ou élément de *S* est un **événement simple.** Un événement comportant deux ou plusieurs événements simples est dit **événement composé**. Dans l'exercice d'apprentissage de la série 3.1, l'événement *B* est un événement simple alors que les événements *C* et *X* sont des événements composés.

Exemple 3.2

Détermination de l'espace échantillonnal: jeu de hasard

Un dé noir et un dé blanc sont lancés et on observe le nombre de points apparaissant sur chaque dé. L'expérience aléatoire consiste au lancement des dés (on ne peut prévoir à l'avance les résultats du lancer). L'espace échantillonnal est représenté par le schéma suivant:

et qui s'écrit $S = \{(1,1), (1,2), (1,3),..., (1,6), (2,1), (2,2),.., (2,6),..., (6,1), (6,2), (6,3),.., (6,6)\}$.

Exercices d'apprentissage

Série 3.2

📄 Expérience aléatoire, résultats, événements

1. Deux dés sont lancés et la somme des points obtenus est observée. Déterminez l'espace échantillonnal.

$S = \{$ _____ $\}$.

2. La firme CGI, conseillers en gestion et informatique, effectue actuellement du recrutement dans la région de Montréal pour combler deux postes de vérificateurs internes. Cinq personnes P_1, P_2, P_3, P_4 et P_5 posent leur candidature. Supposons que l'on procède par tirage au sort pour choisir les deux candidats devant combler les postes.

a) Dressez la liste de tous les résultats possibles de cette expérience.

$E_1 = \{P_1, P_2\}$ $E_5 = \{\quad\}$ $E_8 = \{\quad\}$ $E_{10} = \{\quad\}$

$E_2 = \{P_1, P_3\}$ $E_6 = \{\quad\}$ $E_9 = \{\quad\}$

$E_3 = \{\quad\}$ $E_7 = \{\quad\}$

$E_4 = \{\quad\}$

L'espace échantillonnal s'écrit:

$S = \{E_1,$ $\}$.

Imaginons que les postulants soient classés comme suit: P_1 est excellent, P_2 est très bon, P_3 est bon, P_4 est faible et P_5 est médiocre.

b) À partir des événements suivants, identifiez à quoi ils correspondent dans l'espace échantillonnal.

i) «La firme retient la meilleure et la moins bonne candidature». Dans l'espace échantillonnal, cet événement est noté: { }.

ii) «La firme retient au moins un des deux meilleurs postulants». Dans l'espace échantillonnal, cet événement correspond à: { }.

iii) «Le candidat médiocre fait partie des postulants retenus». Dans l'espace échantillonnal, cet événement correspond à: { }.

3.3 La notion de probabilité

Comment peut-on associer à un événement une probabilité, c.-à-d. préciser les chances sur 100 qu'il se réalise? Il s'agira d'obtenir un grand nombre d'observations et de noter à chaque fois la réalisation de l'événement. Le rapport entre le nombre de fois qu'on a observé tel événement et le nombre total d'observations serait une indication de cette probabilité. C'est cette notion de probabilité que nous voulons maintenant aborder.

La notion de probabilité est le résultat d'un raisonnement dans lequel on évalue le nombre de chances d'obtenir la réalisation d'un événement. Il est facile de constater que le hasard intervient continuellement dans la vie courante. Il est fréquent d'entendre dans un bulletin de météo que la probabilité d'orages électriques est de 30% cette nuit, 70% dans la matinée. Les numéros gagnants à Loto-Québec dépendent du hasard. Lorsqu'un événement dépend du hasard, on peut avoir le sentiment qu'il est plus ou moins probable. La probabilité est un rapport de possibilité. Comment définir la probabilité d'un événement?

Définition classique de la probabilité. La probabilité d'un événement E est le rapport entre le nombre de résultats favorables (n_E) à cet événement et le nombre total de résultats possibles (N), contenus dans l'espace échantillonnal, *tous également vraisemblables*: $P(E) = \dfrac{n_E}{N}$ qui pourrait également s'écrire: $P(E) = \dfrac{n(E)}{n(S)}$.

Cette définition de la probabilité, dite également **probabilité a priori,** s'applique lorsque le décompte des cas favorables et des cas possibles est réalisable comme les jeux de hasard en particulier lancer un dé, tirer une carte,...

Exemple 3.3

Tombola à St-Jacques sur le Roc : Nombreux prix de présence et tirage d'un magnifique cabriolet

La municipalité de St-Jacques sur le Roc a organisé, dans le cadre de son Festival des couleurs, une tombola. 5 000 billets ont été émis pour le tirage du cabriolet. Le tirage s'est effectué en présence de nombreux invités dont la ministre de l'Environnement. Si une personne a acheté 10 billets, la probabilité de gagner le cabriolet est, d'après notre définition, $\dfrac{n(E)}{n(S)} = \dfrac{10}{5000} = 0,002$ soit 2 chances sur 1 000.

Une personne qui n'a acheté aucun billet a une probabilité nulle de gagner : 0/5 000 = 0. Une personne qui aurait acheté tous les billets aurait une probabilité égale à $\dfrac{n(S)}{n(S)} = \dfrac{5000}{5000} = 1$ de gagner.

Remarques.

a) La probabilité d'un **événement impossible** est nulle.

b) La probabilité d'un **événement certain** est égale à 1.

c) Entre ces deux extrêmes se situe toute une série d'événements probables. La probabilité d'un événement est donc toujours comprise entre 0 et 1: $0 \leq P(E) \leq 1$.

1 Événement certain

0,50 Événements probables

0 Événement impossible

Le décompte des cas favorables et des cas possibles n'est pas toujours facile à effectuer. Une autre définition s'impose, celle basée sur des résultats expérimentaux.

Définition «fréquentiste» de la probabilité. Une épreuve est répétée N fois. À chaque essai, on note le résultat de l'épreuve. Soit n_E, le nombre d'apparitions de l'événement E, alors la valeur limite de la fréquence relative $\dfrac{n_E}{N}$ lorsque N tend vers l'infini, est la probabilité que l'événement E se réalise : $\displaystyle\lim_{N \to \infty} \frac{n_E}{N} = P(E)$

Remarque. Cette définition, à caractère statistique, nous permet d'imaginer qu'il existe un nombre $P(E)$ et que la fréquence relative en donne une approximation d'autant meilleure que N est grand.

Exemple 3.4

Application de la définition fréquentiste de la probabilité à l'âge de la clientèle d'une revue en santé et sécurité du travail

Une revue mensuelle traitant de santé et sécurité du travail a effectué un sondage auprès de sa clientèle. Divers caractères socio-économiques ont été mesurés lors de ce sondage, entre autres l'âge des lecteurs et lectrices.

Le résumé de la compilation de 800 questionnaires selon l'âge des lecteurs apparaît dans le tableau ci-contre.

Si on choisit au hasard un de ces lecteurs, quelle est la probabilité que son âge soit supérieur ou égal à 30 ans mais inférieur à 35 ans?

Âge (années)	Nombre de lecteurs
$20 \leq X < 25$	67
$25 \leq X < 30$	82
$30 \leq X < 35$	209
$35 \leq X < 40$	201
$40 \leq X < 45$	102
$45 \leq X < 50$	95
$50 \leq X < 55$	33
$55 \leq X < 60$	9
$60 \leq X < 65$	2

Appliquons ici la notion fréquentiste de probabilité pour évaluer les possibilités que l'âge de ce lecteur se situe dans l'intervalle mentionné précédemment.

$$P(30 \leq X < 35) = \frac{\text{Nombre de lecteurs appartenant à cette classe}}{\text{Nombre total}}$$

$$= \frac{209}{800} = 0{,}26125$$

Il y a pratiquement 26 chances sur 100 pour que l'âge de ce lecteur soit supérieur ou égal à 30 ans mais inférieur à 35 ans. Cette probabilité est empirique, elle dépend du nombre total de lecteurs et de lectrices; elle donne une valeur approximative.

Exemple 3.5

Recherche en marketing et préférence d'un produit

Une entreprise spécialisée dans la consultation et la recherche en communication et marketing a été mandatée par une importante entreprise pour étudier la préférence des employés concernant trois types de paires de lunettes de sécurité utilisées en milieu de travail. Un échantillon aléatoire de 275 travailleurs a été sélectionné pour participer à cette étude de préférence.

Chaque participant doit, après une période d'essai de 3 semaines, préciser son choix (et un seul choix) quant à l'une ou l'autre des paires de lunettes de sécurité (identifiées ici A, B et C).

Type de lunettes	Nombre d'individus
A	130
B	85
C	60

Les résultats ci-haut ont été obtenus.

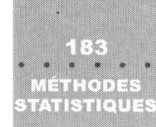
L'entreprise de recherche en marketing veut approfondir les motifs du choix des individus qui ont participé à cette étude. On sélectionne au hasard un individu parmi ce groupe de travailleurs.

a) Définir l'espace échantillonnal.

L'espace échantillonnal est constitué des 275 travailleurs:

$S = \{T1, T2, T3, ..., T274, T275\}$.

b) Identifions par A, l'événement que le travailleur préfère le type de lunettes A.

Quelle est la probabilité de A?

D'après les résultats obtenus, on peut écrire:

$$P(A) = \frac{n(A)}{n(S)} = \frac{130}{275} = 0{,}4727.$$

Examinons maintenant les propriétés régissant le calcul des probabilités.

3.4   Propriétés régissant le calcul des probabilités

Que la probabilité résulte d'un raisonnement objectif ou qu'elle résulte d'un très grand nombre d'essais, elle doit satisfaire à certaines propriétés que nous énonçons comme suit.

A_1: $P(A) \geq 0$.
A_2: $P(S) = 1$.
A_3: $P(A \cup B) = P(A) + P(B)$, A et B étant deux événements incompatibles.

Propriétés régissant le calcul des probabilités. Soit S un ensemble fini d'événements élémentaires associé à une expérience aléatoire (épreuve) et soit A, un événement de S.

A1. La probabilité que l'événement A soit un nombre positif ou nul: $P(A) \geq 0$.

A2. La probabilité associée à l'ensemble S est égale à 1: $P(S) = 1$.

A3. Si A et B sont deux événements incompatibles* (ils ne peuvent se réaliser simultanément), alors la probabilité de réalisation de l'un ou l'autre est égale à la somme des probabilités de A et de B: $P(A \text{ ou } B) = P(A \cup B) = P(A) + P(B)$.

Donnons quelques conséquences immédiates qui nous seront utiles.

i) Si pour une certaine épreuve, on considère seulement 2 événements possibles et incompatibles, A et B, B est dit «événement contraire» de A ou «événement complémentaire» de A et sa probabilité est $P(B) = 1 - P(A)$. Dans ce cas l'événement B est parfois noté A' (A prime) ou encore $\overline{A}$ (non A).

ii) Pour tout événement A: $0 \leq P(A) \leq 1$.

iii) Si $A_1, A_2,..., A_n$ sont des événements incompatibles deux à deux, alors la probabilité de réalisation de l'un quelconque de ces événements est:

$P(A_1 \text{ ou } A_2 \text{ ou } ... \text{ ou } A_n) = P(A_1 \cup A_2 \cup ... \cup A_n) = P(A_1) + P(A_2) + ... + P(A_n)$.

Exemple 3.6   **Événements incompatibles deux à deux**

Nombre d'années d'existence	Nombre d'entreprises
Moins de 2 ans (A)	18
De 2 à 5 ans (B)	62
De 5 à 10 ans (C)	119
Plus de 10 ans (D)	88
Total:	287

Le tableau ci-contre, obtenu à partir d'un sondage* effectué auprès de producteurs de logiciels québécois, nous donne la répartition des entreprises selon le nombre d'années d'existence.

On choisit au hasard une de ces entreprises et on s'intéresse au nombre d'années d'existence.

a) Quelle est la probabilité que l'entreprise ait moins de 2 ans d'existence? On veut $P(A)$.

* Source: Portrait de l'industrie du logiciel au Québec, Centre de Promotion du logiciel québécois, 1992.

---

* Deux événements incompatibles sont également appelés événements mutuellement exclusifs. On dit également que les ensembles correspondants sont disjoints:
$P(A \cup B) = P(A) + P(B)$.

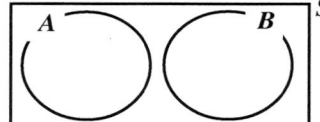

P(Moins de 2 ans d'existence) = $P(A)$ = 18/287 = 0,063.

Il y a seulement 6 chances sur 100 que ce producteur de logiciels ait moins de 2 ans d'existence.

b) Quelle est la probabilité que l'entreprise ait au moins 5 ans d'existence?

D'après le tableau de la page précédente, cet événement se symbolise de la façon suivante: $E = C \cup D$.

$P(E) = P(C \cup D) = P(C) + P(D)$ puisque C et D sont des événements mutuellement exclusifs. On a

$P(E) = \dfrac{119}{287} + \dfrac{88}{287} = 0,7212$ soit pratiquement 72 chances sur 100 que l'entreprise ait au moins 5 ans d'existence.

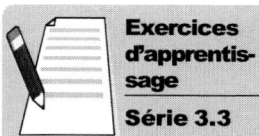

Exercices d'apprentissage
Série 3.3

📄 Application des propriétés du calcul des probabilités

1. Le responsable du marketing d'une grande entreprise fabriquant des appareils électroménagers a effectué un relevé des couleurs qui ont été le plus en demande depuis les trois dernières années.

Variétés des couleurs

	Blanc	Vert	Jaune	Acier
Proportion des clients	48%	12%	34%	6%

Si un client potentiel envisage d'acheter un appareil électroménager, quelle est la probabilité

a) que son choix se porte sur un appareil de couleur blanche ? _____

b) que son choix soit celui d'un appareil de couleur soit verte, soit jaune ? _____

c) que son choix se porte sur un appareil de couleur autre que acier ? _____

📄 Calcul de certaines probabilités: âge des lecteurs de la revue santé et sécurité du travail

2. Utilisons à nouveau la compilation des résultats de l'exemple 3.4 concernant la répartition de l'âge des lecteurs et lectrices de la revue en santé et sécurité du travail. On choisit au hasard un de ces individus.

Âge	Nombre
$20 \leq X < 25$	67
$25 \leq X < 30$	82
$30 \leq X < 35$	209
$35 \leq X < 40$	201
$40 \leq X < 45$	102
$45 \leq X < 50$	95
$50 \leq X < 55$	33
$55 \leq X < 60$	9
$60 \leq X < 65$	2

a) Trouvez la probabilité que son âge soit supérieur ou égal à 35 ans mais inférieur à 45.

b) Trouvez la probabilité que l'âge du lecteur soit d'au moins 20 ans.

On pourrait qualifier cet événement comme _____ .

📄 Calcul de la probabilité d'un événement de l'espace échantillonnal

3. En utilisant le contexte de l'exercice d'apprentissage de la série 3.1 (page 179), déterminez

a) la probabilité de trouver un bordereau non conforme dans l'échantillon de trois sachant que la proportion de bordereaux non conformes est habituellement de 1 sur 1000.

b) Déterminez la probabilité que les trois bordereaux soient conformes.

**Exercices
d'apprentis-
sage**
**Série3.3
(suite)**

📄Vérification des propriétés régissant le calcul des propriétés

Rappel

$A_1: P(A) \geq 0.$
$A_2: P(S) = 1.$
$A_3: P(A \cup B) = P(A) + P(B)$,
A et B étant deux événements incompatibles.

4. Une expérience conduit à 4 résultats possibles et incompatibles. L'espace échantillonnal associé est:

$$S = \{E_1, E_2, E_3, E_4\}.$$

Vérifiez si, dans chaque cas, les probabilités attribuées aux différents résultats sont conformes aux propriétés régissant le calcul des probabilités. Si une propriété n'est pas vérifiée, donnez-en la raison.

a) $P(E_1) = 0,4$
   $P(E_2) = 0,2$
   $P(E_3) = 0,25$
   $P(E_4) = 0,05$

Propriété	Vérifiée	Non vérifiée
A1	✔	
A2		
A3		

b) $P(E_1) = 0,3$
   $P(E_2) = 0,6$
   $P(E_3) = 0$
   $P(E_4) = 0,1$

Propriété	Vérifiée	Non vérifiée
A1		
A2		
A3		

c) $P(E_1) = 0,25$
   $P(E_2) = -0,30$
   $P(E_3) = 0,65$
   $P(E_4) = 0,10$

Propriété	Vérifiée	Non vérifiée
A1		
A2		
A3		

d) $P(E_1) = 0,48$
   $P(E_2) = 0,20$
   $P(\{E_2, E_3\}) = 0,20$
   $P(E_4) = 0,34$

Propriété	Vérifiée	Non vérifiée
A1		
A2		
A3		

Remarques. Voici quelques résultats utiles concernant les opérations sur les événements.

a) *Vocabulaire*

Événement $A \cup B$: événement qui est réalisé lorsque A ou bien B (éventuellement les deux) se produit.

Événement $A \cap B$: événement qui est réalisé lorsque A et B se produisent tous les deux.

Événement $A \cap B = \phi$: l'intersection de A et B est vide et est notée ϕ. Les événements A et B sont incompatibles.

A' : événement contraire de A (événement complémentaire de A par rapport à S).

b) *Opérations*

Réunion	Intersection
$A \cup A = A$	$A \cap A = A$
$A \cup \phi = A$	$A \cap \phi = \phi$
$A \cup S = S$	$A \cap S = A$
$A \cup A' = S$	$A \cap A' = \phi$
$(A')' = A$	$(S)' = \phi, \phi' = S$
$A \cup B = B \cup A$	$A \cap B = B \cap A$
$(A \cup B)' = A' \cap B'$	$(A \cap B)' = A' \cup B'$

3.5   Probabilités totales: événements ne s'excluant pas

Considérons maintenant le cas de la réalisation dans une épreuve de l'un ou l'autre de deux événements ne s'excluant pas mutuellement.

Règle d'addition:

$P(A \cup B) =$

$P(A) + P(B) - P(A \cap B)$

Calcul des probabilités totales. La probabilité de se voir réaliser dans une épreuve l'un ou l'autre de deux événements A et B ne s'excluant pas mutuellement est égale à la somme des probabilités de A et de B diminuée de la probabilité d'avoir à la fois A et B: $P(A$ ou $B) = P(A) + P(B) - P(A$ et $B)$ soit

$P(A \cup B) = P(A) + P(B) - P(A \cap B)$.

Cette expression porte également le nom de *règle d'addition*.

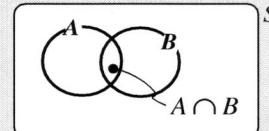

Exemple 3.7

Les Canadiens et les jeux d'argent

Une enquête* effectuée auprès de 1500 Canadiens portant sur les jeux d'argent indique que

    1182 jouent à la loterie (A)

    310 vont au casino (B)

    190 jouent autant à la loterie qu'au casino $(A$ et $B)$

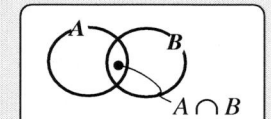

* Source: Adapté de Lévesque, L. *Les jeux d'argent ont la cote*, La Presse, 26 novembre 2001.

a) Si un Canadien adulte est choisi au hasard, quelle est la probabilité qu'il joue, soit à la loterie, soit au casino?

C'est l'application directe de la formule des probabilités totales:

$$P(A \cup B) = P(A) + P(B) - P(A \cap B) = \frac{1182}{1500} + \frac{310}{1500} - \frac{190}{1500} = \frac{1302}{1500} = 0,868.$$

b) Quelle est la probabilité qu'il joue uniquement au casino?

Jouer uniquement «au casino» correspond à l'événement «jouer au casino et ne pas jouer à la loterie» soit $B \cap A' = B - (A \cap B)$. On peut déduire facilement le nombre de Canadiens correspondant à cette catégorie, soit $310 - 190 = 120$ et la probabilité cherchée est $P(B \cap A') = \dfrac{120}{1500} = 0,08$.

Remarques. a)   Dans le cas où A et B sont incompatibles, l'événement «A et B» est impossible, alors $P(A \cap B) = 0$ et la formule des probabilités totales se réduit à $P(A \cup B) = P(A) + P(B)$.

b) La règle du calcul des probabiliés totales se généralise au cas de plusieurs événements. Dans le cas de trois événements A, B, C, on écrit:

$$P(A \cup B \cup C) = P(A) + P(B) + P(C) - P(A \cap B) - P(A \cap C)$$
$$- P(B \cap C) + P(A \cap B \cap C).$$

Exercices d'apprentis-sage

Série 3.4

📖 Calcul de probabilités pour des événements ne s'excluant pas

1. Une enquête effectuée auprès de 400 dirigeants d'entreprise portant sur la lecture de deux publications mensuelles, soit le journal *Nouvelles technologies* et le journal *Finance Plus,* donne les résultats suivants:

165 lisent *Nouvelles technologies* (A)
240 lisent *Finance Plus* (B)
90 lisent les deux (A et B: $A \cap B$).

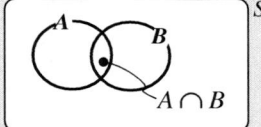

a) Si un de ces dirigeants est choisi au hasard, quelle est la probabilité qu'il lise l'un ou l'autre de ces journaux?

b) Quelle est la probabilité qu'il lise uniquement *Finance Plus* ?

c) Symbolisez en notation ensembliste l'événement «Ne lire ni *Nouvelles technologies* ni *Finance Plus*».
On obtient alors _____ qui peut également s'écrire, selon la remarque précédente, _____.
Quelle est la probabilité correspondante?

2. Soit A et B, deux événements de S ne s'excluant pas mutuellement et pour lesquels $P(A) = 0{,}30$, $P(B) = 0{,}45$ et $P(A \cup B) = 0{,}55$. Hachurez sur chaque diagramme de Venn la région correspondant à l'événement requis et déterminez sa probabilité.

a) $P(A \cap B)$.
$$P(A \cap B) \ \ = P(A) + P(B) - P(A \cup B)$$
$$= 0{,}30 + 0{,}45 - 0{,}55 = 0{,}20.$$

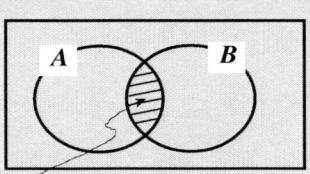

$A \cap B$

b) $P(A' \cap B)$.

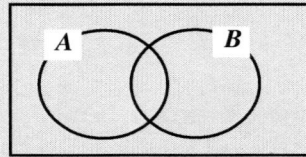

c) $P(A' \cup B')$.

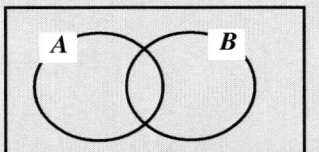

d) $P(A \cap B')$.

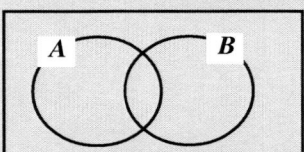

e) $P(A \cup B')$.

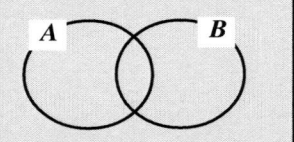

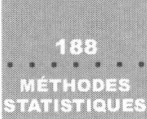

3.6 Événements liés, probabilités conditionnelles, probabilités composées et événements indépendants

3.6.1 Événements liés

Les probabilités, telles que définies précédemment, l'ont toutes été par rapport à l'ensemble de tous les résultats possibles (espace échantillonnal). On peut également s'intéresser à évaluer la probabilité d'un événement B, non pas par rapport à l'espace échantillonnal S, mais par rapport à un autre événement A de S, qui s'est déjà réalisé. Dans ce cas, la réalisation de l'événement B est conditionnée par la réalisation de l'événement A que nous notons $B|A$. Cet événement est dit *événement lié* (B lié par A).

Dans l'exemple 3.7, on peut s'intéresser à évaluer la probabilité qu'un Canadien choisi au hasard, va «au casino», sachant qu'il joue «à la loterie».

3.6.2 Probabilité conditionnelle

Pour évaluer cette probabilité, il est nécessaire de connaître la définition de la probabilité conditionnelle d'un événement.

Probabilité conditionnelle:

$$P(B|A) = \frac{P(A \cap B)}{P(A)},$$
$$P(A) \neq 0$$

Probabilité conditionnelle. Soit A et B deux événements de S tels que A est un événement de probabilité non nulle ($P(A) > 0$). On appelle probabilité conditionnelle de B par rapport à A, la probabilité de réalisation de l'événement B, sachant que l'événement A s'est réalisé et se note $P(B|A)$. Sa valeur est donnée par:

$$P(B|A) = \frac{P(A \cap B)}{P(A)}, \ P(A) > 0. \quad \text{De même} \quad P(A|B) = \frac{P(A \cap B)}{P(B)}, P(B) > 0.$$

3.6.3 Probabilités composées

À partir de la définition de la probabilité conditionnelle, on peut en déduire une relation intéressante qui porte le nom de formule des *probabilités composées* ou *règle de multiplication*.

Probabilités composées:

$$P(A \cap B) = P(A) \cdot P(B|A)$$

Formule des probabilités composées. Soit A et B deux événements de probabilité non nulle. La probabilité de se voir réaliser à la fois (simultanément) deux événements A et B est égale au produit de la probabilité de A par la probabilité de B sachant que A s'est réalisé:

$$P(A \cap B) = P(A) \cdot P(B|A).$$

Remarque. On peut également écrire: $P(A \cap B) = P(B) \cdot P(A|B)$.

Exemple 3.8

Application de la notion de probabilités composées et de la probabilité conditionnelle

Une étude auprès de 1000 individus concernant l'efficacité d'un test pour dépister une maladie contagieuse conduit aux résultats suivants:

	Test positif (C)	Test négatif (D)
Pas de maladie (A)	40	860
Maladie contagieuse (B)	80	20

On sélectionne au hasard un individu de cette population.
a) Quelle est la probabilité qu'il présente la maladie contagieuse?

$$P(B) = \frac{\text{Nombre de cas présentant la maladie contagieuse}}{\text{Nombre total d'individus}} = \frac{100}{1000} = 0,10.$$

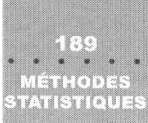

b) Quelle est la probabilité que l'individu ait un test positif?

$$P(C) = \frac{\text{Nombre de cas ayant un test positif}}{\text{Nombre total d'individus}} = \frac{120}{1000} = 0,12.$$

c) Quelle est la probabilité que l'individu avec un test négatif présente la maladie contagieuse?

$$P(B|D) = \frac{P(B \cap D)}{P(D)} = \frac{20\,/\,1000}{880\,/\,1000} = 0,0227.$$

d) Quelle est la probabilité que l'individu avec un test positif ne présente pas de maladie contagieuse?

$$P(A|C) = \frac{P(A \cap C)}{P(C)} = \frac{40\,/\,1000}{120\,/\,1000} = 0,333.$$

Synthèse des règles du calcul des probabilités

Nous résumons dans le tableau ci-après les deux règles importantes du calcul des probabilités.

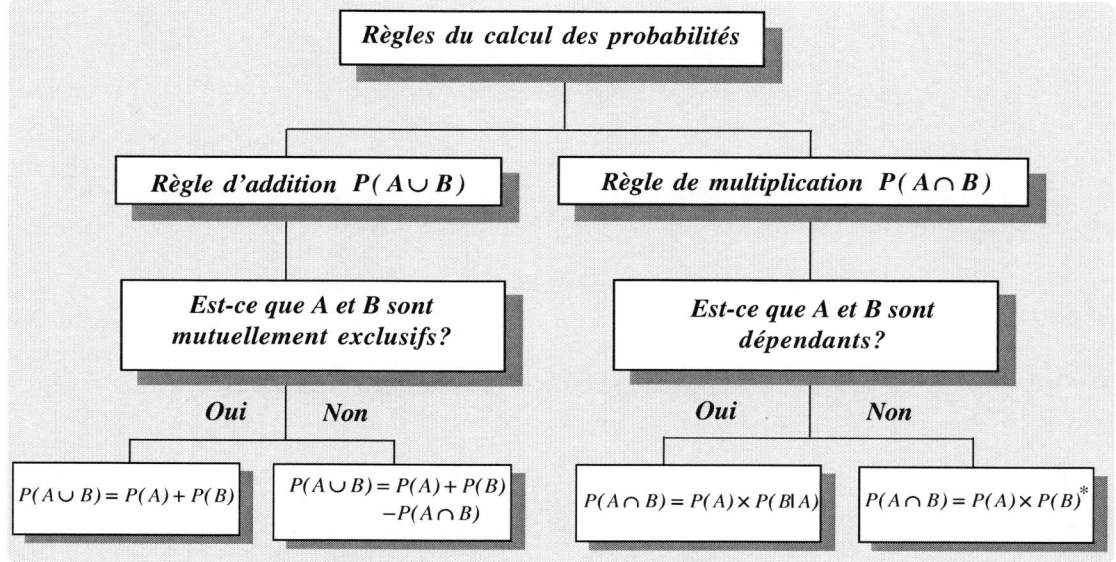

*Voir, section 3.6.4.

Exemple 3.9

Application de la notion de probabilités composées: Bris d'un dispositif électronique et arrêt d'une chaîne d'empaquetage

Chez l'entreprise Electropak, on a noté, en se basant sur une évaluation de plusieurs années, qu'un dispositif électronique complexe, installé sur une chaîne d'empaquetage a une probabilité 0,20 de tomber en panne. Notons l'événement «dispositif électronique tombe en panne» par A: $P(A) = 0,20$. Lorsque ce dispositif tombe en panne, la probabilité d'être obligé d'arrêter complètement la chaîne d'empaquetage (à cause de l'importance du bris) est de 0,50.

Notons par $B|A$, l'événement «arrêt complet de la chaîne d'empaquetage étant donné un bris dans le dispositif électronique», d'où $P(B|A) = 0,50$.

Quelle est la probabilité d'observer que le dispositif tombe en panne et que la chaîne d'empaquetage soit complètement arrêtée?

On veut $P(A \cap B) = P(A) \cdot P(B|A) = (0,20)(0,50) = 0,10.$

Remarque. La formule des probabilités composées (règle de multiplication), dans le cas de trois événements A, B, C s'écrit:

$$P(A \cap B \cap C) = P(A) \cdot P(B|A) \cdot P(C|A \cap B).$$

3.6.4 Événements indépendants

Deux événements compatibles sont dits *indépendants*, si la réalisation de l'un n'est pas influencée par la réalisation de l'autre. L'indépendance de deux événements A et B se définit comme suit.

Probabilité d'événements indépendants:

$$P(A \cap B) = P(A) \cdot P(B)$$

Indépendance d'événements. Deux événements A et B sont indépendants si
$$P(B|A) = P(B) \text{ ou } P(A|B) = P(A).$$
Dans le cas d'indépendance, la formule des probabilités composées devient:
$$P(A \cap B) = P(A) \cdot P(B).$$

$P(B|A) = P(B)$ signifie que la probabilité de réalisation de l'événement B est la même, que A se soit ou non réalisé. De même, si B est indépendant de A, A est indépendant de B. L'indépendance est une relation symétrique et les événements A et B sont mutuellement indépendants.

Remarques. a) Cette notion peut se généraliser à n événements. Dans le cas de trois événements A, B, C, ils sont indépendants si
$$P(A \cap B) = P(A) \cdot P(B), P(A \cap C) = P(A) \cdot P(C), P(B \cap C) = P(B) \cdot P(C)$$
$$\text{et } P(A \cap B \cap C) = P(A) \cdot P(B) \cdot P(C)$$
b) Dans le cas de deux événements indépendants A et B, on peut également écrire
$$P(A \cap B) = P(A) \cdot P(B), \quad P(A' \cap B) = P(A') \cdot P(B),$$
$$P(A \cap B') = P(A) \cdot P(B'), \quad P(A' \cap B') = P(A') \cdot P(B').$$

Distinction entre événements incompatibles et événements indépendants

c) **Événements incompatibles et événements indépendants.** Il importe de ne pas confondre événements incompatibles et événements indépendants. Incompatibilité signifie que les deux événements ne peuvent se réaliser simultanément ($P(A \cap B) = 0$) et indépendance signifie que la probabilité de réalisation de l'un n'est pas modifiée par la réalisation de l'autre: $P(B|A) = P(B)$. Si $P(B|A) \neq P(B)$, A et B sont des événements dépendants.

Exemple 3.10

Calcul de diverses probabilités

Cent personnes ont posé leur candidature à un poste de direction des services financiers d'une importante société de fiducie. De ce nombre, 55 ont une expérience en supervision de représentants dans des entreprises offrant des services fiduciaires et financiers (*A*), 35 ont un diplôme universitaire en marketing (*B*) et 10 ont à la fois l'expérience en supervision et le diplôme en marketing.

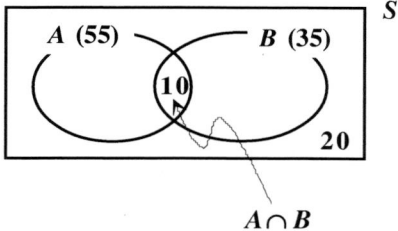

a) Schématisez cette situation à l'aide d'un diagramme de Venn. Le diagramme est présenté ci-haut.

b) Quelle est la probabilité pour qu'une des 100 personnes, tirée au hasard, ait uniquement le diplôme universitaire en marketing? L'événement «ait uniquement le diplôme universitaire en marketing» s'écrit $A' \cap B$. Cet événement est schématisé sur le diagramme ci-contre.

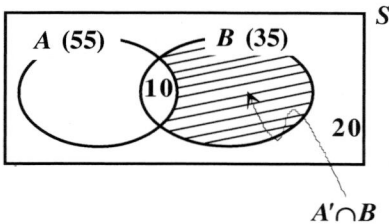

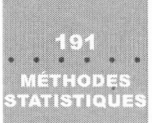
Sa probabilité est donc: $P(A' \cap B) = P(B) - P(A \cap B) = 0,35 - 0,10 = 0,25.$

c) Quelle est la probabilité pour qu'une personne ayant posé sa candidature ait soit l'expérience en supervision, soit le diplôme en marketing, mais non les deux?

En notation ensembliste, on écrit: $(A \cap B') \cup (A' \cap B)$

On veut $P[(A \cap B') \cup (A' \cap B)] = P(A \cap B') + P(A' \cap B)$
$$= P(A) - P(A \cap B) + P(A' \cap B) = 0,55 - 0,10 + 0,25 = 0,70.$$

d) Quelle est la probabilité pour qu'une personne, choisie au hasard parmi celles ayant un diplôme universitaire en marketing, possède aussi une expérience en supervision?

Nous devons calculer une probabilité conditionnelle. On veut

$$P(A|B) = \frac{P(A \cap B)}{P(B)} = \frac{0,10}{0,35} = 0,2857.$$

e) Quelle est la probabilité pour qu'une personne, choisie au hasard parmi celles qui ont posé leur candidature, n'ait ni expérience en supervision, ni diplôme universitaire en marketing?

On cherche $P(A' \cap B')$. D'après la remarque de la page 185 concernant les opérations sur les événements, on peut écrire: $A' \cap B' = (A \cup B)'.$

Alors $P(A' \cap B') = P(A \cup B)' = 1 - P(A \cup B)$
$$= 1 - [P(A) + P(B) - P(A \cap B)]$$
$$= 1 - [0,55 + 0,35 - 0,10] = 1 - 0,80 = 0,20.$$

f) Est-ce que les événements A et B sont dépendants ou indépendants?

Si les événements sont liés, alors $P(A \cap B) = P(A) \cdot P(B|A)$; si les événements sont indépendants, alors $P(A \cap B) = P(A) \times P(B)$ où $P(B|A) = P(B)$.
On sait que $P(A) = 0,55$, $P(B) = 0,35$;

d'autre part, $P(B|A) = \frac{P(A \cap B)}{P(A)} = \frac{0,10}{0,55} = 0,1818.$

Par conséquent A et B sont dépendants puisque $P(B|A) = 0,1818 \neq P(B) = 0,35.$

Exemple 3.11

Calcul de probabilités à partir d'un tableau croisé: probabilités conjointes et probabilités marginales

Nous avons déjà traité au chapitre 1 de la notion de tableau croisé (tableau à double entrée où les modalités d'un caractère sont croisées avec les modalités d'un autre caractère). Cette notion va nous permettre d'aborder le concept de probabilité conjointe et celui de probabilité marginale.

Le tableau croisé suivant donne la répartition des répondants* en fonction de leur âge et de leur potentiel entrepreneurial (enquête effectuée au Cégep de Sainte-Foy).

Potentiel entrepreneurial	Âge (années)			Total
	De 16 à 20 inc.	De 21 à 30 inc.	31 et plus	
Faible	36	21	0	57
Moyen	325	206	5	536
Fort	69	84	3	156
Total	430	311	8	749

* Source: Sabourin, J.-P., Gasse, Y. *Le potentiel entrepreneurial et les intentions de créations d'entreprises des élèves et des diplômés de Cégep*, Revue P.M.O., Volume 4, no 1, p. 12-23.

On sélectionne au hasard un de ces répondants.

Définissons les divers événements comme suit:

- A: Le répondant a un potentiel entrepreneurial faible.
- B: Le répondant a un potentiel entrepreneurial moyen.
- C: Le répondant a un potentiel entrepreneurial fort.
- D: Le répondant est âgé entre 16 et 20 ans.
- E: Le répondant est âgé entre 21 et 30 ans.
- F: Le répondant est âgé de 31 ans et plus.

a) Quelle est la probabilité que le répondant ait un potentiel entrepreneurial moyen?

On s'intéresse à l'événement B. Il s'agit, pour obtenir cette probabilité, de calculer la proportion de répondants appartenant à la modalité «potentiel entrepreneurial moyen» sur l'ensemble des répondants (soit 749). On a donc: $P(B) = \dfrac{n(B)}{n(S)} = \dfrac{536}{749} = 0,7156$.

On pourrait faire de même pour les modalités «faible» et «fort» où dans ce cas,

$P(A) = \dfrac{57}{749} = 0,076$ et $P(C) = \dfrac{156}{749} = 0,2083$. Ces probabilités sont dites, dans un

Probabilités marginales

tableau croisé, *probabilités marginales*. Elles apparaissent en marge du tableau (total de chaque ligne divisée par le total du tableau). Il en est de même pour les colonnes du tableau, caractère selon la catégorie d'âge des répondants: $P(D) = 430/749$, $P(E) = 311/749$ et $P(F) = 8/749$.

b) Quelle est la probabilité que le répondant ait un potentiel entrepreneurial moyen (B), sachant qu'il est âgé entre 21 et 30 ans (E)?

On cherche la probabilité conditionnelle $P(B|E)$. Donc $P(B|E) = \dfrac{P(B \cap E)}{P(E)}$.

On veut donc calculer la probabilité du même événement qu'en a), toutefois sous la condition de la réalisation préalable de l'événement E, répondant âgé entre 21 et 30 ans. Ceci a pour effet de réduire le nombre de répondants à considérer (on obtient alors un sous-ensemble de S) pour évaluer cette probabilité (seulement 311 au lieu de 749 répondants).

La probabilité cherchée est: $P(B|E) = \dfrac{n(B \cap E)}{n(E)} = \dfrac{206}{311} = 0,6624$ ou encore

$P(B|E) = \dfrac{P(B \cap E)}{P(E)} = \dfrac{206/749}{311/749} = 0,6624$.

c) Quelle est la probabilité que le répondant ait un potentiel entrepreneurial fort (C) et appartienne à la catégorie des 16 à 20 ans (D)?

On veut $P(C \cap D) = \dfrac{n(C \cap D)}{n(S)} = \dfrac{69}{749} = 0,0921$ qui peut aussi s'écrire, en utilisant la formule des probabilités composées,

$P(C \cap D) = P(C) \cdot P(D|C) = \dfrac{156}{749} \cdot \dfrac{69}{156} = \dfrac{69}{749} = 0,0921$. Cette probabilité, $P(C \cap D)$,

Probabilités conjointes

est dite dans ce tableau, *probabilité conjointe*. Le tableau comporte 9 probabilités conjointes: $P(A \cap D), P(A \cap E), ..., P(C \cap E), P(C \cap F)$.

d) Quelle est la probabilité que le répondant ait un potentiel entrepreneurial faible et soit âgé de 30 ans et moins?

On cherche la probabilité de l'événement $A \cap (D \cup E)$.

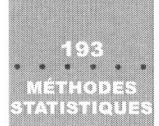

L'événement $A \cap (D \cup E)$. peut s'écrire:

$$A \cap (D \cup E) = (A \cap D) \cup (A \cap E) \text{ et } P(A \cap (D \cup E)) = P(A \cap D) + P(A \cap E)$$

$$= \frac{36}{749} + \frac{21}{749} = \frac{57}{749} = 0,0761.$$

Exercices d'apprentis-sage

Série 3.5

📄 Calcul de probabilités pour des événements indépendants

📄 Calcul de probabilités à partir d'un tableau croisé

1. D'après les essais cliniques d'un antibiotique pour traiter des infections légères, on a constaté des effets secondaires de ce médicament chez 4% des patients.

On suppose que la présence d'effets secondaires chez un patient n'affecte pas la présence d'effets secondaires chez un autre patient.

a) Quelle est la probabilité que deux patients traités avec ce médicament présentent conjointement des effets secondaires?

b) Quelle est la probabilité que le premier patient présente des effets secondaires et que le second ne présente aucun effet secondaire?

2. Utilisons les données de l'exemple 3.11 où la répartition des répondants en fonction de leur âge et de leur potentiel entrepreneurial est indiquée ci-après.

Potentiel entrepreneurial	Âge (années)			
	De 16 à 20 inc.	De 21 à 30 inc.	31 et plus	Total
Faible	36	21	0	57
Moyen	325	206	5	536
Fort	69	84	3	156
Total	430	311	8	749

* Source: Sabourin, J.-P., Gasse, Y. *Le potentiel entrepreneurial et les intentions de créations d'entreprises des élèves et des diplômés de Cégep*, Revue P.M.O., Volume 4, no 1, p. 12-23.

On sélectionne au hasard un de ces répondants.

a) Quelle est la probabilité que le répondant soit âgé de 21 et plus?

b) Quelle est la probabilité que le répondant ait un potentiel entrepreneurial moyen et appartienne à la catégorie de 21 à 30 ans?

c) Quelle est la probabilité que le répondant ait un potentiel entrepreneurial fort et soit âgé de 21 ans et plus?

d) Quelle est la probabilité que le répondant soit dans la catégorie de 21 à 30 ans avec un potentiel entrepreneurial fort, sachant que le répondant a un potentiel entrepreneurial fort?

Exemple 3.12

Probabilités et événement rare

Un procédé industriel produit, en moyenne, une unité non conforme sur 50. Toutefois les unités non conformes sont détectées par un senseur électronique et sont écartées de la chaîne de production, pour être ensuite rectifiées.

On vient de détecter une suite de cinq unités non conformes de la chaîne de production.

a) En considérant qu'une unité non conforme apparaît de façon aléatoire sur la chaîne d'assemblage, quelle est la probabilité d'observer une suite de cinq unités non conformes?

D'après l'historique de cette chaîne de production, la probabilité d'observer, en une période quelconque, une unité non conforme est 1 sur 50 soit 0,02.

On considère également que les unités non conformes sont indépendantes les unes des autres.

Définissons les événements comme suit:

NC_1: la première unité est non conforme

NC_2: la deuxième unité est non conforme

$\vdots$

NC_5: la cinquième unité est non conforme

et $P(NC_1) = 0,02$, $P(NC_2) = 0,02$, ..., $P(NC_5) = 0,02$.

Puisque ces événements sont indépendants, la probabilité d'observer cinq unités consécutives non conformes est:

$$P(\text{Les cinq unités sont non conformes}) = P(NC_1) \cdot P(NC_2) \cdot P(NC_3) \cdot P(NC_4) \cdot P(NC_5)$$
$$= \left(\frac{1}{50}\right)\left(\frac{1}{50}\right)\left(\frac{1}{50}\right)\left(\frac{1}{50}\right)\left(\frac{1}{50}\right) = \frac{1}{312\,500\,000}$$
$$= 0,0000000032$$

b) Si cette situation (cinq unités consécutives non conformes) s'est effectivement réalisée, que peut-on conclure quant au procédé industriel?

Le fait d'observer cinq unités consécutives non conformes est très improbable, comme nous l'indique le résultat obtenu en a). On peut conclure que les conditions opérationnelles du procédé ont changé (pour ne pas dire se sont détériorées). Le procédé n'est plus maîtrisé. Il faudrait intervenir pour en déterminer la cause.

Remarque. Notion d'événement rare et inférence statistique.

a) La notion d'événement rare est bien illustrée par les chances d'obtenir les six numéros gagnants à LOTTO 6/49, sa probabilité étant très faible.

b) En inférence statistique (notions que nous traitons dans les chapitres 6 et suivants), on dit qu'un événement est rare (ou significatif) si sa probabilité de réalisation est inférieure à 5%. On dit qu'il est très rare (ou très significatif) si sa probabilité de réalisation est inférieure à 1%.

c) Dans l'exemple 3.12, notre hypothèse concernant le procédé industriel avec, en moyenne, une unité non conforme sur 50 est:

   i) soit correcte; dans ce cas nous sommes en présence d'un événement très rare d'observer cinq unités consécutives non conformes (prob = 0,0000000032).

   ii) soit fausse; dans ce cas, le procédé opère à un niveau d'unités non conformes de beaucoup supérieur à 1 sur 50, rendant le fait d'observer cinq unités consécutives non conformes plus probable.

3.7   Probabilités des causes: formule de Bayes*

Il arrive parfois qu'une épreuve puisse être décomposée en deux étapes successives:

- Dans un premier temps, on obtient un groupe d'événements incompatibles E_1, E_2, ..., E_i,..., E_n. À chacun de ces événements correspond une information initiale permettant d'évaluer les probabilités $P(E_1)$, $P(E_2)$, $P(E_i)$,..., $P(E_n)$.

- Dans un deuxième temps, on obtient un événement A issu du groupe précédent pour lequel on connaît les probabilités conditionnelles $P(A|E_1)$, $P(A|E_2)$,..., $P(A|E_i)$,..., $P(A|E_n)$.

*Reverend Thomas Bayes, mathématicien anglais (1702-1761).

On demande alors de calculer $P(E_i|A)$ c.-à-d. d'évaluer les probabilités des diverses causes de A, sachant que A s'est produit. L'exemple suivant permettra de mieux assimiler ces notions.

Exemple 3.13

Application de la formule de Bayes: approche intuitive

Dans une entreprise de service, le traitement de diverses formes administratives présente un certain pourcentage d'erreurs par les trois employés affectés à cette tâche. Le commis C_1 traite 40% des formes, le commis C_2 traite 35% des formes alors que C_3 en traite 25%. Le commis C_1 présente un taux d'erreur de 4%, le commis C_2 présente un taux d'erreur de 6% alors que le commis C_3 a un taux d'erreur de 3%.

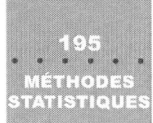
Une forme administrative est sélectionnée au hasard parmi le lot de formes qui ont été traitées au cours de la journée et présente une erreur.

Quelle est la probabilité que cette forme administrative a été traitée par le commis C_1?

Identifions les événements concernés comme suit:

A: La forme administrative sélectionnée au hasard présente une erreur.

E_1: La forme a été traitée par le commis C_1.

E_2: La forme a été traitée par le commis C_2.

E_3: La forme a été traitée par le commis C_3.

On peut schématiser cette épreuve (sélectionner au hasard parmi le lot, une forme administrative) et les divers événements qui nous intéressent comme suit:

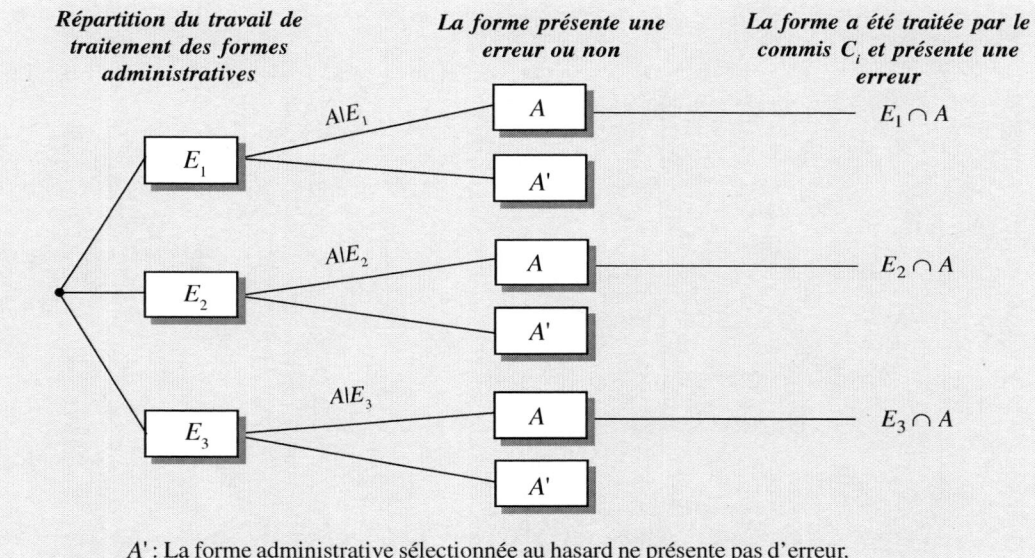

A': La forme administrative sélectionnée au hasard ne présente pas d'erreur.

On constate sur le schéma, qu'il y a trois branches qui peuvent nous amener à une forme administrative comportant une erreur. Ce sont les événements composés $E_1 \cap A$, $E_2 \cap A$ et $E_3 \cap A$ qui sont mutuellement exclusifs. Toutefois, nous cherchons à déterminer, pour un événement observé (la forme administrative sélectionnée présente une erreur), la probabilité qu'une cause donnée (le commis C_1) en soit l'origine: $P(E_1|A)$.

Par définition de la probabilité conditionnelle, $P(E_1|A) = \dfrac{P(E_1 \cap A)}{P(A)}$.

Par la formule des probabilités composées, $P(E_1 \cap A) = P(E_1) \cdot P(A|E_1)$.

D'autre part, l'événement A « La forme administrative sélectionnée au hasard présente une erreur» est composé de trois événements incompatibles comme l'indique le diagramme ci-contre: $A = (E_1 \cap A) \cup (E_2 \cap A) \cup (E_3 \cap A)$.

Par conséquent, on peut écrire:

$P(A) = P(E_1 \cap A) + P(E_2 \cap A) + P(E_3 \cap A)$.

Puisque $P(E_1 \cap A) = P(E_1) \cdot P(A|E_1)$,

$P(E_2 \cap A) = P(E_2) \cdot P(A|E_2)$

et $P(E_3 \cap A) = P(E_3) \cdot P(A|E_3)$, alors la probabilité $P(E_1|A)$ s'écrit:

. . . .
196
. . . .
MÉTHODES
STATISTIQUES

CHAPITRE 3

$$P(E_1|A) = \frac{P(E_1 \cap A)}{P(A)} \text{ , ce qui donne}$$

$$P(E_1|A) = \frac{P(E_1) \cdot P(A|E_1)}{P(E_1) \cdot P(A|E_1) + P(E_2) \cdot P(A|E_2) + P(E_3) \cdot P(A|E_3)}.$$

Ce résultat constitue la *formule de Bayes*. On peut alors déterminer la probabilié deman-
dée précédemment. $P(E_1|A) = P$(la forme administrative a été traitée par le commis C_1
sachant qu'elle présente une erreur)

$$= \frac{(0,40)(0,04)}{(0,40)(0,04) + (0,35)(0,06) + (0,25)(0,03)} = \frac{0,016}{0,0445} = 0,35955.$$

Il y a pratiquement 36% des chances que cette forme administrative est été traitée par le
commis C_1.

Reprenons le schéma précédent et indiquons cette fois les probabilités de réalisation
des divers événements.

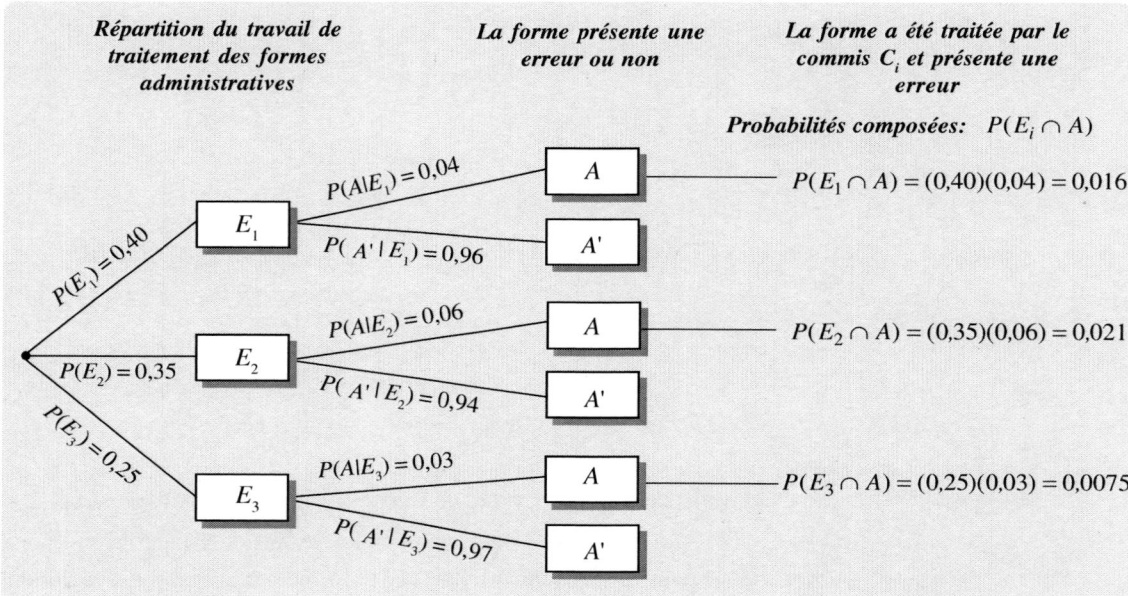

On remarque que l'événement A peut être causé soit par E_1, soit par E_2 ou soit par E_3.
La probabilité que E_1 (le commis C_1) soit la cause de A (la forme administrative
présente une erreur) s'évalue comme suit:

$$P(E_1|A) = \frac{\text{Probabilité composée du parcours reliant } E_1 \text{ et } A}{\text{Somme des probabilités composées de tous les parcours dont l'issue est } A}$$

$$= \frac{0,016}{0,016 + 0,021 + 0,0075} = \frac{0,016}{0,0445} = 0,35955.$$

Remarques. a) L'expression générale de la formule de Bayes est: .

$$P(E_i|A) = \frac{P(E_i) \cdot P(A|E_i)}{\displaystyle\sum_{i=1}^{n} P(E_i) \cdot P(A|E_i)}$$

Les probabilités de $P(E_i)$ sont dites probabilités «a priori» alors que les probabilités $P(E_i|A)$ sont

Remarques. a) (suite) dites probabilités «a posteriori». Cette formule permet de déterminer la probabilité pour qu'un événement (A) qui est supposé déjà réalisé, soit dû à une cause (E_i) plutôt qu'une autre.

b) L'expression du dénominateur $P(A) = P(E_1 \cap A) + P(E_2 \cap A) + ... + P(E_n \cap A) = \sum_{i=i}^{n} P(E_i) \cdot P(A|E_i)$

est aussi connue sous le nom de **règle d'élimination**. Elle donne un moyen très efficace de calculer la probabilité d'un événement quelconque A de l'espace

échantillonnal lorsque celui-ci est conditionné par une série exhaustive d'événements incompatibles deux à deux $E_1, E_2, ..., E_n$ et dont la réunion est l'espace échantillonnal tout entier. Cette règle est visualisée sur le schéma ci-contre ou par le diagramme en arbre dans l'exemple précédent où l'espace échantillonnal (les commis affectés au traitement des formes administratives) était partitionné en trois sous-ensembles disjoints E_1, E_2, E_3.

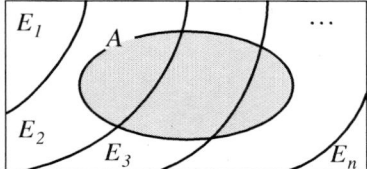

Exemple 3.14

Justification de la formule de Bayes

Pour établir la formule de Bayes, posons d'abord les conditions suivantes:

a) L'espace échantillonnal S est partitionné en n événements incompatibles,

$E_1, E_2, ..., E_n$ tels que $P(E_i) > 0$ pour $i = 1, ..., n$ et $\sum_{i=1}^{n} P(E_i) = 1$.

À chacun de ces événements correspond une information initiale qui permet d'évaluer les probabilités a priori $P(E_1), P(E_2), ..., P(E_n)$.

b) Soit A, un événement de S pour lequel on connaît les probabilités conditionnelles $P(A|E_i)$, $i = 1, ..., n$.

Modifions maintenant les probabilités a priori $P(E_i)$ pour déterminer les probabilités a posteriori $P(E_i|A)$.

Par définition, la probabilité conditionnelle $P(E_i|A)$ s'écrit:

$$P(E_i|A) = \frac{P(E_i \cap A)}{P(A)}$$

Toutefois, par la formule des probabilités composées, le numérateur s'écrit:

$$P(E_i \cap A) = P(E_i) \cdot P(A|E_i)$$

Par la règle d'élimination (voir la remarque précédente), le dénominateur s'écrit:

$$P(A) = \sum_{i=1}^{n} P(E_i) \cdot P(A|E_i)$$

Substituant ces expressions dans la formule de $P(E_i|A)$, on trouve:

$$P(E_i|A) = \frac{P(E_i) \cdot P(A|E_i)}{\sum_{i=1}^{n} P(E_i) \cdot P(A|E_i)} = P(E_i) \cdot \frac{P(A|E_i)}{\sum_{i=1}^{n} P(E_i) \cdot P(A|E_i)}$$

C'est la formule de Bayes qui permet de déterminer la probabilité pour qu'un événement qui est supposé déjà réalisé (A), soit dû à une certaine cause (E_i) plutôt qu'à une autre.

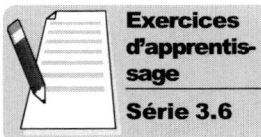

Exercices
d'apprentis-
sage

Série 3.6

1. Utilisons à nouveau le contexte de l'exemple 3.13. Le schéma des divers événements est présenté ci-après.

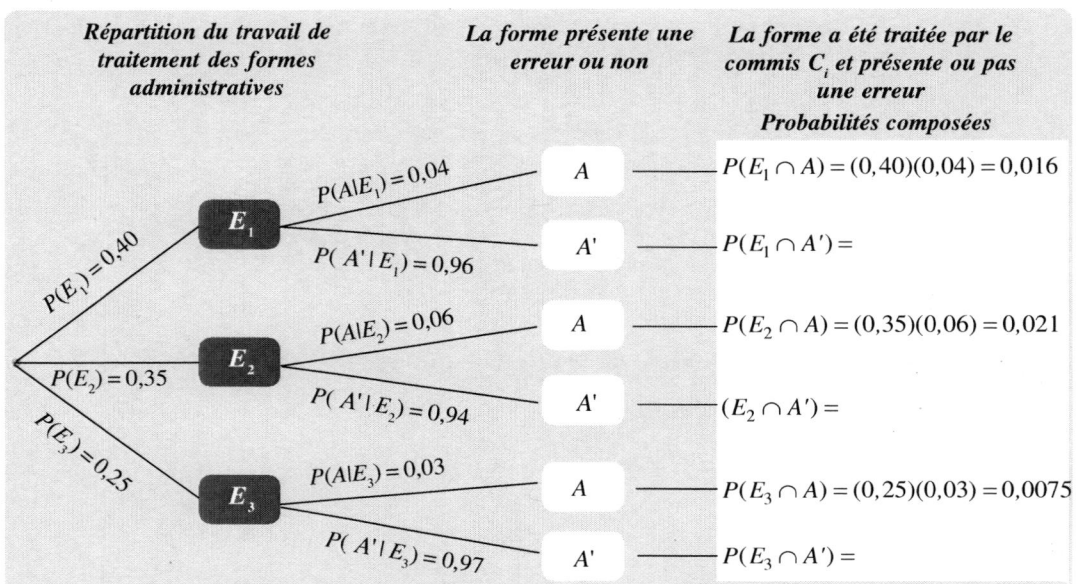

☞ Calcul de diverses probabilités et application de la formule de Bayes

a) Indiquez les diverses probabilités manquantes sur le diagramme.

b) Précisez en mots ce que représentent les événements suivants:

$E_1 \cap A$: la forme a été traitée par le commis C_1 et présente une erreur.

$E_1 \cap A'$: _____

$E_2 \cap A'$: _____

$E_3 \cap A$: _____

$E_3 \cap A'$: _____

c) Quelle est la probabilité que la forme administrative a été traitée par le commis C_2 et ne présente pas d'erreur?

d) La forme administrative, sélectionnée au hasard parmi le lot de formes qui ont été traitées au cours de la journée, présente une erreur. Quelle est la probabilité que la forme a été traitée par le commis C_3?

2. a) En vous servant des résultats précédents, complétez le tableau suivant en indiquant les probabilités correspondantes.

Événements	Probabilités «a priori»	Probabilités conditionnelles	Probabilités composées	Probabilités «a posteriori»
E_i	$P(E_i)$	$P(A|E_i)$	$P(E_i \cap A)$	$P(E_i|A)$
E_1	0,40	0,04	0,016	0,35955
E_2				
E_3				
Somme	_____		_____	_____

b) Que représente la probabilité 0,0445 dans ce tableau?

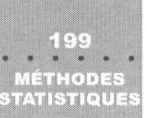

3.8 L'analyse combinatoire, l'échantillonnage et les probabilités

Nous voulons traiter brièvement certaines notions de l'analyse combinatoire et en particulier celles de permutations et de combinaisons. Elles peuvent être utiles dans le calcul de certaines probabilités où le nombre de possibilités de réalisation d'un événement est élevé (ce qui rend inutilisable le diagramme en arbre vu en début de chapitre pour construire l'espace échantillonnal).

Les probabilités combinatoires sont aussi particulièrement utiles dans l'étude de certaines lois de probabilité entre autres, la loi binomiale et la loi hypergéométrique (chapitre 4).

Principe de multiplication

Enonçons d'abord le principe de multiplication qui est à la base de presque toutes les formules de dénombrement.

> **Principe de multiplication.** Si un événement A_1 peut se produire de n_1 façons différentes et si, suivant cet événement, un second événement A_2 peut se produire de n_2 façons différentes et ainsi de suite jusqu'au k ième événement A_k qui peut se produire de n_k façons différentes, alors le nombre de façons dont les événements peuvent se produire dans l'ordre mentionné est: $n_1 \bullet n_2 \bullet ... \bullet n_k$.

Exemple 3.15

Application du principe de multiplication

Un montage transistorisé est assemblé en trois étapes. À la première étape, il y a trois chaînes d'assemblage possibles, à la deuxième étape, il y en a deux et à la troisième étape, il y en a quatre. De combien de façons différentes le montage peut-il être acheminé à travers ce processus d'assemblage?

C'est l'application directe du principe de multiplication. On a $n_1 = 3$, $n_2 = 2$ et $n_3 = 4$, d'où le nombre de façons possibles est:

$$n_1 \bullet n_2 \bullet n_3 = 3 \bullet 2 \bullet 4 = 24.$$

Exemple 3.16

Application du principe de multiplication en échantillonnage: tirage avec remise

Considérons une population de $N = 20$ individus. On veut prélever un échantillon de taille $n = 5$ de cette population. De plus, on considère que l'échantillonnage s'effectue avec remise (chaque individu choisi est remis dans la population avant d'en choisir un autre).

a) Déterminez le nombre possible d'échantillons de taille $n = 5$.

On a 20 choix pour le tirage du premier individu. Puisqu'après chaque tirage, l'individu est remis dans la population, il y a 20 choix possibles pour le second tirage, pour le troisième, quatrième et également pour le cinquième. Il y a donc

$20 \bullet 20 \bullet 20 \bullet 20 \bullet 20 = 20^5 = 3\,200\,000$ échantillons possibles.

D'une façon générale, le nombre d'échantillons possibles de taille n prélevés d'une population de N individus et dont le tirage s'effectue avec remise est:

$$N \bullet N \bullet N \bullet N ... \bullet N = N^n$$
$$n \text{ fois}$$

b) Quelle est la probabilité de choisir un échantillon quelconque de taille $n = 5$ dans une population de N individus si le tirage s'effectue avec remise?

Appliquons la définition classique de la probabilité

$$\text{Probabilité} = \frac{\text{Nombre de cas favorables}}{\text{Nombre de cas possibles}} \quad , \text{ ce qui donne } \frac{1}{3\,200\,000} \left(\frac{1}{N^n} \right).$$

Remarque. Lorsque chaque échantillon de même taille prélevé dans la population a la même probabilité d'être choisi, l'échantillon est alors qualifié **d'échantillon aléatoire simple.** Cet aspect sera traité à nouveau au chapitre 6.

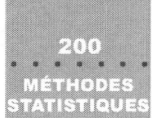

Exercice d'apprentissage

Série 3.7

📖 Application du principe de multiplication

Dans une étude sur le comportement du consommateur, il est requis par le répondant de répondre à un questionnaire comportant dix questions successives, les réponses ne pouvant être que «oui» ou «non». La suite des réponses au questionnaire constitue le profil du répondant. Combien de profils différents sont possibles?

Combinaisons et permutations

Qu'advient-il maintenant si l'échantillonnage s'effectue sans remise?

On doit distinguer deux cas:

> i) l'échantillon est ordonné c.-à-d. que l'on tient compte de l'ordre dans lequel les individus (éléments, unités statistiques) sont prélevés de la population;
>
> ii) l'échantillon n'est pas ordonné.

Dans le premier cas, on a recours à la notion de permutations, dans le second, à celle de combinaisons. Précisons d'abord ce qu'on entend par arrangement.

Arrangements. Le processus qui consiste à grouper de différentes façons n éléments (individus) différents s'appelle arrangement. Tous les éléments ou seulement une partie de ceux-ci peuvent figurer dans les arrangements.

Combinaisons. Une combinaison est un arrangement où l'ordre de présentation des éléments n'est pas pris en considération. Le nombre de combinaisons (sans répétitions) de x éléments choisis parmi n éléments distincts est le nombre de choix possibles de x éléments distincts (chacun figure au plus une fois) parmi n. Ce nombre, noté $C(n,x)$ ou $\begin{pmatrix} n \\ x \end{pmatrix}$ ou C_x^n est donné par $\begin{pmatrix} n \\ x \end{pmatrix} = \dfrac{n!}{x!(n-x)!}, x \le n.$

Remarques. a) $\begin{pmatrix} n \\ x \end{pmatrix}$ représente donc le nombre de sous-ensembles différents de x éléments d'un ensemble de n éléments. Il est aussi appelé combinaison de n éléments pris x à x.

b) **Notation factorielle.** Rappelons que le produit des entiers positifs de 1 à n inclus est appelé factorielle de n que nous notons n!:

$$n! = n \bullet (n\text{-}1) \bullet (n\text{-}2) \bullet ... \bullet 3 \bullet 2 \bullet 1. \text{ De plus } 0! = 1 \text{ par définition.}$$

Définissons maintenant le concept de permutations.

Permutations. Une permutation est un arrangement d'éléments dans lequel leur ordre de présentation est pris en considération. Le nombre de permutations de x éléments choisis parmi n correspond à déterminer le nombre de manières différentes de ranger x éléments distincts dans n cases avec au plus un élément par case. Ce nombre noté $P(n,x)$ ou P_x^n ou A_x^n est donné par

$$P(n,x) = n(n\text{-}1)(n\text{-}2) \ ... \ (n\text{-}x\text{+}1) = \dfrac{n!}{(n-x)!} .$$

Exemple 3.17

Détermination du nombre de combinaisons et de permutations

Considérons un ensemble constitué des nombres suivants: 1,2,3,4,5.

a) Déterminez le nombre de combinaisons de ces cinq nombres lorsqu'ils sont pris 2 à 2.

On a $n = 5$, $x = 2$, d'où $\dbinom{5}{2} = \dfrac{5!}{2!3!} = 10$ combinaisons possibles.

b) Déterminez le nombre de permutations de ces cinq nombres lorsqu'ils sont pris 2 à 2.

$$P(5,2) = \quad = \frac{5 \bullet 4 \bullet 3!}{3!} = 20 \text{ permutations.}$$

c) Faites la liste de toutes les permutations et de toutes les combinaisons.

	Permutations		Combinaisons	
1.	(1,2)	....	(1,2)	1.
2.	(2,1)			
3.	(1,3)	....	(1,3)	2.
4.	(3,1)			
5.	(1,4)	....	(1,4)	3.
6.	(4,1)			
7.	(1,5)	....	(1,5)	4.
8.	(5,1)			
9.	(2,3)	....	(2,3)	5.
10.	(3,2)			
11.	(2,4)	....	(2,4)	6.
12.	(4,2)			
13.	(2,5)	....	(2,5)	7.
14.	(5,2)			
15.	(3,4)	....	(3,4)	8.
16.	(4,3)			
17.	(3,5)	....	(3,5)	9.
18.	(5,3)			
19.	(4,5)	....	(4,5)	10.
20.	(5,4)			

On tient compte de l'ordre

On ne tient pas compte de l'ordre

. . .

a) Dans les applications pratiques d'entreprise, l'échantillon ordonné est de peu d'intérêt. C'est donc la formule de combinaisons qui est utilisée.

b) $\dbinom{n}{x} = \dfrac{P(n,x)}{P(x,x)} = \dfrac{n!}{x!(n-x)!}$

puisque les arrangements constitués par les mêmes x objets ne diffèrent que par l'ordre; ils constituent alors une seule combinaison. Il y a donc $x!$ moins de combinaisons que de permutations de x éléments choisis parmi n.

d) Si une population est constituée de ces 5 nombres, quelle est la probabilité de choisir un échantillon ordonné de taille $n = 2$? (Tirage sans remise).
Dans ce cas, $P(5,2) = 20$ échantillons sont possibles et la probabilité est 1/20.

e) Quelle est la probabilité de choisir un échantillon non ordonné de taille $n = 2$? (Tirage sans remise).

Il y a $\dbinom{5}{2} = 10$ échantillons possibles, ce qui donne $\dfrac{1}{10}$ comme probabilité.

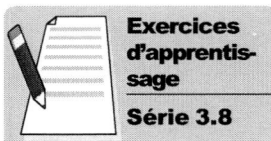

Exercices d'apprentissage

Série 3.8

📄 Analyse combinatoire et probabilité

1. Combien de nombres de quatre chiffres peuvent être constitués des chiffres 1, 2, 3, 4, 5, 6
a) si chaque chiffre ne peut apparaître qu'une fois?

📄 Permutations et arrangements avec répétitions

b) si chaque chiffre peut apparaître plus d'une fois?

2. Un agent de contrôle doit prélever au hasard deux circuits imprimés d'un lot de 10. Ces circuits imprimés sont fabriqués pour un client dans le domaine de l'aéronautique.
Le lot est accepté pour expédition au client si les deux circuits contrôlés ne présentent aucune non-conformité.
On suppose que le lot comporte deux circuits imprimés avec au moins une non-conformité.
En utilisant les formules de l'analyse combinatoire, déterminez les probabilités suivantes.

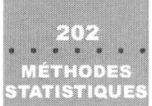

Exercices d'apprentissage

Série 3.8 (suite)

📄 Analyse combinatoire et probabilité

2. (suite) a) Quelle est la probabilité que le lot soit accepté?

Notez par A, l'événement «les deux circuits imprimés ne présentent aucune non-conformité».

Déterminez d'abord le nombre d'échantillons possibles de taille $n = 2$, provenant d'un lot de 10 en utilisant la formule de combinaisons.

Évaluez maintenant le nombre d'échantillons favorables à l'événement considéré.

Nombre de cas favorables =

D'après la définition classique de la probabilité, on obtient:

$P(A) =$

Il y a pratiquement ___ chances sur 100 que le lot soit accepté par l'agent de contrôle.

b) Quelle est la probabilité que le lot soit refusé?

c) Quelles sont les chances sur 100 pour que les deux circuits imprimés prélevés du lot présentent respectivement au moins une non-conformité?

Exemple 3.18

Table de nombres aléatoires

Une table de nombres aléatoires peut s'avérer particulièrement utile pour construire un échantillon aléatoire. Ces nombres aléatoires sont constitués à partir d'un ensemble de 10 chiffres: 0,1,2,3,4,5,6,7,8,9.

a) À partir de cet ensemble de chiffres, combien peut-on constituer de nombres de deux chiffres (00 à 99), répétitions permises?

Ceci revient à déterminer le nombre d'arrangements avec répétitions de n objets pris dans un ensemble de N objets, qui s'obtient directement à l'aide du principe de multiplication, soit N^n. On obtient donc $10^2 = 100$ nombres possibles.

Dans une table de nombres aléatoires, chaque nombre constitué de n chiffres a la même probabilité d'être choisi soit $\dfrac{1}{10^n}$.

b) Combien peut-on constituer de nombres de trois chiffres (000 à 999)? De quatre chiffres (0000 à 9999)?

On trouve dans le premier cas, $10^3 = 1000$ nombres et dans le second, $10^4 = 10\,000$ nombres.

c) Dans une table de nombres aléatoires constituée de deux chiffres, quelle est la probabilité de tirer au hasard le nombre

i) 48? ii) 99?

Pour chacun de ces nombres, la probabilité est la même soit 1/100.

3.9 Résumé, glossaire et synthèse des principales formules

Résumé

▸ Nous avons présenté dans ce chapitre les principaux concepts probabilistes et les propriétés qui s'y rattachent.

▸ Nous avons d'abord introduit les notions d'expérience aléatoire, d'espace échantillonnal et d'événements.

▸ Les définitions «classique» et «fréquentiste» ont par la suite été abordées.

▸ Nous avons ensuite traité de divers types d'événements, événements mutuellement exclusifs, événements liés et événements indépendants et la façon de calculer les probabilités associées à ces événements (probabilités conditionnelles, probabilités composées, probabilités marginales et probabilités conjointes). Nous avons résumé sous forme de tableau les diverses règles du calcul des probabilités.

▸ Un aspect important du calcul des probabilités appliqué aux problèmes de gestion est la formule de Bayes qui permet d'établir la probabilité qu'un événement qui est supposé déjà réalisé, soit dû à une cause particulière plutôt qu'une autre.

▸ Nous avons finalement terminé le chapitre sur le calcul des probabilités en présentant certaines notions de l'analyse combinatoire, en particulier celles associées aux permutations et combinaisons.

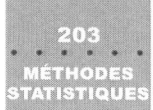

Glossaire

Expérience aléatoire: Tout processus qui fait intervenir le hasard et qui est susceptible d'aboutir à un ou plusieurs résultats.

Espace échantillonnal: Ensemble de tous les résultats possibles de l'expérience aléatoire.

Événement: Un ou plusieurs résultats élémentaires de l'expérience aléatoire.

Probabilité: Les chances de réalisation d'un événement; sa valeur se situe entre 0 (événement impossible) et 1 (événement certain).

Événements mutuellements exclusifs: Événements qui ne peuvent se réaliser simultanément.

Événements indépendants: Événements dont la réalisation de l'un n'est pas influencée par la réalisation de l'autre.

Événement complémentaire: Négation de cet événement par rapport à l'espace échantillonnal.

Règle d'addition: Somme des probabilités des événements *A* et *B* diminuée de la probabilité d'avoir à la fois *A* et *B*.

Probabilité conditionnelle: Probabilité de réalisation d'un événement, sachant qu'un autre événement s'est réalisé (ces deux événements appartenant au même espace échantillonnal).

Probabilités composées: Probabilité que se réalisent simultanément deux événements *A* et *B*, probabilité qu'on obtient en multipliant la probabilité de *A* par la probabilité de *B* sachant que *A* s'est réalisé.

Probabilités marginales: Probabilité d'un événement élémentaire qui est la somme de probabilités conjointes d'un tableau d'événements à double entrée.

Probabilités conjointes: Probabilités associées à des événements qui peuvent se réaliser simultanément dans un tableau d'événements à double entrée.

Formule de Bayes: Expression permettant de calculer les probabilités des diverses causes d'un événement, sachant que cette événement s'est produit. Les probabilités calculées avec cette formule sont des probabilités conditionnelles.

Arrangements: Processus qui consiste à grouper de différentes façons *n* éléments différents.

Combinaisons: Arrangements où l'ordre de présentation des éléments n'est pas pris en considération.

Permutations: Arrangements d'éléments dans lequel l'ordre de présentation est pris en considération.

Principales formules

Calcul des probabilités

Définition classique de la probabilité

$$P(E) = \frac{\text{Nombre de résultats favorables à l'événement } E}{\text{Nombre total de résultats possibles}}$$

Règle d'addition

$P(A \text{ ou } B) = P(A) + P(B) - P(A \text{ et } B)$ soit $P(A \cup B) = P(A) + P(B) - P(A \cap B)$.

Si *A* et *B* sont mutuellements exclusifs, alors $P(A \text{ ou } B) = P(A) + P(B)$.

Probabilité conditionnelle de *B* par rapport à *A*

$$P(B \mid A) = \frac{P(A \cap B)}{P(A)}, \ P(A) \neq 0$$

Règle de multiplication

$P(A \cap B) = P(A) \cdot P(B \mid A)$

Si *A* et *B* sont indépendants, alors $P(A \cap B) = P(A) \cdot P(B)$.

Calcul des probabilités

Formule de Bayes

$$P(E_i \mid A) = \frac{P(E_i) \cdot P(A \mid E_i)}{\sum\limits_{i=1}^{n} P(E_i) \cdot P(A \mid E_i)} = P(E_i) \cdot \frac{P(A \mid E_i)}{\sum\limits_{i=1}^{n} P(E_i) \cdot P(A \mid E_i)}$$

où $E_1, E_2, ..., E_i, ..., E_n$ sont des événements incompatibles et dont on connait les probabilités $P(E_i)$; les probabilités conditionnelles $P(A \mid E_i)$, probabilité de l'événement A, sachant que l'événement E_i s'est réalisé sont également connues.

Les probabilités $P(E_i \mid A)$ sont dites «probabilités a posteriori»

Analyse combinatoire

Principe de multiplication

Nombre de façons dont k événements peuvent se réaliser: $n_1 \cdot n_2 \cdot ... \cdot n_k$.

Combinaisons

Nombre de choix possibles de x éléments distincts parmi n:

$$\binom{n}{x} = \frac{n!}{x!(n-x)!}, x \leq n.$$

Permutations

Nombre de permutations de x éléments choisis parmi n:

$$P(n, x) = \frac{n!}{(n-x)!}.$$

3.10   Cheminement de réflexion pour résoudre les exercices sur les probabilités

L'évaluation des probabilités peut être simplifiée en utilisant le cheminement suivant, si ce cheminement s'applique.

❶ Suite à l'énoncé de l'exercice, faites, si possible, la liste des événements élémentaires associés à l'expérience ou décrivez le contenu de l'espace échantillonnal S. Un diagramme en arbre peut, dans certains cas, faciliter ce travail.

❷ Associez, s'il y a lieu, à chaque événement élémentaire, sa probabilité correspondante de manière à ce que $\sum\limits_{S} P(E_i) = 1$.

❸ Identifiez correctement le (ou les) événement(s) (simple ou composé) spécifié dans l'énoncé de l'exercice.

❹ Appliquez la formule appropriée permettant de calculer la probabilité de l'événement requis. La question suivante peut faciliter l'identification de la formule qui permet d'évaluer la probabilité demandée: Doit-on calculer la probabilité d'un événement élémentaire, d'un événement complémentaire, d'événements liés (probabilité conditionnelle, probabilités composées) ou d'événements indépendants.

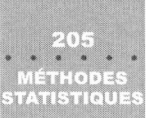

3.11   Exercices d'application

Espace échantillonnal et probabilités

1. L'entreprise DMA fabrique des modules électroniques pour l'industrie automobile. Ces modules peuvent présenter des non-conformités. Un module présentant une non-conformité (ou plus) est déclaré non conforme. On prélève au hasard de la production, deux modules et on procède à leur vérification. Chaque module est classé conforme ou non conforme.

a) Décrivez l'expérience aléatoire concernant cette situation.

b) Combien de résultats élémentaires sont possibles dans cette expérience?

c) Faites la liste de tous les éléments de l'espace échantillonnal.

d) Selon le département d'assurance qualité, la mise en place de son système qualité 6 sigma permet de préciser que, pour ce type de module, le nombre de modules électroniques non conformes par million produits est de 1350, ce qui représente un pourcentage de modules conformes de 0,99865 (ce pourcentage est déterminé à l'aide de la loi normale centrée réduite que nous traitons au chapitre 5).

L'entreprise vient d'expédier 2 modules à un concesssionnaire automobile de la rive sud de Montréal.

i) Quelle est la probabilité que les 2 modules soient non conformes?

ii) Quelle est la probabilité qu'un des modules soit non conforme?   C ×NC × 2↑ modules

iii) Quelle est la probabilité que les 2 modules soient conformes?

2. Une expérience consiste à noter le nombre de rubans magnétoscopiques non conformes dans des lots de 12 rubans.

a) Définissez l'espace échantillonnal. $S = \{1, 2, 3 \dots, 12\}$

b) Faites la liste des éléments de S qui correspondent à l'événement suivant: «le lot contient plus de 6 rubans non conformes». $S = \{6, 7, 8, 9, 10, 11, 12\}$

c) Décrivez en mots à quoi correspond l'événement $B = \{2, 3, 4, 5\}$. rubans sont non-conforme

3. Une expérience consiste à dénombrer le nombre de télécopieurs de marque Panak vendu par mois par un grossiste de la région de Québec.

a) Définissez l'espace échantillonnal de cette expérience. $S = \{1, 2, 3, 4 \dots\}$

b) Faites la liste des éléments de S qui correspond à l'événement «vendre moins de 3 télécopieurs par mois de marque Panak». $S = \{0, 1, 2\}$ $0 \to 0!$

c) Décrivez en mots à quoi correspond l'événement $B = \{5, 6, 7\}$.

4. Belmont Construction débute la construction de deux nouveaux projets domiciliaires que nous notons projet 1 et projet 2. Toutefois, il existe une certaine incertitude quant à l'échéancier pour compléter ces projets. Dans un an, chaque projet peut être «complété à 100%», «complété à 85%» ou «complété à 50%». Dénotons ces situations, pour chaque projet, respectivement par A, B ou C.

a) Définissez l'espace échantillonnal décrivant l'échéancier de ces deux projets après 1 an.

b) Si chacune des possibilités donnant l'état de l'échéancier des travaux après 1 an est également vraisemblable, quelle est la probabilité que les deux projets soient complétés à 100% au bout d'un an?

c) Quelle est la probabilité qu'un seul projet soit complété à 100% en un an?

d) Quelle est la probabilité que le projet 1 ou le projet 2 soit complété à 100%?

5. Les internautes* peuvent s'en plaindre et même prétendre qu'elle ne les touche pas, mais la publicité qui fourmille sur le Web finit par les rejoindre selon un sondage commandé par le Bureau de la publicité sur Internet au Québec (BPIQ).
Le diagramme à secteurs suivant donne la répartition (en %) d'internautes ayant reconnu la bannière.

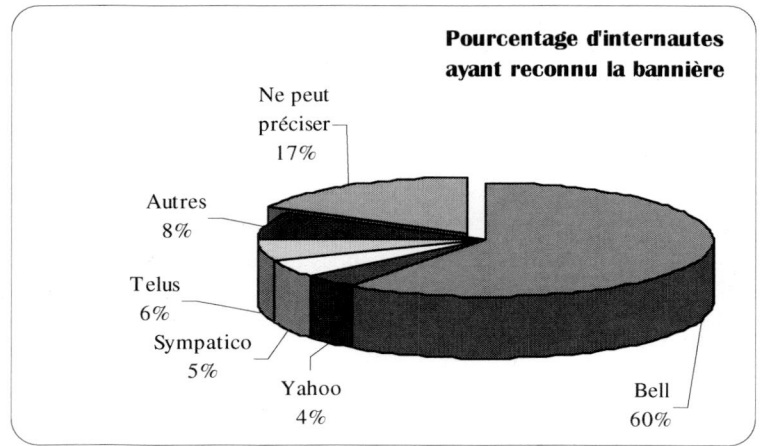

*Source : Amiot, M.-A. *La publicité sur Internet est aussi efficace que les autres média.* *La Presse*, 20 juin 2001.

Supposons qu'on sélectionne au hasard un internaute,

a) Quelle est la probabilité que l'internaute reconnaisse la bannière Sympatico?

b) Quelle est la probabilité que l'internaute reconnaisse la bannière Bell?

c) Quelle est la probabilité que l'internaute ne puisse identifier une seule bannière?

d) Quelle est la probabilité que l'internaute reconnaisse au moins une bannière?

6. Le diagramme à barres horizontales ci-après résume les pourcentages* de Québécois francophones qui ont répondu à la question suivante:

Quand vous pensez à des activités estivales en plein air, laquelle vous vient à l'esprit en premier?

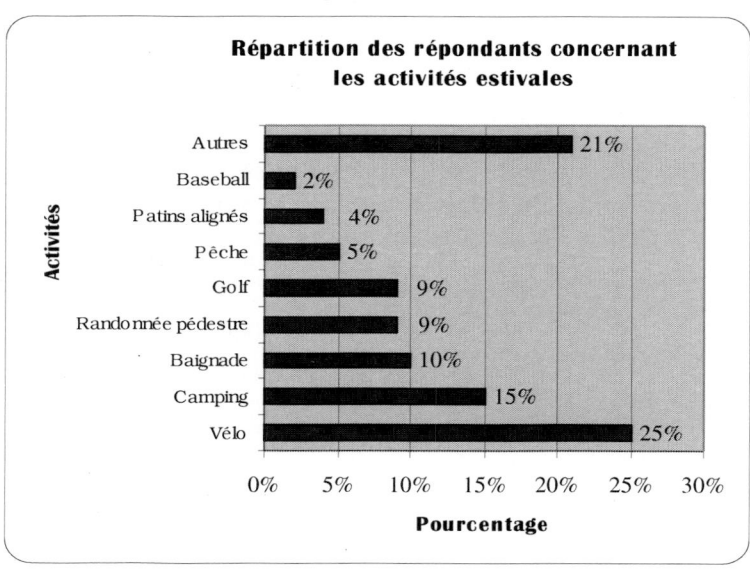

*Source : Un été dehors. *La Presse*, 6 juin 2001. Sondage effectué par Descarie & complices. Le sondage a été effectué auprès d'un échantillon représentatif de 504 Québécois francophones.

On choisit au hasard l'une des personnes interrogées lors de ce sondage.

a) Quelle est l'expérience aléatoire?

b) Quel est l'espace échantillonnal?

c) Faites la liste des événements élémentaires.

d) Établissez la probabilité de chaque événement élémentaire.

e) Quelle est la probabilité que le répondant soit, en première instance, un adepte du *camping* ou du *golf*?

f) Quelle est la probabilité que le répondant sélectionné ne soit pas un adepte de la *randonnée pédestre*?

7. Le service informatique d'une entreprise a relevé sur une période de plusieurs mois, le temps d'occupation, par les employés de divers secteurs de l'entreprise, des terminaux qui sont mis à leur disposition. Les temps d'occupation sont résumés dans le tableau suivant pour 300 usagers.

Répondez aux questions suivantes en appliquant la notion fréquentiste de probabilité.

a) Quelles sont approximativement les chances sur 100 pour qu'un usager ait un temps d'occupation supérieur ou égal à 480 secondes mais inférieur à 720 secondes?

b) Déterminez la probabilité pour qu'un usager ait un temps d'occupation supérieur ou égal à 960 secondes mais inférieur à 1440 secondes.

c) Quelles sont les chances sur 100 pour qu'un usager ait un temps d'occupation dépassant 1920 secondes?

Temps d'occupation des terminaux (sec)	Nombre d'usagers
$0 \leq X < 240$	30
$240 \leq X < 480$	45
$480 \leq X < 720$	58
$720 \leq X < 960$	67
$960 \leq X < 1200$	42
$1200 \leq X < 1440$	33
$1440 \leq X < 1680$	19
$1680 \leq X < 1920$	6

8. Eau potable: les Québécois font confiance aux municipalités (*La Presse*, 17 juin 2000). Un sondage sur la perception de la qualité de l'eau potable mené par la firme Baromètre, auprès d'un millier de Québécois, a donné les résultats ci-contre à la question qui a été posée.

a) Quelle est la probabilité que l'événement A se réalise (c.-à-d. que l'eau soit déclarée d'excellente qualité)?

b) Quelle est la probabilité que l'événement D se réalise?

À votre avis, l'eau du robinet chez vous est-elle	Nombre de répondants
d'excellente qualité? (A)	271
de bonne qualité? (B)	600
de mauvaise qualité? (C)	80
de très mauvaise qualité? (D)	20
NPS (E)	30
Total	1001

9. L'entreprise ASTRAL fabrique des imprimantes à jet d'encre. Un agent de contrôle effectue un contrôle final sur 2 imprimantes choisies au hasard dans un lot de production. Les non-conformités de fabrication sont classées selon trois catégories:

Type de non-conformités	Cote
Aucune	0
Mineure	1
Majeure	2
Critique	3

non-conformité mineure, non-conformité majeure, non-conformité critique.

On assigne respectivement les cotes 1, 2, 3 selon le type de non-conformités.

La cote 0 est assignée à une imprimante ne comportant aucune non-conformité.

a) Schématisez à l'aide d'un diagramme en arbre les résultats possibles du contrôle.
b) Définissez l'espace échantillonnal *S*.
c) Écrivez l'événement «chaque imprimante présente au moins une non-conformité».
d) Écrivez l'événement «une imprimante ne contient aucune non-conformité de fabrication et l'autre présente une non-conformité majeure».
e) Écrivez l'événement «la première imprimante comporte une non-conformité critique».
f) Écrivez l'événement «la seconde imprimante ne comporte aucune non-conformité».
g) Que veut dire en mots l'événement $C = \{(1,1), (2,2), (3,3)\}$?

10. **Seulement 17% des PME exportent**
(*La Presse*, 1er décembre 1999).

Les résultats ci-contre proviennent d'un sondage mensuel du Groupe Everest effectué pour le compte de la Banque Nationale et le journal *La Presse*, lequel portait sur les principales motivations des petites et moyennes entreprises à exporter.

En supposant que chaque raison listée dans les résultats du sondage constitue un événement, comment peut-on dire que ces événements ne sont pas mutuellement exclusifs?

Principales raisons des PME pour ne pas exporter	% des firmes sondées
Marché intérieur suffisant	48,6%
Nature de l'entreprise	37,6%
Pas pour le moment envisagé dans le futur	7,9%
Importation seulement	5%
Pas dans nos objectifs	5%
Autres	19,8%

11. Utilisons à nouveau le contexte d'application de l'exercice 9 (entreprise ASTRAL). L'espace échantillonnal concernant le contrôle final de deux imprimantes d'après le type de non-conformités a été obtenu à la question b).
a) Déterminez la probabilité de chaque résultat.
b) Évaluez $P[\{(0,0), (0,3), (1,0), (2,0)\}]$.
c) Déterminez la probabilité de l'événement suivant: *A*= «chaque imprimante présente au moins une non-conformité».
d) Déterminez la probabilité de l'événement suivant: *B* = «une imprimante ne contient aucune non-conformité et l'autre présente une non-conformité majeure».
e) Quelle est la probabilité que la première imprimante contrôlée présente une non-conformité critique?

12. Les données* suivantes représentent les ventes au Canada au cours de la dernière année pour divers types de voitures.

Voitures	Unités vendues
Sous-compactes	73 704
Compactes	435 472
Sportives	37 529
Intermédiaires	308 464
Luxe	44 276
Haut de gamme	28 109
Sport de luxe	6 917

*Source : Filion, N. *Que réserve l'année 2003?* *La Presse*, 24 février 2003.

On sélectionne au hasard un client qui vient de s'acheter une voiture et on l'interroge sur le type de voiture qu'il vient de se procurer.
a) Quelles sont les chances sur 100 que son choix s'est porté sur une «compacte»?
b) Quelles sont les chances sur 100 que son choix s'est porté sur une voiture de type «intermédiaire»?

13. Dans un article paru dans la revue "Consumer Reports: Ratings Interior Latex paints", 1994, on donnait le classement de 35 marques de peinture latex pour l'intérieur selon une échelle d'appréciation allant de Excellente à Médiocre.

Appréciation	Nombre de marques
Excellente	2
Très bonne	21
Bonne	11
Médiocre	1

Supposons qu'un consommateur sélectionne au hasard une de ces marques de peinture au latex.

a) Quelle est la probabilité que le consommateur sélectionne une marque classée «excellente»?

b) Quelle est la probabilité que le consommateur choisisse une marque dont l'appréciation est au moins «bonne»?

c) Quelle est la probabilité que le consommateur sélectionne une marque dont l'appréciation est ni «très bonne», ni «excellente»?

14. Selon une enquête effectuée par le centre de recherche et de statistiques sur le marché du travail, on a obtenu la répartition ci-contre des répondants selon la taille de l'entreprise.

On choisit au hasard un individu parmi ces répondants.

Taille de l'entreprise	Nombre de répondants
Moins de 5 personnes (A)	146
6 à 49 personnes (B)	573
50 à 199 personnes (C)	406
200 à 499 personnes (D)	290
500 personnes et plus (E)	823
Total	2238

a) Quelle est la probabilité qu'il provienne d'une entreprise dont la taille est inférieure à 50 personnes?

b) Quelle est la probabilité qu'il provienne d'une entreprise dont la taille est entre 50 et 199 personnes?

c) Quelle est la probabilité qu'il provienne d'une entreprise ayant 200 employés et plus?

15. Le département de comptabilité d'une entreprise oeuvrant dans le domaine de la confection de vêtements de sport de marques privées affirme que l'entreprise fera des bénéfices au cours du premier trimestre de l'année selon les catégories et probabilités indiquées dans le tableau ci-contre.

Bénéfice	Probabilité
Moins de 75 000$	0,10
75 000$ mais moins de 100 000$	0,18
100 000$ mais moins de 125 000$	0,22
125 000$ mais moins de 150 000$	0,35
150 000$ mais moins de 175 000$	0,10
175 000$ et plus	0,05

Considérez les événements suivants.

A: l'entreprise fait des bénéfices de moins de 100 000$.

B: l'entreprise fait des bénéfices de 150 000$ et plus.

C: l'entreprise fait des bénéfices se situant entre 100 000$ et 150 000$ (non inclus).

a) Déterminez $P(A \cap B)$.   b) Déterminez $P(B \cap C)$.

c) Déterminez $P(C')$.   d) Déterminez $P(A \cup C)$.

e) Déterminez $P(B \cup C)$.

Calcul des probabilités totales

16. Considérons l'espace échantillonnal suivant:

$S = \{E_1, E_2, E_3, E_4, E_5\}$

Les probabilités associées à chaque point échantillonnal sont les suivantes:

$P(E_1) = 0,01$, $P(E_2) = 0,19$, $P(E_3) = 0,40$, $P(E_4) = 0,30$, $P(E_5) = 0,10$.

Soit les événements composés suivants:

$A = \{E_1, E_3, E_5\}$, $B = \{E_2, E_3\}$, $C = \{E_1, E_2, E_5\}$.

a) Déterminez
   i) $P(A)$.   ii) $P(B)$.   iii) $P(C)$.

b) Déterminez
   i) $P(A \cap B)$.   ii) $P(A \cap C)$.

c) Est-ce que les événements A et B sont mutuellement exclusifs? Expliquez.

d) Déterminez (B').

e) Déterminez $P(A \cup C)$.

17. Sur 100 personnes qui ont posé leur candidature à un poste de direction du service d'informatique d'une importante société industrielle, 55 ont une expérience en surveillance de projets de grande envergure dépassant le million de dollars (A), 35 ont un diplôme de 2e cycle en informatique (B) et 10 ont à la fois l'expérience en surveillance de projets et le diplôme de 2e cycle.

a) Schématisez à l'aide d'un diagramme de Venn cette situation.

b) Quelle est la probabilité pour qu'une des 100 personnes, tirée au hasard, ait uniquement le diplôme de 2e cycle? Identifiez d'abord en notation ensembliste l'événement correspondant.

c) Quelle est la probabilité pour qu'une personne ayant posé sa candidature ait soit l'expérience en surveillance de projets dépassant le million de dollars, soit le diplôme de 2e cycle, mais non les deux?

d) Quelle est la probabilité pour qu'une personne choisie au hasard parmi celles qui ont posé leur candidature n'ait ni expérience en surveillance, ni diplôme de 2e cycle en informatique?

18. L'argent inquiète plus les femmes que les hommes, *La Presse*, 23 février 1997.

Sexe	Attitude		
	Beaucoup (C)	Un peu (D)	Pas du tout (E)
Masculin (A)	317	151	35
Féminin (B)	351	135	15

Le tableau ci-contre provient d'un sondage Desjardins-SOM-*La Presse*, concernant la situation financière des hommes et des femmes. La question du sondage était: «Diriez-vous que vous êtes préoccupé par votre avenir financier»?

On choisit au hasard un de ces répondants.

a) i) Identifiez l'événement «le répondant appartient à la catégorie sexe féminin».
   ii) Calculez sa probabilité.

b) i) Identifiez l'événement «le répondant est un peu préoccupé par son avenir financier».
   ii) Calculez sa probabilité.

c) i) Identifiez l'événement «le répondant est beaucoup préoccupé par son avenir financier ou un peu préoccupé».
   ii) Calculez sa probabilité.

d) i) Identifiez l'événement «le répondant est de sexe masculin et est beaucoup préoccupé par son avenir financier».
   ii) Calculez sa probabilité.

e) i) Identifiez l'événement «le répondant n'est pas du tout préoccupé par son avenir financier et n'est pas de sexe féminin».
   ii) Calculez sa probabilité.

f) i) Identifiez l'événement «le répondant est de sexe masculin ou est un peu préoccupé par son avenir financier».
   ii) Calculez sa probabilité.

19. Le tableau suivant présente les résultats* d'une série d'essais effectués à l'extérieur sous diverses conditions climatiques pour vérifier la fiabilité d'un système de détection (comportant caméras vidéo et microprocesseurs) à repérer les intrus.

	Conditions climatiques				
	Ensoleillé	Nuageux	Pluie	Neige	Venteux
Intrus détectés	21	228	226	7	185
Intrus non détectés	0	6	6	3	10
Total	21	234	232	10	195

*Source: Kaveda, K. et al. "An unmanned watching system using video cameras", IEEE Computer Applications in Power, avril 1990.

a) Sous les conditions pluvieuses, quelle est la probabilité que l'intrus ne soit pas détecté?

b) En considérant que le système n'a pas détecté l'intrus, quelle est la probabilité que la condition climatique était «nuageux»?

20. Complétez le tableau suivant:

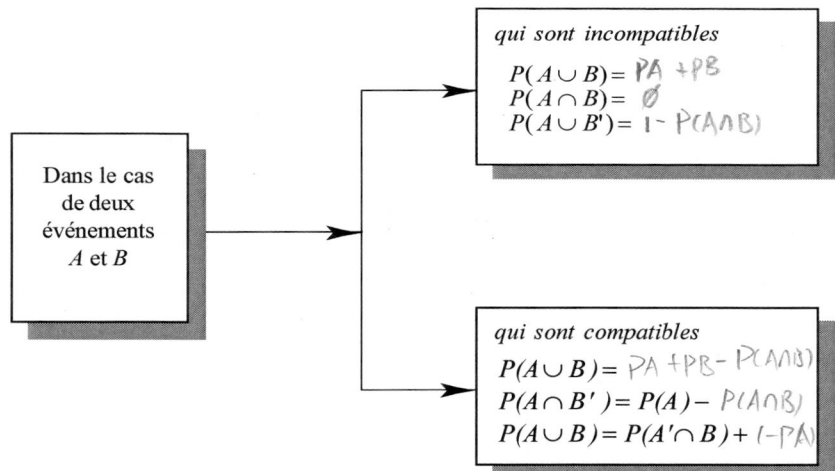

Dans le cas de deux événements A et B

qui sont incompatibles
$P(A \cup B) = PA + PB$
$P(A \cap B) = \emptyset$
$P(A \cup B') = 1 - P(A \cap B)$

qui sont compatibles
$P(A \cup B) = PA + PB - P(A \cap B)$
$P(A \cap B') = P(A) - P(A \cap B)$
$P(A \cup B) = P(A' \cap B) + (1 - PA)$

21. À l'aide du tableau suivant, déterminez ce que valent les probabilités des événements suivants, dans le cas où A et B sont **indépendants**.

		A	A'
		$P(A)$	$P(A')$
B	$P(B)$	$A \cap B$	$A' \cap B$
B'	$P(B')$	$A \cap B'$	$A' \cap B'$

$P(B|A) =$

$P(A|B) =$

$P(A \cap B) = P(A) \cdot P(B)$
$P(A \cap B') = PA - P(A \cap B) = P(A) - P(A) P(B)$
$P(A' \cap B) = P(B) - ''$
$P(A' \cap B') = 1 - P(A \cup B)$

22. Dans le cas de deux événements compatibles et liés,

$P(A \cap B) =$.

23. Soit A et B deux événements associés à une certaine expérience aléatoire. Supposons que $P(A) = 0,30$, $P(A \cup B) = 0,70$ et $P(B) = p$.

a) Déterminez p si A et B sont incompatibles.

b) Déterminez p si A et B sont indépendants.

c) Déterminez p si A et B ne sont pas incompatibles, ni indépendants. De plus $P(A \cap B') = 0,20$.

Probabilité conditionnelle et probabilités composées

24. Soit un espace échantillonnal S formé de quatre événements élémentaires $S = \{E_1, E_2, E_3, E_4\}$.

On sait que $P(E_1) = 0,3$, $P(E_2) = 0,5$, $P(E_3) = 0,1$ et $P(E_4) = 0,1$.

Déterminez la probabilité que l'événement $A = \{E_1, E_2, E_3\}$ se réalise sachant que l'événement $B = \{E_2, E_3, E_4\}$ s'est réalisé.

Résultats obtenus lors de l'appel	Probabilité
A Pas de réponse	0,347
B Occupé	0,020
C Pas de service	0,203
D Personne non éligible pour le sondage	0,291
E Numéro d'affaires	0,041
F Personne éligible - refus de répondre aux questions	0,014
G Personne éligible - accepte de répondre aux questions	0,084

25. Une méthode courante d'effectuer un sondage auprès de la population pour une étude de marché est le sondage par téléphone. Cette méthode de sondage, bien que pratique, résulte souvent en un nombre important de non-répondants. Une étude* a été effectuée aux États-Unis, à partir de 250 000 numéros de téléphone, sélectionnés au hasard, et la probabilité de divers événements listés dans le tableau ci-contre a été déterminée à partir des résultats obtenus.

a) Quelle est la probabilité qu'un appel résultera comme suit: pas de réponse ou occupé ou pas de service?

b) Quelle est la probabilité qu'une personne éligible sera à la maison pour répondre à l'appel?

c) Sachant qu'une personne éligible est à la maison pour prendre l'appel, quelle est la probabilité qu'il ou elle refuse de participer à l'enquête?

*Source: Kerin, R.A. et Peterson, R.A., *Journal of Advertising Research*, avril/mai, 1983.

26. Selon une enquête* effectuée aux États-Unis sur les produits électroniques domestiques, on a obtenu l'information suivante concernant la répartition du marché de téléviseurs et le revenu des ménages.

Marque du téléviseur	Ménages ayant un revenu inférieur à 60 000$	Ménages ayant un revenu supérieur à 60 000$
Sanyo	25	50
RCA	24	40
Sony	22	36
Panasonic	30	25
General Electric	32	15
Samsung	18	12
Zenith	20	10
Total	171	188

*Source: «Zenith Sees its Fortune in Digital TV», *USA-Today*, 20 juillet 2001.

On sélectionne au hasard un de ces ménages.

a) Quelle est la probabilité qu'il possède un téléviseur de marque RCA?

b) Quelle est la probabilité que le ménage ait un revenu supérieur à 60 000$?

c) Quelle est la probabilité que le ménage possède un téléviseur de marque Sanyo et qu'il ait un revenu inférieur à 60 000$?

d) Quelle est la probabilité qu'un ménage qui possède soit un téléviseur Samsung, soit un téléviseur Zenith, ait un revenu supérieur à 60 000$?

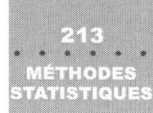
27. Un important constructeur dans le domaine immobilier doit faire effectuer de toute urgence des travaux électriques à un complexe en construction. Habituellement, ce genre de travaux est effectué par un sous-contractant (sous-contractant *A* ou *B*).

La probabilité que le sous-contractant *A* soit disponible pour effectuer ces travaux aussi rapidement est égale à 0,65, alors que pour le sous-contractant *B*, la probabilité est de 0,70.

La probabilité que ni l'un ni l'autre ne soit disponible pour effectuer les travaux est de 0,2.

a) Déterminez la probabilité que les deux sous-contractants soient disponibles pour effectuer les travaux. Précisez votre raisonnement à l'aide d'événements (et ceci, pour toutes les questions).

b) Calculez la probabilité qu'au moins un des deux sous-contractants soit disponible.

c) Calculez la probabilité qu'un seul des deux sous-contractants soit disponible pour effectuer les travaux.

d) Quelle est la probabilité que le sous-contractant *B* soit disponible sachant que le sous-contractant *A* ne l'est pas?

28. Une enquête réalisée auprès d'entreprises à caractère industriel de la région de Montréal indique que

50% d'entre elles reçoivent la revue «Gestion».

56% d'entre elles reçoivent la revue «Informatique et Bureautique».

20% d'entre elles reçoivent les deux.

Quelle est la probabilité qu'une entreprise

a) reçoive la revue Gestion mais non la revue Informatique et Bureautique ?

b) reçoive au moins une des deux revues?

c) reçoive seulement une des deux revues?

d) ne reçoive aucune des deux revues?

e) reçoive la revue Gestion sachant qu'elle ne reçoit pas la revue Informatique et Bureautique?

29. Soixante étudiants(es) sont inscrits(es) à un cours de microéconomie. Parmi ces étudiants(es), 25 ont déjà suivi un cours d'introduction à l'économie sociale, les autres n'ont aucune notion de ce passionnant sujet. Parmi ceux qui n'ont aucune notion d'économie sociale, 14 ont échoué le cours de microéconomie alors que 2 ayant déjà des notions d'économie sociale l'ont également échoué.

Si un(e) étudiant(e), choisi(e) au hasard parmi ce groupe, a réussi le cours, quelle est la probabilité qu'il(elle) ait des notions d'économie sociale?

30. Le tableau suivant a été adapté à partir des résultats d'une enquête sur les habitudes de consommation au Québec (rapport # 4 sur la combativité des consommateurs, 1992).

Il représente la répartition des répondants selon leur niveau de combativité potentielle et l'âge de ceux-ci. Pour les fins de cette étude, le terme combativité réfère à ce sentiment de confiance qui inciterait le consommateur qui se croit lésé lors d'une transaction à vouloir agir. La combativité potentielle correspond aux attitudes de combativité manifestées par les répondants à propos de leurs rapports éventuels avec les commerçants ou les professionnels en cas de conflit.

Niveau de combativité	Âge				Total
	18 à 30 ans (D)	31 à 44 ans (E)	45 à 54 ans (F)	55 ans et plus (G)	
Faible (A)	10	75	90	125	425
Moyen (B)	25	225	35	40	250
Élevé (C)	75	75	100	25	225
Total	110	375	225	190	900

On choisit au hasard un de ces répondants.

a) Quelle est la probabilité qu'il soit âgé de moins de 55 ans?

b) Quelle est la probabilité qu'il présente un niveau de combativité moyen sachant que le répondant est âgé entre 31 et 44 ans?

c) Quelle est la probabilité que le répondant présente un niveau de combativité élevé et soit âgé de 55 ans ou plus?

d) Quelle est la probabilité que le répondant présente un niveau de combativité moyen et soit âgé de 44 ans ou moins?

e) Quelle est la probabilité que le répondant présente un niveau de combativité moyen ou faible sachant qu'il est âgé entre 45 et 54 ans?

31. Une analyste financière considère qu'un certain fonds commun de placement a 60% de chances d'augmenter sa valeur de plus de 12% au cours de la prochaine année. Elle prévoit également que le marché boursier en général, tel que mesuré par l'indice TSX (Toronto Stock Exchange) a seulement 20% des chances d'augmenter de plus de 12%. Toutefois si l'indice TSX augmente de plus de 12%, alors le fonds commun de placement a 95% des chances d'augmenter de plus de 12%.

a) Déterminez la probabilité que l'indice TSX et le fonds commun de placement augmentent de plus de 12%.

b) Déterminez la probabilité que l'indice TSX ou le fonds commun de placement ou les deux, augmentent de plus de 12%.

32. L'entreprise Multisystèmes inc. oeuvre dans le domaine de logiciels d'automatisation et de systèmes de contrôle. L'entreprise a réalisé que 75% des individus sélectionnés pour participer à un programme intensif de formation ont terminé le programme. Parmi ceux-ci, 60% sont devenus des spécialistes de systèmes de manutention robotisés, comparé à seulement 10% parmi ceux qui avaient débuté le programme de formation mais qui ne l'ont pas complété.

Considérez les événements suivants:

> A: l'individu a complété le programme intensif de formation
> B: l'individu devient un spécialiste de systèmes de manutention robotisés.

a) Préparez un diagramme en arbre des divers événements possibles pour cette situation.

b) Quelle est la probabilité qu'un individu qui participe au programme de formation devienne un spécialiste de systèmes de manutention robotisés?

c) Quelle est la probabilité qu'un individu ne complète pas le programme de formation et ne devienne pas un spécialiste de systèmes de manutention robotisés?

Indépendance d'événements

33. Un fabricant d'imprimantes à matrice précise que seulement 10% de ces imprimantes vendues exigeront le service d'un technicien au cours de la première année de mise en service. Supposons que cette affirmation est exacte et que le bris d'une imprimante est indépendant du bris d'une autre imprimante.

a) Quelle est la probabilité que deux imprimantes à matrice achetées de ce fabricant exigeront le service d'un technicien au cours de la première année?

b) Quelle est la probabilité que, parmi les deux imprimantes achetées, seulement une exigera le service d'un technicien?

c) Quelle est la probabilité qu'aucune des deux imprimantes n'exigera le service d'un technicien au cours de la première année?

34. Un prix de 200$ est remis à quiconque réussit à amener un 1 et un 3 dans l'ordre sur deux lancers successifs d'un dé. Quelles sont les chances sur 100 de recevoir le prix?

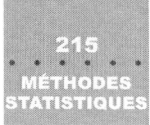
35. Utilisons à nouveau le tableau des résultats de l'enquête sur les habitudes de consommation (exercice no 30). Considérez les événements suivants.

   B: le niveau de combativité du répondant est moyen.

   E: le répondant appartient à la catégorie 31 à 44 ans.

Vérifiez si les événements *B* et *E* sont indépendants.

36. À l'Hôtel de Ville de St-Jacques sur le Roc, on a installé, sur recommandation du chef de police, trois détecteurs de fumée. La probabilité que chaque détecteur déclenche un signal d'alarme lorsqu'il y a présence de fumée (M. le Maire a dû cesser de fumer le cigare aux séances du conseil) est de 0,95. Les trois détecteurs fonctionnent indépendamment.

Un contribuable a laissé tomber par négligence une cigarette allumée dans une corbeille à papier de la salle du conseil et il s'en dégage une fumée assez dense. Quelle est la probabilité qu'au moins un détecteur émette un signal d'alarme?

37. Un technicien a la responsabilité du bon fonctionnement de trois unités comportant chacune un mécanisme automatique servant à introduire un gaz inerte dans une ampoule de verre. La probabilité que le mécanisme ne requière pas son intervention durant une journée est égale à 0,92 pour l'unité no 10, 0,88 pour l'unité no 12 et 0,90 pour l'unité no 14. Quelle est la probabilité qu'aucune des trois unités ne requière, pendant une journée, l'intervention du technicien?

38. Deux empaqueteuses automatiques possèdent chacune un système de contrôle électronique qui opère indépendamment. La probabilité que l'empaqueteuse 1 soit en panne (E_1) en une journée particulière est 0,025 alors que pour l'empaqueteuse 2, la probabilité qu'elle soit en panne (E_2) est 0,02. Les produits peuvent être empaquetés par l'une ou l'autre des empaqueteuses.

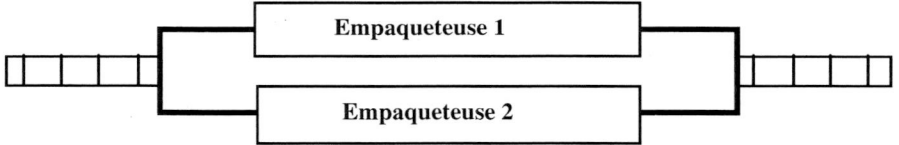

a) Quelle est la probabilité que la chaîne d'empaquetage ne fonctionne pas du tout?
b) Le technicien responsable de l'entretien de ces empaqueteuses mentionne qu'il y a plus de 90 chances sur 100 pour que la chaîne d'empaquetage fonctionne avec les deux empaqueteuses en opération. Est-ce que cette affirmation est justifiée?
c) Quelle est la probabilité pour qu'une seule empaqueteuse soit en opération?

Règle d'élimination et formule de Bayes

39. Utilisons à nouveau le contexte de l'exercice 32 (l'entreprise Multisystèmes). Déterminez la probabilité que l'individu a complété le programme de formation intensif sachant qu'il est devenu un spécialiste de systèmes de manutention robotisés.

40. L'entreprise Mégatronics fabrique des composantes de haute précision utilisées principalement par une compagnie d'avionnerie de la région de Montréal. D'après le responsable du contrôle de la qualité, 3% des composantes ne rencontrent pas les normes exigées. La direction de l'entreprise a décidé d'installer un appareil complexe permettant une vérification automatique des composantes. Toutefois l'appareil n'est pas fiable à 100%. Il y a 5 chances sur 100 qu'une composante ne respectant pas les normes soit acceptée par l'appareil et 10 chances sur 100 qu'une composante satisfaisante soit rejetée. Quelle est la probabilité
a) qu'une composante soit acceptée?

b) qu'une composante ne satisfasse pas aux normes et qu'elle soit acceptée par l'appareil de contrôle?

c) Dans quel pourcentage des cas l'appareil donne-t-il une bonne décision?

41. Une importante firme d'informaticiens recherche fréquemment des personnes expérimentées étant en mesure d'œuvrer efficacement dans des systèmes d'envergure. D'après le responsable des ressources humaines de cette firme, 80% des candidatures sont en mesure de combler efficacement les postes disponibles alors que 20% ne peuvent le faire adéquatement. Pour assurer une meilleure sélection, un test d'aptitude a été préparé par la firme de manière telle qu'une personne pouvant œuvrer efficacement au sein de la firme a 85 chances sur 100 de réussir ce test alors qu'une personne ne pouvant combler un poste efficacement, n'a que 20 chances sur 100 de réussir ce test.

a) Quelle est la probabilité de réussir le test d'aptitude?

b) Quelle est la probabilité que cette personne passe avec succès le test d'aptitude et ne puisse œuvrer efficacement au sein de la firme?

c) Cette personne n'a pas réussi le test d'aptitude. Quelle est la probabilité qu'elle aurait été quand même efficace au sein de l'entreprise?

42. La firme Computex a déposé au ministère de l'éducation des soumissions séparées pour la fourniture de mobilier pour la bureautique et d'appareils de micro-informatique. L'expérience de cette entreprise dans le domaine des soumissions permet d'estimer à 60% ses chances d'obtenir le contrat de fournitures de bureautique. Si ce contrat lui est alloué, la firme évalue ses chances à 2 contre 1 pour l'obtention du contrat des micro-ordinateurs. Toutefois si le contrat de bureautique lui échappe, elle estime avoir quand même 30 chances sur 100 de se voir octroyer le contrat des micro-ordinateurs.
Définissons comme suit les divers événements associés à cette situation:

E_1: le contrat du mobilier pour la bureautique est alloué à Computex.

E_2: le contrat des micro-ordinateurs est alloué à Computex.

a) Préparez le diagramme en arbre en indiquant les événements possibles et les probabilités correspondantes.

b) Précisez en mots ce que représentent les événements suivants:

i) $E_1 \cap E_2$.　　ii) $E_1' \cap E_2$.　　iii) $E_1' \cap E_2'$.

c) Quelle est la probabilité que Computex obtienne les deux contrats?

d) Quelle est la probabilité que Computex n'obtienne que le contrat des micro-ordinateurs?

e) Quelle est la probabilité d'obtenir le contrat des micro-ordinateurs que Computex ait obtenu ou non le contrat de fournitures de bureautique?

f) Computex vient d'annoncer qu'elle a obtenu le contrat des micro-ordinateurs. Quelle est la probabilité qu'elle ait obtenu celui du mobilier pour la bureautique?

43. Une entreprise, fabriquant des produits sanitaires, veut introduire un nouveau produit sur le marché. Lors d'une session de groupe de divers cadres de l'entreprise, on en est venu à la conclusion qu'une étude de marché serait favorable au nouveau produit avec une probabilité de 0,65. Il a été convenu également que la probabilité de lancement d'un nouveau produit soit un succès est de 0,40. Toutefois, la probabilité de succès du lancement d'un nouveau produit est de 0,55, sachant que l'étude de marché a été favorable.
Notez par　E: l'étude de marché est favorable.

　　　　　A: le lancement du nouveau produit est un succès.

a) Préparez un diagramme en arbre qui permettrait de visualiser les divers événements possibles.

b) Déterminez les probabilités suivantes: i) $P(E)$.　　ii) $P(A|E)$.　　iii) $P(A)$.

c) Déterminez la probabilité que l'étude de marché soit favorable et le lancement du nouveau produit soit un succès.

d) Déterminez la probabilité que l'étude de marché soit défavorable et que le lancement du produit soit un succès.

e) Sachant que le lancement du nouveau produit est un succès, quelle est la probabilité que l'étude de marché n'a pas été favorable?

Analyse combinatoire et probabilité

44. L'entreprise Altex veut informatiser son système de comptes clients. Dans l'élaboration du logiciel servant à cette fin, on veut que les quatre premiers caractères servant d'identificateurs des comptes comportent une suite de chiffres entre 0 et 9.

a) Combien d'identificateurs peut-on générer selon cette méthode?

b) Si le premier caractère doit être une lettre et les trois suivants des chiffres, combien d'identificateurs sont alors possibles selon cette méthode?

c) Si chaque caractère de l'identificateur peut comporter une lettre ou un chiffre, combien d'identificateurs peuvent être alors générés selon cette méthode?

45. Un système informatique comporte des mots de passe contenant 5 lettres suivies d'un chiffre.

a) Combien de mots de passe sont possibles?

b) Combien de mots de passe sont possibles si les cinq lettres sont suivies d'un chiffre pair?

46. Combien de nombre de quatre chiffres peuvent être constitués des chiffres 1, 2, 3, 4, 5, 6, si

a) chaque chiffre ne peut apparaître plus d'une fois?

b) chaque chiffre peut apparaître plus d'une fois?

c) Supposons qu'une personne gagne un prix de 1000$ si elle détient le numéro 1234. Quelle est, dans chaque cas (a) et (b), la probabilité de gagner le prix de 1000$ si vous détenez un billet?

d) Supposons maintenant qu'un prix de 50$ est remis à la personne dont le billet comporte tout autre arrangement des chiffres 1234 (soit 1243, 1324,..., 4123,...). On considère également que chaque chiffre ne peut apparaître plus d'une fois. Si vous avez un billet pour ce tirage, quelle est la probabilité de gagner le prix de 50$?

47. On doit constituer une équipe de trois cadres et deux ingénieurs pour s'occuper de la mise en place des normes de qualité ISO 9000. L'équipe sera constituée à partir du personnel de l'entreprise comportant 9 cadres et 6 ingénieurs. De combien de manières différentes peut-on constituer cette équipe?

48. Dans le but de recruter de nouveaux membres, un club de disques compacts publicise une nouvelle offre d'introduction au club. Lorsqu'un nouveau membre consent à acheter un disque compact au prix régulier du club, il reçoit gratuitement quatre disques de son choix, sélectionnés parmi une liste de 50 disques compacts. Combien de choix s'offrent au nouveau membre?

49. Supposons maintenant que parmi les 15 personnes disponibles (no 47), on en prélève 5 au hasard pour former l'équipe, sans tenir compte de leur qualité d'ingénieur ou de cadre. Quelle est la probabilité pour que cette équipe comporte exactement

   a) trois ingénieurs?   b) un ingénieur?   c) aucun cadre?   d) au moins un cadre?

50. Lors d'une réunion des cadres supérieurs de l'entreprise Microtel, il a été décidé de former un «comité de sécurité» dont le but premier serait d'apporter suggestions et correctifs aux divers problèmes de sécurité qui pourraient survenir. Ce comité sera formé du directeur de l'usine, des chefs de service «fabrication» ainsi que 4 autres personnes, choisies au hasard parmi une liste de 15 employés provenant de divers secteurs de l'entreprise. Cette liste comporte 9 hommes et 6 femmes et les chances de chacun des 15 employés de cette liste de faire partie de ce comité sont considérées comme équivalentes.

Répondez aux questions suivantes en utilisant les formules de l'analyse combinatoire.

a) Calculez la probabilité que les quatre postes qui restent à combler soient occupés par quatre femmes.

b) Déterminez la probabilité que les quatre postes soient comblés par quatre hommes.

c) Quelle est la probabilité que les quatre postes soient comblés par quatre personnes de même sexe?

d) Quelle est la probabilité que 2 postes soient comblés par deux hommes et les deux autres par des femmes?

51. Une expérience consiste à composer un nombre de deux chiffres à partir des chiffres 0, 1, 2, 3, 4 , répétition non permise.

a) Définir l'espace échantillonnal de cette expérience. Un diagramme en arbre peut être utile.

b) Quelle est la probabilité d'obtenir le nombre 30?

c) Quelle est la probabilité d'obtenir le nombre 22?

d) Quelle est la probabilité d'obtenir un nombre dont la somme des deux chiffres est 3?

e) Quelle est la probabilité d'obtenir un nombre dont le premier chiffre est plus petit que le second?

f) Quelle est la probabilité d'obtenir un nombre pair?

52. Les Systèmes Universels, une entreprise de la région des Cantons de l'Est, s'approvisionne d'une pièce particulière de deux fournisseurs. Cette pièce est expédiée en lot de 400 unités et chaque pièce est contrôlée à la réception à l'aide d'un calibre. Ce contrôle conduit à deux résultats possibles : la pièce est conforme ou la pièce est non conforme.

Les résultats du contrôle de deux lots de pièces sont présentés dans le tableau ci-après.

	Pièce conforme (C)	Pièce non conforme (NC)	Total
Fournisseur X	360	40	400
Fournisseur Y	340	60	400
Total	700	100	800

Malheureusement, après le contrôle, toutes les pièces ont été mélangées dans le même compartiment. Une pièce est tirée au hasard du compartiment qui en contient 800.

a) Quelle est la probabilité d'obtenir une pièce non conforme?

b) Quelle est la probabilité que la pièce prélevée provienne du fournisseur *Y*?

c) Quelle est la probabilité de prélever une pièce du fournisseur *X* qui est conforme?

d) Quelle est la probabilité de prélever une pièce conforme sachant qu'elle provient du fournisseur *X*?

53. Une compagnie pharmaceutique a obtenu, lors d'essais cliniques, les données* suivantes concernant les effets indésirables selon le type de médication administrée aux patients pour soulager diverses allergies saisonnières.

Effets indésirables	Médication			Total
	Seldane-D (C)	Pseudoephédrine (D)	Placebo (E)	
Maux de tête (A)	65	49	43	157
Pas de maux de tête (B)	124	91	34	249
Total	189	140	77	406

* Source: Guide thérapeutique. Marion Merrel Dow inc. (1991).

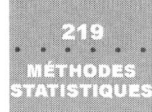
Supposons qu'un des 406 patients qui ont participé à ces essais est choisi au hasard.

a) Quelle est la probabilité que ce soit un patient ayant été traité, soit avec le médicament Seldane-D, soit avec le placebo?

b) Quelle est la probabilité que ce soit un patient qui a été traité avec le médicament Seldane-D ou qui n'a pas expérimenté de maux de tête?

c) Quelle est la probabilité que ce soit un patient ayant été traité avec un placebo ou ayant expérimenté des maux de tête?

54. Considérez l'espace échantillonnal $S = \{E_1, E_2, E_3, E_4\}$ où $P(E_1) = 0,25$, $P(E_2) = 0,40$, $P(E_3) = 0,15$ et $P(E_4) = 0,20$.
On demande de calculer les probabilités suivantes:

a) $P(E_1 \cup E_2)$.

b) $P(E_2')$.

c) $P(E_3')$.

d) $P(E_3 \cap E_4)$.

55. Soit A et B, deux événements associés à une certaine expérience aléatoire. De plus on sait que: $P(A) = 0,6$; $P(B) = 0,3$; $P(A \cup B) = 0,72$.
Les événements A et B sont-ils indépendants? Justifiez.

56. Soit A et B, deux événements indépendants dont $P(A) = 0,15$ et $P(B) = 0,40$. Déterminez les probabilités suivantes:
a) $P(A|B)$.
b) $P(A \cap B)$.
c) $P(A \cup B)$.

57. Soit l'espace échantillonnal $S = \{E_1, E_2, E_3, E_4\}$ où $P(E_1) = 0,1$, $P(E_2) = 0,1$, $P(E_3) = 0,3$ et $P(E_4) = 0,5$. Définissons les événements suivants.
$A = \{E_1, E_2, E_4\}$, $B = \{E_1, E_4\}$, $C = \{E_1, E_2, E_3\}$.
Calculez les probabilités suivantes.
a) $P(A|B)$.   b) $P(B|A)$.   c) $P(B|C)$.

58. Soit $P(A) = 0,3$, $P(B'/A) = 0,1$ et $P(B/A') = 0,2$. En utilisant un diagramme et les règles de probabilité, déterminez

i) $P(A|B)$;   ii) $P(A/B')$.

59. Selon une importante enquête réalisée par l'Institut de la Statistique du Québec (Le Nouvelliste, 11 novembre 1999), pratiquement 24% des étudiants(es) du secondaire 3 sont classés «fumeurs actuels».

D'autre part, la population étudiante du secondaire est répartie dans les proportions suivantes: 45%, des filles, 55%, des garçons.

De plus, une analyse plus détaillée des données permet de préciser que 36% des garçons sont des «fumeurs actuels» alors que seulement 14,2% des filles le sont. On choisit au hasard un étudiant du secondaire 3 et on l'interroge à savoir s'il est fumeur ou non.

Définissons comme suit les divers événements associés à cette situation.

A: l'étudiant choisi est un garçon

B: l'étudiant choisi est une fille

F: l'étudiant choisi est classé «fumeur actuel»

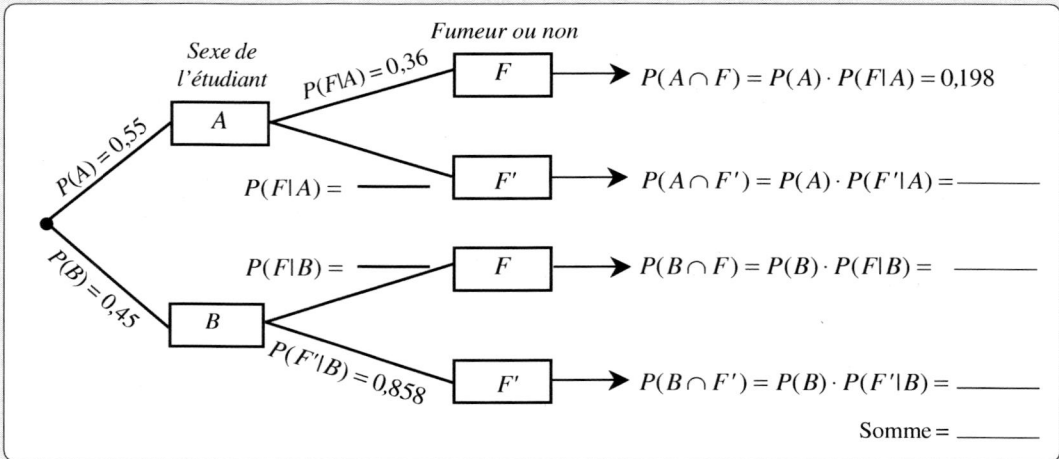

a) Indiquez les diverses probabilités manquantes sur le diagramme.

b) Précisez en mots ce que représentent les événements suivants:

$A \cap F$: l'étudiant est de sexe masculin et est fumeur actuel

$A \cap F'$:

$B \cap F$:

$B \cap F'$:

c) Quelle est la probabilité que la personne choisie soit de sexe masculin et fumeur?

d) Quelle est la probabilité que la personne choisie soit classée «fumeur actuel» de sexe féminin?

e) Quelle est la probabilité que la personne choisie soit classée «fumeur actuel» peu importe son sexe?

f) On vient de classer la personne choisie comme «fumeur actuel». Quelle est la probabilité que ce soit une fille?

60. Un groupe d'experts en environnement doit effectuer une étude sur l'impact écologique d'un important projet industriel qui doit éventuellement s'implanter dans la région de Lanaudière. Le groupe comporte 2 fonctionnaires du ministère de l'Environnement, 2 chercheurs dans le domaine des sciences naturelles et trois biologistes. Trois personnes de ce groupe seront responsables pour rédiger le rapport final qui doit être soumis au ministre.

a) Combien y a-t-il de façons différentes de choisir trois personnes quelconques pour faire partie du groupe de rédaction?

b) Combien de ces choix comptent un représentant de chaque secteur?

Testez vos connaissances

Test no 3

Répondez par Vrai ou Faux.

1. Tout processus qui fait intervenir le hasard s'appelle espace échantillonnal.

2. L'ensemble de tous les résultats possibles qui peuvent se produire dans une expérience aléatoire s'appelle espace échantillonnal.

3. Un événement peut être composé de un ou plusieurs résultats de l'expérience aléatoire.

4. La probabilité d'un événement est toujours comprise entre 0,5 et 1.

5. Lorsqu'un événement est impossible, sa probabilité est -1.

6. Si deux événements ne peuvent se réaliser simultanément, ils sont dits incompatibles.

7. La probabilité assignée à chaque résultat élémentaire est toute valeur supérieure à 0.

8. Lorsque deux événements sont complémentaires, la somme de leurs probabilités vaut 1.

9. Si deux événements sont mutuellement exclusifs, la probabilité de leur intersection est nulle.

10. Si deux événements sont indépendants, alors $P(A \cap B) = P(A) \times P(B)$.

11. Dans le cas de deux événements A et B qui sont compatibles, $P(A \cap B') = P(A) - P(A \cap B)$.

12. Dans le cas de deux événements A et B qui sont compatibles, $P(A \cup B) = P(A' \cap B) + P(A)$.

13. Dans le cas de deux événements indépendants, $P(A' \cap B) = P(A') \cdot P(B)$.

14. Évaluez la probabilité qu'une cause donnée qui est à l'origine d'un événement observé requiert l'utilisation de la formule de Bayes.

15. Le processus qui consiste à grouper de différentes façons n éléments différents s'appelle arrangement.

16. Un arrangement où l'ordre de présentation des éléments n'est pas pris en considération s'appelle permutation.

Questions à choix multiples. Encerclez la bonne réponse.

17. Si $P(A) = 0,4$, $P(B) = 0,6$ et $P(A \cap B) = 0,2$, alors $P(A \cup B)$ est égale à:

   i) 0,2   ii) 0,8   iii) 0,6   iv) 0,4.

18. Si $P(A) = 0,5$, P(B) $= 0,6$ et $P(A \cup B) = 0,9$, alors P($A \cap B$) est égale à:

   i) 0,4   ii) 0,3   iii) 0,2   iv) 0,7.

19. Si $P(A) = 0,2$, $P(B) = 0,6$ et $P(A|B) = 0,4$, alors $P(A \cap B)$ est égale à:

   i) 0,24   ii) 0,08   iii) 0,667   iv) 0,3.

20. Si $P(A) = 0,6$, $P(B) = 0,3$ et $P(A|B) = 0,4$ alors P($A \cup B$) est égale à:

   i) 0,8   ii) 0,9   iii) 0,58   iv) 0,78.

21. Si A et B sont deux événements mutuellement exclusifs avec $P(A) = 0,4$ et $P(B) = 0,5$, alors $P(A \cup B)$ est égale à:

   i) 0,1   ii) 0,9   iii) 0,12   iv) 0,7.

22. Si A et B sont deux événements indépendants avec $P(A) = 0,3$ et $P(B) = 0,6$, alors $P(A \cup B)$ est égale à:

   i) 0,62   ii) 0,72   iii) 0,18   iv) 0,9.

**Testez vos
connaissances**

Test no 3
(suite)

23. Sachant que $P(A) = 0{,}7$, que $P(B) = 0{,}25$ et que $P(A|B) = 0{,}70$, on peut dire que les événements A et B sont:

    i) complémentaires   ii) indépendants

    iii) mutuellement exclusifs   iv) pas indépendants.

Les questions 24 à 30 sont basées sur le contexte suivant.

Un sondage auprès de 120 étudiants(es) en sciences de la gestion donne les résultats suivants:

    60 possèdent uniquement un portable (A)

    40 possèdent uniquement une calculatrice d'affaires (B)

    15 possèdent les deux, portable et calculatrice d'affaires

On choisit au hasard un individu de ce groupe.

24. La probabilité qu'il possède un portable et une calculatrice d'affaires est:

    i) 0,333   ii) 0,125   iii) 0,4583   iv) 0,5.

25. La probabilité qu'il possède, soit un portable, soit une calculatrice d'affaires, soit les deux est:

    i) 0,8333   ii) 0,7083   iii) 0,9583   iv) 0,75.

26. La probabilité qu'il ne possède pas de portable est:

    i) 0,45833   ii) 0,375   iii) 0,333   iv) 0,417.

27. La probabilité qu'il possède un portable, sachant qu'il possède une calculatrice d'affaires est:

    i) 0,625   ii) 0,833   iii) 0,375   iv) 0,36.

28. La probabilité qu'il possède un portable, sachant qu'il ne possède pas une calculatrice d'affaires est:

    i) 0,9231   ii) 0,667   iii) 0,846   iv) 0,5.

29. La probabilité qu'il ne possède ni un portable, ni une calculatrice d'affaires est:

    i) 0   ii) 0,0435   iii) 0,0417   iv) 0,8696.

30. La probabilité qu'il possède une calculatrice d'affaires, sachant qu'il a un portable est:

    i) 0,273   ii) 0,625   iii) 0,20   iv) 0,833.

31. La responsable des ventes d'un magasin électronique, affilié à une chaîne nationale, a tenu un registre des clients qui ont visité la section «téléviseur grand écran» de son magasin. 40% des visiteurs étaient de sexe féminin; de plus 35% de la clientèle féminine qui ont visité le magasin ont effectué un achat, tandis que 20% de sa clientèle masculine ont effectué un achat. Notez,

A_1: l'événement «le client est de sexe féminin».

A_2: l'événement «le client est de sexe masculin».

B: l'événement «le client effectue un achat».

a) La probabilité que le prochain visiteur dans la section «téléviseur grand écran» effectue un achat est:

    i) 0,14   ii) 0,34   iii) 0,21   iv) 0,26.

b) On informe la responsable des ventes qu'un téléviseur grand écran vient d'être vendu. La probabilité que le client soit de sexe féminin est:

    i) 0,38   ii) 0,5385   iii) 0,14   iv) 0,12.

Testez vos

connaissances

Test no 3

(suite)

Les questions 32 à 36 sont basées sur le contexte suivant.

Un relevé effectué sur 300 clients, âgés de 18 à 24 ans qui ont acheté un article chez un détaillant d'articles de sport, donna les résultats suivants concernant le montant de l'achat et le mode de paiement.

Montant de l'achat	Mode de paiement			Total
	Comptant	Carte de crédit	Mise de coté	
Sous 80$	40	50	20	110
80$ et plus	20	120	50	190
Total	60	170	70	300

On sélectionne au hasard un de ces clients.

32. La probabilité que le client ait payé comptant est:

　　i) 0,36　　　　ii) 0,20　　　　iii) 0,32　　　　iv) 0,66.

33. La probabilité que le client ait effectué une mise de côté est:

　　i) 0,233　　　ii) 0,63　　　　iii) 0,857　　　iv) 0,182.

34. La probabilité que le client ait effectué un achat d'au moins 80$ est:

　　i) 0,105　　　ii) 0,333　　　iii) 0,633　　　iv) 0,769.

35. La probabilité que le client ait payé avec une carte de crédit sachant qu'il a effectué un achat d'au moins 80$ est:

　　i) 0,7059　　ii) 0,40　　　　iii) 0,8947　　iv) 0,6316.

36. La probabilité que le client ait effectué une mise de côté sachant qu'il a effectué un achat d'au moins 80$ est:

　　i) 0,6333　　ii) 0,2631　　iii) 0,7142　　iv) 0,1666.

37. La société Sigmat Construction a soumissionné pour deux projets d'envergure. La probabilité de se voir octroyer le projet A est 0,60, alors que celle du projet B est 0,78. La probabilité d'obtenir au moins un des deux projets est 0,92.

a) La probabilité que la société Sigmat se voit octroyer les deux projets est:

　　i) 0,78　　　ii) 0,48　　　　iii) 0,92　　　iv) 0,46.

b) Laquelle des affirmations suivantes est vraie.

　　i)　Les deux événements (obtention du projet A, obtention du projet B) sont mutuellement exclusifs.

　　ii)　Les deux événements sont indépendants.

　　iii)　Ni l'un, ni l'autre.

38. Un économiste de la Banque Mauricienne a fait les commentaires suivants concernant l'économie. Selon lui, une période inflationniste a 20 chances sur 100 de se manifester, une récession a 70 chances sur 100 d'arriver et une dépression, 10 chances sur 100.

Un autre économiste précise que si la période inflationniste se manifeste, il y a une probabilité de 0,10 que le taux de chômage augmente, une probabilité de 0,70 si on tombe en récession et finalement une probabilité de 0,90 que le taux de chômage augmente s'il y a une dépression. Un rapport statistique indique que le taux de chômage augmente.

a) La probabilité que cette situation soit attribuable à l'inflation est:

　　i) 0,70　　　ii) 0,16　　　　iii) 0,0333　　iv) 0,15.

b) La probabilité que cette situation soit attribuable à la récession est:

　　i) 0,49　　　ii) 0,0633　　iii) 0,70　　　iv) 0,8167.

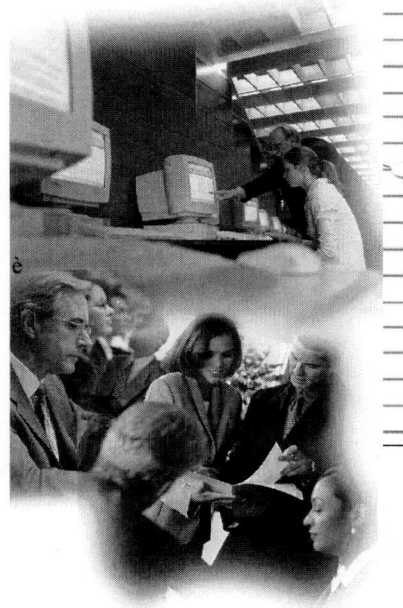

Chapitre 4

Modèles probabilistes discrets

L'entreprise Weavex* fabrique des toiles métalliques et synthétiques pour les usines de pâtes et papier. Le cycle de production comprend trois phases: le tissage de la toile, la cuisson et enfin le jointage.

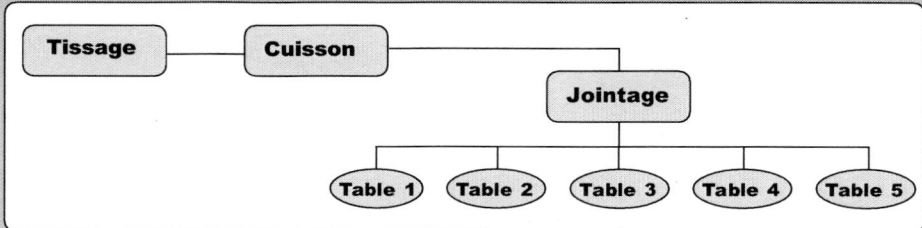

Un projet d'application avait pour but d'examiner la possibilité d'ajouter deux tables supplémentaires à la phase de jointage pour améliorer tout le cycle de production.

Nous ne traitons ici qu'une mince partie de ce projet d'application (un autre aspect de ce projet est traité au chapitre 11 sur l'utilisation des outils de la régression linéaire), soit celle concernant la phase de jointage.

Cette phase représente l'aspect final du cycle de production où l'on pratique la couture définitive du joint de la toile.

Une étude statistique sur 100 jours de production a permi d'obtenir une historique concernant le nombre de toiles arrivant par jour à la phase de jointage. Le dépouillement des données selon une distribution de fréquences absolues conduit au tableau suivant:

Nombre de toiles	Nombre de jours
0	42
1	29
2	16
3	10
4	3

On s'intéresse à déterminer si cette variable «nombre de toiles arrivant par jour à la phase de jointage» s'apparente à un modèle probabiliste connu et en particulier au modèle de Poisson.

Ce type de modèle probabiliste ainsi que d'autres modèles associés à des variables aléatoires discrètes sont traités dans ce chapitre.

* Source: Adapté d'un projet d'application effectué à la compagnie Weavex de Trois-Rivières.

Chapitre 4

Modèles probabilistes discrets

☐ **Objectif général.** *Nous présentons dans ce chapitre certaines lois importantes dans le calcul des probabilités. Les lois que nous traitons sont les lois associées à des variables discrètes soit la loi binomiale et la loi de Poisson. Nous traitons également en exercices, d'autres lois discrètes soit la loi hypergéométrique, la loi de Pascal, ...).*

☐ **Objectifs spécifiques.** *Lorsque vous aurez complété l'étude du chapitre 4, vous pourrez:*

1. *préciser ce qu'on entend par variable aléatoire et par loi de probabilité;*
2. *distinguer entre variable aléatoire discrète et variable aléatoire continue;*
3. *représenter graphiquement la loi de probabilité d'une variable aléatoire discrète;*
4. *calculer les principaux paramètres d'une loi de probabilité;*
5. *donner la signification de l'espérance mathématique, de la variance et de l'écart-type d'une variable aléatoire;*
6. *définir et interpréter les notions de covariance et de corrélation entre deux variables aléatoires;*
7. *identifier les conditions d'application des lois binomiale et de Poisson;*
8. *calculer les probabilités associées à ces lois;*
9. *appliquer ces lois de probabilités à diverses situations concrètes;*
10. *utiliser les fonctions de Microsoft Excel pour calculer les probabilités de divers événements associés à ces lois discrètes.*

4.1 Généralités sur les notions probabilistes et les notions statistiques

Dans ce chapitre, nous traitons principalement de variables aléatoires et de lois de probabilités discrètes. qui sont utilisées en gestion et en comptabilité. Toutefois ces notions ne nous sont pas totalement inconnues puisqu'elles ont été abordées, d'une certaine manière, sous l'angle pratique qu'est l'analyse descriptive des données.

L'étude des lois de probabilité permet de caractériser d'une manière conceptuelle une population hypothétique et infinie. On peut se résumer ainsi en disant que le calcul des probabilités est l'aspect théorique des notions pratiques déjà traitées en statistiques descriptives.

On pourrait présenter l'équivalence entre ces concepts selon le tableau ci-après.

Tableau 4.1

Équivalence entre les notions probabilistes et les notions statistiques

Notions probabilistes (concepts théoriques)	Notions statistiques (concepts pratiques)
Probabilité d'un événement	Fréquence relative
Variable aléatoire	Variable statistique
Loi de probabilité	Distribution statistique (empirique)
Espérance mathématique d'une variable aléatoire	Moyenne arithmétique d'une variable statistique
Variance d'une variable aléatoire	Variance d'une variable statistique

Ce qui permet de donner une interprétation concrète à la notion de probabilité et d'établir pour ainsi dire un pont entre les notions probabilistes (aspect théorique) et les notions statistiques (aspect pratique) est la *loi des grands nombres* qui précise que la fréquence relative d'un événement tend vers sa probabilité lorsque le nombre d'épreuves *n* croît indéfiniment.

Les notions probabilistes sont associées à une population hypothétique (ensemble de tous les résultats possibles d'une expérience aléatoire) alors que les notions statistiques sont associées à un nombre restreint d'observations (échantillon).

4.2 Les notions de variable aléatoire et de distribution de probabilité

Abordons ces notions en observant la façon de présenter les résultats (événements élémentaires) d'une épreuve. Ceux-ci peuvent se présenter de deux façons selon la nature de l'épreuve.

a) L'épreuve peut consister à mesurer un ou plusieurs caractères de sorte que les résultats s'expriment par des nombres. Par exemple, le montant d'argent dans un REÉR, la durée de la semaine de travail d'une dirigeante d'entreprise, le temps requis pour exécuter une tâche, le résultat à un test d'aptitude managériale, le rendement d'un titre,...

b) L'épreuve peut consister à apprécier un ou plusieurs caractères non quantifiés au départ, mais on pourra toujours par la suite quantifier les résultats à l'aide d'une valeur numérique arbitraire. Par exemple, un bordereau d'expédition est soit conforme, soit non conforme que l'on peut quantifier par 0 (si conforme) ou 1 (si non conforme).

Toutefois, dans un cas comme dans l'autre, on ne peut savoir a priori le résultat exact de l'épreuve. La répétition de l'épreuve nous indiquera que certains événements peuvent apparaître plus fréquemment que d'autres c.-à-d. que certains événements d'un espace échantillonnal auront éventuellement une probabilité plus forte que d'autres de se réaliser et que chaque événement élémentaire aura une certaine probabilité de se réaliser.

Loi de probabilité et variable aléatoire

En somme, la *quantification des événements d'une épreuve* nous amène à définir la notion de *variable aléatoire* et l'assignation à toutes les valeurs d'une variable aléatoire de la probabilité qui lui correspond nous amène à définir la *loi de probabilité*.

> **Variable aléatoire.** Si à chaque résultat (événement élémentaire) d'une épreuve (expérience aléatoire), on fait correspondre une valeur numérique ou si la réalisation d'une épreuve nous met en présence de quantités mesurables (ou dénombrables), nous définissons une *variable aléatoire*.

Remarques. a) Il existe pratiquement autant de définitions de *variable aléatoire* qu'il y a d'auteurs, les unes étant simples, les autres étant d'une grande rigueur mathématique. Une autre définition que l'on rencontre fréquemment est la suivante: *Une variable aléatoire est une fonction qui associe, à chaque résultat d'une expérience aléatoire, un nombre réel.*

b) Une variable aléatoire est habituellement notée par une lettre majuscule: *X, Y, Z,...*

Exemple 4.1

Divers exemples de variables aléatoires discrètes et continues

a) On choisit au hasard, à partir d'une liste informatisée, un dirigeant d'une PME d'une certaine région et on s'intéresse à la variable «rémunération du dirigeant». On ne peut savoir à l'avance la valeur spécifique de la rémunération de ce dirigeant. Le fait de choisir au hasard, un dirigeant de PME constitue une *expérience aléatoire* (on dit également épreuve). L'intérêt de l'expérience ici est

Variable aléatoire continue

d'observer sa rémunération. Ce faisant, nous créons la variable aléatoire «rémunération», dont les valeurs possibles se situent dans un intervalle fini. On dit alors que nous sommes en présence d'une *variable aléatoire continue*.

Variable aléatoire discrète

b) On choisit au hasard 10 individus ayant accès à Internet et on s'intéresse au nombre d'individus dans cet échantillon qui ont effectué ou non un achat par voie électronique depuis les 6 derniers mois. Nous sommes en présence d'une expérience aléatoire (choisir au hasard 10 individus) et dont l'intérêt de l'expérience est de noter le nombre d'individus dans cet échantillon qui ont effectué un achat par voie électronique depuis les 6 derniers mois. Nous créons ainsi une *variable aléatoire discrète* puisqu'elle ne peut prendre que les valeurs entières 0, 1, 2, ..., 10.

Variable aléatoire discrète

c) Un vérificateur prélève au hasard, dans un grand lot de factures, 10 factures d'achat. Chaque facture est vérifiée et celles qui ont été acquittées deux fois par erreur sont notées. La variable aléatoire «nombre de factures acquittées deux fois par erreur» peut prendre les valeurs entières de 0 à 10.

Variable aléatoire discrète

d) On prélève au hasard 20 PME de la région Centre-Mauricie pour connaître celles qui utilisent Internet à des fins de transactions commerciales électroniques. On s'intéresse à la quantité «nombre de PME dans un échantillon de 20 qui utilisent Internet à des fins de transactions commerciales électroniques». Cette variable aléatoire peut prendre les valeurs entières de 0 à 20.

Variable aléatoire continue

e) Le responsable en contrôle industriel de l'entreprise Comtec a soumis à un essai de fiabilité un certain nombre de dispositifs électroniques identiques et a noté la «durée de vie en heures jusqu'à défaillance». La variable aléatoire peut prendre n'importe quelle valeur positive ou nulle.

Loi de probabilité discrète

> **Loi de probabilié d'une variable aléatoire discrète**. Associer à chacune des valeurs possibles de la variable aléatoire discrète la probabilité qui lui correspond, c'est définir la loi de probabilité (ou distribution de probabilité) de la variable aléatoire. La probabilité que X prenne la valeur x_i est notée $f(x_i) = P(X = x_i)$ et la loi de probabilité $f(x_i)$ a les propriétés suivantes:
>
> a) $f(x_i) \geq 0$, pour tout i b) $\sum_i f(x_i) = 1$.

On peut représenter graphiquement les couples $(x_i, f(x_i))$, ce qui permet de visualiser la distribution de probabilité d'une variable aléatoire discrète.

Figure 4.1

Représentation graphique d'une distribution de probabilité d'une variable aléatoire discrète

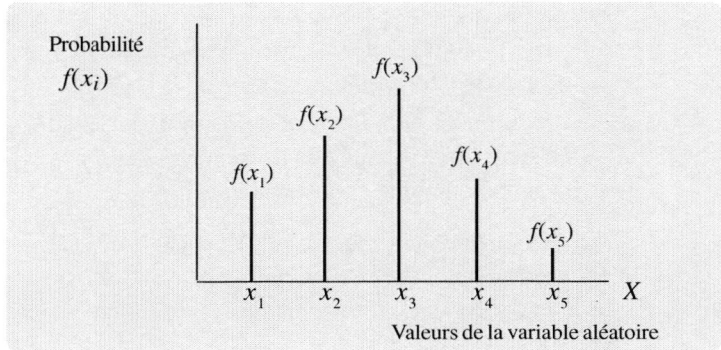

Fonction de répartition

Tout comme en statistique descriptive, on peut introduire la notion de *courbe cumulative*. Dans le cas d'une variable aléatoire, elle porte le nom de *fonction de répartition*. Cette fonction donne la probabilité que la variable aléatoire X prenne une valeur au plus égale à une valeur donnée x_i; cette probabilité, notée $F(x_i)$, s'écrit:

Fonction de répartition = Probabilité cumulée des valeurs de X

jusqu'à x_i : $F(x_i) = P(X \leq x_i)$.

Dans le cas d'une variable aléatoire discrète, on a

$$P(X \leq x_i) = P(X = x_1) + P(X = x_2) + \cdots + P(X = x_i)$$

et le graphique de la fonction de répartition prendra la forme d'un escalier.

Figure 4.2

Représentation graphique de la fonction de répartition

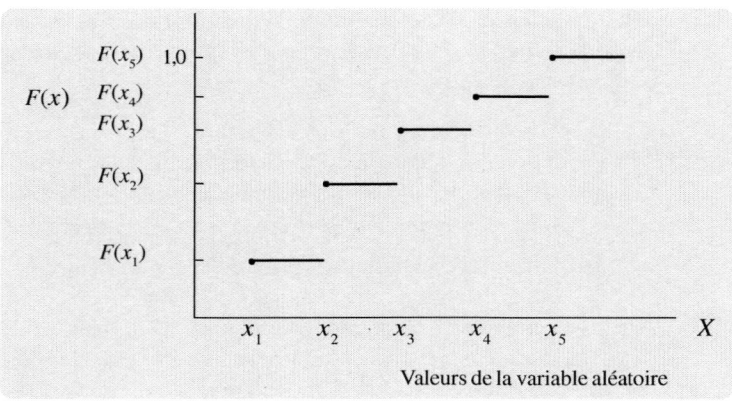

Valeurs de la variable aléatoire

La fonction de répartition possède les propriétés suivantes:

i) $0 \leq F(x_i) \leq 1$, pour tout x_i

ii) $F(x_i) \leq F(x_j)$ si $x_i \leq x_j$

iii) $P(X > x_i) = 1 - P(X \leq x_i) = 1 - F(x_i)$.

L'exemple suivant permet d'illustrer ces concepts.

Exemple 4.2

Distribution de probabilité discrète : commerce électronique

Selon une enquête* effectuée auprès de grandes entreprises du Québec concernant le commerce électronique, seulement 14% des entreprises ont mis en place des mécanismes de transaction et de paiement par carte de crédit.

———
* Source: Barcelo, Y. *Les entreprises québécoises se disent bien protégée*s. Les AFFAIRES, 29 juillet 2000.

Supposons qu'on prélève au hasard deux de ces entreprises. Notons la variable aléatoire par X: nombre d'entreprises ayant mis en place un système de commerce électronique dans l'échantillon prélevé.

Pour représenter la loi de probabilité de cette variable aléatoire, il faut connaître

   i) chacune des valeurs qu'elle peut prendre.

  ii) les probabilités correspondantes.

Déterminons d'abord quels sont les événements élémentaires possibles de cette expérience en notant par D «entreprise n'ayant pas un système de commerce électronique» et par B «entreprise ayant un système de commerce électronique». La liste des événements est la suivante:

$$S = \{BB, BD, DB, DD\}.$$

BD veut dire que la première entreprise n'a pas de système de commerce électronique alors que la deuxième en a un. Associons maintenant les valeurs de la variable aléatoire définie plus haut.

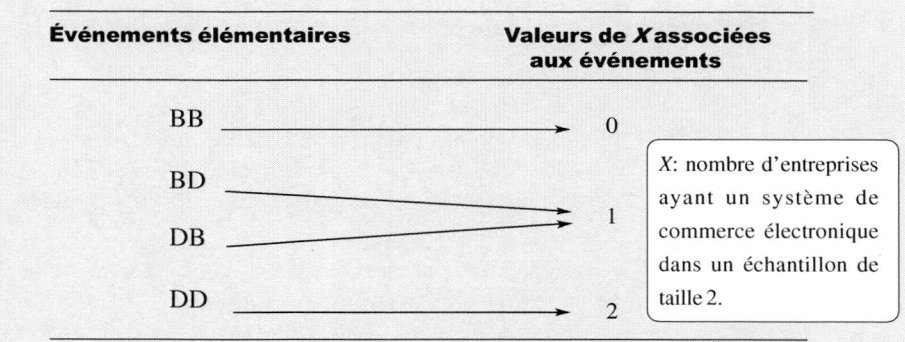

Associons maintenant à chacune des valeurs de X, la probabilité qui lui correspond. Puisque 14% des entreprises ont un système de commerce électronique (et 86% n'en possèdent pas), la probabilité d'observer une entreprise ayant un système de commerce électronique est 0,14 et n'ayant pas ce système, 0,86. En supposant l'indépendance des résultats, la probabilité d'observer l'événement «BB», les deux entreprises n'ont pas de système de commerce électronique, s'écrit $(0,86)(0,86) = 0,7396$. Les autres probabilités s'obtiennent de la même façon.

On peut résumer avec le tableau suivant les événements, les valeurs de la variable aléatoire et la probabilité associée à chaque valeur.

Événements élémentaires	Valeurs x_i de la variable aléatoire X	Probabilité $P(X = x_i)$
BB	$x_1 = 0$	$P(X=0) = (0,86)(0,86) = 0,7396$
BD DB $\}$	$x_2 = 1$	$P(X=1) = (0,86)(0,14) +(0,14)(0,86) = 0,2408$
DD	$x_3 = 2$	$P(X=2) = (0,14)(0,14) = 0,0196$
		Somme = 1,0

Il y a deux façons d'observer une entreprise ayant un système de commerce électronique, soit BD ou DB ayant chacun une probabilité 0,1204, ce qui donne $P(X=1) = 0,1204 + 0,1204 = 0,2408$.

La variable aléatoire que nous venons de traiter est donc discrète et les valeurs possibles sont $x = 0$, 1, 2.
Le graphique de la distribution de probabilité de cette variable aléatoire est présenté ci-contre.

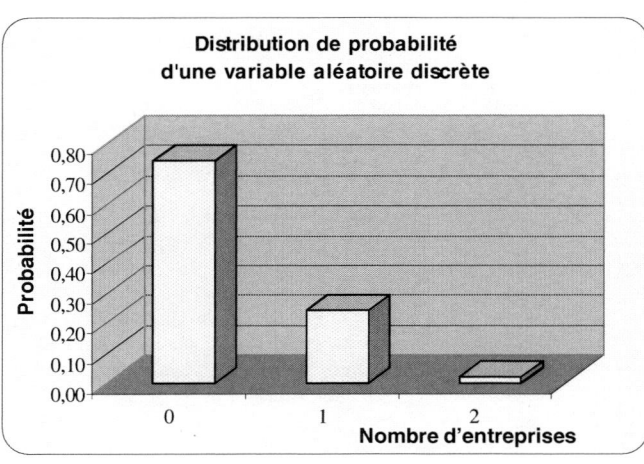

4.3   Espérance mathématique et variance d'une variable aléatoire

L'équivalent de ces deux notions a déjà été traité en statistique descriptive. En effet, nous avons caractérisé les distributions statistiques (distributions de valeurs observées) par certains nombres représentatifs qui résumaient d'une façon commode et suffisamment complète l'ensemble des valeurs de la distribution. Les principales caractéristiques que nous avons alors étudiées étaient les caractéristiques de tendance centrale et de dispersion.

On retrouve la notion d'espérance mathématique en *finance* lorsqu'on veut déterminer le rendement espéré d'un titre ou encore le rendement espéré d'un portefeuille.

Pour apprécier la tendance centrale d'une série de données, nous avons employé, entre autres, la moyenne arithmétique et pour caractériser la dispersion des données autour de la moyenne, nous avons fait usage de la variance (ou de l'écart-type).

Nous n'abordons ici que le cas d'une variable aléatoire discrète (nous traitons au chapitre 5 de modèles probabilistes continus).

L'espérance mathématique est un nombre réel qui ne sera pas nécessairement une valeur de la variable aléatoire et ce nombre n'a rien d'aléatoire. Il ne dépend, en aucune manière, du résultat d'un processus quelconque lié au hasard.

Espérance mathématique d'une variable aléatoire discrète. Soit X, une variable aléatoire discrète qui prend les valeurs $x_1, x_2, ..., x_n$ et dont la loi de probabilité est $f(x_i) = P(X = x_i)$. L'espérance mathématique de X, notée $E(X)$, s'obtient en multipliant chacune des valeurs possibles de la variable aléatoire par sa probabilité correspondante et en additionnant tous les produits obtenus:

$$E(X) = x_1 \cdot f(x_1) + x_2 \cdot f(x_2) + \square + x_n \cdot f(x_n)$$

$$E(X) = \sum_{i=1}^{n} x_i \cdot f(x_i).$$

Variance d'une variable aléatoire discrète

On retrouve la notion variance en *finance* lorsqu'on veut évaluer le risque d'un titre.

L'espérance mathématique ne peut résumer à elle seule l'essentiel de l'information contenue dans la distribution de probabilité. Il nous faut également un nombre qui permet de caractériser l'étalement des valeurs de la variable aléatoire autour de sa moyenne.

Variance et écart-type d'une variable aléatoire discrète. La dispersion des valeurs x_i de la variable aléatoire X est obtenue en calculant l'espérance des carrés des écarts de ces valeurs par rapport à l'espérance mathématique c.-à-d. en calculant la valeur moyenne des écarts $(x_i - E(X))^2$ que nous notons $Var(X)$:

$$Var(X) = E[(X - E(X))^2].$$

Pour une variable aléatoire discrète, on définit la variance comme suit:

Var(X) et *σ(X)* sont toujours ≥ 0.

$$Var(X) = \sum_{i=1}^{n} (x_i - E(X))^2 \cdot f(x_i) = E(X^2) - \left[E(X) \right]^2 \quad \text{où} \quad E(X^2) = \sum_{i=1}^{n} x_i^2 \cdot f(x_i).$$

La racine carrée de $Var(X)$, notée $\sigma(X) = \sqrt{Var(X)}$ se nomme l'écart-type.

La variance est également notée σ^2 (ou σ_X^2) et l'écart-type σ (ou σ_X). L'écart-type a les mêmes unités que la variable aléatoire et caractérise la dispersion (l'étalement) des valeurs de la variable aléatoire autour de son espérance (moyenne).

Remarques. a) Une loi de probabilité (modèle probabiliste) régit le comportement d'une variable aléatoire. Cette notion abstraite est associée à la *population*, c-à-d. à l'ensemble de tous les résultats possibles d'un phénomène particulier. C'est pour cette raison que l'espérance mathématique et la variance sont également appelées *paramètres* de la population et par conséquent ils ne sont pas des quantités aléatoires.

b) Le calcul de la variance est simplifié en utilisant l'expression développée:

$$Var(X) = E(X^2) - \left[E(X) \right]^2 \quad \text{où} \quad E(X^2) = \sum_{i=1}^{n} x_i^2 \cdot f(x_i).$$

Remarques. (suite) c) La dispersion relative d'une loi de probabilité s'obtient du coefficient de variation :

$$CV\% = \frac{\sigma_X}{E(X)} \times 100, E(X) \neq 0 .$$

Propriétés de l'espérance mathématique et de la variance

Il arrive parfois qu'on doive effectuer sur une variable aléatoire une transformation (changement d'origine ou changement d'échelle). Nous résumons dans le tableau de la page suivante, les principales propriétés de l'espérance mathématique et de la variance d'une variable aléatoire lorsqu'une transformation lui est apportée. Ces propriétés s'appliquent autant aux variables discrètes qu'aux variables continues.

Propriétés importantes concernant l'espérance mathématique et la variance

Changement d'origine $Y = X + c$	Changement d'échelle $Y = aX$	Transformation générale $Y = aX + c$
$E(X+c) = E(X) + c$ $Var(X+c) = Var(X)$ $\sigma(X+c) = \sigma(X)$	$E(aX) = aE(X)$ $Var(aX) = a^2 Var(X)$ $\sigma(aX) = a\,\sigma(X)$	$E(aX+c) = aE(X) + c$ $Var(aX+c) = a^2 Var(X)$ $\sigma(aX+c) = a\,\sigma(X)$

a et c sont des constantes.

Nous remarquons que la variance et l'écart-type ne changent pas avec un changement d'origine.

Exemple 4.4

Taux moyen d'absentéisme et variance

Chez GVC, on a établi, sur une longue période, que le nombre de personnes absentes (x_i) par semaine pouvait être régi par la loi de probabilité présentée ci-contre.

a) Déterminez le taux moyen d'absentéisme.

On veut déterminer $E(X)$.

$E(X) = (0)(0,05) + (0,09)(0,09) + (2)(0,15) + ... + (7)(0,01) = 3,10$ personnes par semaine.

b) Calculez la variance et l'écart-type de la variable «nombre de personnes absentes par semaine». Utilisez l'expression simplifiée de la variance.

Département 742

x_i	$f(x_i) = P(X = x_i)$
0	0,05
1	0,09
2	0,15
3	0,34
4	0,21
5	0,12
6	0,03
7	0,01

Il faut calculer $E(X^2) = \sum_{i=1}^{n} x_i^2 \cdot f(x_i)$.

$E(X^2) = (0)(0,05) + (1)(0,09) + (4)(0,15)$
$+ (9)(0,34) + (16)(0,21) + (25)(0,12) + (36)(0,03)$
$+ (49)(0,01) = 11,68.$

x_i	x_i^2	$P(X = x_i)$
0	0	0,05
1	1	0,09
2	4	0,15
3	9	0,34
4	16	0,21
5	25	0,12
6	36	0,03
7	49	0,01

Déterminons la variance avec

$Var(X) = E(X^2) - [E(X)]^2 .$

On obtient $Var(X) = 11,68 - (3,10)^2 = 2,07.$

L'écart-type est : $\sigma_X = \sqrt{2,07} = 1,44 .$

c) S'il en coûte à l'entreprise 80$ chaque fois qu'une personne est absente, déterminez le coût moyen hebdomadaire ainsi que la variance et l'écart-type. Pour répondre à cette question, il faut utiliser les propriétés mentionnées ci-haut.

Coût = 80X

$E(\text{Coût}) = E(80X) = 80E(X) = (80)(3,10) = 248\$.$

$Var(\text{Coût}) = Var(80X) = 80^2 Var(X) = (80^2)(2,07) = 13\ 248$

Écart-type(Coût) $= \sigma(80X) = 80\ \sigma(X) = 80\sqrt{2,07} = 115,10\$.$

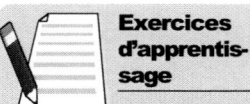

Exercices d'apprentis-sage

Série 4.1

📖 Espérance du gain à une loterie

📖 Distribution d'une variable aléatoire discrète

1. À une loterie, 10 000 billets ont été vendus. Il y a un prix de 5 000$, 10 de 500$ et 20 de 100$. Vous possédez un de ces billets. Définissons la variable aléatoire X comme le gain associé à chaque billet.

a) Quelle est la loi de probabilité de cette variable aléatoire (complétez les valeurs manquantes)?

X	0$	100$	500$	5000$
$P(X=x)$	_____	0,002	_____	0,0001

b) Quelles sont les chances sur 100 de ne rien gagner à cette loterie?

c) Quelle est l'espérance de gain à cette loterie?

2. Soit une variable aléatoire discrète dont la loi de probabilité est la suivante:

x	0	1	2
$f(x)$	$\alpha/2$	$3\alpha/2$	α

a) Déterminez α.

b) Quelle est la loi de probabilité de X?

c) Calculez $P(1 \le X < 2)$.

d) Quelle est la plus petite valeur x pour laquelle $P(X \le x) > 0,6$?

4.4 Propriétés de l'espérance mathématique et de la variance: combinaison de variables aléatoires

Nous avons déjà énoncé les propriétés de l'espérance mathématique et de la variance dans le cas d'une variable aléatoire. Il existe en statistique de nombreuses applications où l'on doit connaître les principales caractéristiques d'une variable aléatoire résultant de la combinaison de plusieurs variables aléatoires.

Nous résumons ici les principales propriétés dans le cas de deux variables aléatoires (continues ou discrètes).

Somme et différence de deux variables aléatoires indépendantes

Résumons d'abord les propriétés dans le cas de deux variables aléatoires indépendantes X et Y ayant respectivement les espérances mathématiques $E(X)$ et $E(Y)$.

Somme *X + Y*	Différence *X - Y*
$E(X + Y) = E(X) + E(Y)$	$E(X - Y) = E(X) - E(Y)$
$Var(X + Y) = Var(X) + Var(Y)$	$Var(X - Y) = Var(X) + Var(Y)$

Produit de deux variables aléatoires indépendantes

Produit *X × Y*

$E(X \times Y) = E(X) \times E(Y)$

$Var(X \times Y) = [E(X)^2 \times Var(Y) + [E(Y)^2 \times Var(X) + Var(X) \times Var(Y)$

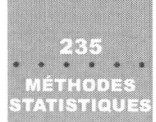
Covariance et corrélation entre deux variables aléatoires

Lorsque deux variables aléatoires ne sont pas indépendantes, il existe une caractéristique qui permet de déterminer le degré de dépendance entre elles. Dans ce but, on définit la covariance de X et Y comme indiquée ci-après.

Covariance de deux variables aléatoires. Soit X et Y deux variables aléatoires. La covariance de X et de Y est l'espérance mathématique du produit des écarts de X et de Y à partir de leurs espérances mathématiques respectives:

$$Cov(X,Y) = E[(X - E(X))(Y - E(Y))]$$
$$= E(X \times Y) - E(X) \times E(Y).$$

Si les deux variables aléatoires sont indépendantes, alors

$$Cov(X,Y) = E(X) \times E(Y) - E(X) \times E(Y) = 0.$$

On retrouve la notion de covariance en *finance* lorsqu'on veut évaluer le risque d'un portefeuille, puisque dans bien des cas, les taux de rendement de deux titres ne varient pas nécessairement indépendamment l'un de l'autre.

Interprétation de la covariance. La covariance permet d'évaluer l'intensité de la dépendance statistique entre deux variables aléatoires. La covariance peut être positive (les deux variables varient dans le même sens), négative (les deux variables varient en sens contraire) ou nulle et sa valeur peut se situer entre $-\infty$ et $+\infty$, ce qui la rend difficile d'interprétation. Elle a les mêmes unités que le produit X Y.

Puisque la covariance est affectée par l'ordre de grandeur des unités de X et de Y, une façon plus commode d'obtenir une mesure de la dépendance entre deux variables aléatoires, est d'utiliser le *coefficient de corrélation* qui est un nombre sans dimension.

Coefficient de corrélation de deux variables aléatoires. On définit le coefficient de corrélation ρ entre X et Y par le rapport:

$$\rho = E\left[\left(\frac{X - E(X)}{\sigma(X)}\right)\left(\frac{Y - E(Y)}{\sigma(Y)}\right)\right]$$
$$= \frac{E(X \cdot Y) - E(X) \cdot EY)}{\sigma(X) \cdot \sigma(Y)} = \frac{Cov(X,Y)}{\sigma(X) \cdot \sigma(Y)}$$

Si les variables X et Y sont indépendantes, alors $Cov(X,Y) = 0$ et $\rho = 0$, mais réciproquement si $\rho = 0$ (ou $Cov(X,Y) = 0$), les variables X et Y *ne sont pas obligatoirement indépendantes*.

Interprétation du coefficient de corrélation linéaire. Le coefficient de corrélation est une mesure de l'intensité de la liaison linéaire entre deux variables aléatoires. On peut démontrer que ρ peut varier entre -1 (corrélation parfaite négative) et +1 (corrélation parfaite positive): $-1 \leq \rho \leq 1$. Si $\rho = 0$, on dit que les variables X et Y sont non corrélées (absence de liaison linéaire).

Nous traitons de l'aspect statistique de la corrélation linéaire au chapitre 11.

Remarques. a) Dans le cas de deux variables aléatoires *dépendantes*, on a:

$$E(XY) = E(X) \cdot E(Y) + Cov(X,Y).$$

$$Var(X \pm Y) = Var(X) + Var(Y) \pm 2\ Cov$$

et plus généralement

$$Var(aX \pm bY) = a^2 Var(X) + b^2 Var(Y) \pm 2ab\ Cov(X,Y).$$

b) Les résultats concernant l'espérance mathématique et la variance d'une combinaison linéaire de n variables aléatoires (discrètes ou continues) se généralisent comme suit:

$$Y = a_1 X_1 + a_2 X_2 + ... + a_n X_n \quad \text{où } a_1, a_2,..., a_n \text{ des constantes}$$
$$E(Y) = a_1 E(X_1) + a_2 E(X_2) + \cdots + a_n E(X_n).$$

Si $X_1, X_2,..., X_n$ sont indépendantes,

$$Var(Y) = a_1^2\ Var(X_1) + a_2^2\ Var(X_2) + \ldots + a_n^2\ Var(X_n^2).$$

c) Pour une discussion détaillée de l'application des notions probabilistes au secteur des finances, voir *Gestion Financière* (2003) par Denis Morissette, chez le même éditeur.

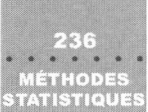

Exemple 4.6

Rendement espéré et risque d'un titre

Admettons que la distribution de probabilités associée aux rendements du titre de l'entreprise Bêtatechonologies peut être modelée comme suit:

Rendement	Probabilité
-0,15	0,12
0,00	0,28
0,10	0,40
0,14	0,12
0,18	0,08

a) Déterminez le rendement espéré, la variance et l'écart-type.

Identifions par R, le rendement. Le rendement espéré est donc:

$E(R) = (-0,15)(0,12) + (0)(0,28) + (0,10)(0,4) + (0,14)(0,12) + (0,18)(0,08) = 0,0532$
soit 5,32%.

Pour déterminer la variance du rendement de ce titre, on a recours à l'expression

suivante: $Var(R) = E(R^2) - [E(R)]^2$ où $E(R^2) = \sum r_i^2 f(r_i)$.

On peut vérifier que $E(R^2) = 0,011644$; par conséquent, la variance s'obtient de :
$Var(R) = 0,011644 - (0,0532)^2 = 0,00881376$ et

$\sigma_R = \sqrt{0,00881376} = 0,0939$.

b) D'après le TSE-Western, version 2000, l'écart-type du rendement annuel du titre de Bell Canada est de 31%.

Lequel des deux titres semble le plus risqué?

Puisque que l'écart-type du titre de Bêtatechnologies est plus faible que celui de Bell Canada, on pourrait dire que le titre de Bêtatechnologies est moins risqué.

Exemple 4.7

Évaluation du risque d'un portefeuille

Supposons qu'on a l'information suivante* concernant les rendements possibles de deux titres selon certaines conjonctures économiques avec la probabilité de réalisation de ces conjonctures:

Conjoncture économique	Probabilité	Rendement$_X$	Rendement $_Y$
1	0,20	0,14	0,08
2	0,10	0,04	0,11
3	0,25	0,21	0,16
4	0,30	0,14	0,11
5	0,15	0,04	0,16

*Source: Adapté de Morissette,D. *La relation risque-rendement*, chapitre 6, Gestion financière, 2003, chez le même éditeur.

Déterminez la covariance entre les rendements des titres X et Y.

L'expression pour déterminer la covariance est:

$$Cov(X,Y) = E[(X - E(X))(Y - E(Y))].$$

Le calcul des rendements espérés est indiqué à la page suivante (calcul effectué avec le tableur Excel).

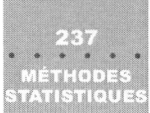
Conjoncture économique	Probabilité	Rendement X	Rendement Y	Calcul de $E(X)$	Calcul de $E(Y)$
1	0,20	0,14	0,08	0,028	0,016
2	0,10	0,04	0,11	0,004	0,011
3	0,25	0,21	0,16	0,053	0,040
4	0,30	0,14	0,11	0,042	0,033
5	0,15	0,04	0,16	0,006	0,024
				0,1325	0,1240

$$E(X) = 0,1325 \qquad E(Y) = 0,1240$$

Le calcul de la covariance se présente comme suit:

Titre X (Écart par rapport à l'espérance)	Titre Y (Écart par rapport à l'espérance)	Produit des écarts	Pondération du produit par les probabilités
0,0075	-0,0440	-0,00033	-0,000066
-0,0925	-0,0140	0,001295	0,0001295
0,0775	0,0360	0,00279	0,0006975
0,0075	-0,0140	-0,000105	-0,0000315
-0,0925	0,0360	-0,00333	-0,0004995
		Somme:	0,000230

La covariance entre le rendement des deux titres est donc 0,000230, ce qui est très faible. On peut dire que les rendements des deux titres sont pratiquement indépendants.

4.5 Lois de probabilités importantes

L'importance d'étudier certaines lois de probabilité réside dans le fait que de nombreuses situations pratiques s'apparentent à certains comportements de variables aléatoires qui sont régies par des lois spécifiques. Si tel est le cas, ces lois ou modèles probabilistes permettent d'analyser les fluctuations de certains phénomènes en évaluant, par exemple, les probabilités que tel événement ou tel résultat soit observé.

Il existe de nombreux modèles probabilistes, entre autres, la loi binomiale, la loi hypergéométrique, la loi de Poisson, la loi normale, la loi exponentielle,... Les lois binomiale, hypergéométrique et de Poisson sont associées à des variables aléatoires discrètes alors que les lois normale et exponentielle sont associées à des variables aléatoires continues. Dans ce chapitre, nous abordons deux lois discrètes, soit la loi binomiale et la loi de Poisson. Les lois de probabilités associées aux variables continues sont discutées au chapitre 5.

Débutons par la loi binomiale.

4.6 Application de la loi binomiale

Dans la situation où le résultat possible de la variable aléatoire ne peut s'exprimer par un nombre et que ce résultat ne peut prendre que deux valeurs possibles sur une échelle nominale (par exemple, un individu est en faveur ou non de la syndicalisation, un consommateur effectue ou n'effectue pas d'achats en ligne, ...), le modèle probabiliste qui peut régir le comportement de ce type de variable aléatoire (sous certaines conditions que nous précisons subséquemment) est le modèle binomial ou la loi binomiale.

Le modèle binomial permet par exemple de calculer les chances sur 100 d'observer, dans un échantillon aléatoire de 20 PME québécoises, que 3 PME dans l'échantillon considèrent que l'adoption des normes ISO permet d'améliorer la performance de l'entreprise, sachant que pour l'ensemble de PME (la population), 25% sont de cet avis.

Dans cet exemple, l'expérience aléatoire consiste à prélever au hasard 20 PME québécoises (en fait, selon les conditions d'application de la loi binomiale, l'expérience consiste à prélever au hasard une PME et à répéter cette expérience 20 fois) et à s'intéresser à la variable aléatoire «nombre de PME dans l'échantillon qui considèrent que l'adoption des normes de qualité ISO permet d'améliorer la performance de l'entreprise».

Avant de calculer certaines probabilités avec ce modèle probabiliste, donnons les conditions d'application de la loi.

• • •
Des expériences comportant *n* épreuves (essais) successives et indépendantes dont l'issue de chaque essai comporte deux résultats possibles sont dites *épreuves de Bernoulli* (d'après Jacques Bernoulli, 1654-1705).

Conditions d'application du modèle binomial.

▸ L'issue de l'expérience (ou de l'essai) ne comporte que 2 résultats possibles: succès ou insuccès.

▸ On répète (successivement ou simultanément) *n* fois l'expérience et on s'intéresse au nombre de fois que l'événement « succès » se réalise dans ces *n* essais (ou tirages).

▸ La probabilité de réalisation de l'événement « succès » est la même à chaque essai et est notée « *p* ».

▸ Les essais sont indépendants et non exhaustifs c.-à-d. les conditions de sélection sont identiques, ne modifient pas la composition de la population et le résultat observé à un essai n'affecte pas le résultat que l'on obtient à l'essai suivant.

Paramètres de la loi binomiale: *n* et *p*.

La loi binomiale dépend de deux paramètres, soit *la taille de l'échantillon n et la probabilité p* de réalisation de l'événement « succès ». Les valeurs possibles d'une variable binomiale sont $x = 0, 1, 2, 3, ..., n$ et on résume habituellement une variable discrète qui est distribuée selon le modèle binomial en écrivant: $X \sim b(x; n, p)$ ou encore $X \sim B(n,p)$.

Il n'est pas strictement nécessaire de connaître l'expression algébrique de la loi binomiale pour calculer les probabilités correspondantes. On peut avoir recours à des tables ou à la fonction LOI.BINOMIALE d'Excel.

Exemple 4.8

Situations où les valeurs du caractère étudié peuvent être régies par la loi binomiale

a) Une étiquette est conforme ou non conforme aux spécifications: nombre d'étiquettes non conformes dans un échantillon de *n* étiquettes.

b) Une PME effectue ou non ses achats de fournitures de bureau par voie électronique: nombre de PME dans un échantillon de taille *n* qui effectuent ses achats de fournitures de bureau par voie électronique.

c) L'aspect visuel d'une pièce est acceptable ou non: nombre de pièces dont l'aspect visuel est inacceptable dans un échantillon de *n* pièces.

d) Un manifeste d'expédition est conforme ou non: nombre de manifestes non conformes dans un échantillon de *n* manifestes.

e) La direction d'une entreprise tient compte ou non des suggestions des employés dans ses décisions: nombre d'employés qui reconnaissent que la direction tient compte des suggestions des employés dans ses décisions dans un échantillon de *n* employés de l'entreprise.

f) Un pourcentage d'entreprises manufacturières affirment n'avoir aucun en personnel formé en logistique : nombre d'entreprises du secteur manufacturier dans un échantillon de taille *n* qui affirment n'avoir aucun besoin en personnel formé en logistique.

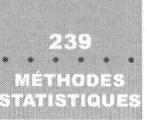

4.7 Calcul de probabilités binomiales

La situation suivante va nous permettre de nous diriger vers la définition de la loi binomiale.

Le responsable des achats de l'entreprise Northpak a précisé, lors d'une réunion du groupe d'amélioration des processus de l'entreprise, que 10% des bons de commande* préparés par les employés du département des achats comportaient au moins une non-conformité (date manquante, adresse erronée, no de produit incomplet ou inexact,...)

Un agent du groupe d'amélioration continue de l'entreprise prélève au hasard trois bons de commande parmi les centaines qui ont été complétés au cours du mois dernier et s'intéresse au nombre de bons de commande qui présentent au moins une non-conformité dans un échantillon de taille $n = 3$. On suppose que l'affirmation de la responsable des achats est exacte.

Dans ce contexte, l'*épreuve* consiste à prélever au hasard du lot (qu'on suppose très grand) de bons de commandes, un bon de commande et répéter cette expérience trois fois.

La *probabilité de succès* (le bon de commande est non conforme) d'une épreuve est $p = 0,10$.

La *probabilité d'insuccès* est notée $q = 1 - p = 0,90$ et on a toujours $p + q = 1$.

Identifions la variable binomiale comme suit:

> Soit X, le nombre de bons de commande non conformes (c.-à-d. présentant au moins une non-conformité) dans un échantillon de taille $n = 3$. X sera un nombre entier (variable discrète) dont les valeurs possibles sont: $x = 0, 1, 2, 3$ non conformes.

Déterminons les probabilités de réalisation du nombre possible de bons de commande non conformes où $n = 3$ et $p = 0,10$.

● *Aucun bon de commande non conforme* $(X = 0)$

Quelle est la probabilité de n'observer aucun bon de commande non conforme dans un échantillon de taille $n = 3$?

> *Rappel.* Dans le cas de trois événements indépendants E_1, E_2, E_3,
> $$P(E_1 \cap E_2 \cap E_3) = P(E_1) \cdot P(E_2) \cdot P(E_3)$$

Puisque chaque épreuve est indépendante, la probabilité d'obtenir 0 bon de commande non conforme en 3 épreuves, lorsque $p = 0,10$ et $q = 0,90$ est:

$$P(X = 0) = (0,90)(0,90)(0,90) = (0,90)^3 = 0,729. \qquad (q^3)$$

● *Tous les bons de commande dans l'échantillon sont non conformes* $(X = 3)$

De même , la probabilité d'obtenir 3 bons de commande non conformes consécutifs, avec $p = 0,10$, est:

$$P(X = 3) = (0,10)(0,10)(0,10) = (0,10)^3 = 0,001. \qquad (p^3)$$

● *Un seul bon de commande dans l'échantillon est non conforme* $(X = 1)$

Le bon de commande non conforme peut apparaître n'importe où dans l'échantillon; ainsi la probabilité que le premier soit non conforme et que les deux autres soient conformes est:

$$(0,10)(0,90)(0,90) = (0,10)(0,90)^2 = 0,081. \qquad (p)(q^2)$$

Il peut apparaître à la deuxième épreuve, d'où

$$(0,90)(0,10)(0,90) = (0,10)(0,90)^2 = 0,081, \text{ ou encore à la troisième épreuve:}$$

$$(0,90)(0,90)(0,10) = (0,10)(0,90)^2 = 0,081.$$

---

* Source: Adapté de Mc Cable, J.W. *Examining Process Improves Operations*, Quality Progress, juillet 1989.

Puisque ces événements sont incompatibles, la probabilité d'obtenir 1 bon de commande non conforme dans un échantillon de taille $n = 3$ est:

$$P(X = 1) = 0,081 + 0,081 + 0,081 = 3(0,10)(0,90)^2 = 0,243. \qquad 3(p)(q^2)$$

Le nombre 3 correspond au nombre de façons différentes d'obtenir un bon de commande non conforme dans un échantillon de taille $n = 3$ soit

Rappel: $\binom{n}{x} = \dfrac{n!}{x!(n-x)!}$

$$\binom{3}{1} = \frac{3!}{1!(3-1)!} = \frac{3!}{2!} = \frac{3 \cdot 2 \cdot 1}{2 \cdot 1} = 3.$$

●*Deux bons de commande dans l'échantillon sont non conformes ($X = 2$)*

Évaluons maintenant la probabilité d'obtenir 2 bons de commande non conformes dans un échantillon de taille $n = 3$ avec $p = 0,10$. Le nombre de façons différentes dont peut se réaliser cet événement s'obtient de:

$$\binom{3}{2} = \frac{3!}{2!(3-2)!} = \frac{3!}{2!} = \frac{3 \cdot 2 \cdot 1}{2 \cdot 1} = 3$$

et chaque combinaison a la probabilité $(0,10)^2(0,90)^1$ de se réaliser.

Donc $P(X = 2) = 3(0,10)^2(0,90)^1 = 3(0,01)(0,90) = 0,027.$ \qquad $3(p)^2(q)$

Le calcul de cette probabilité correspond à l'application de l'expression de la loi binomiale:

$$P(X = x) = \binom{n}{x} \cdot p^x \cdot (1-p)^{n-x}.$$

Ainsi, $P(X = 2) = \binom{3}{2} \cdot (0,10)^2 \cdot (0,90)^1 = 0,027$ avec $x = 2$, $n = 3$, $p = 0,10$ et $1 - p = 0,90$.

Définissons maintenant l'expression mathématique associée au modèle binomial.

4.8   Le modèle binomial

La définition de la loi binomiale se présente comme suit; nous donnons également les cractéristiques de tendance centrale et de dispersion d'une variable binomiale.

La loi binomiale. Soit une série de n épreuves successives et indépendantes dont l'issue de chaque épreuve est soit « succès » avec une probabilité p, soit « insuccès » avec une probabilité $q = 1-p$, alors la probabilité d'avoir x succès en n épreuves est donnée par l'expression:

$$P(X = x) = \binom{n}{x} \cdot p^x \cdot (1-p)^{n-x}$$

$$= \frac{n!}{x!(n-x)!} \cdot p^x \cdot (1-p)^{n-x}, \quad x = 0,1,2,...,n, \quad 0 \le p < 1.$$

Cette loi est dite *loi binomiale* et dépend de n et p.

. . .
L'espérance mathématique d'une variable binomiale. Intuitivement l'espérance mathématique d'une variable binomiale (nombre moyen de succès) est le produit du nombre d'essais (taille de l'échantillon) par la probabilité (p) de l'événement considéré (succès). C'est la quantité qu'on obtiendrait si on répétait indéfiniment les essais (épreuves) de taille n, en calculant la moyenne de X.

Moyenne, variance et écart-type d'une variable binomiale. Si X est une variable aléatoire distribuée d'après une loi binomiale, alors l'espérance mathématique (moyenne) de X, la variance et l'écart-type sont respectivement:

$$E(X) = np$$
$$Var(X) = np(1-p)$$
$$\sigma(X) = \sqrt{np(1-p)}$$

On considère que l'application de la loi binomiale est quand même valable si le rapport entre la taille de l'échantillon n et la taille de la population N est $\frac{n}{N} \leq 0,10$. Ce rapport $\frac{n}{N}$ est parfois appelé *taux de sondage*.

La variable aléatoire discrète prenant les valeurs $0, 1, ..., n$ et dont la loi de probabilité est celle définie ci-haut est appelée *variable aléatoire binomiale*: $X \sim b(x;n,p)$.

La loi binomiale repose sur le fait que le tirage se fait d'une manière non exhaustive c.-à-d. que les éléments sélectionnés sont remis dans la population de telle sorte que p demeure constant. Toutefois, en pratique, le tirage est plutôt de nature exhaustive c.-à-d. que les éléments sélectionnés ne sont pas remis dans la population.

Remarques. a) Si le rapport $\frac{n}{N}$ excède 0,10, on a recours à la *loi hypergéométrique*, loi discrète que nous traitons en exercice (voir exercice no 25).

b) Dans le cas d'une loi binomiale, on utilise parfois la notation suivante pour identifier la probabilité d'observer x succès en n épreuves, chaque succès ayant une probabilité p: $P(X = x|n,p)$.

c) Si $n = 1$, l'expression de la loi binomiale devient celle de la *loi de Bernoulli*:

$$f(x) = \binom{1}{x} \cdot p^x \cdot (1-p)^{1-x} = p^x \cdot (1-p)^{1-x}, x = 0,1.$$

Exemple 4.9

Modèle binomial concernant les bons de commande non conformes

Reprenons le contexte d'application de l'entreprise Northpak et donnons les différents éléments de la loi binomiale qui sert à modeler le processus de contrôle des bons de commande.

La variable binomiale est: X, le nombre de bons de commande non conformes (c.-à-d. présentant au moins une non-conformité) dans un échantillon de taille $n = 3$.

X sera un nombre entier (variable discrète) dont les valeurs possibles sont: $x = 0, 1, 2, 3$.

La variable aléatoire X suit une loi binomiale avec $n = 3$ et $p = 0,10$.

$$X \sim b(x; n, p) = b(x; n = 3, p = 0,10) = \binom{3}{x} \cdot (0,10)^x \cdot (0,90)^{3-x}, \quad x = 0,1,2,3.$$

Il s'agit bien d'une distribution de probabilité, puisque

$$f(x) = P(X = x) = \binom{3}{x} \cdot p^x \cdot q^{3-x} \geq 0 \quad \text{pour } x = 0,1,2,3 \text{ et que}$$

$$\sum_{x=0}^{3} f(x) = \sum_{x=0}^{3} \binom{3}{x} \cdot p^x \cdot q^{3-x} = 1.$$

Le tableau suivant permet de résumer toute la distribution.

Nombre x de bons de commande non conformes dans un échantillon de taille $n = 3$ (1)	Nombre de façons d'obtenir x bons de commande non conformes parmi 3 bons de commande (2)	Probabilité de chacune des éventualités (3)	Probabilité de réalisation des événements de la colonne (1) (4)
$x=0$	$\binom{3}{0} = 1$	$p^0 q^3 = (0,90)^3 = 0,729$	0,729
$x=1$	$\binom{3}{1} = 3$	$p^1 q^2 = (0,10)^1 (0,90)^2 = 0,081$	0,243
$x=2$	$\binom{3}{2} = 3$	$p^2 q^1 = (0,10)^2 (0,90)^1 = 0,009$	0,027
$x=3$	$\binom{3}{3} =$	$p^3 q^0 = (0,10)^3 (0,90)^0 = 0,001$	0,001

1,0

On pourra vérifier facilement que les principales caractéristiques de cette loi binomiale sont:

1. $E(X) = 0,30$ bon de commande non conforme

2. $Var(X) = 0,27$

3. $\sigma(X) = 0,5196$ bon de commande non conforme.

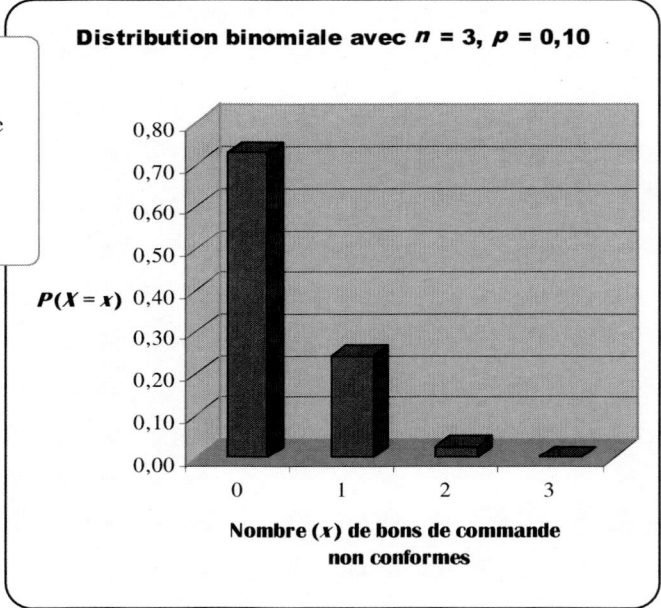

Distribution binomiale avec $n = 3$, $p = 0,10$

$P(X = x)$

Nombre (x) de bons de commande non conformes

Exemple 4.10

Espérance et variance d'une variable binomiale

Lors d'une enquête* supportée par la Banque Nationale et le Groupe Everest/*La Presse* auprès de PME québécoises des secteurs manufacturiers et services, concernant les incitatifs favorisant l'adoption des normes internationales pour les systèmes de gestion de la qualité (normes ISO), 25% des entreprises considèrent que l'adoption des normes permet l'amélioration de la performance de l'entreprise.

*Source: Durivage, P. *Les PME prennent le virage de la qualité totale. La Presse*, 13 novembre 1995.

Admettons que ce pourcentage est représentatif des PME québécoises.

On prélève un échantillon aléatoire de 12 PME de ces secteurs.

Soit X, le nombre de PME dans l'échantillon de taille $n = 12$ qui considèrent que l'adoption des normes ISO permet d'améliorer la performance de l'entreprise.

a) Précisez l'expression de la loi binomiale qui s'applique ici.

L'expression de la loi binomiale avec $n = 12$ et $p = 0,25$ est:

$$P(X = x) = \binom{12}{x} \cdot (0,25)^x \cdot (0,75)^{12-x}, \; x = 0,1,2, ..., 12.$$

$n = 12$	
x	$p = 25\%$
0	0,0317
1	0,1267
2	0,2323
3	0,2581
4	0,1936
5	0,1032
6	0,0401
7	0,0115
8	0,0024
9	0,0004
10	0,0000
11	0,0000
12	0,0000

b) Déterminez le nombre moyen de PME pour des échantillons de taille $n = 12$, qui considèrent que l'adoption des normes ISO améliore la performance de l'entreprise. Déterminez également la variance et l'écart-type de X.

On cherche $E(X)$, $Var(X)$ et $\sigma(X)$

Espérance de X: $E(X) = np = (12)(0,25) = 3$ PME.

La variance est $Var(X) = np(1-p) = (12)(0,25)(0,75) = 2,25$.

L'écart-type donne: $\sigma(X) = \sqrt{np(1-p)} = \sqrt{2,25} = 1,5$ PME.

Avec cette information, on aimerait répondre aux questions suivantes.

c) Quelle est la probabilité d'observer un nombre de PME supérieur à l'espérance mathématique, dans un échantillon de taille $n = 12$, qui considèrent que l'adoption des normes ISO améliore la performance de l'entreprise? On utilisera les valeurs tabulées ci-contre pour répondre aux diverses questions.

Dans le cas d'une variable discrète,

$P(X > x_i) = 1 - P(X \le x_i)$
$= 1 - F(x_i)$ et

$P(X \ge x_i) = 1 - P(X \le x_i - 1)$.

$P(X \le 3) = 0,0317 + 0,1267 + 0,2323 + 0,2581 = 0,6488$

On cherche $P(X > np) = P(X > 3)$ soit $P(X \ge 4)$.

En utilisant la relation complémentaire $P(X \ge 4) = 1 - P(X \le 3)$, on obtient

$P(X > 3) = P(X \ge 4) = 1 - 0,6488 = 0,3512$ soit pratiquement 35 chances sur 100.

d) Quelles sont les chances sur 100 d'observer un nombre de PME qui considèrent que l'adoption des normes ISO améliore la performance de l'entreprise, entre $np - 2\sigma(X)$ et $np + 2\sigma(X)$?

On veut déterminer $P[np - 2\sigma(X) \le X \le np + 2\sigma(X)]$.

Calculons les bornes de l'intervalle.

$np - 2\sigma(X) = 3 - 2(1,5) = 0$ et $np + 2\sigma(X) = 3 + 2(1,5) = 6$.

On aura donc $P[np - 2\sigma(X) \le X \le np + 2\sigma(X)] = P(0 \le X \le 6)$

$= P(X = 0) + P(X = 1) + P(X = 2) + P(X = 3) + P(X = 4) + P(X = 5) + P(X = 6) = 0,9857$.

Il y a pratiquement 99 chances sur 100 d'observer un nombre de PME qui considèrent que l'adoption des normes ISO améliore la performance de l'entreprise, se situant dans un intervalle de 2 écarts-types autour de la moyenne de cette variable binomiale.

e) Vérifiez le calcul de l'espérance mathématique (la moyenne) du nombre de PME qui considèrent que l'adoption des normes ISO améliore la performance de l'entreprise, pour des échantillons de taille $n = 12$, en utilisant l'expression générale

$E(X) = x_1 \cdot f(x_1) + x_2 \cdot f(x_2) + \ldots + x_i \cdot f(x_i) + \ldots + x_n \cdot f(x_n)$.

Il faut avoir recours à la distribution de probabilité du modèle binomial de paramètres $n = 12$ et $p = 0,25$. Il s'agit de pondérer chaque valeur de la variable «nombre de PME qui considè-

$n = 12$		$p = 25\%$
x	$f(x) = P(X = x)$	$xf(x)$
0	0,0317	0
1	0,1267	0,1267
2	0,2323	0,4646
3	0,2581	0,7743
4	0,1936	0,7743
5	0,1032	0,5162
6	0,0401	0,2409
7	0,0115	0,0803
8	0,0024	0,0191
9	0,0004	0,0032
10	0,0000	0,0004
11	0,0000	0,0000
12	0,0000	0,0000
	Somme:	3

rent que l'adoption des normes ISO améliore la performance de l'entreprise dans un échantillon de taille $n = 12$» par sa probabilité, et d'en faire la somme.

Le calcul est résumé ci-haut. On vérifie que le nombre moyen de PME pour des échantillons de taille $n = 12$ dont $p = 0,25$ (probabilité de succès) est $3 = (12)(0,25)$.

Propriétés de l'espérance et de la variance de X

$E(aX) = aE(X)$

$Var(aX) = a^2 Var(X)$

Remarques. a) *Proportion de succès.* Il arrive fréquemment que la variable qui nous intéresse est plutôt la proportion de succès (fréquence relative) en n épreuves (sondage sur la satisfaction d'un service après-vente; proportion de bordereaux d'expédition non conformes dans un échantillon de n bordereaux). La quantité $\dfrac{X}{n}$ (X représente le nombre de succès dans l'échantillon) est également distribuée selon une loi binomiale

de moyenne $E\left(\dfrac{X}{n}\right) = \dfrac{1}{n} E(X) = \dfrac{1}{n} np = p$ et de variance $Var\left(\dfrac{X}{n}\right) = \dfrac{1}{n^2} np(1 - p) = \dfrac{p(1 - p)}{n}$.

Ces expressions vont nous être utiles dans un prochain chapitre pour déterminer la taille d'échantillon requise pour estimer une proportion avec une marge d'erreur fixée à l'avance.

b) *Somme de deux variables aléatoires binomiales.* Soit X_1 et X_2 deux variables aléatoires indépendantes suivant respectivement les lois $B(n_1, p)$ et $B(n_2, p)$, la probabilité p de réalisation à chaque épreuve étant la même pour chaque loi. La somme $X_1 + X_2$ est aussi une variable aléatoire binomiale de notation $B(n_1 + n_2, p)$. La loi résultante dépend alors de $n = n_1 + n_2$ et de p.

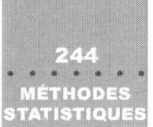

 Fonction statistique dans Excel. La fonction statistique qui permet de calculer une probabilité binomiale est: **LOI.BINOMIALE**(nombre_succès; tirages; probabilité_succès; cumulative)

> *nombre_succès* représente le nombre de succès en *n* épreuves.
> *tirages* représente le nombre de tirages indépendants (la taille de l'échantillon).
> *probabilité_succès* représente la probabilité d'obtenir un succès à chaque épreuve.
> *cumulative* représente une valeur logique déterminant le mode de calcul de la fonction : cumulatif ou non.

EXEMPLE. Une enquête auprès de PME québécoises des secteurs manufacturiers et des services indique que 25% des entreprises considèrent que l'adoption des normes ISO 9000 permet d'améliorer la performance de l'entreprise. On prélève un échantillon aléatoire de 12 PME de ces secteurs et on s'intéresse au nombre de PME dans l'échantillon qui considère que l'adoption des normes améliore la performance. En admettant que le pourcentage indiqué est représentatif de l'ensemble des PME, déterminez la probabilité d'observer 5 PME parmi 12 qui sont de cet avis. Avec la fonction **=LOI.BINOMIALE(5;12;0,25;FAUX)**, on obtient une probabilité = 0,1032.

Si on veut plutôt obtenir la probabilité d'observer au plus 5 PME parmi 12, on utilise alors la fonction suivante: **=LOI.BINOMIALE(5;12;0,25;VRAI)**; on obtient alors probabilité = 0,9456.

Diverses représentations graphiques de la loi binomiale

Nous présentons ci-après diverses représentations graphiques selon la taille d'échantillon *n* et la valeur *p*, proportion de succès.

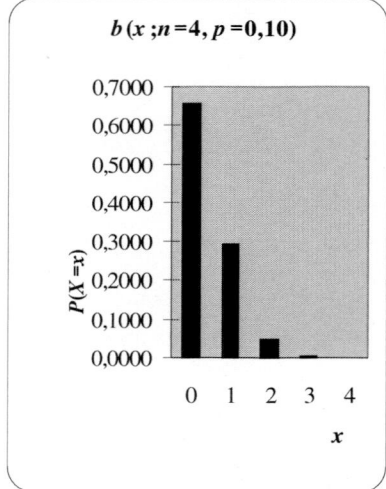

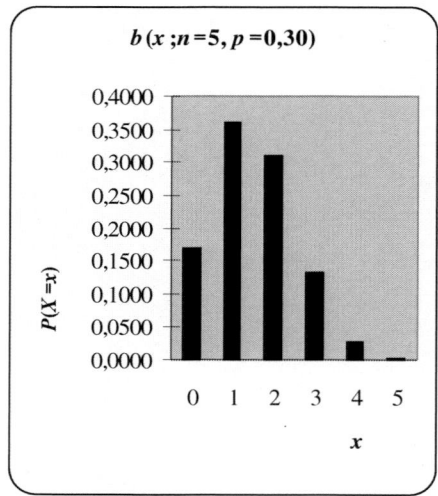

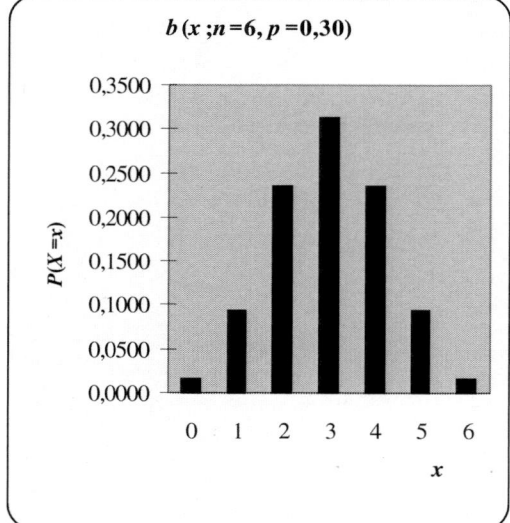

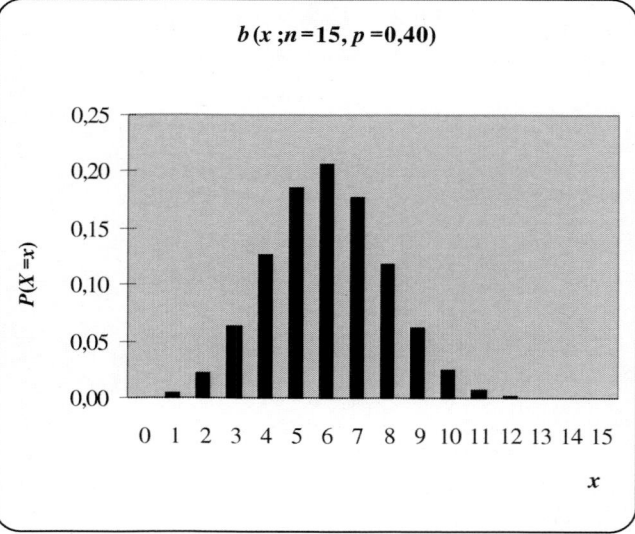

On peut résumer comme suit les diverses caractéristiques de la forme de la distribution binomiale:

a) La forme de la distribution binomiale est symétrique si $p = 0,50$, quel que soit n.

b) Elle est dissymétrique dans le cas où $p \neq 0,50$. Si p est inférieur à 0,50, les probabilités sont plus élevées du côté gauche de la distribution (asymétrie positive) que du côté droit. Si p est supérieur à 0,50, c'est l'inverse (asymétrie négative).

c) Elle tend à devenir symétrique quand n est grand. De plus, si p n'est pas trop voisin de 0 ou de 1, elle s'approche de la loi normale, loi que nous traitons au chapitre 5.

4.9 Le modèle de Poisson

La loi de Poisson* a de nombreuses applications dans des domaines très variés: gestion industrielle (nombre d'accidents de travail, vérification comptable, contrôle d'acceptation, cartes de contrôle pour le nombre de non-conformités), recherche opérationnelle (étude des files d'attente), circulation routière (nombre de véhicules se présentant à un poste de péage), physique (désintégration de particules), recherche médicale (décompte de bactéries),...

La loi de Poisson s'avère particulièrement utile pour décrire le comportement d'événements dont les chances de réalisation sont faibles.

---

*La loi de Poisson est attribuable à Siméon D. Poisson, mathématicien français (1781-1840). Cette loi fut proposée par Poisson dans un ouvrage qu'il publia en 1837 sous le titre *Recherches sur la probabilité de jugements en matière criminelle et en matière civile*.

La loi de Poisson s'applique dans le cas d'événements rares.

La loi de Poisson. Une variable aléatoire X prenant les valeurs entières $0,1,2,..., n, ...$, avec les probabilités

$$P(X = x) = \frac{e^{-\lambda}\lambda^x}{x!}, \lambda > 0, e = 2,71828...$$

est dite obéir à une loi de Poisson de paramètre λ.

La loi de Poisson ne dépend que d'un seul nombre, soit λ (lire "lambda") et on la résume par $p(x;\lambda)$. Donnons immédiatement les principales caractéristiques de cette loi.

Moyenne, variance et écart-type d'une variable de Poisson. Si une variable aléatoire discrète X est distribuée d'après une loi de Poisson de paramètre λ, alors l'espérance mathématique (moyenne) de X, la variance et l'écart-type sont respectivement:

$$E(X) = \lambda, \; Var(X) = \lambda, \; \sigma(X) = \sqrt{\lambda}.$$

Notons immédiatement un fait intéressant dans le cas d'une variable de Poisson: $E(X) = Var(X) = \lambda$. λ est à la fois la moyenne et la variance. On pourrait interpréter λ comme le taux moyen avec lequel un événement particulier apparaît.

Le calcul des probabilités $P(X = x)$ s'effectue très facilement à l'aide d'une table de la loi de Poisson ou encore avec la fonction LOI.POISSON d'Excel. Les valeurs de λ varient habituellement entre 0 et 20, ce qui est d'usage courant. L'exemple suivant illustre le maniement aisé de la loi de Poisson puisqu'il s'agit de ne connaître que λ et x.

Exemple 4.11

Affluence d'usagers à des terminaux donnant accès à une banque de données

Une étude effectuée sur l'affluence d'usagers de terminaux donnant accès à une banque de données a permis d'établir que le taux moyen d'arrivées des usagers au cours d'un intervalle de 2 minutes est de 1,9 et que le nombre d'arrivées est distribué selon une loi de Poisson.

a) Quelle est la probabilité de n'observer aucune arrivée au cours d'un intervalle de 2 minutes? Ici, on utilise directement $\lambda = 1,9$, ce qui donne

$$P(X = 0 | \lambda = 1,9) = \frac{(1,9)^0 \, e^{-1,9}}{0!} = 0,1496$$

b) Quelle est la probabilité d'observer 3 arrivées au cours d'un intervalle de 2 minutes?

$$P(X = 3 | \lambda = 1,9) = \frac{(1,9)^3 \, e^{-1,9}}{3!} = 0,171$$

c) Quel est le nombre d'arrivées le plus probable au cours d'une période de 2 minutes?

De la table de Poisson, on trouve, pour $\lambda = 1,9$, $x = 1$ avec une probabilité de 0,2842.

Nous présentons ci-après le graphique de la distribution de Poisson pour $\lambda = 1,9$.

Répartition du nombre d'arrivées selon une loi de Poisson de paramètre $\lambda = 1,9$

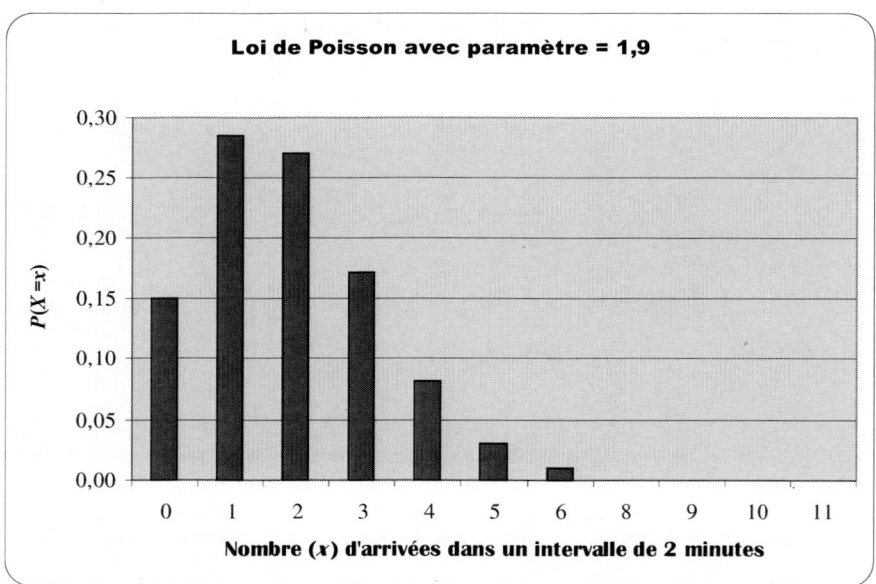

Exemple 4.12

Nombre de non-conformités sur des plaques de laiton: application de la loi de Poisson

Dans une entreprise, un contrôle visuel est effectué sur des plaques de laiton. La surface d'une plaque est vérifiée pour détecter des taches de cuivre, d'oxydation ou autres non-conformités apparentes. Selon les résultats du contrôle effectué par un agent technique du département d'Assurance qualité, il y a, en moyenne, 1,7 non-conformité par plaque. On suppose que le nombre de non-conformités par plaque est distribué selon une loi de Poisson.

a) Quelle est l'expression de la loi de probabilité régissant le nombre de non-conformités par plaque et quelles sont les valeurs possibles de la variable aléatoire?

$$P(X = x) = \frac{e^{-1,7}(1,7)^x}{x!}, \; x = 0,1,2, \ldots$$

b) Sur 150 plaques contrôlées, quel serait vraisemblablement le nombre de plaques ne présentant aucune non-conformité?

Déterminons d'abord la probabilité d'observer aucune non-conformité.

$$P(X = 0) = \frac{e^{-1,7}(1,7)^0}{0!} = e^{-1,7} = 0,1826835$$

Sur 150 plaques contrôlées, on peut s'attendre à ce que $(150)(0,1826835) = 27,4$ plaques ne présentent aucune non-conformité.

c) Quelle est la probabilité d'observer plus de 2 non-conformités par plaque? D'une table de Poisson, on obtient:

$$P(X > 2) = 1 - P(X \le 2) = 1 - [P(X = 0) + P(X = 1) + P(X = 2)], \text{ soit}$$
$$P(X > 2) = 1 - (0,1827 + 0,3106 + 0,2640) = 1 - 0,7573 = 0,2427.$$

Remarques. a) *Somme de deux variables aléatoires de Poisson.* Soit X_1 et X_2 deux variables aléatoires indépendantes qui suivent respectivement des lois de Poisson de moyenne λ_1 et λ_2. La somme $X_1 + X_2$ de ces deux variables aléatoires indépendantes est une variable aléatoire distribuée également selon une loi de Poisson de paramètre $\lambda = \lambda_1 + \lambda_2$.

b) *Approximation de la loi binomiale avec la loi de Poisson.* On peut approximer les probabilités binomiales avec la loi de Poisson de paramètre np si $n > 20$, $p \le 0,10$ et $np \le 5$. L'approximation est d'autant meilleure que n est grand et p est petit, tout en ayant np de l'ordre de quelques unités. Toutefois cette façon de faire est maintenant pratiquement inutile puisque que nous pouvons calculer, avec le tableur Excel, toutes les probabilités binomiales, peu importe la taille de n.

Fonction statistique dans Excel. La fonction statistique qui permet de calculer une probabilité selon la loi de Poisson est: **LOI.POISSON**(x; espérance; cumulative)

Arguments de la fonction LOI.POISSON

   x représente le nombre d'événements susceptibles de se produire
   espérance représente l'espérance mathématique de la variable de Poisson (λ).
   cumulative représente une valeur logique déterminant le mode de calcul de la fonction : cumulatif ou non.

EXEMPLE. Si on utilise les données de l'exemple 4.12, on obtient la probabilité *de n'observer aucune non-confromité, P(X =0)*, avec la fonction **=LOI.POISSON(0;1,7;FAUX)**; on obtient une probabilité $=0,1827$.

Diverses représentations graphiques de la loi de Poisson

Comme dans le cas de la loi binomiale, la distribution de Poisson est représentée par un diagramme en bâtons. L'allure de la distribution ne dépend toutefois que de λ. Nous indiquons sur les figures suivantes le tracé de diverses distributions de Poisson.

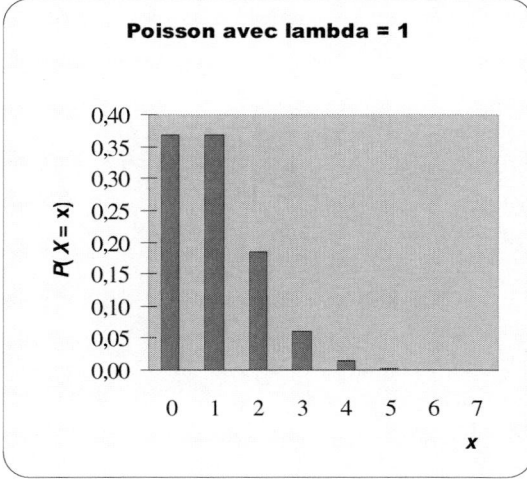

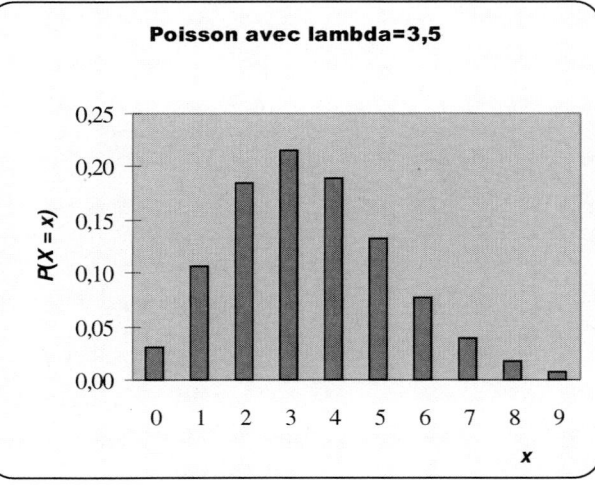

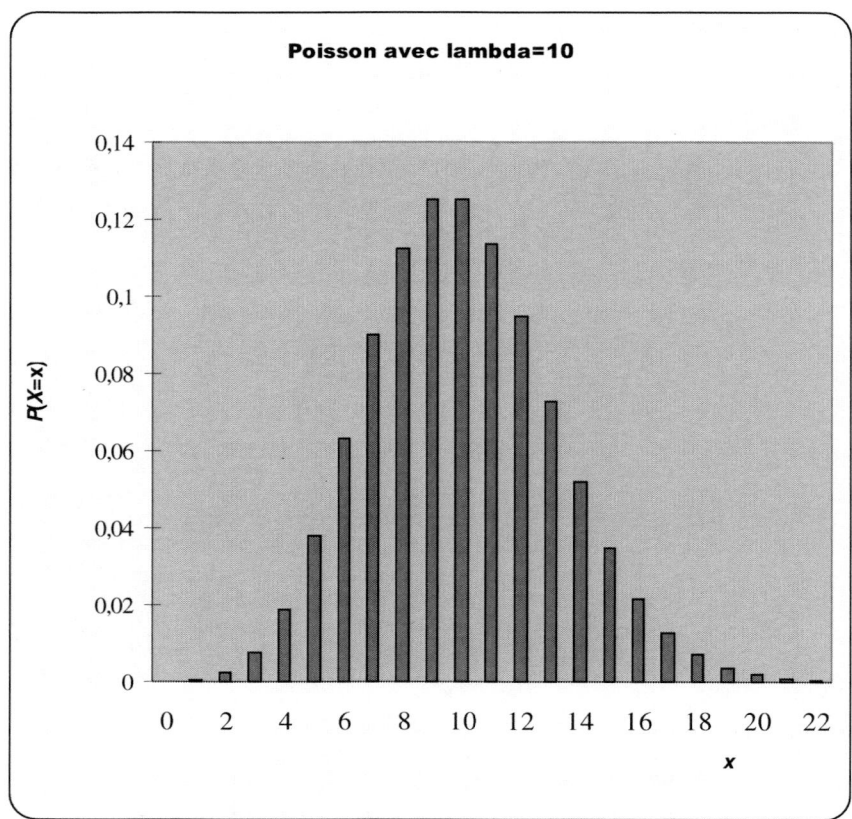

On peut résumer comme suit les diverses caractéristiques de la forme de la distribution de Poisson:

a) En général, le diagramme en bâtons de la loi de Poisson est dissymétrique par rapport à λ avec étalement vers la droite. Les valeurs élevées d'une variable de Poisson sont peu rencontrées.

b) A mesure que λ augmente, la forme de la distribution tend à devenir symétrique et s'approche de celle de la loi normale.

c) Si λ ≥ 1, la distribution a, dans le cas où λ n'est pas un nombre entier, une seule valeur de X dont la probabilité est maximale; toutefois si λ est un entier, on aura une probabilité maximale pour deux valeurs de X qui sont $X = λ - 1$ et $X = λ$.

d) La forme de la distribution de Poisson prend progressivement l'allure de la courbe normale traitée au chapitre 5, pour des valeurs de λ ≥ 10 et même déjà à 5.

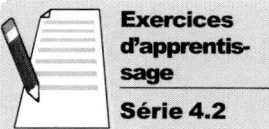

Exercices d'apprentissage
_____
Série 4.2

📄 Applications de la loi binomiale

1. Selon une enquête* menée par le groupe-conseil Mercer auprès de l'industrie canadienne du commerce de détail, 22% des gérants de magasin reçoivent une prime ou une autre forme de gratification.

_____
* Source: Trudel, J. *Les détaillants doivent apprendre à retenir leurs employés.* LES AFFAIRES, 11 janvier 2002.

On choisit au hasard 18 gérants de magasin de commerce de détail et on s'intéresse au nombre de gérants dans l'échantillon qui ont reçu une gratification.

a) Quels sont les deux résultats possibles de cette expérience?

b) Quel événement est identifié «succès» dans cette expérience et quelle est sa probabilité?

c) Quelle est la probabilité, dans un échantillon de taille $n = 18$, qu'aucun gérant ne reçoive une prime?

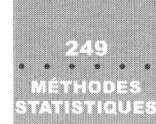

Exercices
d'apprentis-
sage
Série 4.2
(suite)

d) Quelle est la probabilité que le nombre de gérants de commerce de détail dans un échantillon de taille $n = 18$ excède le nombre espéré de gérants ayant reçu une prime?

2. Selon un sondage* effectué auprès d'entreprises manufacturières, grossistes et détaillants, 30% d'entre eux affirment n'avoir aucun besoin en personnel formé en logistique.

_____
* Source: Duhamel, A. *La logistique d'entreprise progresse lentement.* LES AFFAIRES, 11 janvier 2003.

On choisit au hasard 12 entreprises du secteur manufacturier et on s'intéresse au nombre d'entreprises dans l'échantillon qui affirment n'avoir aucun besoin en personnel formé en logistique. Admettons que le pourcentage obtenu est exact.

a) Déterminez la probabilité que 5 entreprises dans un échantillon de cette taille affirment n'avoir aucun besoin en personnel formé en logistique.

b) Déterminez la probabilité que moins de 3 entreprises dans un échantillon de taille $n = 12$ affirment n'avoir aucun besoin en logistique.

c) Est-ce exact de dire qu'on a 60 chances et plus sur 100 qu'au moins 4 entreprises dans un échantillon de taille $n = 12$ affirment n'avoir aucun besoin en personnel formé en logistique?

d) Quel est, en moyenne, pour des échantillons de taille $n = 12$, le nombre d'entreprises qui affirment n'avoir aucun besoin en personnel formé en logistique?

3. Un sondage réalisé au cours du mois de juin 2004 auprès de 505 Québécois, dont 300 détenteurs d'une adresse de courriel indique que 8% sont très en désaccord avec l'adoption d'une loi sur les pourriels (et 92% ne sont pas très en désaccord).

_____
Source: Déry, Y. *Forte majorité de Québécois en faveur d'une loi contre les pourriels.* Journal LES AFFAIRES, 24 juillet 2004.

Application de la loi binomiale

En admettant que ce pourcentage réflète l'opinion de l'ensemble des Québécois détenteurs d'une adresse de courriel et que 10 détenteurs d'une adresse électronique sont choisis au hasard, déterminez

a) la probabilité que 2 détenteurs d'une adresse de courriel dans un échantillon de taille $n = 10$ sont très en désaccord avec l'adoption d'une loi sur les pourriels.

b) la probabilité que moins de 3 détenteurs d'une adresse de courriel soient très en désaccord dans un échantillon de taille $n = 10$.

c) Est-ce exact de dire qu'on a 50% des chances et plus qu'au moins 2 détenteurs d'une adresse de courriel soient très en désaccord avec l'adoption d'une loi sur les pourriels?

d) Quel est le nombre de détenteurs d'une adresse électronique le plus probable dans cet échantillon de 10 qui sont très en désaccord avec l'adoption d'une loi sur les pourriels?

Extrait de la table de la loi binomiale

$n = 10$ $p = 0,08$	
x	$P(X = x)$
0	0,4344
1	0,3777
2	0,1478
3	0,0343
4	0,0052
5	0,0005
6	0,0000
7	0,0000
8	0,0000
9	0,0000
10	0,0000

Application de la loi de Poisson

4. Le responsable du comité de sécurité de l'entreprise NICOM a effectué une compilation du nombre d'accidents de travail qui se sont produits depuis 2 ans dans l'usine. Ceci a permis d'établir que le taux moyen d'accidents de travail a été de 1,6 accident/jour.

a) En admettant que le nombre d'accidents de travail en une journée obéit à la loi de Poisson, quelle est l'expression qui permettrait de calculer la probabilité d'observer x accidents de travail par jour?

b) Quel est l'écart-type de la variable aléatoire concernée?

c) Quelle est la probabilité d'observer plus de 2 accidents par jour?

Exercices
d'apprentis-
sage
Série 4.2
(suite)

4. (suite)

d) Calculez la probabilité d'avoir un nombre d'accidents compris dans l'intervalle $[E(X) - \sigma(X), E(X) + \sigma(X)]$.

e) Quel est le nombre d'accidents par jour qui est le plus probable et quelle en est sa probabilité?

5. Soit X_1, une variable aléatoire discrète distribuée selon une loi de Poisson avec $\lambda_1 = 2$ et soit, X_2, une autre variable aléatoire discrète distribuée selon une loi de Poisson avec $\lambda_2 = 3$.

Quelle est la probabilité que la variable aléatoire X formée de $X_1 + X_2$ prenne une valeur égale à l'espérance de X?

Exemple 4.13

Approximation de la loi binomiale par la loi de Poisson

Nous avons indiqué en remarque qu'on peut approximer les probabilités binomiales à l'aide de la loi de Poisson en autant que $n < 20$, $p \leq 0,10$ et $np \leq 5$.

On pourra visualiser sur le CD-ROM une comparaison de probabilités binomiales et celles de Poisson (voir chapitre 4).

Selon une enquête* menée auprès des dirigeants de PME, seulement 8 PME sur 100 font usage de Intranet. Supposons qu'on sélectionne au hasard 50 PME dans un région qui en comporte 600. On s'intéresse au nombre de PME dans l'échantillon qui utilise Intranet.

a) Quelle loi de probabilité correspond à la variable aléatoire concernée? La loi de probabilité qui correspond à cette situation est la loi binomiale avec $n = 50$ et $p = 0,08$ puisque le taux de sondage est

$$\frac{n}{N} = \frac{50}{600} = 0,0833 < 0,10.$$

b) Avec quelle loi peut-on approximer les probabilités de la loi binomiale?
Puisque $n = 50 > 20$ et que $p = 0,08 < 0,10$, on a $np = 4 < 5$; les conditions d'approximation de la loi binomiale par la loi de Poisson sont satisfaites.

On peut donc utiliser la loi de Poisson avec $\lambda = (50)(0,08) = 4$.

Extrait de la table de Poisson avec $\lambda = 4,0$	
x	$P(X=x)$
0	0,0183
1	0,0733
2	0,1465
3	0,1954
4	0,1954
5	0,1563
6	0,1042
8	0,0298
9	0,0132
10	0,0053
11	0,0019
12	0,0006
13	0,0002
14	0,0001
15	0,0000

c) Quelle est la probabilité qu'aucune PME de l'échantillon utilise Intranet?
On cherche $P(X = 0)$ en admettant que X est distribué selon une loi de Poisson de paramètre $\lambda = 4$.
De la table ci-contre, on obtient $P(X = 0) = 0,0183$.

d) Quelle est la probabilité d'observer au plus 3 PME dans l'échantillon qui utilisent Intranet?

$P(X \leq 3) = P(X = 0) + P(X = 1) + P(X = 2) + P(X = 3) = 0,0183 + 0,0733 + 0,1465 + 0,1954 = 0,4335$.

À noter que si on utilise plutôt la loi binomiale pour évaluer cette probabilité, on obtient $P(X \leq 3) = 0,4253$ (La fonction Excel est: **=LOI.BINOMIALE(3;50;0,08;VRAI)**.

On peut dire que la loi de Poisson donne une bonne approximation de cette probabilité.

Remarque. En sciences comptables, la quantité $\lambda = np$ est appelée *facteur de confiance ou facteur de fiabilité* par les vérificateurs. On pourrait dire que ce facteur de confiance correspond à un taux moyen d'éléments non conformes dans la population ou possédant un certain attribut ou comportant une erreur.

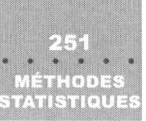

4.10   Notions sur le processus de Poisson*

Le processus de Poisson se rencontre dans plusieurs domaines d'application et s'avère particulièrement utile en recherche opérationnelle pour traiter des problèmes de files d'attente, par exemple. Nous n'en donnerons qu'une brève introduction en insistant plutôt sur les applications.

*Cette section peut être omise.

Dans le processus de Poisson, on s'intéresse à déterminer la probabilité qu'un événement particulier se réalise x fois au cours d'une période de temps, de durée t (par exemple la probabilité qu'il se présente 3 clients à un comptoir pendant une période de 5 minutes).

> **Loi de probabilité régissant le processus de Poisson.** La probabilité pour qu'un événement se réalise x fois au cours d'un intervalle de temps d'amplitude t est donnée par l'expression
>
> $$P(X = x \mid \alpha t) = \frac{(\alpha t)^x e^{-\alpha t}}{x!}, \quad x = 0, 1, 2, \ldots$$
>
> où αt représente le nombre espéré de réalisation au cours de l'intervalle de temps t.

Si nous posons $\lambda = \alpha t$, nous retrouvons l'expression de la loi de Poisson traitée précédemment.

Remarque. λ représente la moyenne ($E(X)$) de la variable aléatoire X (nombre de réalisations d'un événement particulier au cours d'une période de temps t) alors que $\alpha = \dfrac{\lambda}{t}$ représente le nombre moyen de réalisations par unité de temps (ou d'espace, de longueur,...), α est parfois appelé l'intensité du processus.

Condition d'application du processus de Poisson

La loi de probabilité que nous venons de définir repose sur les conditions suivantes:

❶ Les réalisations de l'événement au cours d'intervalles de temps disjoints sont des variables aléatoires indépendantes, c.-à-d. que le nombre de réalisations au cours d'un intervalle de temps est indépendant du nombre de réalisations au cours d'intervalles de temps antérieurs.

❷ La probabilité pour que l'événement se réalise une fois, au cours d'un petit intervalle de temps Δt, est proportionnelle à l'amplitude de l'intervalle: $\alpha \Delta t$, où α est une constante positive représentant l'intensité du processus que l'on suppose constante tout au long de la période d'observation.

❸ Il est très rare d'observer plus d'une fois l'événement au cours d'un petit intervalle de temps Δt, c.-à-d. que la probabilité pour que l'événement se réalise plus d'une fois au cours de l'intervalle de temps Δt est négligeable.

Sous ces conditions, la variable aléatoire «nombre de fois que se réalise l'événement considéré au cours d'un intervalle de temps de durée t» est régie par la loi de probabilité décrite précédemment de moyenne $\lambda = \alpha t$.

Exemple 4.14

Nombre de clients arrivant à un guichet

À une institution bancaire, on a observé qu'il y a 5 chances sur 100 qu'un client se présente au guichet automatique au cours d'un intervalle de 15 secondes. On considère également que la probabilité que deux clients ou plus se présentent dans le même intervalle de temps, soit 15 secondes, est négligeable.

a) Quelle est l'expresion de la loi de probabilité qui régit le nombre de clients arrivant pendant une heure?

Prenons la minute comme unité de temps. D'après la condition 2 du processus de Poisson, on peut écrire:

$$\text{Probabilité qu'un client se présente au guichet au cours d'un intervalle de 15 secondes} = 0{,}05 = \alpha \Delta t \quad \text{où} \quad \Delta t = 1/4 \text{ minute.}$$

Par conséquent, $\alpha = (0{,}05)(4) = 0{,}20$ client par minute et pour une période d'une heure, le taux moyen d'arrivée est $\lambda = (0{,}20)(60) = 12$ à l'heure.

La loi de probabilité étant celle de Poisson avec $\lambda = 12$:

$$P(X = x \mid \lambda = 12) = \frac{(12)^x e^{-12}}{x!}, \; x = 0,1,2,...$$

b) Quelle est la probabilité qu'il se présente au moins 15 clients au guichet au cours d'une période d'une heure?

On cherche $P(X \geq 15 \mid \lambda = 12) = \displaystyle\sum_{x=15}^{\infty} \frac{(12)^x e^{-12}}{x!}$.

De la table de Poisson, on obtient $P(X \geq 15) = 0{,}0724 + 0{,}0543 + ... + 0{,}0002 + 0{,}0001 + 0{,}0000 = 0{,}228$.

Exemple 4.15

Essai de fiabilité d'un composant électronique

L'entreprise Microtek mentionne que le nombre de défaillances d'un composant électronique est distribué selon une loi de Poisson avec un taux moyen de 3 défaillances par 100 000 heures d'opération.

Quelle est la probabilité d'observer une défaillance au cours de 20 000 heures d'opération?

Utilisons «l'heure» comme unité de temps.

Puisque $\lambda = 3$, pour 100 000 heures d'opération, le taux moyen de défaillances par heure d'opération est

$$\alpha = \frac{\lambda}{t} = \frac{3}{100000} \text{ défaillance / heure.}$$

Au cours d'une période de 20 000 heures d'opération, on peut s'attendre que le taux de défaillance sera, en moyenne de $\dfrac{3}{100000} \times 20000 = \dfrac{3}{5} = 0{,}6.$

La probabilité d'observer une défaillance au cours de cet intervalle est donc:

$$P(X = 1 \mid \lambda = 0{,}6) = \frac{(0{,}6)^1 e^{-0{,}6}}{1!} = 0{,}3293 .$$

Exemple 4.16

Essai de fiabilité d'un composant électronique

L'entreprise Microtek mentionne que le nombre de défaillances d'un composant électronique est distribué selon une loi de Poisson avec un taux moyen de 3 défaillances par 100 000 heures d'opération.

Quelle est la probabilité d'observer une défaillance au cours de 20 000 heures d'opération?

Utilisons «l'heure» comme unité de temps.

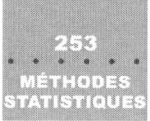
Puisque $\lambda = 3$, pour 100 000 heures d'opération, le taux moyen de défaillances par heure d'opération est

$$\alpha = \frac{\lambda}{t} = \frac{3}{100\,000} \text{ défaillance / heure.}$$

Au cours d'une période de 20 000 heures d'opération, on peut s'attendre que le taux de défaillance sera, en moyenne de $\frac{3}{100\,000} \times 20\,000 = \frac{3}{5} = 0,6$.

La probabilité d'observer une défaillance au cours de cet intervalle est donc:

Exemple 4.17

Affluence d'usagers à des terminaux : banque de données

Une étude effectuée sur l'affluence d'usagers de terminaux donnant accès à une banque de données a permis d'établir que le taux moyen d'arrivées des usagers au cours d'un intervalle de 2 minutes est de 2,4 et que le nombre d'arrivées est distribué selon une loi de Poisson.

a) Quelle est la probabilité de n'observer aucune arrivée au cours d'un intervalle de 2 minutes?

Ici, on utilise directement $\lambda = 2,4$, ce qui donne

$$P(X = 0 \mid \lambda = 2,4) = \frac{(2,4)^0 e^{-2,4}}{0!} = 0,0907 \, .$$

b) Quel est, en moyenne, le nombre d'arrivées au cours d'un intervalle de 1 minute? de 4 minutes?

Déterminons l'intensité du processus par unité de 1 minute. On trouve, puisque $\lambda = 2,4$ par 2 minutes,

$$\alpha = \frac{\lambda}{t} = \frac{2,4}{2} = 1,2 \text{ minute} \, .$$

Donc pour un intervalle de 1 minute, $\lambda = (\alpha)(1) = 1,2$ et pour un intervalle de 4 minutes, $\lambda = (\alpha)(4) = (1,2)(4) = 4,8$.

c) Quelle est la probabilité d'observer 2 arrivées au cours d'un intervalle de 1 minute?

$$P(X = 2 \mid \lambda = 1,2) = \frac{(1,2)^2 e^{-1,2}}{2!} = \frac{(1,44)(0,30119)}{2} = 0,2168 \, .$$

Question piège. Sachant qu'il vient d'arriver deux usagers au cours de la dernière minute, quelle est la probabilité qu'il en arrive deux autres au cours de la prochaine minute?

Exercices d'apprentissage

Série 4.3

📄 Approximation de la loi binomiale par la loi de Poisson

1. Le vérificateur de l'entreprise CCP a mis en oeuvre un plan de contrôle pour vérifier un lot de 1200 factures d'achat. On veut connaître si des factures ont été acquittées deux fois par erreur. Le plan d'échantillonnage est le suivant.

Prélever d'un lot de 1200 factures, un échantillon aléatoire (on traite au chapitre 6 de diverses méthodes pour constituer un échantillon) de 80 factures. Si au plus 2 factures ont été acquittées deux fois par erreur, considérer le lot acceptable et ne pas poursuivre le contrôle. Sinon, effectuer un contrôle exhaustif du lot.

Exercices d'apprentis-sage

Série 4.3 (suite)

a) En admettant que le lot comporte 1,5% de factures ayant été acquittées deux fois, on veut déterminer la probabilité de considérer le lot acceptable? Avec quelle loi de probabilité peut-on approximer cette probabilité? Jusitfiez votre choix.

Notez par X, le nombre de factures d'achat ayant été acquittées deux fois par erreur dans un échantillon de taille $n = 80$. Le lot est considéré acceptable si X _____ .

b) En admettant que le lot de factures d'achat comporte toujours 1,5% de factures ayant été acquittées deux fois par erreur, quelles sont les chances sur 100 d'effectuer un contrôle exhaustif du lot?

📄 Nombre de pannes hebdomadaires du système informatique d'une grande entreprise

2. Selon les données recueillies depuis plusieurs années, on peut admettre que le nombre de pannes hebdomadaires du système informatique de l'entreprise Sherman est régi par la loi de Poisson de paramètre $\lambda = 0,05$.

En vous servant des distributions suivantes obtenues avec le logiciel Excel, répondre aux questions ci-après.

Loi de Poisson avec paramètre lambda=0,05

x	$P(X=x)$	$P(X<=x)$
0	0,9512	0,9512
1	0,0476	0,9988
2	0,0012	1,0000
3	0,0000	1,0000
4	0,0000	1,0000
5	0,0000	1,0000
6	0,0000	1,0000

a) Quelle est la probabilité pour que le système tombe en panne une fois au cours d'une semaine particulière?

Loi de Poisson avec paramètre lambda=2,5

x	$P(X=x)$	$P(X<=x)$
0	0,0821	0,0821
1	0,2052	0,2873
2	0,2565	0,5438
3	0,2138	0,7576
4	0,1336	0,8912
5	0,0668	0,9580
6	0,0278	0,9858
7	0,0099	0,9958
8	0,0031	0,9989
9	0,0009	0,9997
10	0,0002	0,9999
11	0,0000	1,0000
12	0,0000	1,0000

b) Quelle est la probabilité que le système informatique fonctionne sans panne au cours d'une semaine?

c) Au cours d'une année d'opération (50 semaines), quelle est la probabilité d'observer

 i) 2 pannes?

 ii) 4 pannes?

d) Quel est le nombre le plus probable de pannes au cours d'une année d'opération?

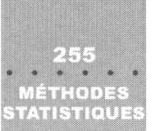

4.11   Résumé, glossaire et synthèse des principales formules

Résumé

▶ Nous avons présenté dans ce chapitre les notions probabilistes essentielles associées aux variables aléatoires discrètes.

▶ Nous avons traité de variable aléatoire discrète et de loi de probabilité.

▶ Les principaux paramètres associés à une loi de probabilité discrète ont été présentés soit l'espérance mathématique et la variance; nous avons aussi présenté les propriétes importantes associées à ces deux paramètres.

▶ Nous avons également abordé les notions de covariance et de corrélation entre deux variables aléatoires.

▶ Finalement, nous avons traité de deux lois importantes associées aux variables discrètes soit les lois binomiale et de Poisson; nous y avons également présenté trois autres lois discrètes en exercices.

Nous présentons ci-après, sous forme de glossaire, les principaux concepts que nous avons traités dans ce chapitre.

Glossaire

Variable aléatoire: Représentation numérique de résultats élémentaires d'une expérience aléatoire.

Variable aléatoire discrète: Variable aléatoire qui ne prend des valeurs spécifiques, souvent des valeurs entières.

Loi de probabilité discrète: L'ensemble des valeurs possibles d'une variable aléatoire discrète avec leurs probabilités respectives.

Fonction de répartition: Fonction permettant d'obtenir la probabilité cumulée des valeurs de la variable aléatoire jusqu'à une valeur x_i.

Espérance mathématique d'une variable aléatoire: Paramètre qui permet de caractériser la tendance centrale de l'ensemble des valeurs d'une variable aléatoire.

Variance d'une variable aléatoire: Paramètre qui permet de caractériser l'étalement des valeurs d'une variable aléatoire autour de son espérance.

Covariance entre deux variables aléatoires: Paramètre qui permet d'évaluer l'intensité de la dépendance statistique entre deux variables aléatoires; la covariance a les mêmes unités que les deux variables aléatoires.

Corrélation entre deux variables aléatoires: Coefficient qui permet de mesurer l'intensité de la liaison linéaire entre deux variables aléatoires; sa valeur peut varier entre -1 et +1.

Variable de Bernoulli: Variable discrète qui prend les valeurs 0 ou 1.

Variable binomiale: Variable discrète qui donne le nombre de succès dans un échantillon de taille n.

Loi binomiale: Modèle probabiliste qui permet de déterminer la probabilité d'obtenir x succès dans un échantillon aléatoire de taille n, chaque succès ayant la même probabilité de se réaliser; cette loi dépend de deux paramètres soit n (la taille d'échantillon) et p (la probabilité que l'événement «succès» se réalise).

Variable de Poisson: Variable discrète prenant les valeurs entières 0, 1, 2, ...n, ...

Modèle de Poisson: Loi de probabilité permettant d'obtenir la probabilité d'occurence de x événements dont les chances de réalisation sont faibles.

Processus de Poisson: Processus permettant d'établir la probabilité du nombre de fois que se réalise un événement particulier au cours d'un intervalle de temps de durée t.

Principales formules

Variables aléatoires et lois de probablité

Propriétés d'un loi de probababilité d'une variable aléatoire discrète X

a) $f(x_i) \geq 0$, pour tout i

b) $\sum_i f(x_i) = 1$.

Variables aléatoires et paramètres

Principales formules

Espérance mathématique et variance d'une variable aléatoire discrète X qui prend les valeurs $x_1, x_2, ..., x_n$ et dont la loi de probabilité est $f(x_i) = P(X = x_i)$

$$E(X) = x_1 \cdot f(x_1) + x_2 \cdot f(x_2) + ... + x_n \cdot f(x_n)$$

Espérance mathématique

$$E(X) = \sum_{i=1}^{n} x_i \cdot f(x_i).$$

$$f(x_i) = P(X = x_i)$$

$$Var(X) = \sum_{i=1}^{n} (x_i - E(X))^2 \cdot f(x_i).$$

Variance

$$Var(X) = E(X^2) - [E(X)]^2$$

$$E(X^2) = \sum_{i=1}^{n} x_i^2 \cdot f(x_i)$$

La racine carrée de $Var(X)$ donne $\sigma(X) = \sqrt{Var(X)}$, $\sigma(X) \geq 0$.

Somme et différence de deux variables aléatoires indépendantes

$$E(X + Y) = E(X) + E(Y)$$
$$Var(X + Y) = Var(X) + Var(Y)$$
$$E(X - Y) = E(X) - E(Y)$$
$$Var(X - Y) = Var(X) + Var(Y)$$

Produit de deux variables aléatoires indépendantes

$$E(X \times Y) = E(X) \times E(Y)$$
$$Var(X \times Y) = [E(X)]^2 \times Var(Y) + [E(Y)]^2 \times Var(X) + Var(X) \times Var(Y)$$

Covariance de deux variables aléatoires

$$Cov(X,Y) = E[(X - E(X))(Y - E(Y))]$$
$$= E(X \times Y) - E(X) \times E(Y).$$

Si les deux variables aléatoires sont indépendantes, alors

$$Cov(X,Y) = E(X) \times E(Y) - E(X) \times E(Y) = 0.$$

Coefficient de corrélation de deux variables aléatoires

$$\rho = E\left[\left(\frac{X - E(X)}{\sigma(X)}\right)\left(\frac{Y - E(Y)}{\sigma(Y)}\right)\right] \qquad -1 \leq \rho \leq 1$$

$$= \frac{E(X \cdot Y) - E(X) \cdot EY)}{\sigma(X) \cdot \sigma(Y)} = \frac{Cov(X,Y)}{\sigma(X) \cdot \sigma(Y)}$$

Dans le cas de deux variables aléatoires dépendantes, on a

$$Var(aX \pm bY) = a^2 Var(X) + b^2 Var(Y) \pm 2ab\, Cov(X,Y).$$

La loi binomiale

Notation symbolique du modèle binomial: $X \sim B(n, p)$ où n est la taille de l'échantillon et p, la probabilité de réalisation de l'événement «succès» et X, la variable binomiale.

Probabilité d'observer x succès: $P(X = x)$.

Probabilité d'observer *au plus x* succès: $P(X \leq x)$.

Probabilité d'observer *moins de x* succès: $P(X < x)$.

Probabilité d'observer *plus de x* succès: $P(X > x)$.

Moyenne d'une variable binomiale: $\mu_X = np = \sum x \times P(X = x)$.

Variance d'une variable binomiale: $\sigma_X^2 = np(1 - p)$.

La loi binomiale (suite)

Écart-type d'une variable binomiale: $\sigma_X = \sqrt{np(1-p)}$.

Moyenne d'une proportion ($\frac{X}{n}$): $\mu_{\frac{X}{n}} = p$

Variance d'une proportion: $\sigma^2_{\frac{X}{n}} = \frac{p(1-p)}{n}$

Fonction EXCEL: LOI.BINOMIALE.

La loi de Poisson

Une variable aléatoire X prenant les valeurs entières $0,1,2,...,n,...$ avec les probabilités

$$P(X = x) = \frac{e^{-\lambda}\lambda^x}{x!}, \lambda > 0, e = 2,71828...$$

est dite obéir à une loi de Poisson de paramètre λ.

Moyenne d'une variable de Poisson: $E(X) = \lambda$.

Variance d'une variable de Poisson: $Var(X) = \lambda$.

Écart-type d'une variable de Poisson: $\sigma(X) = \sqrt{\lambda}$.

Dans le cas d'une variable de Poisson, on a : $E(X) = Var(X) = \lambda$.

Fonction EXCEL: LOI.POISSON.

Processus de Poisson: La probabilité pour qu'un événement se réalise x fois au cours d'un intervalle de temps d'amplitude t est donnée par l'expression

$$P(X = x \mid \alpha t) = \frac{(\alpha t)^x e^{-\alpha t}}{x!}, \quad x = 0,1,2,...$$

où αt représente le nombre espéré de réalisation au cours de l'intervalle de temps t.

4.12   Cheminement de réflexion pour résoudre les exercices

Nous proposons ici une méthode de travail qui pourrait faciliter la compréhension des notions et la résolution des exercices que vous aurez à résoudre, si ce cheminement s'applique.

❶ Suite à l'énoncé de l'exercice, identifiez (en mots) correctement la variable aléatoire concernée.

❷ Précisez les valeurs possibles que peut prendre cette variable.

❸ Identifiez les probabilités, ou l'expression de la loi, qui régit le comportement de la variable aléatoire concernée et en préciser les paramètres.

❹ Esquissez, s'il y a lieu, un diagramme qui permettrait de visualiser les situations et les questions posées.

4.13   Exercices d'application

Variables aléatoires, espérance mathématique et variance

1. Précisez, pour chacune des situations suivantes, l'ensemble des valeurs possibles de la variable aléatoire et indiquez si elle est discrète ou continue.

a) Résultat à un test d'aptitude dont la valeur maximale est 120.

b) Le nombre d'accidents de travail.

c) Temps d'accès à un CD-ROM.

d) Nombre d'observations, parmi vingt observations, enregistrées comme «travail productif».

e) Temps d'assemblage d'un montage transistorisé.

f) Nombre de pièces non conformes dans un échantillon de 12 pièces.

g) Nombre de pannes hebdomadaires d'un système informatique.

h) Niveau d'heures de travail supplémentaires.

i) Durée d'une semaine de travail.

2. L'entreprise STM semble avoir dans la région une statistique peu enviable quant au nombre d'accidents du travail. L'information ci-contre a été remise au gérant de l'usine par le comité de sécurité (qualifié de comité d'insécurité par certains) sur le nombre d'accidents du travail en une journée et ceci pour une période de 250 jours.

Nombre d'accidents en une journée	Nombre de jours
0	34
1	68
2	66
3	45
4	24
5	9
6	4

a) Déterminez la loi de probabilité de la variable aléatoire «nombre d'accidents en une journée».

b) Quelle est la probabilité qu'on observe moins de 3 accidents en une journée?

c) Le responsable du comité de sécurité précise qu'il y a 95 chances sur 100 pour qu'au plus 3 accidents se produisent en une journée? Est-ce que cette affirmation vous semble juste?

d) Quelles sont les chances sur 100 d'observer plus de 4 accidents en une journée?

3. La loi de probabilité d'une variable aléatoire X est la suivante:

x	-2	-1	0	1	2	3
$f(x)$	0,1	0,1	0,2	0,2	0,3	?

a) Déterminez $f(3)$.

b) Déterminez la fonction de répartition

x	-2	-1	0	1	2	3
$F(x)$						

c) Déterminez $F(-1)$.

d) Utilisez la fonction de répartition pour vérifier que $f(0) = 0,2$.

4. La demande pour un certain logiciel de gestion de projets est répartie selon la loi présentée à la page suivante.

Les frais de développement et de publicité pour introduire ce nouveau logiciel sur le marché sont de 15 000$ et le profit brut par unité vendue est de 800$.

Peut-on espérer faire un profit avec la mise en marché de ce nouveau logiciel de gestion de projets?
Si oui, de combien?

Demande (unités)	Probabilité
100	0,10
200	0,25
300	0,35
400	0,15
500	0,10
600	0,05

5. Une société de gestion de portefeuille envisage d'investir dans des actions ordinaires d'une entreprise se spécialisant dans la fabrication de micro-ordinateurs. Toutefois divers rendements sont possibles et ils se répartissent d'après le tableau ci-après, et ceci pour une période d'un an.

Rendement (%)	Probabilité
30	0,06
28,5	0,20
21	0,35
15	0,24
10	0,10
6	0,05

a) Calculez le rendement espéré d'un tel investissement.

b) Calculez l'écart-type et le coefficient de variation du rendement.

c) La société pourrait également investir dans des obligations du gouvernement avec un rendement garanti de 14%. Calculez le coefficient de variation.

d) Lequel des deux investissements cités ci-haut présente le plus grand risque?

6. Le vice-président de l'entreprise Simtek doit faire une recommandation au conseil d'administration sur le choix d'un projet de renouvellement d'équipement. Les gains possibles de chaque projet sont répartis suivant les lois de probabilités suivantes:

Projet A		Projet B	
Gain ($)	Probabilité de réalisation	Gain ($)	Probabilité de réalisation
25 000	0,25	20 000	0,15
30 000	0,30	25 000	0,35
35 000	0,20	30 000	0,25
40 000	0,15	35 000	0,15
45 000	0,10	40 000	0,10

a) Quel est le gain espéré de chaque projet?

b) Quel est l'écart-type du gain pour chaque projet?

c) En utilisant le coefficient de variation comme mesure relative de risque, déterminez lequel des deux projets semble le plus risqué.

7. L'entreprise PROLAB vient d'obtenir un contrat du gouvernement pour fabriquer 10 000 composants électroniques. Toutefois, l'entreprise PROLAB a la possibilité d'acheter d'un fournisseur ces composantes au coût de 15$/unité et chaque composant est certifié à 100% par le fournisseur.

Si les composants sont fabriqués par PROLAB, ils le seront à un coût moindre mais les ingénieurs de l'entreprise estiment que la nature du procédé de fabrication peut engendrer une forte proportion de composants ne rencontrant pas les normes gouvernementales.

Selon le responsable du département d'Assurance qualité, la proportion de composants ne rencontrant pas les normes pourrait être répartie selon le tableau de la page suivante:

Proportion ne rencontrant pas les normes	Probabilité
0	0,05
0,05	0,20
0,10	0,30
0,15	0,25
0,20	0,15
0,25	0,05

Les frais fixes du procédé de fabrication sont de 15 000$ et les frais variables sont de 12$/composant. Les composants ne rencontrant pas les normes peuvent être rectifiés au coût de 10$ chacun.

a) Déterminez le coût que PROLAB peut s'attendre à assumer pour rectifier les composants ne rencontrant pas les normes sur une production de 10 000 composants.

b) Quel est alors le coût total de fabrication des 10 000 composants (incluant le coût de rectification)?

c) Devrait-on fabriquer ou acheter du fournisseur les composants? Quel(le) serait le gain (ou la perte) anticipé(e)?

8. Le responsable du comité de sécurité de l'entreprise Micom précise que le taux moyen d'accidents de travail est de 1,6 accident/jour avec un écart-type de 1,265 accident/jour. Notons par X le nombre d'accidents par jour. Pour maintenir un service d'urgence, l'entreprise subit des frais fixes de 200 $/jour ainsi que des frais variables (frais par accident) de 50$. Notons par Y les frais encourus par jour.

a) Exprimez, par une expression mathématique, Y en fonction de X.

b) Quels sont, en moyenne, les frais encourus par jour?

c) Quel est l'écart-type des frais?

Loi binomiale

9. Selon une étude* du CEFRIO (Centre francophone d'informatisation des organisations), 11% de l'ensemble des TPE (très petites entreprises du Québec), diffusent de l'information sur le Web. On choisit au hasard 10 TPE et on s'intéresse au nombre de TPE dans l'échantillon de taille $n = 10$ qui diffusent sur le Web.

$n = 10, p = 0,11$	
x	$P(X = x)$
0	0,31182
1	0,38539
2	0,21435
3	0,07065
4	0,01528
5	0,00227
6	0,00023
7	0,00002
8	0,00000
9	0,00000
10	0,00000

a) Quelle loi de probabilité peut s'appliquer ici?

b) Quelle est la probabilité que la moitié des TPE de l'échantillon diffuse sur le Web?

c) Quelle est la probabilité qu'aucune TPE de cet échantillon ne diffuse sur le Web?

d) Quelle est la probabilité qu'au plus 2 TPE diffusent sur le Web? * Source: PME, juin 2000, p.50.

e) En moyenne, dans un échantillon de taille $n = 10$, combien de TPE diffusent sur le Web?

10. Selon un sondage* téléphonique réalisé par le bureau de consultation et de recherche en communication et marketing, Descarie et complices, 36% des Québécois francophones ont nommé spontanément la Caisse Populaire Desjardins comme institution financière qui leur vient à l'esprit en premier.

* Source: *La Presse*, janvier 1999.

On choisit au hasard 12 individus francophones et on s'intéresse au nombre de répondants dans cet échantillon qui favorisent la Caisse Populaire Desjardins comme première mention en tant qu'institution financière. À l'aide d'Excel, déterminez les probabilités suivantes.

a) Quelle est la probabilité que plus de 6 répondants choisissent spontanément la Caisse Populaire Desjardins?

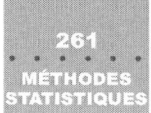

b) Quelle est la probabilité qu'aucun répondant ne choisisse spontanément la Caisse Populaire Desjardins?

c) Quel est le nombre de répondants le plus probable dans cet échantillon de 12 qui sélectionnent comme première mention la Caisse Populaire Desjardins?

11. Selon un sondage effectué par *Ad hoc recherche* pour le compte du journal LES AFFAIRES, le pourcentage de consommateurs québécois effectuant des achats en ligne se situe autour de 15%. On considère que ce pourcentage est exact.

On choisit au hasard 20 consommateurs adultes, et on s'intéresse au nombre de consommateurs dans cet échantillon qui effectuent des achats en ligne.

a) Identifiez la variable aléatoire concernée et précisez-en les valeurs possibles.

b) Pour des échantillons de taille 20, combien de consommateurs, en moyenne, effectuent des achats par l'entremise d'Internet?

c) Dans un échantillon de taille 20, quel est le nombre de consommateurs le plus probable qui effectuent des achats en ligne?

d) Quelle est la probabilité que moins de 10 consommateurs québécois effectuent des achats en ligne?

* Source: Adapté de Plantevin, J. *Des achats en ligne qui progressent.* Journal LES AFFAIRES, 13 juillet 2002.

12. L'entreprise Electropak contrôle la qualité d'adhésion des étiquettes sur des contenants métalliques. La machine effectuant le collage des étiquettes en produit environ 2000 en une journée. Pour chaque lot de contenants étiquettés, une inspection visuelle est faite en prélevant au hasard 20 contenants et en notant le nombre de contenants mal étiquettés (colle insuffisante, mauvaise couleur, apparence inacceptable, ..)

Identifiez la variable aléatoire concernée et précisez-en l'ensemble de valeurs possibles.

La fabrication d'une journée comporte habituellement 5% de non conformes; quelle est la probabilité de trouver dans l'échantillon

a) exactement 4 non conformes?   b) jusqu'à 4 non conformes?

c) plus de 10 contenants non conformes?

d) En moyenne, pour des échantillons de taille $n = 20$, combien de contenants sont non conformes?

e) Quelle quantité de contenants non conformes a la plus forte probabilité d'être observée dans un échantillon de taille $n = 20$?

f) Un lot est refusé s'il contient plus de 3 contenants non conformes dans un échantillon de 20 contenants. Quelle est la probabilité de refuser le lot avec le plan de contrôle?

13. Selon une enquête* effectuée par la Banque Royale, les manufacturiers exportateurs du Canada et la Fédération canadienne de l'entreprise indépendante, 34% des dirigeants de PME considèrent que c'est le fardeau fiscal qui est le principal obstacle à la création de PME.

* Source: Dupaul, R. *Les PME canadiennes sont aussi dynamiques que leurs vis-à-vis américaines, conclut une étude. La Presse*, 8 octobre 2002.

On admettra que ce pourcentage est représentatif de l'ensemble des dirigeants de PME.

On choisit au hasard, 15 dirigeants de PME de la région des Bois-Francs et on veut leur poser la question suivante:

> Parmi les facteurs externes qui peuvent créer un obstacle à la création de PME, est-ce que vous considérez que c'est le fardeau fiscal qui est le principal obstacle à la création de PME?
> Oui ❏   Non ❏

Notez par *X*, le nombre de dirigeants de PME dans cet échantillon qui considèrent que le fardeau fiscal est le principal obstacle à la création de PME.

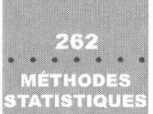

Il faut utliser Excel pour répondre aux questions suivantes.

a) Quelle est la probabilité que 3 dirigeants de PME et moins, dans l'échantillon de taille $n = 15$, considèrent que c'est le fardeau fiscal qui est le principal obstacle à la création de PME?

b) Déterminez le nombre moyen de dirigeants de PME pour des échantillons de taille $n = 15$, qui considèrent que c'est le fardeau fiscal qui est le principal obstacle à la création de PME. Déterminez également la variance et l'écart-type de X.

c) Quelle est la probabilité que plus de la moitié des dirigeants de PME dans l'échantillon de taille $n = 15$, considèrent que c'est le fardeau fiscal qui est le principal obstacle à la création de PME?

√**14.** L'entreprise Cimex fabrique des supports métalliques pour l'assemblage manuel de montures de verre utilisées dans la fabrication de lampes à haute densité. Si les supports ont une longueur trop petite ou trop longue, la monture de verre ne peut être assemblée correctement conduisant au rejet immédiat de cette monture. D'après les fiches de contrôle du département d'Assurance qualité, il y a en moyenne 2 supports métalliques classés non conformes (c.-à-d. trop courts ou trop longs) par échantillon de taille $n = 16$.

a) Quelle est la probabilité qu'un quelconque support métallique tiré au hasard de la production soit classé non conforme?

b) Identifiez en mots la variable aléatoire concernée dans ce processus de contrôle.

c) Quelle est l'expression algébrique de la loi binomiale pour la variable concernée?

d) Précisez les valeurs des principales caractéristiques de la loi c.-à-d. $E(X)$, $Var(X)$ et $\sigma(X)$.

e) Quelle est la probabilité que dans un échantillon de taille $n = 16$, tous les supports soient de longueur acceptable? Utilisez une calculatrice ou un logiciel pour effectuer ce calcul.

15. Selon une expérience concluante de cueillette sélective des déchets à Trois-Rivières-Ouest par la division Waste Managment Mauricie/Bois-Francs (Le Nouvelliste, 2 août 1990), seulement 10% des foyers trouvaient que le bac se manipulait moins bien que les sacs à ordure ordinaires.

Supposons que ce pourcentage est toujours valide aujourd'hui. On sélectionne au hasard 12 foyers de cette municipalité et on s'intéresse au nombre de foyers qui trouvent que le bac se manipule moins bien que les sacs à ordure ordinaires.

a) Identifiez la variable aléatoire concernée et spécifiez l'ensemble des valeurs possibles.

b) Quelle est la probabilité d'obtenir exactement la moitié des foyers dans cet échantillon qui trouvent que le bac se manipule moins bien que les sacs à ordure ordinaires?

c) La probabilité d'observer aucun foyer dans cet échantillon qui trouve que le bac se manipule moins bien que les sacs à ordure ordinaires est supérieure à 25%. Vrai ou faux.

16. Le marché boursier a subi plusieurs contrecoups hier avec 75% des titres qui ont perdu de leur valeur. Vous examinez actuellement un portefeuille comportant 15 titres.

En supposant que vous considérez que le nombre de titres dans un échantillon aléatoire de 15, pouvant perdre de leur valeur, est distribué selon une loi binomiale,

a) quels sont ici les paramètres de la loi?

b) Combien de titres dans un portefeuille de 15 titres peut-on s'attendre à voir perdre de leur valeur?

c) Quel est l'écart-type de la variable aléatoire concernée?

d) Déterminez la probabilité que tous les titres du portefeuille perdent de leur valeur.

e) Déterminez la probabilité que moins de 9 titres du portefeuille perdent de leur valeur. Utilisez Excel pour déterminer cette probabilité.

17. Selon une étude* effectuée par les professeurs Bigras (UQAM), Roy (HEC), Martel (Laval) et Filiatrault (UQAM) auprès d'entreprises québécoises concernant la logistique d'entreprise, seulement 18% des entreprises ont eu recours à l'inforoute pour passer des commandes à leurs fournisseurs (la vaste majorité des entreprises passent encore par le téléphone et par le télécopieur).

---

* Source: Duhamel, A. *La logistique d'entreprise progresse lentement.* LES AFFAIRES, 11 janvier 2003.

17. (suite) On choisit au hasard 20 entreprises du Québec Métro et on s'intéresse au nombre d'entreprises dans l'échantillon qui ont recours à l'inforoute pour passer leurs commandes à leurs fournisseurs. Il serait préférable d'utiliser Excel pour répondre à certaines questions.

a) Identifiez la variable binomiale.

b) Est-ce que la valeur 10,5 est une valeur possible pour cette variable aléatoire?

c) Quelle est la probabilité qu'aucune entreprise dans l'échantillon n'utilise l'inforoute pour passer ses commandes?

d) Quelle est la probabilité que plus de la moitié des entreprises dans l'échantillon utilisent l'inforoute pour passer leurs commande à leurs fournisseurs?

e) Quel est le nombre d'entreprises le plus probable dans cet échantillon qui utilisent l'inforoute pour passer leurs commandes?

Loi de Poisson

18. Les ventes journalières d'un acessoire informatique suivent une loi de Poisson de moyenne $\lambda = 8,8$ unités.

a) Dénotons par X, la variable «ventes journalières». Quelle est l'expression de la loi de probabilité régissant les ventes journalières?

b) Quelle est la variance de la variable aléatoire?

c) Quelle est la probabilité de n'observer aucune vente de ce bien en une journée quelconque?

d) Quelle est la proportion de jours pour lesquels les ventes journalières sont inférieures à 5 unités?

e) Quel est le nombre d'unités le plus probable d'être vendues en une journée?

f) Estimez le nombre de jours où les ventes journalières de ce bien ont été exactement de 10 unités et ceci pour une période de 250 jours ouvrables?

19. Selon les données recueillies depuis plusieurs années, le nombre de pannes hebdomadaires du système informatique de l'entreprise Syscom est régi par la loi de Poisson de paramètre $\lambda = 0,05$.

a) Quelle est la probabilité que le système tombe en panne une fois au cours d'une semaine quelconque?

b) Quelle est la probabilité que le système informatique fonctionne sans panne au cours d'une semaine?

c) Au cours d'une année d'opération (50 semaines), quelle est la probabilité d'observer
  i) 2 pannes?   ii) 4 pannes?

20. Le comité de sécurité de l'entreprise Megatek a publié récemment dans un bulletin mensuel de l'entreprise que le taux moyen des accidents de travail est de 1 par 20 jours ouvrables.

a) Quelle est la probabilié de n'observer aucune victime d'accidents de travail dans les vingt prochains jours ouvrables?

b) Quelle est la probabilité d'observer 2 victimes ou moins d'accidents de travail dans les dix prochains jours ouvrables?

c) Quelle est la probabilité de n'observer aucune victime dans le prochain jour ouvrable?

21. Un équipement électronique complexe est installé sur l'unité no 12 pour tester une caractéristique importante d'un produit. Cet équipement est sujet à des pannes qui se produisent selon une loi de Poisson au taux moyen de 1 panne par 3 mois. Toutefois l'équipement peut être acquis avec un contrat d'entretien dont le coût annuel est de 1200$ auquel cas l'entreprise n'a aucuns frais de réparation à subir. Le directeur de l'entreprise a évalué que, sans contrat d'entretien, elle encourra par panne des frais s'élevant à 240$.

Quelle est la probabilité, qu'en 12 mois d'exploitation, l'entreprise réalise une économie d'au moins 400$ si l'équipement est acquis sans contrat d'entretien?

Note. Il faut d'abord évaluer le nombre de pannes à ne pas dépasser durant la période de 12 mois.

22. Chez Electropak, l'appareil servant à l'étiquettage de contenants est sujet à deux types de pannes, soit une défaillance électronique, soit une défaillance mécanique. Ces deux sources de pannes sont indépendantes.

Selon l'ingénieur d'usine de l'entreprise, le nombre de pannes attribuables à une défaillance électronique au cours d'un mois d'opération est distribué selon une loi de Poisson, de paramètre $\lambda = 1,4$ alors que le nombre de pannes attribuables à une défaillance mécanique durant la même période est caractérisé par une loi de Poisson de paramètre $\lambda = 2$.

a) En notant par X, la variable aléatoire correspondant au nombre de pannes attribuables à une défaillance électronique et par Y, celle correspondant au nombre de pannes attribuables à une défaillance mécanique, précisez, dans chaque cas, l'expression de la loi de probabilité correspondante.

b) Quelle est la probabilité, qu'au cours d'un mois d'opération, il y ait une seule panne de l'appareil d'étiquettage?

c) Quelle est la probabilité, qu'au cours d'un mois d'opération, l'appareil présente deux pannes, une attribuable à une défaillance électronique et l'autre attribuable à une défaillance mécanique?

d) Quelle est la probabilité, qu'au cours d'un mois d'opération, l'appareil présente moins de deux pannes?

e) Quelle est l'expression de la loi de probabilité du nombre total de pannes $W = X + Y$ au cours d'un mois d'opération?

f) Quelles sont l'espérance de W et la variance de W?

g) Quelle est la probabilité, qu'au cours d'un mois d'opération, l'appareil totalise moins de deux pannes?

23. Le nombre de patients arrivant chaque heure à la salle d'urgence d'un hôpital de la région est considéré comme une variable de Poisson avec $\lambda = 5,8$.

a) Selon ce modèle probabiliste, quel est, en moyenne, le nombre de patients se présentant à cette salle d'urgence au cours d'une période d'une heure?

b) Quel est le nombre d'arrivées le plus probable au cours d'une période d'une heure?

c) Quelle est la probabilité pour que le nombre de patients se présentant au cours d'une période d'une heure soit inférieur au nombre moyen obtenu en a)?

d) On devra faire appel à du personnel supplémentaire si le nombre de patients arrivant à la salle d'urgence au cours d'une période d'une heure dépasse 10. Quelle est la probabilité d'avoir recours à du personnel supplémentaire?

24. L'entreprise Simtech fabrique des tubes de verre pour l'entreprise Gescom de la région de Montréal. Gescom utilise ces tubes dans la fabrication d'un de ses produits. Gescom exige que les lots livrés par Simtech contiennent au plus 1% de non conformes. Elle considère également qu'un lot présentant 6% (ou plus) de tubes de verre non conformes est d'une qualité inacceptable et devrait avoir très peu de chances d'être accepté. Les lots sont habituellement constitués de 5000 tubes de verre. Le qualiticien de l'entreprise Gescom a mis au point le plan de contrôle suivant qui est utilisé pour réceptionner chaque livraison de Simtech.

> À chaque livraison, prélever au hasard 150 tubes de verre. Si dans cet échantillon, on trouve 4 tubes de verre (ou moins) non conformes, le lot est considéré comme acceptable. Si l'on trouve 5 tubes ou plus non conformes, le lot est refusé et sera retourné à l'entreprise Simtech sans plus d'inspection.

a) Identifiez la variable aléatoire correspondante et l'ensemble des valeurs possibles que peut prendre cette variable.

b) Quelle est l'expression générale de la loi de probabilité régissant le nombre de tubes de verre non conformes dans un échantillon de taille $n = 150$ en admettant que la proportion de non conformes dans les lots est de 1%?

c) Avec le plan de contrôle, quelle est la probabilité pour Simtech de se voir refuser un lot contenant 1% de non conformes au contrôle de réception de Gescom? Utilisez Excel pour calculer cette probabilité.

d) Quelles sont les chances sur 100 d'accepter par Gescom un lot comportant 6% de non conformes, avec son plan de contrôle?

25. *La loi hypergéométrique.* Comme nous l'avons déjà mentionné à la section 4.8, page 241 la loi binomiale repose sur le fait que le tirage se fait d'une manière non-exhaustive c.-à-d. que les éléments sélectionnés sont remis dans la population de telle sorte que *p* demeure constant. Toutefois, en pratique, le tirage est plutôt de nature exhaustive c.-à-d. que les éléments sélectionnés ne sont pas remis dans la population. On considère néanmoins que l'application de la loi binomiale est quand même valable si le rapport entre la taille de l'échantillon *n* et la taille de la population *N* est $\frac{n}{N} \leq 0,10$. Si le rapport *n* / *N* excède 0,10, on a recours à la *loi hypergéométrique* que nous énonçons comme suit:

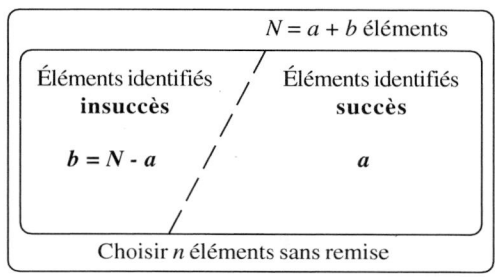

Soit une population finie de *N* éléments dont «**a**» sont identifiés **succès** et «**b**» **insuccès** (*N=a+b*). On prélève de cette population un échantillon de taille *n*(*n* ≤ *N*) et on s'intéresse à la variable aléatoire *X*: nombre d'éléments étant identifiés succès parmi les *n* choisis de la population finie *N*.

La probabilité de trouver *x* succès (et *n-x* insuccès) dans l'échantillon est donnée par l'expression

$$P(X = x) = \frac{\binom{a}{x} \cdot \binom{b}{n-x}}{\binom{N}{n}} \text{ où } x = \begin{cases} 0,1,\ldots,n \text{ si } n \leq a \\ 0,1,\ldots,a \text{ si } n > a \end{cases}$$

La *loi hypergéométrique* dépend de *N*, *n*, *p* et l'espérance mathématique de *X* est:

$$E(X) = np = n\left(\frac{a}{N}\right).$$

En utilisant cette loi, résolvez les exercices suivants.

Le contremaître de l'usine Prolab a sous sa responsabilité 18 employés dont 10 femmes et 8 hommes. Il doit recommander deux personnes de son département pour faire partie du comité de sécurité de l'usine. Ne voulant favoriser aucune personne en particulier, il décide de choisir ces deux personnes au hasard.

a) De combien de façons peut-il choisir ces deux personnes?

b) Étant donné que la sélection s'effectue au hasard, quelle est la probabilité de choisir une combinaison quelconque de deux personnes?

c) Notons par *X*, le nombre de femmes sélectionnées dans l'échantillon. Quelles sont les valeurs possibles de cette variable aléatoire?

d) Quelle est l'expression générale de la loi de probabilité de *X* dans ce contexte?

e) Quelle est la probabilité que les deux personnes choisies soient deux femmes?

26. Un agent technique du département d'Assurance qualité de l'entreprise Micom doit prélever un échantillon de taille *n* = 10 d'un lot de 200 composants électroniques. Le lot est accepté si au plus un composant est non conforme dans l'échantillon, sinon le lot est complètement vérifié. Supposons que le lot comporte effectivement 10 composants non conformes.

a) Déterminez l'expression algébrique du modèle probabiliste qui régit le comportement du nombre de composants non conformes dans un échantillon de taille *n* = 10 provenant d'un lot de 200.

b) En moyenne, combien de composants sont non conformes dans un échantillon de taille *n* = 10?

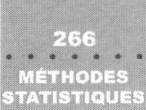

26. (suite) c) Quelle est l'expression algébrique de la loi correspondant à la probabilité que le lot soit accepté selon le plan de contrôle?

27. Sur 30 comptes-clients de l'entreprise SIMEX, 3 sont inexacts. Le vérificateur de l'entreprise prélève au hasard de ce lot, 6 comptes pour en vérifier l'exactitude.

a) Dans ce contexte, quelle est l'expression algébrique du modèle probabiliste qui régit le comportement du nombre de comptes-clients inexacts dans un échantillon de taille $n = 6$ provenant d'un lot de 30 comptes-clients.

b) Quelle est la variance du nombre de comptes-clients inexacts pour un échantillon de taille $n = 6$?

c) Quelle est la probabilité que le vérificateur ne trouve aucun compte-client inexact dans l'échantillon de taille $n = 6$?

d) Est-ce que les chances de trouver plus de 1 compte-client inexact dans l'échantillon de taille $n = 6$ sont supérieures à 50%?

e) Peut-on obtenir plus de 3 comptes-clients inexacts dans un échantillon de taille $n = 6$?

28. Le contremaître du département 742 de l'entreprise AMX a préparé un lot de 20 pièces qui doit être expédié le plus tôt possible à un client. Une technicienne en contrôle de la qualité doit effectuer une vérification sur quelques pièces avant l'expédition. Elle se propose d'adopter le plan de contrôle suivant:

Prélever au hasard 3 pièces du lot. Si toutes les pièces sont conformes, accepter le lot. Si une pièce ou plus est non conforme, retourner le lot au contremaître pour une vérification de toutes les pièces et rectification des pièces non conformes

Si le lot contient effectivement 2 pièces non conformes, quelle est la probabilité

a) que le lot soit accepté au contrôle?

b) que le lot soit retourné au contremaître pour vérification?

Processus de Poisson

29. La probabilité pour qu'une imprimante ne puisse transcrire correctement un caractère est de 0,005. Quelle est la probabilité que, parmi 1000 caractères à imprimer,

a) 4 soient transcrits incorrectement?

b) 6 ou 7 caractères soient transcrits incorrectement?

c) Plus de 10 caractères soient transcrits incorrectement?

d) Une page contient 3000 caractères. Quelle est la probabilité qu'une page contienne au plus 10 erreurs de transcription?

30. Le taux moyen des arrivées d'automobiles dans un stationnement le samedi est 3 à la minute. On considère que le phénomène correspond à une loi de Poisson.

a) Identifiez la variable aléatoire concernée et en spécifier l'ensemble des valeurs possibles.

b) Quelle est l'expression générale de la loi qui permettrait de calculer la probabilité d'observer x arrivées en une minute?

c) Quelle est la probabilité d'observer 4 arrivées en une minute?

31. Votre professeur de management, un peu exaspéré de passer ses étés à attendre le soleil et à couper son gazon deux fois par semaine, décide d'entreprendre un long voyage avec sa «minoune». D'après son expérience, il constate qu'il a la désagréable surprise d'avoir une crevaison environ tous les 8000 km.

S'il envisage de parcourir une distance de 16 000 km durant son long périple, quelles sont les chances sur 100 qu'il ait plus d'une crevaison?

32. Un éditeur de manuels scolaires a constaté qu'il reçoit, en moyenne, 2 appels téléphoniques par minute du début août à la mi-septembre. Il veut mettre en place un nouveau standard capable de faire face à cette affluence et dont la taille sera indiquée par le nombre d'appels auxquels il pourra suffire sans attente pendant 1 minute.

a) Quelle est l'expression générale de la loi de probabilité qui permettrait de régir le nombre d'appels en une minute?

b) Quelle est la probabilité d'observer, en une minute,

       i) 2 appels?   ii) 3 appels?   iii) 6 appels?

c) Si le standard peut absorber sans attente 2 appels à la minute, pendant quelle proportion de son temps de fonctionnement donne-t-il satisfaction?

d) Avec le taux actuel d'appels à la minute, quelle est la taille du standard (en nombre d'appels par minute) qui donnera satisfaction pendant environ 95% du temps de fonctionnement?

e) L'éditeur estime, avec les nouveaux titres prévus à son programme de production, qu'il recevra en moyenne 5 appels par minute dans 2 ans. Quelle doit être alors la taille du standard qui, dans 2 ans, donnera satisfaction environ 95% du temps de fonctionnement?

Deux autres distributions discrètes

33. Loi géométrique. Soit une expérience de Bernoulli comportant deux résultats possibles: succès avec probabilité p ou insuccès avec probabilité $1 - p$. On répète l'expérience jusqu'à l'apparition du premier succès. La variable aléatoire X associée à cette expérience est le nombre de fois qu'il faut répéter l'expérience pour obtenir un premier succès. L'ensemble des valeurs de X est $x = 1, 2, 3,...$

La probabilité d'avoir recours à $X = n$ épreuves pour observer la première apparition de succès est donnée par la loi géométrique dont l'expression est:

$$P(X = n) = q^{n-1}\, p$$

avec

$$E(X) = \frac{1}{p} \text{ et } \mathrm{Var}(X) = \frac{q}{p^2} = \frac{1-p}{p^2}.$$

Le calcul des probabilités géométriques est toutefois simplifié en exprimant cette loi en fonction de la loi binomiale comme suit:

$$P(X = n) = q^{n-1}\, p = \frac{1}{n} \cdot b(1; n, p) = \frac{1}{n} \cdot \binom{n}{1} p \cdot q^{n-1}.$$

Résolvez l'exercice suivant à l'aide de la loi géométrique.

L'entreprise Tubex fabrique des tubes de verre qui sont utilisés par une autre usine, filiale de Tubex. D'après le département d'Assurance Qualité, la proportion de tubes de verre non conformes se situe à 5%.

a) Quelle est la probabilité pour que le 4e tube de verre contrôlé s'avère le premier non conforme?

b) Même question, mais cette fois pour le 10e tube contrôlé.

c) Combien de tubes doit-on contrôler, en moyenne, avant d'observer un tube non conforme?

34. Dans le laboratoire de recherche et développement d'une firme se spécialisant dans le domaine de la micro-électronique, on effectue actuellement des essais sur un nouveau type de microprocesseur. Le coût de chaque essai est de 10 000$. Si l'essai s'avère infructueux un coût additionnel de 3000$ devra être absorbé pour les modifications apportées avant d'entreprendre le prochain essai. Si la probabilité de succès d'un essai quelconque est de 0,4 et que les essais sont indépendants, quel est le coût espéré de cette recherche jusqu'à ce que le premier résultat concluant soit observé?

Note: On identifie par X le nombre d'essais requis avant d'observer le premier résultat concluant, par conséquent le nombre d'essais infructueux est $X - 1$.

35. Loi distribution binomiale négative (Loi de Pascal). La loi géométrique est un cas particulier de la distribution binomiale négative. Dans le cas de la loi géométrique, on s'intéresse au nombre d'épreuves requis pour observer le premier succès, alors que dans le cas de la binomiale négative, on s'intéresse au nombre d'épreuves requis pour observer le k ième succès. Dans ce cas, l'ensemble des valeurs de X sont $x = k, k+1, k+2,...$ Alors la probabilité d'avoir

35. (suite) recours à $X = n$ épreuves ($n \geq k$) pour observer le $k$ième succès est donnée par la loi binomiale négative dont l'expression est:

$$P(X = n) = \binom{n-1}{k-1} \cdot p^k \, q^{n-k}, \, n = k, k+1, \ldots$$
$$= 0 \qquad\qquad , n < k$$

avec $E(X) = \dfrac{k}{p}$ et $Var(X) = \dfrac{k(1-p)}{p^2}$. Pour la loi géomérique, $k = 1$.

En utilisant le contexte de l'exercice no 33 (l'entreprise Tubex), déterminez la probabilité qu'il faille contrôler 10 tubes pour en observer 2 non conformes.

36. Un distributeur de micro-ordinateurs précise que 80% des micro-ordinateurs de marque Décision II ne requièrent aucun ajustement avant d'être expédiés aux diverses succursales qu'il dessert.
a) Quelle est la probabilité qu'il faille en examiner 6 pour en obtenir 3 qui ne requièrent aucun ajustement?
b) En moyenne, combien de micro-ordinateurs faut-il vérifier avant d'en obtenir 10 qui ne requièrent aucun ajustement?

> **Exercices de révision et de synthèse**

37. D'après le responsable du service des commandes de l'entreprise Novaltec, l'efficacité globale de son service est de 75% (pourcentage du temps considéré comme productif). Supposons que l'on effectue au hasard 20 observations au cours d'une journée.
a) Quelle est l'expression algébrique de la loi régissant le comportement de la variable aléatoire: nombre d'observations parmi 20 enregistrées comme «travail productif»?
b) Quelle est la probabilité que sur 20 observations, 14 soient enregistrées comme «travail productif»?
c) Quelle est la probabilité que sur 20 observations, 6 soient enregistrées comme «travail non productif»?
d) Quel est, en moyenne, le nombre d'observations sur 20 qui seront enregistrées «travail productif»?
e) Quel nombre d'observations sur 20 a la plus forte probabilité d'être enregistré comme «travail productif»?

38. Selon une étude* effectuée (données recueillies en 1996) par la Direction de la recherche et de la statistique du Ministère de la Culture et des Communications, concernant l'utilisation des nouvelles technologies d'information et de communication (NTIC) par des organismes du grand secteur culturel (musées et centres d'exposition, centres d'archives, lieux historiques, associations du patrimoine), 41,4% des organismes font usage du chiffrier électronique Excel.

Pour répondre avec exactitude aux questions suivantes, il est préférable d'avoir recours à un chiffrier électronique (Excel ou Lotus).

On choisit au hasard 15 organismes du grand secteur culturel et on s'intéresse au «nombre d'organismes dans cet échantillon utilisant Excel pour le traitement des données». On suppose que le nombre d'organismes du grand secteur culturel est suffisamment important de sorte que $\dfrac{n}{N} < 0,10$.

---

* Source: Adapté de *Informatisation des milieux artistiques et culturels, lieux historiques et centres d'interprétation*, Ministère de la Culture et des Communications, mai 1998.

a) Identifiez la variable aléatoire.
b) Précisez le modèle probabiliste qui peut être associé à cette variable aléatoire.
c) Quelle est la probabilité que, sur les 15 organismes,
   i)   il y en ait 3 qui utilisent le chiffrier électronique Excel?
   ii) entre 4 et 8 inclusivement utilisent le chiffrier électronique Excel?
   iii) plus de 5 utilisent le chiffrier électronique Excel?
   iv) au plus 6 organismes font usage du chiffrier électronique Excel?

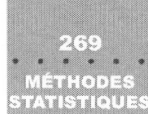

d) Considérons cette fois que l'échantillon est constitué de 36 organismes.

Déterminez la probabilité que, sur les 36 organismes, il y en ait la moitié qui font usage du chiffrier électronique.

e) Supposons qu'il existe effectivement 140 organismes du grand secteur culturel et que l'échantillon aléatoire est constitué de 36 organismes. On s'intéresse toujours au nombre d'organismes dans l'échantillon utilisant Excel comme chiffrier électronique.

i) Quelle loi de probabilité serait appropriée pour décrire le comportement de la variable aléatoire?

ii) On considère qu'il y a 58 organismes qui utilisent Excel comme chiffrier électronique. Déterminez, avec la fonction Excel appropriée, la probabilité que sur les 36 organismes de l'échantillon, la moitié font usage d'Excel.

**Testez vos
connaissances**

Test no 4

Répondez par Vrai ou Faux.

1. La notion probabiliste équivalente à la moyenne arithmétique est l'espérance mathématique.

2. Si, à chaque résultat d'une épreuve (expérience aléatoire), on fait correspondre une valeur numérique, nous définissons une variable aléatoire.

3. Une variable aléatoire est dite continue si les valeurs prises par cette variable sont des valeurs entières.

4. Une variable aléatoire ne prend jamais de valeurs négatives.

5. La somme de toutes les probabilités de toute loi de probabilité peut être supérieure à 1.

6. La fonction qui permet d'obtenir la probabilité que la variable aléatoire X prenne une valeur au plus égale à une valeur particulière s'appelle fonction de densité.

7. L'espérance mathématique d'une variable aléatoire n'est jamais négative.

8. L'espérance mathématique d'une variable aléatoire centrée réduite est égale à 1.

9. L'écart-type d'une variable aléatoire peut prendre une valeur négative.

10. La valeur que prend l'espérance mathématique d'une variable aléatoire est nécessairement une des valeurs possibles de la variable aléatoire.

11. L'écart-type d'une variable aléatoire permet de caractériser la tendance centrale de l'ensemble des valeurs d'une variable aléatoire.

12. Dans le cas d'une variable aléatoire continue, on peut écrire $P(a<X \leq b) = P(a<X<b)$.

13. Dans le cas de deux variables aléatoires indépendantes X et Y, la variance de la différence $X - Y$ est $Var(X - Y) = Var(X) + Var(Y)$.

14. Deux variables aléatoires qui varient dans le même sens présentent une covariance positive.

15. La covariance est un nombre sans dimension.

16. Le signe de la covariance et celui du coefficient de corrélation peuvent différer.

17. Si deux variables aléatoires sont indépendantes, alors la valeur du coefficient de corrélation linéaire est -1.

18. Une épreuve dont l'issue de chaque essai comporte seulement deux résultats possibles (succès ou insuccès) s'appelle épreuve de Bernoulli.

19. La probabilité de réalisation de l'événement succès en un essai donné d'une épreuve de Bernoulli dépend si oui ou non l'événement succès a été observé à l'essai précédent.

20. Le modèle binomial dépend de deux paramètres, la moyenne np et l'écart-type $\sqrt{np(1-p)}$.

21. Une variable binomiale peut prendre des valeurs entières de 1 jusqu'à n.

22. Dans le cas d'une loi binomiale, la probabilité de succès à chaque épreuve est identifiée par p.

23. Les valeurs possibles d'une variable binomiale dans un échantillon de taille $n = 12$ sont 0, 1, 2, ..., 12.

24. Le nombre moyen de succès d'une variable binomiale dont les paramètres du modèle binomial sont $n = 20$ et $p = 0,30$ est 8.

25. La loi binomiale repose sur le fait que le tirage s'effectue de manière non exhaustive.

26. La loi de Poisson ne dépend que d'un seul nombre, l'espérance mathématique d'une variable de Poisson.

27. Le nombre λ dont dépend la loi de Poisson est toujours un nombre entier.

28. Une variable de Poisson prend très fréquemment des valeurs élevées.

29. À mesure que λ augmente, la forme de la distribution de Poisson tend à devenir symétrique.

Testez vos connaissances

Test no 4
(suite)

30. Dans un processus de Poisson, αt représente le nombre espéré de réalisation au cours de l'intervalle de temps t.

Questions à choix multiples. Encerclez la bonne réponse.

31. Dans une expérience de Bernoulli, si $p = 0,25$, le calcul de l'expression

$\dfrac{7!}{3!4!}(0,25)^3(0,75)^4$ permet d'évaluer la probabilité

   i) d'obtenir 4 succès en 7 épreuves

   ii) d'obtenir 3 succès en 7 épreuves

   iii) d'obtenir 3 succès en 4 épreuves

   iv) d'obtenir 3 succès et plus en 7 épreuves

32. Laquelle des situations suivantes ne peut correspondre au phénomène de Bernoulli:

   i)   Le nombre d'étiquettes d'expédition non conformes dans un échantillon de taille $n = 20$.

   ii) Le nombre de ménages dans un échantillon de taille $n = 100$ dont les revenus excèdent 50 000$.

   iii) Le résultat à un test de perception des formes pour 50 travailleurs oeuvrant dans le moulage de pièces.

33. Le responsable* des achats de l'entreprise Northpak a précisé, lors d'une réunion du groupe d'amélioration des processus de l'entreprise, que 5% des bons de commande préparés par les employés du département des achats comportaient au moins une non-conformité (date manquante, adresse erronée, no de produit incomplet ou inexact,...).

Un agent du groupe d'amélioration des processus de l'entreprise prélève au hasard 12 bons de commande parmi les centaines qui ont été complétés au cours du mois dernier et s'intéresse au nombre de bons de commande qui présentent au moins une non-conformité dans un échantillon de taille $n = 12$. On suppose que l'affirmation de la responsable des achats est exacte.

a) Les valeurs possibles de la variable binomiale sont:

    i) 1,2, ..., 10   ii) 1,2,3, ..., 8   iii) 0,1,2, ..., 12.

b) La probabilité d'obtenir 2 bons de commande non conformes parmi les 12 prélevés est:

      i) 0,2301   ii) 0,3837   iii) 0,0988.

c) Le nombre moyen de bons de commande non conformes pour des échantillons de taille $n = 12$ est: i) 2   ii) 1   iii) 0,6.

d) Le nombre de bons de commande non conformes le plus probable de constater dans un échantillon de taille $n = 12$ est: i) 2   ii) 1   iii) 0.

* Source: Adapté de Mc Cable, J.W. *Examining Process Improves Operations*, Quality Progress, juillet 1989.

34. Selon une étude* sur la logistique auprès d'entreprises québécoises, 40% des grossistes livrent leurs produits et services dans les temps convenus.

* Source: Duhamel, A. *La logistique d'entreprise progresse lentement.* LES AFFAIRES, 11 janvier 2003.

On sélectionne au hasard 10 grossistes et on s'intéresse à savoir s'ils respectent ou non les échéances de livraison.

a) Les valeurs possibles de la variable binomiale sont:

    i) 1,2, ..., 8   ii) 0,1,2, ..., 4   iii) 0,1,2, ..., 10.

b) Dans des échantillons de taille $n = 10$, on peut s'attendre à ce que le nombre moyen de grossistes qui respectent les échéances de livraison soit:

      i) 8   ii) 6   iii) 4.

34. (Suite). c) La probabilité qu'au moins 3 grossistes, dans un échantillon de taille $n = 10$, respectent les échéances de livraison est:

    i) 0,1209   ii) 0,8328   iii) 0,1672.

35. Selon le service à la clientèle d'une entreprise de service, le nombre mensuel moyen de plaintes pour diverses insatisfactions à l'égard de l'entreprise est de 4,2.

Admettons que le nombre de plaintes est distribué selon une loi de Poisson.

a) La probabilité que le nombre de plaintes au cours d'un mois quelconque ne dépasse pas 1 est:

    i) inférieure à 5%   ii) inférieure à 8%   iii) exactement 6%.

b) La probabilité que le nombre de plaintes au cours d'un mois quelconque soit inférieure à la moyenne est:

    i) 0,1944   ii) 0,3954   iii) 0,5899.

c) Les chances sur 100 que le nombre de plaintes reçu par le service à la clientèle au cours d'un mois quelconque excède la moyenne plus 1 écart-type sont:

    i) 0,8675   ii) 0,0639   iii) 0,1325.

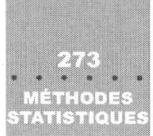

Annexe 3 -Traitement avec Excel

Microsoft Office 2002 et Office 1997

Modèles probabilistes discrets avec Excel

Excel comporte plusieurs lois de probabilité discrètes qui s'avèrent le fondement de plusieurs outils statistiques en sciences de la gestion et en sciences économiques. Les fonctions de Microsoft Excel comportent des lois de probabilités discrètes importantes comme la loi binomiale, la loi de Poisson, la loi hypergéométrique. Nous résumons dans le tableau ci-après quelques lois de probabilités discrètes importantes que nous pouvons traiter avec le tableur Excel.

Modèles	Fonctions de Microsoft Excel
● Loi binomiale	LOI.BINOMIALE(nombre_succès; tirages; probabilité_succès; cumulative)
● Loi de Poisson	LOI.POISSON(x; espérance; cumulative)
● Loi hypergéométrique	LOI.HYPERGEOMETRIQUE(succès_échantillon; nombre_échantillon; succès_population; nombre_population)

Donnons quelques applications de ces lois de probabilité.

EXEMPLE 1: Calcul de probabilités selon la loi binomiale avec Excel

D'après un sondage* effectué par le Groupe Everest pour le compte de la Banque Nationale et le journal *La Presse* auprès de 300 PME comptant de 10 à 200 employés, 20,3% des petites et moyennes entreprises ne disposent d'aucune politique concernant le «service à la clientèle».

*Source: Benoît, Jacques. Seule une PME sur cinq dispose d'une division «service à la clientèle».
LaPresse, 21 janvier 2002.

On choisit au hasard 12 PME et on leur pose la question suivante:
«Votre entreprise possède-t-elle une politique concernant le service à la clientèle?»

a) Quelle est la probabilité que 5 PME dans un échantillon aléatoire de 12, ne possèdent aucune politique de service à la clientèle?

Nous cherchons $P(X = 5)$. Illustrons comment calculer cette probabilité avec la fonction statistique LOI.BINOMIALE.

Fonction LOI.BINOMIALE

Procédure

❶ Il faut d'abord sélectionner une cellule dans laquelle va apparaître le calcul de la probabilité, puis on sélectionne le bouton f_x (ou encore on sélectionne dans la barre de menus **Insertion / Fonction**).

❷ Choisissez la catégorie **Statistiques** puis **LOI.BINOMIALE** dans le menu déroulant Insérer une fonction (Coller une fonction dans Office 97).

❸ Entrez les paramètres requis.

❹ Cliquez sur OK.

Dans Microsoft Excel, la fonction feuille de calcul qui permet de calculer les probabilités d'une variable aléatoire distribuée selon une loi binomiale de paramètres n, p est la suivante :

=LOI.BINOMIALE(*nombre_succès; tirages; probabilité_succès; cumulative*)

nombre_succès   représente le nombre de succès en *n* épreuves.
tirages   représente le nombre de tirages indépendants (la taille de l'échantillon).
probabilité_succès   représente la probabilité d'obtenir un succès à chaque épreuve.
cumulative   représente une valeur logique déterminant le mode de calcul de la fonction : cumulatif ou non. Si l'argument cumulative est VRAI, la fonction LOI.BINOMIALE renvoie la probabilité suivant une loi binomiale pour qu'un événement se réalise un nombre de fois inférieur ou égal à *x* ; si l'argument cumulative est FAUX, la fonction renvoie la probabilité suivant une loi binomiale pour qu'un événement se réalise *x* fois exactement.

Ainsi $P(X = 5)$ dans le cas d'une loi binomiale avec $n = 12$ et $p = 0,203$ s'obtient avec l'expression suivante :

=LOI.BINOMIALE(5;12;0,203;FAUX) et la probabilité est : 0,05577167.

Il y a pratiquement seulement 6 chances sur 100, que 5 PME, dans un échantillon aléatoire de 12 PME, ne possèdent pas de service à la clientèle.

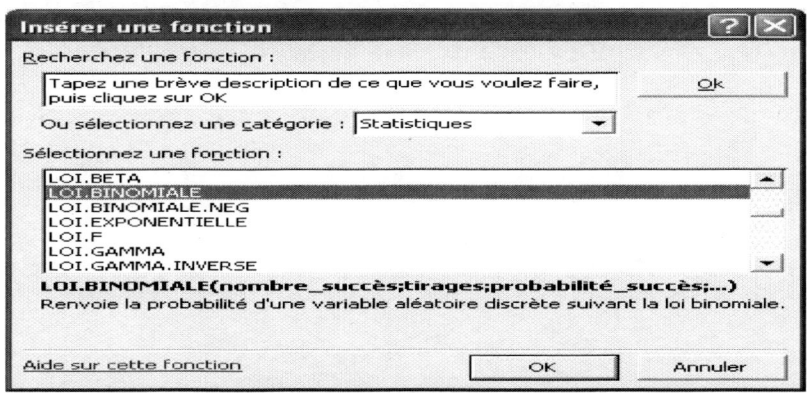

Dans la zone
Nombre_succès,
entrez la valeur 5.
Dans la zone **Tirages**,
entrez la valeur 12.
Dans la zone
Probabilité_succès,
entrez la valeur 0,203.
Dans la zone **Cumulative**,
entrez la valeur FAUX.
Cliquez sur OK.

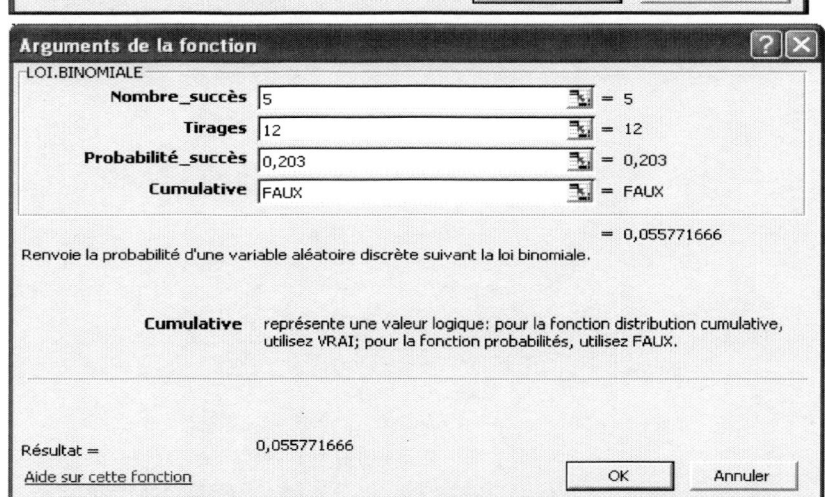

$P(X = 5) =$
$b(x = 5; n = 12, p = 0,203)$

$P(X \leq 3) =$
$\sum_{x=0}^{3} b(x; n = 12, p = 0,203)$

b) Quelle est la probabilité qu'au plus 3 PME, dans un échantillon de taille n = 12, ne possèdent aucune politique de service à la clientèle?

Nous cherchons $P(X \leq 3)$. Pour obtenir cette probabilité avec Excel, on a recours à la fonction suivante:

=LOI.BINOMIALE(3;12;0,203;VRAI) , ce qui donne 0,78653737.

B12	▼	f_x =LOI.BINOMIALE(3;12;0,203;VRAI)			
	A	B	C	D	E
8					
9	b) Déterminez P(X ≤ 3).				
10					
11					
12		0,78653737			

> La probabilité cherchée:
> $P(X \leq 3) = 0,7865$.

Il y a pratiquement 79% des chances qu'au plus 3 PME, dans un échantillon aléatoire de 12 PME, ne possèdent pas de service à la clientèle.

c) Quelle est la probabilité qu'au moins la moitié des PME dans un échantillon de taille n = 12 , ne possèdent aucune politique de service à la clientèle?

Nous cherchons $P(X \geq 6)$. Pour obtenir cette probabilité avec Excel, on a recours d'abord à la fonction suivante:

=LOI.BINOMIALE(5;12;0,203;VRAI) , ce qui donne $P(X \leq 5) = 0,97916254$.

Relation complémentaire avec Excel

Dans le cas d'une loi de probabilité discrète, on a
$P(X \geq x) = 1 - P(X < x)$
$P(X \geq x) = 1 - P(X \leq x\text{-}1)$.

Pour obtenir $P(X \geq 6)$, on utilise la relation complémentaire $P(X \geq x) = 1 - P(X < x)$ soit
$P(X \geq 6) = 1 - P(X \leq 5) = 1 - 0,97916254 = 0,02083746$.

B20	▼	f_x =LOI.BINOMIALE(5;12;0,203;VRAI)		
	A	B	C	D
14				
15	c) Déterminez P(X ≥ 6).			
16				
17	Déterminons d'abord P(X ≤ 5).			
18				
19				
20		0,97916254		

$$P(X \geq 6) = 1 - P(X \leq 5)$$
$$= 1 - \sum_{x=0}^{5} b(x; n = 12, p = 0,203)$$

B22	▼	f_x =1-B20
	A	B
21		
22	P(X ≥6):	0,02083746
23		

> La probabilité cherchée:
> $P(X \geq 6) = 0,02083$.

Il y a pratiquement 2% des chances qu'au moins 6 PME, dans un échantillon aléatoire de 12 PME, ne possèdent pas de service à la clientèle.

d) Visualisation de la distribution binomiale n = 12, p = 0,203.

On peut visualiser la distribution de probabilité de la variable discrète «nombre de PME dans un échantillon de taille n = 12 qui possède un service à la clientèle» d'après la figure suivante (figure élaborée avec Excel).

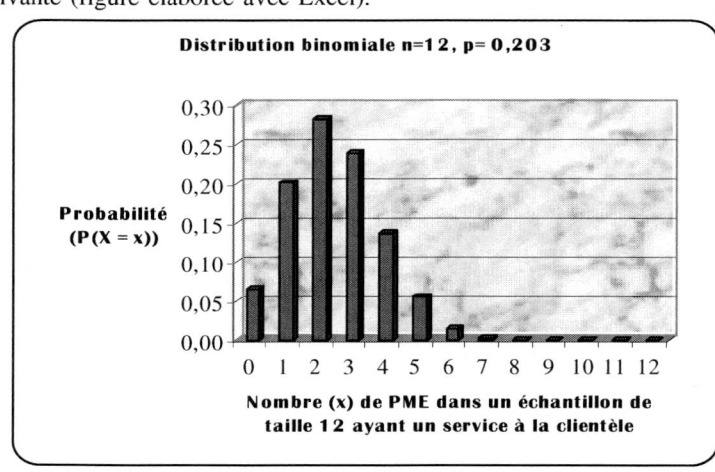

EXEMPLE 2: Calcul de probabilités selon la loi de Poisson

Dans une usine de production de résine*, on vérifie un produit pour diverses non-conformités. On a déterminé, à l'inspection finale, que le nombre moyen de bavures par produit inspecté est de 1,26.

*Source:Adapté de *Feuilles de relevés*. Technologie 85, Novembre-Décembre 1996.

On admettra que le nombre de bavures par produit inspecté est distribué selon une loi de Poisson. L'expression est alors $p(x; \lambda = 1,26) = \dfrac{(1,26)^x e^{-1,26}}{x!}$, $x = 0,1,2, \dots$.

a) Quelle est la probabilité de n'observer aucune bavure sur un produit quelconque?

Nous cherchons $P(X = 0)$ avec X distribuée selon une loi de Poisson de paramètre $\lambda = 1,26$. Illustrons comment calculer cette probabilité avec la fonction statistique LOI.POISSON.

Fonction LOI.POISSON

Procédure

❶ Il faut d'abord sélectionner une cellule dans laquelle va apparaître le calcul de la probabilité, puis on sélectionne le bouton f_x (ou encore on sélectionne dans la barre de menus **Insertion / Fonction**).

❷ Choisissez la catégorie **Statistiques** puis **LOI.POISSON** dans le menu déroulant Insérer une fonction (Coller une fonction dans Office 97).

❸ Entrez les paramètres requis.

❹ Cliquez sur OK.

Dans Microsoft Excel, la fonction feuille de calcul qui permet de calculer les probabilités d'une variable aléatoire distribuée selon une loi de Poisson de paramètres λ est la suivante :

=LOI.POISSON(*x; espérance; cumulative*)

x représente le nombre d'événements susceptibles de se produire
espérance représente l'espérance mathématique de la variable de Poisson (λ).
cumulative représente une valeur logique déterminant le mode de calcul de la fonction : cumulatif ou non. Si l'argument cumulative est VRAI, la fonction LOI.POISSON renvoie la probabilité suivant une loi de Poisson qu'un événement se réalise un nombre de fois inférieur ou égal à *x* ; si l'argument cumulative est FAUX, la fonction renvoie la probabilité de Poisson qu'un événement se réalise *x* fois exactement.

Ainsi $P(X = 0)$ dans le cas d'une loi de Poisson avec $\lambda = 1,26$ s'obtient avec l'expression suivante :

=LOI.POISSON(0;1,26;FAUX) et la probabilité est : 0,28365403.

Il y a pratiquement 28 chances sur 100, de n'observer aucune bavure sur un produit fabriqué de résine.

b) Sur 1000 produits inspectés, quel serait vraisemblablement le nombre de produits comportant au plus une bavure?

Il faut d'abord déterminer $P(X \leq 1)$ avec la loi de Poisson $p(x; \lambda = 1,26)$.

Dans la zone **x**, entrez la valeur 1.
Dans la zone **Espérance**, entrez la valeur 1,26.
Dans la zone **Cumulative**, entrez la valeur VRAI.
Cliquez sur OK.

B7	▼	f_x =LOI.POISSON(1;1,26;VRAI)		
	A	B	C	D
1	Exemple 2 - Loi de Poisson			
2				
3	a)			
4	P(X=0):	0,28365403		
5				
6				
7	b) P(X ≤ 1)	0,6410581		

La probabilité cherchée:
$P(X \leq 1) = 0,6411$.

Nombre espéré = Quantité × Probabilité

Il s'agit maintenant de multiplier la probabilité par la quantité de produits à inspecter, soit 1000.
Nombre espéré = (1000) × (0,6411) = 641 produits.

Distribution du nombre de bavures par produit inspecté selon une loi de Poisson avec $\lambda = 1,26$.

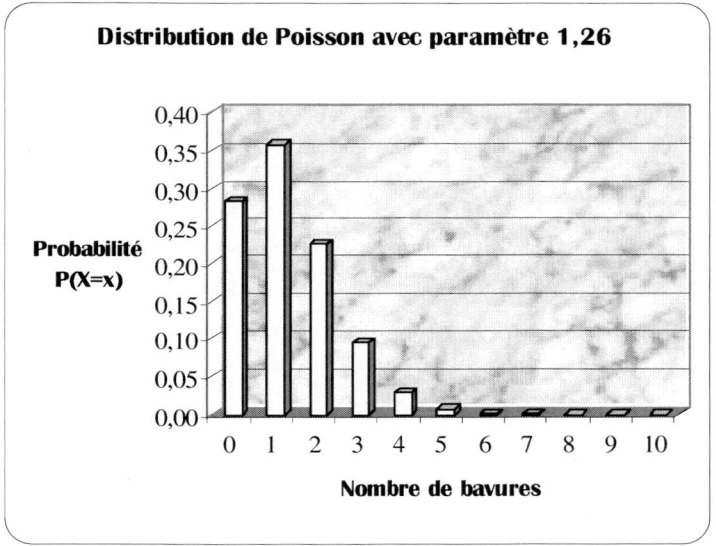

Distribution de Poisson avec paramètre 1,26

Probabilité P(X=x) (axe vertical de 0,00 à 0,40)
Nombre de bavures (axe horizontal de 0 à 10)

EXEMPLE 3: Calcul de la probabilité d'acceptation d'un lot à l'aide de la loi hypergéométrique

L'entreprise Microtek utilise dans le montage de ses micro-ordinateurs un microprocesseur 16 bits. Ces microprocesseurs sont achetés d'un fournisseur américain et sont expédiés en lot de 50. Chaque lot est vérifié avec le plan de contrôle suivant.

Prélever un échantillon de 3 microprocesseurs du lot. Si aucun microprocesseur ne s'avère défectueux dans l'échantillon, accepter le lot; sinon, effectuer un contrôle sur tous les microprocesseurs du lot.

Déterminez la probabilité d'acceptation du lot s'il contient effectivement deux microprocesseurs défectueux.

Fonction LOI.HYPERGÉOMÉTRIQUE

Dans Microsoft Excel, la fonction feuille de calcul qui permet de calculer les probabilités hypergéométriques est la suivante :

=LOI.HYPERGEOMETRIQUE(*succès_échantillon; nombre_échantillon ; succès_population; nombre_population*)

succès_échantillon représente le nombre de succès de l'échantillon [x]
nombre_échantillon représente la taille de l'échantillon [n]
succès_population représente le nombre de succès de la population [a]
nombre_population représente la taille de la population [N].

Pour l'exemple que nous traitons, nous avons $x = 0$, $n = 3$, $a = 2$, $N = 50$ et $P(X = 0)$ s'obtient à l'aide de l'expression suivante:

=LOI.HYPERGEOMETRIQUE(0;3;2;50) et la probabilité est 0,882449.

Dans la zone **Succès_échantillon**, entrez la valeur 0. Dans la zone **Nombre_échantillon**, entrez la valeur 3. Dans la zone **Succès_population**, entrez la valeur 2. Dans la zone **Nombre_population**, entrez la valeur 50. Cliquez sur OK.

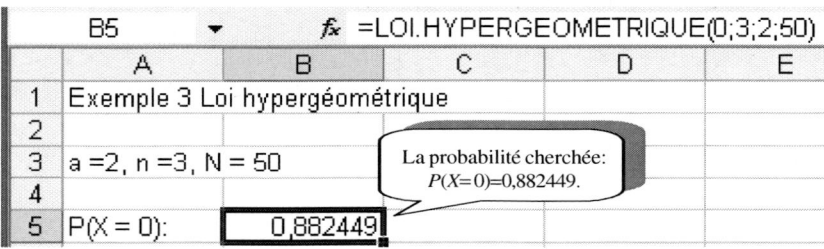

On a 88% des chances d'accepter le lot lorsque celui-ci comporte 2 microprocesseurs défectueux.

EXEMPLE 4: Calcul de probabilités selon la loi binomiale avec une taille d'échantillon importante

Selon une enquête* menée auprès des dirigeants de PME, seulement 8 PME sur 100 font usage de Intranet. Supposons qu'on sélectionne au hasard 50 PME dans une région qui en comporte 600. On s'intéresse au nombre de PME dans l'échantillon qui utilise Intranet.

a) *Quelle loi de probabilité correspond à la variable aléatoire concernée?* La loi de probabilité qui correspond à cette situation est la loi binomiale avec $n = 50$ et $p = 0,08$ *puisque le taux de sondage est*

$$\frac{n}{N} = \frac{50}{600} = 0,0833 < 0,10.$$

b) *Quelle est la probabilité qu'aucune PME de l'échantillon n'utilise Intranet?*

Nous cherchons $P(X = 0)$. Pour obtenir cette probabilité avec Excel, on a recours à la fonction suivante:

=LOI.BINOMIALE(0;50;0,08;FAUX) , ce qui donne $P(X = 0) = 0,01547$.

_____

*Source: Martin Vallières «Internet attire un nombre croissant de PME», *La Presse*, 12 mars 1997.

c) *Quelle est la probabilité d'observer au plus 10 PME dans l'échantillon qui utilisent Intranet?*

Nous cherchons $P(X \leq 10)$. Pour obtenir cette probabilité avec Excel, on a recours à la fonction suivante:

=LOI.BINOMIALE(10;50;0,08;VRAI) , ce qui donne 0,99829 soit pratiquement la certitude.

Distribution du nombre de PME utilisant Intranet dans un échantillon de taille $n = 50$

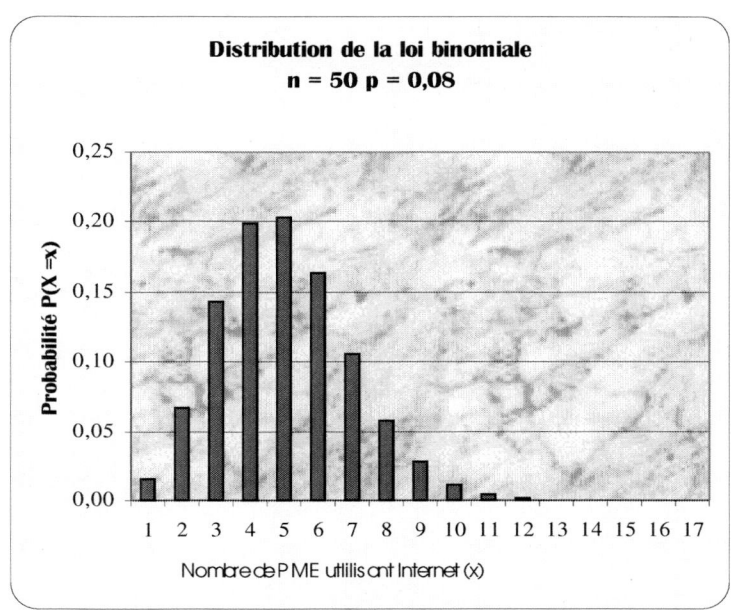

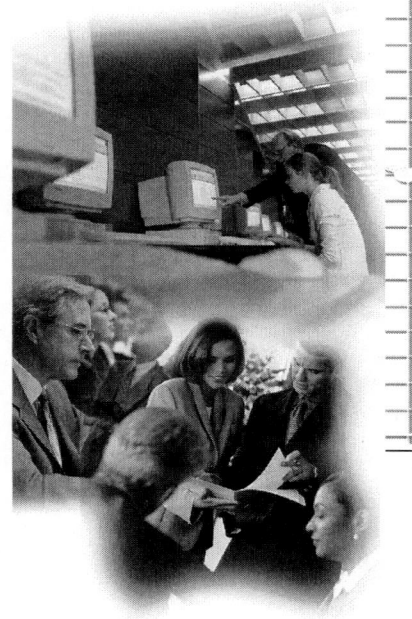

Chapitre 5

Modèles probabilistes continus

La restauration* est un secteur où le taux de succès est parmi les plus faibles, surtout pour les apprentis. Selon une récente étude du ministère de l'Industrie et du Commerce du Québec (MICQ), tout près de 70% des nouveaux restaurants ferment leurs portes avant leur cinquième anniversaire, alors qu'à peine 30,7% d'entre eux poursuivent leurs activités. Et si on regarde plus loin (voir le diagramme ci-après), seulement la moitié de ces derniers (ou 15,7% du total) seront encore en affaires au bout de dix ans.

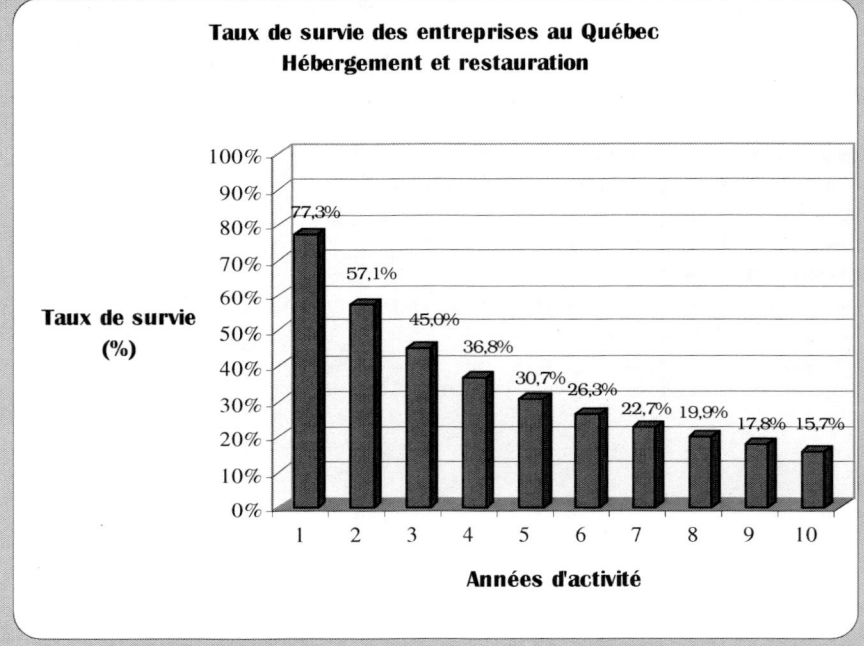

Taux de survie des entreprises au Québec
Hébergement et restauration

* Source: Dupaul, R. *Pas facile de réussir en restauration! La Presse*, 20 juin 2001 et ministère de l'Industrie et du Commerce, direction de l'analyse économique.

Cette information statistique peut être analysée à l'aide d'un modèle probabiliste qui permettrait de déterminer la probabilité de survie d'une entreprise de ce secteur au temps *t*. Nous traitons dans ce chapitre de divers modèles probabilistes employés dans diverses situations connexes aux domaines de la gestion et de l'économie.

Modèles probabilistes continus

☐ **Objectif général.** *Nous présentons dans ce chapitre deux lois des plus importantes dans le calcul des probabilités et dans le traitement statistique des résultats d'enquêtes, soit la loi normale et la loi normale centrée réduite. La loi normale s'avère également une loi fondamentale sur laquelle reposent plusieurs autres distributions de probabilité; elle est fréquemment ue hypothèse fondamentale dans l'application de nombreux tests statistiques que nous traitons à partir du chapitre 7. Nous traitons également en exercice, d'autres lois continues (la loi uniforme, la loi exponentielle).*

☐ **Objectifs spécifiques.** *Lorsque vous aurez complété l'étude du chapitre 5, vous pourrez:*

1. *préciser ce qu'on entend par variable aléatoire continue;*
2. *identifier correctement la loi normale et en préciser les caractéristiques importantes;*
3. *énoncer les principales propriétés de la loi normale;*
4. *effectuer le passage d'une variable normale à une variable normale centrée réduite;*
5. *utiliser correctement la table de la loi normale centrée réduite;*
6. *utiliser les fonctions de Microsoft Excel pour calculer les probabilités de diverses lois continues.*

5.1 Variable aléatoire continue et loi de probabilité continue

Les lois traitées dans le chapitre précédent concernent des variables aléatoires discrètes comme la loi binomiale, la loi de Poisson, ...(les valeurs prises par ces variables pour les lois que nous avons traitées sont des valeurs entières). Une valeur aléatoire est dite *continue* si elle peut prendre toutes les valeurs dans un intervalle fini ou infini. Ce type de variable est fréquent dans tous les secteurs de l'activité humaine.

Nous avons dans la première partie de cet ouvrage, visualisé la répartition des observations d'une variable continue à l'aide d'un histogramme qui pouvait présenter une forme plus ou moins symétrique.

Par exemple, le dépouillement de la demande d'un certain produit informatique au cours d'une période de plusieurs mois pourrait être résumé sous forme d'un histogramme (figure ci-contre).

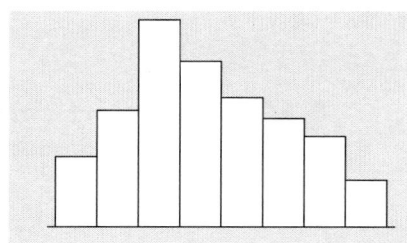

En augmentant indéfiniment le nombre d'observations et en réduisant graduellement l'intervalle de classe jusqu'à ce qu'il soit très petit, les rectangles correspondant aux résultats vont se multiplier tout en devenant plus étroits et, à la limite, vont tendre à se fondre en une aire limitée d'une part par l'axe des *X*, d'autre part par une courbe continue. On abandonne alors la notion de valeur individuelle et on dit que la loi de probabilité est *continue*.

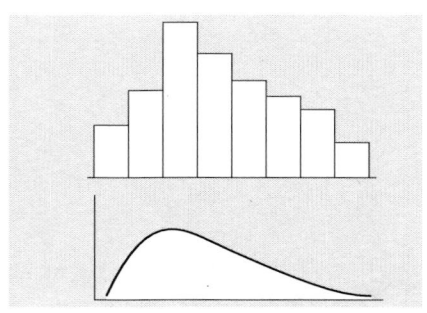

Dans le cas d'une distribution plutôt symétrique, l'allure de la courbe continue pourrait se présenter comme suit:

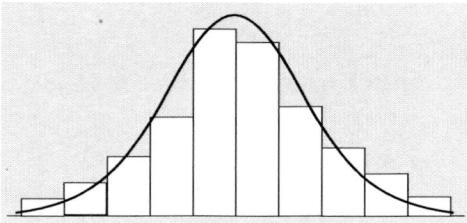

La courbe de fréquences relatives idéalisée porte le nom de *densité de probabilité* (ou fonction de densité) et possède les propriétés suivantes.

Propriétés associées à une densité de probabilité

1. La valeur de la fonction est toujours non négative:
$f(x) \geq 0$, pour tout *x* réel c.-à-d. que sa courbe est toujours située au-dessus de l'axe des abscisses.

2. L'aire totale entre la courbe et l'axe des abscisses est égale à 1.

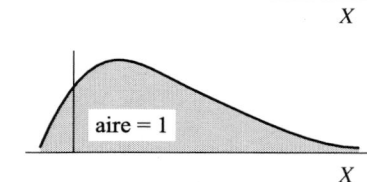

3. La probabilité que la variable aléatoire *X* soit comprise entre les limites *a* et *b*, $P(a \leq X \leq b)$, est égale à l'aire entre l'axe des abscisses, délimitée par les valeurs *a* et *b*, et la courbe $f(x)$.

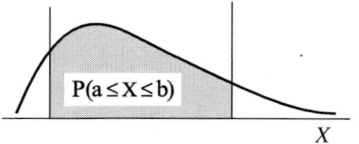

Il existe de nombreuses lois continues. Mentionnons entre autres, la loi uniforme, la loi normale, la loi exponentielle, la loi gamma, la loi bêta,... selon les secteurs d'activités. Nous traitons ici que de la loi normale et de la loi normale centrée réduite (et la loi uniforme et la loi exponentielle en exercice) et ses applications en gestion.

5.2 Particularités concernant les probabilités associées à des lois continues

Il est important de préciser d'abord certaines propriétés importantes qui sont associées au calcul de probabilités pour des modèles probabilistes continues.

Fonction de répartition d'un modèle continu

Dans le cas d'un modèle probabiliste continu, la fonction de répartition joue un plus grand rôle que dans le modèle probabiliste discret. En effet, on peut, à partir de sa définition, évaluer certaines probabilités.

Fonction de répartition d'une variable aléatoire continue. La fonction de répartition, notée $F(x)$, d'une variable aléatoire continue est la probabilité que X prenne un résultat inférieur ou égal à une valeur x: $F(x) = P(X \leq x)$.

Cette fonction possède certaines propriétés:

1. $F(-\infty) = 0$
2. $F(\infty) = 1$.
3. $P(a \leq X \leq b) = F(b) - F(a)$.

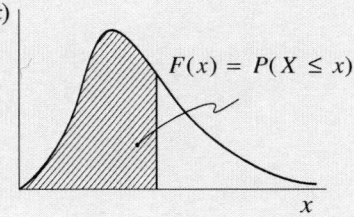

Probabilité attachée à un intervalle

La probabilité que la variable aléatoire continue X prenne une valeur comprise dans l'intervalle (a,b) est égale, par définition, à la différence des valeurs prises par la fonction de répartition aux extrémités de l'intervalle:

$$P(a < X < b) = P(X < b) - P(X < a)$$
$$= F(b) - F(a)$$

Propriétés des probabilités

1. $P(X < a) = F(a)$
2. $P(X > a) = 1 - F(a)$
3. $P(a < X < b) = F(b) - F(a)$

Pour une variable aléatoire continue, on a

$$P(a < X \leq b) = P(a < X < b) = P(a \leq X \leq b) = F(b) - F(a).$$

La probabilité est la même peu importe si l'intervalle est ouvert, fermé ou semi-ouvert.

Probabilité attachée à une valeur particulière x = a

Dans le cas d'une variable aléatoire continue, la probabilité attachée à une valeur particulière $x = a$ (un point) est nulle:

$$P(X = a) = P(a \leq X \leq a) = F(a) - F(a) = 0.$$

Dans le cas d'une variable aléatoire continue, on ne peut donc calculer des probabilités que sur des intervalles.

Visualisation du calcul d'une probabilité pour une variable aléatoire continue

Pour calculer la probabilité de l'événement $X < a$, on calcule l'aire à la gauche de a.

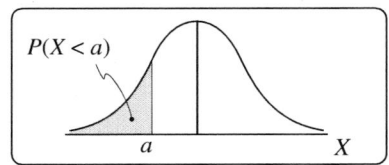

Pour calculer la probabilité de l'événement $X > b$, on calcule l'aire à la droite de b.

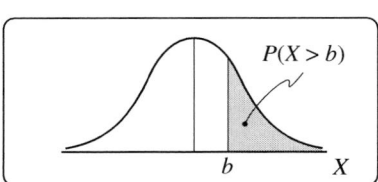

Pour calculer la probabilité de l'événement $a \leq X \leq b$, on calcule l'aire entre les valeurs a et b.

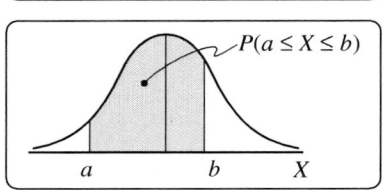

Exemple 5.1

Variable aléatoire continue et aire sous la courbe

On veut visualiser l'aire sous la densité correspondant à différents événements.

Événement	Notation symbolique	Probabilité	Aire
X prend une valeur supérieure à 4	$X > 4$	Aire à la droite de 4	$P(X > 4)$ 4 X
X prend une valeur inférieure à 7	$X < 7$	Aire à la gauche de 7	$P(X < 7)$ 7 X
X prend une valeur entre 6 et 9	$6 < X < 9$	Aire entre 6 et 9	$P(6 < X < 9)$ 6 9 X

Remarques. a) Bien que nous n'utilisons pas ici cette notion, on peut préciser, pour ceux (et celles) qui sont familiers avec le calcul intégral, que dans le cas de densité de probabilité $f(x)$ d'une variable aléatoire continue, la propriété 2 mentionnée précédemment à la section 5.1 s'écrit:

$\int_{-\infty}^{+\infty} f(x)dx = 1$ alors que la propriété 3 devient $P(a \le X \le b) = \int_a^b f(x)dx$. La fonction de répartition à $x = a$ s'écrit:

$F(a) = P(X \le a) = \int_{-\infty}^a f(x)dx$.

b) De même, $E(X)$ pour une variable continue s'écrit $E(X) = \int_{-\infty}^{+\infty} x \cdot f(x)dx$ et

$Var(X) = \int_{-\infty}^{+\infty} (x - E(X))^2 \cdot f(x)dx$. Toutefois, si le champ de variation de X est fini, [a,b], alors

$E(X) = \int_a^b x \cdot f(x)dx$ et $Var(X) = \int_a^b (x - E(X))^2 \cdot f(x)dx$.

5.3 Le modèle normal

La loi normale est fondamentale dans le domaine de la statistique. Une multitude de phénomènes associés à des variables continues correspondent à cette loi ou du moins peuvent être approximés convenablement. Le graphique de la distribution normale se présente sous forme de cloche et la courbe résultante est appelée *courbe normale*.

Courbe normale

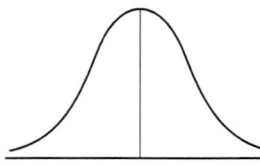

L'expression mathématique de cette distribution de probabilités fut d'abord publiée par Abraham LeMoivre en 1733. D'autres théoriciens sont également associés à cette fameuse loi, soit le Marquis de Laplace (1667-1754) et Carl Friedrick Gauss (1777-1855).

C'est pour cette raison qu'on trouve également dans la littérature les termes *distribution gaussienne* ou *distribution de Laplace-Gauss* ou simplement *loi normale*. Elle jouit d'une importance fondamentale puisqu'un grand nombre de méthodes statistiques reposent sur cette loi. Les applications associées à cette loi sont également très nombreuses.

μ caractérise le centre de la distribution alors que σ caractérise l'étalement des valeurs de la variable aléatoire autour de μ.

Modèle normal. Une variable aléatoire continue X suit une loi normale si l'expression de sa distribution est

$$f(x) = \frac{1}{\sigma\sqrt{2\pi}} e^{-1/2\left(\frac{x-\mu}{\sigma}\right)^2}, -\infty < x < \infty,$$

π et e sont deux constantes: $\pi = 3,14592$, $e = 2,71828....$. La loi normale est complètement définie par deux paramètres: la moyenne (l'espérance mathématique) identifiée ici par μ et la variance identifiée par σ^2. On obtient une courbe différente (mais ayant la même forme en cloche) pour chaque valeur de μ et de σ^2. L'écart-type d'une variable aléatoire normale est noté σ: $\sigma = \sqrt{\sigma^2}$.

Distributions normales ayant le même écart-type mais de moyennes différentes

$$\sigma_1 = \sigma_2, \mu_2 > \mu_1$$

Distributions normales ayant la même moyenne mais d'écarts-types différents

$$\mu_2 = \mu_1, \sigma_1 > \sigma_2$$

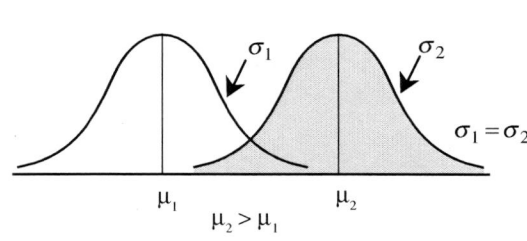

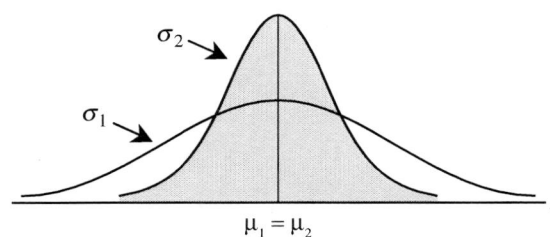

a) Il est de pratique courante d'exprimer, sous notation symbolique, la distribution normale avec les paramètres correspondants comme suit: $X \sim N(\mu, \sigma^2)$ veut dire que la variable statistique X est distribuée ($\sim$) normalement (N) avec moyenne μ et variance σ^2.

b) Le coefficient de variation s'écrit: $CV\% = \frac{\sigma}{\mu} \times 100$.

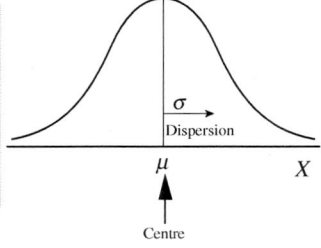

Propriétés importantes de la loi normale

Donnons quelques propriétés importantes de la loi normale.

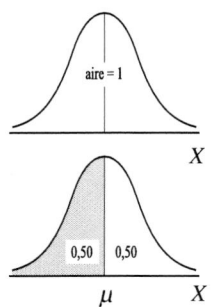

❶ La courbe normale est une distribution statistique théorique et la caractéristique X qui obéit à cette distribution peut prendre toutes les valeurs entre $-\infty$ et ∞.

❷ L'aire sous la courbe normale et l'axe horizontal correspond à une fréquence relative de sorte que l'aire totale correspond à 1 (ou 100%).

❸ Le graphe de la courbe normale est symétrique par rapport à la droite d'abscisse μ (la moyenne). Par conséquent 50% de l'aire se situe à la gauche de μ et 50% à la droite.

❹ La distribution normale étant unimodale et symétrique, on a

moyenne = médiane = mode.

❺ Pour toute distribution normale de moyenne μ et d'écart-type σ, on peut affirmer que

68,26% des données se situent dans l'intervalle $[\mu - 1\sigma,\ u + 1\sigma]$.
95,44% des données se situent dans l'intervalle $[\mu - 2\sigma, \mu + 2\sigma]$.
99,74% des données se situent dans l'intervalle $[\mu - 3\sigma, \mu + 3\sigma]$.

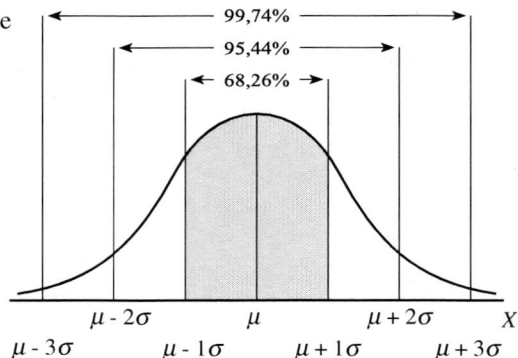

L'aire sous la courbe normale entre deux valeurs x_1 et x_2 peut se visualiser comme suit:

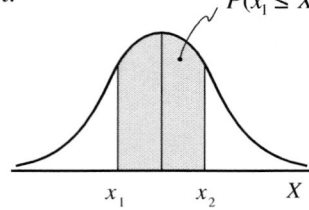

Pour déterminer les probabilités associées aux valeurs d'une variable aléatoire normale, il suffit d'une simple transformation de variable, combinée à l'utilisation d'une table de probabilités (ou encore l'utilisation de la fonction statistique d'Excel appropriée).

5.4   Variable centrée réduite et loi normale

L'aire qu'on peut obtenir sous la courbe normale permet d'évaluer les chances sur 100, ou encore la probabilité que la valeur éventuelle d'une variable aléatoire normale se situe entre deux valeurs données, ou encore qu'elle soit supérieure ou inférieure à une valeur particulière.

Pour faciliter ce calcul, on a recours à une *table standardisée* qui permet d'obtenir l'aire sous la courbe normale, peu importe les valeurs de μ et/ou σ. Il faut toutefois transformer la variable X en une *variable centrée réduite*, variable qui ne comporte aucune unité de mesure.

> **Variable centrée réduite.** Soit X, une variable aléatoire continue, distribuée selon une loi normale de moyenne μ et de variance σ^2.
>
> La variable Z, obtenue de la transformation $Z = \dfrac{X - \mu}{\sigma}$, $-\infty < z < \infty$ est dite *variable normale centrée réduite*.
>
> Elle est distribuée selon une loi normale de moyenne 0 et de variance 1 (dite *loi normale centrée réduite*): $Z \sim N(0,1)$.
>
> La variable Z est sans dimension et elle exprime l'écart entre toute valeur X et la moyenne μ en termes d'unités de $\sigma (X = \sigma Z + \mu)$.

Transformation centrée réduite

$$Z = \frac{X - \mu}{\sigma}$$

On peut visualiser cette transformation de variable à l'aide des courbes de la page suivante.

Visualisation de la transformation centrée réduite sur la courbe normale

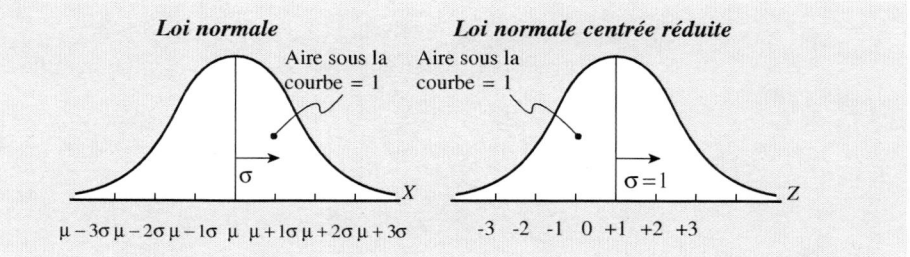

Utilisation de la table de la loi normale centrée réduite

Avant de présenter un contexte d'application de la loi normale, indiquons comment obtenir l'aire sous la courbe normale centrée réduite à l'aide des valeurs de la table de la loi normale centrée réduite.

Précisons d'abord que la table de la loi normale centrée réduite ne donne que l'aire (probabilité) sous la courbe pour des valeurs positives de Z. Toutefois, puisque la courbe est symétrique par rapport à zéro, on a:

Aire entre 0 et z_1 = Aire entre $-z_1$ et 0

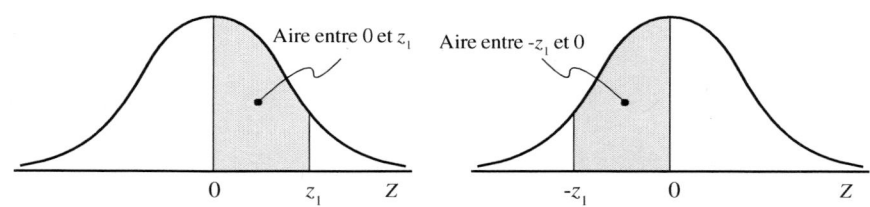

L'aire sous la courbe entre 0 et z_1 est notée $P(0 < Z < z_1)$.

Exemple 5.2

Détermination de l'aire sous la courbe normale centrée réduite

a) Soit $Z \sim N(0,1)$. Cherchez $P(0 < Z < 0,5)$.

On veut l'aire sous la courbe normale centrée réduire entre $z = 0$ et $z = 0,5$. Pour faciliter le raisonnement, traçons la courbe en mettant en relief l'aire cherchée.

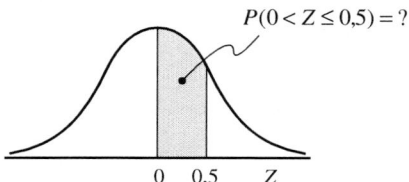

Extrait de la table de la loi normale centrée réduite

Z	0	0,005	0,01	0,015	0,02	0,025
0	0,0000	0,0020	0,0040	0,0060	0,0080	0,0100
0,1	0,0398	0,0418	0,0438	0,0458	0,0478	0,0497
0,2	0,0793	0,0812	0,0832	0,0851	0,0871	0,0890
0,3	0,1179	0,1198	0,1217	0,1236	0,1255	0,1274
0,4	0,1554	0,1573	0,1591	0,1609	0,1628	0,1646
0,5	0,1915	0,1932	0,1950	0,1967	0,1985	0,2002
0,6	0,2257	0,2274	0,2291	0,2307	0,2324	0,2340

Les valeurs z, en colonne, sont les unités et les dixièmes alors que les centièmes et millièmes (2e et 3e chiffres après la virgule) se lisent sur la ligne supérieure de la table. Les valeurs dans le corps de la table donnent l'aire cherchée.

On trouvera une table complète de la loi normale centrée réduite à la fin de l'ouvrage.

Pour trouver l'aire cherchée, on fait usage de la table de la loi normale centrée réduite, dont nous reproduisons ici une partie. Donc pour $z = 0,5$, on lit directement de la table, 0,1915. Donc, dans le cas d'une variable centrée réduite, on peut dire qu'un peu plus de 19% des valeurs se situent entre 0 et 0,5.

À cause de la symétrie de la loi normale centrée réduite, ceci donne également (indiquez la valeur appropriée)

$P(-0,5 \leq Z \leq 0) = $ _____ .

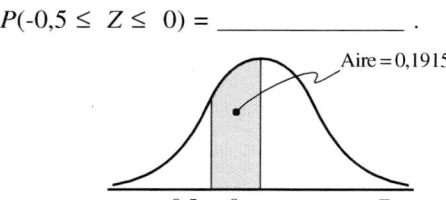

b) Soit $Z \sim N(0,1)$. Déterminez $P(-2,24 < Z < 1,12)$. On cherche l'aire sous la courbe normale centrée réduite entre $z = -2,24$ et $z = 1,12$.

Esquissons d'abord la courbe normale centrée réduite et indiquons l'aire cherchée.

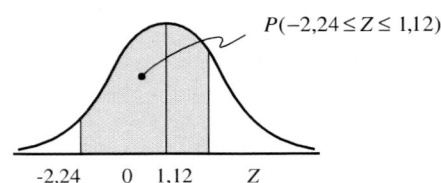

$P(-2,24 \leq Z \leq 1,12)$

À $z = 1,12$ correspond 0,3686 (ce qui donne $P(0 \leq Z \leq 1,12)$).

À $z = 2,24$ correspond 0,4875 (ce qui donne $P(0 \leq Z \leq 2,24) = P(-2,24 \leq Z \leq 0)$).

Par conséquent, l'aire cherchée correspond à la somme suivante:

Extrait de la table de la loi normale centrée réduite

Z	0,015	0,02	0,025	0,03	0,035	0,04	0,045
0,8	0,2925	0,2939	0,2953	0,2967	0,2981	0,2995	0,3009
0,9	0,3199	0,3212	0,3225	0,3238	0,3251	0,3264	0,3277
1,0	0,3449	0,3461	0,3473	0,3485	0,3497	0,3508	0,3520
1,1	0,3676	0,3686	0,3697	0,3708	0,3718	0,3729	0,3739
1,2	0,3878	0,3888	0,3897	0,3907	0,3916	0,3925	0,3934
1,3	0,4057	0,4066	0,4074	0,4082	0,4091	0,4099	0,4107
1,4	0,4215	0,4222	0,4229	0,4236	0,4244	0,4251	0,4258
1,5	0,4351	0,4357	0,4364	0,4370	0,4376	0,4382	0,4388
1,6	0,4468	0,4474	0,4479	0,4484	0,4490	0,4495	0,4500
1,7	0,4568	0,4573	0,4577	0,4582	0,4586	0,4591	0,4595
1,8	0,4652	0,4656	0,4660	0,4664	0,4667	0,4671	0,4675
1,9	0,4723	0,4726	0,4729	0,4732	0,4735	0,4738	0,4741
2,0	0,4780	0,4783	0,4786	0,4788	0,4791	0,4793	0,4796
2,1	0,4828	0,4830	0,4832	0,4834	0,4836	0,4838	0,4840
2,2	0,4866	0,4868	0,4870	0,4871	0,4873	0,4875	0,4876
2,3	0,4897	0,4898	0,4900	0,4901	0,4902	0,4904	0,4905

$$P(-2,24 \leq Z \leq 1,12) = P(-2,24 \leq Z \leq 0) + P(0 \leq Z \leq 1,12)$$
$$= 0,4875 + 0,3686 = 0,8561$$

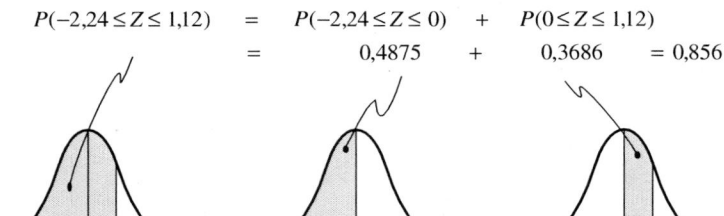

Pratiquement 86% des valeurs d'une variable centrée réduite se situent entre -2,24 et 1,12.

Complétez cet exemple, en répondant aux questions suivantes:

c) Soit $Z \sim N(0,1)$. Déterminez $P(1 < Z < 2)$.

Indiquez les valeurs de Z sur la courbe et hachurez l'aire correspondante.

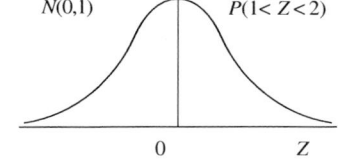

Aire entre 0 et 1 =
Aire entre 0 et 2 =
$P(1 < Z < 2)$ =
      =
Rép.: 0,1359.

d) Soit $Z \sim N(0,1)$. Cherchez $P(Z > -1)$. Hachurez l'aire correspondante sous la courbe.
Aire entre -1 et 0 =

$P(Z > -1) =$

Rép.: 0,8413

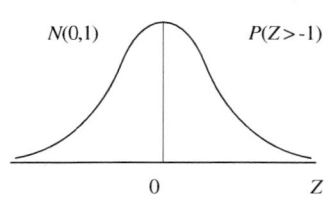

e) Soit $Z \sim N(0,1)$. Déterminez $P(Z < -1)$. De la question précédente, on a:

Aire entre -1 et 0 =

$P(Z < -1) =$

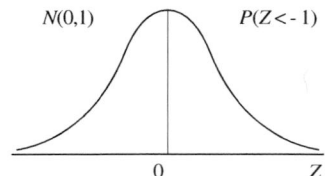

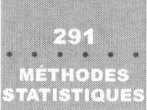
f) Détermination de la valeur de la variable centrée réduite pour une aire donnée.

Soit $Z \sim N(0,1)$. On demande de déterminer le nombre k tel que 42,36% des valeurs de la variable centrée réduite se situent entre 0 et k soit $P(0 < Z < k) = 0,4236$.

Extrait de la table de la loi normale centrée réduite

> On peut également utiliser la fonction LOI.NORMALE.STANDARD d'Excel pour obtenir les probabilités (voir annexe 3 à la fin du chapitre).

Z	0,015	0,02	0,025	0,03	0,035
0,7	0,2627	0,2642	0,2658	0,2673	0,2688
0,8	0,2925	0,2939	0,2953	0,2967	0,2981
0,9	0,3199	0,3212	0,3225	0,3238	0,3251
1,0	0,3449	0,3461	0,3473	0,3485	0,3497
1,1	0,3676	0,3686	0,3697	0,3708	0,3718
1,2	0,3878	0,3888	0,3897	0,3907	0,3916
1,3	0,4057	0,4066	0,4074	0,4082	0,4091
1,4	0,4215	0,4222	0,4229	0,4236	0,4244
1,5	0,4351	0,4357	0,4364	0,4370	0,4376

Il s'agit d'abord de localiser dans la table de la loi normale centrée réduite, l'aire donnée et de déterminer la valeur z correspondante.

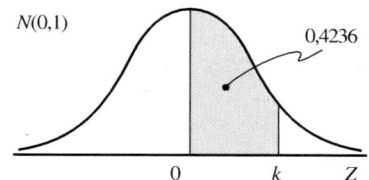

Ainsi à 0,4236, qui correspond à l'aire entre 0 et k, on trouve directement $k = 1,43$.

Exemple 5.3

Application de la loi normale: montant des actifs sous gestion

Dans une recherche* dont l'objectif était d'identifier un profil de compétences clés pour le planificateur financier, une enquête a été réalisée auprès de planificateurs financiers oeuvrant dans différents domaines d'intervention en matière de planification financière au Québec. Une des questions concernait l'importance du portefeuille des actifs sous gestion par les planificateurs.

Considérons que la valeur médiane des actifs sous gestion par les planificateurs est de 200 000$. Admettons également que la valeur des actifs sous gestion est distribuée normalement avec un écart-type de 50 000$.

On sélectionne au hasard un planificateur financier et on s'intéresse à la valeur des actifs sous gestion par ce planificateur.

Notons par X, la valeur des actifs sous gestion. Puisqu'on suppose que la variable «valeur des actifs sous gestion» est distribuée normalement, alors Médiane = Moyenne (μ); on peut donc écrire X : $N(200\,000, 50\,000^2)$.

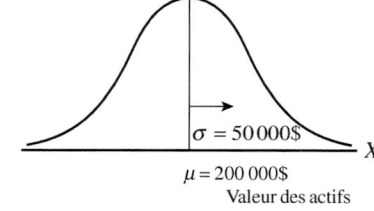

a) Quelle est la probabilité que la valeur des actifs sous gestion excède 260 000$?

Nous cherchons $P(X > 260\,000)$. Il faut d'abord évaluer la valeur de la variable normale centrée réduite correspondant à $x = 260\,000$ et se servir ensuite de la table de la loi normale centrée réduite. En appliquant la transformation centrée réduite, on trouve

$$P(X > a) = P\left(\frac{X - \mu}{\sigma} > \frac{a - \mu}{\sigma}\right)$$
$$= P\left(Z > \frac{a - \mu}{\sigma}\right)$$

$$P(X > 260000) = P\left(\frac{X - \mu}{\sigma} > \frac{260000 - 200000}{50000}\right)$$
$$= P(Z > 1,2)$$

---

* Source: Adapté de Bédard, G. *Le profil des compétences clés pour le planificateur financier dans la perspective d'une planification financière transdisciplinaire.* Thèse de doctorat (DBA). UQTR-Université de Sherbrooke, avril 2004.

La probabilité cherchée se visualise comme suit:

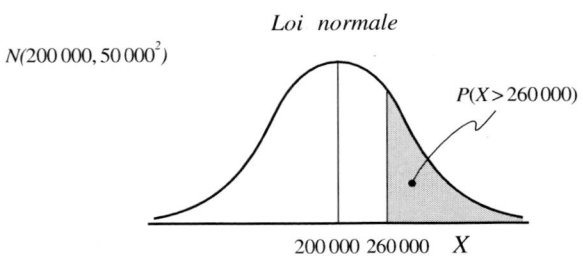

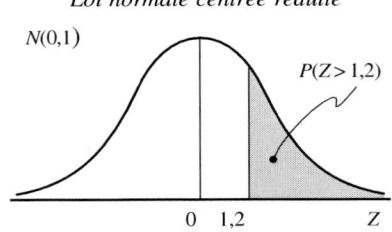

De la table de la loi normale centrée réduite, on obtient pour $z = 1,2$, l'aire sous la courbe normale entre $z = 0$ et $z = 1,2$, soit $P(0 < Z < 1,2) = 0,3849$.

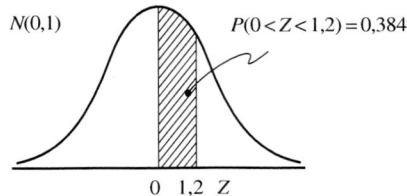

Puisque $P(0 < Z < \infty) = 0,5$, on en déduit que

$P(Z > 1,2) = P(0 < Z < \infty) - P(0 < Z < 1,2) = 0,5 - 0,3849 = 0,1151$.

Ainsi, dans le cas où la valeur des actifs sous gestion est distribuée normalement avec $\mu = 200\,000\$$ et écart-type $\sigma = 50\,000\$$, la probabilité que la valeur des actifs sous gestion excède $260\,000\$$ est $0,1151$.

b) 25% des planificateurs financiers au Québec gèrent des actifs inférieurs à quel montant?

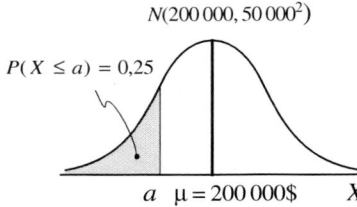

On veut déterminer la valeur «a» indiquée sur la courbe normale ci-contre de sorte que $P(X \leq a) = 0,25$. Cette fois c'est le problème inverse; on connaît la probabilité (ou l'aire sous la courbe normale) et il s'agit d'obtenir d'abord la valeur centrée réduite z, puis la valeur cherchée a. La valeur centrée réduite de a est:

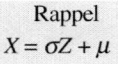

Rappel
$X = \sigma Z + \mu$

$$z = \frac{a - 200\,000}{50\,000} \text{ d'où } a = 50\,000z + 200\,000.$$

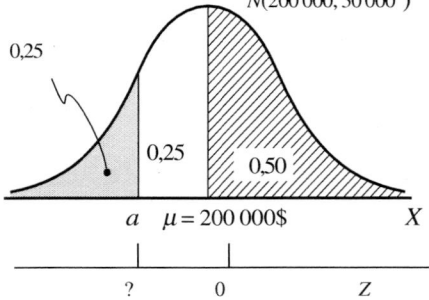

L'aire entre a et $200\,000\$$ est $0,5 - 0,25 = 0,25$. On ne peut lire directement cette aire dans la table (la valeur la plus voisine est $0,2502$), ce qui donne $z = 0,675$ ($0,6745$ avec Excel).

D'autre part, le résultat qu'on cherche est à la gauche de $200\,000$ ce qui conduit à une valeur négative z (à la gauche de $z = 0$). Donc la valeur centrée réduite de a est $z = -0,6745$.

Par conséquent, $a = 50\,000z + 200\,000 = (50\,000)(-0,675) + 200\,000 = -33\,750 + 200\,000 = 166\,250\$$.

On peut donc mentionner que 25% des planificateurs financiers au Québec gèrent des actifs dont la valeur est inférieure à $166\,250\$$.

c) Quelle est la probabilité que le montant des actifs sous gestion par le planificateur financier se situe entre 130 000$ et 270 000$?

On cherche $P(130\ 000 \leq X \leq 270\ 000)$. Sous forme centrée réduite, on veut $P(z_1 \leq Z \leq z_2)$.

La valeur centrée réduite de 130 000$ est

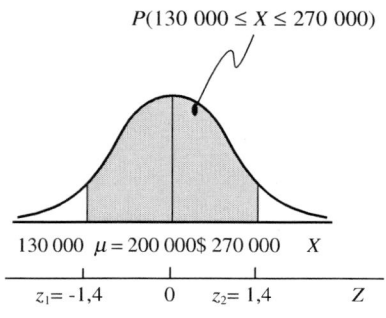

$P(130\ 000 \leq X \leq 270\ 000)$

$$z_1 = \frac{130\,000 - 200\,000}{50\,000} = \frac{-70\,000}{50\,000} = -1,4,$$

alors que celle de 270 000$ correspond à

$$z_2 = \frac{270\,000 - 200\,000}{50\,000} = \frac{70\,000}{50\,000} = 1,4.$$

Donc $P(130\ 000 \leq X \leq 270\ 000) = P(-1,4 \leq Z \leq 1,4)$.

De la table de la loi normale centrée réduite, on trouve, pour $z = 1,4$, $P(0 \leq Z \leq 1,4) = 0,4192$ qui est aussi l'aire entre -1,4 et 0, $P(-1,4 \leq Z \leq 0) = 0,4192$.

La probabilité cherchée est donc: $P(130\ 000 \leq X \leq 270\ 000) = 0,4192 + 0,4192 = 0,8384$. Dans pratiquement 84% des cas, la valeur des actifs sous gestion par les planificateurs au Québec se situe entre 130 000$ et 270 000$.

d) Déterminez la valeur k_0 pour laquelle pas plus de 75% des planificateurs financiers gèrent une valeur d'actifs inférieure à cette quantité.

La valeur k_0 est située à la droite de μ puisque le pourcentage est supérieur à 50%.

On a $P(X \leq k_0) = 0,75$. D'après la figure ci-après, on peut écrire $P(Z \leq z_0) = 0,75$.

$P(0 < Z < 0,675) = 0,25$

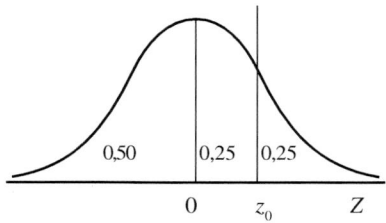

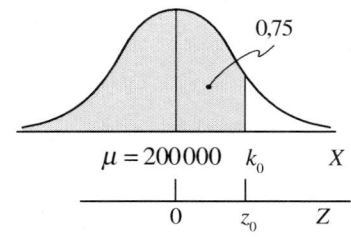

De la table de la loi normale centrée réduite, on obtient cette fois $z_0 = 0,675$. La valeur de k_0 est donc: $k_0 = \mu + z_0\sigma = 200\ 000 + (0,675)(50\ 000) = 200\ 000 + 33\ 750 = 233\ 750$$.

On peut s'attendre à ce que pas plus de 75% des planificateurs financiers gèrent une valeur d'actifs inférieure à 233 750$. Cette valeur correspond au troisième quartile (Q_3) de la distribution de la valeur des actifs sous gestion par les planificateurs financiers.

Remarques. a) Pour une variable X distribuée normalement de moyenne μ et de variance σ^2, on peut donc écrire:

$$P(X > a) = P\left(Z > \frac{a-\mu}{\sigma}\right), P(X < b) = P\left(Z > \frac{b-\mu}{\sigma}\right)$$

$$P(a \leq X \leq b) = P\left(\frac{a-\mu}{\sigma} \leq Z \leq \frac{b-\mu}{\sigma}\right)$$

où Z est la variable normale centrée réduite.

b) Dans le cas d'une variable aléatoire X distribuée selon une loi normale de moyenne μ et d'écart-type σ, la médiane $M_e = \mu$ et l'intervalle interquartile $IQ = 1,349\sigma \cong \frac{4}{3}\sigma$.

Exercices d'apprentissage

Série 5.1

📄 Application de la loi normale: temps passé dans Internet

1. Selon les résultats* d'un sondage effectué auprès de la population québécoise, pour le compte du journal LES AFFAIRES, par *Ad hoc recherche*, le temps moyen passé dans Internet par mois est de 24,4 heures. On admettra que l'écart-type du temps passé dans Internet est 2,5 heures et que la variable «temps passé dans Internet par mois» est distribuée selon une loi normale.

---
* Source: Adapté de Platevin, J. *Le taux de branchement aurait atteint son apogée*. Journal LES AFFAIRES, 13 juillet 2002.

Notez par X, le temps passé par mois dans Internet, $X \sim N(24{,}4, 6{,}25)$.

a) Quelle est la probabilité qu'un internaute québécois, choisi au hasard, passe plus de 23 heures par mois dans Internet?

b) 12% des internautes québécois passent au plus combien d'heures par mois dans Internet?

c) Quelle est la probabilité qu'un internaute québécois, choisi au hasard, passe un temps dans Internet compris entre $\mu - 1{,}4\sigma$ et $\mu + 1{,}4\sigma$ heures par mois?

📄 Application de la loi normale: rendements de titres

2. Selon une étude* effectuée sur une période de 30 ans concernant les rendements des titres à la Bourse de New York (New York Stock Exchange), on a obtenu un rendement annuel moyen de 11,56% avec un écart-type de 17,73%.

---
* Source: Ibbotson, R. et C. Fall. "The United States Market Wealth Portfolio". *Journal Of Portfolio Management*, automne 1979.

On suppose que la distribution du rendement des titres est approximativement normale.

a) On sélectionne au hasard un de ces titres. Déterminez la probabilité que le titre ait réalisé un rendement annuel, au cours de la période analysée,

    i) excédant 16%

    ii) entre 8 et 10,05%

    iii) excédant le 3e quartile.

b) Dans quel pourcentage des cas, les titres ont réalisé un rendement négatif?

c) Est-ce que le premier quartile de la distribution du rendement des titres analysés au cours de cette période correspond à un rendement négatif ou à un rendement positif? Expliquez.

Exemple 5.4

Application de la loi normale: valeur actualisée nette d'un projet d'investissement

Dans une analyse financière* d'un projet d'investissement d'une durée de 2 ans, on a obtenu une valeur actualisée nette (*VAN*) espérée du projet de 5579$. Le risque a été évalué à l'aide de l'écart-type de la *VAN* associée aux différents flux monétaires soit $\sigma(VAN) = 2632\$$.

---
* Source: Adapté de Morissette, D. *La rentabilité des projets d'investissement en contexte de risque*, chapitre 7, p. 315. Gestion financière, Les Éditions SMG, 2003.

L'analyste financier de l'entreprise aimerait évaluer, avant de prendre une décision définitive sur ce projet, la probabilité que la valeur actualisée nette du projet soit négative en admettant que la distribution de la *VAN* des différents flux monétaires est celle d'une normale.

On veut déterminer $P(VAN < 0)$ avec $VAN \sim N(5579, 2632^2)$. Exprimons la *VAN* sous forme centrée réduite.

On a donc:

$$P(VAN < 0) = P\left(Z < \frac{0 - E(VAN)}{\sigma(VAN)}\right) = P\left(Z < \frac{0 - 5579}{2632}\right)$$

De la table de la loi normale centrée réduite, on obtient l'aire entre 0 et -2,12, soit 0,4830.

La probabilité cherchée est donc:

$P(Z < -2,12) =$
$P(-\infty < Z < 0) - P(-2,12 < Z < 0)$
$= 0,5 - 0,4830 = 0,017.$

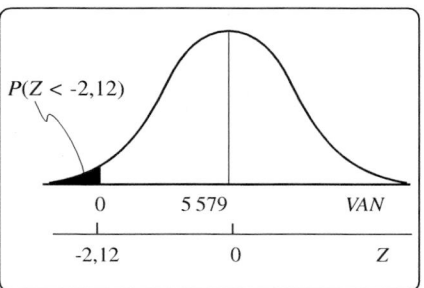

Il y a moins de 2 chances sur 100 que la valeur actualisée nette du projet soit négative. Puisque cette probabilité est faible, le projet d'investissement sera vraisemblablement mis en oeuvre.

Exemple 5.5

La loi normale et la loi binomiale

Les résultats à un test de perception des formes obéissent à une loi normale de moyenne $\mu = 91,6$ et d'écart-type $\sigma = 17,5$. Un sujet qui subit le test et qui obtient plus de 114 est qualifié pour effectuer un travail sur des plans de machines spécialisés.

$\sigma = 17,5$

$\mu = 91,6$ X

X: résultats à un test de perception des formes

Dix opérateurs choisis au hasard doivent subir le test.

a) Quelle est la probabilité que, parmi ces dix opérateurs, au plus 2 se qualifient?

Il faut d'abord déterminer la probabilité de se qualifier c.-à-d. déterminer $P(X > 114)$.

À l'aide de la transformation centrée réduite, on trouve

$$z = \frac{114 - 91,6}{17,5} = \frac{22,4}{17,5} = 1,28.$$ On veut $P(Z > 1,28)$.

De la table de la loi normale centrée réduite, on trouve

$P(0 < Z < 1,28) = 0,3997 \cong 0,40.$
$P(Z > 1,28) = P(0 < Z < \infty) - P(0 < Z < 1,28)$
$= 0,5 - 0,40 = 0,10.$

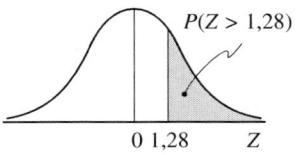

$P(X > 114) = 0,10$

On peut donc dire qu'un opérateur quelconque a 1 chance sur 10 de se qualifier.

Loi binomiale avec n = 10, p = 0,10

y	P(Y=y)	P(Y<=y)
0	0,3487	0,3487
1	0,3874	0,7361
2	0,1937	0,9298
3	0,0574	0,9872
4	0,0112	0,9984
5	0,0015	0,9999
6	0,0001	1,0000
7	0,0000	1,0000
8	0,0000	1,0000
9	0,0000	1,0000
10	0,0000	1,0000

Valeurs tabulées avec Excel

Déterminons maintenant la probabilité que, parmi 10 opérateurs, au plus 2 opérateurs puissent se qualifier, sachant que la probabilité pour un opérateur quelconque de se qualifier est 0,10.

Cette situation correspond à une *loi binomiale* avec $n = 10$ et $p = 0,10$: $Y \sim B(n = 10, p = 0,10)$, $y = 0,1,2, ... , 10$.

On veut $P(Y \leq 2) \mid n = 10, p = 0,10)$.

De la table de la loi binomiale, on peut lire

$P(Y \leq 2) = P(Y = 0) + P(Y = 1) + P(Y = 2)$
$= 0,3487 + 0,3874 + 0,1937 = 0,9298.$

Il y a pratiquement 93 chances sur 100 qu'au plus 2 opérateurs se qualifient.

Valeurs tabulées avec Excel		
y	$P(Y=y)$	$P(Y<=y)$
0	0,3487	0,3487
1	0,3874	0,7361
2	0,1937	0,9298
3	0,0574	0,9872
4	0,0112	0,9984
5	0,0015	0,9999
6	0,0001	1,0000

b) Quelle est la probabilité que la motié du groupe des dix opérateurs se qualifient pour effectuer le travail sur des plans de machines spécialisées?

Nous sommes toujours dans la situation de la loi binomiale avec $n = 10$ et $p = 0,10$.

On veut $P(Y = 5 \mid n = 10, p = 0,10)$. De la table de la loi binomiale, on trouve $P(Y = 5) = 0,0015$.

Les chances sont négligeables pour que 5 opérateurs se qualifient.

Remarques. Combinaison de variables aléatoires normales.

a) Soit 2 variables aléatoires normales indépendantes X_1 et X_2 ayant pour moyennes respectives μ_1 et μ_2 et pour variances respectives σ_1^2 et σ_2^2.

La somme $Y = X_1 + X_2$ est distribuée selon une loi normale avec

$E(Y) = \mu_1 + \mu_2$ et $Var(Y) = \sigma_1^2 + \sigma_2^2$.

La différence $Y = X_1 - X_2$ est distribuée selon une loi normale avec

$E(Y) = \mu_1 - \mu_2$ et $Var(Y) = \sigma_1^2 + \sigma_2^2$.

b) Dans le cas d'une combinaison linéaire, $Y = c_1X_1 + c_2X_2 + ... + c_nX_n$, $c_1, c_2, ..., c_n$ étant des constantes, Y est aussi une variable aléatoire distribuée selon une loi normale avec

$E(Y) = c_1\mu_1 + c_2\mu_2 + ... + c_n\mu_n$ et $Var(Y) = c_1^2\sigma_1^2 + c_2^2\sigma_2^2 + ... + c_n^2\sigma_n^2$.

Exemple 5.6

Détermination de la loi de probabilité d'une somme de variables aléatoires normales

Soit deux variables aléatoires indépendantes X_1 et X_2 suivant des lois normales de moyennes respectives $\mu_1 = 20$ et $\mu_2 = 30$ et de variances $\sigma_1^2 = 4$ et $\sigma_2^2 = 6$.

Précisez la forme de la distribution suivie par les combinaisons suivantes et évaluez-en également les paramètres.

a) $Y = 5 + X_1 + 2X_2$.

Distribution de Y: normale

Espérance de Y: $E(Y) = E(5 + X_1 + 2X_2) = 5 + E(X_1) + 2E(X_2)$
$= 5 + \mu_1 + 2\mu_2 = 5 + 20 + (2)(30) = 85$.

Variance de Y: $Var(Y) = Var(5 + X_1 + 2X_2)$
$= Var(X_1) + 2Var(X_2)$ puisque $Var(5) = 0$
$= \sigma_1^2 + 4\sigma_2^2$
$= 4 + (4)(6) = 28$.

b) $Y = 2X_1 - 3X_2$.

Distribution de Y: normale

Espérance de Y: $E(Y) = E(2X_1 - 3X_2) = 2E(X_1) - 3E(X_2)$
$= 2\mu_1 - 3\mu_2$
$= (2)(20) - (3)(30) = -50$.

Variance de Y: $Var(Y) = Var(2X_1 - 3X_2)$
$= 4Var(X_1) + 9Var(X_2)$
$= 4\sigma_1^2 + 9\sigma_2^2$
$= (4)(4) + (9)(6) = 70$.

Exemple 5.7

Détermination du nombre maximum de personnes autorisées à monter ensemble dans un ascenseur

L'ascenseur d'un condominium peut porter une charge de 800 kg. Supposons que le poids des utilisateurs éventuels est distribué selon une loi normale de moyenne $\mu = 80$ kg et de variance $\sigma^2 = 100$ kg^2.

Quel est le nombre maximum de personnes que l'on peut autoriser à monter ensemble dans l'ascenseur si on veut que la probabilité de surcharge ne dépasse pas 10^{-4}?

Notons ce nombre de personnes par n. Si n personnes de poids respectifs $X_1, X_2,..., X_n$ prennent simultanément l'ascenseur, la charge totale

$$Y = X_1 + X_2 + ... + X_n$$

est distribuée selon une loi normale de moyenne $n\mu$ et de variance $n\sigma^2$ soit $E(Y) = 80\,n$ et $Var(Y) = 100\,n$.

La probabilité de surcharge est donnée par $P(Y > 800)$ et ne doit pas excéder 10^{-4}, soit $P(Y > 800) \le 10^{-4}$.

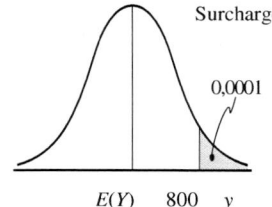

Sous forme centrée réduite, on a

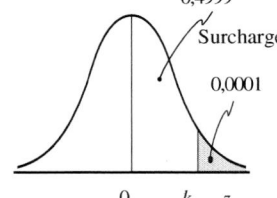

$$P\left(Z > \frac{800 - E(Y)}{\sigma(Y)} \right) \le 10^{-4}$$

c.-à-d. $P\left(Z > \frac{800 - 80n}{\sqrt{100n}} \right) \le 0,0001$.

$P\left(Z > \frac{800 - 80n}{10\sqrt{n}} \right) \le 0,0001$, $P\left(Z > \frac{80 - 8n}{\sqrt{n}} \right) \le 0,0001$.

Posons $k = \frac{80 - 8n}{\sqrt{n}}$. De la table de la loi normale centrée réduite, on en déduit, pour

$P(0 \le Z \le k) = 0,4999$, $k = 3,62$.

Par conséquent le risque de surcharge n'excèdera par 10^{-4} en autant que

$\frac{80 - 8n}{\sqrt{n}} > 3,62$ c.-à-d. $80 > 3,62\sqrt{n} + 8n$.

Quel est le plus grand entier qui permet de satisfaire cette inégalité?
Essayons diverses valeurs de n.

D'après le tableau ci-après, le nombre maximum de personnes autorisées à monter ensemble dans l'ascenseur pour ne pas excéder le risque de surcharge de 10^{-4} est 8.

Nombre de personnes	Valeur de $3,62\sqrt{n} + 8n$	Inégalité satisfaite (oui ou non)
$n = 6$	$8,87 + 48 = 55,87$	oui
$n = 7$	$9,58 + 56 = 65,58$	oui
$n = 8$	$10,24 + 64 = 74,24$	oui
$n = 9$	$10,86 + 72 = 82,86$	non

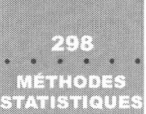
5.5   Valeurs particulières de l'aire sous la courbe normale

Nous résumons dans le tableau suivant les intervalles et les probabilités rencontrés fréquemment dans le cas de toute distribution normale.

Variable aléatoire X suivant une distribution		
normale de moyenne μ et d'écart-type σ		
X compris dans l'intervalle	Intervalle centré réduit	Probabilité (aire sous la courbe normale)
$\mu \pm 1\,\sigma$	$\pm 1,0$	$0,6826\ (68,26\%)$
$\mu \pm 1,96\,\sigma$	$\pm 1,96$	$0,9500\ (95\%)$
$\mu \pm 2\,\sigma$	$\pm 2,0$	$0,9544\ (95,44\%)$
$\mu \pm 2,58\,\sigma$	$\pm 2,58$	$0,9902\ (99,02\%)$
$\mu \pm 3\,\sigma$	$\pm 3,0$	$0,9974\ (99,74\%)$

Courbe normale centrée réduite

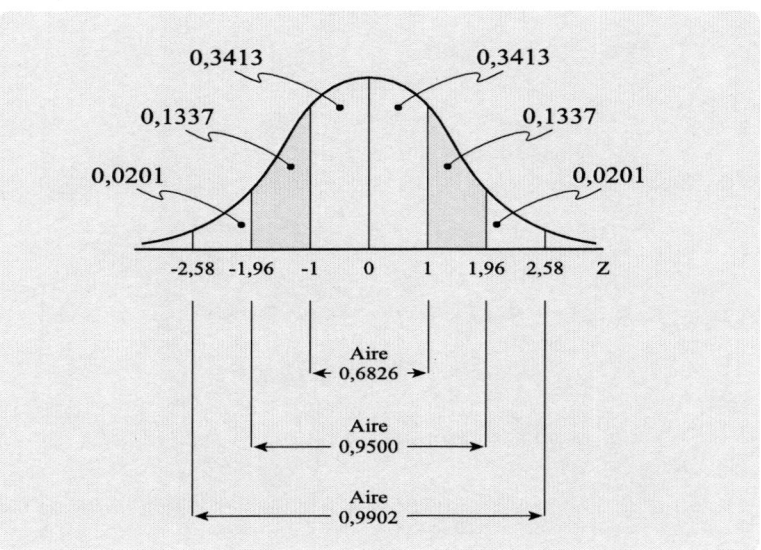

Ainsi dans le cas d'une variable aléatoire normale, 95% des valeurs de la variable sont comprises entre $\mu - 1,96\,\sigma$ et $\mu + 1,96\,\sigma$, alors que pratiquement 99% des valeurs sont comprises entre $\mu - 2,58\,\sigma$ et $\mu + 2,58\,\sigma$.

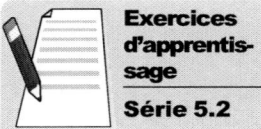

Exercices d'apprentissage

Série 5.2

📄 Application de la loi normale: budget pour frais d'entretien

1. Selon le cadre responsable de l'entretien de l'usine d'une PME fabriquant des produits en matière plastique pour le secteur automobile, le montant hebdomadaire pour l'entretien des unités de production est distribué selon une loi normale de moyenne $\mu = 400\$$ et avec un coefficient de variation de 7%.

a) Identifiez la variable aléatoire.

b) Déterminez l'écart-type du montant hebdomadaire d'entretien?

c) Si on a budgété 456$ pour couvrir les frais d'entretien, quelles sont les chances sur 100 que les frais d'entretien encourus excèdent le montant alloué au budget?

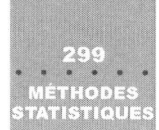

Exercices d'apprentis-sage

Série 5.2 (suite)

📖 La loi normale et la loi binomiale

2. Les résultats à un test d'aptitude à un poste de cadre dans l'industrie des communications suivent une loi normale de moyenne $\mu = 250$ et d'écart-type $\sigma = 25$.

On sélectionne au hasard 10 gestionnaires de ce secteur de l'industrie qui vont être soumis à ce test.

a) Quelle est la probabilité que 2 gestionnaires ou moins obtiennent un résultat supérieur à 282?

b) Quelle est la probabilité qu'un seul gestionnaire, parmi 10, obtienne un résultat supérieur à 282?

3. **Application industrielle.** Un procédé industriel* consiste à injecter sous pression dans le fond d'un moule déjà préchauffé un fluide composé de polyol liquide et d'un certain nombre d'additifs. Les additifs agissent comme catalyseur et sous l'effet de la chaleur, ils déclenchent la réaction qui permet au fluide injecté de se transformer en mousse. Le moule est fermé et la transformation du fluide en mousse se poursuit jusqu'à ce que le mélange épouse la forme du moule. Une fois le cycle de fabrication terminé, le moule est ouvert et le coussin est extrait. Le coussin est par la suite acheminé à travers un broyeur pour en éliminer l'air. Un des derniers tests que doivent subir les coussins consiste à évaluer la dureté du coussin à l'aide d'un appareil spécial. Cet appareil mesure la puissance de compression requise pour abaisser la surface du coussin d'une certaine quantité. Cette puissance est transformée en dureté par l'appareil. Le procédé présente actuellement une dureté moyenne de 216 newtons avec un écart-type de 5,0 newtons et on admet que la distribution de la dureté (X) est celle d'une normale:

$$N(\mu = 216, \sigma^2 = 25) .$$

* Source: Adapté de *Taguchi Methods and the Manufacture of Car Seat Cushions*, Elvesier Sciences Publishing, England.

a) Déterminez le coefficient de variation de la variable «dureté» et interprétez le résultat.

b) Quelles sont les chances sur 100 pour qu'un coussin choisi au hasard de la production ait une dureté supérieure à 222 N?

c) 25% des coussins de la production auront une dureté inférieure ou égale à quelle valeur?

d) L'objectif visé pour cette caractéristique de qualité est de $220 N \pm 9 N$ (soit un écart-type de 3 N). Actuellement, quel pourcentage de la production est

i) à l'intérieur de ces spécifications?

ii) à l'extérieur des spécifications?

e) Dans un effort d'amélioration continue, à quel niveau devrait-on ajuster le procédé et vers quelle dispersion (σ) devrait-on tendre?

4. Une firme oeuvrant dans le domaine du multimédia fait subir aux postulants d'emploi dans leur entreprise, un test d'évaluation générale sur leurs connaissances informatiques. Les résultats du test sont distribués selon une loi normale de moyenne 73,2 et d'écart-type $\sigma = 8$. Pour la deuxième étape de la sélection, la firme ne considère que les postulants qui sont dans le 1% meilleur au test d'évaluation générale.

Quel est le résultat minimal avec lequel les postulants doivent réussir le test pour avoir la possibilité de passer à la 2e étape de sélection?

5. Selon une enquête* effectuée par le Centre de promotion du logiciel québécois (CPLQ), le salaire annuel pour les administrateurs de banque de données est de 49 738$.

On considère que l'écart-type du salaire annuel est de 4000$. De plus, on admettra que la distribution du salaire annuel payé aux administrateurs de banque de données est celle d'une loi normale.

* Source: Adapté de Noël, K. *La gestion du personnel, une lacune dans le multimédia.* Journal LES AFFAIRES, 13 janvier 2001.

Quel est le salaire annuel qui correspond au quartile supérieur de la distribution?

La démarche Six Sigma et la courbe normale

L'engagement de nombreuses entreprises à améliorer leur performance à travers la méthodologie Six Sigma est très répandu. Cette notion de Sigma est basée sur la mesure de dispersion de la loi normale soit l'écart-type (σ), la lettre grecque sigma; elle représente dans le contexte de la démarche qualité Six Sigma, la variabilité d'un processus et est applicable ausi bien au milieu industriel, qu'aux entreprises de service.

5.6.1 Bref historique de la démarche Six Sigma

La démarche Six Sigma a été élaborée à l'origine par Motorola[1] vers le milieu des années 1980 en faisant intervenir la notion d'écart-type comme mesure de dispersion des caractéristiques critiques des produits de l'entreprise, l'objectif étant de réduire la dispersion de ces caractéristiques à un niveau le plus faible possible pour atteindre pratiquement le zéro défaut. Ce programme rigoureux de qualité était connu sous le nom de Six Sigma.

[1]Ce virage important attribuable aux problèmes de qualité chez Motorola (Bob Galvin en était alors le président) était une conséquence directe de la vente d'une usine américaine de Motorola qui produisait les téléviseurs de marque Quasar au cours des années 70 à une entreprise japonaise. Des changements drastiques furent apportés par les Japonais aux opérations de l'usine; sous cette nouvelle direction, l'usine fut en mesure de fabriquer des téléviseurs avec un taux de non-confromités vingt fois moindre que celui sous l'ancienne direction, et ceci avec la même technologie, les mêmes procédés de fabrication et les mêmes opérateurs. Suite à cette constatation, Motorola se lança dans une démarche de maîtrise de la dispersion de la production afin d'améliorer de façon substantielle les performances financières de l'entreprise. Le principal instigateur fut Bill Smith qui posa les premières bases du Six Sigma à partir de fondements statistiques appliqués à une démarche d'amélioration de la qualité et en utilisant des notions fondamentales comme la moyenne, l'écart-type et la loi normale.

Par la suite Mikel Harry du groupe Motorola appliqua de façon systématique les outils statistiques comme moyen de résolutions de problèmes et d'amélioration de la performance des procédés.

Six Sigma est une marque de commerce enregistrée par Motorola.

Au lieu de calculer le niveau de qualité des produits en termes de pourcentages de non conformes, on envisage plutôt de raisonner en termes de PPM, soit en parties par million (nombre de défauts par million de pièces produites) et dont l'objectif est d'atteindre un niveau de performance de 3,4 défauts par million d'opportunités soit un niveau de performance six sigma.

Motorola est maintenant connu comme un leader mondial pour son programme qualité selon la philosophie Six Sigma qui a pour objectif la suppression des causes des non-conformités constatées dans un processus (production industrielle, vente, logistique, comptabilité, processus client, ...).

De nombreuses entreprises font mainenant appel à la démarche structurée du Six Sigma pour rendre plus performant leurs processus et améliorer la satisfaction des clients; mentionnons entre autre, General Electric, Xerox, Du Pont, Bombardier, Allied Signal, Sony, Ford, Honeywell, Nokia, Thoshiba, ...

5.6.2 Performance Six Sigma

Dans un programme qualité «six sigma», l'objectif visé est de maintenir le procédé à une valeur cible souhaitée tout en réduisant la variabilité à un niveau tel que le nombre de pièces (ou produits) non conformes pour un million de pièces produites soit de l'ordre de 3,4 (3,4 ppm) ou moins. Ceci correspond à un écart entre le centre du procédé et les spécifications du client d'au moins six écarts-types (6 sigma).

Pour en arriver à cette statistique, il faut déterminer, en termes d'écarts-types, l'écart qui existe entre le niveau moyen du procédé, pour une caractéristique donnée, et la valeur de la caractéristique qui, si elle était dépassée, produirait une insatisfaction du

client. Cet écart est repoussé, si on peut dire le plus loin possible, en fait à 6σ. Si on mesure l'insatisfaction du client par une non-conformité, alors dans un programme 6sigma, ceci se traduit par un procédé qui donnerait au plus 3,4 non-conformités (défauts) par million d'opportunités.

La relation entre le «sigma» et le nombre de produits non conformes est basée sur la loi normale.

Dans le cas où le centre du procédé est situé à valeur nominale (la valeur milieu) des spécifications, on a la représentation graphique suivante:

Illustration de la performance 3 sigma et 6 sigma

ppm: abréviation pour "part per million"

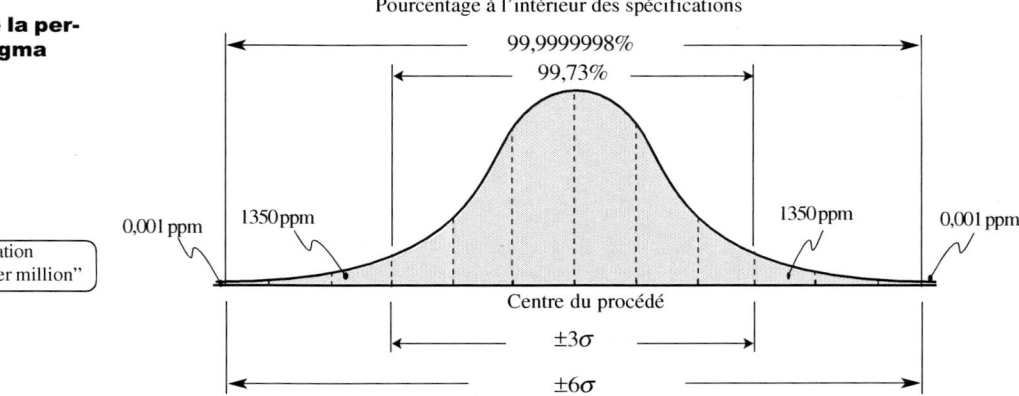

Il a été établi toutefois qu'il est quasiment impossible de détecter à long terme une dérive du centre du procédé inférieur à 1,5 σ ; il faut donc apporter une correction de 1,5 sigma au centre du procédé.

Cette dérive est illustrée sur les courbes normales suivantes:

Illustration de la performance 6 sigma et dérive du centre du procédé de 1,5 sigma

La valeur nominale correspond au centre des spécifications

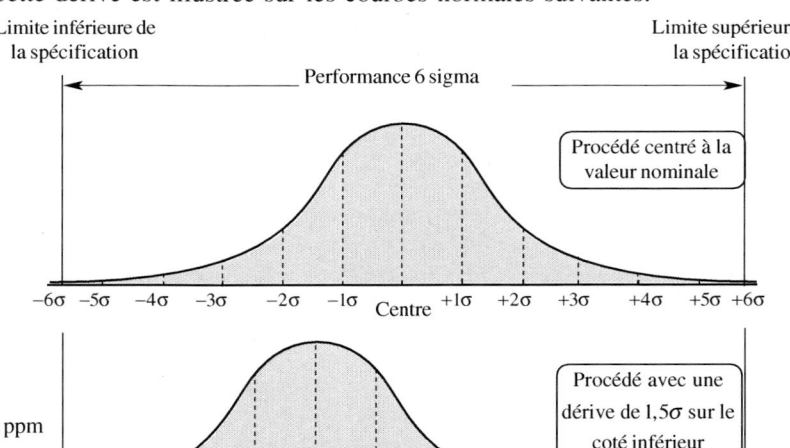

On peut facilement établir la relation entre la performance du procédé en terme de sigma et le nombre de produits non conformes par million (ppm: "part per million") en utilisant la fonction statistique d'Excel* LOI.NORMALE.STANDARD.

Le tableau suivant indique cette correspondance.

Écart des limites de spécifications	Écart centré réduit en tenant compte de la dérive 1,5 sigma	Proportion de produits non conformes	Nombre de produits non conformes par million (ppm) ou DPMO	Proportion à l'intérieur des spécifications
$\pm 1\sigma$	-0,5	0,69767215	697672	0,302327853
$\pm 2\sigma$	0,5	0,30877021	308770	0,691229794
$\pm 3\sigma$	1,5	0,06681063	66811	0,93318937
$\pm 4\sigma$	2,5	0,00620968	6210	0,99379032
$\pm 5\sigma$	3,5	0,00023267	232,67	0,999767327
$\pm 6\sigma$	4,5	0,00000340	3,401	0,999996599

Ainsi un procédé opérant à un niveau 3 sigma (écart entre les attentes du client et le niveau moyen du procédé) génère 66 811 produits non conformes par million alors qu'un procédé opérant à un niveau 6 sigma ne génère que 3,4 produits non conformes par million.

On peut également constater qu'un procédé qui opérerait à un niveau 3σ verrait le nombre de produits non conformes diminuer de l'ordre de 60 000 par million (66 811 - 6 210 = 60 601) si le procédé affichait une amélioration de la qualité de 1σ (on opère alors à 4σ).

Pour être en mesure d'obtenir la performance 6σ, il faut mettre en place une démarche qualité selon la philosophie Six sigma qui vise à maintenir le niveau moyen du procédé à la valeur cible et de réduire le plus possible la dispersion.

Cette façon de faire est basée sur l'approche client; elle préconise une démarche systématique en 5 phases orientée vers l'amélioration continue et ceci basé sur des performances mesurables. L'objectif est d'optimiser les processus d'affaires afin d'atteindre un niveau de qualité n'excédant pas 3,4 ppm non conformes pour assurer une satisfaction maximale des clients/usagers internes et externes.

L'objectif ultime est d'améliorer la performance et l'efficacité d'une organisation en vue de réduire les coûts et d'augmenter les bénéfices.

*La formule Excel requise pour établir la proportion de produits non conformes par million est indiquée ci-après pour un procédé opérant à un niveau 3σ :

```
=((LOI.NORMALE.STANDARD(-3+1,5))+(1-((LOI.NORMALE.STANDARD(3+1,5))))
```

	J	K	L	M	N
	Écart des limites de spécifications	Écart centré réduit en tenant compte de la dérive 1,5 sigma	Proportion de produits non conformes	Nombre de produits non conformes par million (ppm)	Proportion à l'intérieur des spécifications
	1 sigma	-0,5	0,69767215	697672	0,302327853
	2 sigma	0,5	0,30877021	308770	0,691229794
	3 sigma	1,5	0,06681063	66811	0,93318937
	4 sigma	2,5	0,00620968	6210	0,99379032

Exemple 5.8

Détermination du DPMO dans le cas d'une dérive de 1,5 sigma

Identifions d'abord par (T_s) la valeurs maximale des spécifications et par (T_i), la valeur (valeurs que doivent respecter les mesures individuelles d'une grandeur mesurable).

Le niveau de performance dans un processus d'amélioration 6 sigma est mesuré par le «nombre de pièces non conformes par million produites» ou encore par le «nombre de défauts par million d'opportunités» (DPMO).

On veut déterminer la probabilité d'excéder la limite supérieure $T_s : P(X > T_s)$; sous forme centrée réduite on cherche $P(Z > \dfrac{T_s - \mu}{\sigma})$.

Le centre du procédé, dans le cas d'une dérive $1,5\sigma$ sur le côté supérieur est

$$\mu = \frac{T_i + T_s}{2} + 1,5\sigma \; ; \text{ par conséquent } P(Z > \frac{T_s - \mu}{\sigma}) = P\left(Z > \dfrac{T_s - \left[\dfrac{T_s + T_i}{2}\right] + 1,5\sigma}{\sigma}\right).$$

La probabilité d'excéder la limite supérieure des spécifications est, dans ce cas,

$$P(X > T_s) = P\left(Z > \dfrac{\left[\dfrac{T_s - T_i}{2}\right] + 1,5\sigma}{\sigma}\right).$$

Puisque dans un programme qualité 6σ, $12\sigma = T_s - T_i$ ou $6\sigma = \dfrac{T_s - T}{2}$, alors

$$P(Z > \frac{6\sigma - 1,5\sigma}{\sigma}) = P(Z > \frac{4,5\sigma}{\sigma})$$

$$P(Z > 4,5) = 0,00000340.$$

Ainsi, sur 1 000 000 de produits fabriqués, on s'attend à un nombre de produits non conformes de $(1\ 000\ 000)(0,00\ 000\ 340) = 3,4$, qui est le DPMO indiqué au tableau de la page précédente.

Exemple 5.9

Calcul du DPMO d'une entreprise fabricant des articles de sport

Un sous-traitant pour une entreprise d'articles de sport veut déterminer le niveau de qualité en termes de sigma et de DPMO pour sa prochaine livraison d'un casque protecteur, la caractéristique critique étant la dureté du casque. Les limites de spécifications sont : $T_i = 16$ et $T_s = 24$ (valeur cible: 20).

Une analyse de 125 mesures de dureté a permis d'obtenir les statistiques suivantes:

Dureté moyenne: 20,001

Écart-type: 1,221.

On considère que la distribution de la dureté est celle d'une normale.

Quelle est la performance actuelle de l'entreprise concernant cette caractéristique?

Déterminons l'écart centré réduit Z du procédé par rapport aux limites de spécifications; plus le Z est élevé (en valeur absolue), plus le niveau de performance sera élévé (et plus grande sera la satisfaction des clients).

Écart du procédé par rapport à la limite inférieure $T_i = 16$

$$z = \frac{16 - 20,001}{1,221} = -3,277$$

Écart du procédé par rapport à la limite supérieure $T_s = 24$

$$z = \frac{24 - 20,001}{1,221} = 3,275$$

On obtient donc une valeur de Z de l'ordre de 3,28.

Le niveau de performance est loin du 6σ (ici, nous sommes à $3,27\sigma$).

À l'aide de la fonction Excel (et considérant la dérive $1,5\sigma$), on obtient une proportion de non conformes qui ne devrait pas excéder 3,78% (on obtient ce pourcentage avec la fonction statistique suivante:

=((LOI.NORMALE.STANDARD(-3,277+1,5)))+(1-((LOI.NORMALE.STANDARD(3,275+1,5)))).

Si on multiplie cette proportion par 1 million, on obtient un DPMO de 37 800 unités non conformes par million.

Pour atteindre un niveau d'excellence Six Sigma, il faudrait maintenir le procédé à la valeur cible de 20 et réduire la dispersion du procédé pratiquement de moitié soit 0,667.

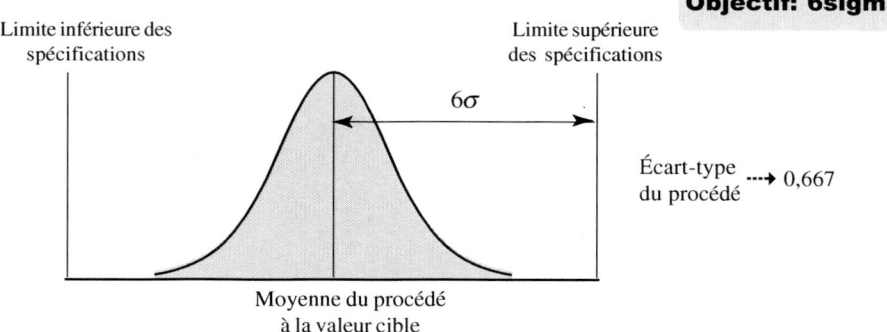

5.6.3 Un projet d'application: Sony Six Sigma

Pour apprécier le déploiement de la démarche Six Sigma par l'organisation Sony, on pourra consulter sur Internet le rapport en format pdf « L'amélioration des performances: l'outil 6 sigma». On peut obtenir ce rapport d'une trentaine de pages en effectuant une recherche sur Google comme suit:

Sélectionnez ce site

[PDF] Amélioration des performances: L'outil 6 **sigma**. Retour d'expérience.

Format de fichier: PDF/Adobe Acrobat - Version HTML

... SONY Six Sigma: La planification stratégique. Analyse. Stratégique ... Le périmètre
SONY Six Sigma: un déploiement global. 6686 projets SSS clôturés. ...
perso.wanadoo.fr/mfq-alsace/documents/ quinzaine/6sigmaRetourDExperienceSONY.pdf -

**Amélioration des performances:
L'outil 6 sigma.**

Retour d'expérience.

5.7 Résumé, glossaire et synthèse des principales formules

Résumé

▶ Nous avons présenté dans ce chapitre deux modèles probabilistes importants utilisés dans tous les secteurs d'activités de la gestion et de la comptabilité, soit la loi normale et la loi normale centrée réduite.

▶ Nous avons indiqué comment transformer une valeur d'une variable normale en valeur centrée réduite et utiliser par la suite la table de la loi normale centrée réduite pour déterminer l'aire sous la courbe normale centrée réduite.

▶ Nous avons appliqué ces modèles à diverses situations provenant de plusieurs secteurs de l'entreprise.

▶ Nous avons terminé ce chapitre en indiquant comment la loi normale est appliquée dans un processus d'amélioration de la performance d'une entreprise à travers la démarche Six Sigma.

Glossaire

Modèle normal: Modèle probabiliste qui caractérise une variable continue et dont la distribution en forme de cloche est parfaitement symétrique et centrée sur la moyenne (μ).
Loi normale centrée réduite: Modèle normal de moyenne nulle et d'écart-type 1.
Variable normale centrée réduite: Variable normale ayant subi une transformation qui la rend sans dimension (centrée par rapport à la moyenne et réduite avec l'écart-type).
Six Sigma: Stratégie d'entreprise s'appuyant sur des faits et des chiffres et dont l'objectif est d'éliminer les sources de variabilité qui affectent la performance, de réduire les coûts et d'améliorer la qualité des produits et services.

Principales formules

Modèle normal

Notation symbolique du modèle normal: $X \sim N(\mu, \sigma^2)$ où μ est la moyenne de la variable normale et σ^2, la variance.

Coefficient de variation: $CV\% = \dfrac{\sigma}{\mu} \times 100$.

Pourcentage de données se situant dans l'intervalle [$\mu - 1\sigma$, $u + 1\sigma$]: 68,26%

Pourcentage de données se situant dans l'intervalle [$\mu - 2\sigma$, $u + 2\sigma$]: 95,44%

Pourcentage de données se situant dans l'intervalle [$\mu - 3\sigma$, $u + 3\sigma$]: 99,74%

Fonction EXCEL: LOI.NORMALE.

Modèle normal centré réduit

Notation symbolique du modèle normal centré réduit: $Z \sim N(0,1)$

Transformation centrée réduite d'une variable normale X: $Z = \dfrac{X - \mu}{\sigma}$

Pourcentage de valeurs entre 0 et z_1 où z_1 est une valeur normale centrée réduite: $P(0 < Z < z_1)$

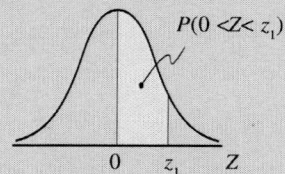

Fonction EXCEL: LOI.NORMALE.STANDARD.

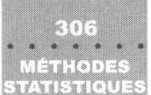

5.8   Exercices d'application

La loi normale et la loi normale centrée réduite

1. Soit Z une variable aléatoire normale centrée réduite. Déterminez les probabilités suivantes:

a) $P(0 \leq Z \leq 0,6)$ d) $P(Z \leq -1,86)$ g) $P(Z < -1,64)$

b) $P(0 < Z < 2,1)$ e) $P(-1,8 \leq Z \leq 0,94)$ h) $P(Z > 1,0)$

c) $P(1,62 \leq Z \leq 1,94)$ f) $P(Z > 2,33)$ i) $P(-2 \leq Z \leq -1,0)$

     j) $P(-0,5 \leq Z \leq 0)$

2. Soit Z une variable aléatoire centrée réduite. Déterminez k de telle sorte que,

a) $P(Z \leq -k) = 0,3085$ d) $P(-k \leq Z \leq k) = 0,9886$

b) $P(Z > k) = 0,025$ e) $P(-k \leq Z \leq 1,9) = 0,9485$

c) $P(Z \leq -k) = 0,1587$ f) $P(Z \leq k) = 0,50$.

On pourra également utiliser la fonction statistique appropriée dans Excel pour déterminer ces quantités.

3. Selon l'économiste en chef d'une importante banque, l'appréciation annuelle (en %) d'une propriété résidentielle est distribuée normalement avec moyenne égale au taux d'inflation immobilier annuel et un écart-type de 6%. Notons également qu'une valeur négative concernant l'appréciation de la valeur résidentielle représente une dépréciation. Supposons que le taux annuel d'inflation immobilier est de 8,5%.

a) Quel pourcentage, parmi toutes les propriétés résidentielles, va déprécier?

b) Quel pourcentage de propriétés résidentielles va acquérir une appréciation excédant 15%?

4. L'entreprise GMV doit réduire son personnel de dactylos suite à l'acquisition de nouveaux logiciels de traitement de texte. On décide donc de réaffecter celles ayant une vitesse inférieure à 46 mots/minute. L'entreprise emploie 200 dactylos. Si on admet que la vitesse de frappe est distribuée normalement avec moyenne 52 mots/minute et écart-type 5,55 mots/minute, combien de dactylos seront vraisemblablement réaffectées?

5. Un bureau conseil en ressources humaines auprès d'entreprises de grande taille a mis au point un système d'appréciation ou d'évaluation de cadres supérieurs. Diverses caractéristiques des cadres ont été évaluées et on a établi sur une période de quatre ans que le résultat global à cette batterie de tests était distribué normalement avec moyenne $\mu = 500$ et écart-type $\sigma = 50$.

a) Quel est le coefficient de variation (en %) de la distribution des résultats au système d'appréciation?

 c) 25% des cadres devant subir cette batterie de tests auront un résultat inférieur ou égal à quelle valeur?

b) Quelle est la probabilité qu'un cadre supérieur, choisi au hasard, ait un résultat supérieur à 560 pour son évaluation?

d) Quelle est la probabilité pour qu'un cadre choisi au hasard obtienne un résultat compris entre 450 et 550?

e) Le 10% des cadres ayant les résultats les plus élevés à cette évaluation ont un résultat supérieur à quelle valeur?

6. Le prix de vente d'un micro-ordinateur de marque réputée varie selon le choix du modèle par le client. À ceci peuvent s'ajouter divers équipements périphériques. Ces divers équipements ont un effet direct sur la variation du profit brut par micro-ordinateur vendu.

D'après les ventes d'un important dépositaire de la région de Montréal, il semble tout à fait vraisemblable de supposer que le profit brut par micro-ordinateur vendu soit distribué selon une loi normale avec un écart-type de 220$. De plus, 90% des ventes génèrent au moins 600$ de profit brut par micro-ordinateur vendu.

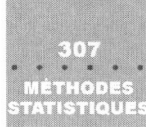

6. (suite) a) Déterminez le profit brut moyen par micro-ordinateur vendu. Arrondissez le résultat au plus grand entier.

b) Calculez la probabilité pour qu'une vente quelconque d'un micro-ordinateur génère un profit brut

    i) excédant 800$.   ii)   entre 750$ et 950$.

7. Une étude* effectuée en novembre 1999 par le ministère de la Culture et des Communications du Québec a estimé à 400$ par année, en moyenne, la valeur des achats réalisés par l'intermédiaire d'Internet.

De plus on admettra que le coefficient de variation de la valeur des achats réalisés par les internautes est de 18%. On suppose également que la valeur des achats est distribuée normalement.

a) Quel est l'écart-type des achats réalisés par l'intermédiaire d'Internet?

b) Quelle est la probabilité que la valeur des achats réalisés par un internaute sélectionné au hasard

    i) dépasse 580$?   ii) se situe entre 256$ et 544$?   iii) soit de moins de 400$?

c) Sur 60 000 Québécois qui font des achats en utilisant le réseau Internet, combien font des achats dont la valeur dépasse 292$?

*Source: Berger, F., Les internautes québécois achètent aux ... États-Unis, *La Presse*, 18 février 2000.

8. Selon une étude économique*, les dépenses annuelles moyennes des ménages pour la nourriture seraient de 5 700$. Admettons que ces dépenses sont distribuées approximativement selon une loi normale avec un écart-type de 600$.

On prélève au hasard un ménage et on s'intéresse aux dépenses annuelles pour la nourriture.

a) Quelle est la probabilité que le montant annuel alloué aux dépenses pour la nourriture se situe entre 4 980$ et 6 420$?

b) Quelle est la probabilité que les dépenses annuelles pour la nourriture excèdent 6 900$?

c) Quel pourcentage de ménages excède, en dépenses annuelles pour la nourriture, le premier quartile?

d) Dans quel intervalle se situe le montant annuel des dépenses pour la nourriture (centré sur la moyenne) qui englobe 75% des ménages?

e) Sur 100 000 ménages, combien ont une dépense supérieure à 7 200$?

f) Supposons qu'on ne peut admettre que la distribution des dépenses annuelles pour la nourriture est celle d'une loi normale, entre quelles valeurs les dépenses annuelles peuvent se situer dans 75% des ménages?

*Source: Adapté de C. Harris. *Le budget familial*. Le BANQUIER, novembre-décembre 1999.

9. Selon la Société canadienne d'hypothèques et de logement, le délai de vente moyen de condos sur l'Île de Montréal est de 102 jours (résultat publié dans le journal LES AFFAIRES, 16 septembre 2000).

En supposant que le délai de vente est distribué normalement avec un écart-type de 13 jours, déterminez

a) la probabilité que le délai de vente d'un condo sur l'Île de Montréal dépasse 90 jours.

b) On vous mentionne que les chances sur 100 que la vente d'un condo sur l'Île de Montréal se réalise en moins de 60 jours sont pratiquement de 10 sur 100. Est-ce que cette affirmation est erronée?

10. Une variable aléatoire X est distribuée selon une loi normale de moyenne normale $\mu = 125$. Sachant que $P(X \geq 164,2) = 0,025$, quel est l'écart-type de cette loi normale?

11. Un appareil portatif (combiné AM-FM et magnétophone à cassette) fabriqué par la compagnie Multisonic est garanti contre tout défaut de fabrication pour une période de 2 ans. D'après l'expérience de la compagnie, il y a 1 cas sur 100 qui présente une non-conformité majeure suite à une utilisation normale, 26 mois après l'achat. D'autre part, les chances d'observer une non-conformité majeure durant les 52 mois suivant l'achat sont de 975 sur 1000.

a) En supposant que le temps requis après l'achat pour qu'une non-conformité majeure se présente est distribué normalement, déterminez quel est le moment après l'achat (en mois), où il y a 50% de chances qu'une non-conformité majeure puisse survenir?

b) Quelle est la probabilité que l'appareil présente une non-conformité majeure avant la fin de la période de garantie?

c) Quelle devrait être la période de garantie si Multisonic espère ne remplacer que 0,05% des appareils présentant une non-conformité majeure?

12. Une PME envisage de mettre sur le marché un nouveau produit. Toutefois, pour avoir une pénétration raisonnable, il faut que le marché cible soit constitué de 80% de ménages ayant un revenu annuel de 25 000$ et plus. Supposons que dans la région de Québec, le revenu familial est distribué normalement avec une moyenne de 27 425$ et un écart-type de 2620$.

Est-ce que la région de Québec correspond au marché visé?

13. La firme SM Technologies, se spécialisant dans le développement de systèmes et de télétraitement, recherche des analystes capables d'effectuer la conception informatique d'algorithmes complexes dans le domaine de la simulation et de la statistique.

Cette firme fait subir d'abord aux postulants un test d'aptitude dont les résultats sont distribués normalement avec espérance $\mu = 73,2$ et un écart-type $\sigma = 8$.

Notez par X, le résultat au test d'aptitude où $X \sim N(73,2, 64)$.

a) Quelle est la probabilité qu'un postulant, choisi au hasard, ait un résultat supérieur à 82,8?

b) 25% des postulants qui devront subir ce test d'aptitude auront un résultat inférieur ou égal à quelle valeur?

c) Quelle est la probabilité d'obtenir un résultat compris entre $\mu - 1,5\sigma$ et $\mu + 1,5\sigma$?

d) Quel est l'intervalle dans lequel se situent 50% des résultats des postulants, résultats centrés sur l'espérance $\mu = 73,2$?

e) La firme engage les postulants qui sont dans le 1% meilleur. Quel est le résultat minimal avec lequel les postulants doivent réussir le test pour avoir la possibilité d'être engagés?

14. Votre professeure de microéconomie est plutôt exigeante pour ses examens. En effet, le temps requis pour compléter ses examens est en moyenne de 140 minutes avec un écart-type de 15 minutes. Pour le prochain test, elle veut allouer une période de temps de manière à ce que seulement 85% des étudiants(es) puissent compléter le test.

Quelle devrait être la durée maximale allouée pour satisfaire cette exigence plutôt douteuse? On suppose que le temps requis pour compléter l'examen est distribué selon une loi normale.

15. Une entreprise de service de télévision par câble reçoit de nombreux appels (appels de service, information, nouveaux clients,...). Tout comme dans toute «bonne» entreprise, il est fréquent que les clients soient mis en attente jusqu'à ce qu'une responsable du service à la clientèle prenne l'appel. La direction de l'entreprise a déterminé que le temps d'attente des appels est distribué normalement avec une moyenne de 3,2 minutes et un écart-type de 0,8 minute. Lors de la réunion mensuelle de la direction pour étudier les plaintes du service à la clientèle et l'efficacité du service, on en est venu à la conclusion que si 5% des appels sont mis en attente pour 4,8 minutes ou plus, d'autres personnes devront être engagées pour supporter le service à la clientèle.

a) En ce qui a trait au service actuel, quelle proportion d'appels sont mis en attente au moins 4,8 minutes?

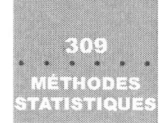

15. (suite) b) Est-ce que la direction de l'entreprise devrait engager du personnel additionnel pour son service à la clientèle?

c) Pendant combien de minutes, 5% des appels sont mis en attente?

16. Une analyse de plusieurs mois de la fréquentation d'un site Web a permis d'établir que le nombre de visites moyen au cours d'une journée était de 4800 visites. On a également établi que l'écart-type de la variable «nombre de visites du site par jour» était distribué approximativement selon une loi normale avec un coefficient de variation de 6,5%.

a) Déterminez l'écart-type de la distribution du nombre de visites par jour.

b) Quelle est la probabilité que, pour une journée quelconque, le nombre de visites soit inférieur à 4000?

c) Le site devient complètement engorgé si le nombre de visites excède 5700 visites. Quelles sont les chances sur 1000 que le système devienne engorgé?

17. L'entreprise Granulex distribue un certain aliment dans un contenant métallique dont le poids après remplissage est en moyenne de 340 grammes. Toutefois, on peut ajuster le processus de remplissage pour obtenir une valeur moyenne désirée. Le poids est distribué normalement avec un écart-type de 6 grammes.

a) Quelle est la probabilité qu'un contenant choisi au hasard de la production ait un poids entre 334 et 346 g?

b) Quelle est la probabilité qu'un contenant ait un poids qui diffère de la moyenne par moins de 2 grammes?

c) Sur une production de 1000 contenants, combien auront un poids inférieur à 330 grammes?

d) À quelle valeur doit être fixé le niveau moyen de remplissage pour assurer que seulement 1 contenant sur 100 aura un poids inférieur à 340 grammes?

e) À quel niveau moyen doit-on fixer le remplissage de sorte que seulement 5% des contenants auront un poids supérieur à 348 grammes?

18. Selon une analyse* du marché de la revente d'habitations effectuée par la Société canadienne d'hypothèques et de logement (SCHL) dans la région de Québec, le prix médian d'une maison individuelle était de 95 299$, au premier trimestre 2002.

En supposant que le prix des maisons individuelles est distribué normalement et que le coefficient de variation du prix des maisons de 20%, à partir de quel prix peut-on considérer qu'une maison individuelle fait partie du quartile supérieur?

* Source. Adapté de Dubuc, A. *Les prix des résidences montent à Québec.* Journal LES AFFAIRES, 8 juin 2002.

19. Deux fournisseurs de lampes fluorescentes ont soumissionné pour obtenir le contrat d'éclairage d'un Centre de Congrès dans la région de Montréal. D'après les spécifications des architectes, l'éclairage s'effectuera en majorité avec des lampes fluorescentes de type F40T12W. Le contrat prévoit l'installation de 12 000 lampes fluorescentes et les deux fournisseurs arrivent sensiblement au même prix. Chaque fournisseur devrait toutefois présenter avec leur soumission, les résultats d'essais de durée de vie des lampes fabriquées depuis les six derniers mois. Ces résultats se présentent comme suit:

	Fournisseur A	**Fournisseur B**
Durée de vie moyenne	19 500 heures	20 200 heures
Écart-type	1 560 heures	1 600 heures

19. (suite) a) Le responsable du projet considère comme très acceptable une durée de vie supérieure à 19 000 heures. Dans ce cas, quel critère pourrait-on utiliser pour faire un choix entre les deux fournisseurs?

b) Pour chaque fournisseur, combien des 12 000 lampes requises seront encore en opération après 19 000 heures de fonctionnement? On admettra comme plausible que la distribution de la durée de vie est celle d'une normale.

c) Dans le budget d'entretien du Centre de Congrès, il a été prévu de mettre en œuvre un programme de remplacement global des lampes lorsque celles-ci auront été en opération un nombre d'heures égal à $\mu + 1{,}5\,s$. Pour chaque fournisseur, à quelle durée de vie correspond cette valeur de remplacement?

d) Admettons qu'on ne peut supposer que la distribution de la durée de vie est celle d'une normale. Dans ce cas, pouvez-vous quand même déterminer, et ceci pour chaque fournisseur, un intervalle centré sur la durée de vie moyenne au sein duquel au moins 90% de leur production se situerait?

20. Un expert-conseil en psychologie industrielle a élaboré un test permettant d'évaluer le niveau de créativité de cadres supérieurs du domaine de la haute technologie. Les résultats à ce test sont distribués selon le modèle normal mais l'expert-conseil juge que la moyenne et l'écart-type doivent demeurer confidentiels. Il précise toutefois, que 90% des cadres ont un résultat inférieur à 82 et que le premier quartile de la distribution des résultats est 70.

Avec cette information, déterminez les valeurs de μ et de σ de la distribution des résultats au test de créativité.

Autres lois continues

21. La loi uniforme. Soit X, une variable aléatoire continue. Nous disons que X est une variable aléatoire uniforme sur l'intervalle $[a, b]$, où a et b ont deux nombres réels avec $a \le b$ si sa densité de probabilité est définie par l'expression suivante:

$$f(x) = \begin{cases} \dfrac{1}{b-a} & \text{si } a \le x \le b \\ 0 & \text{si } x < a \text{ ou } x > b \end{cases}$$

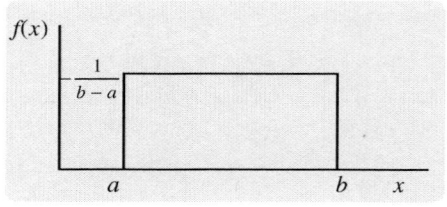

On peut vérifier que $E(X) = \dfrac{a+b}{2}$ et

$$Var(X) = \dfrac{(b-a)^2}{12}.$$

La fonction de répartition d'une variable uniforme est:

$$F(x) = \begin{cases} 0 & \text{si } x < a \\ \dfrac{x-a}{b-a} & \text{si } a \le x < b \\ 1 & \text{si } x \ge b \end{cases}$$

À l'aide des concepts ci-haut, résolvez l'exercice suivant. Soit X une variable aléatoire continue distribuée uniformément dans l'intervalle $[-\beta, \beta]$ où $\beta > 0$. Déterminez β de telle sorte que

a) $P(X > 1) = 1/3$;   b) $P(X < 1/2) = 0{,}7$.

22. Supposons que la concentration d'un certain polluant est distribuée uniformément sur l'intervalle 6 à 22 pm. Si la concentration excède 16 ppm, on considère alors le polluant comme toxique. Quelle est la probabilité de déclarer le polluant comme toxique?

23. Soit X une variable aléatoire continue distribuée uniformément dans l'intervalle

$[40, 60]$. Déterminez la probabilité que la variable aléatoire X prenne une valeur comprise entre ± 1 écart-type de la moyenne.

√ **24.** La durée moyenne des examens de votre professeur de Gestion des Opérations est de 60 minutes avec une variance de 27. En supposant que la durée est distribuée selon une loi uniforme, déterminez

a) la durée minimale du test;

b) la durée maximale du test;

c) Quelles sont les chances sur 100 que vous puissiez compléter l'examen de Gestion des Opérations en moins de 50 minutes?

25. Les soumissions pour un nouvel équipement servant à effectuer un contrôle automatique de détection de non-conformités sur un produit fabriqué en matière plastique varient uniformément entre 100 000$ et 150 000$.

a) Quelle est la probabilité que la soumission d'un industriel s'écarte de la soumission moyenne par plus de 10%?

b) Quelle est la probabilité que la soumission de l'industriel excède le 3e quartile de la distribution?

26. La loi exponentielle. La loi exponentielle est une autre loi continue qui a des applications intéressantes dans les secteurs du génie industriel et de la recherche opérationnelle (temps d'attente, durée de service) et en fiabilité des systèmes où l'on mesure l'aptitude du système à fonctionner sans défaillance, une fois mis en service. Cette loi s'énonce comme suit:

Une variable aléatoire continue X suit une loi exponentielle de paramètre λ ($\lambda > 0$) si l'expression de sa densité de probabilité est

$$f(x) = \begin{cases} 0 & , \text{ si } x < 0 \\ \lambda e^{-\lambda x} & , \text{ si } x \geq 0. \end{cases}$$

f(x)

Aire sous la courbe = 1

0   x

De plus $E(X) = \dfrac{1}{\lambda}$, $Var(X) = \dfrac{1}{\lambda^2}$.

La fonction de répartition est

$$F(x) = \begin{cases} 0 & , \text{ si } x < 0 \\ 1 - e^{-\lambda x} & , \text{ si } x \geq 0. \end{cases}$$

On peut vérifier ces résultats en faisant appel au calcul intégral.

a) Un composant électronique a une durée de vie qui est distribuée selon une loi exponentielle dont la durée de vie moyenne est de 500 heures. Quelle est alors la valeur du paramètre λ. Que représente ce paramètre dans ce contexte?

On a $E(X) = \dfrac{1}{\lambda} = 500$ heures, donc $\lambda = \dfrac{1}{500} = 0,002$ / heure .

Cette quantité représente le taux moyen de défaillance des composants par heure.

b) Quelle est l'expression de la densité de probabilité de la durée de vie du composant?

On a $f(x) = \begin{cases} 0 & , \text{ si } x < 0 \\ 0,002 e^{-0,002x} & , \text{ si } x \geq 0. \end{cases}$

c) Quelle est la probabilité que le composant ait une durée de vie inférieure à 250 heures?

De façon générale, $P(X \leq x_0) = F(x_0) = 1 - e^{-\lambda x_0}$

Avec $x_0 = 250$, on obtient

c) (suite)

$$P(X \leq 250) = F(250) = 1 - e^{-(0,002)(250)} = 1 - e^{-0,5}$$
$$= 1 - 0,6065 = 0,3935$$

On obtient la valeur de e^{-x} avec une petite calculatrice. On peut également obtenir la valeur de $P(X \leq 250)$ avec la fonction LOI.EXPONENTIELLE d'Excel:

LOI.EXPONENTIELLE (x; lambda, cumulative).

Complétez l'exercice en répondant aux questions suivantes.

d) Quelle est l'expression de la fonction de répartition pour la durée de vie de ce composant?

e) Quelle est la probabilité que la durée de vie du composant se situe entre 200 heures et 400 heures?

f) Déterminez, sur 1000 composants, combien auront vraisemblablement une durée de vie supérieure à la durée moyenne.

g) Quelle est la durée de vie médiane de ce composant électronique?

27. La durée de vie d'une pièce mécanique est distribuée selon une loi exponentielle dont le taux moyen de défaillance est 0,002 pièce par heure de fonctionnement.

a) Quelle est l'expression de la loi de probabilité pour la variable aléatoire «durée de vie»?

b) Quelle est la moyenne des temps de bon fonctionnement (MTBF) de cette pièce?

c) Quelle est la variance de la durée?

d) Quelle est la probabilité que cette pièce survivra au-delà de sa MTBF?

e) Quelle est la probabilité que cette pièce dure au moins un autre 200 heures sachant qu'elle fonctionne depuis au moins 500 heures?

28. Un fabricant de fours à micro-ondes veut déterminer la période de garantie qu'il devrait associer à son tube magnetron, le composant le plus important du four. Des essais en laboratoire ont indiqué que la durée de vie utile (en années) de ce composant possède une distribution exponentielle avec un taux moyen de défaillance de 0,20 tube/an.

a) Déterminez la loi de probabilité de la durée de vie de ce composant.

b) Quelle est la durée moyenne de vie des tubes?

c) Quelle est la probabilité qu'un tube opère sans défaillance pour une période excédant sa durée de vie espérée?

d) On veut donner une période de garantie sur le tube magnétron; toutefois, on ne veut pas remplacer plus de 10% de tubes au cours de cette période de garantie.

Quelle devrait être la période de garantie?

Exercices de révision et de synthèse

29. On a établi que les résultats à une batterie de tests servant à sélectionner les candidats(es) demandant à être admis à une institution privée suivent une loi normale d'espérance 500 et d'écart-type 50.

a) Quelles sont les chances sur 100 pour qu'un candidat obtienne un résultat supérieur à 550?

b) 60% des candidats qui se présentent à ce test sélectif auront un résultat supérieur à quelle valeur?

c) Un candidat qui a subi le test pense être dans les 5% meilleurs. Si cela est exact, quel est le résultat minimum qu'il doit avoir obtenu?

d) Une des normes du respondable du Service d'Orientation de l'institution est de recommander un refus si le résultat est inférieur à 400. Combien de candidats seront refusés si 800 ont subi le test?

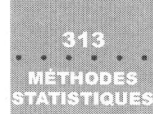

30. Selon une société conseil en gestion des ressources humaines (résultats publiés dans le magazine Affaires Plus, novembre 2000), la rémunération des conseillers en ressources humaines auprès d'entreprises dont le chiffre d'affaires est moins de 50 M$ est résumée d'après les statistiques suivantes:

Médiane : 51 000$ Troisième quartile :   57 500$

On suppose que la rémunération est distribuée normalement.

a) Déterminez la rémunération moyenne.

b) Déterminez l'écart-type.

c) 25% des conseillers en ressources humaines ont un revenu inférieur ou égal à quelle valeur?

31. Selon une enquête* effectuée par la firme SOM, recherches et sondages, pour le compte du journal LES AFFAIRES, visant à préciser certaines des principales préoccupations des dirigeants de PME au Québec, la semaine moyenne de travail des dirigeants de PME est de 54 heures. Admettons que le nombre d'heures par semaine consacrées au travail est distribué selon une loi normale avec un écart-type de 3 heures.

* Source. Adapté de Gagnon, G. *Quatre PME sur cinq perçoivent la mondialisation comme une occasion de croissance*. LES AFFAIRES, hors série, édition 2001.

a) Si on sélectionne au hasard un dirigeant de PME du Québec, quelle est la probabilité que le nombre d'heures par semaine consacrées au travail soit

i) moins de 48 heures?   ii) plus de 50 heures?   iii) plus de 54 heures?

b) 40% des dirigeants consacrent un nombre d'heures au travail inférieur ou égal à quelle valeur?

c) Est-ce rare qu'un dirigeant de PME consacre plus de 65 heures au travail?

32. Des études empiriques ont permis d'établir que le rendement annuel de fonds communs de placement est approximativement distribué selon une loi normale. Selon un expert en investissement, le titre Bêtatechnologies devrait réaliser un rendement annuel moyen de 16% avec un écart-type de 10%.

a) Quelle est la probabilité que le rendement annuel de Bêtatechnologies excède 30%?

b) Quelle est la probabilité que le rendement annuel de Bêtatechnologies soit négatif?

c) Une affirmation des dirigeants de Bêtatechnologies concernant les résultats probants d'une recherche de pointe a fait bondir le rendement annuel moyen à 25% mais avec une incertitude plus importante évaluée par un écart-type de 15%. Est-ce que les chances d'obtenir un rendement annuel négatif sont plus importantes dans cette situation que celles obtenues en b)?

33. Chez les travailleurs* d'usines québécoises fabriquant des articles en matière plastique de type polyester renforcée à la fibre de verre, exposés à un certain niveau de styrène dans l'air, on a constaté que la concentration d'acide mandélique (AML) retrouvée dans les urines en fin de quart de travail était distribuée normalement avec une moyenne 1,25 mmol/mmol et une dispersion relative de 20%.

a) Identifiez la variable aléatoire.

b) Déterminez l'écart-type de la concentration d'acide mandélique.

c) Quel pourcentage de travailleurs ont une concentration d'acide mandélique urinaire inférieure à 0,70 mmol/mmol?

*Source: Adapté de Truchon, G., C. Ostiguy et al (1992). *Surveillance des effets neurotoxiques de l'exposition au styrène en milieu de travail*, Travail et Santé, Vol. 8, no 2.

34. L'entreprise Protak fournit à un client de la région de Montréal des petites tiges métalliques dont la longueur doit se situer dans l'intervalle [8 cm, 12cm]. Toutefois le procédé de fabrication de Protak produit des tiges de longueur moyenne de 10 cm et d'écart-type 1 cm; on admet que la longueur est distribuée normalement. Si une tige est trop longue, elle peut être coupée pour rencontrer les normes mais à un coût supplémentaire de 0,25$ la tige. Si la tige est trop petite, elle doit être jetée.

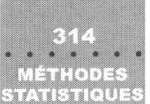

34. (suite) a) Sur une fabrication de 10 000 tiges, combien devront être jetées? Combien pourront être modifiées pour rencontrer les normes?

b) S'il en coûte 500$ pour fabriquer 1000 tiges et que le prix de vente unitaire est de 0,90$, quel profit l'entreprise Métex peut s'attendre de faire pour une fabrication de 10 000 tiges?

c) Considérant qu'une tige jetée occasionne une perte plus grande qu'une tige coupée, on décide d'ajuster la machine afin de centrer le procédé à 10,5 cm. Cette opération est-elle rentable? Comparez le profit résultant entre l'ajustement à 10 cm et l'ajustement à 10,5 cm pour une fabrication de 10 000 tiges.

35. Une firme se spécialisant dans le développement de systèmes et de télétraitement recherche des analystes capables d'effectuer la conception informatique d'algorithmes complexes dans le domaine de la simulation et de la statistique. Cette firme fait subir d'abord aux postulants un test d'aptitude dont les résultats sont distribués normalement avec une moyenne $\mu = 73,2$ et un écart-type $\sigma = 8,1$. La firme ne considère toutefois que les postulants qui obtiennent 80 et plus au test d'aptitude.

a) Quelle est la probabilité qu'un seul candidat parmi douze postulants qui ont subi le test soit retenu par la firme?

b) Quelle est la probabilité qu'au moins quatre des douze postulants soient retenus par la firme?

36. Sur une chaîne de production, un processus automatique fait que les pièces ayant une longueur inférieure à 9 cm ou supérieure à 11 cm sont éliminées. Sachant que la longueur des pièces est distribuée normalement de moyenne $\mu = 10$ cm et d'écart-type $\sigma = 0,4$ cm, combien doit-on fabriquer de pièces pour en avoir 1000 utilisables.

37. Une variable aléatoire X est distribuée selon une loi normale de moyenne $\mu = 110$ et d'écart-type $\sigma = 10$. Pour cette distribution,

a) quelle valeur x sépare le 35% supérieur du reste des valeurs de la distribution?

b) Quelle est l'étendue des valeurs de la variable aléatoire normale qui se situent dans le 60% central de la distribution?

38. L'entreprise TRW possède plusieurs centres de service d'entretien, de réparation et de service à la clientèle pour tout système informatique. L'entreprise, dans un effort d'amélioration continue, veut examiner certains aspects de la qualité de son service pour éventuellement améliorer sa performance auprès de la clientèle qu'elle dessert.

Une des caractéristiques critiques considérée par l'entreprise est le temps requis pour résoudre les problèmes soulevés par sa clientèle. Une étude statistique sur un grand nombre d'appels de service a permis d'établir que cette caractéristique est distribuée selon une loi normale de moyenne $\mu = 18$ heures avec un écart-type $\sigma = 3$ heures.

a) Quelle est la probabilité qu'un appel de service requiert plus de 22,5 heures?

b) 20% des appels de service ont un temps requis pour résoudre les problèmes inférieur ou égal à quelle valeur?

c) Admettons que l'entreprise a réussi à réduire son temps moyen requis pour résoudre tout problème de nature informatique à 15 heures.

   1) Dans ce cas, quel pourcentage d'appels de service a un temps de résolution inférieur à 12,975 heures?

   2) Quatre fois sur cinq, le temps requis pour résoudre les problèmes sera inférieur à quelle valeur?

Activités de synthèse sur le CD-ROM

Fichier Excel: Activité de synthèse no 2 Modèle normal

Fichier SPSS: Activité de synthèse no 2

Fichier MINITAB: Activité de synthèse no 2

Activité de synthèse no 2

L'entreprise Novatech: données, histogramme, calcul de probabilités et modèle normal

Objectifs de l'activité

▶ Dépouillement de ventes journalières
▶ Histogramme et polygone de fréquences
▶ Estimation de probabilités
▶ Vérification graphique de la normalité des données
▶ Modèle normal

La nouvelle directrice des opérations de télémarketing et de ventes par catalogue de l'entreprise Novatech est préoccupée par la fluctuation des ventes. L'entreprise se spécialise dans la vente de produits informatiques et a comme objectif des ventes journalières de 25 000$.

Les ventes s'effectuent par commande postale ou par commandes téléphoniques ou par l'entremise du site Web de l'entreprise.

La directrice a demandé un rapport des ventes journalières depuis les cinq derniers mois pour mieux analyser le comportement des ventes au cours de cette période.

Les données lui ont été soumises dans une feuille Excel dont nous présentons un extrait ci-après.

	A	B	C	D	E
1	Données sur les ventes journalières de l'entreprise Novatech				
2					
3		Date	Ventes		
4		1 fév	27 771 $		
5		2 fév	36 567 $		
6		3 fév	24 288 $		
7		4 fév	29 422 $		
8		5 fév	34 578 $		
9		6 fév	19 566 $		
10		7 fév	23 054 $		
11		8 fév	21 679 $		
12		9 fév	26 478 $		
13		10 fév	25 458 $		
14		11 fév	28 131 $		
15		12 fév	39 496 $		
16		13 fév	26 002 $		
17		14 fév	18 470 $		
18		15 fév	31 491 $		
19		16 fév	31 486 $		
20		17 fév	34 938 $		
21		18 fév	23 327 $		
22		19 fév	19 357 $		
23		20 fév	28 142 $		
24		21 fév	28 116 $		
25		22 fév	40 455 $		
26		23 fév	19 949 $		

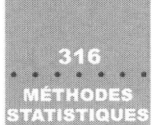

Travail à effectuer

Les coûts journaliers des opérations de télémarketing sont de 20 000$.

Un examen rapide des données indique que certaines journées présentent des revenus inférieurs au coût des opérations, ce qui est préoccupant pour la direction de l'entreprise.

a) À partir des données de la feuille Excel, déterminez

   i)   le montant minimal des ventes qui a été effectué au cours de cette période;

   ii) le montant maximal des ventes qui a été effectué.

b) Quel a été le revenu total au cours de cette période?

c) Dépouillez les données selon une distribution de fréquences en utilisant 17 000$ comme borne inférieure de la première classe et 3 000$, comme amplitude de chaque classe.

d) Présentez également la répartition des ventes journalières en pourcentages et pourcentages cumulés.

e) Tracez l'histogramme associé à la distribution de fréquences absolues.

f) Tracez également sur un autre diagramme le polygone de fréquences.

g) D'après l'information que possède la directrice des opérations

   i)   quelle serait une estimation de la probabilité que les ventes, en une journée quelconque, soit au moins égale à 25 000$?

   ii) quelle serait une estimation de la probabilité que les ventes, en une journée quelconque, soient inférieures au coût journalier des opérations? Un tri des données peut être requis.

Vérification de la normalité des données à l'aide du papier gausso-arithmétique

On peut vérifier si la distribution des ventes est celle d'une loi normale en utilisant une approche graphique, et ceci à l'aide du papier gausso-arithmétique.

h) À l'aide de la distribution de fréquences cumulées obtenues en d), reportez les points appropriées sur le papier gausso-arithmétique présenté à la page suivante.

   Est-ce vraisemblable de considérer que la forme de la distribution des ventes journalières s'apparente à une loi normale? Expliquez.

i) La directrice veut obtenir une estimation du niveau moyen des ventes ainsi que l'écart-type des ventes journalières des opérations de télémarketing pour la période considérée. Quelles sont ces estimations? Arrondissez les estimations à l'entier le plus près.

j) La directrice considère qu'avec l'information qu'elle a en main et l'analyse effectuée, elle est en mesure de considérer que les ventes journalières se comportent selon une loi normale avec comme paramètres les estimations obtenues précédemment.

   La directrice envisage d'augmenter le budget de publicité pour les prochains mois si la probablité que le montant des ventes journalières est inférieur à 20 000$ est de 0,10 ou plus.

   Est-ce qu'elle devrait augmenter le budget de publicité? Justifiez votre conclusion.

Il pourrait être souhaitable de consulter d'abord l'annexe 5 de ce chapitre sur l'appréciation de la normalité d'une série de données à l'aide du papier gausso-arithmétique.

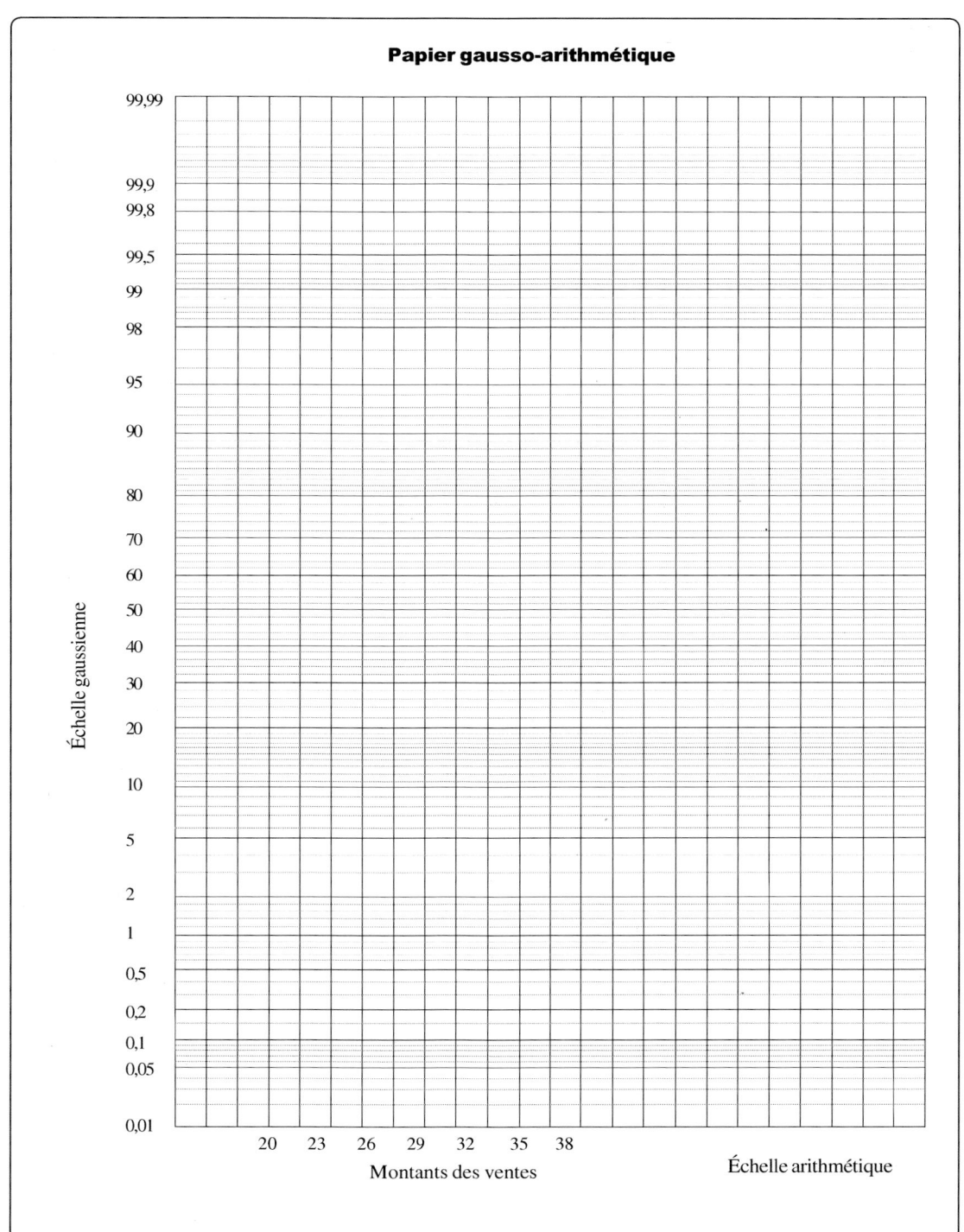

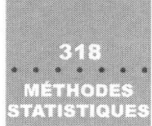

Testez vos

connaissances

Test no 5

Répondez par Vrai ou Faux.

1. La loi normale est complètement définie par deux paramètres: la moyenne et la médiane.

2. Dans le cas du modèle normal, on peut obtenir à l'occasion deux modes.

3. Pour une distribution normale, la moyenne est toujours située entre la médiane et le mode.

4. Le modèle normal présente une courbe en forme de cloche, mais ne sera pas symétrique à moins que la moyenne ne soit plus grande que l'écart-type.

5. La dispersion d'une variable normale est caractérisée par σ, l'écart-type.

6. Pour toute loi normale, 99,74% des données se situent dans l'intervalle $(\mu-2\sigma, \mu+2\sigma)$.

7. L'aire sous la courbe normale, située entre μ et ∞, est toujours égale à 1.

8. Toute variable normale X de moyenne μ et d'écart-type σ peut être transformée en une variable centrée réduite à l'aide de l'expression $Z = (X-\mu)/\sigma$.

9. L'aire sous la courbe de la loi normale centrée réduite entre $z = 0$ et $z = 1$ est la même que l'aire entre $z = 0$ et $z = -1$.

10. La loi normale centrée réduite est toujours centrée à la valeur 1.

11. Dans le cas d'une distribution normale, il est peu fréquent d'obtenir une valeur de la variable normale supérieure à $\mu+3\sigma$.

12. La valeur centrée réduite qui correspond à une valeur x inférieure à la moyenne de la distribution sera toujours négative.

13. La distribution normale est symétrique par rapport à 0.

14. L'aire sous n'importe quelle courbe normale est 1.

15. Pour toute variable aléatoire continue, $P(X > a) = P(X \geq a)$.

16. Pour toute variable aléatoire normale, $P(X > 0) = 0,5$ est toujours vraie.

17. On ne peut appliquer la transformation centrée réduite à toute variable aléatoire normale.

18. Une valeur z de 2 indique que 2% de l'aire sous la courbe normale centrée réduite est à la droite de la valeur $z = 0$.

Questions à choix multiples. Encerclez la bonne réponse.

19. L'aire sous la courbe normale centrée réduite comprise dans l'intervalle $\pm 1,96$ est:

i) 0,9544   ii) 0,6826   iii) 0,95

20. Dans le cas de la loi normale, la moyenne est:

i)   inférieure à la médiane
ii) supérieure à 1,5 fois la médiane
iii) égale à la médiane
iv) aucune des réponses précédentes

21. La valeur x écrite sous sa forme centrée réduite est:

i) $\dfrac{\mu - x}{\sigma}$ ii) $\dfrac{\mu + x}{\sigma}$ iii) $\dfrac{\mu - \sigma}{\mu}$ iv) $\dfrac{x - \mu}{\sigma}$

22. Si la valeur centrée réduite d'une valeur donnée x est 2,04 et que le modèle normal a une moyenne de 85 et un écart-type de 15, alors la valeur x correspondante de cette distribution normale est:

i) 135,8   ii) 115,6   iii) 54,4

23. La valeur k pour laquelle $P(\mu \leq X \leq \mu + k\sigma) = 0,195$ est:

i) 1,5   ii) 0,51   iii) 0,35

24. Une variable continue X est distribuée selon une loi normale avec un écart-type $\sigma = 14$. Sachant que $P(X \geq 135) = 0,0062$, la moyenne μ de cette loi normale est:

i) 125   ii) 95   iii) 100

25. Selon une enquête effectuée par le Conference Board of Canada, la rémunération versée par les entreprises aux présidents de conseil d'administration est distribuée selon le modèle normal avec un écart-type de 12 400$.

Si 17% des présidents de conseil d'administration ont une rémunération supérieure à 80 500$, alors la rémunération moyenne est:

      i) 86 000$ ii) 68 658$ iii) 92 342$ iv) aucune de ces valeurs.

_____
* Source: Adapté de *Les cadres de mieux en mieux rémunérés.* LE SOLEIL, 16 juillet 2003.

26. D'après le bulletin* Internet *Le Quotidien* de Statistique Canada, le revenu d'emploi médian de la région de Québec est de 23 300$.

Admettons que le revenu d'emploi est distribué selon une loi normale avec un écart-type de 6 000$.

a) Le revenu des particuliers qui correspond au premier quartile est:

      i) 17 300$ ii) 19 250$ iii) 27 350$.

b) 60% des particuliers ont un revenu d'emploi excédant

      i) 17 300$ ii) 24 830$ iii) 21 770$.

c) Le centile correspondant au revenu d'emploi 28 340$ est:

      i) C_{30} ii) C_{20} iii) C_{80}.

_____
* Source: Plante, L. *Trois-Rivières bonne dernière.* Le Nouvelliste, 16 août 2001.

27. Un test d'aptitude mécanique a été administré à 2 groupes de travailleurs.

Le premier groupe (groupe A) a obtenu un résultat de 70 avec un écart-type de 8 tandis que le second groupe (groupe B) a obtenu 71,5 avec un écart-type de 10.

On suppose que les résultats obtenus à ce test sont distribués selon le modèle normal.

Un travailleur est choisi au hasard parmi chaque groupe. Quelle est la probabilité que le résultat au test d'aptitude mécanique soit inférieur à 64 si le travailleur provient du

a) groupe A?   i) 0,1772   ii) 0,2266   iii) 0,2734.

b) groupe B?   i) 0,2257   ii) 0,2734   iii) 0,2266.

28. Les revenus de jeunes cadres d'une grande entreprise sont distribués normalement avec un écart-type de 900$. Si 10,2% des jeunes cadres ont un revenu annuel supérieur à 44 800$, alors le revenu moyen actuel de ces cadres est:

      i) 41 657$ ii) 43 675$ iii) 43 657$ iv) aucune de ces valeurs.

29. Un test de dextérité manuelle a été standardisé selon une loi normale de moyenne 100 et d'écart-type 15. Une entreprise de réputation internationale oeuvrant dans le domaine des télécommunications veut embaucher un certain nombre d'individus pour son usine de Pointe-Claire.

Une première sélection est effectuée à l'aide de ce test de sorte que seulement les 20% meilleurs passeront à la seconde étape du processus d'embauche.

a) Le résultat minimum que doit obtenir un candidat pour passer à la deuxième étape du processus d'embauche est:

      i) 87,4   ii) 112,6   iii) 115.

b) Le pourcentage de candidats qui auront un résultat inférieur au 3e quartile est:

      i) 60%   ii) 55%   iii) 75%

c) Quel pourcentage de candidats ont un résultat inférieur à 119,2?

      i) 60%   ii) 75%   iii) 90%.

**Testez vos
connaissances**
Test no 5
(suite)

30. Une importante enquête* auprès de responsables des achats de produits de bureau d'entreprise de service indique que le montant annuel des achats de fournitures de bureau (excluant le mobilier de bureau et le matériel informatique) est distribué selon une loi normale de moyenne μ = 4525\$ et d'écart-type σ = 640\$.

* Source. Adapté de Sondage du suivi des produits de bureau 99. Votre bureau, juin 1999.

a) La probabilité que le montant annuel des achats de fournitures se situe entre 4525\$ et 5421\$ est:

    i) 0,0808   ii) 0,4192   iii) 0,6192.

b) La probabilité que le montant annuel des achats de fournitures de bureau soit inférieur à 3757\$ est:

    i) 0,3849   ii) 0,8849   iii) 0,1151.

c) La probabilité que le montant annuel des achats de fournitures de bureau soit supérieur à 5485\$ mais inférieur à 6125\$ est:

    i) 0,4332   ii) 0,0606   iii) 0,4938.

d) Le montant annuel minimum des 5% des achats de fournitures de bureau qui sont les plus élevés est de:

    i) 3 472,20\$ ii) 5 577,80\$ iii) 5 165\$.

e) Dans quel intervalle se situe le montant annuel des achats de fournitures qui englobe 50% des montants et ceci, centré sur la moyenne?

    i) entre 3 885\$ et 5 165\$ ii) entre 4 205\$ et 4 845\$

    iii) entre 4 093\$ et 4 957\$.

31. L'entreprise Microtek envisage de mettre sur le marché un nouveau produit. Il semble que la demande annuelle moyenne pour ce nouveau produit serait de l'ordre de 2500 unités et ceci à un prix de vente unitaire de 35\$. Il y aurait toutefois une chance sur deux que la demande varie de plus ou moins 350 unités autour de la moyenne.

Le service de comptabilité de l'entreprise a l'information suivante concernant les coûts annuels engendrés.

a) Le seuil de rentabilité est:

	Coût fixe	**Coût unitaire**
Production	25 000 \$	10 \$
Frais généraux	15 000 \$	3 \$
Transport	_____	2 \$

    i) 1 500 unités

    ii) 2 000 unités

    iii) 800 unités.

b) L'écart-type de la distribution de la demande est:

    i) 350 unités   ii) 519 unités   iii) 524 unités.

c) Les chances d'atteindre le seuil de rentabilité sont:

    i) nulles   ii) au moins 80%   iii) 50-50.

32. Selon l'actuaire de la compagnie d'assurance La Mauricienne, l'espérance de vie des détenteurs de police chez cette compagnie est distribuée normalement avec moyenne μ = 66,2 ans et un écart-type σ = 4,4 ans. Une des dispositions de la police d'assurance est de recevoir un montant suivant le soixante-cinquième anniversaire de naissance et un montant par la suite à tous les cinq ans.

a) Le pourcentage de détenteurs de police qui vont recevoir au moins un montant, s'il utilise cette disposition de la police d'assurance est:

    i) 10,6%   ii) 40,4%   iii) 60,64%.

b) Le pourcentage de détenteurs de police qui vont recevoir deux montants ou plus est:

    i) 30,62%   ii) 19,38%   iii) 69,38%.

c) Le pourcentage de détenteurs de police qui recevront exactement deux montants est:

    i) 47,72%   ii) 30,62%   iii) 17,11%.

Annexe 4 -Traitement avec Excel

Microsoft Office 2002 et Office 1997

Modèles probabilistes continus avec Excel

Excel comporte plusieurs lois de probabilité continues et qui s'avèrent le fondement de plusieurs outils statistiques en sciences de la gestion et en sciences économiques. Les fonctions de Microsoft Excel comportent des lois de probabilités importantes associées aux variables continues comme la loi exponentielle, la loi normale, la loi la loi normale centrée réduite, la loi exponentielle, la loi de Student, ... Nous résumons dans le tableau ci-après les lois de probabilités que nous avons traité dans ce chapitre avec le tableur Excel.

Modèles	Fonctions de Microsoft Excel
• Loi normale	LOI.NORMALE(x; espérance; écart_type; cumulative)
• Loi normale centrée réduite	LOI.NORMALE.STANDARD(z)
• Loi exponentielle	LOI.EXPONENTIELLE(x; lambda; cumulative)

Donnons quelques applications de ces lois de probabilité, en utilisant le tableur Excel.

EXEMPLE 1: Calcul de probabilités selon la loi normale avec Excel

Le responsable des ressources humaines d'une entreprise d'envergure internationale spécialisée dans le moulage sous pression de composantes de haute précision a établi que les résultats à un test de perception des formes* appliqué à des opérateurs de l'usine sont distribués selon une loi normale de moyenne $\mu = 90$ et d'écart-type $\sigma = 15$.

*Le test de perception des formes mesure l'aptitude à percevoir les détails pertinents des objets, reproductions ou documents écrits, à comparer visuellement, à faire des distinctions et à voir les légères différences de formes et d'ombre des dessins ainsi que les largeurs et les longueurs des lignes.

Notons par X, le résultat au test de perception des formes où $X \sim N(90, 15^2)$.

a) *Quelle est la probabilité qu'un opérateur sélectionné au hasard obtienne un résultat inférieur à 94 au test de perception des formes?*

Nous cherchons $P(X < 94)$. Illustrons comment calculer cette probabilité avec la fonction statistique **=LOI.NORMALE(x ; espérance; écart_type; cumulative).**

Fonction LOI.NORMALE

Dans Microsoft Excel, la fonction feuille de calcul qui permet de calculer les probabilités d'une variable aléatoire distribuée selon une loi normale d'espérance et d'écart-type connus, est la suivante :

$$=LOI.NORMALE(x ; espérance; écart\_type; cumulative)$$

où *x* représente la valeur de la variable aléatoire normale qu'on cherche à évaluer

espérance représente l'espérance mathématique de la variable aléatoire normale [μ]

écart_type représente l'écart-type de la variable aléatoire normale [σ]

cumulative représente une valeur logique qui permet de calculer la probabilité pour que la variable prenne une valeur inférieure ou égale à *x* (la valeur logique est égale à VRAI).

Procédure

❶ Il faut d'abord sélectionner une cellule dans laquelle va apparaître le calcul de la probabilité, puis on sélectionne le bouton *fx* (ou encore on sélectionne dans la barre de menus **Insertion / Fonction**).

❷ Choisissez la catégorie **Statistiques** puis **LOI.NORMALE** dans le menu déroulant Insérer une fonction (Coller une fonction dans Office 97).

❸ Entrez les paramètres requis.

❹ Cliquez sur OK.

Ainsi $P(X < 94)$ dans le cas d'une loi normale d'espérance 90 et d'écart-type 15 s'obtient avec l'expression suivante :

=LOI.NORMALE(94; 90; 15 ; VRAI)

et la probabilité est : 0,60514.

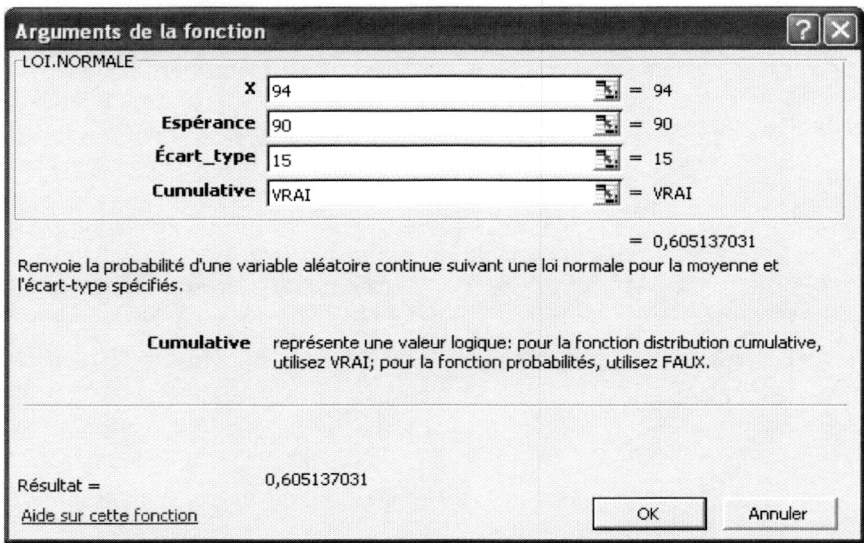

B6 ▼ f_x =LOI.NORMALE(94;90;15;VRAI)

	A	B	C	D	E
1	**Exemple 1 - La loi normale**				
2					
3	a) Déterminez l'aire sous la courbe normale donnée par $P(X < 94)$.				
4		La probabilité cherchée:			
5		$P(X<94) = 0,60514.$			
6	$P(X< 94)$:	0,60514			

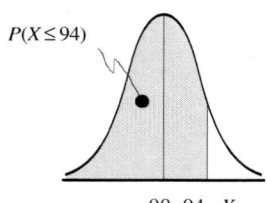

$P(X \le 94)$

90 94 X

b) *Quelles sont les chances sur 100 qu'un opérateur sélectionné au hasard obtienne un résultat supérieur à 94?*

Cette fois, nous cherchons $P(X > 94)$. Puisque la fonction LOI.NORMALE de Excel renvoie toujours $P(X \le x)$ c.-à.d. la probabilité cumulée jusqu'à x, il faut, pour obtenir $P(X \le x)$, utiliser la relation suivante: $P(X \ge x) = 1 - P(X \le x)$.

Puisque que nous venons d'obtenir $P(X<94) = 0,60514$, alors

$P(X \ge 94) = 1- 0,60514 = 0,39486$. Nous vous rappelons que, dans le cas d'une variable aléatoire continue, $P(X < x) = P(X \le x)$ et que $P(X > x) = P(X \ge x)$.

**Relation
complémentaire
avec Excel**

$P(X \ge x) = 1 - P(X \le x)$

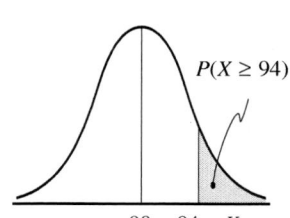

$P(X \ge 94)$

90 94 X

	A	B	C	D	E
6	$P(X< 94)$:	0,60514			
7					
8	b) Déterminez l'aire sous la courbe normale donnée par $P(X \ge 94)$.				
9					
10	$P(X \ge 94)$:	0,39486			

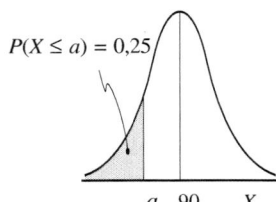

$P(X \leq a) = 0,25$

c) 25% des opérateurs auront un résultat au test de perception des formes inférieur ou égal à quelle valeur?

Ceci revient à déterminer la valeur du résultat au test de perception des formes pour lequel $P(X \leq a)$ = 0,25 où a est le résultat cherché. Pour obtenir cette valeur dans Excel, il faut avoir recours à la fonction =LOI.NORMALE.INVERSE(**probabilité ; espérance; écart_type).**

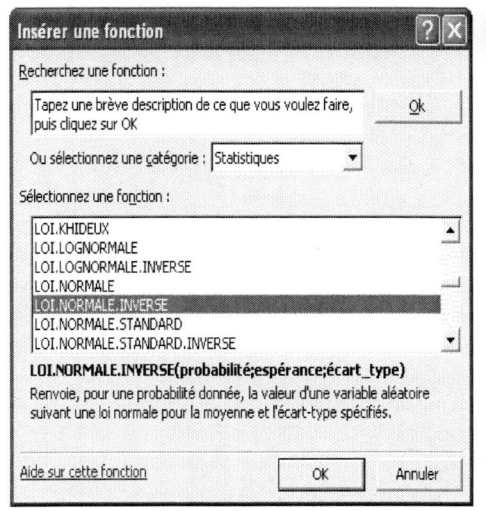

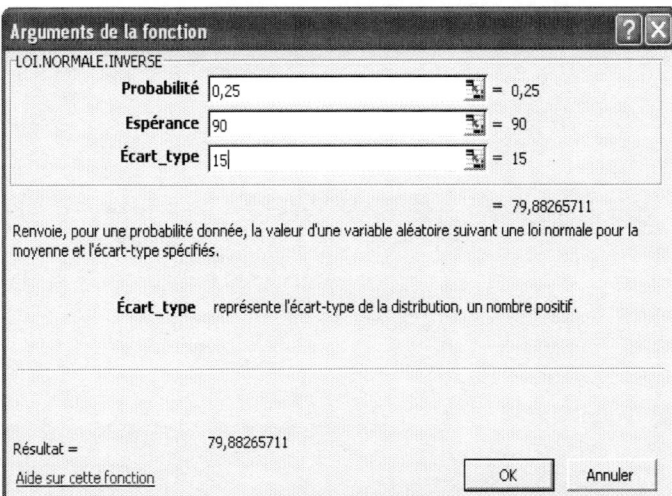

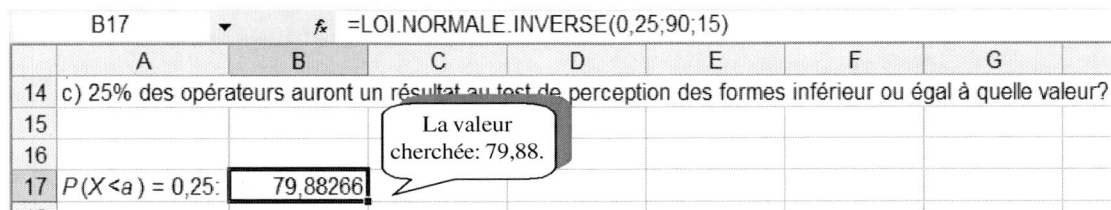

d) 95% des opérateurs auront un résultat au test de perception des formes supérieur à quelle valeur? On cherche la valeur k telle que $P(X \leq k) = 0,05$.

On procède de la même façon qu'à la question précédente en utilisant la fonction =LOI.NORMALE.INVERSE(**probabilité ; espérance; écart_type).**

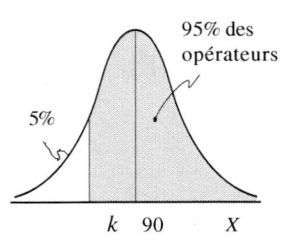

95% des opérateurs

5%

k 90 X

e) Quelle est la probabilité qu'un opérateur choisi au hasard, obtienne un résultat entre 85 et 95 au test de perception des formes? On cherche $P(85 \leq X \leq 95)$.

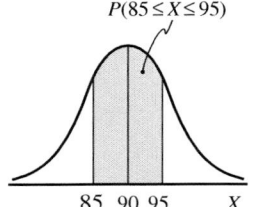

$P(85 \leq X \leq 95)$

85 90 95 X

Cette probabilité s'obtient à l'aide de la formule suivante qui est la différence entre les deux expressions suivantes:

=LOI.NORMALE(95;90;15;VRAI)-LOI.NORMALE(85;90;15;VRAI)

et dont la valeur est 0,26112.

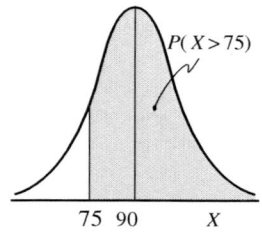

f) Quelle est la probabilité qu'un opérateur choisi au hasard, obtienne un résultat supérieur à 90 - 1 σ ? On cherche $P(X > 90 - 1\sigma) = P(X > 75)$.

Puisque Excel détermine la probabilité $P(X \le 75)$, il faut utiliser une fonction qui permet d'obtenir $1 - P(X \le 75)$. La formule requise est alors:

=1-LOI.NORMALE(75;90;15;VRAI)

et la valeur obtenue est: 0,8413, ce qui donne $P(X > 75)$.

Il existe d'autres fonctions connexes associées à la loi normale et dont nous résumons les expressions ci-après:

Fonctions connexes dans Excel

> CENTREE.REDUITE(x;espérance;écart_type)
> LOI.NORMALE.STANDARD(z)
> LOI.NORMALE.STANDARD.INVERSE(probabilité)

Si on veut obtenir $P(0 \le Z \le z)$, il faut alors calculer dans une autre cellule,

$P(0 \le Z \le z) = P(Z \le z) - 0,5$
$P(Z \le z) = P(-\infty < Z \le 0) + P(0 \le Z \le z)$
et $P(-\infty < Z \le 0) = 0,5$.

EXEMPLE 2 : Calcul de probabilités avec la loi normale centrée réduite

On peut également obtenir avec Excel, les valeurs de probabilité pour une variable aléatoire centrée réduite ; il faut alors utiliser la fonction

LOI.NORMALE.STANDARD(z).

La probabilité obtenue est : $P(Z \le z)$.

a) On veut déterminer $P(Z \le 1,645)$.

Procédure

❶ Il faut d'abord sélectionner une cellule dans laquelle va apparaître le calcul de la probabilité, puis on sélectionne le bouton f_x (ou encore on sélectionne dans la barre de menus **Insertion / Fonction**).

❷ Choisissez la catégorie **Statistiques** puis **LOI.NORMALE.STANDARD** dans le menu déroulant Insérer une fonction (Coller une fonction dans Office 97).

❸ Entrez les paramètres requis.

❹ Cliquez sur OK.

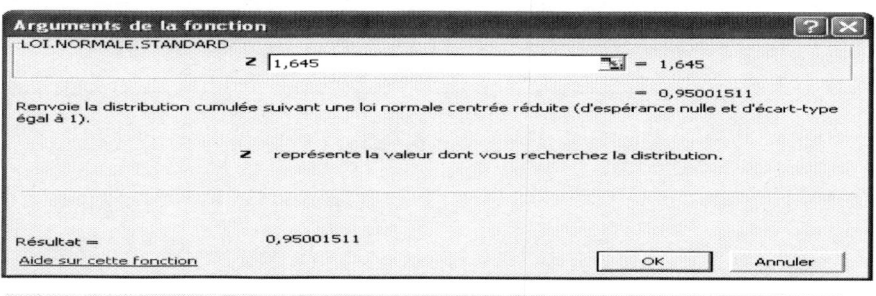

b) On veut déterminer $P(0 \le Z \le 1,645)$.

Il faut utiliser l'expression **=LOI.NORMALE.STANDARD(1,645) - 0,5**, ce qui donne: 0,45001511.

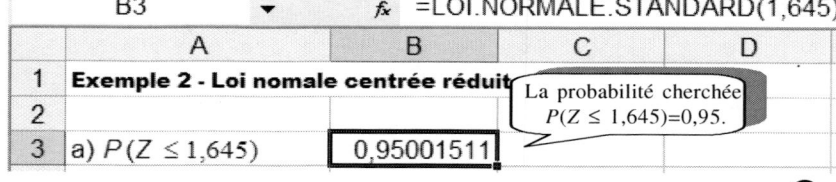

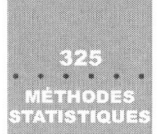

EXEMPLE 3: Application de la loi exponentielle à la durée de vie d'une pièce mécanique

Une pièce d'équipement utilisée dans un processus d'injection sous pression présente une durée de vie qui est distribuée selon une loi exponentielle de moyenne 25 000 heures. Le taux moyen de défaillance est donc de 1/25 000 = 0,00004.

a) Quelle est la probabilité qu'une pièce d'équipement de ce type ait une durée de vie supérieure à 40 000 heures?

Nous cherchons $P(X > 40\,000)$ avec X distribuée selon une loi exponentielle de paramètre $\lambda = 1/25\,000 = 0,00004$.

Indiquons comment calculer cette probabilité avec la fonction statistique LOI.EXPONENTIELLE de la catégorie de fonctions Statistiques.

Procédure

❶ Il faut d'abord sélectionner une cellule dans laquelle va apparaître le calcul de la probabilité, puis on sélectionne le bouton f_x (ou encore on sélectionne dans la barre de menus **Insertion / Fonction**).

❷ Choisissez la catégorie **Statistiques** puis **LOI.EXPONENTIELLE** dans le menu déroulant Insérer une fonction (Coller une fonction dans Office 97).

❸ Entrez les paramètres requis.

❹ Cliquez sur OK.

Fonction LOI.EXPONENTIELLE

Dans Microsoft Excel, la fonction feuille de calcul qui permet de calculer les probabilités d'une variable aléatoire distribuée selon une loi exponentielle est la suivante:

$$=\text{LOI.EXPONENTIELLE}(x;lambda;cumulative)$$

x représente la valeur de la variable aléatoire exponentielle dont on cherche à évaluer l'aire sous la courbe exponentielle.

lambda représente le paramètre de la loi exponentielle λ

cumulative représente une valeur logique qui permet de calculer la probabilité pour que la variable prenne une valeur inférieure ou égale à x (la valeur logique est égale à VRAI). Si on utilise FAUX pour valeur logique, on obtient la valeur de la densité de probabilité $f(x)$.

On ne peut obtenir directement $P(X > 40\,000)$; il faut calculer d'abord $P(X < 40000)$, puis $1 - P(X < 40000)$.

La probabilité $P(X < 40000)$ s'obtient avec l'expression suivante:

=LOI.EXPONENTIELLE(40000;0,00004;VRAI) et la probabilité est 0,79810348.

$P(X > 40\,000) = 1 - P(X < 40000) = 1 - 0,79810348 = 0,20189652$.

Dans la zone **X**, entrez la valeur 40000. Dans la zone **Lambda**, entrez la valeur 0,00004. Dans la zone **Cumulative** entrez la valeur VRAI. Cliquez sur OK.

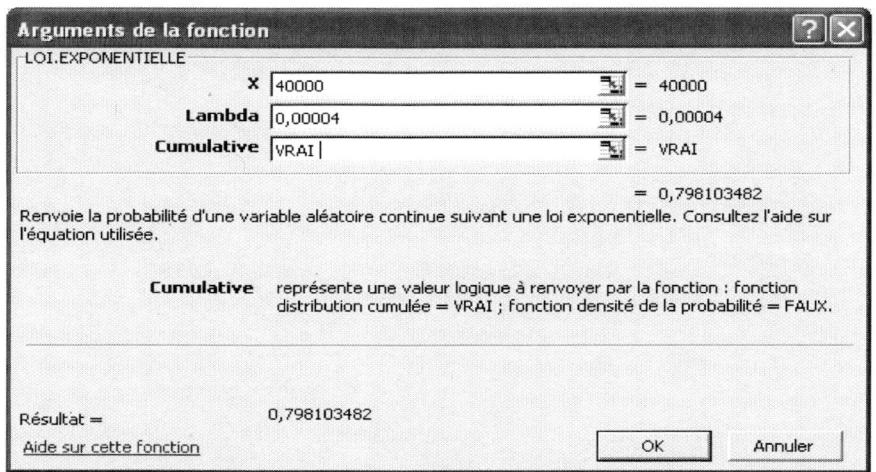

B8		f_x	=1-B6

	A	B
1	**Exemple 3 - Loi exponentielle**	
2		
3	Taux	0,00004
4		
5		
6	$P(X<40000)$	0,798103482
7	a) $P(X>40000) = 1 - P(X<40000)$	
8		0,201896518

La probabilité cherchée:
$P(X>40000)=0,201896$.

La probabilité que la durée de vie de la pièce d'équipement excède 40 000 heures est de l'ordre de 20%.

b) *Quelle est la probabilité qu'une pièce d'équipement de ce type ait une durée de vie inférieure à 20 000 heures?*

Nous cherchons $P(X < 20\,000)$ soit $F(20000)$. On obtient directement cette probabilité à l'aide de l'expression suivante:
=LOI.EXPONENTIELLE(20000;0,00004;VRAI) et la probabilité est 0,550671. 55% des pièces auront vraisemblablement une durée de vie inféreure à 20 000 heures.

B10		f_x	=LOI.EXPONENTIELLE(20000;0,00004;VRAI)	

	A	B	C	D	E
9					
10	b) $P(X<20000)$	0,550671			

c) *Si cinq de ces pièces sont installées sur différents processus d'injection sous pression, quelle est la probabilité qu'au moins 2 de ces pièces fonctionnent toujours après 25 000 heures?*

Il faut déterminer d'abord $P(X > 25000) = 1 - P(X < 25000)$. Avec Excel, on obtient $P(X < 25000) = 0,63212$; par conséquent $P(X > 25000) = 1 - 0,63212 = 0,36788$.

Pour répondre à la question, il faut avoir recours à la loi binomiale avec $n = 5$ et $p = 0,36788$. On veut $P(X \geq 2 \mid n = 5, p = 0,36788)$.

Avec Excel, on peut obtenir $P(X < 2) = P(X \leq 1)$ avec l'expression suivante:
=LOI.BINOMIALE(1;5;0,36788;VRAI), ce qui donne 0,394605.

La probabilité cherchée est $1 - 0,394605 = 0,605395$.

B18		f_x	=LOI.BINOMIALE(1;5;0,36788;VRAI)	

	A	B	C	D
13	c) $P(X < 25000)$	0,63212		
14				
15	$P(X > 25000)$	0,36788		
16				
17	Loi binomiale avec $n = 5$ et $p = 0,36788$			
18	$P(X \leq 1)$	0,394605		

B19		f_x	=1-B18

	A	B
17	Loi binomiale avec $n = 5$ et $p = 0,36788$	
18	$P(X \leq 1)$	0,394605
19	$P(X \geq 2)$	0,605395

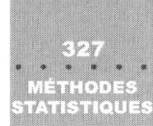

Annexe 5

Appréciation de la normalité d'une série de données:
approche descriptive et
utilisation du papier gausso-arithmétique

Dans les chapitres qui vont suivre sur l'inférence statistique (estimation et tests d'hypothèses à partir de données d'échantillon), il est fréquent de poser comme hypothèse fondamentale que les données proviennent d'une population normale.

Dans cette annexe, nous présentons quelques outils descriptifs qui permettent d'apprécier l'hypothèse de normalité*.

Les méthodes descriptives présentées ici permettent d'apprécier de façon approximative le caractère normal d'une série de données.

1. Dépouillement de données selon un histogramme ou d'un diagramme en feuilles

Dépouillez les données selon une distribution de fréquences et tracez l'histogramme ou encore dépouiller les données selon un diagramme en feuilles.

Si les données s'apparentent à une loi normale, l'histogramme devrait avoir la forme d'une courbe normale.

2. Calcul de statistiques et de pourcentages dans un intervalle donné

Calculez la moyenne, la médiane, le mode, l'écart-type et le coefficient d'asymétrie.

Déterminez le pourcentage de données se situant dans les intervalles $\bar{x} \pm 1s$, $\bar{x} \pm 2s$, $\bar{x} \pm 3s$.

> **Rappel de quelques propriétés importantes d'une loi normale**
> - Distribution symétrique en forme de cloche
> - Moyenne=Médiane=Mode
> - Coefficient d'asymétrie = 0

Si les données suivent approximativement une normale, les pourcentages devraient être voisins respectivement de 68%, 95% et 99,7%.
La moyenne, la médiane et le mode devraient également avoir des valeurs voisines.

3. Calcul de quartiles et règle pratique

Déterminez les quartiles Q_1 et Q_3 ainsi que l'écart-type s de la série de données.

Calculez $IQ = Q_3 - Q_1$ et le ratio IQ/s.

Règle pratique: Si les données sont distribuées approximativement selon une loi normale, le ratio $IQ/s \cong 1,35$.

En effet, dans le cas d'une loi normale centrée réduite, Q_1 correspond à la valeur centrée réduite -0,6745 et Q_3 à 0,6745. Puisque l'écart-type d'une variable aléatoire normale centrée réduite est $\sigma = 1$, alors

$$IQ/\sigma = (0,6745 - (-0,6745))/1 = 1,349 \cong 1,35.$$

*Normal probability plot en langue anglaise.

4. Utilisation du papier gausso-arithmétique

Il y a un moyen graphique qui permet d'apprécier l'hypothèse de normalité d'une variable continue. Ce papier graphique, appelé *papier gausso-arithmétique*, présente en abscisse une échelle arithmétique (les valeurs de la variable seront reportées sur cette échelle) et, en ordonnée, une échelle gaussienne (graduée selon les probabilitées cumulées d'une variable aléatoire normale) sur laquelle seront reportées les fréquences cumulées croissantes en %.

Ce papier graphique permet de linéariser la courbe cumulative dans le cas d'une variable aléatoire normale.

---

*Nous présentons également deux tests statistiques pour vérifier la normalité des données (voir chapitre 7, test de Shapiro-Wilk et chapitre 11, test de khi-deux).

Les données ne sont pas groupées selon une distribution de fréquences

La procédure à suivre pour effectuer le tracé probabiliste d'une série de données est la suivante:

Procédure à suivre pour le tracé probabiliste d'une série de données

❶ Ordonnez les n données en ordre croissant, $x_{(i)}$. Plus le nombre de données est important, meilleure sera l'information obtenue du graphique.

❷ Assignez un rang à chaque donnée (même aux données qui se répètent) en commençant par le rang 1 pour la plus petite donnée, rang 2 pour la donnée suivante, jusqu'à ce que la dernière donnée s'est vue attribuer le rang n.

❸ Calculez la quantité P_i de chaque donnée ordonnée selon l'expression

$$P_i = \frac{(i-0,5)}{n} \times 100 \ .$$ Cette quantité donne la position de la donnée de rang i en ordonnée.

❹ Reportez sur le papier gausso-arithmétique les points de coordonnées $(x_{(i)}, P_i)$.

❺ Lissez à l'oeil une courbe à travers les points.

❻ Si le modèle normal est approprié pour ces données, alors les points auront tendance à s'aligner autour d'une droite.

Exemple 5.10

Procédé industriel: vérification de la normalité d'une variable continue

Les données* ci-après proviennent d'un procédé industriel effectuant le scellement à chaud de sac de plastique. Elles représentent la résistance (en lbs) du scellement du sac de plastique.

Résistance au scellement									
28,2	22,1	23,1	22,5	24,5	26,8	26,5	26,7	27,1	28,6
29,3	28,2	24,5	27,6	24,9	23,7	23,9	25,3	24,2	25,9

---

*Source: Adapté de Taylor, W. A.(1991). *Heat Sealer Case Study*.

À l'aide du papier gausso-arithmétique, examinons si ces données proviennent vraisemblablement d'une distribution normale.

Le tracé est indiqué à la page suivante.

Tracé probabiliste
(Vérification de la normalité)

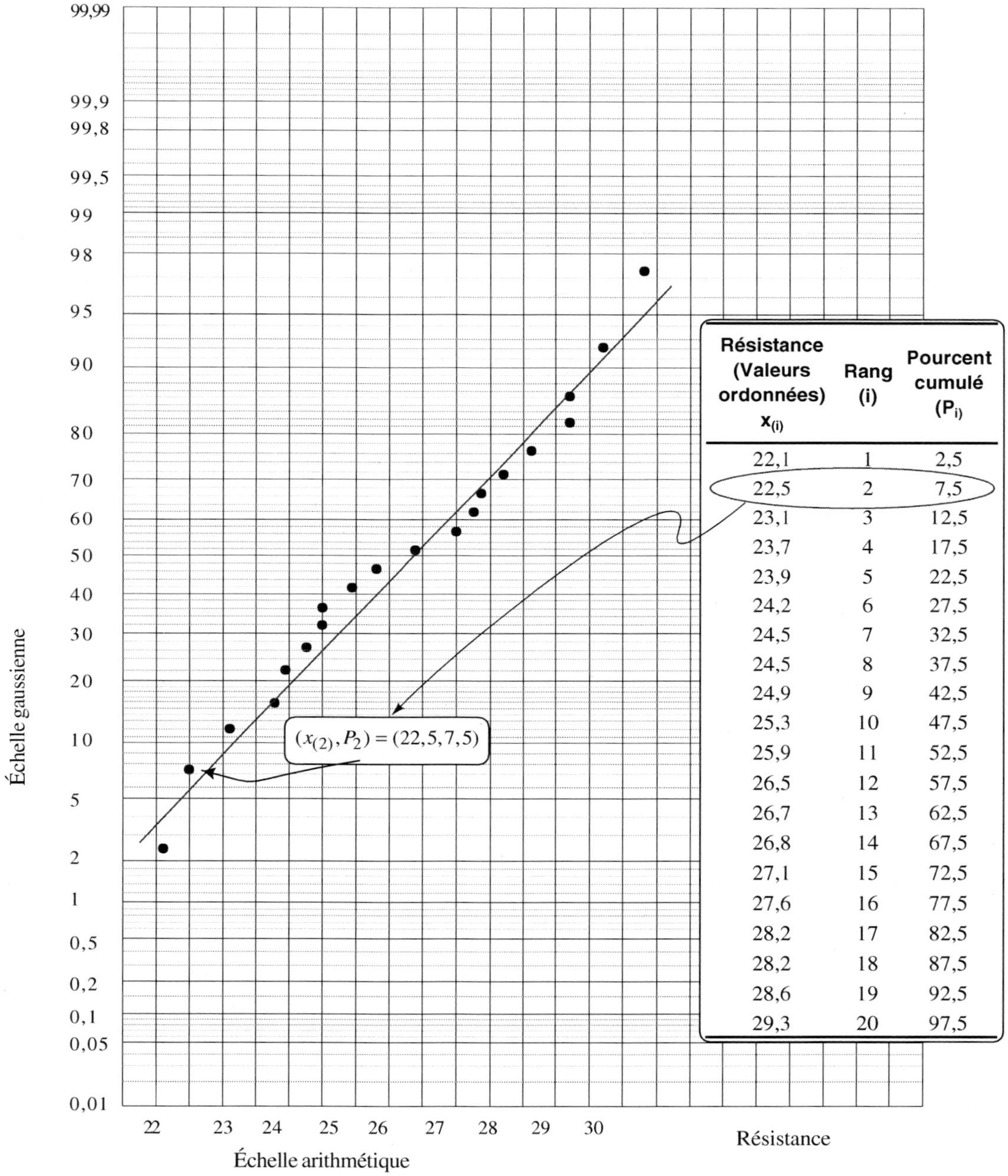

Échelle gaussienne

Résistance (Valeurs ordonnées) $x_{(i)}$	Rang (i)	Pourcent cumulé (P_i)
22,1	1	2,5
22,5	2	7,5
23,1	3	12,5
23,7	4	17,5
23,9	5	22,5
24,2	6	27,5
24,5	7	32,5
24,5	8	37,5
24,9	9	42,5
25,3	10	47,5
25,9	11	52,5
26,5	12	57,5
26,7	13	62,5
26,8	14	67,5
27,1	15	72,5
27,6	16	77,5
28,2	17	82,5
28,2	18	87,5
28,6	19	92,5
29,3	20	97,5

$(x_{(2)}, P_2) = (22,5, 7,5)$

Échelle arithmétique

Résistance

Les points sont alignés ou du moins ne s'éloignent pas trop d'une droite; on peut considérer que les données obtenues peuvent s'apparenter à une distribution normale.

Remarque. Dans le cas où les données sont trop nombreuses, on peut soit sélectionner au hasard une vingtaine de données (une toutes les cinq données par exemple) ou encore résumer les données dans une distribution de fréquences absolues et travailler avec la borne supérieure des classes et la fréquence cumulée (en %) correspondante. Cette façon de faire est présentée ci-après.

Les données sont groupées selon une distribution de fréquences

La procédure à suivre pour effectuer le tracé probabiliste d'une série de données dénombrées selon une distribution de fréquences absolues est la suivante:

Procédure à suivre
pour le tracé
probabiliste d'une
série de données
dénombrée selon une
distribution de
fréquences

❶ Dénombrez les *n* données selon une distribution de fréquences absolues.

❷ Déterminez les fréquences cumulées croissantes en %.

❸ Sur le papier gausso-aritmétique, graduez l'échelle arithmétique selon la borne supérieure de la distribution de fréquences absolues.

❹ Portez sur le papier graphique les points (en ordonnée, les fréquences cumulées croissantes en % et en abscisse, la borne supérieure de la classe correspondante). On omet la dernière classe qui a un pourcentage cumulé de 100% (théoriquement elle est située à l'infini).

❺ Lissez à l'oeil une courbe à travers les points.

❻ Si les points correspondants sont pratiquement alignés, on peut conclure que les données sont vraisemblablement distribuées selon une loi normale.

Exemple 5.11

Appréciation de la normalité d'une distribution: résultats au test d'aptitude

Les données suivantes représentent les résultats à un test de spatialisation obtenus par des opérateurs dans une usine de transformation de la région de l'Estrie. Les résultats (62 données) sont présentés à nouveau dans le tableau ci-après (ce sont les données de l'exemple 1.1b). Nous présentons également la distribution des fréquences cumulées ci-après.

Résultats au test d'aptitude générale à apprendre											
93	104	93	79	78	112	107	100	105	102	107	107
119	94	87	113	98	86	124	93	99	97	83	95
99	98	77	101	104	138	97	74	99	85	93	98
84	110	102	75	104	100	84	101	82	85	85	92
86	101	70	108	89	68	123	63	86	62	90	77
94	96										

Résultats	Fréquences absolues	Fréquences cumulées	Pour cent cumulé
$60 \leq X < 70$	3	3	4,84%
$70 \leq X < 80$	7	10	16,13%
$80 \leq X < 90$	12	22	35,48%
$90 \leq X < 100$	18	40	64,52%
$100 \leq X < 110$	15	55	88,71%
$110 \leq X < 120$	4	59	95,16%
$120 \leq X < 130$	2	61	98,39%
$130 \leq X < 140$	1	62	100%

Reportons sur le papier gausso-arithmétique, la borne supérieure de chaque classe (à l'exception de la dernière) avec la fréquence cumulée correspondante en %.

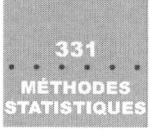

Tracé probabiliste
(Vérification de la normalité des résultats au test d'aptitude)

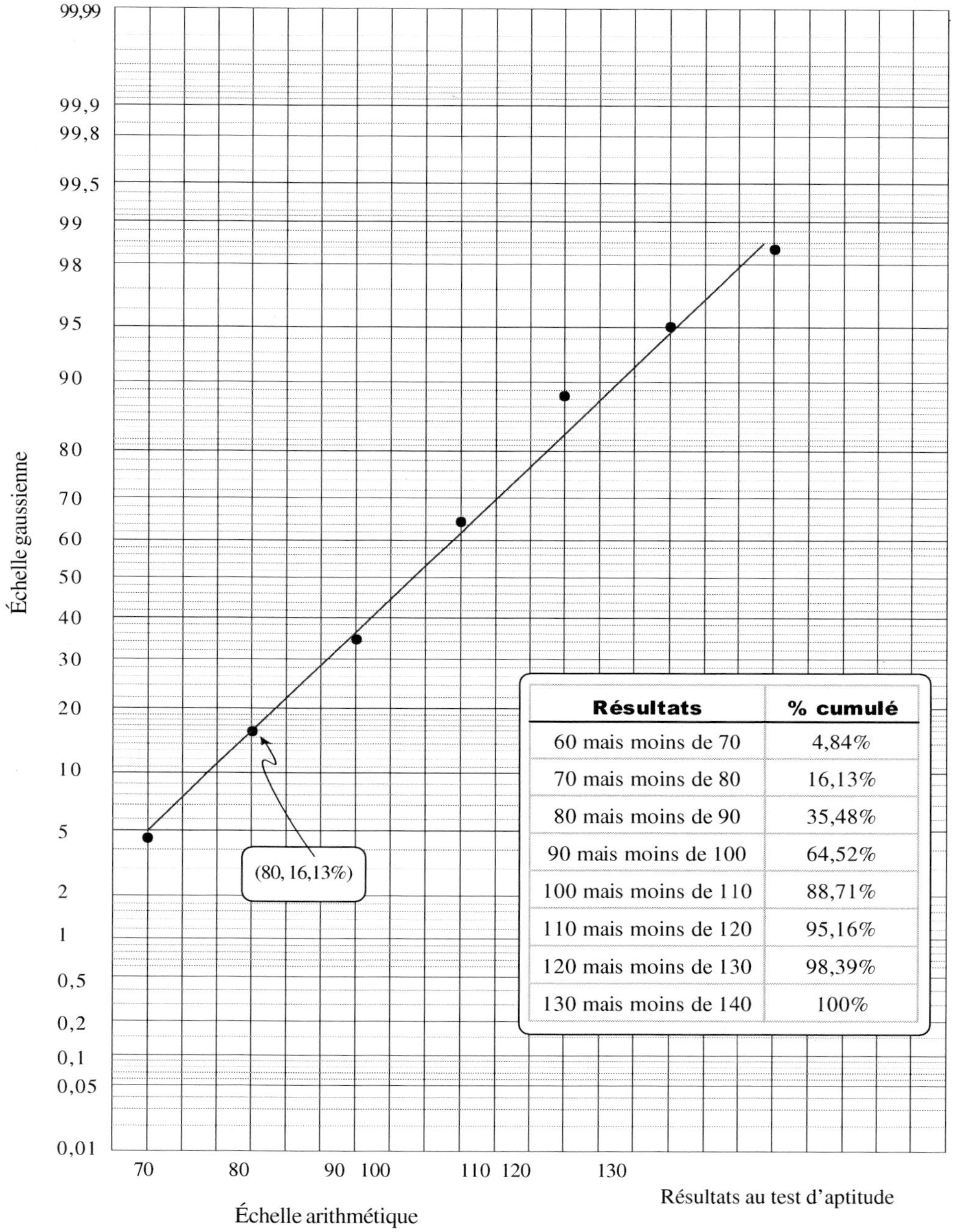

Résultats	% cumulé
60 mais moins de 70	4,84%
70 mais moins de 80	16,13%
80 mais moins de 90	35,48%
90 mais moins de 100	64,52%
100 mais moins de 110	88,71%
110 mais moins de 120	95,16%
120 mais moins de 130	98,39%
130 mais moins de 140	100%

(80, 16,13%)

Échelle gaussienne

Échelle arithmétique

Résultats au test d'aptitude

Le modèle normal semble adéquat pour décrire les variations des résultats au test d'aptitude puisque les points sont alignés.

Analyse du tracé probabiliste sur papier gausso-arithmétique

Le pointage sur papier gausso-arithmétique ne présente pas toujours un alignement serré autour d'une droite. Voici quelques formes qu'on peut obtenir et le diagnostic qu'on peut poser.

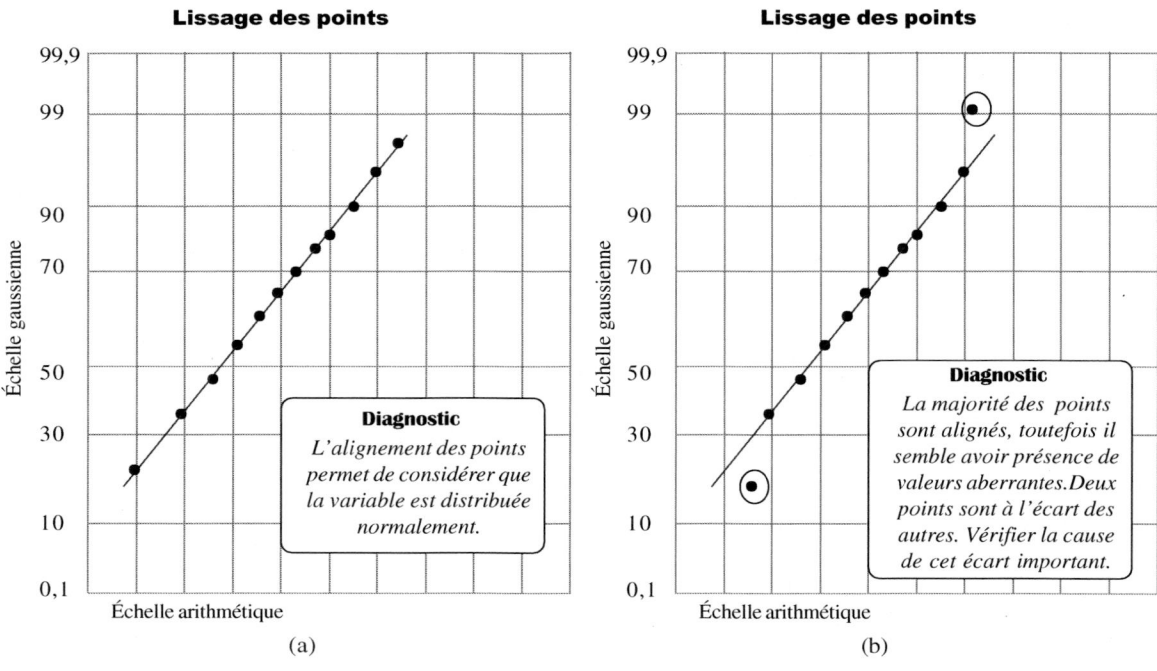

(a)

Diagnostic
L'alignement des points permet de considérer que la variable est distribuée normalement.

(b)

Diagnostic
La majorité des points sont alignés, toutefois il semble avoir présence de valeurs aberrantes. Deux points sont à l'écart des autres. Vérifier la cause de cet écart important.

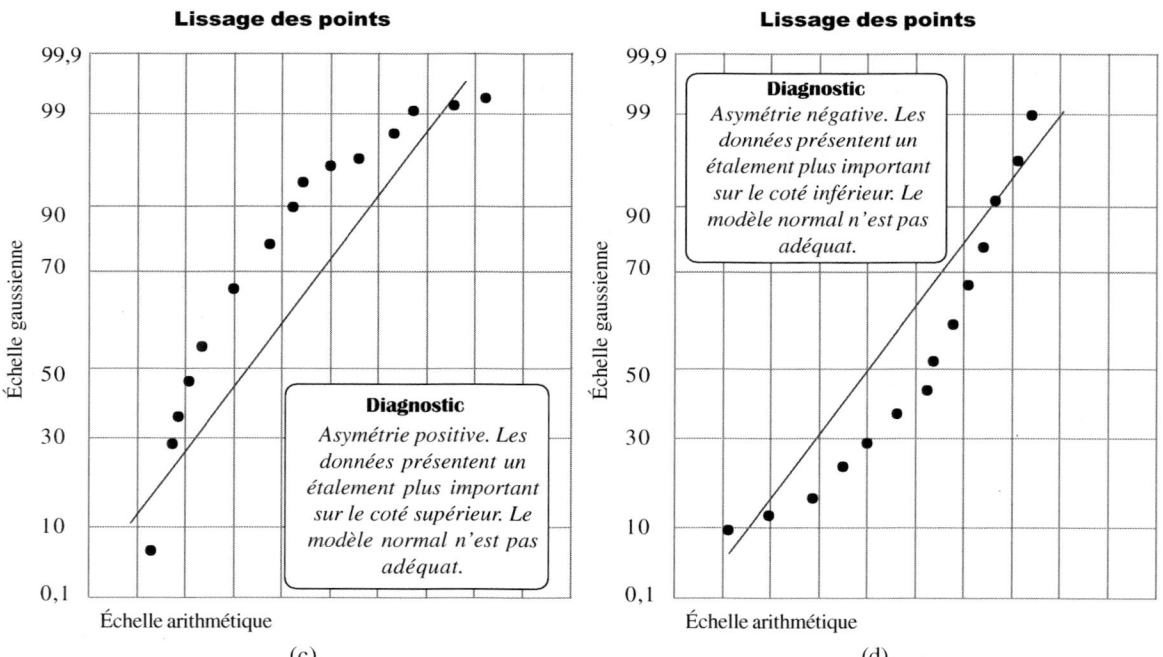

(c)

Diagnostic
Asymétrie positive. Les données présentent un étalement plus important sur le coté supérieur. Le modèle normal n'est pas adéquat.

(d)

Diagnostic
Asymétrie négative. Les données présentent un étalement plus important sur le coté inférieur. Le modèle normal n'est pas adéquat.

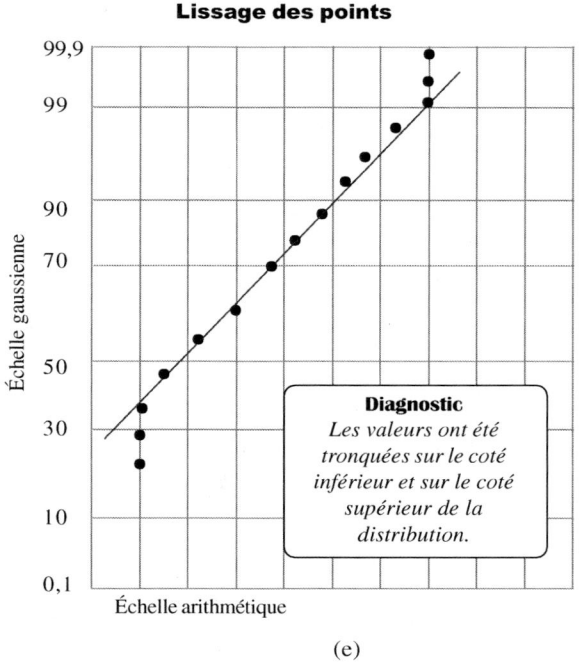

(e)

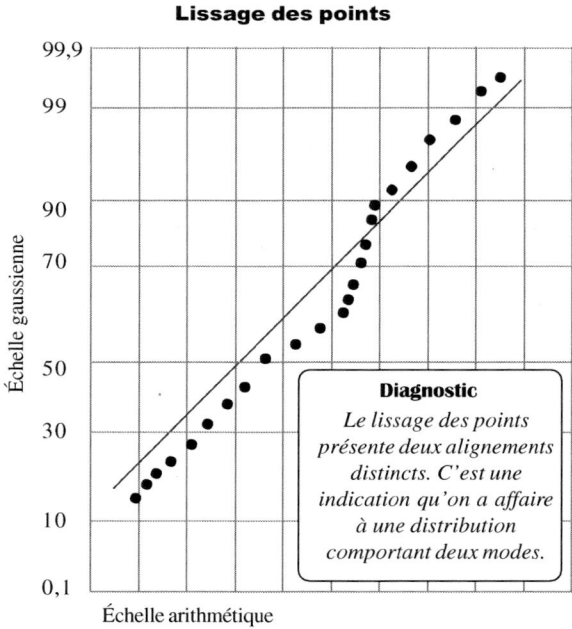

(f)

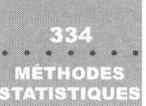

EXERCICE. L'échantillonnage d'un procédé d'extrusion de tubes thermoplastiques a permis d'obtenir la distribution suivante pour le diamètre extérieur du tube.

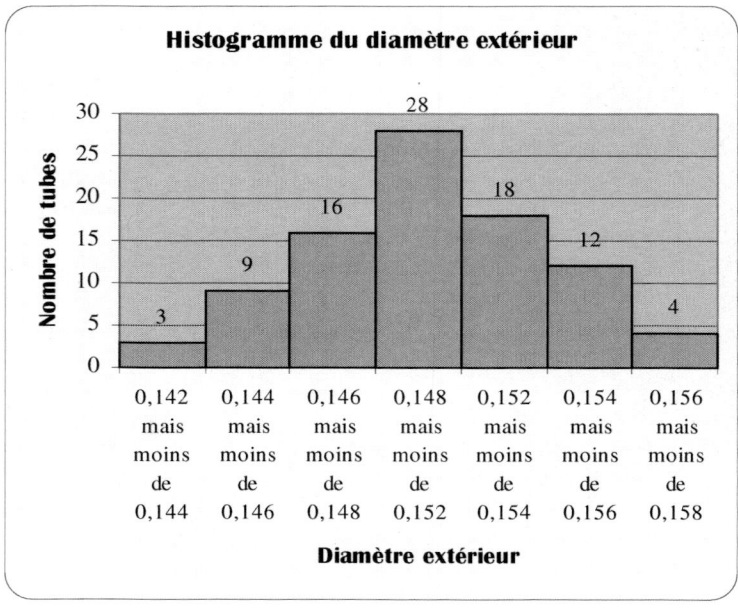

En utilisant le papier gausso-arithmétique suivant, peut-on considérer que le modèle normal permet de décrire adéquatement le diamètre extérieur des tubes thermoplastiques?

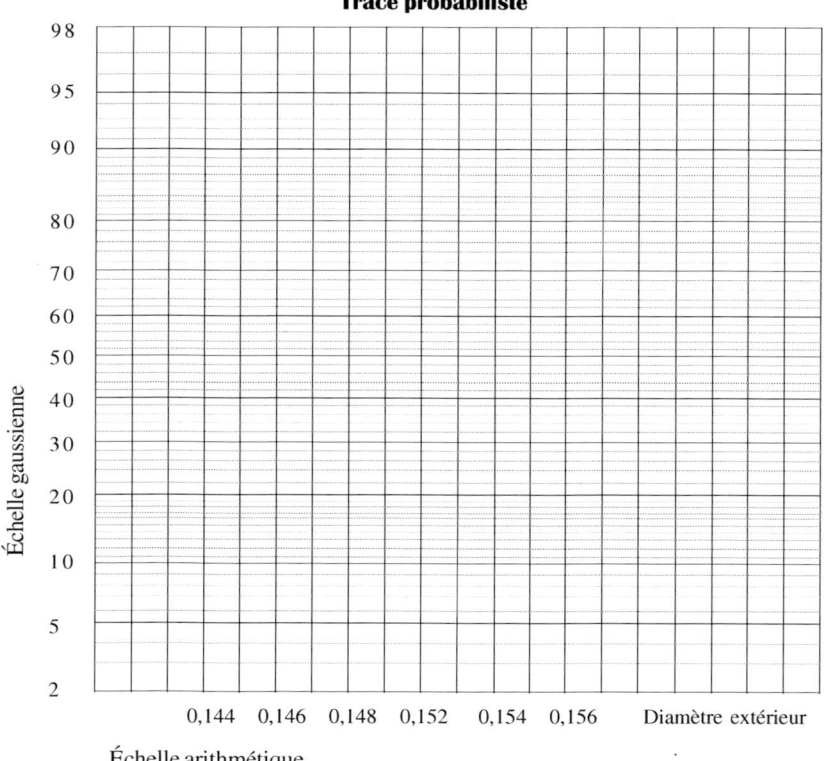

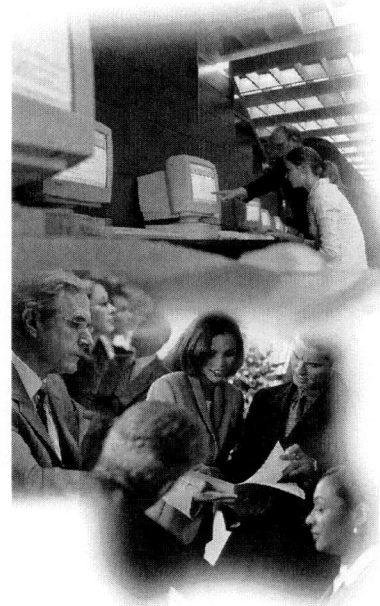

Chapitre 6

Échantillonnage et estimation de paramètres

Application de la statistique | Les facteurs qui nuisent à la productivité du travail d'équipe*

Les gestionnaires perdent près du quart de leur temps lorsqu'ils travaillent en groupe. C'est ce que révèle le sondage MK3 Solutions - Léger Marketing, mené auprès de 300 grandes entreprises du Québec. La majorité des présidents, vice-présidents et directeurs d'importantes sociétés québécoises estiment qu'en moyenne plus de 25% du temps passé en travail d'équipe est improductif.

Toujours selon ce sondage, 23% des gestionnaires pensent que la raison principale de cette perte de temps est due à une mauvaise gestion des tâches. Par ailleurs, 21% des personnes sondées estiment que la perte de temps découle d'un mauvais partage des responsabilités.

Le diagramme suivant permet de visualiser l'importance des divers facteurs nuisibles à la productivité du travail d'équipe.

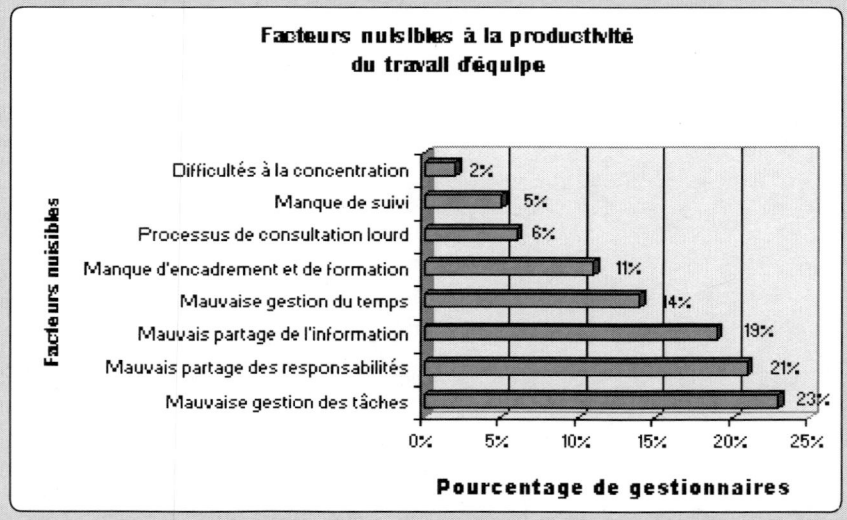

* Source: Barbe, J.F., *Comment maximiser le travail d'équipe.* LES AFFAIRES, 23 novembre 2002 et Léger Marketing.

Le sondage a été mené à la mi-octobre 2002. La marge d'erreur est de plus ou moins 5,1%, 19 fois sur 20. Cette situation permet d'illustrer les notions d'échantillonnage, de marge d'erreur statistique et de niveau de confiance, aspects que nous traitons dans ce chapitre. Nous y abordons également différents éléments associés aux tests d'hypothèses, outil statistique qui permet de vérifier si une hypothèse de recherche est supportée par des données provenant d'un échantillon aléatoire.

Chapitre 6
Échantillonnage et estimation de paramètres

Objectifs pédagogiques

☐ **Objectif général.** *Nous abordons dans ce chapitre deux aspects importants de l'inférence statistique soit l'échantillonnage et l'estimation de paramètres.*

☐ **Objectifs spécifiques.** *Lorsque vous aurez complété l'étude du chapitre 6, vous pourrez:*

1. *expliquer ce qu'on entend par échantillonnage aléatoire;*
2. *utiliser la table de nombres aléatoires pour construire un échantillon par tirage au sort ou par tirage systématique;*
3. *caractériser la distribution de la moyenne d'échantillon;*
4. *utiliser la loi normale centrée réduite pour calculer des probabilités associées à la distribution de la moyenne et à la distribution d'une proportion;*
5. *distinguer entre estimation ponctuelle et estimation par intervalle de confiance d'un paramètre;*
6. *interpréter correctement un intervalle de confiance;*
7. *estimer par intervalle la moyenne d'une population ainsi que la proportion;*
8. *calculer la marge d'erreur statistique dans les estimations par intervalle d'une moyenne et d'une proportion;*
9. *déterminer la taille d'échantillon requise pour ne pas excéder une marge d'erreur fixée a priori;*
10. *préciser quand on a recours à la distribution de Student dans le calcul d'intervalle de confiance pour la moyenne;*
11. *vous servir d'Excel pour déterminer un intervalle de confiance pour la moyenne et la proportion.*

6.1 Introduction

Dans les deux premiers chapitres de cet ouvrage, nous avons vu que l'on peut résumer l'information recueillie, par diverses représentations graphiques et que l'on peut caractériser, avec certains nombres représentatifs (moyenne, écart-type,...), l'ensemble des données.

Par la suite, nous avons traité de divers concepts et modèles probabilistes qui régissent le comportement de toutes les données (population) associées à de nombreux phénomènes. La loi normale et la loi normale centrée réduite nous seront à nouveau particulièrement utiles.

Nous nous proposons maintenant de présenter des concepts d'inférence statistique, c.-à-d. de présenter des principes qui vont permettre, sur la base de résultats d'échantillon (résultats d'un sondage par exemple), d'estimer les valeurs des paramètres d'une population avec un certain niveau de confiance ou encore de vérifier certaines hypothèses statistiques posées sur les valeurs mêmes des paramètres d'une population (les tests d'hypothèses sont traités au chapitre 7).

Les problèmes traités en inférence statistique sont de deux types:

❏ **L'estimation de paramètres**

❏ **Les tests d'hypothèses**

Mais avant d'aborder ces différents aspects de l'inférence statistique, nous traitons d'abord de techniques d'échantillonnage d'une population et des distributions de probabilité associées aux mesures échantillonnales.

6.2   Les sondages : échantillonnage d'une population

Une étude statistique sur tous les éléments d'une population (à moins que nous soyons en présence d'un recensement, mais seulement Statistique Canada peut s'offrir un tel luxe) est souvent physiquement irréalisable et s'avère également, dans bien des cas, très onéreuse. Alors comment obtenir certaines indications fiables sur diverses caractéristiques d'une population sans en examiner tous les éléments? C'est à cette question que nous allons tenter de répondre, tout en nous limitant à certains aspects pratiques de ce vaste champ d'étude de la statistique que sont les sondages ou échantillonnages.

Les sondages sont utilisés dans de nombreux secteurs. On n'a qu'à penser au sondage *d'opinion publique* effectué par les différentes maisons de sondage pour connaître, avec une certaine précision, l'opinion des gens sur divers sujets politiques, économiques ou autres. De nombreuses entreprises font également appel aux sondages; nous n'avons qu'à mentionner les enquêtes de marché qui permettent d'analyser la demande de certains produits, d'explorer des clients potentiels, d'étudier le comportement des consommateurs, d'orienter les campagnes publicitaires,... Il est également de pratique courante dans de nombreuses entreprises d'utiliser des méthodes statistiques pour contrôler, en cours de fabrication, la qualité des produits.

Ce sont quelques exemples qui illustrent que les échantillonnages visent à découvrir des renseignements au sujet d'une population particulière (ensemble d'unités statistiques, d'individus ou d'éléments satisfaisant à une définition commune selon des critères géographiques, socio-démographiques ou techniques). Pour obtenir ces renseignements, il s'agit selon des méthodes appropriées, de prélever un échantillon représentatif de la population. L'échantillon représente donc une partie de la population et est constitué d'un groupe d'unités statistiques tirées de la population préalablement définie.

Dans la section suivante, nous donnons quelques exemples de sondage et de la construction de l'échantillon.

6.3   Exemples de sondage

Les exemples suivants ont été tirés de revues ou de journaux.

a) On veut savoir si les femmes d'affaires pensent que le "look" est un facteur de réussite professionnelle. Les résultats de l'enquête ont été présentés dans la revue Chatelaine. Dans la méthodologie du sondage, on précise que : " Un total de 267 questionnaires ont été envoyés par télécopieur à un échantillon de femmes d'affaires québécoises, entre le 19 mai et le 3 juin 1993. Le taux de réponse a été de 56,5%. Notre échantillon final compte 101 femmes cadres et 50 secrétaires travaillant pour des femmes. La grande majorité (77%) de nos répondantes ont entre 30 et 49 ans. Les plus nombreuses sont les cadres en gestion et administration (32,7%). Viennent ensuite les professionnelles (29,7%), les entrepreneures (19,8%) et les cadres dans la vente et les services (17,8%)." (page 128).

En pratique, il est parfois difficile d'obtenir une base de sondage parfaite. Les listes électorales, l'annuaire téléphonique,..., sont parfois utilisés comme base de sondage en population humaine.

b) Dans la revue INFO PRESSE de Déc-Janvier 1993, on décrit la méthodologie utilisée pour un sondage d'opinion.

"Cette étude est basée sur les résultats de 1011 entrevues téléphoniques réalisées entre le 17 septembre et le 20 octobre 1992. Nous avons interrogé 407 citoyens avant le 27 septembre pour établir la position de départ des deux camps. Puis du 28 septembre au 20 octobre, nous avons de nouveau mesuré les mêmes variables auprès de 604 répondants.

Les bases d'échantillons ont été construites par génération aléatoire de numéros de téléphone à partir des préfixes téléphoniques couvrant le territoire du Québec. Une fraction de sondage uniforme pour chaque territoire a été appliquée. Une grille de sélection aléatoire nous a permis de sélectionner les répondants parmi les adultes résidant dans les ménages choisis. Les personnes pouvant s'exprimer en français ou en anglais ont été considérées admissibles. Les entrevues ont été réalisées à partir de notre central téléphonique de Montréal. Parmi les numéros jugés valides, 1011 entrevues ont pu être complétées, soit un taux de réponse de 73%."

6.4 L'échantillonnage aléatoire

L'essentiel n'est pas de calculer la probabilité de choisir un échantillon quelconque mais plutôt qu'il soit tiré au hasard.

Un sondage doit reposer sur un choix adéquat de l'échantillon. La première difficulté qui se présente est de savoir comment constituer l'échantillon pour qu'il soit représentatif de la population. L'échantillon comprendra donc un groupe d'unités statistiques prélevées de la population préalablement définie.

Principe de la méthode d'échantillonnage aléatoire. Soit une population de N unités statistiques (objets, individus) sur laquelle nous désirons prélever un échantillon de taille n. Nous supposons que l'on dispose d'une liste de toutes les unités qui constituent la population, sans omission, ni répétition. Cette liste constitue la *base de sondage*. Une façon de construire l'échantillon consiste à attribuer à chaque unité statistique de la population un numéro unique et à prélever ensuite, par tirage au sort, n numéros constituant ainsi l'échantillon requis. Cette façon de procéder s'appelle *l'échantillonnage aléatoire* et l'échantillon ainsi constitué s'appelle *échantillon aléatoire*. Il est qualifié ainsi du fait qu'il est constitué de manière telle que chaque unité de la population a une probabilité connue, différente de zéro, d'être choisie.

Lorsque chaque sous-ensemble de n unités statistiques parmi N unités statistiques de la population a la même probabilité d'être choisi, nous sommes alors en présence d'un *échantillon aléatoire simple*.

Un échantillon ainsi obtenu permettra de faire des estimations non biaisées des paramètres de la population et d'évaluer, avec les formules appropriées, la marge d'erreur attribuable aux fluctuations d'échantillonnage.

Les sujets qui seront traités dans les sections et chapitres qui vont suivre reposent sur cette notion d'échantillon aléatoire.

6.5 Principe de la construction d'un échantillon

En pratique, c'est le tirage sans remise qui est le plus fréquent. Pour une même taille d'échantillon, le tirage sans remise donne des estimations plus précises, la variance de la statistique qui est observée étant toujours inférieure à celle relative à un tirage avec remise.

Indiquons comment, à partir d'une base de sondage, on peut construire un échantillon aléatoire simple. Le tirage des unités peut s'effectuer comme suit:

a) *Tirage sans remise* (ou tirage exhaustif): les unités tirées successivement ou ensemble, ne sont pas remises dans la population. Chaque unité figure au plus une fois dans l'échantillon. La composition de la base de sondage varie donc à chaque tirage.

b) *Tirage avec remise* (ou tirage indépendant): chaque unité tirée au hasard dans la base de sondage est observée puis remise à la population avant qu'une autre unité ne soit tirée. La composition de la base de sondage demeure donc inchangée. Chaque unité peut donc être désignée plus d'une fois dans le processus de sélection.

Lorsque la taille d'échantillon est petite par rapport à la taille de la population, les résultats obtenus par l'un ou l'autre des modes de tirage tendent à se confondre.

6.6 Construction de l'échantillon à l'aide d'une table de nombres aléatoires

Illustrons la procédure à mettre en oeuvre pour constituer un échantillon à l'aide d'une table de nombres aléatoires (table de nombres aléatoires en annexe). Cette table est constituée des nombres 0,1,2,3,4,5,6,7,8,9 et chacun a la même probabilité d'apparition. N'importe quel nombre de la table n'a aucune relation avec le nombre au-dessus, en-dessous, à sa droite ou à sa gauche. Les nombres sont éparpillés au hasard. Dans la table que nous utilisons, les nombres sont regroupés en colonnes de cinq chiffres (pour plus de commodité). Chaque ligne comporte 50 nombres (10 groupes de 5). Pour choisir des nombres de la table, il s'agit simplement:

a) De choisir un point d'entrée dans la table.

b) De choisir un itinéraire de lecture. On peut lire les nombres en ligne (de gauche à droite ou de droite à gauche) ou en colonne (de haut en bas ou de bas en haut). On pourrait également sauter un nombre sur deux, etc...

L'exemple suivant va nous permettre d'illustrer l'utilisation de la table de nombres aléatoires.

Exemple 6.1 Tirage au sort d'un échantillon de taille $n = 10$ à l'aide de nombres aléatoires

La présidente de l'Association des Étudiants(es) en Sciences de la Gestion (AESG) veut tirer au sort un échantillon de 10 individus faisant partie de l'Association. Supposons que l'AESG comporte 300 individus listés sur un fichier (énumération complète, à jour et sans répétition). On a donc ce qui suit:

Population: Les individus membres de l'Association
Base de sondage: La liste des noms des individus sur le fichier
Unité statistique: Les individus
Taille de la population: $N = 300$
Taille requise de l'échantillon: $n = 10$
Mode de tirage: Sans remise (tirage exhaustif).

On commence par numéroter chaque individu dans la base de sondage de 001 à 300. Puisque la base de sondage comporte 300 individus, nous allons choisir dans la table des nombres de 3 chiffres.

Pour lire dans la table, nous proposons la règle suivante:

Partir de la troisième ligne en ne considérant que les trois derniers chiffres de la quatrième colonne (et des suivantes s'il y a lieu) avec lecture de haut en bas.
Ne retenir que les résultats de lecture qui soient compris entre 001 et 300. Puisqu'on effectue un tirage sans remise, on rejette tout nombre déjà sorti qui apparaît à nouveau dans la procédure de sélection.

On obtient alors les 10 nombres suivants:

Extrait de la table de nombres aléatoires   Numéro sorti

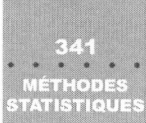

Départ

12651	61646	11769	75109	
81769	74436	2630	72310	
36737	98863	77240	76251	251
82861	54371	76610	94934	
21325	15732	24127	37431	
74146	47887	62463	23045	45
90759	64410	54179	66075	75
55683	98078	2238	91540	
79686	17969	76061	83748	
70333	201	86201	69716	
14042	53536	7779	4157	157
59911	8256	6596	48416	
62368	62623	62742	14891	
57529	97751	54976	48957	
15469	90574	78033	66885	
18625	23674	53850	32827	
74626	68394	88562	70745	
11119	16519	27384	90199	199
41101	17336	48951	53674	
32123	91576	84221	78902	
26091	68409	69704	82267	267
67680	79790	48462	59278	278
15184	19260	14073	7026	26
58010	45039	57181	10238	238
56425	53996	86245	32623	
82630	84066	13592	60642	
14927	40909	23900	48761	
23740	22505	7489	85986	
32990	97446	3711	63824	
5310	24058	91946	78437	
21839	39937	27534	88913	
8833	42549	93981	94051	51
58336	11139	47479	931	
62032	91144	75478	47431	
45171	30557	53116	4118	
91611	62656	60128	35609	
55472	63819	86314	49174	
18573	9729	74091	53994	
60866	2955	90288	82136	
45043	55608	82767	60890	

• • •
L'échantillon ainsi constitué est un échantillon aléatoire simple.

Les individus portant les numéros suivants dans la base de sondage vont constituer l'échantillon de taille $n = 10$.

251   045   075   157   199

267   278   026   238   051

Remarques. a) Les nombres peuvent être choisis de la table des nombres aléatoires de la manière que vous voulez en autant que la procédure de sélection soit fixée à l'avance et respectée.
b) La plupart des logiciels effectuant du traitement de données ont une routine permettant de générer des nombres aléatoires; certaines petites calculatrices peuvent également le faire.

6.7   Construction de l'échantillon par tirage systématique

Lorsque la population est très grande (la base de sondage comporte un très grand nombre d'individus dont la numérotation est très laborieuse ou presque impossible à faire), il devient alors difficile de construire un échantillon par tirage au sort comme nous venons de le décrire. Une façon plus pratique de constituer l'échantillon (dont le choix des individus est quand même régi par le hasard) est d'utiliser la *méthode de tirage systématique*. Elle consiste à prélever les individus régulièrement espacés suivant un **pas** choisi.

La mise en oeuvre de cette méthode de sondage se présente comme suit:

• • •
Cette méthode d'échan-
tillonnage est simple et
rapide et est aussi vala-
ble que le tirage au sort
si les unités statistiques
de la population sont
réparties au hasard dans
la base de sondage.

Soit N, la taille de la population et n, la taille de l'échantillon.

a) On calcule le rapport $\dfrac{n}{N}$. L'inverse de ce rapport définit le *pas* que nous notons $K = \dfrac{N}{n}$.

C'est l'intervalle fixe à respecter entre 2 tirages. Si $\dfrac{N}{n}$ n'est pas un entier, on prend l'entier qui précède immédiatement $\dfrac{N}{n}$.

b) On choisit de façon aléatoire (table de nombres aléatoires) le premier individu dont le numéro doit se situer entre 1 et K (le pas).

c) L'échantillon est ensuite constitué en ajoutant successivement au premier numéro tiré, le pas, K. Si "a" est le premier numéro choisi, l'échantillon de taille n sera composé des individus de rangs

$$a, a+K, a+2K, a+3K,..., a + (n\text{-}1)K.$$

Exemple 6.2

Construction de l'échantillon par tirage systématique

Considérons le contexte de l'exemple 6.1 mais utilisons cette fois la méthode de tirage systématique pour constituer l'échantillon requis. On veut constituer un échantillon de taille $n = 10$ dans une population de 300 individus.

On a donc: $N = 300$, $n = 10$ d'où le pas est: $K = \dfrac{300}{10} = 30$. À l'aide de la table des nombres aléatoires, choisissons un nombre entre 1 et 30. Supposons qu'on se fixe la règle suivante:

Point d'entrée dans la table: 6e ligne, 1ère colonne lecture de haut en bas de nombres de 2 chiffres (les deux premiers).

Extrait de la table de nombres aléatoires

12651	61646
81769	74436
36737	98863
82861	54371
21325	15732
74146	47887
90759	64410
55683	98078
79686	17969
70333	201
14042	53536
59911	8256
62368	62623

Numéro sorti: **14** (on ne retient que les deux premiers chiffres de 14042). L'échantillon sera donc constitué des individus ayant les numéros suivants dans la base de sondage:

**014 044 074 104 134
164 194 224 254 284**

On ajoute successivement le pas $K = 30$: $014 + 30 = 044$, $044 + 30 = 074$, ..., $254 + 30 = 284$

Remarques. a) Si la base de sondage n'est pas numérotée, on peut encore utiliser cette méthode: on choisit une unité statistique toutes les K (par exemple, un nom tous les 30,...) jusqu'à ce que l'échantillon requis soit constitué.

b) Cette méthode peut être génératrice de biais important si le caractère étudié présente des fluctuations périodiques et si le "pas" du sondage est voisin de cette période (par exemple, étudier les déplacements par autobus sur douze mois en prenant systématiquement la journée "vendredi").

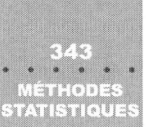
6.8   Autres méthodes d'échantillonnage

Il existe plusieurs méthodes d'échantillonnage, certaines de nature probabiliste, d'autres de nature non probabiliste. Nous donnons un bref aperçu de ces techniques d'échantillonnage.

Le schéma suivant résume diverses méthodes d'échantillonnage qui sont appliquées, selon l'objectif de l'étude statistique.

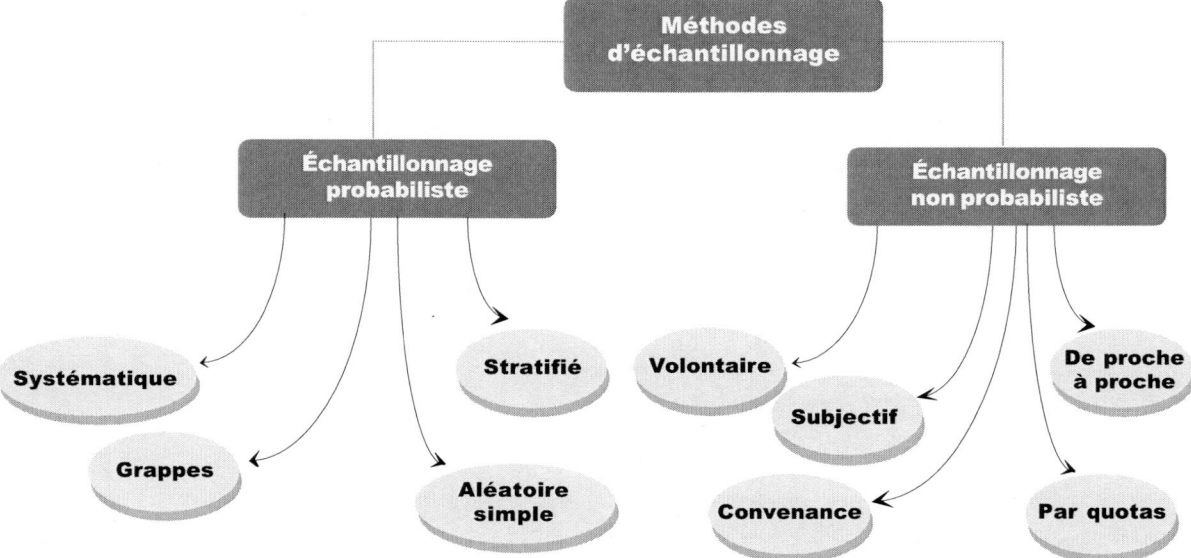

Donnons quelques explications pour les méthodes d'échantillonnage que nous n'avons pas traitées jusqu'à présent.

Méthodes d'échantillonnage probabiliste

L'échantillonnage stratifié. Pour obtenir un échantillon aléatoire stratifié, il faut d'abord diviser la population que nous voulons échantillonner en sous-groupes mutuellement exclusifs et exhaustifs appelés *strates*, qui devront être homogènes à l'intérieur et différentes entre elles. La subdivision de la population en strates s'effectue selon des critères socio-économiques comme la catégorie d'âge, la région, la province, le secteur d'activités d'entreprises, ...Il suffit par la suite de prélever un échantillon aléatoire simple dans chaque strate. Cette méthode d'échantillonnage d'une population est particulièrement utilisée en recherche marketing.

L'échantillonnage par grappes. La construction de l'échantillon selon cette méthode débute en divisant la population que nous voulons échantillonner en groupes mutuellement exclusifs et exhaustifs appelés *grappes*. Les grappes doivent être hétérogènes et de préférence de taille similaire. On construit l'échantillon en choisissant au hasard des grappes dans lesquelles tous les individus seront inclus dans l'échantillon.

Le schéma de la page suivante illustre la différence entre l'échantillon stratifié et l'échantillon par grappes.

Étant donné l'importante documentation qui existe en langue anglaise sur ce sujet, nous donnons ici les termes anglais correspondants. *Échantillonnage probabiliste* («Probability sampling»). *Échantillonnage systématique* («Systematic sampling»). *Échantillonnage stratifié* («Stratified sampling»). *Échantillonnage par grappes* («Cluster sampling»). *Échantillonnage de convenance* («Convenance sampling»). *Échantillonnage subjectif* («Judgment sampling»). *Échantillonnage par quotas* («Quota sampling»). *Échantillonnage de proche à proche* («Snowball sampling»).

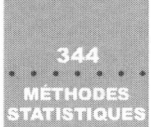
**Différence entre l'échantillon stratifié
et l'échantillon par grappes**

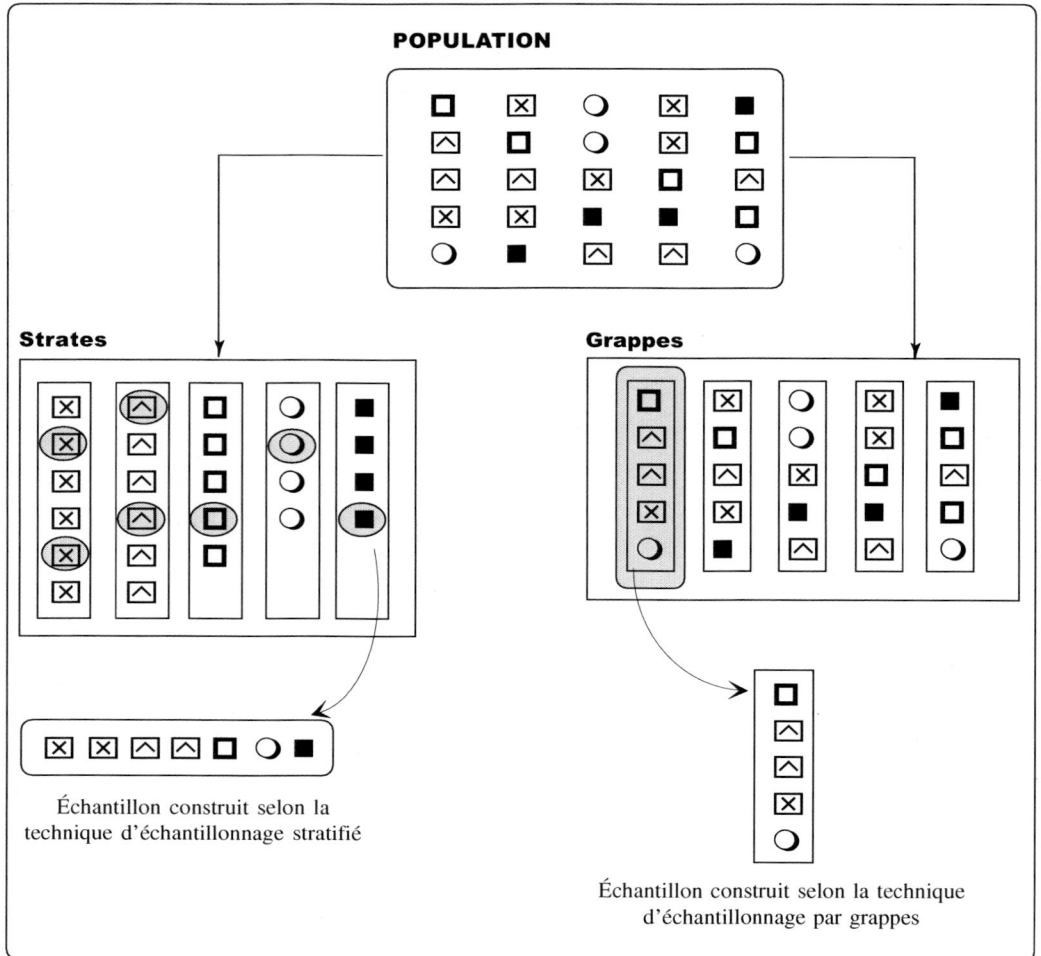

Méthodes d'échantillonnage non probabiliste

L'échantillonnage de convenance. Le sondeur choisit les répondants par commodité ou pour réduire les coûts (les sondages dans les centres commerciaux par exemple). On se sert parfois de ce type d'échantillonnage pour effectuer un pré-test pour un questionnaire.

L'échantillonnage subjectif. Le chercheur s'intéresse à inclure dans l'échantillon des individus qui sont susceptibles d'apporter une information pertinente au problème étudié et qui, selon le chercheur, est représentatif de la population.

L'échantillonnage par quotas. Méthode d'échantillonnage similaire à l'échantillonnage stratifié, toutefois les individus constituant l'échantillon sont sélectionnés de façon arbitraire et selon les prérogatives de l'enquêteur qui veut respecter une répartition de certaines caractéristiques socio-économiques. Il faut connaître au préalable la répartition (en effectifs ou en pourcentages) des caractéristiques démographiques et socio-économiques dans la population pour établir les quotas.

· · ·

Nous n'utilisons dans cet ouvrage que l'échantillon aléatoire simple. Pour ce qui est des autres techniques d'échantillonnage (probabiliste et non probabliste), nous vous suggérons l'ouvrage de Marc Roy (2003), *La recherche en marketing et la PME*, publié chez le même éditeur.

L'échantillonnage volontaire. Ce type d'échantillonnage est fréquent. On n'a qu'à penser aux émissions de télévision qui demandent de répondre à une question (par téléphone ou par courriel), au sondage à compléter sur Internet, ...

L'échantillonnage de proche à proche (boule de neige). Procédure d'échantillonnage qui consiste à sélectionner des répondants additionnels sur la base de référence de premiers répondants sélectionnés par convenance.

**Exercices
d'apprentis-
sage**

Série 6.1

📄Échantillonnage par ti-
rage systématique

1. Une entreprise oeuvrant dans le domaine du multimédia veut effectuer un sondage auprès de 400 PME de la région de la Montérégie pour connaître l'usage d'Internet par ces PME à des fins de transactions commerciales électroniques. Supposons que l'entreprise a en sa possession une base de sondage comportant la liste complète des noms, adresses, numéros de téléphone, ...de ces 400 PME.

On veut effectuer un sondage réduit auprès de 25 PME de cette région.

a) Identifiez les paramètres suivants:

    Population:

    Base de sondage:

    Unité statistique:

    Taille de la population:

    Taille requise de l'échantillon:

    Mode de tirage:

b) On veut sélectionner les PME que l'on veut sonder à l'aide de la méthode de tirage systématique. Déterminez le pas requis pour sélectionner les nombres de la table des nombres aléatoires.

c) À l'aide de la table de nombres aléatoires, choisissez un nombre entre 1 et le pas déterminé en b) en respectant la règle suivante:

Point d'entrée dans la table : 5e ligne, 2e colonne avec lecture de haut en bas de nombres de 2 chiffres (les deux derniers).

d) Déterminez les numéros de la liste des PME qui seront retenus pour constituer l'échantillon.

2. Considérons plutôt que le point d'entrée dans la table est la 6e colonne, 3e ligne avec lecture de haut en bas de nombres de 2 chiffres (les deux premiers).

a) Choisissez un nombre entre 1 et le pas.

b) Déterminez les numéros de la liste des PME qui seront retenus pour constituer l'échantillon.

6.9   Fluctuations d'échantillonnage d'une moyenne

Étudions maintenant des fluctuations d'échantillonnage de la moyenne d'échantillons associée à un caractère mesurable dans une population. Pour être en mesure d'effectuer des énoncés en probabilité sur les valeurs que peut prendre la moyenne d'échantillon $\overline{X}$ ou d'estimer la moyenne μ de la population par intervalle de confiance ou encore d'effectuer un test d'hypothèse sur la moyenne μ, il faut connaître les propriétés de la distribution d'échantillonnage de $\overline{X}$. Indiquons d'abord ce qu'on entend par distribution d'échantillonnage.

Distribution d'échantillonnage de $\overline{X}$. La distribution des diverses valeurs que peut prendre la moyenne d'échantillon $\overline{X}$ obtenue de tous les échantillons possibles de même taille d'une population donnée, porte le nom de distribution d'échantillonnage de $\overline{X}$.

D'une façon générale, *la distribution d'échantillonnage* caractérise les fluctuations d'échantillonnage de toute *statistique* (moyenne, proportion, variance,...) calculée sur tous les échantillons possibles de même taille.

Il est facile de constater que, si nous prélevons tous les échantillons possibles de même taille d'une population, la moyenne arithmétique calculée sur chaque échantillon variera d'un échantillon à l'autre. Certains auront une moyenne près de la moyenne de la population échantillonnée, d'autres auront une moyenne qui s'en écarte plus. La moyenne arithmétique va donc prendre diverses valeurs autour d'une valeur centrale (la moyenne de la population) et les fluctuations de $\bar{X}$ autour de cette valeur centrale seront quantifiées par une mesure de dispersion (l'écart-type de la moyenne arithmétique). La moyenne arithmétique que l'on peut observer sur chaque échantillon de taille n sera donc une *variable aléatoire* qui prendra diverses valeurs selon les résultats de l'échantillonnage et possédera une distribution (densité) de probabilité.

L'exemple suivant va nous permettre de déduire les paramètres de la distribution d'échan-tillonnage de $\bar{X}$.

Exemple 6.3

Expérience d'échantillonnage avec remise dans la population: détermination de la distribution des moyennes de tous les échantillons

Considérons le contexte suivant (basé sur un sondage effectué en 1992 concernant l'incidence de la micro-informatique dans les entreprises au Québec) où nous sommes en présence de cinq grandes entreprises (masse salariale entre 5 M\$ et 20 M\$) et dont l'âge d'informatisation (à partir du premier achat d'équipement informatique) est indi-qué ci-après.

Entreprises	Âge d'informatisation (en années)
A	8
B	8,5
C	9
D	9,5
E	10

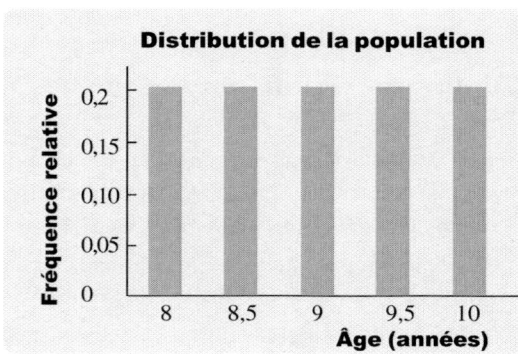

Distribution de la population

Supposons que ces entreprises constituent la population que nous voulons échantillonner.

On a donc $x_1 = 8$, $x_2 = 8,5$, $x_3 = 9$, $x_4 = 9,5$, $x_5 = 10$ ans.

La moyenne de la population (moyenne du caractère «âge d'informatisation en années») est:

$$\mu = E(X) = \frac{\sum x_i}{N} = \frac{45}{5} = 9 \text{ ans et la variance}$$

$$\sigma^2 = Var(X) = \frac{\sum(x_i - \mu)^2}{N}$$

$$= \frac{(8-9)^2 + (8,5-9)^2 + (9-9)^2 + (9,5-9)^2 + (10-9)^2}{5}$$

$$= \frac{2,5}{5} = 0,5$$

La distribution de la population (distribution du caractère «âge d'informatisation des entreprises») est indiquée sur la figure ci-haut et les paramètres de la distribution sont: $E(X) = 9$ et $Var(X) = 0,5$.

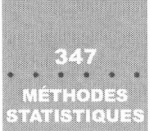

Échantillonnage de la population avec remise (tirage indépendant)

Supposons que nous voulons former tous les échantillons possibles de taille $n = 2$ de cette population en effectuant un échantillonnage avec *remise*. Il y a dans ce cas $N^n = 5^2 = 25$ échantillons possibles.

Échantillon	Entreprises	Résultats de l'échantillonnage	Moyenne des échantillons
1	(A,A)	(8, 8)	8
2	(A,B)	(8, 8,5)	8,25
3	(A,C)	(8,9)	8,5
4	(A,D)	(8, 9,5)	8,75
5	(A,E)	(8, 10)	9
6	(B,A)	(8,5, 8)	8,25
7	(B,B)	(8,5, 8,5)	8,5
8	(B,C)	(8,5, 9)	8,75
9	(B,D)	(8,5, 9,5)	9
10	(B,E)	(8,5, 10)	9,25
11	(C,A)	(9, 8)	8,5
12	(C,B)	(9, 8,5)	8,75
13	(C,C)	(9, 9)	9
14	(C,D)	(9, 9,5)	9,25
15	(C,E)	(9, 10)	9,5
16	(D,A)	(9,5, 8)	8,75
17	(D,B)	(9,5, 8,5)	9
18	(D,C)	(9,5, 9)	9,25
19	(D,D)	(9,5, 9,5)	9,5
20	(D,E)	(9,5, 10)	9,75
21	(E,A)	(10, 8)	9
22	(E,B)	(10, 8,5)	9,25
23	(E,C)	(10, 9)	9,5
24	(E,D)	(10, 9,5)	9,75
25	(E,E)	(10, 10	10

La moyenne des échantillons varie entre 8 et 10 ans et certaines valeurs de $\overline{X}$ reviennent plus fréquemment.

La distribution de fréquences absolues des moyennes d'échantillons ainsi que la représentation graphique sont présentées ci-après.

Fréquence relative = Fréquence / 25

Moyennes	Fréquence	Fréquence relative
8,00	1	0,04
8,25	2	0,08
8,50	3	0,12
8,75	4	0,16
9,00	5	0,2
9,25	4	0,16
9,50	3	0,12
9,75	2	0,08
10,00	1	0,04
	25	

Distribution d'échantillonnage de la moyenne

Quelle est la moyenne de la distribution d'échantillonnage de $\overline{X}$? En pondérant chaque valeur de $\overline{X}$ par sa fréquence relative, on trouve

$$E(\overline{X}) = (8)(0,04) + (8,25)(0,08) + (8,5)(0,12) + ... + (10)(0,04) = 9 \text{ ans},$$

soit la moyenne de la population (les 5 entreprises). Par conséquent $E(\overline{X}) = E(X) = \mu$.

Calculons maintenant l'ampleur de la dispersion des moyennes.

Moyennes	Écarts	Carrés des écarts	Fréquence relative	Colonne 3 x Colonne 4
8	-1	1	0,04	0,04
8,25	-0,75	0,5625	0,08	0,045
8,5	-0,5	0,25	0,12	0,03
8,75	-0,25	0,0625	0,16	0,01
9	0	0	0,2	0
9,25	0,25	0,0625	0,16	0,01
9,5	0,5	0,25	0,12	0,03
9,75	0,75	0,5625	0,08	0,045
10	1	1	0,04	0,04

Somme $= 0,25$

$Var(\overline{X}) = 0,25$

Donc la variance des moyennes d'échantillons est:

$$Var(\overline{X}) = 0,25 \text{ (soit } \frac{Var(X)}{2} = \frac{0,5}{2} = 0,25).$$

Les moyennes $\overline{x}$ sont moins dispersées autour de μ que les valeurs individuelles x_i,

$Var(\overline{X}) < Var(X)$.

Si nous répétons cette expérience en prélevant cette fois des échantillons de taille $n = 3$, il y aura $5^3 = 125$ échantillons possibles (tirage avec remise) et la moyenne de la distribution d'échantillonnage de $\overline{X}$ sera à nouveau 9 ans. Toutefois, la variance des moyennes d'échantillons va diminuer; on obtiendrait alors

$$Var(\overline{X}) = \frac{0,5}{3} \left(\text{soit } \frac{Var(X)}{3} \right).$$

De plus, la forme de la distribution d'échantillonnage de $\overline{X}$ s'approche de plus en plus de celle d'une normale. Par conséquent, dans le cas d'échantillonnage avec remise, la moyenne de la variable aléatoire $\overline{X}$ est toujours égale à la moyenne de la population d'où l'échantillon a été prélevé, soit:

$$E(\overline{X}) = E(X) = \mu,$$

quelle que soit la taille d'échantillon.

Variance de la moyenne

D'autre part, la variance de $\overline{X}$ dépend de la taille de l'échantillon prélevé et est égale à la variance de la population $Var(X)$ divisée par n, soit:

$$Var(\overline{X}) = \frac{Var(X)}{n} = \frac{\sigma^2}{n}.$$

Résumons les diverses notions que nous venons de traiter.

$E(\overline{X}) = \mu$

$Var(\overline{X}) = \dfrac{\sigma^2}{n}$

$\sigma(\overline{X}) = \dfrac{\sigma}{\sqrt{n}}$

Paramètres de la distribution de $\overline{X}$. Si on prélève un échantillon aléatoire de taille n, d'une population infinie (ou d'une population finie et échantillonnage avec remise) dont les éléments possèdent un caractère mesurable (réalisation d'une variable aléatoire X) qui suit une loi de probabilité de moyenne $E(X) = \mu$ et de variance $Var(X) = \sigma^2$, alors la moyenne d'échantillon $\overline{X}$ suit une loi de probabilité de moyenne

$$E(\overline{X}) = E(X) = \mu \text{ et de variance } Var(\overline{X}) = \frac{\sigma^2}{n}$$

(qui est également notée $\sigma^2(\overline{X})$ ou $\sigma_{\overline{X}}^2$).

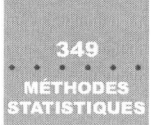

L'écart-type de la moyenne est $\sigma(\overline{X}) = \dfrac{\sigma}{\sqrt{n}}$ (que l'on note aussi $\sigma_{\overline{X}}$).

$\sigma(\overline{X})$ est aussi appelé *l'erreur-type de la moyenne.*

Remarques. a) Lorsque l'échantillonnage s'effectue sans remise (tirage exhaustif), à partir d'une population finie de taille *N*, on doit apporter une correction à $Var(\overline{X})$. Dans ce cas,

$$Var(\overline{X}) = \frac{\sigma^2}{n} \cdot \frac{N-n}{N-1} \cong \frac{\sigma^2}{n} \left(1 - \frac{n}{N}\right)$$

$\dfrac{n}{N}$ représente le *taux de sondage*. Toutefois, le facteur de correction peut être ignoré si le taux de sondage est inférieur à 10%.

b) La moyenne d'échantillon est aussi appelée **moyenne échantillonnale.**

6.10 Théorème central limite: forme de la distribution de $\overline{X}$

Pour caractériser complètement les fluctuations d'échantillonnage de $\overline{X}$, il faut également ment être en mesure de préciser la forme probabiliste des fluctuations. La représentation graphique de la distribution d'échantillonnage de $\overline{X}$ de l'exemple précédent semble nous indiquer que celle-ci pourrait s'apparenter à une distribution normale.

Pour connaître exactement la distribution d'échantillonnage de $\overline{X}$, il faut connaître la distribution de la population (distribution de toutes les observations du caractère mesurable) qui a été échantillonnée, ce qui n'est pas toujours possible ou, si c'est le cas, on ne peut l'apparenter à une forme connue. Toutefois, le théorème central limite nous permet de contourner cette difficulté.

Théorème central limite

> **Théorème central limite.** Si des échantillons aléatoires de taille *n* sont prélevés d'une population infinie dont les éléments possèdent un caractère mesurable *X* (peu importe la distribution de la variable aléatoire *X*), de moyenne $E(X) = \mu$ et de variance $Var(X) = \sigma^2$, alors la distribution d'échantillonnage de la variable aléatoire $\overline{X}$ tend à se rapprocher d'une loi normale de moyenne $E(\overline{X}) = \mu$ et de variance $Var(\overline{X}) = \dfrac{\sigma^2}{n}$ et ce, d'autant plus que la taille de l'échantillon est grande.
>
>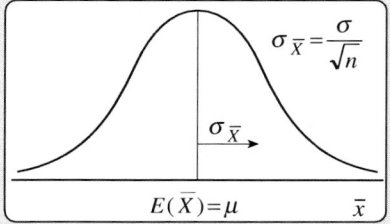

Ce théorème stipule que l'on peut obtenir une bonne approximation de la distribution de la moyenne $\overline{X}$ avec la loi normale en autant que la taille de l'échantillon soit suffisamment grande. En pratique, on peut appliquer ce théorème dès que l'échantillon est constitué de trente observations ou plus: $n \geq 30$.

Diverses expériences ont déjà été effectuées sur des populations qui suivaient différentes lois entre autres, la loi uniforme, la loi en forme de *U*, la loi exponentielle. Ces expériences consistaient à simuler un grand nombre d'échantillons d'une taille donnée et à partir d'un histogramme des moyennes de ces échantillons, on a constaté que plus *n*, la taille de l'échantillon, augmente, plus la distribution de la moyenne $\overline{X}$ se rapproche de la loi normale.

Les figures suivantes nous indiquent des distributions empiriques pour des échantillons de taille $n = 8$ pour différentes populations.

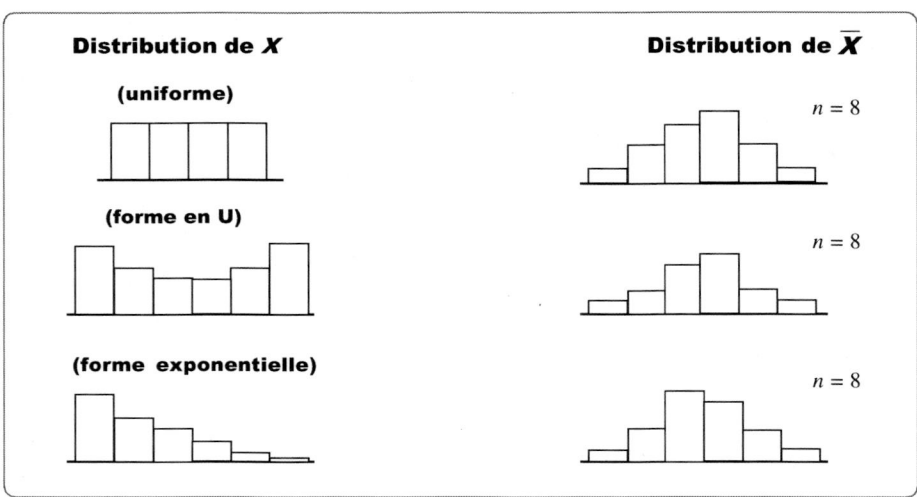

On constate que même pour des échantillons de petite taille ($n=8$) la distribution de $\overline{X}$ s'apparente à une distribution normale.

D'après les résultats empiriques de différentes expériences, les statisticiens ont établi certaines pratiques que nous résumons comme suit:

a) *La distribution de la moyenne $\overline{X}$ est approximativement normale, quelle que soit la forme de la population parente, dès que l'échantillon est constitué d'au moins trente observations: $n \geq 30$.*

b) *Si la population parente possède une distribution pratiquement symétrique, il semble qu'un échantillon d'au moins 15 observations soit convenable pour que la distribution de la moyenne soit approximativement normale.*

c) *Si la population parente est distribuée normalement, la distribution de la moyenne est une normale, quelle que soit la taille de l'échantillon.*

Remarques. a) Le théorème central limite s'avère très utile dans la pratique puisqu'il n'impose aucune restriction sur la distribution des observations de la population. En autant que la moyenne et la variance de la population existent, la distribution de la moyenne $\overline{X}$ approche celle d'une normale à mesure que la taille d'échantillon augmente.

b) Si la variance σ^2 est inconnue, un grand échantillon ($n \geq 30$) permet de déduire une valeur fiable

pour σ^2 en calculant la variance s^2 de l'échantillon où $s^2 = \dfrac{\sum (x_i - \overline{x})^2}{n-1}$. Alors $s^2 \cong \sigma^2$.

6.11 Transformation de la variable aléatoire $\overline{X}$ en une variable aléatoire centrée réduite

Nous allons opérer comme nous avons fait précédemment pour nous permettre d'utiliser la table des probabilités de la loi normale centrée réduite. De manière générale, la variable centrée réduite s'obtient de:

$$\frac{\textit{Variable centrée}}{\textit{réduite}} = \frac{\textit{Variable aléatoire - Espérance de la variable aléatoire}}{\textit{Écart-type de la variable aléatoire}}$$

Ici, la variable aléatoire concernée est $\overline{X}$, ce qui donne

$$Z = \frac{\overline{X} - E(\overline{X})}{\sigma(\overline{X})} = \frac{\overline{X} - \mu}{\sigma / \sqrt{n}}$$

Transformation de $\overline{X}$ en une variable centrée réduite

qui est distribué d'après la *loi normale centrée réduite*, lorsque $\overline{X}$ est distribuée normalement. Ainsi, la probabilité que la variable aléatoire $\overline{X}$ soit comprise entre deux valeurs a et b, $P(a \leq \overline{X} \leq b)$, en employant la transformation centrée réduite, est égale à

$$P\left(\frac{a - \mu}{\sigma / \sqrt{n}} \leq Z \leq \frac{b - \mu}{\sigma / \sqrt{n}} \right).$$

On peut visualiser cette probabilité sur la figure suivante.

$P(a \leq \overline{X} \leq b)$

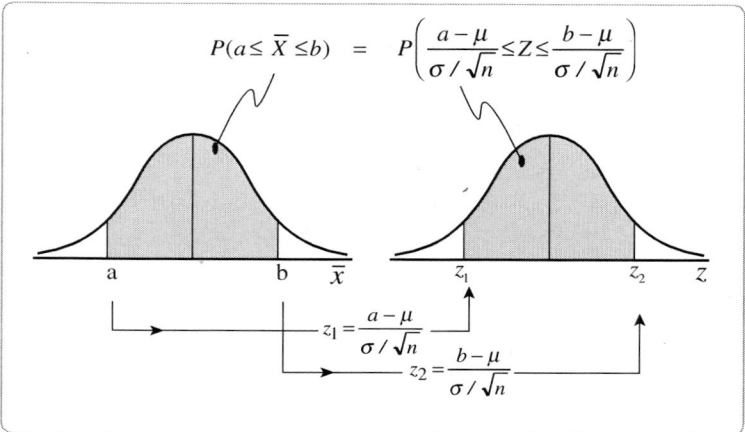

Comme nous l'avons fait pour la variable aléatoire normale X, on peut également résumer certains résultats importants concernant l'aire sous la courbe dans le cas où la variable aléatoire $\overline{X}$ suit une loi normale.

Variable aléatoire $\overline{\mathbf{X}}$ suivant une distribution normale de moyenne μ et d'écart-type $\sigma_{\overline{\mathbf{X}}}$		
$\overline{X}$ compris dans l'intervalle	Intervalle centré réduit	Aire sous la courbe normale
$\mu \pm 1\sigma_{\overline{X}}$	$\pm 1,0$	$0,6826$ (68,26%)
$\mu \pm 1,96\sigma_{\overline{X}}$	$\pm 1,96$	$0,9500$ (95%)
$\mu \pm 2\sigma_{\overline{X}}$	± 2	$0,9544$ (95,44%)
$\mu \pm 3\sigma_{\overline{X}}$	± 3	$0,9974$ (99,74%)

Présentons maintenant les propriétés importantes de la distribution d'échantillonnage de la moyenne.

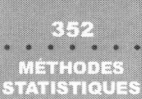
6.12 Propriétés de la distribution d'échantillonnage de $\overline{X}$

Nous avons tout ce qu'il faut pour résumer les différentes situations qui peuvent se présenter lors de l'échantillonnage d'une population dont les éléments possèdent un caractère mesurable. Pour caractériser complètement la distribution d'échantillonnage de $\overline{X}$, il faut en connaître:

    1) **la forme**   2) **la moyenne**   3) **l'écart-type**.

Propriétés de la distribution d'échantillonnage de $\overline{X}$. On prélève au hasard un échantillon de taille n d'une population dont les éléments possèdent un caractère mesurable de paramètres μ et σ^2. La moyenne d'échantillon $\overline{X}$ est une variable aléatoire dont la distribution possède les propriétés suivantes selon les caractéristiques de la population.

Cas 1. Population normale et variance σ^2 connue.

1) La distribution de $\overline{X}$ est normale.

2) La moyenne de la distribution de $\overline{X}$ est: $E(\overline{X}) = \mu$..

3) L'écart-type de la distribution d'échantillonnage est: $\sigma(\overline{X}) = \dfrac{\sigma}{\sqrt{n}}$

Les fluctuations de l'écart réduit $Z = \dfrac{\overline{X} - \mu}{\sigma(\overline{X})} = \dfrac{\overline{X} - \mu}{\dfrac{\sigma}{\sqrt{n}}}$ suivent la loi normale centrée

réduite.

Cas 2. La distribution de la population ainsi que la variance σ^2 sont inconnues. Grand échantillon: $n \geq 30$.

On utilise les résultats du théorème central limite.

1) La distribution de $\overline{X}$ est approximativement normale.

2) La moyenne de la distribution de $\overline{X}$ est: $E(\overline{X}) = \mu$..

3) L'écart-type de la distribution d'échantillonnage de $\overline{X}$ est:

$$s(\overline{X}) = \sqrt{\dfrac{S^2}{n}} = \dfrac{S}{\sqrt{n}} \text{ où } S^2 = \dfrac{\sum (X_i - \overline{X})^2}{n-1} \text{, ce qui donne une bonne estimation de } \sigma^2.$$

Les fluctuations de l'écart réduit $Z = \dfrac{\overline{X} - \mu}{s(\overline{X})} = \dfrac{\overline{X} - \mu}{\dfrac{S}{\sqrt{n}}}$ suivent la loi normale

centrée réduite.

Exemple 6.4

Calcul des chances de réalisation de la variable $\overline{X}$: revenu moyen de ménages

Selon une étude* réalisée par la firme Optima Groupe Conseil (firme de recherche et d'analyse de marché de Laval) pour le journal LES AFFAIRES, le revenu moyen par ménage dans le secteur géographique Trois-Rivières-Ouest est de 55 577$ (cette valeur a été obtenue à partir de la base de données de Statistique Canada, recensement 2001).

---

* Source. Dominique Froment. *Modeste croissance du revenu à Trois-Rivières.* LES AFFAIRES, 13 septembre 2003.

Admettons que l'écart-type du revenu par ménage est 4 000$.

On prélève un échantillon aléatoire de 64 ménages de ce secteur géographique.

a) Quels sont les paramètres de la distribution d'échantillonnage de la variable «revenu moyen par ménage» pour des échantillons de taille $n = 64$?

Puisque la taille d'échantillon est grande ($n = 64 > 30$), la distribution de la moyenne est approximée par la distribution normale (théorème central limite) avec paramètres

$$\mu_{\overline{X}} = \mu = 55\ 577\$ \text{ et écart-type } \sigma_{\overline{X}} = \frac{\sigma}{\sqrt{n}} = \frac{4000}{\sqrt{64}} = \frac{4000}{8} = 500\$.$$

$$n = 64$$
$$\mu_{\overline{X}} = 55\ 577$$
$$\sigma_{\overline{X}} = \frac{4000}{\sqrt{64}} = 500$$

b) Quelle est la probabilité que le revenu moyen par ménage du secteur géographique Trois-Rivières-Ouest soit inférieur à 54 777$?

Visualisons d'abord les caractéristiques de la population et de l'échantillon.

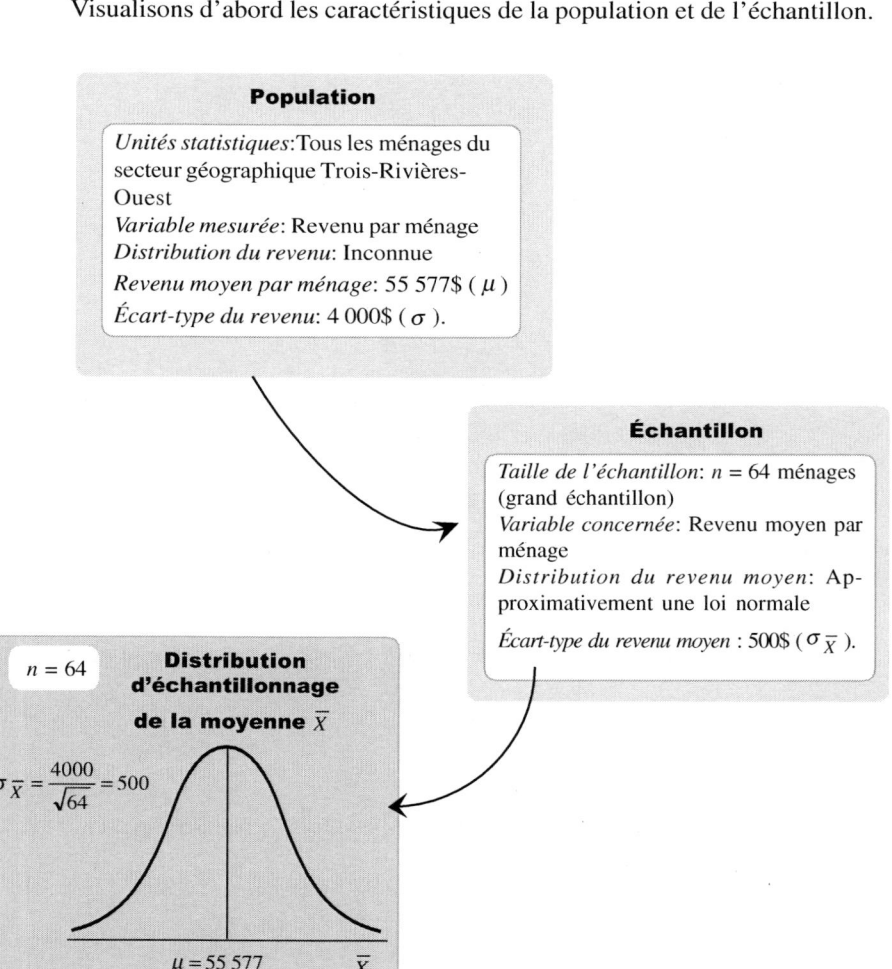

Répondons maintenant à la question.

On veut $P(\overline{X} < 54\ 777)$. La probabilité que le revenu moyen par ménage soit inférieur à 54 777$ peut se visualiser sur la courbe normale de la page suivante:

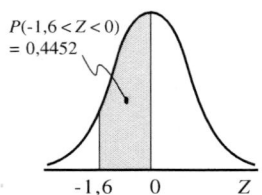

Sous forme centrée réduite, on obtient:

$$P(\overline{X} < 54\,777) = P(Z < \frac{54\,777 - 55\,577}{500})$$
$$= P(Z < -1,6).$$

De la table de la loi normale centrée réduite, on a: $P(-1,6 < Z < 0) = 0,4452$. Donc
$$P(Z < -1,6) = 0,5 - P(-1,6 < Z < 0)$$
$$= 0,5 - 0,4452 = 0,0548.$$

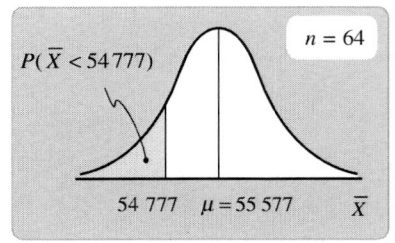

Il y a donc pratiquement 6 chances sur 100 que le revenu moyen par ménage de ce secteur géographique soit inférieur à 54 777$, et ceci basé sur des échantillons de taille $n = 64$.

c) Quelle est la probabilité que le revenu moyen par ménage du secteur géographique Trois-Rivières-Ouest soit entre 54 327$ et 56 827$?

On veut $P(54\,327 \leq \overline{X} \leq 56827)$.

Sous forme centrée réduite, on obtient:

$$P(54\,327 \leq \overline{X} \leq 56\,827) = P\left(\frac{54\,327 - 55\,577}{500} \leq Z \leq \frac{56\,827 - 55\,577}{500}\right)$$
$$= P(-2,5 \leq Z \leq 2,5)$$

De la table de la loi normale centrée réduite, on obtient
$$P(-2,5 \leq Z \leq 2,5) = 2 \times P(0 \leq Z \leq 2,5)$$
$$= 2 \times 0,4938 = 0,9876.$$

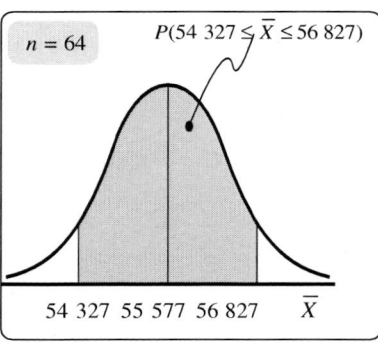

Dans pratiquement 99% des cas, le revenu moyen par ménage de ce secteur géographique pour des échantillons de taille $n = 64$, prélevés d'une population de moyenne 55 577$ et d'écart-type 4 000$ se situera entre 54 327$ et 56 827$

Exemple 6.5

Effet de la taille de l'échantillon sur la distribution de $\overline{X}$

Quel est l'effet sur la distribution de $\overline{X}$ si, dans le cas d'une population normale de moyenne $\mu = 340$ et d'écart-type $\sigma = 10$, les échantillons sont de taille

i) $n = 4$? ii) $n = 8$? iii) $n = 16$? iv) $n = 64$?

La forme de la distribution de la moyenne $\overline{X}$ sera toujours normale, centrée sur

$$\mu_{\overline{X}} = \mu = 340.$$

Toutefois, une variation de la taille d'échantillon fait varier l'erreur-type de la moyenne.

À mesure que n augmente, l'erreur-type de la moyenne diminue comme l'indique les calculs de la page suivante c.-à-d. que la distribution de la moyenne $\overline{X}$ se resserre de plus en plus sur μ (voir sur la figure ci-contre pour $n = 16$ et $n = 64$).

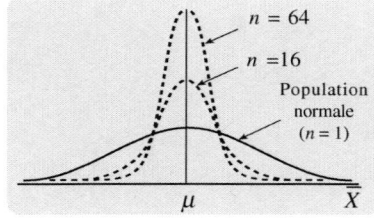

Pour $n = 4$, $\sigma_{\overline{X}} = \dfrac{10}{\sqrt{4}} = 5$.

Pour $n = 8$, $\sigma_{\overline{X}} = \dfrac{10}{\sqrt{8}} = 3{,}536$.

Pour $n = 16$, $\sigma_{\overline{X}} = \dfrac{10}{\sqrt{16}} = 2{,}5$.

Pour $n = 64$, $\sigma_{\overline{X}} = \dfrac{10}{\sqrt{64}} = 1{,}25$.

Pour doubler la précision c.-à-d. passer de $\sigma_{\overline{X}} = 2{,}5$, avec $n = 16$ à $\sigma_{\overline{X}} = 1{,}25$, il faut quadrupler la taille de l'échantillon $16 \times 4 = 64$.

Exemple 6.6

Paramètres de la distribution d'échantillonnage de $\overline{X}$ dans le cas d'une population finie

Le responsable du département des ressources humaines de l'entreprise Electrotek a accumulé depuis plusieurs années les résultats à un test d'aptitude pour exécuter une certaine tâche. Il semble très plausible de supposer que les résultats au test d'aptitude sont distribués d'après une loi normale de moyenne $\mu = 150$ et de variance $\sigma^2 = 100$.

Supposons que le nombre d'employés de l'entreprise Electrotek est de 200 individus et qu'un échantillon de 25 individus a été prélevé au hasard parmi les deux cents.

a) Quel est le taux de sondage?

Taux de sondage: $\dfrac{n}{N} = \dfrac{25}{200} = 0{,}125$ soit 12,5%.

b) D'après les caractéristiques de la population (l'ensemble des résultats au test d'aptitude), précisez

i) la forme de la distribution de $\overline{X}$:

La distribution d'échantillonnage de $\overline{X}$ (moyenne des résultats pour des échantillons de $n = 25$ individus) est une normale puisque la population échantillonnée est distribuée normalement.

ii) la variance et l'écart-type de la distribution d'échantillonnage de $\overline{X}$:

Puisque la population est de taille finie et que le taux de sondage est élevé, nous devons faire intervenir le facteur de correction dans le calcul de $Var(\overline{X})$. On obtient:

$$Var(\overline{X}) = \frac{\sigma^2}{n} \cdot \frac{N-n}{N-1} = \frac{100}{25} \cdot \frac{(200-25)}{199}$$
$$= (4)(0{,}794) = 3{,}5176$$

L'erreur-type de la moyenne est alors

$$\sigma(\overline{X}) = \sqrt{3{,}5176} = 1{,}8755$$

c) Quelle est l'expression générale de l'écart réduit et quelle est sa distribution?

$Z = \dfrac{\overline{X} - \mu}{\sigma_{\overline{X}}}$ qui est distribué selon une loi normale centrée réduite avec

$$\sigma_{\overline{X}} = \frac{\sigma}{\sqrt{n}} \sqrt{\frac{N-n}{N-1}}$$

d) Est-ce que la distribution d'échantillonnage de $\overline{X}$ sera, dans cet exemple, plus étalée ou moins étalée que celle qu'on obtiendrait avec des échantillons de taille $n = 25$ que l'on prélèverait d'une population infinie?

Dans le cas d'une population finie, $\sigma_{\overline{X}} = \dfrac{\sigma}{\sqrt{n}} \sqrt{\dfrac{N-n}{N-1}}$

alors que pour une population infinie $\sigma_{\overline{X}} = \dfrac{\sigma}{\sqrt{n}}$

Elle sera donc moins étalée puisque $\dfrac{\sigma}{\sqrt{n}} \sqrt{\dfrac{N-n}{N-1}} < \dfrac{\sigma}{\sqrt{n}}$

(population finie) , (population infinie).

6.13   L'estimation de paramètres: l'objectif fondamental de l'échantillonnage d'une population

Un aspect important de l'inférence statistique est celui d'obtenir, à partir de l'échantillonnage d'une population, des estimations fiables de certains paramètres de cette population.

Dans ce chapitre, les paramètres que nous allons estimer sont la moyenne μ (dans le cas d'un caractère mesurable) et la proportion p (dans le cas d'un caractère dénombrable). Ces estimations peuvent s'exprimer soit par une seule valeur (*estimation ponctuelle*), soit par un intervalle (*estimation par intervalle)*. Puisque l'échantillon ne donne qu'une information partielle, ces estimations seront accompagnées d'une certaine marge d'erreur.

On indiquera dans une section subséquente comment contrôler cette marge d'erreur; elle sera liée, entre autres, à la taille de l'échantillon. L'estimation d'autres paramètres sera traitée dans les chapitres qui vont suivre.

L'estimation ponctuelle et l'estimation par intervalle de confiance

Estimer un paramètre, c'est chercher une valeur approchée en se basant sur les résultats obtenus d'un échantillon; cette estimation peut s'effectuer de deux manières, soit par un nombre, soit par un intervalle. Dans ce chapitre, on s'intéresse à deux paramètres, soit la moyenne de la population (μ) et la proportion (p) et dont voici deux exemples:

1) Dans *La Presse* du 29 novembre 2005, en page 4, on lit:

```
"Le Conseil québécois du commerce de détail prévoit que 74% des
Québécois dépenseront autant ou plus que l'an dernier pour
leurs achats de Noël. Selon le sondage annuel du CQCD - effec-
tué auprès de 1 001 personnes par le Groupe Géocom - la dépense
moyenne des ménages québécois pour la période des Fêtes sera de
649$, contre 628$ en 2004."
```

D'après ce sondage, le montant moyen (paramètre μ) consacré aux achats de Noël (cadeaux, nourriture, boisson et autres dépenses reliées aux réceptions) par les ménages québécois est estimé à 649$.

2) Dans le journal LES AFFAIRES du 26 novembre 2005, on lit en page 30 que les jeunes Québécois ont la fièvre de l'entrepreneuriat:

```
"Partout au Québec, les jeunes de 18 à 34 ans rêvent de créer
leur propre entreprise. Un jeune Québécois sur 6 (16,7%) a
l'intention de se lancer dans les affaires au cours des trois
prochaines années. Cette donnée est tirée du sondage annuel du
Global Entrepreneurship Monitor (GEM). Le sondage révèle éga-
lement que l'intention de démarrer une entreprise est plus
répandue au Québec que dans le reste du Canada."
```

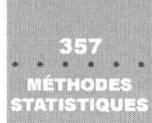

On estime donc à 16,7% le pourcentage de jeunes Québécois de 18 à 34 ans qui rêvent de créer leur propre entreprise (paramètre p).

Donnons les définitions suivantes.

> **Estimation ponctuelle.** Lorsqu'une caractéristique d'une population (un paramètre) est estimée par un seul nombre, déduit des résultats de l'échantillon, ce nombre est appelé une *estimation ponctuelle* du paramètre.
>
> **Estimation par intervalle de confiance.** L'estimation par intervalle d'un paramètre inconnu consiste à calculer, à partir d'un estimateur choisi, un intervalle dans lequel il est vraisemblable que la valeur correspondante du paramètre s'y trouve. L'intervalle de confiance est défini par deux limites auxquelles est associée une certaine probabilité, fixée à l'avance et aussi élevée qu'on le désire, de contenir la valeur vraie du paramètre.

L'estimation ponctuelle se fait à l'aide d'un *estimateur*. Cet estimateur est fonction des observations de l'échantillon. Il s'exprime généralement comme une formule servant à effectuer l'estimation d'un paramètre d'une loi de probabilité. *L'estimation* est la valeur numérique que prend l'estimateur selon les données de l'échantillon.

Pour calculer cet intervalle de confiance, on doit connaître la distribution d'échantillonnage de l'estimateur correspondant. Nous avons déjà traité à la section 6.12 de la distribution d'échantillonnage de $\overline{X}$; nous abordons le cas de $\hat{P}$, l'estimateur de la proportion p, dans une section subséquente.

Remarques. *a) Propriétés des estimateurs ponctuels.* Un estimateur ponctuel doit posséder certaines qualités pour fournir de bonnes estimations; nous les résumons comme suit.

Estimateur non biaisé

⊃ *Estimateur non biaisé.* Un estimateur $\hat{\theta}$ est *sans biais* si l'espérance de la distribution échantillonnale de l'estimateur est égale à la valeur θ du paramètre à estimer : $E(\hat{\theta}) = \theta$. On démontre que la moyenne d'échantillon $\overline{X}$ est un estimateur sans biais de μ : $E(\overline{X}) = \mu$. De même la variance d'échantillon est un estimateur sans biais de σ^2, en autant que l'on utilise le dénominateur $(n\text{-}1)$ dans le calcul de la variance d'échantillon: $E(s^2) = \sigma^2$.

Estimateur efficace

⊃ *Estimateur efficace.* Le choix parmi plusieurs estimateurs sans biais s'effectue en comparant les variances des estimateurs. Un estimateur sans biais mais à variance élevée peut fournir des estimations très éloignées de la vraie valeur du paramètre. Un estimateur sans biais est *plus efficace* si sa variance est la plus faible parmi les variances des autres estimateurs sans biais. Ainsi si $\hat{\theta}_1$ et $\hat{\theta}_2$ sont deux estimateurs sans biais du paramètre θ, l'estimateur $\hat{\theta}_1$ est plus efficace si $Var(\hat{\theta}_1) < Var(\hat{\theta}_2)$ et $E(\hat{\theta}_1) = E(\hat{\theta}_2)$. Par exemple. si nous échantillonnons une population normale, $\overline{X}$ et M_e sont tous deux des estimateurs sans biais de μ: $E(\overline{X}) = E(M_e) = \mu$. D'autre part, la variance de $\overline{X}$ est plus petite que celle de la médiane puisque $Var(\overline{X}) = \dfrac{\sigma^2}{n}$ et $Var(M_e) \cong 1,57\dfrac{\sigma^2}{n}$ (résultat que nous donnons sans démonstration). Pour la même taille d'échantillon, $\overline{X}$ est plus efficace que M_e pour estimer μ : $Var(\overline{X}) < Var(M_e)$.

Estimateur convergent

⊃ *Estimateur convergent.* Un estimateur $\hat{\theta}$ est convergent si sa distribution tend à se concentrer autour de la valeur inconnue à estimer, θ, à mesure que la taille d'échantillon augmente: $Var(\hat{\theta}) \rightarrow 0$ à mesure que n tend vers l'infini.

b) Tendance centrale et variabilité. Illustrons la notion de biais et de la dispersion de l'estimateur d'un paramètre à l'aide des schémas suivants:

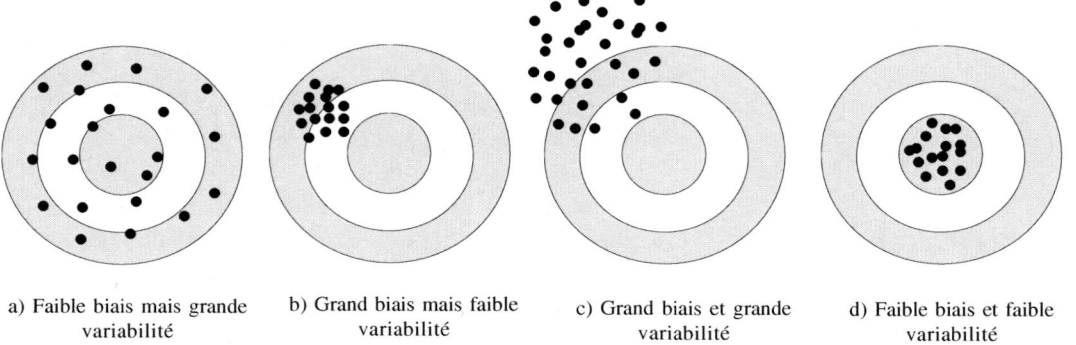

a) Faible biais mais grande variabilité   b) Grand biais mais faible variabilité   c) Grand biais et grande variabilité   d) Faible biais et faible variabilité

6.14   Estimation d'une moyenne par intervalle de confiance

Revenons maintenant au premier objectif de l'échantillonnage que nous avons mentionné en début de chapitre, soit l'estimation de paramètres. Avec les notions que nous avons acquises dans les sections précédentes, il nous est facile de déduire les formules nécessaires au calcul d'un intervalle de confiance.

On se propose donc d'estimer, par intervalle de confiance, la moyenne µ d'un caractère mesurable d'une population. Il s'agit de calculer, à partir de la moyenne $\bar{x}$ (calcul de l'estimateur $\bar{X}$) de l'échantillon, un intervalle dans lequel il est vraisemblable que la vraie valeur de µ s'y trouve. On obtient cet intervalle en calculant deux limites auxquelles est associée une certaine assurance (niveau de confiance) de contenir la vraie valeur de µ. Cet intervalle se définit d'après l'équation suivante

$$P(\bar{X} - k \leq \mu \leq \bar{X} + k) = 1 - \alpha$$

> Le niveau de confiance est le degré de crédibilité qu'on accorde à l'intervalle de confiance de contenir la vraie valeur du paramètre.

et les limites prendront, après avoir prélevé l'échantillon et calculé l'estimation $\bar{x}$, la forme suivante $\bar{x} - k \leq \mu \leq \bar{x} + k$ où k sera déterminé à l'aide de l'écart-type de la distribution d'échantillonnage de $\bar{X}$ et du niveau de confiance 1-α choisi a priori.

Population normale ou grand échantillon ($n \geq 30$)

> Un échantillon de taille $n \geq 30$ nous permet, d'après le théorème central limite, de considérer que $\bar{X}$ suit approximativement une loi normale.

Nous savons que si nous prélevons un échantillon aléatoire de taille n d'une population normale de variance connue, la distribution de $\bar{X}$ suit une loi normale de moyenne $E(\bar{X}) = \mu$ et de variance $Var(\bar{X}) = \dfrac{\sigma^2}{n}$.

Si la distribution du caractère mesurable (la population) est inconnue ou si la variance de la population est inconnue, un échantillon de taille $n \geq 30$ nous permet, d'après le théorème central limite, de considérer que $\bar{X}$ suit approximativement une loi normale.

Par conséquent, la quantité $Z = \dfrac{\bar{X} - \mu}{\sigma / \sqrt{n}}$ (ou $Z = \dfrac{\bar{X} - \mu}{S / \sqrt{n}}$) suit une loi normale centrée réduite.

Partons de ce fait pour déduire un intervalle aléatoire ayant, a priori, une probabilité disons de 0,95 de contenir la valeur vraie de µ, ce qui revient à déterminer k de telle sorte que $P(\bar{X} - k \leq \mu \leq \bar{X} + k) = 0,95$.

Sous forme centrée réduite, l'équation précédente s'écrit

$$P(\frac{\overline{X}-k}{\sigma/\sqrt{n}} \leq \frac{\overline{X}-\mu}{\sigma/\sqrt{n}} \leq \frac{\overline{X}+k}{\sigma/\sqrt{n}})$$

$$= P(-z_{0,025} \leq \frac{\overline{X}-\mu}{\sigma/\sqrt{n}} \leq +z_{0,025})=0,95$$

d'où $P(-1,96 \leq \frac{\overline{X}-\mu}{\sigma/\sqrt{n}} \leq +1,96)=0,95$.

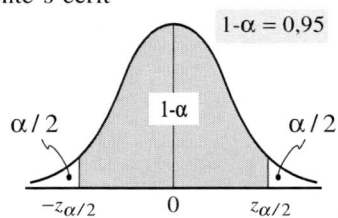

Interprétation de l'intervalle de confiance pour la moyenne

Le niveau de confiance est associé à l'intervalle et non au paramètre µ. Il ne faut pas dire que la valeur vraie de µ a, disons, 95 chances sur 100 de se trouver dans l'intervalle mais plutôt que l'intervalle de confiance a 95 chances sur 100 de contenir la valeur vraie de µ ou, encore 95 fois sur 100, l'intervalle ainsi déterminé contiendra la vraie valeur de µ. Une fois que l'intervalle est calculé, µ est ou n'est pas dans l'intervalle (pour une population particulière µ est une constante et non une variable aléatoire).

Multipliant les membres à l'intérieur de la parenthèse par $\frac{\sigma}{\sqrt{n}}$, on obtient

$P(-1,96\frac{\sigma}{\sqrt{n}} \leq \overline{X}-\mu \leq +1,96\frac{\sigma}{\sqrt{n}})=0,95$. Soustrayant $\overline{X}$ de chaque membre, on

trouve $P(-\overline{X}-1,96\frac{\sigma}{\sqrt{n}} \leq -\mu \leq -\overline{X}+1,96\frac{\sigma}{\sqrt{n}})=0,95$.

Multipliant par -1 chacun des membres à l'intérieur de la parenthèse (en n'oubliant pas de changer le sens des inégalités), on obtient

$$P(\overline{X}+1,96\frac{\sigma}{\sqrt{n}} \geq \mu \geq \overline{X}-1,96\frac{\sigma}{\sqrt{n}})=0,95$$

c.-à-d. $P(\overline{X}-1,96\frac{\sigma}{\sqrt{n}} \leq \mu \leq \overline{X}+1,96\frac{\sigma}{\sqrt{n}})=0,95$ qui est de la forme

$$P(\overline{X}-k \leq \mu \leq \overline{X}+k)=1-\alpha \quad \text{d'où } k=1,96\frac{\sigma}{\sqrt{n}} \, k=1,96\frac{\sigma}{\sqrt{n}} \text{ et } 1-\alpha=0,95 .$$

Ainsi, pour un échantillon de taille n, dont la moyenne de la caractéristique mesurable est $\overline{x}$ (réalisation de la variable aléatoire $\overline{X}$), l'intervalle de confiance s'écrit, pour un niveau de confiance $100(1-\alpha)\%$:

$$\overline{x}-z_{\alpha/2} \cdot \frac{\sigma}{\sqrt{n}} \leq \mu \leq \overline{x}+z_{\alpha/2} \cdot \frac{\sigma}{\sqrt{n}} \cdot$$

Niveau de confiance et valeurs centrées réduites

$100(1-\alpha)\%$	$z_{\alpha/2}$
90%	$z_{0,05}=1,645$
95%	$z_{0,025}=1,96$
99%	$z_{0,005}=2,576$

Nous résumons dans le tableau ci-après et celui de la page suivante, les intervalles de confiance pour la moyenne μ selon que les données proviennent d'une population normale ou que la taille d'échantillon $n \geq 30$.

Intervalle de confiance pour la moyenne de la population
Population normale de variance connue

À partir d'un échantillon aléatoire de taille n d'une population normale de variance

connue σ^2 , on définit, en prenant comme estimation ponctuelle de μ la moyenne $\overline{x}$ de l'échantillon, un intervalle de confiance ayant un niveau de confiance $100(1-\alpha)\%$ de contenir la vraie valeur de µ comme suit:

$$\overline{x}-z_{\alpha/2} \cdot \frac{\sigma}{\sqrt{n}} \leq \mu \leq \overline{x}+z_{\alpha/2} \cdot \frac{\sigma}{\sqrt{n}}$$

où $z_{\alpha/2}$ est la valeur de la variable normale centrée réduite telle que la probabilité que Z soit compris entre $-z_{\alpha/2}$ et $z_{\alpha/2}$ est $1-\alpha$.

La *marge d'erreur statistique E*, pour un niveau de confiance $100(1-\alpha)\%$, est:

$$E=\pm z_{\alpha/2}\frac{\sigma}{\sqrt{n}}.$$

$$s = \sqrt{\frac{\sum_{i=1}^{n}(x_i - \bar{x})^2}{n-1}}$$

Intervalle de confiance pour la moyenne de la population
Population quelconque de variance inconnue - *n* supérieur ou égal à 30

À partir d'un échantillon aléatoire de taille $n \geq 30$ tiré d'une population de variance σ^2 inconnue mais estimée par la variance d'échantillon s^2, on définit, en prenant comme estimation ponctuelle de μ la moyenne $\bar{x}$ de l'échantillon, un intervalle de confiance ayant un niveau de confiance $100(1-\alpha)\%$ de contenir la vraie valeur de μ comme suit:

$$\bar{x} - z_{\alpha/2} \cdot \frac{s}{\sqrt{n}} \leq \mu \leq \bar{x} + z_{\alpha/2} \cdot \frac{s}{\sqrt{n}}$$

où $z_{\alpha/2}$ est la valeur de la variable normale centrée réduite telle que la probabilité que Z soit compris entre $-z_{\alpha/2}$ et $z_{\alpha/2}$ est $1-\alpha$ et s est l'écart-type de l'échantillon.

La *marge d'erreur statistique E*, pour un niveau de confiance $100(1-\alpha)\%$, est:

$$E = \pm z_{\alpha/2} \cdot \frac{s}{\sqrt{n}}.$$

Exemple 6.7

Estimation du coût moyen direct par employé engendré par la réglementation

Lors d'une enquête* réalisée auprès de petites et moyennes entreprises québécoises par la Fédération canadienne de l'entreprise indépendante (FCEI), les coûts directs attribuables aux heures passées à remplir la documentation inhérente à la réglementation visant les PME de cinq à 19 employés et à vérifier la conformité à cette réglementation est en moyenne de 5 620$ par employé par année.

---
* Source: Adapté de Lévesque, L. *La paperasse coûte trop cher aux petites PME.* LE JOURNAL DE MONTRÉAL, 15 octobre 2003.

Considérons que 144 PME ont répondu au questionnaire et que l'écart-type obtenu pour cet échantillon concernant les coûts directs est de 648$.

a) Estimez par intervalle de confiance la moyenne des coûts directs par employé par année pour l'ensemble des PME, et ceci avec un niveau de confiance de 95%.

b) Déterminez la marge d'erreur statistique, pour le niveau de confiance précisé en a).

Solution

a) Nous sommes en présence d'un grand échantillon ($n = 144 > 30$).

Les éléments nécessaires au calcul de l'intervalle de confiance sont indiqués comme suit:

- la moyenne de l'échantillon: $\bar{x} = 5620\$$
- l'écart-type de l'échantillon: $s = 648\$$
- la taille de l'échantillon: $n = 144$
- le niveau de confiance: $1 - \alpha = 0{,}95$, $\alpha = 0{,}05$.

Sous ces conditions, les limites de l'intervalle sont:

$$\bar{x} - z_{\alpha/2} \cdot \frac{s}{\sqrt{n}} \leq \mu \leq \bar{x} + z_{\alpha/2} \cdot \frac{s}{\sqrt{n}}$$

avec $z_{\alpha/2} = z_{0,025} = 1{,}96$. En substituant les valeurs appropriées, les limites de l'intervalle de confiance sont:

Limite inférieure de l'intervalle: $li = 5620 - (1{,}96)(\frac{648}{\sqrt{144}}) = 5620 - 105{,}84 \cong 5514\$$

Limite supérieure de l'intervalle: $ls = 5620 + (1{,}96)(\frac{648}{\sqrt{144}}) = 5620 + 105{,}84 \cong 5726\$$.

· · · ·
Plus le niveau de confiance est élevé, plus l'amplitude de l'intervalle est grande. Pour la même taille d'échantillon, on perd de la précision en gagnant une plus grande confiance.

Nous indiquons en annexe 6, comment obtenir un intervalle de confiance pour la moyenne, dans le cas d'un grand échantillon, avec Microsoft Excel.

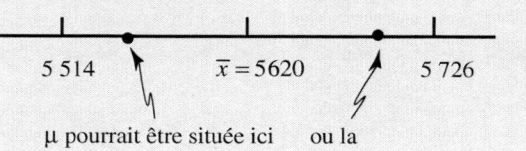

Avec un niveau de confiance de 95%, nous croyons que μ est quelque part dans cet intervalle.

5 514 $\bar{x} = 5620$ 5 726

μ pourrait être située ici   ou la

On attribue à l'intervalle $5\,514 \le \mu \le 5\,726\$$, un niveau de confiance de 95% de contenir la vraie valeur concernant les coûts directs moyens associés à la réglementation concernant les PME.

$$E = \pm z_{\alpha/2} \frac{s}{\sqrt{n}}$$

b) La marge d'erreur statistique est:

$$E = \pm z_{\alpha/2} \frac{s}{\sqrt{n}} = 1,96 \times \frac{648}{\sqrt{144}} = \pm 105,84\$ \cong \pm 106\$.$$

Remarques. a) L'intervalle de confiance pourra être numériquement différent chaque fois qu'on prélève un échantillon de même taille de la population puisque l'intervalle est centré sur la moyenne de l'échantillon qui varie de prélèvement en prélèvement.

b) Dans le cas où la variance de la population est inconnue, des échantillonnages (≥ 30) successifs de la population peuvent conduire, pour la même taille d'échantillon et le même niveau de confiance, à des intervalles de diverses amplitudes parce que l'écart-type s variera d'échantillon en échantillon.

6.15 Marge d'erreur associée à l'estimation de la moyenne et taille d'échantillon requise pour ne pas excéder la marge d'erreur

Si σ est inconnu, un échantillon préliminaire de l'ordre de 30 permettra d'obtenir une bonne estimation de l'écart-type. On utilisera alors l'écart-type de cet échantillon dans la formule de la taille d'échantillon n.

Marge d'erreur

$$E = \pm z_{\alpha/2} \cdot \frac{\sigma}{\sqrt{n}}$$

ou

$$E = \pm z_{\alpha/2} \cdot \frac{s}{\sqrt{n}}$$

Plus le niveau de confiance sera élevé, plus la marge d'erreur sera grande.

La marge d'erreur dans l'estimation, lorsqu'on emploie la moyenne $\bar{x}$ de l'échantillon pour estimer la vraie valeur de μ est l'écart (en valeur absolue) entre $\bar{x}$ et μ, soit $|\bar{x} - \mu|$.

Pour un niveau de confiance $1-\alpha$, l'intervalle de confiance s'écrit (population normale, σ connu) $-z_{\alpha/2} \frac{\sigma}{\sqrt{n}} \le \bar{x} - \mu \le z_{\alpha/2} \frac{\sigma}{\sqrt{n}}$ ou $|\bar{x} - \mu| \le z_{\alpha/2} \frac{\sigma}{\sqrt{n}}$.

Donc pour un niveau de confiance $(1-\alpha)$, la marge d'erreur est au plus égale à $z_{\alpha/2} \frac{\sigma}{\sqrt{n}}$ (où $z_{\alpha/2} \frac{s}{\sqrt{n}}$ dans le cas d'un grand échantillon si σ est inconnu).

Elle quantifie l'erreur attribuable aux fluctuations d'échantillonnage. Pour un σ connu et une même taille d'échantillon, c'est le niveau de confiance qui influence la marge d'erreur dans l'estimation.

En pratique, on peut fixer la marge d'erreur qu'on ne veut pas excéder et déterminer la *taille minimale de l'échantillon* requise. Notons cette marge d'erreur par E, et posons

$$z_{\alpha/2} \frac{\sigma}{\sqrt{n}} = E .$$

Alors $\sqrt{n} = \frac{z_{\alpha/2}\sigma}{E}$. En élevant les deux membres au carré, on obtient:

$$n = \left[\frac{z_{\alpha/2}\sigma}{E} \right]^2$$

Cette taille d'échantillon nous assure que la marge d'erreur dans l'estimation de μ par $\bar{x}$ sera au plus égale à E. Une fois l'échantillon prélevé et la moyenne $\bar{x}$ calculée, l'intervalle de confiance pour μ s'obtient directement de

$$\bar{x} - \text{marge d'erreur} \le \mu \le \bar{x} + \text{marge d'erreur}$$

$$\bar{x} - E \le \mu \le \bar{x} + E$$

Remarques. a) Pour le même niveau de confiance et le même écart-type, plus la marge d'erreur requise est faible (la précision du sondage est plus grande), plus la taille d'échantillon sera élevée.

b) Dans le cas où on veut sonder une population finie de dimension N pour laquelle le taux de sondage peut être assez élevé, on utilisera alors l'expression suivante pour le calcul de la taille d'échantillon:

$$n = \frac{N \cdot z_{\alpha/2}^2 \cdot \sigma^2}{N \cdot E^2 + z_{\alpha/2}^2 \cdot \sigma^2} \cdot$$

Cette formule est obtenue en résolvant pour n, l'expression suivante:

$$\text{Marge d'erreur } E = \pm z_{\alpha/2} \frac{\sigma}{\sqrt{n}} \sqrt{1 - \frac{n}{N}} \cdot$$

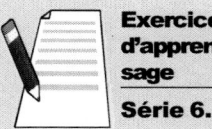

**Exercices
d'apprentis-
sage**

Série 6.2

📄 Distribution d'échantillonnage de la moyenne

1. Selon une étude économique*, les dépenses moyennes des ménages pour les soins personnels sont de 664$. Admettons que les dépenses sont distribuées approximativement selon une loi normale avec une variance de 4 096.

On prélève un échantillon aléatoire de 25 ménages.

a) Quels sont les paramètres de la distribution d'échantillonnage de la variable aléatoire «dépenses moyennes pour soins personnels»?

b) Quelle est la probabilité que, dans un échantillon aléatoire de 25 ménages, les dépenses moyennes pour soins personnels soient inférieures à 650$?

c) Quelle est la probabilité que, dans un échantillon de 25 ménages, les dépenses moyennes pour soins personnels se situent entre 638,40$ et 689,60$?

d) Sur 100 000 ménages, combien ont une dépense supérieure à 760$, pour les soins personnels?

*Source: Adapté de C. Harris, *Le budget familial*, Le Banquier, novembre/décembre 1999 et Statistique Canada.

📄 Estimation par intervalle de confiance du temps moyen requis

2. Le centre d'assistance à la clientèle d'une entreprise de service a sélectionné de ses nombreux dossiers, un échantillon aléatoire de 40 demandes d'assistance* et a noté le temps requis (en minutes) pour solutionner les demandes. Les principales statistiques concernant le temps requis sont présentées ci-après:

Nombre d'observations:	40
Moyenne :	69,3
Médiane	70
Écart-type:	9,06

a) Déterminez l'erreur-type de la moyenne des 40 demandes d'assistance.

b) Déterminez un intervalle de confiance pour le vrai temps moyen pour solutionner les demandes avec un niveau de confiance de

i) 90%.   ii) 95%.   iii) 99%.

c) Quelle est la marge d'erreur statistique dans l'estimation du vrai temps moyen d'assistance, pour un niveau de confiance de 99%?

*Source: Adapté d'un document de *formation sur la gestion des processus*, Hydro-Québec, 1994.

📄 Détermination du nombre d'entreprises de service à sonder

3. On veut effectuer un sondage auprès de responsables d'achats de produits de bureaux d'entreprises de service pour obtenir une estimation moyenne du montant annuel des achats de fournitures de bureau. Une première enquête auprès d'entreprises de service permet d'établir l'ordre de grandeur de l'écart-type du montant annuel des achats à 900$.

Exercices d'apprentis-sage

Série 6.2 (suite)

a) Déterminez le nombre requis d'entreprises de service, pour estimer, avec un niveau de confiance de 95%, le montant annuel moyen des achats de fournitures de bureau, et ceci avec une marge d'erreur n'excédant pas 300\$. On suppose que le montant annuel des achats est distribué normalement.

D'après le niveau de confiance requis, on a

$1-\alpha =$ _____ , $\alpha =$ _____ , et $\alpha/2 =$ _____ .

De la table de la loi normale centrée réduite, on peut lire $z_{0,025} =$ _____ .

Avec $\sigma = 900$ et $E = 300\$$, on obtient pour n,

$$n = \left[\frac{z_{\alpha/2}\sigma}{E} \right]^2 = \underline{\hspace{3cm}} \text{ soit 35 entreprises.}$$

b) Pour le même niveau de confiance, quel doit être le nombre d'entreprises de service à contacter pour assurer que la marge d'erreur dans l'estimation du montant annuel moyen des achats de fournitures de bureau n'excède pas 150\$?

Dans ce cas, $E = 150\$$ et on obtient alors $n =$
soit 139 entreprises, ce qui est pratiquement 4 fois, en nombre d'entreprises, pour réduire de ± 150\$ la marge d'erreur.

📄 Détermination de la taille d'échantillon en population finie

4. Le comptable de la compagnie de transport Laviolette veut effectuer une vérification des comptes-clients par sondage aléatoire pour en estimer le montant moyen à recevoir.

La compagnie a présentement 400 comptes-clients. Si on admet que l'écart-type des montants à recevoir pour l'ensemble des comptes-clients est de l'ordre de 200\$

a) combien de comptes doit-on examiner pour obtenir, avec un niveau de confiance de 95,44%, une estimation du montant moyen à recevoir avec une marge d'erreur n'excédant pas 50\$?

b) Quelle est la marge d'erreur dans l'estimation du montant moyen à recevoir?

6.16   Estimation d'une moyenne par intervalle de confiance dans le cas d'un petit échantillon ($n < 30$)

Lorsque l'échantillonnage s'effectue à partir d'une population normale de variance inconnue et que la taille d'échantillon est petite ($n < 30$), l'estimation de la variance σ^2 par s^2 n'est plus fiable. Elle varie trop d'échantillon en échantillon.

Dans ce cas l'écart réduit $\dfrac{\overline{X} - \mu}{s/\sqrt{n}}$ n'est plus distribué selon la loi normale centrée réduite

(le théorème central limite ne s'applique pas puisque $n < 30$). Sous ces conditions, on ne peut donc pas établir un intervalle de confiance pour μ avec les valeurs tabulées de la loi normale centrée réduite. Ceci exige une autre distribution, soit la *distribution de Student*.

Cette loi de probabilité (d'expression algébrique très complexe et que nous omettons délibérément) est attribuable à W.S. Gosset, statisticien oeuvrant dans l'entreprise (il était à l'emploi d'une brasserie irlandaise: "Guiness Brewery"). Gosset se dévouait corps et âme à l'analyse de résultats provenant de petits échantillons (des petites gorgées!). En 1908, il publia un article intitulé "On the Probable Error of the Mean" sous le pseudonyme "Student" (la direction de la brasserie s'opposant à la publication de cet article sous son vrai nom...) d'où la *loi de Student*. Les principales propriétés de cette loi sont les suivantes:

6.16.1 Propriétés de la loi de Student

❶ La variable aléatoire associée à la distribution de Student est une variable continue et qui est notée "T". Elle peut varier entre $-\infty$ et $+\infty$.

❷ La distribution de Student est symétrique par rapport à l'origine et est un peu plus aplatie que la distribution normale centrée réduite.

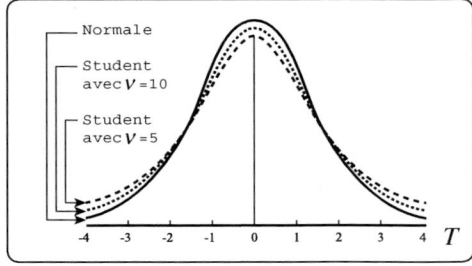

❸ La distribution de Student ne dépend que d'une seule quantité soit ν, le nombre de degrés de liberté qui peut être n'importe quel entier positif. La distribution de Student est effectivement une famille de distributions. Comme nous l'indique la figure ci-contre, il existe une distribution distincte pour chaque valeur de ν.

❹ On démontre que l'espérance mathématique et la variance de la variable aléatoire T sont respectivement

$$E(T) = 0, \text{ pour } \nu > 1 \text{ et } Var(T) = \frac{\nu}{\nu-2} \text{ pour } \nu > 2.$$

La variance de T est supérieure à 1 mais tend vers 1 à mesure que ν augmente. Elle n'est pas définie pour $\nu \leq 2$.

❺ À mesure que le nombre de degrés de liberté augmente ($\nu \rightarrow \infty$), la distribution de Student s'approche de plus en plus de la loi normale centrée réduite. Le cas limite est effectivement la loi normale centrée réduite.

6.16.2 Valeurs tabulées du *T* de Student et leur signification

Nous présentons dans le tableau ci-après, un extrait de la table de Student pour diverses valeurs de la taille de l'échantillon et des probabilités α. Elles sont tabulées de manière telle que la probabilité pour que $T = \dfrac{\overline{X} - \mu}{S / \sqrt{n}}$ soit supérieure (ou égale) à une valeur fixée

$t_{\alpha;\nu}$ est donnée par la relation

$P(T \geq t_{\alpha;\nu}) = \alpha$ où $\nu = n-1$
(soit le dénominateur de la variance d'échantillon).

Extrait de la table de Student

n	$\nu = n-1$	$\alpha = 0{,}25$	$\alpha = 0{,}10$	$\alpha = 0{,}05$	$\alpha = 0{,}025$
2	1	1,0000	3,0777	6,3137	12,7062
3	2	0,8165	1,8856	2,9200	4,3027
4	3	0,7649	1,6377	2,3534	3,1824
5	4	0,7407	1,5332	2,1318	2,7765
6	5	0,7267	1,4759	2,0150	2,5706
7	6	0,7176	1,4398	1,9432	2,4469
8	7	0,7111	1,4149	1,8946	2,3646
9	8	0,7064	1,3968	1,8595	2,3060
10	9	0,7027	1,3830	1,8331	2,2622
11	10	0,6998	1,3722	1,8125	2,2281
12	11	0,6974	1,3634	1,7959	2,2010
13	12	0,6955	1,3562	1,7823	2,1788
14	13	0,6938	1,3502	1,7709	2,1604
15	14	0,6924	1,3450	1,7613	2,1448
16	15	0,6912	1,3406	1,7531	2,1315

Valeurs du T de Student

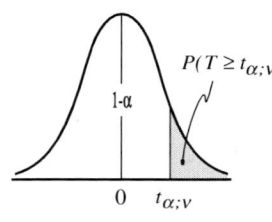

$P(T \geq t_{\alpha;\nu})$

$1-\alpha$

Par exemple, quelle est la valeur du t de Student lorsque $\alpha = 0{,}05$ et que la taille d'échantillon est 12?

De la table, on peut lire:
$t_{0,05;11} = 1{,}7959$.

À cause de la symétrie de la distribution de Student, on notera que

$t_{\alpha;\nu} = -t_{(1-\alpha);\nu}$

Ainsi, $t_{0,05;10} = -t_{0,95;10}$.

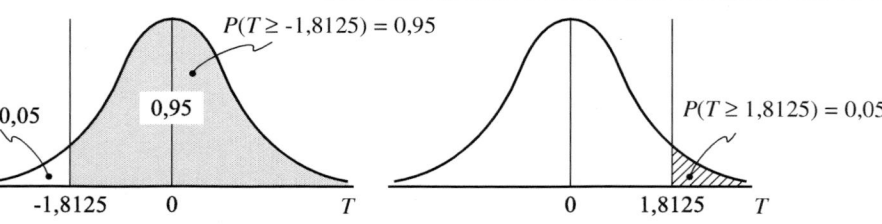

$P(T \geq -1{,}8125) = 0{,}95$

$0{,}05$ $0{,}95$

$P(T \geq 1{,}8125) = 0{,}05$

$$P(T \geq t_{\alpha;\nu}) = 1 - P(T \geq -t_{(1-\alpha);\nu}) = P(T \leq -t_{\alpha;\nu})$$

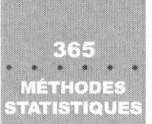

Donnons maintenant l'expression requise pour calculer un intervalle de confiance pour la moyenne µ dans le cas d'une population normale de variance inconnue et dont l'échantillon est de petite taille ($n < 30$).

Intervalle de confiance pour la moyenne de la population
Population normale de variance inconnue - *n* inférieur à 30

À partir d'un échantillon aléatoire de petite taille ($n < 30$), prélevé d'une population normale de moyenne µ (inconnue) et de variance σ^2 inconnue, alors on définit, en prenant comme estimation ponctuelle de µ la moyenne $\bar{x}$ de l'échantillon, un intervalle de confiance ayant un niveau de confiance $100(1-\alpha)\%$ de contenir la vraie valeur de µ comme suit:

$$\bar{x} - t_{\alpha/2;v} \times \frac{s}{\sqrt{n}} \leq \mu \leq \bar{x} + t_{\alpha/2;v} \times \frac{s}{\sqrt{n}}$$

où s représente l'écart-type de l'échantillon et $t_{\alpha/2;v}$, la valeur tabulée de la distribution de Student telle que la probabilité que T soit compris entre $-t_{\alpha/2;v}$ et $t_{\alpha/2;v}$ est $1-\alpha$.
La marge d'erreur statistique au niveau de confiance $100(1-\alpha)\%$ est:

$$E = \pm t_{\alpha/2;v} \cdot \frac{s}{\sqrt{n}}.$$

Intervalle de confiance et marge d'erreur statistique

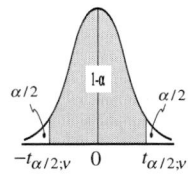

La quantité $v = n - 1$ est également connue sous le nom de *degrés de liberté*. Bien que nous ayons n données, nous perdons 1 degré de liberté du fait que nous devons estimer µ pour calculer s.

Le *nombre de degrés de liberté* peut également se définir de la façon suivante: c'est le nombre d'écarts nécessaire au calcul de la somme de carrés moins le nombre de paramètres que l'on doit estimer pour effectuer le calcul des écarts. Ainsi dans l'expression $\sum(x_i - \bar{x})^2$, il faut d'abord estimer µ par $\bar{x}$ pour effectuer ce calcul, nous perdons 1 degré de liberté; il reste (n-1) degrés de liberté. Ainsi, pour tout calcul de somme de carrés, nous perdons autant de degrés de liberté qu'il y a de paramètres à estimer avec les données pour calculer les écarts.

Valeurs de $t_{\alpha/2;v}$ pour différents niveaux de confiance

		Niveau de confiance		
n	$v = n - 1$	90%	95%	99%
8	7	1,8946	2,3646	3,4995
10	9	1,8331	2,2622	3,2498
12	11	1,7959	2,2010	3,1058
15	14	1,7613	2,1448	2,9768
16	15	1,7531	2,1315	2,9467
18	17	1,7396	2,1098	2,8982
20	19	1,7291	2,0930	2,8609
24	23	1,7139	2,0687	2,8073
25	24	1,7109	2,0639	2,7970
28	27	1,7033	2,0518	2,7707
30	29	1,6991	2,0452	2,7564

Dans Excel, on utilise la fonction LOI.STUDENT.INVERSE(probabilité;degrés_liberté) pour obtenir la valeur du T de Student. Ainsi, la valeur $t_{\alpha/2;v} = t_{0,025;14}$ s'obtient de l'expression LOI.STUDENT.INVERSE(0,05;14), ce qui donne 2,1448 alors que $t_{\alpha;v} = t_{0,05;14} = 1,7613$ s'obtient de LOI.STUDENT.INVERSE(0,10;14).
Dans Excel, *Probabilité = 2α*.

Exemple 6.8

Estimation de l'investissement moyen dans les systèmes d'information

Dans une étude* visant à expliquer les difficultés qu'éprouvent les PME manufacturières à évaluer leurs systèmes d'information pour la gestion des opérations et de la production, on a obtenu les statistiques suivantes concernant l'investissement dans les systèmes d'information liés à la gestion de la production:

Investissement moyen: 243 000$

Écart-type: 30 250$.

Ces résultats ont été obtenus auprès d'un échantillon aléatoire de 25 PME manufacturières.

* Source: Adapté de Remilli, N. *L'impact des technologies de l'information de la gestion de la production sur la performance opérationnelle des PME manufacturières.* UQTR, mars 2002.

En supposant que l'investissement est distribué normalement, estimer par intervalle de confiance l'investissement moyen pour l'ensemble des PME manufacturières et ceci, avec les niveaux de confiance de 90%, de 95% et de 99%.

Puisque la variance de la population est inconnue, que la taille de l'échantillon est petite ($n = 25 < 30$) et que l'on suppose que la distribution de la variable *investissement* est normale, on devra tenir compte des fluctuations d'échantillonnage en faisant intervenir la distribution de Student pour établir l'intervalle de confiance.

L'intervalle de confiance aura donc la forme

$$\bar{x} - t_{\alpha/2;n-1} \cdot \frac{s}{\sqrt{n}} \le \mu \le \bar{x} + t_{\alpha/2;n-1} \cdot \frac{s}{\sqrt{n}}$$

où $\nu = n - 1 = 25 - 1 = 24$ degrés de liberté et, pour les niveaux de confiance

de 90%, $1 - \alpha = 0,90$, $\alpha = 0,10$, $\alpha/2 = 0,05$
de 95%, $1 - \alpha = 0,95$, $\alpha = 0,05$, $\alpha/2 = 0,025$
de 99%, $1 - \alpha = 0,99$, $\alpha = 0,01$, $\alpha/2 = 0,005$

On a $\bar{x} = 243000\$$ et $s = 30\,250\$$ d'où $\frac{s}{\sqrt{n}} = \frac{30\,250}{\sqrt{25}} = 6\,050\$$.

$\bar{x} = 243\ 000\$$ De la table de Student, on peut lire $t_{0,05;24} = 1,7109$, $t_{0,025;24} = 2,0639$ et $t_{0,005;24} = 2,7970$.

Niveau de confiance	$t_{\alpha/2;24}$	$t_{\alpha/2;24} \cdot \frac{s}{\sqrt{n}}$	Limite inférieure $\bar{x} - t_{\alpha/2;24} \cdot \frac{s}{\sqrt{n}}$	Limite supérieure $\bar{x} + t_{\alpha/2;24} \cdot \frac{s}{\sqrt{n}}$
90%	1,7109	10 351*	232 649	253 351
95%	2,0639	12 487	230 513	255 487
99%	2,7970	16 922	226 078	259 922

*Valeurs arrondies   Par exemple, on peut attribuer un niveau de confiance de 99% à l'intervalle $226\,078\$ \le \mu \le 259\,922\$$ de contenir la valeur réelle concernant l'investissement moyen des PME manufacturières dans les systèmes d'information liés à la gestion de la production.

6.17 Estimation d'une proportion par intervalle de confiance

Le raisonnement sous-jacent pour construire un intervalle de confiance pour la valeur vraie de p (par exemple la proportion de transactions non conformes) est similaire à celui utilisé pour la moyenne μ. Nous nous contenterons d'en donner le résultat en utilisant les propriétés indiquées en remarque.

Intervalle de confiance pour la proportion _p_ avec un niveau de confiance 100(1-α)%. L'intervalle de confiance associé à l'estimation de _p_, la proportion d'éléments (individus) possédant un certain caractère qualitatif dans la population, ayant un niveau de confiance 100(1−α)% de contenir la valeur vraie de _p_ est, en autant que $n\hat{p} \geq 5$ et $n(1-\hat{p}) \geq 5$,

$$\hat{p} - z_{\alpha/2}\sqrt{\frac{\hat{p}(1-\hat{p})}{n}} \leq p \leq \hat{p} + z_{\alpha/2}\sqrt{\frac{\hat{p}(1-\hat{p})}{n}}$$

où $\hat{p}$ représente la valeur observée de $\hat{P}$ (estimateur ponctuel de _p_) sur l'échantillon de taille _n_ et $z_{\alpha/2}$ est la valeur de la variable normale centrée réduite telle que la probabilité que _Z_ soit comprise entre $-z_{\alpha/2}$ et $z_{\alpha/2}$ est 1-α.

La _marge d'erreur statistique_ au niveau de confiance 100 (1-α)% est:

$$E = \pm z_{\alpha/2}\sqrt{\frac{\hat{p}(1-\hat{p})}{n}} \; .$$

Lorsque $\hat{p}$ n'est pas trop voisin de 0 ou de 1, il arrive fréquemment que $n \geq 30$ soit suffisant comme condition d'application.

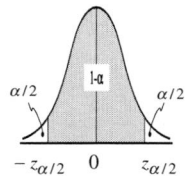

Remarque. La proportion d'échantillon $\hat{P}$ (estimateur de _p_) est une variable aléatoire dont la distribution possède les propriétés suivantes, en autant que $n\hat{p} \geq 5$ et $n(1-\hat{p}) \geq 5$ (conditions d'application):

1) La distribution de $\hat{P}$ est approximativement normale.

2) La moyenne de la distribution de $\hat{P}$ est $E(\hat{P}) = p$.

3) L'écart-type de la distribution d'échantillonnage de $\hat{P}$ est: $\sigma(\hat{P}) = \sqrt{\frac{p(1-p)}{n}}$.

Les fluctuations de l'écart réduit $Z = \dfrac{\hat{P} - p}{\sqrt{\dfrac{p(1-p)}{n}}}$ suivent la loi normale centrée réduite.

Exemple 6.9

Les deux tiers des Québécois surfent : estimation d'une proportion par intervalle

Un sondage effectué par _Ad hoc recherche_, pour le compte du journal LES AFFAIRES, précise que 218 personnes sur 509 personnes interrogées déclarent qu'elles mêmes ou un membre de leur famille payent pour avoir accès à Internet.

* Source: Plantevin, J. _Le taux de branchement aurait atteint son apogée._ Journal LES AFFAIRES, 13 juillet 2002.

Déterminez un intervalle de confiance pour _p_, la proportion vraie d'adultes québécois, qui déclarent payer pour avoir accès à Internet, et ceci avec un niveau de confiance de 90%, de 95% et de 99%.

L'estimation ponctuelle de _p_ est $\hat{p} = \dfrac{218}{509} = 0{,}428$.

L'écart-type de la proportion d'échantillon est

$$\sqrt{\frac{\hat{p}(1-\hat{p})}{n}} = \sqrt{\frac{(0{,}428)(0{,}572)}{509}} = 0{,}022.$$

Les intervalles de confiance obtenus pour les différents niveaux de confiance sont présentés dans le tableau de la page suivante.

$$\hat{p} = 0,428$$

Niveau de confiance	$z_{\alpha/2}$	$z_{\alpha/2}\sqrt{\dfrac{\hat{p}(1-\hat{p})}{n}}$	Limite inférieure $\hat{p} - z_{\alpha/2}\sqrt{\dfrac{\hat{p}(1-\hat{p})}{n}}$	Limite supérieure $\hat{p} + z_{\alpha/2}\sqrt{\dfrac{\hat{p}(1-\hat{p})}{n}}$
90%	1,645	0,036	0,392	0,464
95%	1,96	0,043	0,385	0,471
99%	2,576	0,057	0,372	0,485

• • •

Dans le calcul de tout intervalle de confiance, plus le niveau de confiance est élevé, plus l'amplitude de l'intervalle est grande.

Ainsi pour un niveau de confiance de 95%, nous croyons que l'intervalle $0,385 \le p \le 0,471$ encadre p, la proportion de personnes adultes québécoises qui déclarent qu'elles-mêmes ou un membre de leur famille payent pour avoir accès à Internet.

Avec un niveau de confiance de 95%, nous croyons que p est quelque part dans cet intervalle.

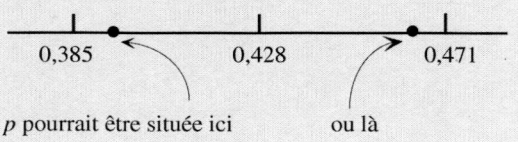

0,385   0,428   0,471

p pourrait être située ici   ou là

Remarques. a) Les propriétés de la distribution d'échantillonnage de $\hat{P}$ mentionnées précédemment supposent que l'échantillonnage s'effectue avec remise. Si l'échantillonnage s'effectue sans remise, à partir d'une population finie de taille N, on doit apporter une correction à $\sigma(\hat{P})$. Dans ce cas,

$$\sigma(\hat{P}) = \sqrt{\frac{p(1-p)}{n}}\sqrt{\frac{N-n}{N-1}} \cong \sqrt{\frac{p(1-p)}{n}}\sqrt{1-\frac{n}{N}}.$$

Toutefois ce facteur de correction est négligeable ($\cong 1$) si le taux de sondage $\dfrac{n}{N}$ est inférieur à 5% ($\dfrac{n}{N} \le 0,05$). Plusieurs ouvrages utilisent également $\dfrac{n}{N} \le 0,10$ comme règle pratique.

b) Dans le cas d'un tirage sans remise, l'écart-type de la statistique concernée est donc plus faible (meilleure précision) que celui obtenu lors d'un tirage avec remise.

6.18 Marge d'erreur associée à l'estimation de *p* et taille d'échantillon requise

Comme la valeur observée $\hat{p}$ est sujette à des fluctuations d'échantillonnage, il existera pratiquement toujours un écart entre la valeur observée $\hat{p}$ et la valeur réelle p. Cet écart, en valeur absolue, constitue la *marge d'erreur* dans l'estimation de p. Cette quantité s'appelle également la *précision du sondage*. Pour un niveau de confiance $100(1-\alpha)\%$, cette marge d'erreur que l'on obtient en estimant p par $\hat{p}$ peut se schématiser comme ci-contre:

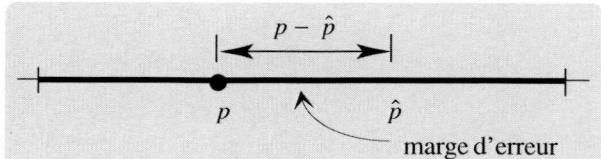

$p - \hat{p}$

p $\hat{p}$

marge d'erreur

Marge d'erreur dans l'estimation de *p*. Lorsque $\hat{p}$ est utilisée comme estimation de p, alors pour un niveau de confiance $100(1-\alpha)\%$, la marge d'erreur E sera au plus égale à

$$z_{\alpha/2} \cdot \sqrt{\frac{\hat{p}(1-\hat{p})}{n}} \quad \text{soit} \quad |p - \hat{p}| \le z_{\alpha/2} \cdot \sqrt{\frac{\hat{p}(1-\hat{p})}{n}} = E.$$

Pour un même niveau de confiance, on améliore la précision du sondage (diminution de la marge d'erreur) en augmentant la taille de l'échantillon.

On peut alors exprimer l'intervalle de confiance pour la proportion p avec un niveau de confiance $100(1-\alpha)\%$ comme suit: $\hat{p} - E \leq p \leq \hat{p} + E$. Cette marge d'erreur est d'autant plus petite (la précision du sondage est plus grande) que l'intervalle de confiance est plus petit.

On peut facilement déterminer la taille minimale de l'échantillon requise pour une marge d'erreur fixée à l'avance.

Il s'agit de résoudre pour n, l'équation $E = z_{\alpha/2} \cdot \sqrt{\dfrac{\hat{p}(1-\hat{p})}{n}}$.

Taille d'échantillon requise pour estimer *p* avec une marge d'erreur *E*.

❶ On connaît une valeur approximative ($\hat{p}$) de p obtenue d'un sondage préalable sur un petit échantillon $n \cong 30$. Pour une marge d'erreur désirée E et un niveau de confiance $100(1-\alpha)\%$, la taille d'échantillon minimale requise est:

$$n = \frac{z_{\alpha/2}^2 \hat{p}(1-\hat{p})}{E^2}$$

❷ Si on ne peut obtenir par un sondage préalable une valeur approximative de p, on la fixe à 0,50. Cette valeur représente le cas le plus défavorable, c.-à-d. la valeur qui donne le plus grand écart-type possible pour la distribution d'échantillonnage de $\hat{P}$. Dans ce cas, la taille d'échantillon requise pour un niveau de confiance $100(1-\alpha)\%$ est

$$n = \frac{z_{\alpha/2}^2 (0,5)(0,5)}{E^2} = \frac{z_{\alpha/2}^2}{4E^2}$$

Pour un niveau de confiance de 95,44%, on a $z_{0,0228} = 2$ et l'expression se réduit à

$$n = \frac{z_{\alpha/2}^2}{4E^2} = \frac{(2)^2}{4E^2} = \frac{1}{E^2}$$

Exemple 6.10

Détermination de la marge d'erreur dans un sondage sur la mondialisation

D'après un sondage* effectué par la firme SOM pour le compte du journal LES AFFAIRES et ceci auprès de 100 dirigeants de PME au Québec, 82% des dirigeants de PME se disent en faveur de la mondialisation.

* Source: Gagnon, G. *Quatre PME sur cinq perçoivent la mondialisation comme une occasion de croissance.* LES AFFAIRES, hors série, édition 2001.

Déterminez la marge d'erreur statistique sur la proportion estimée, pour l'ensemble des dirigeants de PME, et ceci pour un niveau de confiance de 95%.

La marge d'erreur statistique s'obtient de:

$$\text{Marge d'erreur} = z_{0,025} \sqrt{\frac{\hat{p}(1-\hat{p})}{n}} = (1,96)\sqrt{\frac{(0,82)(0,18)}{100}} = (1,96)(0,0384) = 0,075$$

soit 7,5%. On peut donc considérer, avec un niveau de confiance de 95%, que l'écart (en valeur absolue) entre la valeur estimée de p (0,82, soit 82%) et sa valeur réelle n'excèdera pas 7,5% avec le nombre de dirigeants qui a été sondé.

Exercices d'apprentissage

Série 6.3

📄 Estimation par intervalle de confiance du coût moyen d'experts-conseils

1. Dans une recherche* auprès de PME québécoises sur différents aspects (niveau de difficulté, coûts d'implantation, amélioration de la qualité, ...) concernant la mise en place des normes internationales pour les systèmes de gestion de la qualité (normes internationales ISO 9000), on a obtenu auprès d'un échantillon aléatoire de 20 PME, les coûts attribuables aux services-conseils au moment de l'implantation des normes et du processus de certification.

Le traitement informatique des données obtenues conduit aux résultats ci-après.

Coûts	
Moyenne	19 682,00 $
Erreur-type	383,22 $
Médiane	20 000,00 $
Mode	20 000,00 $
Écart-type	1 713,80 $
Variance de l'échantillon	2 937 108,95 $
Minimum	15 675,00 $
Maximum	23 875,00 $

Coûts des services d'experts-conseils

PME no	Coûts	PME no	Coûts
1	19400	11	20300
2	21600	12	20000
3	21050	13	23875
4	15675	14	18300
5	18350	15	18770
6	20000	16	18200
7	20100	17	20950
8	18900	18	17970
9	21150	19	18600
10	20200	20	20250

* Source: Adapté de Rheault, D., *Analyse descriptive du processus d'implantation et de mise en oeuvre d'un système de normes de la série ISO 9000 et ses impacts sur la PME québécoise*, Mémoire de recherche, UQTR, 1997.

a) Quelle est l'estimation ponctuelle du coût moyen encouru par les PME pour les services d'experts-conseils en ce qui a trait au processus de certification?

b) Quelle est l'erreur-type de la moyenne.

c) Déterminez, pour un niveau de confiance de 95%, la marge d'erreur statistique dans l'estimation du coût moyen associé au service d'experts-conseils. On suppose que les coûts sont distribués normalement.

d) Déterminez un intervalle de confiance ayant un niveau de confiance de 95% de contenir la vraie valeur des coûts moyens pour les services d'experts-conseils externes.

📄 Sondage auprès de très petites entreprises: détermination de la taille d'échantillon

2. Un organisme se spécialisant dans l'étude de nouvelles technologies de l'information utilisées par les entreprises veut effectuer un sondage* auprès de très petites entreprises (TPE) de moins de dix employés concernant leur degré d'informatisation.

On veut déterminer la taille d'échantillon requise pour estimer le pourcentage de TPE qui sont informatisées avec une marge d'erreur (en valeur absolue) n'excédant pas 4% et un niveau de confiance de 95%.

D'après un sondage effectué il y a 2 ans, 46% des TPE étaient informatisées. On considère que le nombre de TPE est suffisamment important pour ne pas utiliser le facteur de correction.

a) Quelle est la marge d'erreur qu'on ne veut excéder?

b) Quelle expression est requise pour déterminer la taille d'échantillon?

c) Combien de TPE devrait-on sonder, selon les exigences requises ici?

* Source: Adapté de Hirtzmann, L., *Quand les PME québécoises deviendront Net*, PME, juin 2000.

📄 Estimation d'une proportion par intervalle de confiance

3. Un sondage* Banque Nationale/Groupe Everest/*La Presse*, réalisé du 2 au 7 décembre 1999 auprès de 300 entrepreneurs, mentionne que plus du tiers (34,5%) des PME estiment que la situation économique continuera à s'améliorer en l'an 2000.

* Source: Dupal, R., *Les PME sont optimistes à l'aube de l'an 2000*, Sondage Banque Nationale/Groupe Everest/*La Presse*, La Presse, 15 décembre 1999.

Exercices d'apprentissage

Série 6.3 (suite)

a) Quelle est l'estimation ponctuelle de la vraie proportion d'entrepreneurs considérant que la situation économique continuera à s'améliorer?

b) Sachant qu'il existe 6230 PME au Québec, déterminez le taux de sondage $\frac{n}{N}$?

c) Est-ce nécessaire d'utiliser le facteur de correction pour le calcul de $\sigma(\hat{P})$?

d) On veut estimer p par intervalle de confiance. Vérifiez les conditions d'application pour obtenir cet intervalle.

$$n = \qquad n\hat{p} = \qquad n(1-\hat{p}) =$$

e) Estimez par intervalle de confiance la proportion de toutes les PME qui considèrent que la situation économique continuera de s'améliorer et ceci avec un niveau de confiance de 95%.

La limite inférieure de l'intervalle de confiance est:

La limite supérieure de l'intervalle de confiance est:

f) Quelle est la marge d'erreur associée à l'estimation de p avec un niveau de confiance de 95%?

4. On veut effectuer un sondage auprès d'entreprises* québécoises comportant entre 10 et 49 employés (il y en a 34 902 au Québec) assujetties à la Loi sur l'équité salariale adoptée en 1996, pour estimer la proportion d'entreprises qui déclarent avoir complété leur démarche d'équité salariale.

📄 Sondage auprès d'entreprises québécoises assujetties à la Loi sur l'équité salariale

* Source: Adapté de Richer, J., *61% des PME ne respectent pas la Loi sur l'équité salariale*. Le Nouvelliste, 22 novembre 2002.

On veut déterminer la taille d'échantillon requise pour estimer la vraie proportion d'entreprises qui déclarent avoir complété leur démarche d'équité salariale avec une marge d'erreur (en valeur absolue) n'excédant pas 4% et un niveau de confiance de 95,44%. On n'a aucune information préalable sur p, la vraie proportion d'entreprises.

a)   Marge d'erreur = _____
      Niveau de confiance = _____
      Valeur centrée réduite z: _____

b) Quelle expression est requise pour déterminer la taille d'échantillon?

c) Quelle serait la taille d'échantillon requise si la marge d'erreur statistique ne doit pas excéder 2%, et ceci avec le même niveau de confiance?

$$n = \underline{\qquad\qquad} = \underline{\qquad\qquad}.$$

Pour réduire la marge d'erreur de moitié, il faut une taille d'échantillon _____ fois supérieure.

5. Le vérificateur interne d'une entreprise oeuvrant dans le domaine de l'électronique et de l'informatique a effectué une vérification par échantillonnage aléatoire sur 28 transactions et a obtenu une erreur moyenne d'écriture de 225$ avec un écart-type de 20$.

📄 Estimation par intervalle de confiance de l'erreur moyenne d'écriture

a) En supposant que le montant associé aux erreurs d'écriture est distribué normalement, estimez par intervalle de confiance l'erreur moyenne réelle avec un niveau de confiance de 95%.

b) Quelle est la marge d'erreur statistique dans l'estimation de l'erreur moyenne d'écriture, pour le niveau de confiance précisé en a)?

6.19 Résumé, glossaire et synthèse des principales formules

Résumé

▸ Nous avons présenté dans ce chapitre deux sujets importants de l'inférence statistique soit les méthodes d'échantillonnage et l'estimation de paramètres. Nous avons indiqué comment construire un échantillon à l'aide d'une table de nombres aléatoires et nous avons traité de diverses méthodes d'échantillonnage probabilistes et non probabilistes.

▸ Nous avons par la suite présenté la distribution d'échantillonnage de la moyenne d'échantillon et ses paramètres; un théorème important concernant la distribution d'échantillonnage de la moyenne d'échantillon a été énoncé soit le théorème central limite.

▸ Nous avons abordé par la suite les différents aspects de l'estimation d'une moyenne d'une population (caractère mesurable) et l'estimation d'une proportion d'une population (caractère dénombrable). Les principales notions associées à cette partie de l'inférence statistique ont été étudiées soient l'estimation ponctuelle, l'estimation par intervalle de confiance, la marge d'erreur statistique dans l'estimation du paramètre et le niveau de confiance.

▸ Nous avons présenté également les expressions requises pour calculer la taille d'échantillon d'un sondage qui permet de respecter une marge d'erreur statistique et un niveau de confiance fixés au préalable.

Nous présentons ci-après les principaux concepts qui ont été traités dans ce chapitre.

Glossaire

Méthode d'échantillonnage: Méthode employée pour construire un échantillon. Selon la méthode employée, l'échantillon peut être aléatoire ou non.

Méthode d'échantillonnage aléatoire: Méthode de sélection qui assure que l'échantillon est construit de manière telle que chaque unité statistique de la population a une probabilité connue et différente de zéro d'être choisie.

Échantillon aléatoire simple: Échantillon choisi de manière telle que chaque sous-ensemble de n unités statistiques parmi N unités statistiques de la population a la même probabilité d'être choisi.

Tirage sans remise (ou exhaustif): Les unités statistiques prélevées successivement (ou ensemble) ne sont pas remises dans la population. Chaque unité statistique figure une seule fois dans l'échantillon.

Tirage avec remise (ou indépendant): Chaque unité statistique prélevée au hasard dans la population est remise dans la population (après que le caractère a été mesuré ou observé). Une unité statistique peut être désignée plus d'une fois dans le processus de sélection.

Échantillonnage par tirage systématique: Procédure d'échantillonnage qui consiste à prelever les unités statistiques régulièrement espacées, selon un pas choisi.

Distribution d'échantillonnage: Distribution de toutes les valeurs possibles d'une statistique calculée à partir d'échantillons de même taille, prélevés d'une population.

Paramètre: Grandeur numérique (moyenne, variance, proportion, ...) mesurable ou dénombrable obtenue de l'ensemble des données d'une population.

Théorème central limite: Théorème qui permet de considérer que la distribution d'échantillonnage de la moyenne d'un caractère mesurable s'approche d'une loi normale, en autant que la taille d'échantillon est suffisamment importante.

Estimateur: Statistique utilisée pour estimer un paramètre d'une population; l'estimateur est fonction des données de l'échantillon.

Estimation: Valeur numérique que prend l'estimateur.

Estimation ponctuelle: Estimation d'un paramètre d'une population à partir d'une valeur unique déduite des données de l'échantillon.

Estimation par intervalle de confiance: Estimation d'un paramètre d'une population à l'aide d'un intervalle ayant un certain niveau de confiance d'englober la valeur du paramètre.

Glossaire (suite)

Biais d'un estimateur: Écart entre la valeur attendue de l'estimateur et le paramètre qui doit être estimé.

Variabilité d'un estimateur: Dispersion des valeurs que peut prendre un estimateur.

Erreur-type: Écart-type d'un estimateur.

Estimateur sans biais: Estimateur dont le biais est zéro.

Niveau de confiance: Degré de crédibilité qu'on accorde à un intervalle de confiance de contenir la vraie valeur d'un paramètre; il est habituellement exprimé en pourcentage.

Limites de confiance: Bornes inférieure et supérieure de l'intervalle de confiance.

Erreur d'échantillonnage: Écart (en valeur absolue) entre la valeur de l'estimateur ponctuel et le paramètre correspondant de la population, par exemple $|\bar{x} - \mu|$.

Marge d'erreur statistique: Écart maximal de l'erreur d'échantillonnage pour un niveau de confiance donné; la marge d'erreur tient compte de l'erreur-type de l'estimateur.

Loi de Student: Modèle statistique symétrique et centrée sur 0 qui dépend du nombre de degrés de liberté (c.-à-d. du nombre de données dans l'échantillon). La distribution de Student approche celle de la loi normale centrée réduite à mesure que le nombre de degrés de liberté augmente.

Degrés de liberté: Quantité qui est déduite de la taille d'échantillon et qui sert à établir certaines lois de probabilité comme la loi de Student. Dans le cas de la distribution de l'écart réduit de la moyenne d'échantillon de taille n, on a $n-1$ degrés de liberté.

Principales formules

Paramètres de la distribution de la moyenne

$$\mu_{\bar{X}} = \mu$$

$$Var(\bar{X}) = \frac{\sigma^2}{n}$$

$$\sigma(\bar{X}) = \sqrt{Var(\bar{X})} = \frac{\sigma}{\sqrt{n}}$$

où μ est la moyenne de la population, $\bar{X}$, la moyenne d'échantillon, σ^2, la variance de la population et n, la taille d'échantillon.

Si $\frac{n}{N} > 10\%$ où N est la dimension de la population finie, l'expression de $Var(\bar{X})$ devient

$$Var(\bar{X}) = \frac{\sigma^2}{n} \cdot \frac{N-n}{N-1} \cong \frac{\sigma^2}{n}\left(1 - \frac{n}{N}\right)$$

Facteur de correction de la variance de $\bar{X}$: $\left(1 - \frac{n}{N}\right)$

Transformation de la moyenne d'échantillon

Cas 1. Population normale et variance σ^2 connue.

$$Z = \frac{\bar{X} - \mu}{\sigma(\bar{X})} = \frac{\bar{X} - \mu}{\frac{\sigma}{\sqrt{n}}}$$

où Z est distribué selon une loi normale centrée réduite.

$$P(a \leq \bar{X} \leq b) = P\left(\frac{a-\mu}{\sigma/\sqrt{n}} \leq Z \leq \frac{b-\mu}{\sigma/\sqrt{n}}\right)$$

Cas 2. Grand échantillon $n \geq 30$.

$$Z = \frac{\bar{X} - \mu}{s(\bar{X})} = \frac{\bar{X} - \mu}{\frac{S}{\sqrt{n}}}$$

où Z est distribué selon une loi normale centrée réduite et

$$S = \sqrt{\frac{\sum(X_i - \bar{X})^2}{n-1}}.$$

Cas 3. Population normale, variance inconnue et $n < 30$.

$$T = \frac{\bar{X} - \mu}{S/\sqrt{n}}$$

où T est distribué selon la loi de Student avec $n-1$ degrés de liberté.

Principales formules (suite)

Intervalle de confiance pour la moyenne de la population

L'intervalle de confiance pour μ, au niveau de confiance $100(1-\alpha)\%$ est:

$$\bar{x} - z_{\alpha/2} \cdot \frac{\sigma}{\sqrt{n}} \leq \mu \leq \bar{x} + z_{\alpha/2} \cdot \frac{\sigma}{\sqrt{n}}$$ où $z_{\alpha/2}$ est la valeur de la variable normale centrée réduite.

Marge d'erreur statistique de l'échantillon: $E = \pm z_{\alpha/2} \frac{\sigma}{\sqrt{n}}$ ou $\pm z_{\alpha/2} \frac{\sigma}{\sqrt{n}} \sqrt{1 - \frac{n}{N}}$.

Grand échantillon $n \geq 30$.

L'intervalle de confiance pour μ, au niveau de confiance $100(1-\alpha)\%$ est:

$$\bar{x} - z_{\alpha/2} \cdot \frac{s}{\sqrt{n}} \leq \mu \leq \bar{x} + z_{\alpha/2} \cdot \frac{s}{\sqrt{n}}$$ où $z_{\alpha/2}$ est la valeur de la variable normale centrée réduite.

Marge d'erreur statistique de l'échantillon: $E = \pm z_{\alpha/2} \frac{s}{\sqrt{n}}$.

Population normale, variance inconnue et $n < 30$.

L'intervalle de confiance pour μ, au niveau de confiance $100(1-\alpha)\%$ est:

$$\bar{x} - t_{\alpha/2;v} \times \frac{s}{\sqrt{n}} \leq \mu \leq \bar{x} + t_{\alpha/2;v} \times \frac{s}{\sqrt{n}}$$ où $t_{\alpha/2;v}$, la valeur de la distribution de Student pour v degrés de liberté.

Marge d'erreur statistique de l'échantillon: $E = \pm t_{\alpha/2;v} \cdot \frac{s}{\sqrt{n}}$.

Taille d'échantillon pour estimer la moyenne de la population

$$n = \left[\frac{z_{\alpha/2}\sigma}{E} \right]^2$$ où E est la marge d'erreur qu'on ne veut pas excéder au niveau de confiance $100(1-\alpha)\%$.

Dans le cas d'une population de taille N, la taille d'échantillon est: $n = \dfrac{N \cdot z_{\alpha/2}^2 \cdot \sigma^2}{N \cdot E^2 + z_{\alpha/2}^2 \cdot \sigma^2}$.

Intervalle de confiance pour la proportion de la population

L'intervalle de confiance pour p, au niveau de confiance $100(1-\alpha)\%$ est:

$$\hat{p} - z_{\alpha/2} \sqrt{\frac{\hat{p}(1-\hat{p})}{n}} \leq p \leq \hat{p} + z_{\alpha/2} \sqrt{\frac{\hat{p}(1-\hat{p})}{n}}$$ où $z_{\alpha/2}$ est la valeur de la variable normale

centrée réduite et $\hat{p} = \dfrac{x}{n}$, la proportion échantillonnale où x représente le nombre d'unités statistiques possédant un certain caractère qualitatif dans l'échantillon de taille n.

Marge d'erreur statistique de l'échantillon: $E = \pm z_{\alpha/2} \cdot \sqrt{\dfrac{\hat{p}(1-\hat{p})}{n}}$.

Taille d'échantillon pour estimer la proportion de la population

$$n = \frac{z_{\alpha/2}^2 \hat{p}(1-\hat{p})}{E^2}$$ où E est la marge d'erreur qu'on ne veut pas excéder au niveau de confiance $100(1-\alpha)\%$ et $\hat{p}$, valeur obtenue d'un sondage préalable.

Si on fixe $p = 0,50$, alors $n = \dfrac{z_{\alpha/2}^2}{4E^2}$. Pour un niveau de confiance de 95,44%, $n = \dfrac{1}{E^2}$.

Principales formules (suite)

> **Taille d'échantillon pour estimer la proportion de la population(suite)**
>
> Dans le cas d'une population de taille N, la taille d'échantillon est:
>
> $$n = \frac{z_{\alpha/2}^2 p(1-p)N}{z_{\alpha/2}^2 p(1-p) + nE^2} \ . \ \text{Si on fixe } p = 0,50 \text{ et un niveau de confiance de 95,44\%, } n = \frac{N}{1 + NE^2} \ .$$

6.20   Exercices d'application

> **Échantillonnage et estimation d'une moyenne**

1. Supposons qu'une population consiste de cinq gestionnaires dont les temps passés dans Internet par mois sont les suivants:

$$x_1 = 20, \ x_2 = 22 \ x_3 = 24, \ x_4 = 26, \ x_5 = 28 \text{ heures/mois.}$$

a) Quelles sont la taille N de la population, la moyenne et la variance de la population?

b) On veut prélever de cette population des échantillons de taille $n = 2$ en effectuant un tirage sans remise. Combien d'échantillons peut-on prélever?

c) Formez tous les échantillons possibles de taille $n = 2$ (tirage exhaustif) et calculez la moyenne de chacun.

d) Déterminez les paramètres de la distribution d'échantillonnage de $\overline{X}$.

e) Laquelle des deux relations peut-on vérifier?

$$Var(\overline{X}) = \frac{\sigma^2}{n} \ \text{ou} \ Var(\overline{X}) = \frac{\sigma^2}{n} \cdot \frac{N-n}{N-1}$$

f) Quel est le taux de sondage? Doit-on ignorer le facteur de correction pour le calcul de $Var(\overline{X})$?

2. Un bureau conseil en Organisation et Méthodes auprès des entreprises a mis au point un système d'appréciation ou d'évaluation de cadres d'entreprise. Diverses caractéristiques des cadres sont évaluées et on a établi, sur une période de quatre ans, que le score global à cette batterie de tests était distribué normalement avec une moyenne $\mu = 600$ et un écart-type $\sigma = 50$.

Supposons qu'on fait subir à un échantillon aléatoire de 25 cadres d'une multinationale l'ensemble des tests.

a) Caractérisez la distribution d'échantillonnage de $\overline{X}$ (score moyen) en précisant la forme, la moyenne et la variance.

b) Quelle est la probabilité que la moyenne d'échantillon soit comprise entre 590 et 610?

c) Quelle est la probabilité que la moyenne d'échantillon de 25 cadres soit inférieure à 585?

d) Dans 95% des cas, autour de μ, la moyenne d'échantillon peut varier entre quelles valeurs?

3. Le responsable des ressources humaines d'une entreprise d'envergure internationale spécialisée dans le moulage sous pression de composantes de haute précision a établi que les résultats à un test de perception des formes* appliqué à des opérateurs de l'usine sont distribués selon une loi normale de moyenne $\mu = 90$ et d'écart-type $\sigma = 15$.

*Le test de perception des formes mesure l'aptitude à percevoir les détails pertinents des objets, reproductions ou documents écrits, à comparer visuellement, à faire des distinctions et à voir les légères différences de formes et d'ombre des dessins ainsi que les largeurs et les longueurs des lignes.

a) Quelle est la probabilité qu'un opérateur sélectionné au hasard obtienne un résultat inférieur à 72 au test de perception des formes?

b) Un échantillon aléatoire de 25 opérateurs a subi le test de perception des formes.

    i) Quelle est la distribution de la moyenne d'échantillon?

    ii) Quels sont la moyenne et l'écart-type de la distribution de la moyenne d'échantillons de 25 opérateurs?

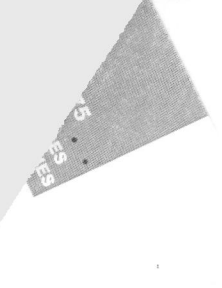

3. (suite) c) Quelle est la probabilité que la moyenne de cet échantillon aléatoire de 25 opérateurs soit inférieure à 72?

d) Quelle est la probabilité que la moyenne d'échantillon se situe entre 84 et 96?

e) Quelle est la probabilité que l'écart entre la moyenne de cet échantillon et celle de la population soit supérieur à 6?

4. Sous l'hypothèse que la moyenne d'échantillon ($\overline{X}$) de taille n est distribuée d'après une loi normale de moyenne $E(\overline{X}) = \mu$ et de variance $\sigma^2(\overline{X}) = \dfrac{\sigma^2}{n}$, complétez les affirmations suivantes:

a) La probabilité que la moyenne d'échantillon $\overline{X}$ se situe à l'extérieur des limites

$$\mu \pm 3\frac{\sigma}{\sqrt{n}} \quad \text{est}$$

b) Il y a 1 chance sur 40 que la moyenne d'échantillon excède $\mu +$ _____ .

c) Il y a 5 chances sur 100 que la moyenne $\overline{X}$ se situe à l'extérieur des limites $\mu \pm$ ___.

d) Il y a 13 chances sur 10 000 que la moyenne d'échantillon $\overline{X}$ excède $\mu +$ _____.

e) Il y a autant de chances que la moyenne $\overline{X}$ se situe au-dessus de qu'en dessous.

f) Il y a 9974 chances sur 10 000 que la moyenne d'échantillon $\overline{X}$ soit à l'intérieur des limites $\mu \pm$ _____ .

5. Selon l'analyste du système comptable de la compagnie Transport Laviolette, le montant moyen des comptes passés dus est de 424$ avec un écart-type de 48$. On suppose que la distribution de la variable «montant passé dû» est approximativement normale.

On sélectionne au hasard du fichier de l'entreprise 36 comptes passés dus.

a) Quelles sont les chances sur 100 que le montant moyen excède
   i) 433$ ii) 441$

b) Supposons qu'on sélectionne au hasard du fichier de l'entreprise un seul compte passé dû. Quelles sont les chances sur 100 que le montant excède 433$?

6. Selon une étude effectuée par un organisme d'hygiène industrielle auprès de 44 travailleurs exposés à des bruits importants, le niveau moyen sonore qui a été requis pour détecter un signal de 10 kHz fut de 32 db avec un écart-type s = 22.

Déterminez un intervalle de confiance à 90% pour μ, le niveau moyen sonore requis pour tous les individus qui sont exposés à ce type de bruit.

7. Une analyse de marché* concernant la rémunération de diverses catégories de professionnels du secteur industriel donna les résultats suivants pour une quarantaine de représentants aux ventes.

*Source: Adapté de Vailles, F. *Les firmes devront mieux payer les jeunes. La Presse,* 29 septembre 2002.

Rémunération annuelle ($)									
70030	65010	59990	66395	67000	74750	68900	60480	62540	68660
66690	70705	64435	64740	66350	68912	64120	71428	65735	64615
66448	66026	66108	62544	67035	63190	69011	61385	66294	73216
60110	70545	59750	67015	62200	69283	69028	56850	66990	67860

a) Calculez l'estimation ponctuelle de la rémunération annuelle pour les représentants aux ventes du secteur industriel.

b) Calculez la variance de l'échantillon ainsi que l'erreur-type de la moyenne.

c) Estimez, avec un intervalle de confiance de 95%, la rémunération moyenne anuuelle pour l'ensemble des représentants aux ventes du secteur industriel.

8. On prélève un échantillon de taille $n = 64$ (tirage sans remise) d'une population finie de dimension $N = 320$, de moyenne $\mu = 200$ et variance $\sigma^2 = 256$.

a) Quelle est la probabilité que la moyenne de l'échantillon diffère de $\mu = 200$ par plus de 5?

b) Évaluez à nouveau cette probabilité mais en considérant que le tirage s'effectue avec remise.

9. On considère que les résultats obtenus par les étudiants(es) en sciences administratives, pour un test d'aptitude en informatique de gestion, sont distribués selon une loi normale de variance $\sigma^2 = 225$. Pour un échantillon aléatoire de 25 étudiants(es), le résultat moyen est de 70,6.

a) Quelle est l'estimation ponctuelle du résultat moyen pour l'ensemble des individus en sciences administratives?

b) Estimez, par intervalle de confiance, le résultat moyen de l'ensemble des étudiants(es) en sciences administratives avec un niveau de confiance de 99%.

10. Une variable aléatoire X est distribuée normalement de moyenne μ et de variance 81. Un échantillon aléatoire de taille $n = 36$ donne une moyenne de 250.

a) Quelle serait une estimation ponctuelle de μ?

b) Déterminez les limites de l'intervalle qui aurait 95 chances sur 100 d'encadrer la vraie valeur de μ.

11. Une étude a été effectuée par une maison de sondage pour le compte d'un magazine dirigé vers les hommes et femmes d'affaires pour évaluer la structure salariale pour les cadres de grandes entreprises.
Le tableau suivant résume le salaire annuel moyen et l'écart-type pour diverses fonctions au niveau des cadres supérieurs.

	Nombre de cadres	Salaire moyen	Écart-type
Vice-président exécutif	76	175 211$	4 385$
Vice-président marketing	170	157 565$	4 450$
Vice-président finance	234	159 650$	3 386$
Directeur d'usine	357	82 842$	2 640$
Directeur relations industrielles	100	76 990$	1 645$

a) Estimez, par intervalle de confiance, et ceci pour chaque fonction, le salaire annuel moyen des différents cadres pour l'ensemble des entreprises avec un niveau de confiance de 95%.

b) Dans chaque cas, calculez la marge d'erreur dans l'estimation du salaire annuel moyen.

12. Dans une recherche* dont un des objectifs était d'examiner l'impact des systèmes d'information de gestion et de production (SIGOP) de PME manufacturières, on a obtenu auprès d'un échantillon aléatoire de 36 PME, les valeurs suivantes concernant le montant investi en équipement de production et de manutention.

Montant ($) - Équipement de production et de manutention					
202430	196676	193652	174114	165396	173453
210846	158500	188296	176162	217000	176988
177100	172425	168165	184154	168826	218118
169610	159940	181488	176360	164392	179058
183175	167150	178024	168332	178585	164960
219745	183135	176090	160790	177780	199505

* Source: Adapté de Nasr, S.B. *Impacts des systèmes d'information de GOP sur la performance financière des PME manufacturières.* UQTR, janvier 2002.

a) Calculez l'estimation *Moyenne* ponctuelle du montant moyen investi.

b) Calculez la variance de l'échantillon ainsi que l'erreur-type $s/\sqrt{n}$ de la moyenne.

n-1

c) Estimez avec un intervalle de confiance de 95%, le montant moyen d'investissement pour les PME manufacturières.

d) Quelle est la marge d'erreur statistique dans l'estimation du montant moyen investi?

13. Dans une agglomération à proximité d'un important complexe industriel, on a effectué vingt-cinq prélèvements d'air au cours d'une période donnée et on a mesuré la concentration de divers polluants. Les résultats obtenus pour la concentration de dioxyde de soufre (SO_2) sont présentés ci-après:

   Moyenne arithmétique: 68 µg/m³

   Écart-type: 15 µg/m³

En supposant que la concentration de dioxyde de soufre est distribuée normalement, estimez, par intervalle de confiance, le niveau moyen de concentration de SO_2 avec les niveaux de confiance de 90%, de 95% et de 99%.

14. On a mesuré sur 100 unités de même type d'un montage transistorisé, le temps requis par une main-d'oeuvre spécialisée pour en effectuer l'assemblage. On a obtenu un temps moyen de 10,2 minutes avec un écart-type de 1,8 minute.

a) Quelles sont les limites de l'intervalle de confiance, pour le temps moyen réel d'assemblage, ayant un niveau de confiance de 95%?

b) Evaluez à nouveau ces limites, mais avec un niveau de confiance de 99%.

c) Quelle est, dans chaque cas, la marge d'erreur possible dans l'estimation du temps moyen réel d'assemblage?

15. Dans le cadre d'un projet d'amélioration continue, on a obtenu les valeurs ci-contre pour la résistance d'adhérence (en kilos) d'un circuit intégré sur un support en verre métallisé. Quarante circuits ont été soumis au test d'adhérence.

$s^2 = \dfrac{\sum(x_i - \bar{x})^2}{39}$

a) Déterminez la résistance moyenne ainsi que l'écart-type des quarante résultats.

b) Déterminez un intervalle de confiance à 95% pour la résistance moyenne.

Résistance d'adhérence				
33,1	33,2	33,0	32,8	34,6
39,8	39,2	39,4	39,9	39,2
36,5	36,9	37,5	36,9	37,2
36,2	35,3	36,9	36,2	35,5
38,6	38,6	36,5	38,6	37,9
35,4	34,2	37,7	36,8	36,2
35,6	33,0	36,5	35,6	30,8
40,9	39,6	42,1	40,8	41,3

c) Quelle est la marge d'erreur, au niveau de confiance de 95%, dans l'estimation de la résistance moyenne d'adhérence?

16. On veut effectuer un sondage auprès des foyers d'une certaine municipalité pour estimer les dépenses moyennes annuelles pour l'alimentation. Une étude pilote a permis d'évaluer l'écart-type des dépenses à 825$.

a) Quel est le nombre de foyers requis pour estimer, avec un niveau de confiance de 95,44%, le montant moyen des dépenses annuelles pour l'alimentation avec une marge d'erreur n'excédant pas 150$? D'après le recensement municipal, la municipalité comprend présentemennt 2057 foyers qui sont listés sur un fichier informatique et numérotés de 0001 à 2057.

b) Quel est le taux de sondage?

c) On envisage d'utiliser la méthode de tirage systématique pour construire l'échantillon requis en a). Déterminez le «pas» du sondage.

d) On choisit, à l'aide d'une table de nombres aléatoires, le numéro du premier foyer à inclure dans l'échantillon. Supposons que le numéro sorti est 14. Quels seront les numéros des 10 foyers suivants?

17. L'AGE (Association Générale des Étudiants(es) vous a mandaté pour eff
sondage à caractère socio-économique auprès des étudiants(es) de 3e année (u
pulation étudiante de 325 d'après la liste informatisée du registraire de l'instituti
L'AGE vous alloue un budget de 950$ pour effectuer ce sondage.

Vous estimez que le coût associé à la préparation du questionnaire devrait se situer
autour de 300$. Une étude pilote auprès d'une trentaine d'étudiants(es) pour valider
certaines questions du questionnaire devrait vous coûter environ 130$. Un caractère
important que vous voulez étudier avec ce questionnaire est les dépenses mensuelles
des étudiants(es) au cours de l'année académique. L'étude pilote vous a permis d'obtenir une estimation de l'écart-type des dépenses mensuelles, soit 50$.

Il vous en coûtera par la suite 8$ par questionnaire administré (sondage et compilation
sur ordinateur).

a) Combien de questionnaires pouvez-vous administrer avec le budget qui vous est
   alloué par l'AGE?

b) Si vous utilisez le nombre obtenu en a) comme taille d'échantillon, quel sera alors le
   taux de sondage?

c) Quelle sera la marge d'erreur prévisible dans l'estimation du montant moyen des
   dépenses mensuelles, dont l'intervalle de confiance aura un niveau de 95% d'encadrer la vraie valeur du montant moyen pour tous les étudiants de 3e année?

d) Après une longue et pénible négociation avec le registraire, il a consenti à vous
   fournir la liste informatisée de tous vos collègues inscrits en 3e année. Sur la liste,
   chaque nom est numéroté 001 à 325. Vous décidez de procéder par tirage systématique pour construire votre échantillon. Quel doit être le «pas» du sondage?

e) Vous voulez choisir le numéro du premier étudiant pour faire partie de votre échantillon, nombre qui doit être compris entre 1 et le pas obtenu en d). Si, de la table de
   nombres aléatoires, on choisit comme point d'entrée la première ligne, 6e colonne en
   ne retenant que le dernier chiffre du bloc de 5 chiffres, avec lecture de haut en bas,
   quel sera le numéro du premier étudiant à faire partie de l'échantillon?

f) Quels seront les numéros des 5 prochains étudiants(es) à inclure dans votre échantillon? Quel sera le numéro du dernier étudiant à retenir pour faire partie de l'échantillon?

18. Voici trois énoncés concernant un intervalle de confiance sur μ. Ces énoncés ont
été tirés de trois ouvrages différents. Lequel de ces trois énoncés a la bonne interprétation que l'on doit donner à un intervalle de confiance?

i)   «Il y a 95 chances sur 100 pour que la vraie valeur de la consommation moyenne μ
     soit dans l'intervalle $936 \leq \mu \leq 964$».

ii) «Nous avons une assurance de 95% que la vraie valeur de la moyenne μ varie entre
     66,88 et 68,02».

iii) «L'intervalle de confiance $50 \leq \mu \leq 60$ a 95 chances sur 100 de contenir la vraie
     valeur de μ».

19. On veut effectuer un sondage auprès des membres d'une association professionnelle qui comprend 1200 membres pour obtenir une estimation de leur revenu annuel
moyen. Un sondage similaire effectué, il y a deux ans, a permis d'établir que l'écart-type
des revenus annuels perçus par l'ensemble des membres est de 1050$. Déterminez la
taille d'échantillon requise pour un niveau de confiance de 95% et pour que la marge
d'erreur

a) n'excède pas 250$;

b) n'excède pas 125$.

c) Dans chaque cas, déterminez le taux de sondage.

$$E = \frac{(0.03)(1860\ 000)}{4650} = 12$$

Le directeur d'usine de l'entreprise Comtek veut obtenir une estimation de la r totale d'un groupe d'appareils ménagers en stock pour la comparer avec la valeur re du département de comptabilité. Une estimation avec une marge d'erreur d'en- ±3% de la vraie valeur semble satisfaisante.

s la liste fournie par le département d'informatique, l'entreprise aurait 4650 appareils pour une valeur au livre de 1 860 000$, soit pour une valeur moyenne de 400$ reil. On a obtenu, à partir de 40 appareils sélectionnés au hasard, une estima- tion de l'écart-type de la valeur des appareils, soit 64$. $s = 64$

Déterminez le nombre d'appareils additionnels que l'on doit évaluer pour obtenir une estimation de la valeur moyenne de l'ensemble des appareils avec un niveau de confiance de 95% tout en respectant la marge d'erreur précisée. $n = 107$

21. À l'aide de l'échantillon total prélevé à l'exercice 20, on en déduit les résultats suivants pour la valeur moyenne et l'écart-type:

$$\bar{x} = 428,25\$\ ,\ \ s = 62,50\$$$

$$\bar{x} \pm z_{\alpha/2} \frac{s}{\sqrt{n}}$$

Estimez avec un niveau de confiance de 95%, la valeur moyenne et la valeur totale de l'ensemble des appareils en stock. $(4560)(\bar{x} + z_{\alpha/2}\frac{s}{\sqrt{n}})$

$n = 107$ $(4560)(\bar{x} - z_{\alpha/2}\frac{s}{\sqrt{n}})$

22. Le responsable des ressources humaines d'une grande entreprise a élaboré un test mesurant la dextérité manuelle des employés affectés à l'assemblage de pièces complexes.

Pour un échantillon aléatoire de 16 employés, on a obtenu les résultats ci-après:

Résultats au test de dextérité			
72	73	73	74
74	75	76	66
66	67	65	73
71	70	71	70

En supposant que les résultats du test sont distribués selon une loi normale, estimez, avec un niveau de confiance de 99%, le résultat moyen de tous les employés.

Estimation d'une proportion

23. Selon un sondage réalisé par Léger Marketing (entre le 18 et 23 juin) auprès de 631 Canadiens de moins de 40 ans, 51% des répondants considèrent que leurs perspectives d'avenir comparativement à la génération de leurs parents sont meilleures.

a) Déterminez un intervalle de confiance à 95% pour la proportion p de Canadiens de moins de 40 ans qui sont de cet avis.

b) Quelle est la marge d'erreur du sondage, au niveau de confiance de 95%?

24. Un organisme sans but lucratif, soucieux de l'environnement, a effectué une enquête sur les déchets dangereux auprès des résidants d'une municipalité de la Montérégie. Une des questions était la suivante:

Croyez-vous que l'exposition aux additifs et aux produits chimiques toxiques présents dans les aliments que vous consommez constitue une menace sérieuse pour votre santé et celle de votre famille?

❏ Oui   ❏ Non   ❏ Je ne sais pas

Sur 425 répondants, 115 considèrent que cette exposition est une menace sérieuse pour leur santé.

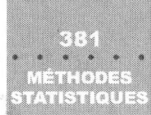
a) Déterminez, avec un niveau de confiance de 99%, un intervalle de confiance pour l'ensemble des résidants de cette municipalité qui considèrent que l'exposition aux additifs et aux produits chimiques toxiques constitue une menace sérieuse pour la santé.

b) Déterminez la marge d'erreur statistique de ce sondage, au niveau de confiance de 99%.

c) Supposons maintenant que le sondage s'est effectué auprès de 850 répondants (soit le double) et que 234 répondants considèrent que cette exposition aux additifs et aux produits chimiques toxiques présents dans les aliments est une menace sérieuse pour la santé.

   i) Déterminez la marge d'erreur statistique, avec un niveau de confiance de 99%, pour cette taille d'échantillon.

   ii) Quel est alors l'intervalle de confiance pour p, pour ce niveau de confiance?

   iii) Est-ce que la marge d'erreur est supérieure ou inférieure à celle obtenue en b)?

   iv) Quelle en est la principale raison?

25. La directrice des ressources humaines de l'entreprise Giscom a effectué un sondage auprès de 100 employés prélevés au hasard parmi les 500 employés de l'entreprise dans la catégorie «main-d'oeuvre spécialisée» pour connaître leur préférence concernant une modification importante de la semaine de travail (4 jours de 10 heures au lieu de 5 jours de 8 heures). Sur les 100 employés interrogés, 58 étaient en faveur du nouvel horaire de travail.

a) Quelle est l'estimation ponctuelle de la proportion p pour l'ensemble des employés de l'entreprise de cette catégorie en faveur de ce nouvel horaire de travail?

b) Quel est le taux de sondage? Est-ce nécessaire de faire intervenir le facteur de correction dans le calcul de l'écart-type de la proportion d'échantillon?

c) Calculez, avec un niveau de confiance de 99%, l'intervalle de confiance associé à l'estimation de p.

d) Quelle est la marge d'erreur associée à l'estimation de p pour ce sondage?

26. Les PME n'ont pas besoin de syndicats! C'est ce qui ressort d'un sondage* réalisé par le Groupe Everest, pour le compte de la Banque Nationale et de *La Presse*. Pour arriver à cette conclusion, Everest a interrogé plus de 300 PME québécoises comptant de dix à deux cents employés.

En effet 243 PME pensent que la non-syndicalisation est la meilleure recette pour maintenir de bonnes relations de travail.

* Source: Galipeau, S. *Les PME n'ont pas besoin de syndicats. La Presse*, 14 mars 2001.

a) Déterminez, pour un niveau de confiance de 95%, la marge d'erreur statistique de ce sondage.

b) Quelle est la limite supérieure de l'intervalle de confiance?

27. On veut estimer par sondage le pourcentage de personnes qui se révèlent capables de citer le nom de la marque de commerce Northpak (ce qui représente le taux de notoriété, dans le domaine de la publicité, d'une marque de commerce). Le responsable du marketing de l'entreprise estime que le pourcentage de personnes qui connaissent la marque Northpak se situe entre 15% et 25%.

Quelle est la taille d'échantillon requise pour estimer le taux de notoriété de cette marque avec une précision (en valeur absolue) de 3% et un niveau de confiance de 95%?

28. Un sondage* a été effectué à la fin novembre 1999 par la maison CROP pour connaître l'opinion des citoyens sur les fusions municipales et ceci à la demande de la municipalité de Mont-Tremblant. Le sondage a été effectué dans l'ensemble du Québec auprès de citoyens de plus de 18 ans et 542 individus ont accepté de répondre aux questions du sondage. Une des questions du sondage était la suivante:

«Estimez-vous, très, assez, peu ou pas du tout important que les citoyens des municipalités concernées par un projet de fusion soient consultés par voie de référendum?»

Trois cent vingt citoyens ont répondu que c'était «très important» de consulter la population dans le cas de projet de fusion municipale.

a) Déterminez un intervalle de confiance pour p, la proportion vraie de citoyens qui considèrent que c'est «très important» de consulter la population dans le cas de fusions municipales, et ceci avec un niveau de confiance de 90%, de 95% et de 99%.

b) Calculez la marge d'erreur dans l'estimation de la proportion de citoyens qui considèrent que c'est «très important» de consulter la population dans le cas de projet de fusions municipales, et ceci pour un niveau de confiance de 95%.

* Source: Bisson, B., *Fusions municipales: les Québécois veulent être consultés*, *La Presse*, 3 décembre 1999.

29. L'entreprise Luminar envisage de modifier sa méthode d'encaissement en faisant usage d'un système centralisé au bureau chef de l'entreprise.

Toutefois avant de mettre en oeuvre cette nouvelle méthode d'encaissement, on désire obtenir une estimation du pourcentage de clients qui utiliseront le système centralisé. Un sondage auprès de 400 clients permet de constater que 240 clients utiliseraient le système centralisé.

a) Calculez l'estimation ponctuelle de la vraie proportion de clients qui auront recours au système centralisé.

b) Estimez, avec un niveau de confiance de 90%, la vraie proportion.

c) Quelle est la marge d'erreur associée à l'estimation obtenue en b)?

d) Combien de clients additionnels devrait-on sonder pour une estimation de la vraie proportion avec un niveau de confiance de 95% et une marge d'erreur n'excédant pas 5%?

30. Selon un sondage* réalisé par la Fédération canadienne de l'entreprise indépendante (FCEI), 41% des PME québécoises (provenant de tous les secteurs) souffrent d'un sérieux problème de main-d'oeuvre qualifiée.

Déterminez un intervalle de confiance à 99% pour p, la proportion vraie de PME québécoises ayant un sérieux problème de main-d'oeuvre qualifiée.

L'échantillon comportait 1 521 entreprises.

*Source: Simard, R.C. *Le secteur manufacturier manque de main-d'oeuvre*. LES AFFAIRES, hors série, édition 2001.

Exercices de révision et de synthèse

31. Une enquête* effectuée auprès d'un échantillon aléatoire de 25 responsables des achats de produits de bureaux d'entreprises de service a permis d'obtenir les données ci-contre concernant le montant annuel des achats de fournitures de bureau (excluant le mobilier de bureau et le matériel informatique). On suppose que le taux de sondage est inférieur à 5%.

Montant annuel - Achats fournitures				
3080	5400	4585	4336	4690
2840	4820	4582	1350	5095
6140	5220	5110	2250	5600
4852	3614	3996	6238	5006
4355	5140	6225	5194	3472

* Source: Adapté de *Sondage du suivi des produits de bureau 99*, Votre bureau, juin 99.

a) En utilisant un programme informatique, déterminez la moyenne, l'écart-type et l'erreur-type pour le montant des achats de produits de bureau de cet échantillon.

b) Quelle est l'estimation ponctuelle du montant moyen annuel dépensé par les entreprises de service pour les achats de fournitures de bureau?

c) Déterminez la marge d'erreur dans l'estimation du montant moyen annuel des achats de fournitures de bureau avec un niveau de confiance de 95%. Quelle condition d'application doit-on préciser ici pour effectuer ce calcul?

d) Calculez l'intervalle de confiance avec un niveau de confiance de 95% pour l'estimation du montant annuel moyen des achats de produits de bureau pour l'ensemble des entreprises de service.

32. Lors d'un sondage réalisé par *Descarie & Complices* entre le 4 et le 12 janvier 2000 auprès d'un échantillon aléatoire de 300 francophones montréalais, on a voulu évaluer les connaissances des résidants de la région métropolitaine en matière de marques d'équipement de plein air. Concernant la première marque d'équipement venant à l'esprit des gens, 39 ont répondu Kanuck, alors que 87 répondants ne peuvent nommer aucune marque.

a) Déterminez, dans chaque cas, un intervalle de confiance à 95% pour la vraie proportion p.

b) Avec un échantillon de 300 individus, à quelle marge d'erreur statistique pouvait-on s'attendre avant d'effectuer le sondage, pour un niveau de confiance de 95%?

33. Progression fascinante d'Internet chez les PME. Près de sept PME québécoises sur 10 sont maintenant branchées à Internet et tout indique que cette proportion continuera de croître précisait Marie-Andrée Amiot du journal *La Presse* (5 février 2000). C'est ce qui ressort d'une enquête menée par le Groupe Everest auprès de 301 PME québécoises ayant entre 10 et 200 employés. L'enquête a été réalisée par *La Presse* et la Banque Nationale.

Voici quelques résultats de ce sondage.

Proportion de PME québécoises ayant accès à Internet (janvier 2000): 69,3%
Proportion des PME québécoises possédant un site Web: 34,0%

a) Déterminez un intervalle de confiance, avec un niveau de confiance de 95%, qui permettrait d'encadrer la proportion de PME québécoises

i) ayant accès à Internet;

ii) possédant un site Web.

b) Déterminez, dans chaque cas, la marge d'erreur statistique pour le niveau de confiance précisé en a).

c) Quelle devrait être la taille d'échantillon pour que la marge d'erreur ne dépasse pas 2% au niveau de confiance de 95% en ce qui a trait à l'estimation des PME québécoises ayant accès à Internet? Un sondage similaire effectué en juin 1998 évaluait à 55% la proportion de PME québécoises ayant accès à Internet.

Source: Amiot, M.-A., *Progresssion fascinante d'Internet chez les PME*, La Presse, 5 février 2000.

34. Selon un sondage* effectué à l'échelle canadienne par la Fédération canadienne de l'entreprise indépendante (FCEI), sur 1 150 qui ont répondu au sondage, 589 ont changé d'institution financière en raison de la mauvaise qualité de service.

*Source: Adapté de Bouchard, L. *On quitte une banque en raison des mauvais services*. LES AFFAIRES, 23 septembre 2000.

a) Quelle est l'estimation ponctuelle de la proportion p pour l'ensemble des individus qui ont recours aux services d'une institution banquière et qui ont changé d'institution en raison de la mauvaise qualité du service?

b) Déterminez la marge d'erreur dans l'estimation de p, et ceci avec un niveau de confiance de 95%.

c) Quelle est la borne supérieure, au niveau de confiance de 95%, pour la vraie proportion d'individus qui ont changé d'institution financière en raison de la mauvaise qualité du service?

35. Un agent technique du bureau d'Organisation et Méthodes de l'entreprise Computex doit effectuer une étude sur l'emploi du temps d'opérateurs et d'opératrices affectés à la saisie de données. Il s'agit d'observer ces employés à différents moments de la journée et de noter leur emploi du temps.

L'étude doit porter sur 5 jours; le service comporte 10 opérateurs et huit observations seront effectuées chaque jour sur chaque opérateur pour un total de 400 observations.

35. (suite) Les résultats de cette étude se partagent comme suit pour les 400 observations effectuées:

> **Travail productif**
>
> Saisie de données: 208 observations
> Préparation du travail: 28 observations
> Travail administratif: 52 observations
>
> **Travail non productif**
>
> Occupations personnelles: 112 observations

a) Estimez par intervalle de confiance le pourcentage du temps productif du service de saisie de données de l'entreprise Computex et ceci avec un niveau de confiance de 95%.

b) Estimez avec un niveau de confiance de 95% et ceci pour une journée de travail de 8 heures, le nombre total d'heures perdues (temps non productif) par le service de saisie de données.

c) Calculez la marge d'erreur dans l'estimation de la proportion du temps productif du service de saisie de données de l'entreprise Computex. Utilisez le niveau de confiance précisé en b).

Activité de synthèse no 3
Estimation par intervalle de confiance
PME certifiées ISO 9000

Objectifs de l'activité

▶ Déterminer un intervalle de confiance pour une proportion (variable qualitative).
▶ Estimer par intervalle de confiance une moyenne (variable quantitative) avec un logiciel statistique ou à l'aide de diverses fonctions statistiques d'Excel.

Dans une recherche* auprès d'un échantillon aléatoire de 125 dirigeants(es) de PME québécoises, on s'est intéressé aux entreprises qui sont certifiées ISO 9000 (normes internationales de gestion de la qualité) et aux frais encourus par ces entreprises pour obtenir leur certification.

Les deux principales interrogations associées à cet aspect sont les suivantes:

Certification ISO 9000

Est-ce que votre entreprise est certifiée ISO 9000?

Oui ☐ 1   Non ☐ 2

Si oui, quel montant l'entreprise a dû débourser avant de recevoir son certificat ISO?
_____

Le fichier de données comporte les réponses de 125 dirigeants(es) de PME québécoises et dont nous présentons un extrait ci-après.

	A	B	C
1	Activité de synthèse no 3 - Certification ISO 9000		
2			
3	**Répondant no**	**Certification ISO**	**Coût**
4	1	2	-
5	2	1	51952
6	3	2	-
7	4	2	-
8	5	2	-
9	6	1	52925
10	7	2	-
11	8	2	-
12	9	1	51422
13	10	1	48222
14	11	2	-
15	12	1	57652
16	13	2	-
17	14	2	-
18	15	2	-
19	16	2	-
20	17	2	-
21	18	2	-
22	19	2	-
23	20	1	46665
24	21	2	-
25	22	2	-

* Source: Adapté de Rheault, D. *Analyse descriptive du processus d'implantation et de mise en oeuvre d'un système de normes de la série ISO 9000 et ses impacts sur la PME québécoise*, Mémoire de recherche, UQTR, 1997.

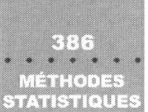
**Extrait du fichier
de données
(suite)**

	A	B	C
26	**Répondant no**	**Certification ISO**	**Coût**
27	23	2	-
28	24	1	51385
29	25	1	49572
30	26	2	-
31	27	2	-
32	28	2	-
33	29	2	-
34	30	1	52152
35	31	2	-
36	32	2	-
37	33	2	-
38	34	1	52322
39	35	1	59222
40	36	1	45122
41	37	1	49275
42	38	2	-
43	39	2	-
44	40	2	-
45	41	1	58958
46	42	2	-
47	43	1	53892
48	44	2	-
49	45	2	-
50	46	1	46444
51	47	1	45735
52	48	1	54842
53	49	2	-
54	50	1	52785
55	51	2	-
56	52	2	-
57	53	1	52538
58	54	2	-
59	55	2	-
60	56	1	53556
61	57	2	-
62	58	2	-
63	59	2	-
64	60	1	46782
65	61	2	-
66	62	1	47166
67	63	2	-
68	64	2	-
69	65	2	-
70	66	1	48612
71	67	2	-
72	68	2	-
73	69	1	52692
74	70	2	-
75	71	1	54852

Travail à effectuer

a) i) Calculez une estimation de la proportion de PME qui est certifiée ISO 9000.

   ii) Déterminez, en effectuant les calculs appropriés avec Excel, un intervalle de confiance à 95% pour la vraie proportion de PME qui est homologuée ISO 9000.

   iii) Quelle est la marge d'erreur statistique dans l'estimation de la vraie proportion, pour le niveau de confiance précisé en ii)?

b) On veut également obtenir une estimation du coût moyen attribuable au processus de certification à cette norme de la gestion de la qualité.

   i) Quel est, selon les données de cette enquête, le coût moyen pour les PME pour obtenir leur certification ISO 9000?

   ii) Quel est l'écart-type du coût de certification?

   iii) Déterminez, en effectuant les calculs appropriés avec un logiciel, un intervalle de confiance à 95% pour le vrai coût moyen associé à la certification ISO 9000.

   iv) Quelle est la marge d'erreur statistique dans l'estimation du coût moyen de certification, pour le niveau de confiance précisé en iii)?

c) Avec l'intervalle de confiance calculé en iii) de la question b), peut-on affimer que les frais moyens encourus par les entreprises pour obtenir leur certification ISO 9000 est en moyenne de 50 000$ dans 95% des cas?

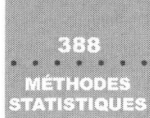

Testez vos connaissances

Test no 6

Répondez par Vrai ou Faux.

1. Un paramètre permet d'estimer une statistique.

2. Une estimation ponctuelle est préférable sur le plan statistique à une estimation par intervalle de confiance.

3. L'échantillonnage sans remise d'une base de sondage est préférable à un échantillonnage avec remise.

4. Plus la taille d'échantillon est importante, plus l'erreur-type de la moyenne est importante.

5. Les paramètres d'une population sont des quantités aléatoires.

6. Le meilleur estimateur ponctuel pour estimer la moyenne d'une population est la moyenne d'échantillon.

7. Si la distribution d'un caractère mesurable est normale, la distribution de la moyenne de cette grandeur sera aussi une distribution normale.

8. Une estimation ponctuelle ne fournit aucune information concernant la précision de l'estimation effectuée.

9. Un niveau de confiance est toujours associé au paramètre qu'on veut estimer.

10. Un intervalle de confiance est toujours centré sur la valeur de l'estimateur du paramètre.

11. Le niveau de confiance est le degré de crédibilité qu'on accorde à un intervalle de confiance.

12. Plus le niveau de confiance associé à l'intervalle est élevé, plus l'amplitude de l'intervalle est petite.

13. Pour le même niveau de confiance et le même écart-type, plus la taille d'échantillon sera élevée, plus la marge d'erreur sera faible.

14. La distribution de Student est symétrique par rapport à 0.

15. À mesure que le nombre de degrés de liberté augmente, la distribution de Student tend à s'approcher de la loi normale centrée réduite.

16. Dans le cas d'une taille d'échantillon n, le nombre de degrés de liberté pour la distribution de Student est $n + 1$.

17. Dans le cas où on n'a aucune information concernant la proportion p, l'écart-type de la distribution d'échantillonnage de la proportion est $\sqrt{\dfrac{\hat{p}(1-\hat{p})}{n}}$.

Questions à choix multiples. Encerclez la bonne réponse.

18. Une enquête* salariale auprès de 100 directeurs(trices) d'usine du secteur industriel (la base de données en comportait 2500) donne une rémunération moyenne de 147 700$ avec un écart-type $s = 15\,450$$.

*Source: Adapté de Francis Vailles, *Les firmes devront mieux payer les jeunes. La Presse*, 29 septembre 2002.

On s'intéresse à l'intervalle de confiance concernant la rémunération moyenne pour l'ensemble des directeurs d'usine.

a) L'erreur-type de la distribution de la rémunération moyenne des directeurs d'usine est:

   i) 3090$ ii) 1545$ iii) 154,50$.

Testez vos connaissances

Test no 6
(suite)

18.(suite) b) L'intervalle de confiance sur la rémunération moyenne μ ayant un niveau de confiance de 95,44% est:

    i) 146 155\$ $\leq \mu \leq$ 149 245\$

    ii) 144 610\$ $\leq \mu \leq$ 150 790\$

    iii) 144 672\$ $\leq \mu \leq$ 150 728\$.

c) La marge d'erreur statistique dans l'estimation de la rémunération moyenne, au niveau de confiance 95,44% est:

    i) 3028,20\$ ii) 4635\$ iii) 3090\$.

d) Indiquez si les affirmations suivantes sont vraies ou fausses

    i) On ne peut affirmer avec certitude que la rémunération moyenne de l'ensemble des directeurs d'usine est dans l'intervalle de confiance obtenue en b).

    ii) 95,44% des directeurs d'usine ont une rémunération moyenne selon l'intervalle de confiance calculé en b).

    iii) La marge d'erreur statistique obtenue en c) aurait augmenté si la taille d'échantillon avait été de 200 au lieu de 100.

19. Une population normale a un écart-type $\sigma = 1$. L'amplitude de l'intervalle de confiance pour la moyenne de la population au niveau de confiance de 95% est:

    i) $1,96/\sqrt{n}$ ii) $2,0/\sqrt{n}$ iii) $2,58/\sqrt{n}$.

20. Lorsqu'on compare un intervalle de confiance pour la moyenne d'une population ayant un niveau de confiance de 95% avec un intervalle ayant un niveau de confiance de 90%.

    i) l'intervalle de confiance à 95% aura une plus grande amplitude que celui à 90%.

    ii) l'intervalle de confiance à 90% aura une plus grande amplitude que celui à 95%.

    iii) l'amplitude des intervalles sera identique.

21. La marge d'erreur statistique dans l'estimation d'une moyenne d'un caractère mesurable est affectée par:

    i) la taille d'échantillon.

    ii) la taille de la population.

    iii) la variabilité du caractère mesurable dans la population.

    iv) tous les items mentionnés.

22. La valeur de p (la vraie proportion) qu'on doit utiliser dans la formule pour déterminer la taille d'échantillon pour estimer la proportion d'un caractère qualitatif dans la population est:

    i) 1   ii) 0,30   iii) 0,50

    iv) n'importe lequel nombre entre 0 et 1.

23. Dans un échantillon aléatoire de 200 comptes recevables, 40 sont passés dus. L'estimation ponctuelle de la proportion de comptes passés dus dans la population est:

    i) 0,10   ii) 0,20   iii) 0,40.

24. Un sondage* (réalisé par M3K Solutions - Léger Marketing) auprès de gestionnaires de 300 grandes entreprises du Québec révèle que 75 gestionnaires considèrent que le temps passé en travail d'équipe est improductif.

*Source: Adapté de Barbe, J.-F., *Comment maximiser le travail d'équipe*. LES AFFAIRES, 23 novembre 2002.

a) L'estimation ponctuelle de la proportion de tous les gestionnaires de grandes entreprises du Québec qui considèrent que le temps passé en travail d'équipe est improductif est:

    i) 0,45   ii) 0,20   iii) 0,25.

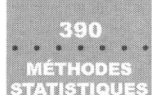

**Testez vos
connaissances**

Test no 6
(suite)

b) La limite inférieure de l'intervalle de confiance pour le pourcentage de tous les gestionnaires, au niveau de confiance de 95% est:

    i) 29,9%   ii) 20,1%   iii) 20%.

c) La marge d'erreur statistique dans l'estimation de la vraie proportion de gestionnaires qui considèrent que le temps passé en travail d'équipe est improductif, au niveau de confiance de 95% est:

    i) 0,25   ii) 0,049   iii) 0,025.

Annexe 6 -Traitement avec Excel

Microsoft Office 2002 et Office 1997

Estimation de paramètres

Nous indiquons dans cette annexe, comment déterminer un intervalle de confiance pour la moyenne d'une population et pour la proportion. Nous devrons nous servir d'une autre loi de probabilité d'Excel, soit la loi de Student.

EXEMPLE 1: Intervalle de confiance pour la moyenne dans le cas d'un grand échantillon

Les données ci-contre représentent les résultats à un test de coordination visuo-motrice pour un échantillon aléatoire de 36 individus de l'entreprise Multiplex.

On veut obtenir un intervalle de confiance pour la moyenne μ, le résultat moyen pour l'ensemble des individus, et ceci avec un niveau de confiance de 95%. Puisque nous sommes en présence d'un grand échantillon ($n = 36 > 30$), l'intervalle de confiance aura la forme suivante:

$$\bar{x} - z_{\alpha/2} \cdot \frac{s}{\sqrt{n}} \leq \mu \leq \bar{x} + z_{\alpha/2} \cdot \frac{s}{\sqrt{n}}.$$

Les données avec l'intitulé sont présentées en colonne (colonne A, de la ligne 3 à la ligne 39) soit A3:A39.

	A
3	Test - Coordination visuo-motrice
4	74
5	86
6	130
7	68
8	77
9	87
10	107
11	116
12	101
13	97
14	101
15	93
16	101
17	70
18	99
19	104
20	107
21	84
22	124
23	80
24	78
25	91
26	82
27	80
28	103
29	89
30	97
31	82
32	113
33	124
34	120
35	109
36	77
37	92
38	104
39	108

Pour obtenir les résultats ci-contre, nous avons utilisé diverses formules.

$90,70 \leq \mu \leq 101,25$

Les formules requises sont indiquées ci-après.

	C	D
4	Calcul de l'intervalle de confiance à 95% pour la moyenne	
5	Nombre d'observations:	36
6	Moyenne :	95,9722
7	Écart-type:	16,1466
8	Erreur-type:	2,6911
9	Valeur centrée réduite de la loi normale:	1,96
10	Marge d'erreur statistique:	5,27
11	Limite inférieure de l'intervalle:	90,70
12	Limite supérieure de l'intervalle:	101,25

	C	D	E	F
4	Calcul de l'intervalle de confiance à 95% pour la moyenne			
5	Nombre d'observations:	36		
6	Moyenne :	=MOYENNE(A4:A39)		
7	Écart-type:	=ECARTYPE(A4:A39)		
8	Erreur-type:	=D7/RACINE(D5)		
9	Valeur centrée réduite de la loi normale:	=LOI.NORMALE.STANDARD.INVERSE(0,975)		
10	Marge d'erreur statistique:	=D9*D8		
11	Limite inférieure de l'intervalle:	=D6-D10		
12	Limite supérieure de l'intervalle:	=D6+D10		

EXEMPLE 2 : Détermination de valeurs particulières de la variable de Student

La loi de Student est particulèrement utile lors d'inférence statistique (estimation et tests d'hypothèses) dans le cas où le nombre de données prélevées d'une population normale est petit ($n < 30$). Nous indiquons ici comment obtenir diverses valeurs du t, selon le nombre de degrés de liberté et de la probabilité α.

a) Quelle est la valeur du T de Student pour $\alpha = 0,05$ et $v = 12$ degrés de liberté?

Nous cherchons $t_{0,05;12}$. Illustrons comment obtenir cette valeur avec la fonction statistique =LOI.STUDENT.INVERSE(**probabilité; degrés_liberté**).

Fonction LOI.STUDENT.INVERSE

Dans Microsoft Excel, la fonction feuille de calcul qui permet d'obtenir des valeurs particulières du T de Student, est la suivante :

$$=LOI.STUDENT.INVERSE(probabilité;degrés\_liberté)$$

où *probabilité* représente la probabilité associée à la loi bilatérale T de Student. *degrés_liberté* représente le nombre de degrés de liberté [v] utilisés pour caractériser la distribution.

La valeur $t_{0,05;12}$ s'obtient à l'aide de l'expression suivante:

=LOI.STUDENT.INVERSE(0,1;12) et la valeur obtenue est 1,782286745.

À noter qu'il faut préciser la valeur de 2α comme valeur de probabilité dans Excel.

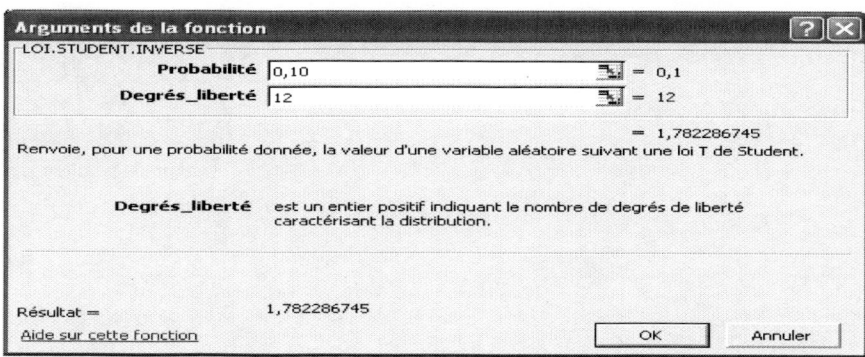

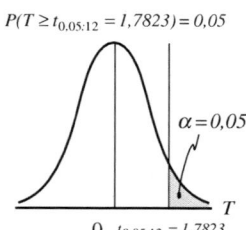

$P(T \geq t_{0,05;12} = 1,7823) = 0,05$

$\alpha = 0,05$

$0 \quad t_{0,05;12} = 1,7823$

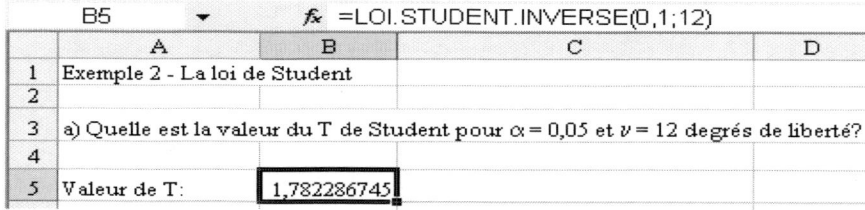

b) Quelle est la valeur du T de Student pour $\alpha = 0,10$ et $v = 12$ degrés de liberté?

La valeur $t_{0,10;12}$ s'obtient à l'aide de l'expression suivante:

=LOI.STUDENT.INVERSE(0,2;12) et la valeur obtenue est 1,356218.

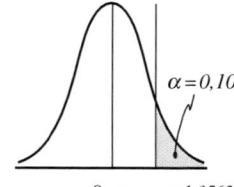

$P(T \geq t_{0,10;12} = 1,3562) = 0,10$

$\alpha = 0,10$

$0 \quad t_{0,10;12} = 1,3562$

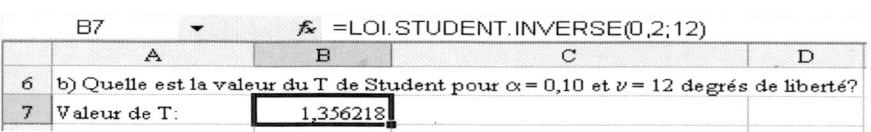

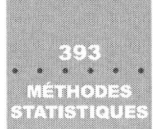

EXEMPLE 3: Intervalle de confiance pour la moyenne dans le cas d'un petit échantillon (*n* < 30) provenant d'une population normale

	A
3	**Valeur du fonds**
4	93850
5	121500
6	166675
7	173000
8	81580
9	172450
10	80515
11	191000
12	120225
13	149375
14	105630
15	192100
16	151975
17	148000
18	173400
19	138330
20	142500
21	149660
22	131170
23	85600

Une firme nationale de sondages d'opinion a effectué, pour le compte d'une compagnie d'assurance, une étude* sur les besoins financiers et la satisfaction des clients.

Les valeurs actuelles de tous les fonds communs de placement que possédaient les clients sont présentées ci-contre. On veut estimer, à l'aide d'un intervalle de confiance, la valeur actuelle moyenne des fonds communs de placement des clients.

Puisque nous sommes en présence d'un petit échantillon (*n* = 20 < 30), l'intervalle de confiance aura la forme suivante:

$$\overline{x} - t_{\alpha/2;\nu} \times \frac{s}{\sqrt{n}} \leq \mu \leq \overline{x} + t_{\alpha/2;\nu} \times \frac{s}{\sqrt{n}} \ .$$

Les données avec l'intitulé sont présentées en colonne (colonne A, de la ligne 3 à la ligne 23) soit A3:A23.

Pour obtenir les résultats ci-contre, nous avons utilisé diverses formules.

*Source: Adapté de *Étude sur les besoins et la satisfaction des clients*. Market Vision Research, octobre 1995.

	C	D
5	**Calcul de l'intervalle de confiance à 95% pour la moyenne - Petit échantillon**	
6	Nombre d'observations:	20
7	Moyenne :	138426,75
8	Écart-type:	35292,60
9	Erreur-type:	7891,66
10	Degrés de liberté:	19
11	Valeur du T de Student:	2,0930
12	Marge d'erreur statistique:	16517,45
13	Limite inférieure de l'intervalle:	121909,30
14	Limite supérieure de l'intervalle:	154944,20

$$121909,30\$ \leq \mu \leq 154944,20\$$$

Les formules requises sont indiquées ci-après.

	C	D	E	F
5	**Calcul de l'intervalle de confiance à 95% pour la moyenne - Petit échantillon**			
6	Nombre d'observations:	20		
7	Moyenne :	=MOYENNE(A4:A23)		
8	Écart-type:	=ECARTYPE(A4:A23)		
9	Erreur-type:	=D8/RACINE(D6)		
10	Degrés de liberté:	=D6-1		
11	Valeur du T de Student:	=LOI.STUDENT.INVERSE(0,05;D10)		
12	Marge d'erreur statistique:	=D11*D9		
13	Limite inférieure de l'intervalle:	=D7-D12		
14	Limite supérieure de l'intervalle:	=D7+D12		

EXEMPLE 4: Intervalle de confiance pour la proportion d'une population

Nous utilisons le contexte d'application de l'exemple 6.9. Un sondage effectué par *Ad hoc recherche*, pour le compte du journal LES AFFAIRES, précise que 218 personnes sur 509 personnes interrogées déclarent qu'elles-mêmes ou un membre de leur famille payent pour avoir accès à Internet.

* Source: Plantevin, J. *Le taux de branchement aurait atteint son apogée*. Journal LES AFFAIRES, 13 juillet 2002.

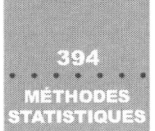

Conditions d'application:

$n\hat{p} \geq 5$ et $n(1-\hat{p}) \geq 5$

On veut déterminer un intervalle de confiance pour p, la proportion vraie d'adultes québécois, qui déclarent payer pour avoir accès à Internet, et ceci avec un niveau de confiance de 95%.

L'intervalle de confiance aura la forme suivante:

$$\hat{p} - z_{\alpha/2}\sqrt{\frac{\hat{p}(1-\hat{p})}{n}} \leq p \leq \hat{p} + z_{\alpha/2}\sqrt{\frac{\hat{p}(1-\hat{p})}{n}}\ .$$

La feuille Excel se présente comme suit:.

	A	B
3	**Calcul de l'intervalle de confiance à 95%**	**pour**
	la proportion	
4	Taille de l'échantillon (n):	509
5	Nombre observé (x):	218
6	Estimation de la proportion	0,4283
7	Valeur centrée réduite de la loi normale:	1,96
8	Marge d'erreur statistique:	0,0430
9	Limite inférieure de l'intervalle:	0,385
10	Limite supérieure de l'intervalle:	0,471

$0,385 \leq p \leq 0,471$

Les formules requises sont indiquées ci-après.

	A	B
3	**Calcul de l'intervalle de confiance à 95% pour la proportion**	
4	Taille de l'échantillon (n):	509
5	Nombre observé (x):	218
6	Estimation de la proportion	=B5/B4
7	Valeur centrée réduite de la loi normale:	=LOI.NORMALE.STANDARD.INVERSE(0,975)
8	Marge d'erreur statistique:	=B7*(RACINE((B6)*(1-B6)/B4))
9	Limite inférieure de l'intervalle:	=B6-B8
10	Limite supérieure de l'intervalle:	=B6+B8

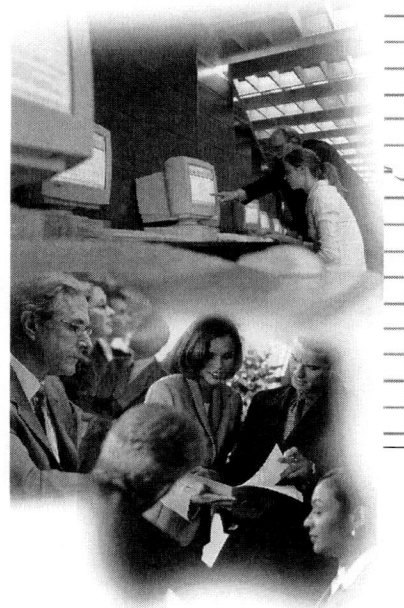

Chapitre 7

Tests d'hypothèses

Une entreprise* se spécialisant dans la fabrication de diverses pâtisseries distribuées sur le continent Nord Américain veut effectuer une évaluation statistique d'un de ses procédés de fabrication. La ligne de production concernée sera identifiée ici, ligne C; la capacité de production actuelle est de 172 800 unités par quart de travail. La ligne de production fonctionne sur trois quarts de travail (24 heures par jour). La pâtisserie qui est concernée ici comporte essentiellement 4 étapes de fabrication sur une ligne de production continue. Ces 4 étapes de production sont:

- la déposition de la pâte dans des moules et cuisson
- la déposition des anneaux de crème
- la déposition du caramel
- l'enrobage de chocolat et le séchage.

Le produit est ensuite emballé par paquet de 2 unités et mis en boîte (6 emballages de 2 unités chacun).

Nous ne traitons ici que la phase du procédé qui comporte la déposition de la pâte dans les moules.

On veut évaluer le comportement statistique d'une variable importante dans cette phase de production (déposition de la pâte) soit le poids de la pâte déposée dans les moules. Ce poids doit être en moyenne de 565 grammes avec un écart-type de 2 grammes . Si le poids est trop faible, le consommateur est pénalisé alors que s'il est trop élevé, c'est l'entreprise qui subit un coût de production plus élevé.

Pour vérifier si le procédé se maintient à cette valeur moyenne (565 g), on prélève occasionnellement un échantillon de 16 moules. Le poids de chaque contenant est vérifié et le poids moyen et la variabilité des poids sont calculés.

Avec les données obtenues, on veut vérifier trois hypothèses:

Hypothèse 1 : «Le poids des moules est distribuée selon une loi normale».

Hypothèse 2 : «Le poids moyen des moules est de 565 grammes».

Hypothèse 3 : «La variabilité du poids des moules se maintient à $\sigma^2 = 4$».

On veut, avec ce plan d'échantillonnage du procédé, tester ces hypothèses en acceptant un certain risque de se tromper dans notre décision. Le non-rejet de ces hypothèses permet de considérer que le procédé de déposition de la pâte est maîtrisé sur le plan statistique.

Ce type d'analyse (comparaison de moyenne et de variance à un standard) est traité dans ce chapitre; nous y abordons également comment tester une hypothèse concernant une proportion et comment vérifier à l'aide d'un test statistique approprié la normalité d'une série de données.

---

* Source: Adapté d'une situation réelle d'entreprise. Les données et paramètres de production ont été modifiés pour préserver la confidentialité des données de l'entreprise.

Chapitre 7

Tests d'hypothèses

❑ **Objectif général.** *Nous traitons dans ce chapitre de l'autre aspect de l'inférence statistique, soit celui de porter un jugement sur une hypothèse statistique relative à la valeur particulière d'un paramètre d'une population spécifique. Ce jugement est basé sur les résultats d'un échantillon prélevé de cette population et d'un certain risque d'erreur que nous acceptons de courir dans notre prise de décision*

❑ **Objectifs spécifiques.** *Lorsque vous aurez complété l'étude du chapitre 7,*

vous pourrez:

1. *préciser en quoi consiste une hypothèse statistique et ce qu'on entend par test d'hypothèse;*
2. *formuler correctement l'hypothèse nulle et l'hypothèse alternative;*
3. *définir ce qu'on entend par seuil de signification d'un test d'hypothèse;*
4. *reconnaître quel type de test on doit mettre en oeuvre dans une situation particulière;*
5. *appliquer la démarche proposée dans l'exécution d'un test d'hypothèse et ceci pour une moyenne, une proportion et une variance;*
6. *identifier les conditions d'application du test;*
7. *préciser ce que représentent, dans un test d'hypothèse, les risques de première espèce et de deuxième espèce;*
8. *schématiser ces risques d'erreur sur la distribution d'échantillonnage de la moyenne d'échantillon ou de la proportion échantillonnale;*
9. *calculer le risque de deuxième espèce selon diverses hypothèses alternatives;*
10. *effectuer un test sur une proportion;*
11. *calculer le seuil descriptif d'un test statistique;*
12. *énoncer les principales propriétés de la loi de khi-deux;*
13. *utiliser la table de la loi de khi-deux pour en déduire les valeurs tabulées;*
14. *identifier la distribution d'échantillonnage de la variance d'échantillon;*
15. *exécuter un test d'hypothèse sur la variance d'une population normale et construire un intervalle de confiance pour la variance;*
16. *tester la normalité d'une série de données avec le test de Shapiro-Wilk;*
17. *utiliser Excel pour effectuer divers tests statistiques.*

7.1 Introduction

Les tests d'hypothèses constituent un autre aspect important de l'inférence statistique. On peut s'intéresser, par exemple, à vérifier une affirmation comme le coût moyen de mise en place d'un système qualité ISO 9000 est de 35 000$ ou encore que le temps moyen d'apprentissage d'un logiciel de base de données est 8 heures ou encore que 34% des PME québécoises possèdent un site Web.

Principe d'un test d'hypothèse

Le principe général d'un test d'hypothèse peut s'énoncer comme suit: soit une population dont les éléments possèdent un caractère (mesurable ou dénombrable) et dont la valeur du paramètre, relative au caractère étudié, est inconnue.

Une hypothèse est formulée sur la valeur du paramètre; cette formulation résulte de considérations théoriques, pratiques ou encore elle est simplement basée sur un pressentiment. On veut porter un jugement sur cette hypothèse, sur la base des résultats d'un échantillon prélevé de cette population.

Il est bien évident que la statistique (variable d'échantillonnage) servant d'estimation au paramètre de la population ne prendra pas une valeur rigoureusement égale à la valeur théorique proposée dans l'hypothèse; elle comporte des fluctuations d'échantillonnage qui sont régies par des distributions connues.

Pour décider si l'hypothèse formulée est confirmée ou non par les données, il faut une méthode qui permettra de juger si l'écart observé entre la valeur de la statistique obtenue de l'échantillon et celle du paramètre spécifiée dans l'hypothèse est trop important pour être uniquement imputable au hasard de l'échantillonnage.

La construction d'un test d'hypothèse consiste effectivement à déterminer entre quelles valeurs peut varier la statistique (ou l'écart réduit), en supposant l'hypothèse vraie, sur la seule considération du hasard de l'échantillonnage. Les distributions d'échantillonnage d'une moyenne et d'une proportion que nous avons traitées en début de chapitre vont être particulièrement utiles dans l'élaboration d'un test statistique.

L'exemple suivant permet d'examiner le type de situation qu'on trouve lors d'un test d'hypothèse statistique.

Exemple 7.1   ### Vérification de la durée moyenne de la semaine de travail de dirigeants de PME

On aimerait valider les résultats d'un sondage* effectué par la firme SOM pour le compte du journal LES AFFAIRES, en ce qui a trait à la semaine moyenne de travail de dirigeants de PME au Québec.

En effet, selon cette enquête, la durée moyenne de la semaine de travail de ces dirigeants est de 54 heures.

*Source: Adapté de Gagnon, G. *Quatre PME sur cinq perçoivent la mondialisation comme une occasion de croissance.* LES AFFAIRES, hors série, édition 2001.

On aimerait vérifier cette affirmation auprès d'un échantillon aléatoire de dirigeants de PME au Québec. En supposant que le traitement des résultats de l'échantillon donne une valeur moyenne de 51 heures comme semaine de travail, peut-on considérer que l'écart entre les deux résultats ne permet de confirmer que la durée moyenne obtenue lors du sondage de la firme SOM est de 54 heures?

Est-ce que cet écart (54 - 51 = 3 heures) est uniquement imputable au hasard de l'échantillonnage?

Pour répondre à ces questions, il faut émettre une hypothèse statistique sur la durée moyenne de travail des dirigeants de PME et ensuite se donner une démarche qui nous permettra de porter un jugement sur cette hypothèse (confirmer ou infirmer) et ceci en se basant sur les résultats obtenus à partir d'un échantillon aléatoire de la population parente.

7.2   Formulation d'hypothèses statistiques

Utilisons le contexte de l'application de l'exemple 7.1 pour illustrer la formulation

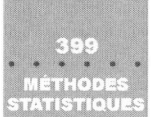

d'hypothèses statistiques.

On veut vérifier l'affirmation selon laquelle la durée moyenne de la semaine de travail de dirigeants de PME est de 54 heures.

Pour confirmer ou infirmer cette hypothèse, on devra effectuer un sondage auprès des dirigeants de PME pour obtenir l'information concernant la durée de leur semaine de travail. Les données obtenues de ce sondage vont permettre de confirmer ou non cette affirmation, en tenant compte d'un certain risque d'erreur et d'une règle de décision bien précise (que nous abordons dans une prochaine section).

C'est un autre objectif de l'échantillonnage d'une population.

Cette approche repose sur deux notions importantes, celle *d'hypothèses statistiques* et celle de *seuil de signification*. Nous voulons comparer la moyenne d'un échantillon avec la moyenne $\mu = \mu_0$ d'une population.

Hypothèses statistiques

Pour ce faire, nous énonçons d'abord deux hypothèses statistiques concernant la moyenne hypothétique de la population, soit *l'hypothèse nulle*, que nous notons

$H_0 : \mu = \mu_0$ (la durée moyenne de la semaine de travail est de 54 heures)

et la *contre-hypothèse* (ou *hypothèse de recherche ou hypothèse alternative*)

$H_1 : \mu \neq \mu_0$ (la durée moyenne de la semaine de travail n'est pas 54 heures).

On pourrait également poser comme *hypothèse alternative* l'un ou l'autre des énoncés suivants: $H_1 : \mu > \mu_0$ ou $H_1 : \mu < \mu_0$. Toutefois une seule de ces trois alternatives est envisagée lors de l'exécution d'un test statistique.

Dans le cas où $H_1 : \mu \neq \mu_0$, nous sommes en présence d'un test bilatéral; dans le cas où $H_1 : \mu > \mu_0$, nous avons un test unilatéral à droite et unilatéral à gauche dans le cas où $H_1 : \mu < \mu_0$.

Ces types de tests sont résumés au tableau 7.1.

Tableau 7.1
Types de tests sur une moyenne

Types de test		
Test unilatéral à gauche	**Test bilatéral**	**Test unilatéral à droite**
$H_0 : \mu = \mu_0$ $H_1 : \mu < \mu_0$	$H_0 : \mu = \mu_0$ $H_1 : \mu \neq \mu_0$	$H_0 : \mu = \mu_0$ $H_1 : \mu > \mu_0$

L'hypothèse H_1 est définie selon les objectifs que l'on poursuit. Dans le cas du sondage auprès des dirigeants de PME, on ne peut présumer à l'avance si la durée de la semaine de travail sera supérieure ou inférieure à 54 heures. C'est pourquoi le test bilatéral s'impose ici.

Dans le cas du sondage auprès des dirigeants de PME, on pourrait poser comme hypothèses statistiques:

$H_0 : \mu = 54$ heures

$H_1 : \mu \neq 54$ heures

(c.-à-d. $\mu > 54$ ou $\mu < 54$).

Les résultats de l'échantillon vont nous permettre de rejeter ou de ne pas rejeter H_0.

Résumons ces concepts importants associés à un test d'hypothèse à la page suivante.

Définitions de l'hypo-thèse nulle et de l'hypothèse alternative (ou hypothèse de recherche)

Hypothèse statistique. Une hypothèse statistique est un énoncé (une affirmation) concernant la valeur de un ou plusieurs paramètres d'une population ou encore un énoncé concernant la forme de la distribution d'une population.

Hypothèse nulle et hypothèse alternative. L'hypothèse selon laquelle on fixe a priori un paramètre d'une population à une valeur particulière s'appelle hypothèse nulle et est notée H_0. N'importe quelle autre hypothèse qui diffère de l'hypothèse H_0 s'appelle l'hypothèse alternative (ou contre-hypothèse ou encore hypothèse de recherche) et est notée H_1. L'hypothèse nulle doit être énoncée de façon telle que son rejet entraîne l'acceptation de la contre-hypothèse.

Test d'hypothèse. Un test d'hypothèse (ou test statistique) est une démarche qui a pour but de fournir une règle de décision permettant de faire un choix entre deux hypothèses statistiques (l'hypothèse nulle et la contre-hypothèse) et ce sur la base de résultats d'échantillon.

Un des aspects importants d'un test d'hypothèse est de convenir d'avance (avant le prélèvement de l'échantillon dans la population) à quelle condition l'une ou l'autre des hypothèses sera considérée comme vraisemblable. C'est l'hypothèse nulle qui est soumise au test et toute la démarche du test s'effectue en considérant cette hypothèse comme vraie.

Si le test conduit, d'après les résultats de l'échantillon, au rejet de l'hypothèse nulle (elle est alors dépourvue de soutien expérimental), nous considérons alors l'hypothèse alternative H_1 comme vraisemblable plutôt que H_0.

7.3 Seuil de signification du test

La majorité des tests d'hypothèses que nous allons traiter vont s'effectuer à l'aide de la distribution d'échantillonnage de la statistique qui sert d'estimateur au paramètre précisé dans l'hypothèse nulle. Pour établir la crédibilité de l'hypothèse nulle, il faut être en mesure d'établir des règles de décision qui vont nous conduire sans équivoque au non-rejet de H_0 (ou au rejet). Toutefois, la décision de favoriser l'hypothèse nulle (ou l'hypothèse alternative) est basée sur une information partielle, les résultats d'un échantillon. Il est statistiquement impossible de prendre toujours la bonne décision.

En pratique, ce que l'on peut faire, c'est de mettre en oeuvre une démarche qui nous permettrait, à long terme, de rejeter à tort une hypothèse nulle vraie dans une faible proportion de cas. La conclusion qui sera déduite des résultats de l'échantillon suivant la règle de décision qu'on aura adoptée, aura un caractère probabiliste; on ne pourra prendre une décision qu'en prenant conscience qu'il y a un certain risque qu'elle soit erronée. Ce risque nous est donné par le *seuil de signification*.

Risque de rejeter à tort l'hypothèse nulle

Seuil de signification d'un test d'hypothèse. Le risque, consenti à l'avance et que nous notons α, de rejeter à tort l'hypothèse nulle H_0 alors qu'elle est vraie (et de favoriser alors l'hypothèse alternative H_1) s'appelle le seuil de signification du test et s'énonce en probabilité comme suit: $\alpha = P(\text{rejeter } H_0 | H_0 \text{ vraie}) = P(\text{choisir } H_1 | H_0 \text{ vraie})$.

À ce seuil de signification, on fait correspondre sur la distribution d'échantillonnage de la statistique (ou sur celle de l'écart réduit) une région de rejet de l'hypothèse nulle (appelée également *région critique*).

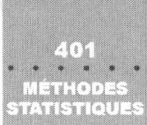
L'aire de cette région correspond à la probabilité α. Cette *région de rejet de H_0* est constituée d'un ensemble de valeurs de la statistique qui conduiront au rejet de H_0.

Si, par exemple, on prend comme seuil de signification $\alpha = 0,05$, cela signifie que l'on admet d'avance que la statistique (la variable d'échantillonnage) peut prendre, dans 5% des cas, une valeur se situant dans la région de rejet de H_0 bien que l'hypothèse H_0 soit vraie et ceci uniquement d'après le hasard de l'échantillonnage.

Sur la distribution d'échantillonnage correspondra aussi une région complémentaire, dite *région de non-rejet de H_0* (appelée également région d'acceptation) de probabilité $1-\alpha$. La valeur observée de la statistique (ou de l'écart réduit) déduite des résultats de l'échantillon appartient, soit à la région de rejet de H_0 (on favorisera alors l'hypothèse H_1), soit à la région de non-rejet de H_0 (on favorisera alors l'hypothèse H_0).

7.4   Risques d'erreur d'un test d'hypothèse

Dans un test d'hypothèse, on ne peut jamais être certain que l'hypothèse nulle doit être rejetée ou non. Les risques de se tromper sont résumés dans le tableau suivant.

Tableau 7.2
Décisions et risques d'erreur d'un test statistique

Décisions / États de H_0	Ne pas rejeter H_0	Rejeter H_0
H_0 est vraie	Bonne décision	Mauvaise décision Erreur de type I $\alpha = P$(de commettre cette erreur) = risque de première espèce
H_0 est fausse	Mauvaise décision Erreur de type II $\beta = P$(de commettre cette erreur) = risque de deuxième espèce	Bonne décision

Nous définissons les risques de 1ère espèce et de 2e espèce comme suit:

Risques associés à un test d'hypothèse

Risque de 1ère espèce ou seuil de signification du test. Le risque de rejeter à tort l'hypothèse nulle H_0 et de favoriser l'hypothèse alternative H_1 s'appelle risque de première espèce ou seuil de signification du test. Ce risque, noté α, est fixé à l'avance (avant de recueillir les données).

Risque de 2e espèce. Le risque de ne pas rejeter H_0 alors qu'elle est fausse s'appelle risque de 2e espèce et est noté β.

On peut calculer le risque de 2e espèce pour des valeurs particulières de μ posées en H_1. Nous illustrons ce calcul à la section 7.9.

7.5   Comment exécuter un test d'hypothèse: démarche à suivre

Un test d'hypothèse comporte diverses étapes. Mentionnons toutefois que dans les sections qui vont suivre, nous adoptons comme convention de travailler avec l'écart réduit (variable aléatoire dont on connaît les valeurs tabulées de la loi) qui est distribué, suivant le cas, selon la loi normale centrée réduite ou la loi de Student; au seuil de signification α choisi, on obtient directement des tables correspondantes (en annexe) les valeurs critiques de l'écart réduit. On peut également obtenir ces valeurs critiques à l'aide de certaines fonctions statistiques d'Excel.

D'une façon générale l'écart réduit s'exprime en unités d'écart-type de la statistique qui convient au test.

. . .
Les seuils de significa-
tion les plus utilisés sont
$\alpha = 0,05$ et $\alpha = 0,01$,
dépendant des consé-
quences de rejeter à tort
l'hypothèse H_0.

$$\text{Écart réduit} = \frac{\begin{array}{c}\text{Écart entre la statistique qui convient pour le test}\\\text{et la valeur du paramètre posée en } H_0\end{array}}{\text{Écart-type de la statistique}}$$

Démarche à suivre dans l'élaboration d'un test d'hypothèse

On peut adopter la démarche suivante dans l'élaboration d'un test d'hypothèse.

1. Formulez l'hypothèse nulle H_0 et la contre-hypothèse H_1.

2. Fixez d'avance (avant de prélever l'échantillon) le seuil de signification α c.-à-d. spéci-fiez le risque de rejeter à tort une hypothèse H_0 vraie.

3. Précisez les conditions d'application du test. Spécification ou non de la forme de la population échantillonnée, indication si nous sommes en présence d'un grand échan-tillon, si la variance de la population est connue ou inconnue, etc.

4. Spécifiez la statistique qui convient pour le test et définissez l'écart réduit. En déduire sa distribution d'après les conditions d'application.

5. Adoptez une règle de décision qui conduira au rejet ou au non-rejet de H_0 au seuil α choisi. Cette règle de décision est définie à partir des valeurs critiques de l'écart réduit.

6. Calculez la valeur numérique de l'écart réduit, valeur déduite des résultats de l'échan-tillon.

7. Décision et conclusion. Comparez la valeur numérique obtenue pour l'écart réduit avec la règle de décision adoptée en 5. Décidez entre les deux hypothèses formulées en 1 et concluez.

7.6   Test sur une moyenne

. . .
Les valeurs critiques de
l'écart réduit ne dépendent
que de α; elles sont indépendantes de σ et de n.

Les premiers tests statistiques que nous abordons concernent la comparaison d'une moyenne à une norme. Nous résumons dans les tableaux 7.3 à 7.5, les valeurs critiques de l'écart réduit dans le cas où celui-ci est distribué selon une loi normale centrée réduite ou encore selon la loi de Student.

Dans le cas de l'écart réduit Z, on obtient les règles de décision en fixant le seuil de signification α (qui est une probabilité). Ainsi, on fixe par le fait même une valeur de la variable normale centrée réduite: à un risque α correspond z_α, qui s'obtient de la table de la loi normale centrée réduite

Pour obtenir correctement cette valeur, on doit faire intervenir l'hypothèse alternative H_1. Les valeurs critiques z_α définissent ce qu'on appelle la *région critique du test* ou région de rejet de H_0. Si l'écart réduit obtenu de $Z = \dfrac{\bar{X} - \mu}{\sigma / \sqrt{n}}$ se situe dans la région critique, nous rejetons H_0 et favorisons H_1.

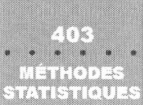

Ainsi, dans le cas d'un test bilatéral ($H_1 : \mu \neq \mu_0$), nous rejetons H_0 si $Z > z_{\alpha/2}$ ou $Z < -z_{\alpha/2}$. Pour $\alpha = 0,05$, on a $z_{0,025} = 1,96$ et $-z_{0,025} = 1,96$ (l'aire entre z = 0 et $z_{0,025}$ est 0,475).

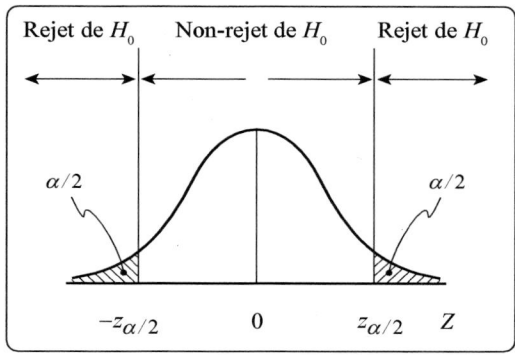

Seuils critiques de Z

$z_{0,05} = 1,645$
$z_{0,025} = 1,96$
$z_{0,01} = 2,325$
$z_{0,005} = 2,576$

Les tableaux suivants résument les conclusions des tests statistiques selon les hypothèses H_1. Nous indiquons également les conditions d'application des tests, sous la rubrique du tableau.

Hypothèse nulle : $H_0 : \mu = \mu_0$

Tableau 7.3

Tests sur une moyenne:
Échantillon prélevé au hasard d'une population normale de variance connue

$$Z = \frac{\overline{X} - \mu_0}{\sigma / \sqrt{n}}$$

Contre-hypothèses	Règles de décision du test
$H_1 : \mu \neq \mu_0$	Rejeter H_0 si $Z > z_{\alpha/2}$ ou $Z < -z_{\alpha/2}$
$H_1 : \mu > \mu_0$	Rejeter H_0 si $Z > z_\alpha$
$H_1 : \mu < \mu_0$	Rejeter H_0 si $Z < -z_\alpha$

*En supposant H_0 vraie et selon les conditions d'application, l'écart réduit $Z = \frac{\overline{X} - \mu_0}{\sigma / \sqrt{n}}$ est distribué selon une loi normale centrée réduite.

Hypothèse nulle : $H_0 : \mu = \mu_0$

Tableau 7.4

Tests sur une moyenne:
Grand échantillon (> 30) prélevé au hasard d'une population de variance inconnue

$$Z = \frac{\overline{X} - \mu_0}{s / \sqrt{n}}$$

Contre-hypothèses	Règles de décision du test
$H_1 : \mu \neq \mu_0$	Rejeter H_0 si $Z > z_{\alpha/2}$ ou $Z < -z_{\alpha/2}$
$H_1 : \mu > \mu_0$	Rejeter H_0 si $Z > z_\alpha$
$H_1 : \mu < \mu_0$	Rejeter H_0 si $Z < -z_\alpha$

*En supposant H_0 vraie et selon les conditions d'application, l'écart réduit $Z = \frac{\overline{X} - \mu_0}{s / \sqrt{n}}$ est distribué selon une loi normale centrée réduite et $s = \sqrt{\dfrac{\sum (x_i - \overline{x})^2}{n - 1}}$.

Le tableau 7.5 résume l'application de tests sur une moyenne dans le cas de petits échantillons.

Hypothèse nulle : $H_0 : \mu = \mu_0$

Tableau 7.5

Tests sur une moyenne:

Échantillon de petite taille ($n < 30$) prélevé au hasard d'une population normale de variance inconnue

$$T = \frac{\overline{X} - \mu_0}{s / \sqrt{n}}$$

Contre-hypothèses	Règles de décision du test
$H_1 : \mu \neq \mu_0$	Rejeter H_0 si $T > t_{\alpha/2;n-1}$ ou $T < -t_{\alpha/2;n-1}$
$H_1 : \mu > \mu_0$	Rejeter H_0 si $T > t_{\alpha;n-1}$
$H_1 : \mu < \mu_0$	Rejeter H_0 si $T < -t_{\alpha;n-1}$

*En supposant H_0 vraie et selon les conditions d'application, l'écart réduit $T = \frac{\overline{X} - \mu_0}{s / \sqrt{n}}$ est distribué selon une loi de Student avec $\nu = n - 1$ degrés de liberté.

Illustrons l'application des tests sur une moyenne à l'aide des exemples suivants.

Exemple 7.2

Test de signification sur le salaire annuel moyen pour les administrateurs de banque de données

D'après une société conseil sur les politiques salariales et de gestion des ressources humaines d'entreprises du secteur du multimédia, le salaire* annuel moyen d'administrateurs (trices) de banque de données serait de 49 738$.

*Source: Adapté de Noël, K. *La gestion du personnel, une lacune dans le multimédia.* Journal LES AFFAIRES, 13 janvier 2001.

Une enquête effectuée par un organisme pour la promotion du logiciel québécois auprès d'un échantillon aléatoire de 36 entreprises de ce secteur donna les résultats suivants concernant la rémunération d'administrateurs de banque de données:

• Salaire moyen 50 200$ • Écart-type: 1 560$.

Est-ce que les résultats de cette enquête permettent de supporter l'affirmation de la société conseil, en ce qui a trait au salaire annuel moyen d'administrateurs de banque de données? Utilisez un seuil de signification $\alpha = 0,05$.

Démarche du test

1. **Hypothèses statistiques.**
   $H_0 : \mu = 49\,738$ $H_1 : \mu \neq 49\,738$
2. **Seuil de signification.**
   $\alpha = 0,05$.
3. **Conditions d'application du test:** Grand échantillon, $n > 30$, provenant d'une population de variance inconnue.
4. **La statistique** qui convient pour le test est $\overline{X}$. L'écart réduit est: $Z = \frac{\overline{X} - \mu_0}{s / \sqrt{n}}$

   où $\mu_0 = 49\,738$. Il est distribué suivant la loi normale centrée réduite.
5. **Règle de décision.** D'après H_1 et au seuil $\alpha = 0,05$, les valeurs critiques de l'écart réduit sont $z_{0,025} = 1,96$ et $-z_{0,025} = -1,96$ (test bilatéral). On adoptera la règle de décision suivante:

   rejeter H_0 si $Z > 1,96$ ou $Z < -1,96$, sinon ne pas rejeter H_0.

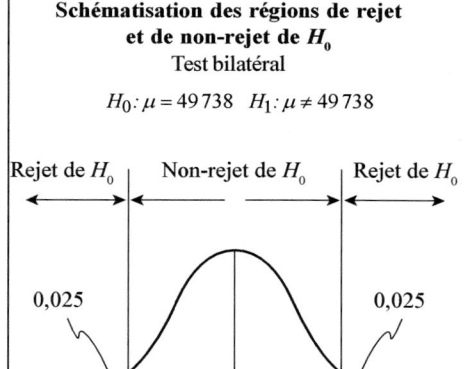

**Schématisation des régions de rejet
et de non-rejet de H_0**
Test bilatéral

$H_0: \mu = 49\,738 \quad H_1: \mu \neq 49\,738$

Rejet de H_0 | Non-rejet de H_0 | Rejet de H_0

0,025   0,025

−1,96   0   1,96   Z

$z = 1,777$

6. Calcul de l'écart réduit. Puisque $\bar{x} = 50\,200$, $s = 1560$ et

$$n = 36, \text{ on obtient } z = \frac{50\,200 - 49\,738}{1560 / \sqrt{36}} = \frac{462}{260} = 1,777.$$

7. Décision et conclusion. La valeur $z = 1,777$ se situe dans la région de non-rejet de H_0 ; on ne peut rejeter l'affirmation de la société conseil.

L'écart observé entre $\bar{x}$ et μ_0 soit $(50\,200 - 49\,738 = 462\$)$ n'est pas statistiquement significatif au seuil $\alpha = 0,05$.

> L'exécution d'un test d'hypothèse et le calcul d'un intervalle de confiance sont étroitement liés. En effet, une règle de décision est équivalente à un intervalle de confiance placé autour de la moyenne μ avec un niveau de confiance $100(1-\alpha)\%$. On favorise $H_0: \mu = \mu_0$ si μ_0 tombe dans l'intervalle de confiance et on rejette $H_0: \mu = \mu_0$, si la valeur μ_0 ne se situe pas dans l'intervalle de confiance.

Remarque. Le calcul de l'intervalle de confiance ayant un niveau de confiance de 95% de contenir la valeur vraie de μ est $50\,200 - (1,96) \cdot (1560 / \sqrt{36}) \leq \mu \leq 50\,200 + (1,96) \cdot (1560 / \sqrt{36})$ soit $49\,690,40 \leq \mu \leq 50\,709,60$. Puisque $\mu_0 = 49\,738$ se situe dans l'intervalle, l'hypothèse $H_0 : \mu = 49\,738$ est considérée comme vraisemblable, au seuil de signification $\alpha = 0,05$. D'autre part, lorsque la valeur μ_0 ne se situe pas dans l'intervalle de confiance, il est très peu probable que la valeur vraie de μ soit μ_0 et par conséquent, nous rejetons l'hypothèse nulle $H_0: \mu = \mu_0$.

Exercices d'apprentissage

Série 7.1

📄 Tests statistiques sur une moyenne

1. Selon une revue d'informatique, la période moyenne de recouvrement des achats informatiques pour les entreprises de taille moyenne est de 2,5 ans.

Un échantillon aléatoire de quarante entreprises de taille moyenne a conduit aux résultats suivants:

    Période moyenne de recouvrement: 2,85 ans
    Écart-type: 0,9 an.

On pose comme hypothèse alternative l'affirmation suivante: la période moyenne de recouvrement des achats informatiques est supérieure à celle précisée par la revue informatique.

a) Précisez sous forme statistique les hypothèses qu'on veut tester.

b) Précisez la règle de décision, pour un seuil de signification de 1%.

c) Effectuez le test statistique et indiquez quelle hypothèse est favorisée au seuil de signification mentionné.

2. Un chercheur dans le domaine de la médecine du travail affirme que le taux moyen de plomb dans le sang chez des travailleurs oeuvrant dans une fonderie dépasse 800 mg/l. Une étude* publiée dans une revue spécialisée dans le domaine de la santé donne les résultats suivants auprès d'un échantillon de 33 travailleurs d'une fonderie.

    Taux moyen de plomb dans le sang: 818,1 µg/l
    Écart-type: 130,2 µg/l.

a) Quelle est ici l'hypothèse de recherche?

b) Précisez la règle de décision, pour un seuil de signification de 1%.

c) Effectuez le test statistique et indiquez quelle hypothèse est favorisée au seuil de signification mentionné.

---

* Source: Adapté de Brodeur, J., A.Y.S. P'AN et A.G. Craan. *La signification toxicologique du plomb présent dans la salive.* Travail et Santé, printemps, 1985.

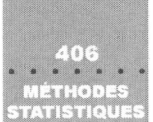

Exemple 7.3

Test de signification sur l'âge moyen de propriétaires-dirigeants

La présidente de l'Association des manufacturiers du Québec a affirmé lors d'un souper causerie à la Chambre de Commerce que l'âge moyen de propriétaires-dirigeants de firmes utilisant des technologies de pointe était de 46 ans. Une enquête auprès d'un échantillon aléatoire de 18 entreprises de ce type donna les résultats suivants concernant l'âge des propriétaires-dirigeants.

En supposant que l'âge des propriétaires-dirigeants est distribué normalement, est-ce que ces résultats sont en contradiction avec l'affirmation de la présidente de l'Association des manufacturiers du Québec?

Utilisez un seuil $\alpha = 0,05$.

Âge du propriétaire-dirigeant					
43	40	43	49	45	44
46	50	46	50	48	48
48	52	44	54	53	48

Démarche du test

Nous indiquons en annexe 7, comment effectuer ce test statistique avec Microsoft Excel et la loi de Student.

1. **Hypothèses statistiques.**
   $H_0 : \mu = 46$, $H_1 : \mu \neq 46$

2. **Seuil de signification.**
   $\alpha = 0,05$.

3. **Conditions d'application du test:** Petit échantillon ($n=18$) aléatoire provenant d'une population normale de variance inconnue.

4. **La statistique** qui convient pour le test est $\overline{X}$. L'écart réduit est:

$$T = \frac{\overline{X} - \mu_0}{s / \sqrt{n}}$$

où $\mu_0 = 46$. Il est distribué suivant la loi de Student avec $\nu = n - 1 = 17$ degrés de liberté.

5. **Règle de décision.** D'après H_1 et au seuil $\alpha = 0,05$, la valeur critique de l'écart réduit est $t_{0,025;17} = 2,1098$ (test bilatéral).
   On adoptera la règle de décision suivante:

   rejeter H_0 si $T < -2,1098$ ou si $T > 2,1098$,

   sinon ne pas rejeter H_0.

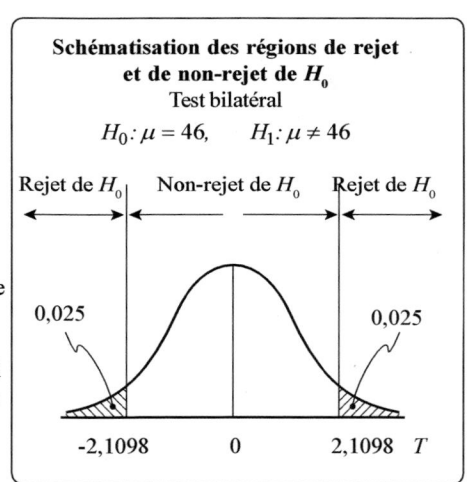

Schématisation des régions de rejet et de non-rejet de H_0
Test bilatéral

$H_0 : \mu = 46$, $H_1 : \mu \neq 46$

Rejet de H_0 | Non-rejet de H_0 | Rejet de H_0

0,025   0,025

-2,1098   0   2,1098 T

6. **Calcul de l'écart réduit.** Les calculs conduisent à $\overline{x} = 47,28$ et $s = 3,75$. L'erreur-type $s / \sqrt{n} = 3,75 / \sqrt{18} = 0,884$. Le calcul de l'écart réduit donne

$$t = \frac{47,28 - 46}{3,75 / \sqrt{18}} = \frac{1,28}{0,884} = 1,448 .$$

7. **Décision et conclusion.** La valeur $t = 1,448$ se situe dans la région de non-rejet de H_0. Nous ne pouvons rejeter H_0.

L'affirmation de la présidente n'est pas en contradiction avec les données de l'enquête.

Exercice d'apprentissage

Série no 7.2

📄 Test sur une moyenne avec la loi de Student

Les données ci-après (fichier SPSS) représentent le diamètre extérieur d'un échantillon aléatoire de 28 pièces de plastique utilisées dans la fabrication d'une pièce d'automobile. Les pièces ont été obtenues à l'aide d'un procédé d'injection.

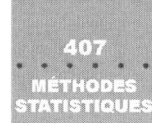

APP SÉRIE 7.2 - SPSS Data Editor

File   Edit   View   Data   Transform   Analyz

21 :

	diamètre	var
1	,517	
2	,518	
3	,523	
4	,522	
5	,512	
6	,516	
7	,520	
8	,518	
9	,513	
10	,514	
11	,510	
12	,516	
13	,520	
14	,516	

	diamètre	var
15	,518	
16	,517	
17	,514	
18	,520	
19	,521	
20	,516	
21	,510	
22	,512	
23	,515	
24	,513	
25	,515	
26	,518	
27	,522	
28	,525	

L'objectif visé par le département d'ingénierie est un diamètre extérieur moyen de 0,515.

a) Précisez les hypothèses statistiques qui seraient appropriées selon l'objectif visé par le département d'ingénierie.

Le traitement statistique avec le logiciel SPSS donne la sortie suivante:

T-Test

Sortie SPSS

One-Sample Statistics

	N	Mean	Std. Deviation	Std. Error Mean
Diamètre extérieur	28	,51682	3,8783E-03	7,3292E-04

One-Sample Test

	Test Value = 0.515					
					95% Confidence Interval of the Difference	
	t	df	Sig. (2-tailed)	Mean Difference	Lower	Upper
Diamètre extérieur	2,485	27	,019	1,8214E-03	3,18E-04	3,33E-03

b) Quel est le diamètre moyen obtenu pour cet échantillon?

c) Quel est la valeur observée du T de Student?

d) Précisez la règle de décision qu'il faut adopter, au seuil de signification 5%.

e) Peut-on conclure que le procédé d'injection se maintient au niveau moyen désiré?

f) Quel est l'intervalle de confiance du diamètre moyen, pour un niveau de confiance de 95%?

g) Est-ce que l'intervalle de confiance englobe la valeur du diamètre moyen posée dans l'hypothèse nulle?

On peut déduire, à partir des quantités $-z_{\alpha/2} = \dfrac{\overline{x}_{c_1} - \mu_0}{\sigma / \sqrt{n}}$ et $z_{\alpha/2} = \dfrac{\overline{x}_{c_2} - \mu_0}{\sigma / \sqrt{n}}$ (expression sous forme centrée réduite de $\overline{x}_{c_1}$ et $\overline{x}_{c_2}$), les *valeurs critiques de* $\overline{X}$ (test bilatéral), pour un seuil de signification α :

$$\overline{x}_{c_1} = \mu_0 - z_{\alpha/2} \cdot \sigma / \sqrt{n}$$

$$\overline{x}_{c_2} = \mu_0 + z_{\alpha/2} \cdot \sigma / \sqrt{n}$$

μ_0, σ, n et $z_{\alpha/2}$ étant connus.

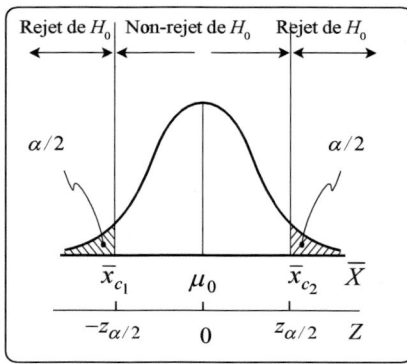

Règles de décision

Les règles de décision à l'aide des valeurs critiques de $\overline{X}$ s'énoncent comme suit pour les hypothèses $H_0 : \mu = \mu_0$, $H_1 : \mu \neq \mu_0$, au seuil de signification α:

Règle de décision pour un test bilatéral

Rejeter H_0 si

$$\overline{X} > \overline{x}_{c_2} = \mu_0 + z_{\alpha/2} \cdot \sigma / \sqrt{n}$$

ou si

$$\overline{X} < \overline{x}_{c_1} = \mu_0 - z_{\alpha/2} \cdot \sigma / \sqrt{n}$$

Test unilatéral

Dans le cas d'un test unilatéral, les régions de rejet et de non-rejet de H_0 se présentent comme suit en utilisant les valeurs critiques.

Test unilatéral à droite
H_0: $\mu = \mu_0$
H_1: $\mu > \mu_0$

Test unilatéral à gauche
H_0: $\mu = \mu_0$
H_1: $\mu < \mu_0$

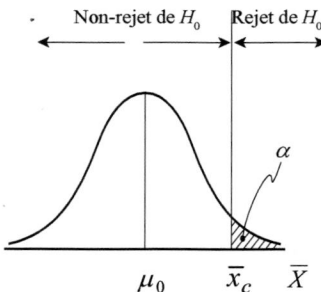

Règle de décision pour un test unilatéral

$\overline{x}_c = \mu_0 + z_\alpha \cdot \sigma / \sqrt{n}$ $\overline{x}_c = \mu_0 - z_\alpha \cdot \sigma / \sqrt{n}$

Rejet de H_0: $\mu = \mu_0$ si $\overline{X} > \overline{x}_c$ Rejet de H_0: $\mu = \mu_0$ si $\overline{X} < \overline{x}_c$

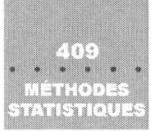

Dans le cas d'un grand échantillon provenant d'une population de variance inconnue, on remplace σ par s dans les expressions. D'autre part, dans le cas d'un petit échantillon provenant d'une population normale de variance inconnue, on utilise le T de Student ($t_{\alpha/2;n-1}$ ou $t_{\alpha;n-1}$ selon le cas) comme quantité pour l'écart réduit et s, l'écart-type de l'échantillon.

Exemple 7.4

Test de signification sur la valeur moyenne des stocks avec les valeurs critiques

Le vérificateur de l'entreprise Multipak veut vérifier l'hypothèse selon laquelle la valeur moyenne des stocks est de 200\$ (la valeur comptable des stocks (population qui comporte 3000 éléments) est de 600 000\$, d'où une valeur moyenne de 600 000\$/3000 = 200\$).

Un échantillon aléatoire de 144 éléments de la liste des stocks donne une valeur établie de 27 898\$ soit une valeur moyenne observée de 27 898\$/144 = 193,74\$.

L'écart observé entre la valeur contenue dans la liste des stocks et la valeur établie par le vérificateur pour les 144 éléments constituant l'échantillon a permis d'obtenir un écart-type d'échantillon $s = 48,24\$$.

Peut-on conclure, au seuil de signification $\alpha = 0,05$, que la valeur moyenne des stocks postulée est vraisemblable?

Pour répondre à cette question, exécutons un test d'hypothèse en appliquant la démarche que nous avons proposée mais en utilisant les valeurs critiques établies. Nous adoptons un test bilatéral puisque nous ne pouvons présumer au départ si la valeur moyenne réelle des stocks est inférieure ou supérieure à 200\$.

Démarche du test

1. **Hypothèses statistiques.**

   $H_0 : \mu = 200 \quad H_1 : \mu \neq 200$

2. **Seuil de signification.**

   $\alpha = 0,05$.

3. **Conditions d'application du test:** Grand échantillon aléatoire provenant d'une population de variance inconnue.

4. **La statistique** qui convient pour le test est $\overline{X}$.

   Cette statistique est distribuée suivant la loi normale.

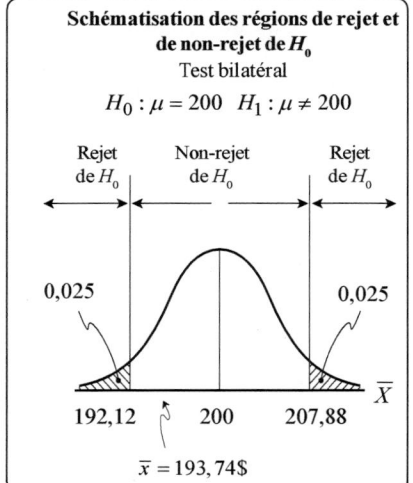

Schématisation des régions de rejet et de non-rejet de H_0
Test bilatéral
$H_0 : \mu = 200 \quad H_1 : \mu \neq 200$

Rejet de H_0 | Non-rejet de H_0 | Rejet de H_0

0,025 ... 0,025

192,12 ... 200 ... 207,88 ... $\overline{X}$

$\overline{x} = 193,74\$$

5. **Règle de décision.** D'après H_1 et au seuil $\alpha = 0,05$, on a de la table de la loi normale centrée réduite, $z_{0,025} = 1,96$ et $-z_{0,025} = -1,96$ (test bilatéral). L'estimation de l'écart-type donne $s = 48,24\$$. Les valeurs critiques de $\overline{X}$ sont:

$$\overline{x}_{c_1} = \mu_0 - z_{\alpha/2} \cdot s/\sqrt{n} = 200 - (1,96)(48,24/\sqrt{144})$$

$$\overline{x}_{c_1} = 200 - 7,88 = 192,12\$$$

$$\overline{x}_{c_2} = \mu_0 + z_{\alpha/2} \cdot s/\sqrt{n} = 200 + (1,96)(48,24/\sqrt{144})$$

$$\overline{x}_{c_2} = 200 + 7,88 = 207,88\$$$

On adoptera la règle de décision suivante: rejeter H_0 si

$\overline{X} < \overline{x}_{c_1} = 192,12\$$ ou si $\overline{X} > \overline{x}_{c_2} = 207,88\$$, sinon ne pas rejeter H_0.

6. **Valeur de la statistique.** On a $\overline{x} = 193,74\$$.

7. **Décision et conclusion.** La valeur $\overline{x} = 193,74\$$ se situe dans la région de non-rejet de H_0 ($\overline{x}_{c_1} \leq \overline{x} = 193,74 \leq \overline{x}_{c_2}$). L'affirmation est vraisemblable; la valeur moyenne des stocks ne diffère pas de façon significative de la valeur précisée en H_0.

Le schéma suivant illustre les notions d'intervalle de confiance (intervalle calculé ci-après) et de la région de non-rejet de l'hypothèse nulle; l'intervalle de confiance s'obtient de $193,74\$ - (1,96)(48,24/\sqrt{144}) \leq \mu \leq 193,74\$ + (1,96)(48,24/\sqrt{144})$

soit $185,86\$ \leq \mu \leq 201,62\$$.

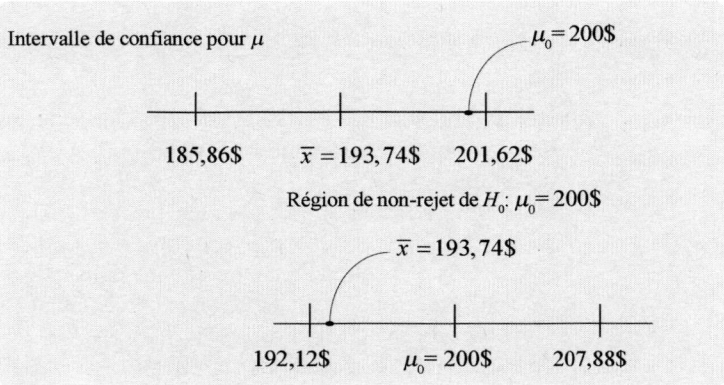

Remarque. Les valeurs critiques pour effectuer un test sur la moyenne, diffèrent des bornes qu'on obtient pour l'intervalle de confiance. En effet, les valeurs critiques sont centrées sur μ_0 alors que les bornes de l'intervalle de confiance sont calculées à partir de la moyenne d'échantillon (qui varie d'un échantillon à l'autre). Les valeurs critiques d'autre part sont des valeurs fixes pour les mêmes conditions d'application du test.

7.8   Utilisation de la «valeur *p*» pour tester une hypothèse

Une façon équivalente d'établir la règle de décision dans le cas d'un test statistique est d'évaluer la probabilité, en supposant H_0 vraie, pour que la statistique qui sert au test (écart réduit par exemple) soit supérieure (ou inférieure) à la valeur observée par cette statistique selon les résultats de l'échantillon. Si cette probabilité est petite (inférieure à α), les résultats de l'échantillon ne permettent pas de supporter l'hypothèse H_0. La plupart des programmes informatiques (MINITAB, SAS, SPSS, Excel) indiquent cette probabilité sous la rubrique "significance", "p-value" ou "Prob".

Certains tests statistiques qu'on trouve dans «l'Utilitaire d'analyse» d'Excel (comme test d'égalité de moyennes) affichent sur la sortie des résultats, cette probabilité critique. La notation utilisée dans Excel est par exemple $P(Z <= z)$ unilatéral, $P(Z <= z)$ bilatéral, ou encore $P(T <= t)$ bilatéral ... Cette probabilité peut également être calculée dans une feuille de calcul d'Excel.

Valeur *p* ou seuil
descriptif du test

Seuil descriptif du test («p-value»). Étant donné les divers éléments d'un test statistique et la valeur calculée de l'écart réduit (ou de la variable d'échantillonnage), le *seuil descriptif du test*, que nous notons α_p, est la plus petite valeur du seuil de signification α qui conduirait au rejet de H_0.

Cette quantité, que nous notons α_p, s'obtient en calculant la probabilité que l'écart réduit (Z ou T) prenne une valeur inférieure ou égale à la valeur calculée (dans le cas d'un test unilatéral à gauche) ou une valeur supérieure ou égale à la valeur calculée (dans le cas d'un test unilatéral à droite)

La décision de rejeter ou pas H_0 s'effectue alors en comparant la valeur α_p au seuil de signification α. Si $\alpha_p < \alpha$, nous rejetons H_0; sinon, nous ne pouvons rejeter H_0.

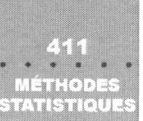

La détermination de α_p est visualisée ci-après dans le cas d'un test sur une moyenne ou $\bar{x}$ est calculée à partir des données de l'échantillon.

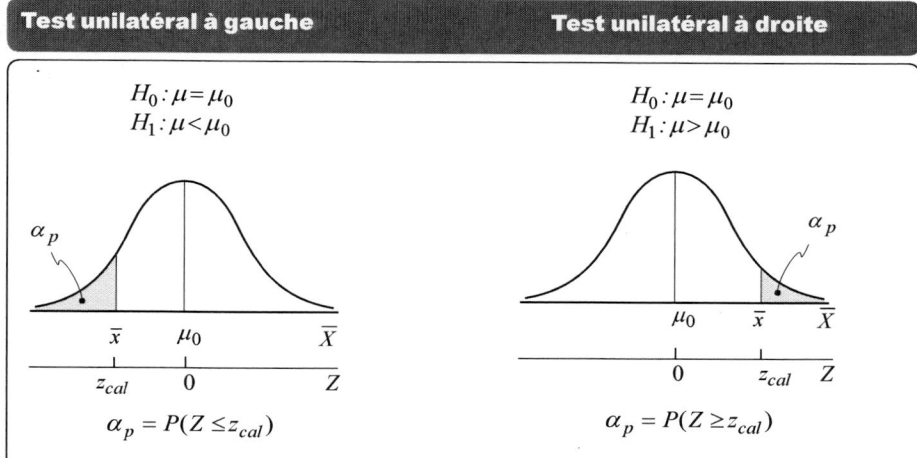

Dans le cas d'un test bilatéral, on effectue le même calcul de probabilité selon que la valeur prise par $\overline{X}$ est inférieure à μ_0 ou supérieure à μ_0. On multiplie toutefois la probabilité obtenue par 2 pour la comparer au seuil de signification α (puisque dans un test bilatéral, le risque α est divisé en 2).

Nous résumons dans le tableau suivant l'expression probabiliste requise pour calculer α_p dans le cas d'un test sur une moyenne selon que l'écart réduit est la variable normale centrée réduite Z ou la variable de Student T.

Tableau 7.6
Expressions pour le calcul du seuil descriptif du test

Hypothèses statistiques	Écart réduit	Expressions pour le calcul de α_p
$H_0 : \mu = \mu_0$ $H_1 : \mu \neq \mu_0$	Z ou T	Si la valeur prise par $\overline{X}$ est supérieure à μ_0, alors $\alpha_p = 2 \cdot P(Z \geq z_{cal})$. Si la valeur prise par $\overline{X}$ est inférieure à μ_0, alors $\alpha_p = 2 \cdot P(Z \leq z_{cal})$
$H_0 : \mu = \mu_0$ $H_1 : \mu > \mu_0$	Z ou T	$\alpha_p = P(Z \geq z_{cal})$ ou $\alpha_p = P(T \geq t_{cal})$ selon l'écart réduit
$H_0 : \mu = \mu_0$ $H_1 : \mu < \mu_0$	Z ou T	$\alpha_p = P(Z \leq z_{cal})$ ou $\alpha_p = P(T \leq t_{cal})$ selon l'écart réduit

Le calcul de z_{cal} ou de t_{cal} s'obtient des expressions suivantes selon les conditions d'application du test:

$$z_{cal} = \frac{\bar{x} - \mu_0}{\sigma / \sqrt{n}}, z_{cal} = \frac{\bar{x} - \mu_0}{s / \sqrt{n}} \ ou \ t_{cal} = \frac{\bar{x} - \mu_0}{s / \sqrt{n}} .$$

Règle de décision

Rejeter $H_0 : \mu = \mu_0$ (l'hypothèse nulle n'est pas crédible) si $\alpha_p < \alpha$ et favoriser H_1. Sinon, ne pas rejeter H_0.

Exemple 7.5

Calcul de la valeur p et conclusion du test d'hypothèse

a) *Test sur une moyenne (écart réduit Z).*

Utilisons les données de l'exemple 7.4 (valeur moyenne des stocks). Dans ce cas,

$H_0: \mu = 200$, $H_1: \mu \neq 200$. Avec les résultats de l'échantillon, on a $\bar{x} = 193,74\$$,

$s \cong \sigma = 48,24\$$, $n = 144$ et

$$z = \frac{193,74 - 200}{48,24 / \sqrt{144}} = \frac{-6,26}{4,02} = -1,56.$$

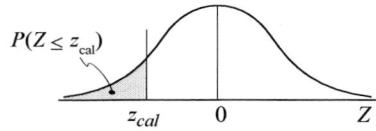

$P(Z \leq z_{cal})$

z_{cal} 0   Z

Puisque $\bar{x} = 193,74\$ < 200$, le calcul du seuil

descriptif s'obtient de $\alpha_p = 2 \cdot P(Z \leq z_{cal})$.

$z_{cal} = -1,56$.

On veut $P(Z \leq -1,56)$.

$P(Z \leq -1,56) = 0,5 - P(-1,56 < Z < 0)$

De la table de la loi normale centrée

réduite, on trouve

$P(-1,56 < Z < 0) = 0,4406$.

Donc $P(Z \leq -1,56) = 0,5 - 0,4406 = 0,0594$.

Z	0,05	0,055	0,06	0,065	0,07
1,5	0,4394	0,4400	0,4406	0,4412	0,4418
1,6	0,4505	0,4510	0,4515	0,4520	0,4525
1,7	0,4599	0,4604	0,4608	0,4612	0,4616
1,8	0,4678	0,4682	0,4686	0,4689	0,4693
1,9	0,4744	0,4747	0,4750	0,4753	0,4756

$\alpha_p = 2 \cdot P(Z \leq z_{cal}) = (2)(0,0594) = 0,1188$. Si on effectue un test au seuil de

signification $\alpha = 0,05$, alors $\alpha_p = 0,1188 > 0,05$; on ne peut rejeter H_0.

L'hypothèse $H_0: \mu = 200$ est plausible.

Règle de décision

Rejeter $H_0: \mu = \mu_0$ (l'hypothèse nulle n'est pas crédible) si $\alpha_p < \alpha$ et favoriser H_1. Sinon, ne pas rejeter H_0.

b) *Test sur une moyenne (écart réduit T de Student).*

Supposons que nous voulons tester les hypothèses suivantes:
$H_0: \mu = 10$, $H_1: \mu > 10$.

Selon les résultats de l'échantillon $\quad n = 25$, $\bar{x} = 11,04$, $s = 0,971$. Considérons

que les conditions d'application du test de Student s'appliquent.

Comme nous avons un test unilatéral à droite, alors le seuil descriptif s'obtient de

$\alpha_p = P(T \geq t_{cal})$ avec

Non-rejet de H_0 | Rejet de H_0

$$t_{cal} = \frac{\bar{x} - \mu_0}{s / \sqrt{n}} = \frac{(11,04 - 10)}{0,971 / \sqrt{25}} = 5,355.$$

$P(T \geq t_{cal}) = P(T \geq 5,355)$

avec 24 degrés de liberté.

α_p

0   5,355   T

De la table de la distribution de Student (voir extrait ci-après), avec 24 degrés de liberté, nous essayons de repérer la valeur $t = 5,355$. La plus grande valeur que l'on peut lire sur la ligne $\nu = 24$ est $t = 2,7970$ pour une valeur $\alpha = 0,005$. Comme la valeur $t = 5,355$ est plus grande que $2,7970$, nous pouvons simplement écrire alors que le seuil descriptif du test est inférieur à $0,005$.

Puisque α_p est si faible, il est peu probable que les résultats de l'échantillon proviennent d'une population normale dont la moyenne est $\mu_0 = 10$. On favorise plutôt $H_1: \mu > 10$.

ν	$\alpha = 0,25$	$\alpha = 0,10$	$\alpha = 0,05$	$\alpha = 0,025$	$\alpha = 0,01$	$\alpha = 0,005$
21	0,6864	1,3232	1,7207	2,0796	2,5176	2,8314
22	0,6858	1,3212	1,7171	2,0739	2,5083	2,8188
23	0,6853	1,3195	1,7139	2,0687	2,4999	2,8073
24	0,6848	1,3178	1,7109	2,0639	2,4922	2,7970
25	0,6844	1,3163	1,7081	2,0595	2,4851	2,7874

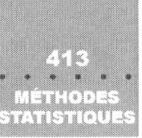
7.9   Risque de première espèce et risque de deuxième espèce

Nous avons déjà traité du seuil de signification d'un test d'hypothèse: c'est le risque de rejeter à tort l'hypothèse nulle H_0 lorsque celle-ci est vraie. On l'appelle aussi le *risque de première espèce.* La règle de décision du test comporte également un deuxième risque soit le risque de ne pas rejeter l'hypothèse nulle H_0 alors que c'est l'hypothèse H_1 qui est vraie.

Types d'erreur possible

Erreur de première espèce	⇨	**Nous rejetons l'hypothèse nulle H_0 alors que H_0 est vraie**
Erreur de deuxième espèce	⇨	**Nous ne rejetons pas l'hypothèse nulle H_0 alors que H_1 est vraie**

Ces deux risques d'erreur sont représentés en probabilité comme suit:

Risques d'erreur

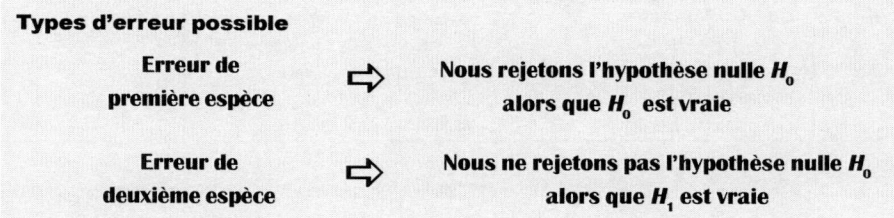

$\alpha = P(\text{Rejeter } H_0 \mid H_1 \text{ vraie})$ ⇨   **Probabilité de commettre une erreur de première espèce**

$\beta = P(\text{Ne pas rejeter } H_0 \mid H_1 \text{ vraie})$ ⇨   **Probabilité de commettre une erreur de deuxième espèce**

Le seuil de signification α (risque de première espèce) est choisi a priori. Toutefois le risque de deuxième espèce β dépend de la contre-hypothèse H_1 et on ne peut le calculer que si on spécifie des valeurs particulières du paramètre dans l'hypothèse H_1, que l'on suppose vraie.

Les risques liés aux tests d'hypothèses peuvent donc se résumer comme suit:

<table>
<tr><td rowspan="2"></td><td colspan="2">**L'hypothèse nulle est effectivement vraie**</td><td colspan="2">**L'hypothèse alternative est effectivement vraie**</td></tr>
<tr><td>La décision est</td><td>Probabilité de prendre cette décision avant expérience</td><td>La décision est</td><td>Probabilité de prendre cette décision avant expérience</td></tr>
<tr><td>**Ne pas rejeter l'hypothèse nulle**</td><td>bonne</td><td>$1-\alpha$</td><td>fausse</td><td>β (risque de deuxième espèce)</td></tr>
<tr><td>**Rejeter l'hypothèse nulle**</td><td>fausse</td><td>α (risque de première espèce)</td><td>bonne</td><td>$1-\beta$</td></tr>
</table>

(Conclusion du test)

Remarque. La probabilité complémentaire à l'unité du risque de deuxième espèce $(1-\beta)$, définit la **puissance du test** à l'égard de la valeur du paramètre dans la contre-hypothèse H_1. La puissance du test représente la probabilité de rejeter l'hypothèse nulle H_0 lorsque l'hypothèse vraie est H_1. Plus β est petit, plus le test est puissant.

Exemple 7.6

Décision concernant la valeur moyenne des stocks de l'entreprise Multipak

Utilisons le contexte de l'exemple 7.4 et identifions les types d'erreurs possibles et énonçons les conséquences qui peuvent en résulter. On s'intéresse à la valeur moyenne des stocks avec $H_0:\mu=200$, $H_1:\mu\neq200$.

$H_0 : \mu = 200, H_1 : \mu \neq 200$		Situation vraie	
		La valeur moyenne des stocks est de 200\$	La valeur moyenne des stocks n'est pas de 200\$
Conclusion du test	On favorise l'hypothèse selon laquelle la valeur moyenne des stocks est 200\$	Bonne décision	La conclusion est erronnée, nous commettons une erreur de deuxième espèce. Cette erreur peut s'avérer très coûteuse et conduire subséquemment à une révision importante du système de vérification.
	On favorise l'hypothèse selon laquelle la valeur moyenne des stocks n'est pas de 200\$	La conclusion est erronnée, nous commettons une erreur de première espèce. La poursuite de la vérification est injustifiée et engendre des coûts additionnels inutiles.	Bonne décision

7.10   Calcul du risque de 2e espèce dans le cas d'un test sur une moyenne

Comme nous l'avons mentionné à la section 7.4, on peut calculer le risque de 2e espèce ou risque β. Pour ce faire, il faut préciser diverses valeurs particulières de μ en H_1, que nous supposons vraies.

Le risque β dépend donc toujours de la valeur de μ spécifiée dans l'hypothèse alternative. La figure ci-après illustre le risque de 2e espèce sur la distribution d'échantillonnage de la moyenne.

Pour un test bilatéral ($H_1 : \mu \neq \mu_0$) les régions de rejet et de non-rejet de $H_0 : \mu = \mu_0$ se visualisent comme suit.

Visualisation du risque de 2e espèce (risque de ne pas rejeter l'hypohèse nulle lorsqu'elle est fausse) pour diverses valeurs de μ

Donnons diverses valeurs à μ (autre que μ_0) que l'on suppose vraie et schématisons le risque de deuxième espèce:

$\beta = P(\text{ne pas rejeter } H_0 | H_1 \text{ vraie})$

Hypothèse vraie: $H_1 : \mu = \mu_1$

($\mu_1 < \mu_0$).

La distribution d'échantillonnage de $\overline{X}$ en supposant vraie $\mu = \mu_1$ est illustrée ci-contre et l'aire hachurée sur cette figure correspond à la région de non-rejet de H_0. Cette aire représente β par rapport à la valeur μ_1.

$\beta = P(\overline{x}_{c_1} \leq \overline{X} \leq \overline{x}_{c_2} | \mu = \mu_1)$

Pour d'autres hypothèses, on obtient les figures ci-contre:

Hypothèse vraie: $H_1 : \mu = \mu_2$

($\mu_2 > \mu_0$).

$\beta = P(\overline{x}_{c_1} \leq \overline{X} \leq \overline{x}_{c_2} | \mu = \mu_2)$

Hypothèse vraie: $H_1 : \mu = \mu_3$

($\mu_3 > \mu_0$).

$\beta = P(\overline{x}_{c_1} \leq \overline{X} \leq \overline{x}_{c_2} | \mu = \mu_3)$

Cette schématisation permet d'énoncer quelques propriétés importantes concernant les deux risques d'erreur.

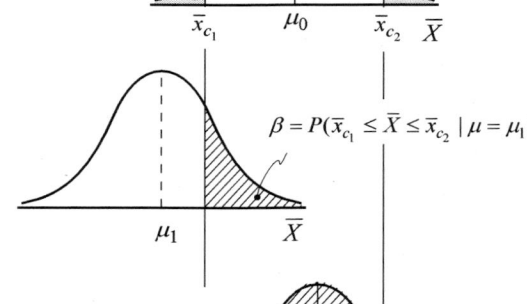

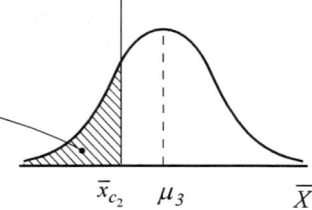

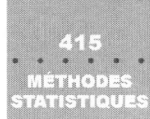

Propriétés importantes sur les risques α et β

a) Pour un même risque α et une même taille d'échantillon, on constate que, si l'écart entre la valeur du paramètre posée en H_0 et celle supposée dans l'hypothèse vraie H_1 augmente, le risque β diminue.

b) Une réduction du risque de première espèce (de $\alpha = 0,05$ à $\alpha = 0,01$ par exemple) élargit la zone de non-rejet de H_0. Toutefois, le test est accompagné d'une augmentation du risque de deuxième espèce β. On ne peut donc diminuer l'un des risques qu'en consentant à augmenter l'autre.

c) Pour une valeur fixe de α et un σ déterminé, l'augmentation de la taille d'échantillon aura pour effet de donner une meilleure précision puisque $\sigma(\overline{X}) = \dfrac{\sigma}{\sqrt{n}}$ diminue. La zone de non-rejet de H_0 sera alors plus restreinte, conduisant à une diminution du risque β. Le test est alors plus puissant.

Exemple 7.7

Maîtrise d'un procédé d'extrusion: test sur une moyenne et calcul du risque de 2e espèce

Chez Novak, fabricant de pièces de caoutchouc, le département d'Ingénierie de la Qualité a mis en oeuvre un plan d'échantillonnage pour vérifier le poids d'un joint d'étanchéité, poids qui est affecté par la variation dans l'écoulement du caoutchouc provenant de l'extrudeuse. La valeur cible du poids du joint (chaque pièce correspond à une période de production de 30 secondes) est de 270 g.

On a considéré également que le poids est distribué normalement avec un écart-type de 4,5 g.

Pour maîtriser ce procédé, on échantillonne le procédé régulièrement en obtenant 5 pièces de caoutchouc de l'extrudeuse. Chaque pièce est pesée et le poids moyen est calculé.

a) Quelles sont les hypothèses statistiques que l'on veut tester ici ?

On veut que le poids des pièces de l'échantillon se situe en moyenne à 270 g, soit la valeur cible. Comme le procédé peut varier dans un sens ou dans l'autre (augmentation ou diminution du poids), on pose les hypothèses suivantes:

$$H_0 : \mu = 270\,g., \qquad H_1 : \mu \neq 270\,g.$$

b) On veut établir une règle de décision qui permettrait dans 95% des cas, de considérer que l'extrudeuse permet d'obtenir un poids moyen vraisemblablement centré à 270 g. et ceci basé sur une taille d'échantillon de 5 pièces.

Entre quelles valeurs doit se situer la moyenne d'échantillon pour considérer que l'extrudeuse opère à la valeur cible?

Le risque d'arrêter à tort l'extrudeuse est $\alpha = 0,05$. On sait que le poids des pièces est distribué normalement avec un écart-type de 4,5 g. En admettant que le procédé opère à 270 g., les valeurs critiques de la moyenne d'échantillon se calculent comme suit:

$\boxed{n = 5}$

$\boxed{H_0 : \mu = 270\,g}$

$z_{\alpha/2} = z_{0,025} = 1,96$

$$\overline{x}_{c_1} = \mu_0 - z_{\alpha/2} \cdot \frac{\sigma}{\sqrt{n}} = 270 - (1,96)\left(\frac{4,5}{\sqrt{5}}\right) = 270 - 3,944 = 266,056\,g.$$

$$\overline{x}_{c_2} = \mu_0 + z_{\alpha/2} \cdot \frac{\sigma}{\sqrt{n}} = 270 + (1,96)\left(\frac{4,5}{\sqrt{5}}\right) = 270 + 3,944 = 273,944\,g.$$

La règle de décision et les conséquences de la conclusion du test peuvent se résumer comme suit:

Règle de décision	Conséquences de la conclusion du test
Rejeter H_0 si $\overline{x} > 273{,}944$ ou si $\overline{x} < 266{,}056$	Arrêter l'extrudeuse et effectuer les correctifs qui s'imposent.
Ne pas rejeter H_0 si $266{,}056 < \overline{x} < 273{,}944$.	Ne pas intervenir. L'extrudeuse opère correctement.

c) Lors d'un récent contrôle, on a obtenu, pour un échantillon de 5 pièces, un poids moyen de 265,5 g. Doit-on poursuivre ou arrêter la production?

Puisque la valeur prise par $\overline{X}$ est $\overline{x} = 265{,}5 < \overline{x}_{c_1} = 266{,}056$ g., on rejette $H_0 : \mu = 270\,g$. On doit arrêter l'extrudeuse et effectuer les correctifs qui s'imposent.

d) Avec ce plan de contrôle, quel est le risque d'accepter l'hypothèse selon laquelle l'extrudeuse opère à 270 g. alors qu'en réalité, le procédé est centré à 264 g ?

D'après la règle de décision, il faut que le poids moyen de 5 pièces se situe dans l'intervalle $266{,}056 \leq \overline{X} \leq 273{,}944\,g$ pour supporter l'hypothèse $\mu_0 = 270$ (le procédé est centré correctement).

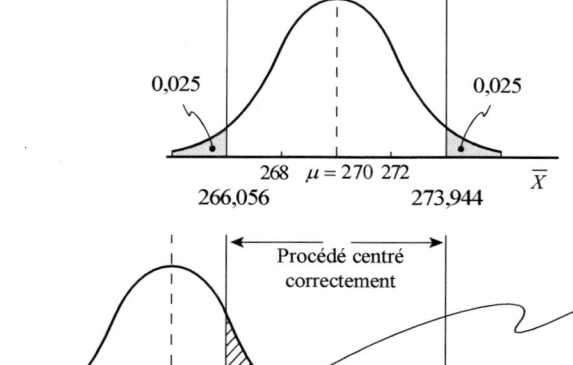

Schématisons le risque d'accepter l'hypothèse que l'extrudeuse est centrée à $H_0 : \mu = 270$ alors qu'en réalité, elle opère à $H_1 : \mu = 264\,g$.

Ce risque est présenté par l'aire hachurée sous la courbe normale (distribution de $\overline{X}$ d'après la contre-hypothèse $H_1 : \mu = 264\,g$).

Procédé centré à: $H_1 : \mu = \mu_1 = 264g$

$\beta = P(266{,}056 \leq \overline{X} \leq 273{,}944 | H_1 : \mu = 264)$. À l'aide de la transformation centrée réduite, on obtient

$$\beta = P\left(\frac{266{,}056 - 264}{4{,}5 / \sqrt{5}} \leq Z \leq \frac{273{,}944 - 264}{4{,}5 / \sqrt{5}} \right)$$
$$= P(1{,}022 \leq Z \leq 4{,}942).$$

Si on utilise la table de la loi normale centrée réduite, on trouve $P(0 \leq Z \leq 1{,}022) = 0{,}3466$

et $P(0 \leq Z \leq 4{,}942) = 0{,}5$.

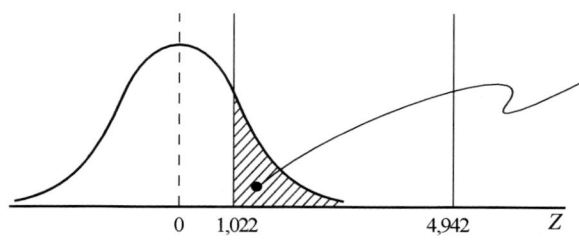

$\beta = P(1{,}022 \leq Z \leq 4{,}942)$
$= P(0 \leq Z \leq 4{,}942) - P(0 \leq Z \leq 1{,}022)$
$= 0{,}5 - 0{,}3466 = 0{,}1534.$

Risque de 2e espèce à $\mu_1 = 264g$: 0,1534

Il y a donc pratiquement 15 chances sur 100 d'accepter avec ce plan de contrôle que le procédé soit centré à 270 g, alors qu'en réalité, il opère à 264 g. C'est le risque de deuxième espèce (β) du test d'hypothèse dans le cas où $H_1 : \mu = 264\,g$ est vraie.

$\mu_0 = 270$

e) Quelle est la probabilité de rejeter l'hypothèse nulle H_0: $\mu = 270$, alors qu'en réalité l'extrudeuse opère à 264 g ?

C'est la probabilité complémentaire de celle calculée en d) soit $P(\text{rejeter } H_0 | H_1: \mu = 264)$ $= 1 - 0,1534 = 0,8466$ soit $(1 - \beta)$.

Puissance du test = $1 - \beta$

Cette probabilité représente la puissance du test à $\mu = 264$ g.

Remarques. a) Le calcul du risque de deuxième espèce β dépend donc toujours de la valeur posée pour le paramètre dans l'hypothèse alternative H_1.

b) Le graphique du risque de deuxième espèce (β) en fonction des diverses valeurs de μ posées en H_1 s'appelle la *courbe d'efficacité du test* alors que le graphique de $(1-\beta)$, probabilité de rejeter l'hypothèse nulle H_0 lorsque c'est l'hypothèse H_1 qui est vraie, en fonction des diverses valeurs de μ posées en H_1 s'appelle la *courbe de puissance du test*.

c) Au point $\mu = \mu_0$, $\beta = 1 - \alpha$ (un point qui ne nécessite aucun calcul sur la courbe d'efficacité).

d) Le risque β peut aussi s'interpréter comme un manque de puissance du test.

Exemple 7.8

Détermination de la courbe d'efficacité du test: procédé d'extrusion de l'entreprise Novak

Utilisons le contexte de l'exemple 7.7 et déterminons la valeur de β pour diverses valeurs de μ posées en H_1.

On a déjà déterminé que

$$\overline{x}_{c_1} = 266,056, \ \overline{x}_{c_2} = 273,944, \ n = 5, \ \sigma(\overline{X}) = \frac{4,5}{\sqrt{5}} = 2,012$$

$$H_0 : \mu = 270\,g., \quad H_1 : \mu \neq 270\,g.$$

Donnons diverses valeurs à μ en H_1, que nous notons μ_1 et calculons le risque de 2e espèce β.

Calcul de β pour diverses valeurs de μ posées en H_1

Valeur cible: $H_0 : \mu = 270\,g$

Procédé centré à: $H_1: \mu = \mu_1 = 262\,g.$ $(\mu_1 < 270)$

$$z_1 = \frac{\overline{x}_{c_1} - \mu_1}{\sigma / \sqrt{n}} = \frac{266,056 - \mu_1}{2,012} \qquad z_2 = \frac{\overline{x}_{c_2} - \mu_1}{\sigma / \sqrt{n}} = \frac{273,944 - \mu_1}{2,012}$$

$$z_1 = \frac{4,056}{2,012} = 2,016 \qquad \beta = P\left[\frac{\overline{x}_{c_1} - \mu_1}{\sigma / \sqrt{n}} \leq Z \leq \frac{\overline{x}_{c_2} - \mu_1}{\sigma / \sqrt{n}}\right]$$

$$z_2 = \frac{11,944}{2,012} = 5,936$$

$$\beta = P[z_1 \leq Z \leq z_2] = 0,5 - 0,47809 = 0,0219$$

$$1 - \beta = 1 - 0,0219 = 0,9781$$

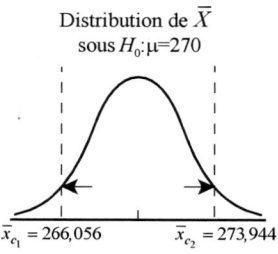

Distribution de $\overline{X}$
sous $H_0 : \mu = 270$

$\overline{x}_{c_1} = 266,056$ $\overline{x}_{c_2} = 273,944$

Schématisation du risque β

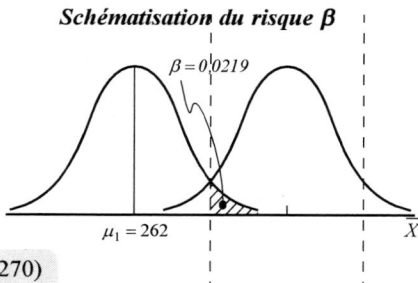

$\beta = 0,0219$

$\mu_1 = 262$ $\overline{X}$

Procédé centré à: $H_1: \mu = \mu_1 = 264\,g.$ $(\mu_1 < 270)$

$$z_1 = \frac{2,056}{2,012} = 1,022 \qquad z_2 = \frac{9,944}{2,012} = 4,942$$

$$\beta = P[z_1 \leq Z \leq z_2] = 0,5 - 0,34658 = 0,1534$$

$$1 - \beta = 1 - 0,1534 = 0,8466$$

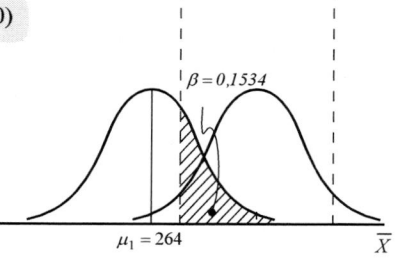

$\beta = 0,1534$

$\mu_1 = 264$ $\overline{X}$

Calcul de β pour diverses valeurs de μ posées en H_1 (suite)

Valeur cible: $H_0 : \mu = 270g$

Distribution de $\overline{X}$
sous $H_0 : \mu = 270$

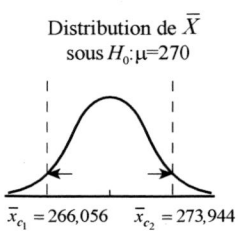

$$z_1 = \frac{\overline{x}_{c_1} - \mu_1}{\sigma/\sqrt{n}} = \frac{266{,}056 - \mu_1}{2{,}012} \qquad z_2 = \frac{\overline{x}_{c_2} - \mu_1}{\sigma/\sqrt{n}} = \frac{273{,}944 - \mu_1}{2{,}012}$$

$$\beta = P\left[\frac{\overline{x}_{c_1} - \mu_1}{\sigma/\sqrt{n}} \leq Z \leq \frac{\overline{x}_{c_2} - \mu_1}{\sigma/\sqrt{n}}\right]$$

$\overline{x}_{c_1} = 266{,}056 \qquad \overline{x}_{c_2} = 273{,}944$

Procédé centré à: $H_1 : \mu = \mu_1 = 266g.$ $(\mu_1 < 270)$

Schématisation du risque β

$$z_1 = \frac{0{,}056}{2{,}012} = 0{,}028 \qquad z_2 = \frac{7{,}944}{2{,}012} = 3{,}948$$

$$\beta = P[z_1 \leq Z \leq z_2] = 0{,}5 - 0{,}011 = 0{,}489$$

$$1 - \beta = 1 - 0{,}489 = 0{,}511$$

$\beta = 0{,}489$

$\mu_1 = 266$ $\overline{X}$

Procédé centré à: $H_1 : \mu = \mu_1 = 268g.$ $(\mu_1 < 270)$

$$z_1 = \frac{-1{,}944}{2{,}012} = -0{,}966 \qquad z_2 = \frac{5{,}944}{2{,}012} = 2{,}954$$

$$\beta = P[z_1 \leq Z \leq z_2] = 0{,}333 + 0{,}4984 = 0{,}8314$$

$$1 - \beta = 1 - 0{,}8314 = 0{,}1686$$

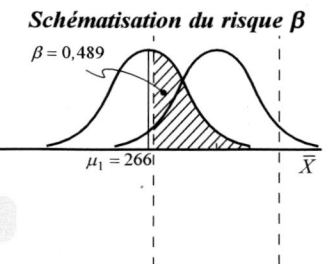

$\beta = 0{,}8314$

$\mu_1 = 268$ $\overline{X}$

Procédé centré à: $H_1 : \mu = \mu_1 = 272g.$ $(\mu_1 > 270)$

$$z_1 = \frac{-5{,}944}{2{,}012} = -2{,}954 \qquad z_2 = \frac{1{,}944}{2{,}012} = 0{,}966$$

$$\beta = P[z_1 \leq Z \leq z_2] = 0{,}4984 + 0{,}333 = 0{,}8314$$

$$1 - \beta = 1 - 0{,}8314 = 0{,}1686$$

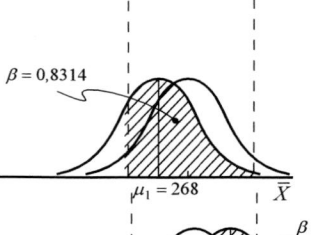

$\beta = 0{,}8314$

$\mu_1 = 272$ $\overline{X}$

Procédé centré à: $H_1 : \mu = \mu_1 = 274g.$ $(\mu_1 > 270)$

$$z_1 = \frac{-7{,}944}{2{,}012} = -3{,}948 \qquad z_2 = \frac{-0{,}056}{2{,}012} = -0{,}028$$

$$\beta = P[z_1 \leq Z \leq z_2] = 0{,}5 - 0{,}011 = 0{,}489$$

$$1 - \beta = 1 - 0{,}489 = 0{,}511$$

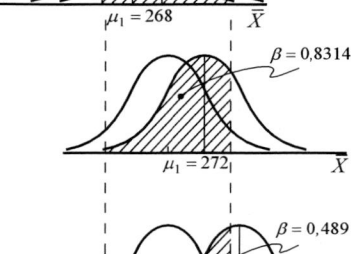

$\beta = 0{,}489$

$\mu_1 = 274$ $\overline{X}$

Procédé centré à: $H_1 : \mu = \mu_1 = 276g.$ $(\mu_1 > 270)$

$$z_1 = \frac{-9{,}944}{2{,}012} = -4{,}942 \qquad z_2 = \frac{-2{,}056}{2{,}012} = -1{,}022$$

$$\beta = P[z_1 \leq Z \leq z_2] = 0{,}5 - 0{,}3466 = 0{,}1534$$

$$1 - \beta = 1 - 0{,}1534 = 0{,}8466$$

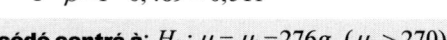

$\beta = 0{,}1534$

$\mu_1 = 276$ $\overline{X}$

Procédé centré à: $H_1 : \mu = \mu_1 = 278g.$ $(\mu_1 > 270)$

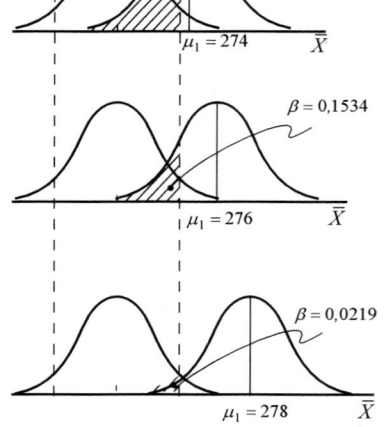

$\beta = 0{,}0219$

$\mu_1 = 278$ $\overline{X}$

$$z_1 = \frac{-11{,}944}{2{,}012} = -5{,}936 \qquad z_2 = \frac{-4{,}056}{2{,}012} = -2{,}016$$

$$\beta = P[z_1 \leq Z \leq z_2] = 0{,}5 - 0{,}47809 = 0{,}0219$$

$$1 - \beta = 1 - 0{,}0219 = 0{,}9781$$

Nous avons tracé les courbes d'efficacité et de puissance (avec Excel) à la page suivante.

Figure 7.1

Courbe d'efficacité du test

μ	β
260	0,001
262	0,022
264	0,153
266	0,489
268	0,831
270	0,950
272	0,831
274	0,489
276	0,153
278	0,022
280	0,001

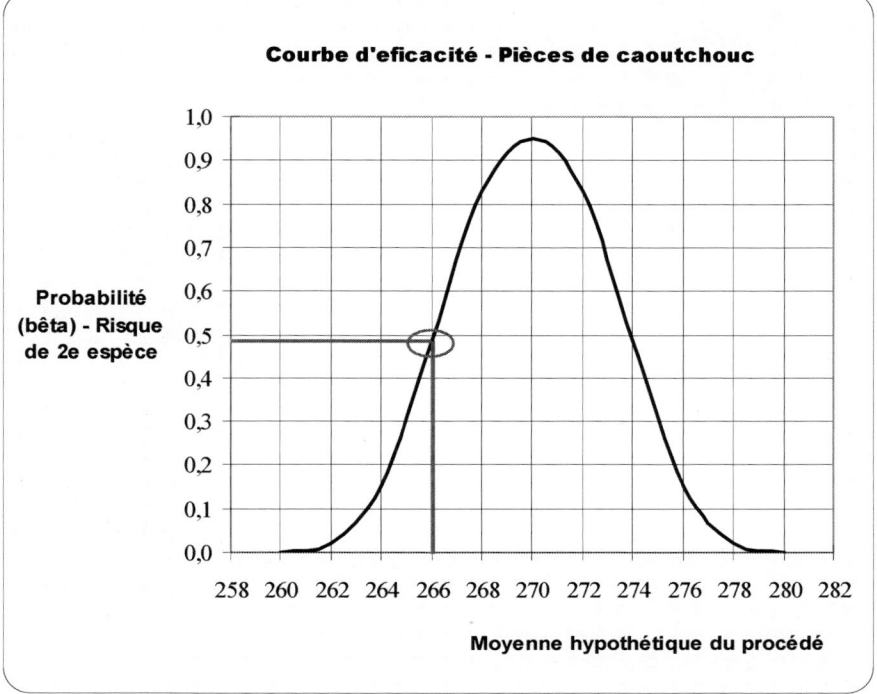

De la courbe d'efficacité, on constate, qu'avec ce plan de contrôle, il y a pratiquement 49 chances sur 100 d'accepter que le procédé opère à la valeur cible de 270g alors qu'en réalité le procédé est centré à 266 g.

Figure 7.2

Courbe de puissance du test

μ	$1-\beta$
260	0,999
262	0,978
264	0,847
266	0,511
268	0,169
270	0,050
272	0,169
274	0,511
276	0,847
278	0,978
280	0,999

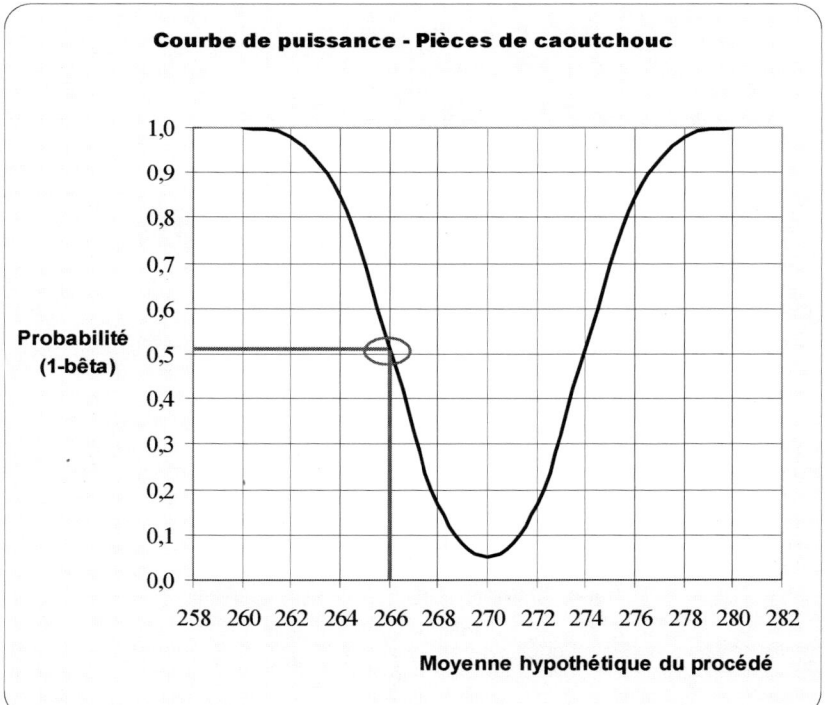

De la courbe de puissance, on constate, qu'avec ce plan de contrôle, il y a pratiquement 51 chances sur 100 de rejeter que le procédé opère à la valeur cible de 270g alors qu'en réalité le procédé est centré à 266 g.

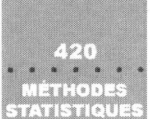

**Exercices
d'apprentis-
sage**

Série 7.3

📖 Détermination de
la valeur p

📖 Calculs du risque β et
de la puissance du test

· · ·

Remarque. En sciences
comptables, on utilise parfois les termes «validité du
test» pour identifier la puissance du test.

1. Utilisez le contexte d'application de l'exercice d'apprentissage no 1, série 7.1 (période de recouvrement des achats en informatique) et

a) déterminez la valeur p du test statistique.

b) Est-ce que l'hypothèse nulle est favorisée? Expliquez.

2. a) Utilisons le contexte de l'exemple 7.4; on aimerait déterminer la probabilité d'accepter l'hypothèse selon laquelle la valeur moyenne des stocks de l'entreprise Multipak est de 200\$ alors qu'en réalité la valeur moyenne des stocks est de 215\$ (ce qui représente un écart de 45 000\$ pour les 3000 éléments).

a) a) Précisez d'abord les éléments suivants:

$$H_0: \mu = \underline{\qquad} \cdot , \quad H_1 = \mu = \mu_1 = \underline{\qquad}$$

b) Calculez les écarts centrés réduits pour évaluer le risque qu'on cherche.

c) Quelle est la probabilité d'accepter l'hypothèse selon laquelle la valeur moyenne des stocks en inventaire est de 200\$?

d) Quelle est la puissance du test à $\mu = 215\$$?

> *Rappel*
>
> $\overline{x}_{c_1} = 192{,}12\$$
>
> $\overline{x}_{c_2} = 207{,}88\$$
>
> $\sigma(\overline{X}) = 4{,}02\$$

7.11   Test sur une proportion

Dans cette section, nous nous proposons de tester si la proportion p d'éléments dans la population présentant un certain caractère qualitatif peut être considérée ou non comme égale à une valeur hypothétique p_0. La statistique qui convient pour ce test est la proportion $\hat{P}$ (estimateur de p) dont la valeur est calculée sur un échantillon de taille n. Nous avons déjà traité à la section 6.17 (voir remarque, page 367) des fluctuations d'échantillonnage de $\hat{P}$; nous nous bornerons donc à présenter le test et à en indiquer la démarche à l'aide d'un exemple.

Tableau 7.7

**Tests sur une
proportion:
Échantillon de
grande taille
prélevé au hasard
d'une population
binomiale de sorte
que $np \geq 5$ et**

$n(1 \cdot p) \geq 5$

**($n > 30$ est dans bien
des cas suffisant)**

$$Z = \frac{\hat{P} - p_0}{\sqrt{\dfrac{p_0(1 - p_0)}{n}}}$$

Hypothèse nulle : $H_0: p = p_0$

Contre-hypothèses	Règles de décision du test
$H_1: p \neq p_0$	Rejeter H_0 si $Z > z_{\alpha/2}$ ou $Z < -z_{\alpha/2}$
$H_1: p > p_0$	Rejeter H_0 si $Z > z_\alpha$
$H_1: p < p_0$	Rejeter H_0 si $Z < -z_\alpha$

En supposant H_0 vraie et selon les conditions d'application, l'écart réduit $Z = \dfrac{\hat{P} - p_0}{\sqrt{\dfrac{p_0(1 - p_0)}{n}}}$ est distribué selon une loi normale centrée réduite.

Exemple 7.9

Test statistique sur une proportion

Un cadre d'une société conseil en gestion stratégique des technologies de l'information affirme que 36% des entreprises québécoises de cinq employés et plus ont reçu ou placé des commandes par Internet*.

───────

*Source: Adapté de Barbe, J.F. *Le Québec vend peu sur le Net.* Journal LES AFFAIRES, 13 juillet 2002.

Nous indiquons en annexe 5, comment effectuer un test statistique sur une proportion. avec Microsoft Excel.

Une enquête sur l'adoption du commerce électronique par les entreprises québécoises comptant 5 employés et plus indique que, sur un échantillon de 256 entreprises, 96 font du commerce électronique.

Peut-on considérer, au seuil de signification de 5%, que l'affirmation du conseiller en gestion stratégique des technologies est vraisemblable?

Démarche du test

1. **Hypothèses statistiques.**

   $H_0 : p = 0,36$

   $H_1 : p \neq 0,36$

2. **Seuil de signification.**

   $\alpha = 0,05$.

3. **Conditions d'application du test:** Il faut que $np \geq 5$ et $n(1-p) \geq 5$. Les conditions sont vérifiées.

4. **La statistique** qui convient pour le test est $\hat{P}$. L'écart réduit est, selon les conditions d'application et en supposant H_0 vraie,

$$Z = \frac{\hat{P} - p_0}{\sqrt{\dfrac{p_0(1 - p_0)}{n}}}$$

   avec $p_0 = 0,36$. Il est distribué selon la loi normale centrée réduite.

5. **Règle de décision.** D'après H_1 et au seuil $\alpha = 0,05$, les valeurs critiques de l'écart réduit sont $z_{0,025} = 1,96$ et $-z_{0,025} = -1,96$ (test bilatéral). On adoptera la règle de décision suivante: rejeter H_0 si $Z > 1,96$ ou $Z < -1,96$, sinon ne pas rejeter H_0.

6. **Calcul de l'écart réduit.** Selon les résultats du sondage, on obtient

$$\hat{p} = \frac{96}{256} = 0,375$$

$$z = \frac{0,375 - 0,36}{\sqrt{\dfrac{(0,36)(0,64)}{256}}} = \frac{0,015}{0,03} = 0,5$$

7. **Décision et conclusion.** Puisque la valeur prise par Z est 0,5 (-1,96 < 0,5 < 1,96), on ne peut rejeter l'hypothèse nulle H_0.

   L'affirmation du conseiller en gestion stratégique des technologies de l'information est vraisemblable au seuil de signification 5%.

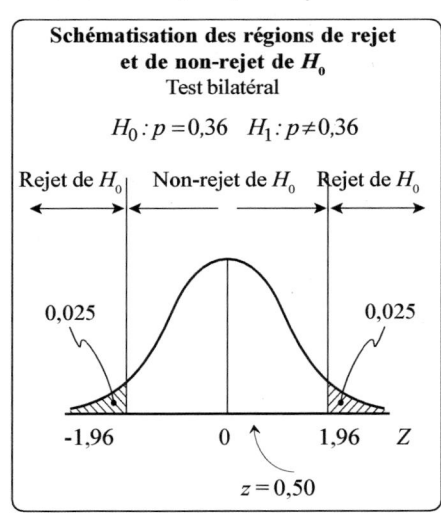

Population finie

Dans le cas où le taux de sondage $\dfrac{n}{N} > 0,10$, on remplace

$$\sqrt{\frac{p_0(1 - p_0)}{n}}$$

par $\sqrt{\dfrac{p_0(1 - p_0)}{n}}\sqrt{1 - \dfrac{n}{N}}$.

Schématisation des régions de rejet et de non-rejet de H_0
Test bilatéral
$H_0 : p = 0,36$ $H_1 : p \neq 0,36$
Rejet de H_0 | Non-rejet de H_0 | Rejet de H_0
0,025   0,025
-1,96   0   1,96 Z
$z = 0,50$

Exercice d'apprentissage

Série 7.4

📝 Test de signification sur une proportion et calcul de la valeur p

Le vice-président aux opérations de l'entreprise Northpak a affirmé lors d'une réunion du groupe d'amélioration des processus de l'entreprise* qu'au moins 12% des bons de commande effectués par les employés du département des achats comportaient au moins une non-conformité (date manquante, adresse erronée, no de produit incomplet ou inexact,...).

Pour vérifier l'affirmation du vice-président, le responsable du groupe d'amélioration des processus a prélevé un échantillon aléatoire de 125 bons de commande et a obtenu 16 bons de commande comportant au moins une non-conformité.

*Source: Adapté de McCabe, J.W. "Examining Processes Improves Operations", *Quality Progress*, juillet 1989.

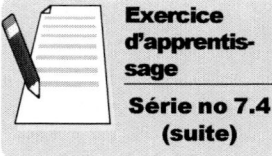

a) Est-ce que les conditions d'application du test sont respectées?

b) Précisez les hypothèses statistiques qu'on veut soumettre au test statistique?

c) Peut-on considérer, au seuil de signification 5%, que l'affirmation du vice-président aux opérations est exagérée?

d) Quelle est la valeur p du test statistique?

Exemple 7.10

Calcul du risque de deuxième espèce dans le cas d'une proportion

L'entreprise ASA fournit des lots d'environ 4000 pièces à un client de la région de Montréal, l'entreprise Simex. ASA certifie que les lots seront expédiés avec une proportion de non conformes n'excédant pas 2%. L'entreprise Simex réceptionne les lots en utilisant la règle de décision suivante (règle qui est basée sur un seuil de signification d'environ 0,05 c.-à-d. que pratiquement dans 95% des cas, les lots de qualité 2% ou mieux seront acceptés par le plan de contrôle adopté par Simex):

Prélever au hasard un échantillon de $n=200$ pièces. Accepter le lot si l'échantillon contient au plus 7 pièces non conformes (3,5%). Si plus de 7 pièces sont non conformes, refuser le lot.

Quel est le risque pour Simex d'accepter, avec le plan de contrôle qu'elle a adopté, un lot dont la vraie proportion de non conformes dans le lot serait de 6%?

Pour évaluer ce risque, il faut poser en H_1: $p = 0,06$, que l'on suppose vraie.

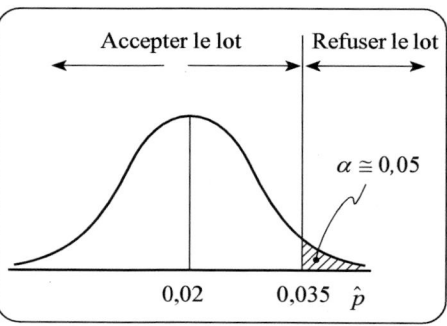

Il s'agit de déterminer la probabilité d'accepter l'hypothèse nulle H_0: $p = 0,02$ alors qu'en réalité la proportion de non conformes est H_1: $p = 0,06$. Cette probabilité correspondra au risque de 2e espèce que l'on peut visualiser comme suit:

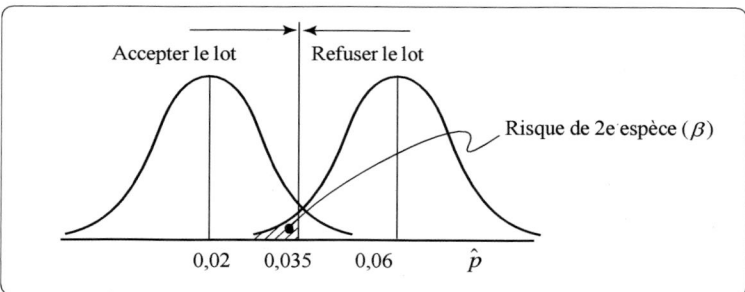

Il faut donc déterminer l'aire sous la courbe centrée à $p = 0,06$, appartenant à la région d'acceptation du lot (H_0: $p = 0,02$): $\beta = P(\hat{P} < 0,035 \mid p = 0,06 \text{ vraie})$.

Calculons d'abord l'écart réduit entre 0,035 et 0,06. On trouve

$$z = \frac{0,035 - 0,06}{\sqrt{\dfrac{(0,06)(0,94)}{200}}} = \frac{-0,025}{0,0168} = -1,488$$

On doit utiliser $p = 0,06$ dans le calcul de l'écart-type de la proportion d'échantillon puisque l'on suppose vraie H_1: $p = 0,06$. De la table de la loi normale centrée réduite, on trouve $P(0,035 \leq \hat{P} \leq 0,06) = P(-1,488 \leq Z \leq 0) = 0,4316$

(ce qui donne l'aire sous la courbe centrée à $p = 0,06$ entre 0,035 et 0,06).

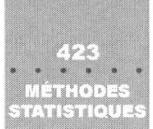
Nous voulons $P(\hat{P} < 0,035)$ en supposant que la proportion de non conformes dans le lot est $p = 0,06$. D'après le schéma précédent, ceci donne

$$\beta = P(\hat{P} < 0,035 \mid H_1 : p = 0,06) = 0,5 - 0,4316 = 0,0684$$

qui est le risque cherché. Ainsi dans pratiquement 7% des cas, ce plan de contrôle de Simex acceptera des lots ($H_0 : p = 0,02$) dont la proportion réelle de non conformes est de 0,06.

Remarques. En contrôle industriel, le risque de première espèce s'appelle risque du producteur (ou du fournisseur) alors que le risque de deuxième espèce s'appelle risque du consommateur (ou du client).

7.12   La loi de khi-deux

Tout comme dans le cas de la moyenne μ, on peut tester l'hypothèse selon laquelle la variance σ^2 d'une population normale est égale à une valeur hypothétique σ_0^2 au seuil de signification α. Toutefois, pour être en mesure d'effectuer ce type d'analyse sur une variance, il faut avoir recours à une nouvelle loi de probabilité, soit la loi de χ^2 (khi-deux) pour établir les règles de décision et les valeurs critiques de la statistique qui sera utilisée pour effectuer le test.

Valeurs tabulées de khi-deux et leur signification

La loi de khi-deux est une loi de probabilité dont l'expression algébrique est complexe; elle est attribuable à Karl Pearson (1857-1936) et se déduit de la loi normale. Elle ne dépend que du *nombre de degrés de liberté ν* (nu). Tout comme la distribution de Student, il existe plusieurs distributions de χ^2.

Les valeurs de χ^2 dépendent de α (seuil de signification) et ν (nombre de degrés de liberté) et sont tabulées de manière telle que la probabilité pour que χ^2 soit supérieure à une valeur fixée $\chi^2_{\alpha;\nu}$ est donnée par la relation $P(\chi^2 > \chi^2_{\alpha;\nu}) = \alpha$.

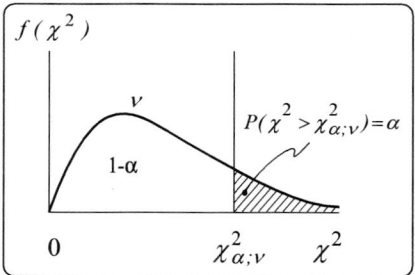

La valeur particulière $\chi^2_{\alpha;\nu}$ se lit directement de la table de la loi du khi-deux en annexe. Pour définir les règles de décision lors d'un test d'indépendance, on doit obtenir, à partir de la table, des valeurs particulières (valeurs critiques) de χ^2 pour un α et un ν donnés.

Par exemple, quelle est la valeur tabulée de khi-deux lorsque $\alpha = 0,05$ et $\nu = 8$?

De la table, on lit: $\chi^2_{0,05;8} = 15,5073$,ce qui signifie qu'on a 5 chances sur 100 que la variable aléatoire χ^2 avec 8 degrés de liberté soit supérieure à 15,5073: $P(\chi^2 > 15,5073) = 0,05$.

Extrait de la distribution du khi-deux

v	$\alpha=0,25$	$\alpha=0,10$	$\alpha=0,05$	$\alpha=0,025$	$\alpha=0,01$	$\alpha=0,005$
1	1,3233	2,7055	3,8415	5,0239	6,6349	7,8794
2	2,7726	4,6052	5,9915	7,3778	9,2104	10,5965
3	4,1083	6,2514	7,8147	9,3484	11,3449	12,8381
4	5,3853	7,7794	9,4877	11,1433	13,2767	14,8602
5	6,6257	9,2363	11,0705	12,8325	15,0863	16,7496
6	7,8408	10,6446	12,5916	14,4494	16,8119	18,5475
7	9,0371	12,0170	14,0671	16,0128	18,4753	20,2777
8	10,2189	13,3616	15,5073	17,5345	20,0902	21,9549
9	11,3887	14,6837	16,9190	19,0228	21,6660	23,5893
10	12,5489	15,9872	18,3070	20,4832	23,2093	25,1881
11	13,7007	17,2750	19,6752	21,9200	24,7250	26,7569
12	14,8454	18,5493	21,0261	23,3367	26,2170	28,2997
13	15,9839	19,8119	22,3620	24,7356	27,6882	29,8193
14	17,1169	21,0641	23,6848	26,1189	29,1412	31,3194
15	18,2451	22,3071	24,9958	27,4884	30,5780	32,8015

$P(\chi^2 > 15,5073) = 0,05.$

Distribution d'échantillonnage associée à une variance

La statistique requise pour effectuer un test d'hypothèse sur une variance est

$\chi^2 = \dfrac{(n-1)S^2}{\sigma^2}$. On suppose ici qu'on prélève au hasard un échantillon de taille n d'une

population dont les éléments présentent un caractère mesurable, distribué normale-

ment de paramètres μ et σ^2. On démontre que la quantité $\chi^2 = \dfrac{(n-1)S^2}{\sigma^2}$ suit une loi de

χ^2 avec $(n-1)$ degrés de liberté, où la variable aléatoire S^2 est la variance d'échan-

tillon: $S^2 = \dfrac{\sum\limits_{i}(X_i - \bar{X})^2}{n-1}$.

7.13   Test sur une variance

Le tableau suivant résume, dans le cas d'un test sur une variance, les règles de décision selon les hypothèses H_1 pour le seuil de signification α. Nous indiquons également les conditions d'application des tests, sous la rubrique du tableau.

Tableau 7.8

**Tests sur une va-
riance: Échantillon
prélevé au hasard
d'une population nor-
male**

$\chi^2 = \dfrac{(n-1)S^2}{\sigma_0^2}$

Hypothèse nulle : $H_0 : \sigma^2 = \sigma_0^2$

Contre-hypothèses	Règles de décision du test
$H_1 : \sigma^2 \neq \sigma_0^2$	Rejeter H_0 si $\chi^2 > \chi^2_{\alpha/2;n-1}$ *ou* $\chi^2 < \chi^2_{1-\alpha/2;n-1}$
$H_1 : \sigma^2 > \sigma_0^2$	Rejeter H_0 si $\chi^2 > \chi^2_{\alpha;n-1}$
$H_1 : \sigma^2 < \sigma_0^2$	Rejeter H_0 si $\chi^2 < \chi^2_{1-\alpha;n-1}$

En supposant H_0 vraie et selon les conditions d'application, la statistique $\dfrac{(n-1)S^2}{\sigma_0^2}$ est distribuée selon

la loi de khi-deux avec $v = n-1$ degrés de liberté.

Exemple 7.11

Test sur la dispersion de résultats à un test de dextérité

Selon la responsable de l'application des tests d'évaluation pour les employés de l'entreprise PMX oeuvrant dans les départements d'assemblage, la variabilité des résultats au test de dextérité n'excède pas 144 ($\sigma = 12$).

Les résultats à ce test obtenus par un échantillon aléatoire de 20 employés donnent une somme de carrés des écarts par rapport à la moyenne de 2 952.

L'hypothèse selon laquelle σ^2 n'excède pas 144 est-elle acceptable au seuil de signification $\alpha = 0{,}05$?

Effectuons le test selon la démarche usuelle.

Démarche du test

1. **Hypothèses statistiques.**

   $H_0 : \sigma^2 = 144,\ H_1 : \sigma^2 > 144$

2. **Seuil de signification.**

   $\alpha = 0{,}05$.

3. **Conditions d'application du test:** Échantillon ($n = 20$) aléatoire prélevé au hasard d'une population qu'on suppose normale.

4. **La statistique** qui convient pour ce test est fonction de la variance d'échantillon et correspond, en supposant H_0 vraie, à $\quad \chi^2 = \dfrac{(n-1)S^2}{\sigma_0^2}$

   où $\sigma_0^2 = 144$. Cette quantité est distribuée suivant la loi de khi-deux avec

   $\nu = 20 - 1 = 19$ degrés de liberté.

5. **Règle de décision.** D'après H_1 et au seuil $\alpha = 0{,}05$, la valeur critique de

   χ^2 est $\chi^2_{0,05;19} = 30{,}1435$ (test unilatéral à droite). On adoptera la règle de décision suivante: rejeter

   H_0 si $\chi^2 > 30{,}1435$, sinon ne pas

   rejeter H_0.

6. **Calcul de** χ^2. On a

   $\sum (x_i - \overline{x})^2 = (n-1)s^2 = 2952$,

   $n = 20$ et $\sigma_0^2 = 144$.

   Le calcul de χ^2 donne

   $\chi^2 = \dfrac{2952}{144} = 20{,}5$.

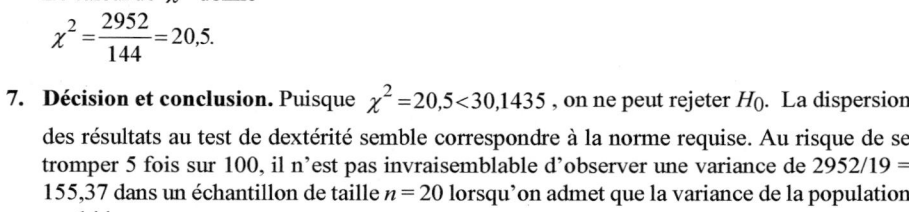

Schématisation des régions de rejet et de non-rejet de H_0
$H_0 : \sigma^2 = 144,\ H_1 : \sigma^2 > 144$
Test unilatéral à droite

Non-rejet de H_0 | Rejet de H_0

$\alpha = 0{,}05$

0   30,1435 χ^2

$\chi^2 = 20{,}5$

7. **Décision et conclusion.** Puisque $\chi^2 = 20{,}5 < 30{,}1435$, on ne peut rejeter H_0. La dispersion des résultats au test de dextérité semble correspondre à la norme requise. Au risque de se tromper 5 fois sur 100, il n'est pas invraisemblable d'observer une variance de $2952/19 = 155{,}37$ dans un échantillon de taille $n = 20$ lorsqu'on admet que la variance de la population est 144.

Cette valeur expérimentale ne permet pas d'écarter l'hypothèse selon laquelle $\sigma^2 = 144$.

Remarque. L'intervalle de confiance ayant un niveau de confiance $100(1-\alpha)\%$ de contenir la vraie valeur de σ^2 s'obtient de:

$$\frac{(n-1)s^2}{\chi^2_{\alpha/2;n-1}} \leq \sigma^2 \leq \frac{(n-1)s^2}{\chi^2_{1-\alpha/2;n-1}}$$

où $\chi^2_{\alpha/2;n-1}$ et $\chi^2_{1-\alpha/2;n-1}$ sont les valeurs tabulées de khi-deux aux risques $\alpha/2$, $1-\alpha/2$ et n-1 degrés de liberté. s^2 correspond à la variance de l'échantillon.

7.14   Test statistique sur la normalité d'une série de données: test de Shapiro-Wilk

Bien que nous ayons donné au chapitre 5, une procédure pour apprécier la normalité d'une distribution de données, nous présentons ici un test statistique puissant qui permet de vérifier cette hypothèse fondamentale que nous retrouvons dans l'application de la majorité des tests d'hypothèses. On a habituellement recours au test de Shapiro-Wilk dans le cas où le nombre de données est inférieur ou égal à 50.

Pour l'exécution du test de Shapiro-Wilk, on a recours à la statistique

$$W = \frac{B^2}{(n-1)S^2}$$ où B est une somme constituée à partir de n données ordonnées

et S^2, la variance de l'échantillon. Nous indiquons subséquemment comment obtenir la valeur expérimentale de B.

Le test de Shapiro-Wilk est un test unilatéral à gauche (c.-à-d. que de petites valeurs de W conduisent au rejet de l'hypothèse de normalité) et la valeur critique de W s'obtient de la table Shapiro-Wilk à la fin de l'ouvrage. Les valeurs critiques de cette statistique dépendent du nombre de données et du seuil de signification α.

Calcul de la valeur expérimentale de *B*

Il faut d'abord ordonner les valeurs de la série (valeurs non décroissantes), $y_1 \leq y_2 \leq ... \leq y_n$.

i) Dans le cas où n est pair ($k = n/2$), on détermine la valeur expérimentale, notée b, de la façon suivante: $b = a_n(y_n - y_1) + a_{n-1}(y_{n-1} - y_2) + \cdots + a_{k+1}(y_{k+1} - y_k)$ où les a_i s'obtiennent de la table des coefficients a_i sur le CD-Rom.

ii) Si n est impair ($k = (n-1)/2$), on procède de la même façon sachant que $a_{k+1} = 0$ avec $b = a_n(y_n - y_1) + a_{n-1}(y_{n-1} - y_2) + \cdots + a_{k+2}(y_{k+2} - y_k)$.

Illustrons l'application de ce test à l'aide de l'exemple suivant.

Exemple 7.12

Vérification de la normalité d'une série de données: test de Shapiro-Wilk

Utilisons le contexte d'application de l'exercice d'apprentissage no 1, série 6.3 qui comportait une recherche* auprès de PME québécoises sur différents aspects (niveau de difficulté, coûts d'implantation, amélioration de la qualité, ...) concernant la mise en place des normes internationales pour les systèmes de gestion de la qualité (normes internationales ISO 9000). Les données obtenues auprès d'un échantillon aléatoire de 20 PME concernant les coûts attribuables aux services-conseils au moment de l'implantation des normes et du processus de certification sont présentées à la page suivante.

---

* Source: Adapté de Rheault, D., *Analyse descriptive du processus d'implantation et de mise en oeuvre d'un système de normes de la série ISO 9000 et ses impacts sur la PME québécoise*, Mémoire de recherche, UQTR, 1997.

On veut tester, au seuil de signification de 5%, l'hypothèse selon laquelle les données sont distribuées selon une loi normale.

a) Déterminons en premier lieu la variance échantillonnale. À l'aide d'un programme informatique, on obtient: $s^2 = 2937108{,}95$.

b) Pour déterminer la quantité b, il faut d'abord ordonner les valeurs de la série. On obtient alors le tableau suivant:

Coûts des services d'experts-conseils			
PME no	Coûts	PME no	Coûts
1	19400	11	20300
2	21600	12	20000
3	21050	13	23875
4	15675	14	18300
5	18350	15	18770
6	20000	16	18200
7	20100	17	20950
8	18900	18	17970
9	21150	19	18600
10	20200	20	20250

Rang	Valeurs ordonnées	Rang	Valeurs ordonnées
1	15675	11	20000
2	17970	12	20100
3	18200	13	20200
4	18300	14	20250
5	18350	15	20300
6	18600	16	20950
7	18770	17	21050
8	18900	18	21150
9	19400	19	21600
10	20000	20	23875

Le calcul de la quantité b est facilité en utilisant un tableur. Puisque n est pair, $k = 20/2 = 10$ et le calcul s'effectue avec l'expression suivante:

$$b = a_{20}(y_{20} - y_1) + a_{19}(y_{19} - y_2) + \cdots + a_{11}(y_{11} - y_{10})$$

Un extrait de la table des coefficients a_i est présenté ci-après. Nous nous servons des coefficients correspondant à la colonne $n = 20$.

a_{n-i}	2	3	4	5	6	...	19	20	21
a_n	0,7071	0,7071	0,6872	0,6646	0,6431		0,4808	0,4734	0,4643
a_{n-1}	...	0,0000	0,1677	0,2413	0,2806		0,3232	0,3211	0,3185
a_{n-2}	...	...	...	0,0000	0,0875		0,2561	0,2565	0,2578
a_{n-3}	...	...	...	...	...		0,2059	0,2085	0,2119
a_{n-4}	...	...	...	...	...	...	0,1641	0,1686	0,1736
a_{n-5}	...	...	...	...	...	...	0,1271	0,1334	0,1399
a_{n-6}	...	...	...	...	...	...	0,0932	0,1013	0,1092
a_{n-7}	...	...	...	...	...	...	0,0612	0,0711	0,0804
a_{n-8}	...	...	...	...	...	...	0,0303	0,0422	0,0530
a_{n-9}	...	...	...	...	...	...	0,0000	0,0140	0,0263
a_{n-10}	...	...	...	...	...	...	...	0,0000	0,0000
a_{n-11}	...	...	...	...	...	...	...	...	...

Nous nous sommes servis d'une feuille de calcul Excel pour en déduire la valeur de la quantité b. La procédure est indiquée ci-après avec les formules appropriées. Nous avons simplement recopié les coefficients a_i requis.

	F	G	H	I	J	K	L
3	Tableau pour calcul des différences				Différence	Coefficients ai	Calcul de b
4	Y1:	15675	Y20	23875	8200	0,4734	3881,880
5	Y2:	17970	Y19	21600	3630	0,3211	1165,593
6	Y3:	18200	Y18	21150	2950	0,2565	756,675
7	Y4:	18300	Y17	21050	2750	0,2085	573,375
8	Y5:	18350	Y16	20950	2600	0,1686	438,360
9	Y6:	18600	Y15	20300	1700	0,1334	226,780
10	Y7:	18770	Y14	20250	1480	0,1013	149,924
11	Y8:	18900	Y13	20200	1300	0,0711	92,430
12	Y9:	19400	Y12	20100	700	0,0422	29,540
13	Y10:	20000	Y11	20000	0	0,014	0,000
14						Somme:	7314,557

La somme s'obtient avec la formule:

=SOMME(L4:L13).

J4		▼	f_x	=I4-G4
	F	G	H	I	J

	F	G	H	I	J
3	Tableau pour calcul des différences				Différence
4	Y1:	15675	Y20	23875	8200

L4		▼	f_x	=J4*K4

	F	G	H	I	J	K	L
3	Tableau pour calcul des différences				Différence	Coefficients ai	Calcul de b
4	Y1:	15675	Y20	23875	8200	0,4734	3881,880

On obtient donc $b =$ 7 314,557

c) Le calcul de la valeur expérimentale de W s'obtient de:

$$w = \frac{b^2}{(n-1)s^2} = \frac{(7314,557)^2}{(20-1)(2937108,95)} = 0,9587.$$

Appliquons la démarche du test.

Démarche du test

1. **Hypothèses statistiques.**
   H_0 : Les données proviennent d'une population normale
   H_1 : Les données ne proviennent pas d'une population normale
2. **Seuil de signification.**
   $\alpha = 0,05$.
3. **Conditions d'application du test:**
   L'échantillon est prélevé au hasard.
   Le nombre de données est inférieur ou égal à 50.
4. **La statistique** qui convient pour ce test est:

   $$W = \frac{B^2}{(n-1)S^2}.$$

5. **Règle de décision.** La valeur critique de W, au seuil $\alpha = 5\%$, est $w_{5\%;20} = 0,905$.

   On adoptera la règle de décision suivante:

   rejeter H_0 si W < 0,905, sinon ne pas rejeter H_0.

6. **Calcul de W.** Du calcul précédent, on a
   $w = 0,9587$.

7. **Décision et conclusion.** Puisque $w = 0,9587 > 0,905$, on ne peut rejeter H_0.

   L'hypothèse selon laquelle les données proviennent d'une population normale est plausible au seuil de signification 5%.

Extrait de la table de Shapiro*
Valeurs critiques de W

n \ Seuil%	1%	2%	5%
17	0,851	0,869	0,892
18	0,858	0,874	0,897
19	0,863	0,879	0,901
20	0,868	0,884	0,905

*Il existe également des tables pour l'application du test de normalité (attribuable à Shapiro et Francia) pour un nombre de données $n \leq$ 98. Voir à cet effet Shapiro, S. S. (1990). *How to test normality and other distributional assumptions.* American Society for Quality Control. Statistics Division.

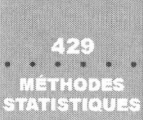

Exercices d'apprentissage

Série no 7.5

📖 Vérification de la normalité d'une série de données avec le test de Shapiro-Wilk

1. Les données* suivantes proviennent d'une étude de capabilité et dont la caractéristique de qualité est mesurée en mm. Les résultats correspondent à six échantillonnages de 5 pièces chacun.

Échantillonnages					
No 1	No 2	No 3	No 4	No 5	No 6
46,6	44,2	39,6	43,7	41,5	42,0
41,8	47,0	43,5	38,1	41,4	41,8
44,6	42,0	43,2	50,1	36,8	41,0
41,5	43,1	41,2	42,6	37,8	49,7
44,0	42,6	43,3	45,6	45,2	44,9

* Source: Adapté de Souvay, P. (1998). *Capabilité et performance.* Technologies & Formations, n° 80.

On veut vérifier si les données associées à la caractéristique de qualité sont distribuées selon une loi normale.

Le calcul de la variance de cette série de données donne $s^2 = 9{,}169$.

Tableau pour calcul des différences				Différence	Coefficients a_i	Calcul de b
Y1:	36,8	Y30:	50,1	13,3	0,4254	5,658
Y2:	37,8	Y29:	49,7	11,9	0,2944	3,503
Y3:	38,1	Y28:	47,0	8,9	0,2487	2,213
Y4:	39,6	Y27:	46,6	7,0	0,2148	1,504
Y5:	41,0	Y26:	45,6	4,6	0,1870	0,860
Y6:	41,2	Y25:	45,2	4,0	0,1630	0,652
Y7:	41,4	Y24:	44,9	3,5	0,1415	0,495
Y8:	41,5	Y23:	44,6	3,1	0,1219	0,378
Y9:	41,5	Y22:	44,2	2,7	0,1036	0,280
Y10:	41,8	Y21:	44,0	2,2	0,0862	0,190
Y11:	41,8	Y20:	43,7	1,9	0,0697	0,132
Y12:	42,0	Y19:	43,5		0,0537	
Y13:	42,0	Y18:	43,3		0,0381	
Y14:	42,6	Y17:	43,2		0,0227	
Y15:	42,6	Y16:	43,1	0,5	0,0076	0,004

a) Complétez les valeurs manquantes du tableau des différences.

b) Le calcul de la quantité b donne 16,013. Déterminez la valeur expérimentale de W.

c) Peut-on conclure, au seuil de signification de 5%, que la caractéristique de qualité n'est pas distribuée normalement?

2. La variabilité d'un procédé industriel est maîtrisée si elle n'excède pas 9. On veut vérifier cette situation avec les données présentées en 1.

a) Quelles hypothèses statistiques doit-on préciser?

b) Quelle est, au seuil de signification 5%, la valeur critique de la statistique khi-deux?

c) Quelle règle de décision doit-on adopter pour effectuer ce test statistique?

d) Est-ce que les données permettent de supporter l'hypothèse selon laquelle la variabilité de la caractéristique de qualité est maîtrisée? Quelle hypothèse fondamentale est requise pour assurer que le test statistique soit valide?

e) Pouvez-vous donner un ordre de grandeur de la valeur p de ce test statistique?

f) Déterminez, si vous avez accès au tableur Excel, la valeur spécifique du seuil descriptif (valeur p) du test statistique?

g) Quelle serait la règle de décision à adopter, si on utilise la valeur p pour conclure?

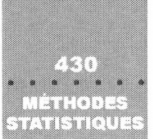

Exercices d'apprentis-sage

Série no 7.5 (suite)

Test sur une moyenne avec le logiciel MINITAB

3. Un chercheur affirme qu'il en coûte, en moyenne, plus de 20 000$ en services-conseils pour l'implantation des normes internationales ISO 9000 et du processus de certification. On veut soumettre cette affirmation à un test d'hypothèse.

a) Les hypothèses statistiques suivantes sont formulées:

   i) $H_0 : \mu = 20\ 000\$$ $H_1 : \mu < 20\ 000\$$

   ii) $H_0 : \mu \leq 20\ 000\$$ $H_1 : \mu > 20\ 000\$$

   iii) $H_0 : \mu = 20\ 000\$$ $H_1 : \mu \neq 20\ 000\$$

   Laquelle de ces hypothèses est appropriée?

b) Une enquête* auprès d'un échantillon aléatoire de 20 PME qui ont implanté un système de gestion de la qualité selon les normes internationales ISO 9000 donna les coûts suivants (ce sont ceux de l'exercice d'apprentissage no 1, série 6.3):

Coûts des services d'experts-conseils

PME no	Coûts	PME no	Coûts
1	19400	11	20300
2	21600	12	20000
3	21050	13	23875
4	15675	14	18300
5	18350	15	18770
6	20000	16	18200
7	20100	17	20950
8	18900	18	17970
9	21150	19	18600
10	20200	20	20250

* Source: Adapté de Rheault, D., *Analyse descriptive du processus d'implantation et de mise en oeuvre d'un système de normes de la série ISO 9000 et ses impacts sur la PME québécoise*, Mémoire de recherche, UQTR, 1997.

Quelle hypothèse fondamentale est requise pour effectuer le test statistique sur la moyenne?

Le traitement informatique des données avec Minitab conduit aux résultats suivants:

Sortie MINITAB

Mean: Moyenne
StDev: Écart-type
SE Mean: Erreur-type de la moyenne

```
T-Test of the Mean

Test of mu = 20000 vs mu > 20000

Variable      N      Mean     StDev    SE Mean       T        P
COÛTS        20     19682      1714        383    -0,83     0,79
```

c) D'après la sortie informatique,

   i)   Quel est, d'après cette enquête, le coût moyen des services-conseils?

   ii) Quelle est l'erreur-type de la moyenne?

   iii) Quelle est la valeur observée du t de Student?

d) Quel est le seuil descriptif du test (α_p)?

e) Est-ce que l'hypothèse de recherche est retenue au seuil de signification 5%? Justifiez votre réponse.

Remarque. Un logiciel statistique comme SPSS ou Minitab permet de vérifier rapidement si les données associées à une caractéristique quantitative sont distribuées normalement, avant d'appliquer un test de Student sur la moyenne de la population ou effectuer un test sur la variance. Voici la sortie informatique qu'on obtient avec Minitab pour un test de normalité sur les données de l'exercice d'apprentissage no 1, série 7.5.

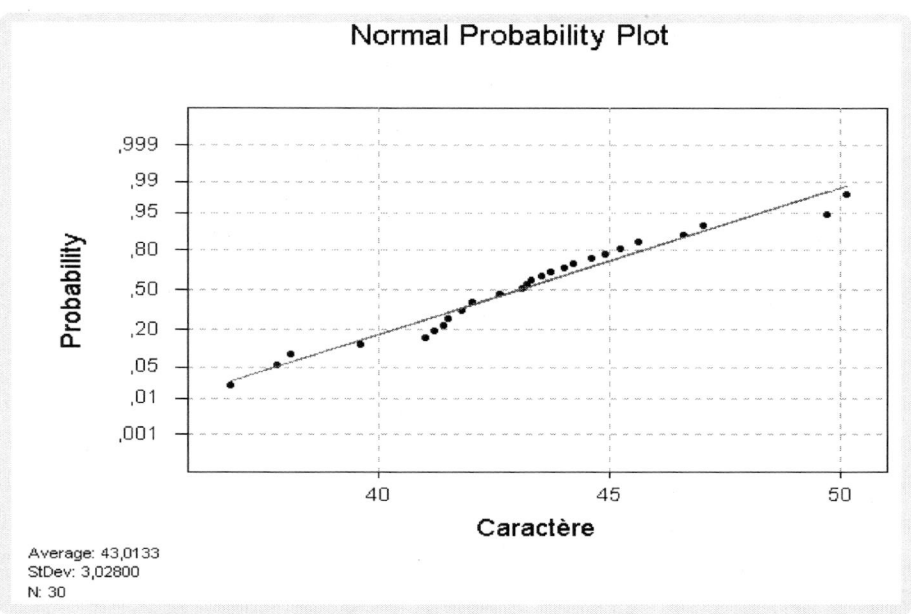

Le tracé ci-haut présente, en ordonnée, les probabilités cumulées d'une loi normale et en abcisse, les valeurs du caractère observé. Si les données proviennent d'une population normale (ou approximativement normale), elles devraient s'aligner autour d'une droite imaginaire ou du moins s'en écarter peu.

7.15   Résumé, glossaire et synthèse des principales formules

Résumé

▸ Nous avons présenté dans ce chapitre un deuxième aspect de l'inférence statistique soit les tests d'hypothèses statistiques. Nous avons indiqué comment formuler correctement l'hypothèse nulle et la contre-hypothèse ou l'hypothèse de recherche. Les principaux éléments fondamentaux asociés à un test d'hypothèse ont été traités, entres autres le seuil de signification du test et les risques d'erreur.

▸ Nous avons utilisé la variable centrée réduite Z pour établir la région critique du test ainsi que la variable de Student comme critère de décision dans le cas où l'échantillon est de petite taille, mais en admettant que les données proviennent d'une population normale de variance inconnue. Nous avons également indiqué comment utiliser les valeurs critiques de la moyenne pour établir la règle de décision dans le cas d'un test bilatéral ou unilatéral sur une moyenne.

▸ Nous avons indiqué comment calculer le risque de 2e espèce pour diverses valeurs hypothétiques de la moyenne de la population que nous avons posées comme contre-hypothèses. Nous avons également tracé la courbe d'eficacité du test ainsi que la courbe de puissance.

▸ Nous avons par la suite indiqué comment effectuer un test statistique sur une proportion dans le cas d'un grand échantillon et ceci avec la variable centrée réduite.

▸ Nous avons complété le chapitre en montrant comment utiliser la loi de khi-deux pour tester une hypothèse statistique sur une variance à partir d'un échantillon prélevé au hasard d'une population normale et comment effectuer un test statistique sur la normalité d'une série de données à l'aide du test de Shapiro-Wilk.

Nous présentons à la page suivante les principaux concepts qui ont été traités dans ce chapitre.

Glossaire

Hypothèse statistique: Affirmation concernant la valeur d'un paramètre d'une population ou énoncé concernant la forme de la distribution d'une population.

Hypothèse nulle: Hypothèse selon laquelle on fixe a priori la valeur d'un paramètre d'une population.

Contre-hypothèse: Hypothèse qui diffère de l'hypothèse nulle. La contre-hypothèse est vraisemblable si l'hypothèse nulle est rejetée; on utilise également les termes hypothèse alternative ou encore hypothèse de recherche.

Règle de décision: Règle qui conduit au rejet ou au non-rejet de l'hypothèse nulle; elle s'obtient habituellement à partir des valeurs critiques de l'écart réduit.

Région critique: Région de la distribution de l'écart réduit qui conduit au rejet de l'hypothèse nulle.

Risque de première espèce: Risque de rejeter à tort l'hypothèse nulle; ce risque est fixé a priori.

Risque de deuxième espèce: Risque de ne pas rejeter l'hypothèse nulle alors qu'elle est fausse; ce risque est calculable.

Seuil de signification: Risque, consenti à l'avance, de rejeter à tort l'hypothèse alors qu'elle est vraie; ce risque est noté α.

Test d'hypothèses: Procédure statistique qui a pour but de fournir une règle de décision permettant de faire un choix entre deux hypothèses statistiques.

Test unilatéral: Test d'hypothèses dont la région de rejet se situe dans une des extrémités de la distribution de l'écart réduit.

Test bilatéral: Test d'hypothèses dont la région de rejet se répartit également dans les deux extrémités de la distribution de l'écart réduit.

Valeur p (seuil descriptif du test): Plus petite valeur du seuil de signification α qui conduit au rejet de l'hypothèse nulle.

Courbe d'efficacité du test: Graphique indiquant la probabilité d'accepter l'hypothèse nulle selon diverses valeurs de la moyenne de la population qui sont supposées vraies dans la contre-hypothèse.

Courbe de puissance du test: Graphique indiquant la probabilité de rejeter l'hypothèse nulle selon diverses valeurs de la moyenne de la population qui sont supposées vraies dans la contre-hypothèse.

Test statistique sur une proportion: Procédure statistique permettant de tester si la proportion p d'éléments dans la population présentant un certain caractère qualitatif peut être considérée ou non égale à une valeur hypothétique p_0.

Loi de khi-deux: Loi de probabilité qui dépend du nombre de degrés de liberté et qui est requise pour effectuer un test d'hypothèse sur la variance d'une population.

Test statistique sur une variance: Procédure statistique permettant de tester si la variance dans une population normale peut être considérée ou non égale à une valeur hypothétique σ_0^2.

Test de Shapiro-Wilk: Procédure statistique permettant de tester, dans le cas d'un échantillon aléatoire de taille inférieure ou égale à 50, si les données d'une variable continue peuvent s'apparenter à une loi normale.

Principales formules

Test sur une moyenne

L'hypothèse nulle qui est soumise au test est $H_0: \mu = \mu_0$.

Population normale de variance connue

L'écart réduit est $Z = \dfrac{\overline{X} - \mu_0}{\sigma / \sqrt{n}}$; il est distribué selon la loi normale centrée réduite.

Dans le cas d'un test bilatéral ($H_1: \mu \neq \mu_0$), nous rejetons l'hypothèse nulle H_0 si $Z > z_{\alpha/2}$ ou $Z < -z_{\alpha/2}$.

Test sur une moyenne(suite)

Grand échantillon d'une population de variance inconnue

L'écart réduit est $Z = \dfrac{\overline{X} - \mu_0}{s/\sqrt{n}}$; il est distribué selon la loi normale centrée réduite et

$$s = \sqrt{\dfrac{\sum(x_i - \overline{x})^2}{n-1}}\,.$$

Dans le cas d'un test bilatéral ($H_1: \mu \neq \mu_0$), nous rejetons l'hypothèse nulle H_0 si $Z > z_{\alpha/2}$ ou $Z < -z_{\alpha/2}$.

Petit échantillon provenant d'une population normale de variance inconnue

L'écart réduit est $T = \dfrac{\overline{X} - \mu_0}{s/\sqrt{n}}$; il est distribué selon la loi de Student avec (n - 1) degrés de liberté.

Dans le cas d'un test bilatéral ($H_1: \mu \neq \mu_0$), nous rejetons l'hypothèse nulle H_0 si $T > t_{\alpha/2;n-1}$ ou $T < -t_{\alpha/2;n-1}$.

Calcul de valeurs critiques pour la moyenne d'échantillon au seuil α

L'hypothèse nulle qui est soumise au test est $H_0: \mu = \mu_0$.

Échantillon aléatoire provenant d'une population normale

Test bilatéral: $\overline{x}_{c_1} = \overline{x} - z_{\alpha/2} \cdot \dfrac{\sigma}{\sqrt{n}}$, $\overline{x}_{c_2} = \overline{x} + z_{\alpha/2} \cdot \dfrac{\sigma}{\sqrt{n}}$. Rejet de l'hypothèse nulle si $\overline{X} < \overline{x}_{c_1}$ ou si $\overline{X} > \overline{x}_{c_2}$. On remplace σ par s dans le cas d'un grand échantillon provenant d'une population de variance inconnue.

Petit échantillon aléatoire provenant d'une population normale (n $<$ 30)

Test bilatéral: $\overline{x}_{c_1} = \overline{x} - t_{\alpha/2;n-1} \cdot \dfrac{s}{\sqrt{n}}$, $\overline{x}_{c_2} = \overline{x} + t_{\alpha/2;n-1} \cdot \dfrac{s}{\sqrt{n}}$. Rejet de l'hypothèse nulle si $\overline{X} < \overline{x}_{c_1}$ ou si $\overline{X} > \overline{x}_{c_2}$.

Calcul du risque de 2e espèce

$\beta = P(\text{ne pas rejeter } H_0 | H_1 \text{ vraie})$

$\beta = P(\overline{x}_{c_1} \leq \overline{X} \leq \overline{x}_{c_2} \mid \mu = \mu_1)$ dans le cas où on pose $\mu = \mu_1$ dans la contre-hypothèse.

Test sur une proportion

L'hypothèse nulle qui est soumise au test est $H_0: p = p_0$.

Grand échantillon prélevé d'une population binomiale

L'écart réduit est $Z = \dfrac{\hat{P} - p_0}{\sqrt{\dfrac{p_0(1-p_0)}{n}}}$; il est distribué selon la loi normale centrée réduite.

Dans le cas d'un test bilatéral ($H_1: p \neq p_0$), nous rejetons l'hypothèse nulle H_0 si $Z > z_{\alpha/2}$ ou $Z < -z_{\alpha/2}$.

**Principales
formules
(suite)**

Test sur une variance et intervalle de confiance

L'hypothèse nulle qui est soumise au test est $H_0 : \sigma^2 = \sigma_0^2$.

La statistique requise pour effectuer le test est $\chi^2 = \dfrac{(n-1)S^2}{\sigma_0^2}$; elle est distribuée selon la loi de khi-deux avec $(n-1)$ degrés de liberté.

Dans le cas d'un test bilatéral ($H_1 : \sigma^2 \neq \sigma_0^2$), nous rejetons l'hypothèse nulle H_0 si $\chi^2 > \chi_{\alpha/2 ; n-1}^2$ ou $\chi^2 < \chi_{1-\alpha/2 ; n-1}^2$.

L'intervalle de confiance ayant un niveau de confiance de $100(1-\alpha)$% d'englober la variance σ^2 d'une population normale est: $\dfrac{(n-1)s^2}{\chi_{\alpha/2 ; n-1}^2} \leq \sigma^2 \leq \dfrac{(n-1)s^2}{\chi_{1-\alpha/2 ; n-1}^2}$.

7.16 Exercices d'application

Formulation d'hypothèses

1. Formulez les hypothèses H_0 et H_1 pertinentes aux affirmations suivantes que l'on voudrait tester sur la base d'un échantillon.

a) Le nombre moyen d'employés au Québec pour les entreprises québécoises oeuvrant dans la production de logiciels est de 18,5.

b) Le nombre moyen de micro-ordinateurs utilisés par les entreprises du secteur «Finance/Immobilier» est de 10,24.

c) La période moyenne de recouvrement des achats informatiques par les entreprises est plus de 3 ans.

d) La longueur moyenne d'un support métallique fabriqué par une machine automatique doit être de 35 mm.

e) Le temps standard requis, en moyenne, pour l'assemblage d'une certaine pièce est de 12 minutes.

f) La durée de vie moyenne d'un pneu d'automobile est actuellement de 48 000 km. L'introduction d'une nouvelle fibre dans la fabrication du pneu pourrait améliorer la durée de vie.

g) Le temps moyen réponse d'un ordinateur central est d'au plus 1,4 s.

h) La proportion de CD-Rom comportant des secteurs défectueux est de 2,5%.

i) Une entreprise envisage le lancement d'un nouveau produit si le taux d'intentions positives d'achat est d'au moins 60%.

j) On affirme que 53% des consommateurs choisissent de faire leurs achats en ligne pour plus de commodité.

k) Deux consommateurs sur cinq sont influencés par la marque de commerce lors de l'achat d'un produit informatique.

l) 85% des entreprises oeuvrant dans le commerce de détail utilisent des micro-ordinateurs.

m) Au moins 55% des dirigeants de PME affirment que le principal enjeu des relations de travail au sein de leur entreprise est le salaire.

n) Au plus 1% des écrans-vidéo produits par l'entreprise Sigmex comportent une non-conformité.

o) 70% des dirigeants et cadres supérieurs affirment que c'est la pression de l'environnement externe qui est le facteur principal dans leur démarche d'apprentissage pour améliorer leur compétence professionnelle.

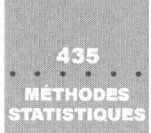

Tests statistiques sur une moyenne

2. On prélève au hasard d'une population normale de variance $\sigma^2 = 64$ un échantillon de taille $n = 25$.

a) Au seuil de signification $\alpha = 0{,}05$, quelle est la règle de décision si l'on veut tester les hypothèses suivantes: H_0: $\mu = 52$, H_1: $\mu \neq 52$.

b) Si la moyenne d'échantillon est $\bar{x} = 49{,}5$, est-ce que cette valeur observée est en contradiction avec l'hypothèse nulle?

3. D'après une conseillère en multimédia, le temps moyen d'apprentissage par des cadres supérieurs pour maîtriser de nouveaux outils informatiques à l'aide d'un CD-ROM est de 26,8 heures.

Selon un sondage auprès de 160 dirigeants et cadres supérieurs et portant sur l'apprentissage de nouveaux outils informatiques, le temps moyen d'apprentissage obtenu a été de 30,2 heures avec un écart-type de 3,5 heures.

On veut soumettre à un test d'hypothèse l'affirmation de la conseillère en multimédia en considérant comme contre-hypothèse que le temps moyen d'apprentissage est supérieur à 26,8 heures.

Effectuez ce test d'hypothèse en utilisant un seuil de signification de 5%.

4. D'après les normes de la batterie de tests mesurant diverses aptitudes d'employés affectés à des tâches manuelles, la moyenne (μ) nationale au test permettant d'évaluer la coordination visuo-motrice[1] d'un individu est de 90 avec un écart-type $\sigma = 15$. On considère également que les résultats sont distribués selon une loi normale.

—————
[1] Le test de coordination visuo-motrice permet de mesurer l'aptitude à coordonner les mouvements des yeux, des mains ou des doigts rapidement et avec précision en des gestes précis et rapides, à réagir promptement et avec à-propos.

Un groupe de 62 individus d'une usine de transformation de la région de l'Estrie a obtenu, pour ce test, une moyenne de 86,4. En supposant que ce groupe est un échantillon représentatif de la population d'employés affectés à des tâches manuelles, peut-on affirmer au seuil de signification $\alpha = 0{,}05$, qu'il correspond à la moyenne nationale?

5. Le responsable d'une institution financière mentionne que le montant moyen des prêts hypothécaires pour des résidences unifamiliales aurait augmenté depuis quelques mois. Avant cette période, le montant moyen se situait autour de 98 500$.

Un échantillon aléatoire de 40 prêts hypothécaires provenant des fichiers de l'institution financière donna les montants suivants:

Montant des prêts hypothécaires									
109400	79395	100760	101120	85635	98728	122865	94915	122256	59936
75710	144230	96556	163328	115477	106925	113454	142010	97166	93160
79260	71225	125726	144825	93174	96059	94256	106935	88630	77916
127235	118502	117090	147090	120446	127440	125075	91900	84900	89330

On veut soumettre l'affirmation du responsable de l'institution financière à un test d'hypothèse.

a) Précisez les hypothèses statistiques qui sont appropriées.

b) Est-ce que les données permettent, au seuil de signification 5%, de considérer que le montant moyen des prêts hypothécaires a augmenté?

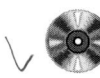

6. La Mauricienne, compagnie d'assurances générales, veut améliorer le temps de réponse du personnel affecté au service d'indemnisation. Les clients ont accès au service à l'aide d'un numéro 800 et l'information est gérée à l'aide d'une base de données.

Temps de réponse				
13,37	13,09	13,48	13,64	13,51
13,59	13,50	13,43	13,45	13,02
13,32	13,27	13,61	13,60	13,26
13,38	13,52	13,41	13,78	13,68
13,86	14,04	13,47	13,40	13,59
13,37	13,66	13,78	13,40	13,52
13,28	13,59	13,26	13,49	13,83
13,42	13,38	13,83	13,53	13,46
13,80	13,30	13,81	13,80	13,08
13,67	13,49	13,70	13,40	13,40

$\bar{x} = 13.51$

$s = 0.2144$

Selon la responsable du service, le temps moyen de réponse à l'aide de cette base de données est de 14 secondes. Un nouveau programme de gestion de base de données a été mis en application depuis quelques semaines et on aimerait vérifier s'il y a eu une diminution significative du temps moyen de réponse du personnel.

Un échantillon aléatoire de 50 appels a permis d'obtenir les résultats ci-contre concernant le temps de réponse.

a) Précisez les hypothèses statistiques qui sont appropriées ici.

b) Est-ce que l'hypothèse de normalité du temps de réponse est requise ici pour exécuter le test d'hypothèse? Expliquez.

c) Déterminez la règle de décision à adopter pour un échantillon de taille $n = 50$ et un seuil de signification $\alpha = 0,01$, selon les hypothèses statistiques précisées en a).

d) Peut-on conclure que ce nouveau programme de gestion de base de données a permis de réduire de façon significative le temps moyen de réponse? Justifiez votre conclusion.

7. Un cadre supérieur affirme que le coût moyen pour une PME manufacturière pour la modification des équipements, lors de la mise en place du processus d'implantation des normes internationales d'assurance de la qualité ISO 9000, est de 13 500$.

Une enquête* auprès de 34 PME québécoises donne les résultats ci-après concernant le coût de modification des équipements.

Coût de modification des équipements					
12580	12050	13550	12630	12925	13420
12225	13380	13318	14836	13550	12798
13690	12734	12622	13160	11665	12116
13390	11255	13460	12927	13680	12077
12738	12714	12574	13148	13482	13850
11894	13395	14265	13440		

a) En considérant l'affirmation mentionnée, précisez les hypothèses statistiques que l'on veut soumettre au test.

* Source: Adapté de Rheault, D., *Analyse descriptive du processus d'implantation et de mise en oeuvre d'un système de normes de la série ISO 9000 et ses impacts sur la PME québécoise*, Mémoire de recherche, UQTR, 1997.

b) Quelle condition d'application est requise ici pour effectuer un test d'hypothèse sur le coût moyen pour la modification des équipements?

c) En utilisant un seuil de signification de 5% et les données recueillies, peut-on considérer comme vraisemblable l'affirmation selon laquelle le coût moyen pour la modification des équipements est de 13 500$ suite à l'implantation des normes ISO 9000?

8. Considérez à nouveau le coût de modification des équipements associé à la mise en place des normes de gestion de la qualité ISO 9000 (exercice 7).

a) Quelle est la valeur p (seuil descriptif du test) pour le test statistique effectué sur le coût moyen de modification?

b) Quelle hypothèse statistique est favorisée par la valeur p?

9. On donne ci-après les hypothèses statistiques associées à divers tests sur une moyenne ainsi que la valeur de l'écart réduit obtenu pour chaque test.

Déterminez, pour chaque cas, la valeur p.

a) $H_0 : \mu = 918$, $H_1 : \mu \neq 918$, $\overline{x} = 952$, $z = 1,54$
b) $H_0 : \mu = 10$, $H_1 : \mu > 10$, $\overline{x} = 12,5$, $z = 1,4$
c) $H_0 : \mu = 72$, $H_1 : \mu < 72$, $\overline{x} = 69$, $z = -1,8$
d) $H_0 : \mu = 25$, $H_1 : \mu > 25$, $n = 15$, $t = 2,625$
e) $H_0 : \mu = 180$, $H_1 : \mu < 180$, $n = 25$, $t = -1,711$

10. Selon une étude d'un groupe environnemental, la concentration moyenne d'un polluant industriel (NO_2) dans la région où est situé un important complexe industriel dépasse $40 \, \mu g/m^3$. Trente-six échantillonnages de l'air provenant de cette région donne une concentration moyenne de 41,32 et un écart-type de $9 \mu g/m^3$.

On veut soumettre l'affirmation du groupe environnemental à un test statistique en utilisant un seuil de signification de 5%.

a) Quelles sont les hypothèses statistiques qu'on doit soumettre au test?

b) Quelle est la valeur p pour ce test statistique?

c) Est-ce que la valeur moyenne observée pour les 36 échantillonnages est suffisamment élevée pour confirmée l'affirmation du groupe environnemental? Discutez.

d) Supposons les valeurs suivantes pour la concentration moyenne du polluant industriel (les autres valeurs servant au test statistique demeurent inchangées).

Concentration moyenne observée	Écart réduit z	Valeur p
42	1,33	0.0918
43	2	0.0228
44	2,66	0.00385
45	3,33	0.00043

Complétez le tableau ci-haut et déterminez la valeur p pour chaque concentration moyenne mentionnée.

e) À partir de quelle valeur de la concentration moyenne, l'affirmation du groupe environnemental serait-elle favorisée? $[40 + (1,625)(\frac{9}{6})]$ $[40 + Z_{0.05}]$

11. Soit les hypothèses suivantes: $H_0 : \mu = 400$, $H_1 : \mu \neq 400$. Sur la base d'un échantillon de taille $n = 25$, prélevé au hasard d'une population normale de variance $s^2 = 2025$, on adopte la règle de décision suivante:

Rejeter H_0 si $\overline{X} < 376,78$ ou si $\overline{X} > 423,22$, sinon ne pas rejeter H_0.

a) Déterminez la probabilité de commettre une erreur de première espèce avec ce test. Que représente cette probabilité?

b) Déterminez la probabilité de commettre une erreur de deuxième espèce en supposant l'hypothèse H_1: $\mu = 415$ vraie.

12. On veut tester les hypothèses suivantes: H_0: $\mu = 2500$, H_1: $\mu < 2500$. Sur la base d'un échantillon de taille $n = 100$, provenant d'une population dont $\sigma = 300$, on adopte la règle de décision suivante:

Rejeter H_0 si $\overline{X} < 2450,65$, sinon ne pas rejeter H_0.

a) Quel est le seuil de signification du test?

b) Quel est le risque de deuxième espèce selon l'hypothèse H_1: $\mu = 2400$, que l'on suppose vraie?

[annotations manuscrites: $Z_c = \dfrac{\overline{x} - x_0}{s/\sqrt{n}}$ $P(Z > Z_c)$ $\mu Z = ?$ $P(0 \leq Z \leq \overset{\vee}{z}) = ?$ $\beta = 0.5 - Z$]

13. L'usine Mécanex fabrique des pièces circulaires dont le diamètre doit être, en moyenne, de 5 cm avec un écart-type $\sigma = 0,24$ cm. Un échantillon aléatoire de taille $n = 36$ est prélevé occasionnellement de la production et le diamètre de chaque pièce de l'échantillon est mesuré.

Si le diamètre moyen obtenu d'un échantillon de taille $n = 36$ est inférieur à 4,92 cm ou supérieur à 5,08 cm, le procédé de fabrication doit être vérifié et réajusté à la valeur centrale requise, soit 5 cm; si le diamètre moyen se situe à l'intérieur de l'intervalle [4,92, 5,08] on considère alors que le procédé opère correctement et il n'y a pas lieu d'intervenir.

a) Avec ce processus de contrôle, quel est le risque d'arrêter inutilement le procédé de fabrication alors qu'il opère à $\mu = 5$ cm? Comment appelle-t-on ce risque?

b) Quelles sont les chances sur 100 de conclure que le procédé opère correctement lorsque $\mu = 5$ cm?

c) Quelle est la probabilité de conclure que le procédé opère correctement alors qu'en réalité il est centré à 5,05 cm? Comment appelle-t-on ce risque?

d) Quelle est la puissance du test lorsque le procédé opère effectivement à $\mu = 4,95$ cm?

14. Le vérificateur de l'entreprise Multitek veut vérifier l'hypothèse selon laquelle la valeur moyenne des stocks (ordinateurs et accessoires informatiques) est de 2000$.

Un échantillon aléatoire de 100 éléments de la liste des stocks donne une valeur établie de 212 400$.

L'écart observé entre la valeur contenue dans la liste des stocks et la valeur établie par le vérificateur pour les éléments constituant l'échantillon donne un écart-type de 120$.

a) Précisez les hypothèses statistiques que l'on veut soumettre à un test statistique.

b) Peut-on conclure, au seuil de signification 1%, que l'affirmation du vérificateur concernant la valeur moyenne des stocks en inventaire est fondée? Répondez à cette question en déterminant, pour le seuil spécifié, les valeurs critiques de la valeur moyenne des stocks.

c) Quel est le risque d'accepter l'hypothèse selon laquelle la valeur moyenne des stocks en inventaire est de 2000$ alors qu'en réalité, elle est de 1950$?

d) Comment appelle-t-on le risque calculé en c)?

e) En utilisant les résultats de l'échantillonnage, déterminez, avec un niveau de confiance de 99%, un intervalle de confiance pour la valeur réelle moyenne des stocks en inventaire.

f) Est-ce que l'affirmation du vérificateur concernant la valeur moyenne des stocks en inventaire tombe dans l'intervalle de confiance? Que peut-on conclure?

g) Sachant que l'inventaire comporte 1200 éléments, entre quelles valeurs se situe vraisemblablement la valeur réelle totale des stocks et ceci avec un niveau de confiance de 99%?

15. L'entreprise Lantek produit des insecticides (six types d'insecticides sont fabriqués par l'entreprise). Le procédé de remplissage est ajusté de telle sorte que les contenants devraient avoir un poids de 454 g. On admet une variation de $\pm$ 19,8 g. pour chaque contenant; de plus,

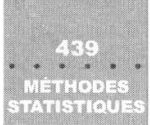
on suppose que le poids est distribué normalement.

a) En admettant que le procédé opère selon les normes établies et que ces paramètres englobent 99,74% de la production, quel est l'écart-type admissible pour le poids des contenants?

b) Pour vérifier si le procédé se maintient selon le niveau moyen visé (c.-à-d. 454 g.), on prélève de la production un échantillon aléatoire de 9 contenants. Le poids de chaque contenant est vérifié et le poids moyen de l'échantillon est calculé. Quelles sont les hypothèses statistiques que l'on veut tester avec cette méthode de contrôle?

c) On veut établir une règle de décision qui permettrait, dans 95% des cas, de considérer que le procédé est vraisemblablement centré à 454 g. et ceci basé sur un échantillon de taille $n = 9$. On considère que le procédé opère selon la dispersion déterminée en a). Entre quelles valeurs doit se situer la moyenne d'échantillon pour considérer plausible que le procédé opère à la valeur cible (454 g.)?

d) Quel est le risque d'arrêter à tort le procédé de remplissage?

e) Quelle règle de décision doit-on adopter pour conclure ou non que le procédé assure un poids moyen de 454 g.?

f) Lors d'un récent contrôle, on a obtenu, pour un échantillon de 9 contenants, un poids moyen de 457 g. Doit-on poursuivre ou arrêter le procédé de remplissage?

g) Avec ce plan de contrôle, quel est le risque d'accepter l'hypothèse selon laquelle le procédé est centré à 454 g., alors qu'en réalisé, il opère à 448 g.?

h) Quelle est la puissance du test lorsque le procédé opère à 448 g.?

i) Lors de la réunion hebdomadaire du groupe d'assurance qualité, on a décidé de modifier le plan de contrôle en augmentant la taille d'échantillon lors des vérifications, soit $n = 12$. Les nouvelles valeurs critiques pour la moyenne d'échantillon deviendront alors: $\overline{x}_{c_1} = 450,266,$ $\overline{x}_{c_2} = 457,734.$ Ces valeurs sont-elles exactes?

j) Le responsable de département a précisé lors de cette réunion qu'en augmentant ainsi la taille d'échantillon, on obtiendrait un plan de contrôle plus puissant. En supposant que le procédé opère à 448 g., est-ce que cette affirmation est exacte?

16. L'entreprise Comtec fabrique des dispositifs électroniques dont la durée de vie moyenne est de 800 heures. La durée de vie des dispositifs est distribuée normalement avec un écart-type $\sigma = 50$ heures. Pour vérifier la qualité des dispositifs, un échantillon aléatoire de 25 dispositifs est soumis à un essai de fiabilité et on adopte la règle de décision suivante:

Les dispositifs sont de qualité inacceptable si la durée de vie moyenne de 25 dispositifs est inférieure à 783,55 heures; on les considère de qualité acceptable si la durée de vie moyenne est supérieure ou égale à 783,55 heures. $P(0 \le z \le z_\alpha) = 0.45$

a) Quelles sont les hypothèses statistiques que l'on veut tester avec cette règle de décision?

b) Quel est le seuil de signification du test? $783.55 = \mu_0 - z_\alpha \cdot \sigma/\sqrt{n}$ $\alpha = 0.5 - 0.45$

c) Quelle est la probabilité de rejeter à tort un lot de dispositifs de qualité acceptable?

d) Quel est le risque de deuxième espèce pour chacune des valeurs suivantes de μ: 750, 760, 770, 780, 790, 800? +

e) Tracez la courbe d'efficacité du test.

f) Le responsable du contrôle a décidé de modifier son plan de contrôle en prélevant 36 dispositifs de la production (au lieu de 25). S'il conserve le même seuil de signification qu'en b), quelle règle de décision doit-il alors adopter pour tester les hypothèses spécifiées en a)?

g) Calculez à nouveau le risque de deuxième espèce pour les valeurs de μ spécifiées en d) et tracez, sur le même graphique qu'en e), la courbe d'efficacité.

h) Quelle est la conséquence, sur la courbe d'efficacité, d'augmenter la taille d'échantillon?

Tests statistiques sur une proportion

17. Le directeur commercial d'un important quotidien de la région de Québec affirme que plus de 76% des foyers de cette région lisent au moins un quotidien. Un sondage effectué auprès de 1000 foyers de la région de Québec indique que 840 foyers lisent au moins un quotidien.

Est-ce que l'affirmation du directeur commercial est supportée par les résultats du sondage au seuil de signification $\alpha = 0,05$?

18. Selon un sondage réalisé par le Groupe Everest pour le compte de la Banque Nationale et de *La Presse* (*La Presse*, 15 février 2001), deux PME sur cinq affirment avoir adopté Internet dans leur stratégie de marketing. C'est ce que révèle l'enquête auprès de 300 PME québécoises comptant dix à deux cents employés.

a) Quelle est, pour un niveau de confiance de 95%, la marge d'erreur statistique de ce sondage?

b) La présidente de la Chambre de Commerce de la région de Drummondville précise, dans une conférence auprès des membres de la Chambre, que 45% des PME de la région ont adopté Internet dans leur stratégie de marketing. Est-ce que les données obtenues du sondage mentionné ci-haut, sont en contradiction avec l'affirmation de la présidente de la Chambre de Commerce?

19. Une spécialiste en gestion des ressources humaines affirme que la connaissance de l'informatique et des systèmes d'information devient de plus en plus importante comme exigence d'emploi par les entreprises pour oeuvrer en gestion des ressources. Pour cette raison, plusieurs entreprises recherchent des diplômés en administration des affaires avec spécialisation en gestion des ressources humaines. En effet, selon elle, 3 entreprises sur 4 recherchent cette spécialisation chez les postulants.

a) On aimerait tester cette affirmation. Quelles sont les hypothèses statistiques à formuler?

b) Une analyse d'un échantillon d'annonces de presse affichant des postes en gestion des ressources humaines indique que, sur 102 annonces de presse consultées, 71 précisaient cette exigence de formation. En utilisant un seuil de signification de 5%, peut-on considérer que l'écart entre la proportion observée lors de l'analyse des annonces de presse et la proportion avancée par la spécialiste en gestion des ressources humaines concernant le type de scolarisation requis pour oeuvrer en gestion des ressources humaines est suffisamment important pour réfuter l'affirmation précisée dans l'hypothèse nulle?

20. Lors d'un colloque sur la santé des populations, une conférencière mentionne que 70% des hommes trouvent important d'être séduisant. Une enquête* donna les résultats suivants concernant la perception de l'importance de l'apparence physique personnelle.

Voici une des questions qui a été posée.

Est-il important pour vous d'être séduisant?

---

* Source: Janvrin, Marie-Pier (1997). Adapté de *Typologie des comportements de santé des Français: quelles perspectives pour les actions de prévention?* Colloque Connaître et surveiller pour agir sur la santé des populations, Montréal.

Les résultats selon le sexe du répondant se présentent comme suit:

	Oui
Hommes ($n = 973$)	618
Femmes ($n = 1020$)	803

Est-ce que l'affirmation de la conférencière est exagérée au seuil de signification de 5%?

21. Selon un économiste, 30% d'adultes de 18 ans et plus et résidant au Québec sont susceptibles d'acheter un véhicule neuf au cours de la prochaine année. Toutefois, un sondage* récent

---

* Source: Adapté de «Les Canadiens envisagent d'effectuer plus de gros achats», Sondage Gallup, *La Presse*, 23 janvier 2000.

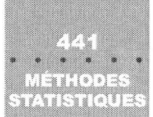

21. (suite) auprès de 262 individus résidant au Québec indique que seulement 66 répondants sont susceptibles de le faire.

Est-ce que l'affirmation de l'économiste est exagérée? Utilisez un test unilatéral avec un seuil de signification de 5%.

22. On peut établir les règles de décision concernant un test sur une proportion en fonction des valeurs critiques de p. Nous résumons dans le tableau ci-après les règles de décision selon les hypothèses statistiques, au seuil de signification α.

Hypothèses statistiques	Règles de décision
$H_0 : p = p_0$ $H_1 : p \neq p_0$	Rejeter H_0 si $\hat{P} < \hat{p}_{c_1} = p_0 - z_{\alpha/2}\sqrt{\dfrac{p_0(1-p_0)}{n}}$ ou $\hat{P} > \hat{p}_{c_2} = p_0 + z_{\alpha/2}\sqrt{\dfrac{p_0(1-p_0)}{n}}$
$H_0 : p = p_0$ $H_1 : p > p_0$	Rejeter H_0 si $\hat{P} > \hat{p}_c = p_0 + z_{\alpha}\sqrt{\dfrac{p_0(1-p_0)}{n}}$
$H_0 : p = p_0$ $H_1 : p < p_0$	Rejeter H_0 si $\hat{P} < \hat{p}_c = p_0 - z_{\alpha}\sqrt{\dfrac{p_0(1-p_0)}{n}}$

Lors d'une rencontre mensuelle des membres de la Chambre de Commerce de la ville de Trois-Rivières, une analyste de la gestion de programme contre les délits informatiques a affirmé lors de sa conférence que 84% des grandes entreprises au Québec possèdent un programme permettant la détection automatique des virus.

Une enquête menée au printemps dernier, auprès de 315 entreprises du Québec, indique que 86,4% ont un système de détection automatique des virus. On aimerait tester l'affirmation de l'analyste en gestion de programme informatique.

a) Précisez les hypothèses statistiques que l'on veut tester.

b) Quelle règle de décision doit-on adopter, en considérant un risque de 5% de rejeter à tort l'hypothèse nulle?

c) Le sondage permet-il de corroborer l'affirmation de la conférencière?

23. L'entreprise PROSAC doit fournir une quantité importante de sacs à ordure (format géant de 72 cm × 1,22 m) à la ville de Montréal. L'entreprise est tenue par contrat avec la ville de Montréal de se conformer à la norme ISO 9003; cette norme spécifie qu'un contrôle final doit être appliqué au produit.

Selon le contrat d'achat entre PROSAC et la ville de Montréal, il est mentionné ce qui suit concernant le plan de contrôle à mettre en oeuvre:

Caractéristique à contrôler:	Résistance à la rupture
Sac conforme:	Chaque sac contrôlé sera classé «conforme» s'il résiste à l'impact d'une masse spécifique provenant d'une hauteur de 5 m.
Lot à contrôler:	2500 sacs
Plan de contrôle:	Plan d'échantillonnage consistant à prélever 140 sacs du lot.
Niveau de qualité acceptable:	2% (ou moins)
Probabilité d'acceptation des lots de qualité 2%:	0,95 (risque du fournisseur)
Disposition des lots non conformes:	Si un lot n'est pas acceptable selon les critères du plan d'échantillonnage, il sera détruit.

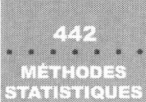

a) Quelles sont les hypothèses statistiques que l'on veut vérifier avec ce plan de contrôle?

b) Quelle est la valeur critique de la proportion de non conformes dans un échantillon de taille $n = 140$ qui ne doit pas être dépassée pour considérer un lot comme acceptable?

c) Pour faciliter la mise en application du plan de contrôle, on aimerait plutôt utiliser, comme critère de décision, le nombre de sacs déclarés non conformes dans un échantillon de 140. Quel devrait être ce nombre? On devra toutefois arrondir à l'entier inférieur.

d) Lors d'un dernier contrôle sur un lot de sacs à expédier à la ville de Montréal, on a obtenu 4 sacs déclarés non conformes dans un échantillon de 140 sacs. Est-ce que ce lot peut être considéré comme acceptable d'après les exigences de la ville de Montréal?

e) La ville de Montréal a mandaté un laboratoire spécialisé dans les tests destructifs pour vérifier à l'occasion certaines fournitures achetées en quantité importante et ceci pour certaines caractéristiques qu'elle considère critiques. Le laboratoire utilise le même plan de contrôle que PROSAC. Quelles sont les chances sur 100 que le laboratoire accepte un lot comportant 6% de sacs non conformes alors que PROSAC certifie 2% de non conformes dans 95% des cas? Comment appelle-t-on ce risque?

Tests statistiques sur une variance

 24. Un échantillon aléatoire de 20 observations prélevé d'une population donne une variance $s^2 = 40$.

a) On veut tester l'hypothèse selon laquelle la variance de la population est égale à 60. Quelle condition d'application est requise pour effectuer ce test?

b) Est-ce que la variance observée permet de supporter l'hypothèse selon laquelle $\sigma^2 = 60$ au seuil de signification de 5%?

 25. Les résultats à un test d'aptitude en informatique pour un échantillon de 10 individus sont les suivants:

78	60	64	82	80	66	74	61	68	57

Testez, au seuil de signification $\alpha = 0,05$, les hypothèses suivantes:
$$H_0: \sigma^2 = 100, \quad H_1: \sigma^2 > 100.$$

 26. L'entreprise Luminex fabrique des lampes fluorescentes dont la durée de vie doit présenter une bonne homogénéité pour faciliter la mise en oeuvre d'une cédule de remplacement lorsqu'elles sont installées dans de grands édifices à bureaux. On considère que cette caractéristique correspond aux normes de l'entreprise lorsque l'écart-type de la durée de vie est inférieur ou égal à 1000 heures.

Un échantillon aléatoire de 10 lampes prélevé d'une fabrication récente donne un écart-type $s = 1150$ heures.

Peut-on conclure, au seuil de signification $\alpha = 0,05$, que la dispersion de la durée de vie a augmenté d'une façon significative?

 27. On veut vérifier la précision avec laquelle un robot applique un adhésif puissant à certains points d'un montage.

Les données* ci-après représentent l'écart entre la position exacte requise de l'adhésif et celle obtenue avec le robot.

* Source: Adapté de Heglan, D., «Robotics Growth-No End in Sight», *Production Engineering*, 1983.

Écart de position				
0,001	0,002	0,003	0,002	0,002
0,007	0,003	0,004	0,003	0,006
0,006	0,003	0,005	0,004	0,004
0,001	0,008	0,001	0,004	0,003
0,001	0,003	0,003	0,005	0,006

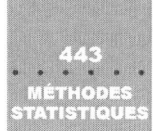
a) Calculez la variance échantillonnale.

b) On considère que l'écart de position est acceptable si l'écart-type n'excède pas 0,005. Est-ce que le robot respecte cette exigence? Utilisez un seuil $\alpha = 0,10$.

On suppose que l'écart de position est distribué normalement.

28. Un échantillon aléatoire de taille $n = 25$ prélevé d'une population normale donne une

somme de carrés $\sum (x_i - \overline{x})^2 = 1,21$.

Estimez, par intervalle de confiance, la variance σ^2 de cette population. Utilisez un niveau de confiance de 95%.

Exercices de révision et de synthèse

---

29. Les membres du personnel informatique d'une tour à bureaux se plaignent de malaises qu'ils attribuent à la qualité de l'air en milieu de travail. On affirme même que la concentration maximum de CO_2 au cours d'une journée de travail est, en moyenne, de 925 ppm. Trente-cinq mesures de la concentration de CO_2 donnent les résultats suivants:

$\overline{x} = 945$ ppm, $s = 40$ ppm.

Les données permettent-elles de confirmer, au seuil de 1%, l'hypothèse selon laquelle la concentration moyenne est supérieure à 925 ppm?

Source: Adapté de Farant, J.-P., F. de Repentigny et M. Baldwin (1986). *Une approche à l'évaluation de la qualité de l'environnement intérieur d'un tour à bureaux*. Travail et Santé, volume 2, no 4.

30. Dans un effort d'amélioration continue, l'entreprise Bendak, fabricant de pièces de caoutchouc pour le secteur automobile, doit maintenir le poids moyen de joint de caoutchouc à la valeur cible de 270 g.

Un échantillon aléatoire de 16 pièces de caoutchouc provenant du procédé de fabrication donne les résultats suivants:

$\overline{x} = 272,5$g. $s = 4,8$ g.

On suppose que le poids des joints de caoutchouc est distribué normalement. À l'aide des résultats de cet échantillon, on veut déterminer si le procédé se maintient, en moyenne, à 270 g.

a) Quelles sont les hypothèses statistiques que l'on doit poser?

b) À l'aide du tableur Excel, déterminez la valeur *p* du test statistique pour les résultats qui ont été obtenus lors de l'échantillonnage du procédé.

c) L'entreprise fixe le risque de 1ère espèce à 5%. D'après les résultats obtenus ici, devrait-on modifier l'ajustement du procédé?

31. D'après le service à la clientèle d'un magazine s'adressant aux petites entreprises et aux travailleurs autonomes,

☐ le nombre moyen de commandes par mois pour des produits de bureau serait de 2,2 pour ces types d'entreprises;

☐ 35% de ces entreprises préfèrent effectuer leur commande par voie électronique (télécopieur ou Internet).

Un sondage récent effectué par un bureau indépendant de recherche pour le compte du secteur canadien des produits de bureau donna les résultats de la page suivante pour 80 entreprises de la région de Québec.

a) Testez, au seuil de signification $\alpha = 0,05$, l'affirmation concernant le nombre moyen de commandes par mois. Précisez bien les hypothèses que l'on veut tester ici.

b) Déterminez un intervalle de confiance à 95% pour le nombre moyen de commandes par mois.

Peut-on affirmer à l'aide de cet intervalle qu'il est vraisemblable que le nombre moyen de commandes par mois est de 2,2? Discutez.

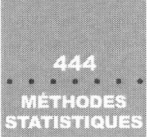
c) Peut-on considérer, au seuil $\alpha = 0,05$, que le pourcentage d'entreprises préférant effectuer leur commande par voie électronique est supérieur à 35%?

Tableau de données

Exercice no 31

Entreprise no	Nombre de commandes par mois	Achat par voie électronique
1	2	Non
2	3	Non
3	3	Non
4	2	Non
5	2	Non
6	2	Non
7	2	Oui
8	3	Oui
9	3	Non
10	3	Non
11	2	Non
12	2	Non
13	2	Oui
14	3	Non
15	3	Non
16	2	Oui
17	3	Non
18	3	Non
19	3	Non
20	3	Non
21	3	Oui
22	2	Non
23	3	Non
24	2	Non
25	2	Oui
26	3	Oui
27	3	Non
28	2	Non
29	1	Oui
30	3	Oui
31	2	Non
32	3	Oui
33	3	Non
34	1	Non
35	2	Non
36	2	Non
37	2	Non
38	2	Non
39	3	Non
40	1	Oui
41	2	Non
42	3	Oui
43	2	Oui
44	2	Oui
45	2	Non
46	3	Non
47	3	Non
48	2	Non

Tableau de données

Exercice no 31 (suite)

Entreprise no	Nombre de commandes par mois	Achat par voie électronique
49	3	Non
50	2	Oui
51	2	Oui
52	3	Non
53	3	Oui
54	3	Oui
55	3	Oui
56	3	Oui
57	2	Non
58	3	Oui
59	2	Non
60	3	Non
61	1	Non
62	2	Non
63	2	Non
64	2	Non
65	2	Non
66	2	Non
67	2	Non
68	2	Non
69	3	Non
70	1	Oui
71	3	Oui
72	2	Non
73	3	Non
74	3	Oui
75	3	Non
76	2	Non
77	3	Oui
78	2	Non
79	2	Non
80	3	Non

32. L'entreprise Almak produit, à l'aide d'une machine automatique, des supports métalliques de diverses longueurs. La longueur de coupe peut être obtenue à l'aide d'un ajustement de la machine. Les supports fabriqués par cette machine sont utilisés dans un autre département pour l'assemblage d'un certain produit. Toutefois, la longueur des supports doit respecter certaines normes pour qu'une composante importante du produit final puisse être assemblée correctement.

Les spécifications du département d'ingénierie pour la longueur d'un support particulier sont 50 mm ± 6mm. Si les supports produits par la machine automatique sont en dehors de ces normes (trop petits ou trop longs), ils causeront des difficultés d'assemblage importantes, pouvant même entraîner l'arrêt de la chaîne d'assemblage.

a) En admettant que la longueur des supports est distribuée normalement, quel est l'écart-type de la longueur des supports qui est effectivement précisé dans les spécifications? On suppose que les spécifications correspondent à 99,74% de la production.

b) En supposant que la machine automatique produit des supports conformes aux normes spécifiées, combien, sur une production de 2000 supports, auront vraisemblablement une longueur inférieure à 46mm?

c) La machine automatique est en opération et on veut vérifier si elle est réglée correctement c.-à-d. ajustée pour obtenir, en moyenne, des supports de 50 mm de longueur. Un échantillon aléatoire de 16 supports donne une longueur moyenne de 50,75 mm.

32. (suite) Est-ce que ce résultat nous porterait à croire que la machine est ajustée incorrectement? On supposera que vous limitez à 5% le risque d'arrêter inutilement la machine automatique pour en faire modifier l'ajustement.

d) En admettant que la machine automatique est réglée correctement, quelles sont les chances sur 100 d'observer, pour un échantillon de taille $n = 16$, une longueur moyenne supérieure ou égale à 50,75mm?

e) Avec un échantillon de cette taille et le niveau de signification précisé en c), quel est le risque de conclure que la machine est ajustée correctement, alors qu'elle serait effectivement centrée à 47mm?

f) On veut également vérifier si la dispersion de la longueur des supports semble conforme aux spécifications. Pour l'échantillon en c), on a obtenu

$$\sum (x_i - \bar{x})^2 = 70$$

Que peut-on conclure sur la variabilité de la longueur des supports au niveau de signification $\alpha = 0,05$?

g) Quelles seraient les valeurs critiques de la variance échantillonnale entre lesquelles on peut considérer, dans 95% des cas, que la dispersion du procédé est considérée comme acceptable (c.-à-d. $\sigma^2 = 4$)?

33. Les données* ci-après représentent le temps de séjour (en jours) pour un échantillon aléatoire de 20 usagers hospitalisés pour traumatismes multiples (échantillon prélevé à partir d'une base de données comportant des milliers de cas).

Temps de séjour (jours)									
37,50	28,50	31,00	32,25	33,50	37,75	33,50	21,50	37,00	27,50
31,00	25,00	42,75	33,50	13,00	40,50	22,00	27,00	35,00	31,00

* Source: Adapté de Fortin, J. (1996). *Quantification et analyse de variance de l'intensité des soins infirmiers par DRG dans un hôpital québécois,* Association des hôpitaux du Québec.

a) Testez l'hypothèse de normalité du temps de séjour, en utilisant le test de Shapiro-Wilk.

b) On veut tester l'hypothèse de recherche selon laquelle le temps de séjour moyen est supérieur à 30 jours.

   i)   Précisez les hypothèses statistiques qu'on veut soumettre au test d'hypothèse.

   ii)   Quelle hypothèse est favorisée au seuil de signification 5%?

c) Quelle est la valeur p du test statistique?

d) Déterminez un intervalle de confiance à 95% pour la variance du temps de séjour. Quelle hypothèse fondamentale est requise pour déterminer cet intervalle de confiance?

Testez vos connaissances

Test no 7

Répondez par Vrai ou Faux.

1. Une hypothèse statistique se présente habituellement sous la forme d'une affirmation concernant une valeur plausible du paramètre d'une population.

2. Un test d'hypothèse est exécuté en supposant vraie l'hypothèse de recherche.

3. Une hypothèse alternative valide serait $H_1: \mu = 200$.

4. Le risque de première espèce est la probabilité de rejeter à tort l'hypothèse nulle.

5. La probabilité de commettre une erreur de première espèce est identifiée par β.

6. Dans un test d'hypothèse sur une moyenne, si on s'intéresse au changement de la moyenne dans l'une ou l'autre des directions, on opte pour un test bilatéral.

7. L'hypothèse nulle comporte dans son énoncé toujours le signe strictement égal.

8. Dans un test d'hypothèse, si $H_0: \mu = 100$ et $H_1: \mu < 100$, alors il est approprié de mettre en oeuvre un test unilatéral à droite.

9. i) Dans le calcul d'intervalle de confiance pour la moyenne μ, l'intervalle est toujours centré sur la moyenne observée pour l'échantillon.

    ii) Il en est de même lorsqu'on détermine l'intervalle de non-rejet de l'hypothèse $H_0: \mu = \mu_0$.

10. Dans un test d'hypothèse, le seuil de signification est également appelé risque de première espèce.

11. Dans un test d'hypothèse, lorsque nous ne rejetons pas l'hypothèse nulle H_0 alors que l'hypothèse H_1 est vraie, nous commettons une erreur de première espèce.

12. La probabilité de rejeter l'hypothèse nulle H_0 lorsque l'hypothèse vraie est H_1 s'appelle la puissance du test.

13. Pour calculer le risque de deuxième espèce, il faut spécifier une valeur particulière du paramètre dans l'hypothèse H_1 que l'on suppose vraie.

14. Une réduction du risque de première espèce, disons de $\alpha = 0,05$ à $\alpha = 0,01$ réduit la zone de non-rejet de H_0.

15. Dans un test sur la proportion d'une population où $H_0: p = p_0$, la statistique qui convient pour le test est $\hat{p}$.

16. Pour effectuer de l'inférence sur la variance d'une population, on doit avoir recours à la loi de khi-deux.

17. La seule condition d'application requise pour effectuer un test sur une variance est que l'échantillon de taille n soit prélevé au hasard d'une population quelconque.

18. Dans un test d'hypothèse sur une variance, si on pose comme hypothèse $H_0: \sigma^2 = \sigma_0^2$, $H_1: \sigma^2 > \sigma_0^2$, la règle de décision est de rejeter H_0 si $\chi^2 > \chi_{\alpha; n-1}^2$.

Questions à choix multiples. Encerclez la bonne réponse.

19. Supposons que l'hypothèse nulle soumise à un test statistique est $H_0: \mu_0 = 70$.

a) La statistique qui convient pour ce test est:

    i) la médiane   ii) la moyenne   iii) la proportion

On prélève au hasard un échantillon de taille $n = 25$ de la population qui est distribuée selon une loi normale de variance $\sigma^2 = 100$.

b) L'expression de l'écart réduit de la statistique utilisée pour ce test d'hypothèse est:

    i) $\dfrac{\overline{X} - \mu_0}{\sigma}$ ii) $\dfrac{\overline{X} - \mu_0}{s / \sqrt{n}}$ iii) $\dfrac{\overline{X} - \mu_0}{\sigma / \sqrt{n}}$

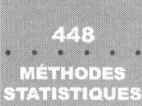

Testez vos connaissances

Test no 7
(suite)

19. (suite) c) La distribution de l'écart réduit en b) est:

    i) une loi de χ^2 ii) une loi de Student   iii) une loi normale centrée réduite

d) On pose comme hypothèse alternative H_1: $\mu \neq 70$. Au seuil de signification $\alpha = 0,05$, la règle de décision du test est:

    i) rejeter H_0 si $Z > 2,33$

    ii) rejeter H_0 si $Z < -1,96$ ou $Z > 1,96$

    iii) rejeter H_0 si $Z < -2,58$ ou $Z > 2,58$.

e) L'hypothèse qui est favorisée, si les résultats de l'échantillon de taille $n = 25$ conduisent à $\bar{x} = 75$, est: i) H_0 ii) H_1

Supposons cette fois que l'échantillon de taille $n = 25$ a été prélevé d'une population normale de variance inconnue.

f) La distribution de l'écart réduit sera cette fois:

    i) une loi de χ^2 avec 24 dl

    ii) une loi normale

    iii) une loi de Student avec 24 dl.

g) Si H_1: $\mu \neq 70$ et $\alpha = 0,05$, la règle de décision est alors:

    i) rejeter H_0 si $Z < -2,58$ ou $Z > 2,58$

    ii) rejeter H_0 si $T < -2,0639$ ou $T > 2,0639$

    iii) rejeter H_0 si $T < -1,7109$ ou $T > 1,7109$.

20. Une économiste affirme que les dépenses hebdomadaires moyennes pour la consommation alimentaire excède 145$ pour des couples à revenu moyen n'ayant pas d'enfant. Un échantillon aléatoire de 36 couples de la région donne une dépense moyenne de 150$ avec un écart-type de 15$.

a) L'hypothèse de recherche qui doit être spécifiée est:

    i) H_1: $\mu < 145\$$ ii) H_1: $\mu \neq 145\$$ iii) H_1: $\mu > 145\$$

b) Selon les résultats de l'échantillon, l'erreur-type des dépenses hebdomadaires moyennes est:

    i) 2,33   ii) 2,5   iii) 1,96

c) l'hypothèse de normalité des dépenses hebdomadaires est, pour l'application d'un test statistique sur le niveau moyen des dépenses hebdomadaires pour la consommation alimentaire

    i) importante   ii) très importante   iii) n'est pas requise.

d) Le calcul de l'écart réduit, pour l'exécution d'un test statistique sur les dépenses hebdomadaires moyennes, donne:

    i) 2,5   ii) 2   iii) -2,33

e) La valeur p (seuil descriptif du test) du test statistique sur μ, donne ici, d'après les résultats d'échantillon,

    i) 0,05   ii) 0,0228   iii) 0,0456

f) L'économiste avait fixé le risque de rejeter à tort l'hypothèse nulle à 5%. Selon la valeur p obtenue, l'économiste devrait:

    i) accepter l'hypothèse nulle.

    ii) favoriser l'hypothèse de recherche

    iii) prélever un 2e échantillon.

21. L'entreprise ASA fournit des lots d'environ 4000 pièces à un client de la région de Montréal, l'entreprise Simex. ASA certifie que les lots seront expédiés avec une proportion de non conformes n'excédant pas 2%.

L'entreprise Simex réceptionne les lots en prélevant un échantillon aléatoire de 100 pièces et détermine, dans l'échantillon, la proportion de non conformes.

Testez vos connaissances
Test no 7
(suite)

a) Les hypothèses statistiques que l'entreprise Simex veut tester sont:

i) $H_0: p \geq 2\%$, $H_1: p < 2\%$

ii) $H_0: p \geq 5\%$, $H_1: p < 5\%$

iii) $H_0: p \leq 2\%$, $H_1: p > 2\%$.

b) L'entreprise Simex utilise un seuil de signification 5% dans la mise en oeuvre de ce plan de contrôle. Le critère de décision est déterminé à l'aide de l'écart réduit. La règle de décision que doit adopter l'entreprise est:

i)   refuser le lot si $Z < -1,96$ ou $Z > 1,96$

ii) refuser le lot si $Z > 1,645$

iii) refuser le lot si $Z < -2,33$.

c) La dernière livraison donne 5 pièces non conformes dans l'échantillon.

La valeur du nombre de pièces non conformes qui a été observée dans l'échantillon est, sous forme centrée réduite,

i) 1,5   ii) 1,96   iii) 2,143.

d) L'entreprise Simex devrait, suite aux résultats du plan de contrôle,

i) accepter le lot.   ii) refuser le lot.   iii) prélever un 2e échantillon.

22. Un dirigeant d'une entreprise de services financiers affirme que la variance de la rémunération annuelle des personnes affectées au service à la clientèle n'excède pas 640 000. Une étude effectuée par une firme de consultants en ressources humaines donne, pour un échantillon aléatoire de 25 entreprise oeuvrant dans le secteur financier, une variance échantillonnale de 670 000.

On veut soumettre l'affirmation du dirigeant à un test d'hypothèse.

a) Les hypothèses statistiques qu'on doit poser sont:

i) $H_0: \sigma^2 \geq 640\,000$, $H_1: \sigma^2 < 640\,000$ ii) $H_0: \sigma^2 < 640\,000$, $H_1: \sigma^2 \geq 640\,000$

iii) $H_0: \sigma^2 \leq 640\,000$, $H_1: \sigma^2 > 640\,000$ iv) $H_0: \sigma^2 = 640\,000$, $H_1: \sigma^2 \neq 640\,000$

b) Si on utilise un seuil de signification $\alpha = 0,05$, le critère de décision est:

i)   rejeter H_0 si $\chi^2 > 40,6465$

ii) rejeter H_0 si $\chi^2 < 37,6525$

iii) rejeter H_0 si $\chi^2 > 36,4150$

iv) rejeter H_0 si $\chi^2 < 28,2412$ ou $\chi^2 > 39,641$.

c) La valeur observée du χ^2, selon les résultats de l'étude de la firme ce consultants, est:

i) 23,88   ii) 25,125   iii) 26,172.

d) La conclusion du test est:

i)   L'affirmation du dirigeant de l'entreprise de services financiers est rejetée.

ii) L'information est insuffisante pour conclure.

iii) L'affirmation du dirigeant est vraisemblable au seuil de signification 5%.

Annexe 7 -Traitement avec Excel

Microsoft Office 2002 et Office 1997

Tests d'hypothèses

Nous indiquons dans cette annexe, comment utiliser la loi de Student pour effectuer un test sur la moyenne de la population, comment calculer le risque de 2e espèce et comment effectuer un test sur une proportion.

Feuille Excel du chapitre 7: ANNEXE EX1 V1

EXEMPLE 1: Test sur la moyenne avec la loi de Student

Servons-nous des données de l'exemple 7.3 pour illustrer comment effectuer un test statistique sur la moyenne lorsque le T de Student est requis comme écart réduit. Les données avec l'intitulé sont présentées en colonne (colonne A, de la ligne 2 à la ligne 20) soit A2:A20.

Nous travaillons dans une nouvelle feuille d'Excel.

Pour obtenir les résultats ci-après, nous avons utilisé diverses formules.

	A
2	**Âge**
3	43
4	40
5	43
6	49
7	45
8	44
9	46
10	50
11	46
12	50
13	48
14	48
15	48
16	52
17	44
18	54
19	53
20	48

	B	C
2	**Test d'hypothèse H$_0$:**	$\mu = 46$
3	**contre l'hypothèse H$_1$:**	$\mu \neq 46$
4	*Hypothèse nulle:*	46
5	*n*	18
6	*Moyenne*	47,2778
7	*Variance*	14,0948
8	*Écart-type*	3,7543
9	*Erreur-type*	0,8849
10	*Calcul du T*	1,44398462
11	*Nombre de dl*	17
12	*T critique au seuil 5%*	2,109819
13	*Décision*	Ne pas rejeter l'hypothèse nulle

Les formules requises sont indiquées dans la feuille Excel suivante.

	B	C	D	E	F
2	**Test d'hypothèse H$_0$:**	$\mu = 46$			
3	**contre l'hypothèse H$_1$:**	$\mu \neq 46$			
4	*Hypothèse nulle:*	46			
5	*n*	18			
6	*Moyenne*	=MOYENNE($A$3:$A$20)			
7	*Variance*	=VAR($A$3:$A$20)			
8	*Écart-type*	=ECARTYPE($A$3:$A$20)			
9	*Erreur-type*	=C8/RACINE(C5)			
10	*Calcul du T*	=(C6-C4)/C9			
11	*Nombre de dl*	=C5-1		Calcul du SI	
12	*T critique au seuil 5%*	LOI.STUDENT.INVERSE(0,05;17)			
13	*Décision*	=SI(ABS(C10)>C12; "Rejeter l'hypothèse nulle";"Ne pas rejeter l'hypothèse nulle")			

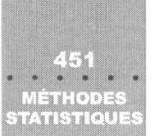

Feuille Excel du chapitre 7: ANNEXE EX1 V2

EXEMPLE 2: Test sur la moyenne avec la loi de Student (version 2)

Servons-nous à nouveau des données de l'exemple 7.3 pour illustrer comment effectuer un test statistique sur la moyenne lorsque le *T* de Student est requis comme écart réduit.

Nous utilisons les valeurs critiques de la moyenne et nous effectuons également le calcul du seuil descriptif du test (valeur p).

Les données avec l'intitulé sont présentées en colonne (colonne A, de la ligne 2 à la ligne 21) soit A2:A21.

Nous travaillons dans une nouvelle feuille d'Excel.

Pour obtenir les résultats ci-après, nous avons utilisé diverses formules.

	A	B	C		
1	**Exemple 2 - Test de Student sur la moyenne (version 2)**				
2	**Exemple 7.3**	**Test sur la moyenne**	Exemple 7.3		
3	Âge				
4	43	Test de Student			
5	40	Hypothèse nulle μ =	46		
6	43	Seuil de signification α	0,05		
7	49	Taille de l'échantillon n	18		
8	45	Moyenne de l'échantillon	47,27777778		
9	44	Écart-type de l'échantillon	3,754300366		
10	46	Erreur-type de la moyenne	0,884897083		
11	50	Calcul de l'écart réduit T	1,44398		
12	46	Nombre de degrés de liberté	17		
13	50				
14	48	**Test bilatéral**			
15	48	Valeur critique inférieure(moy)	44,13302774		
16	48	Valeur critique supérieure(moy)	47,86697226		
17	52	Valeur critique inférieure(T)	-2,109818524		
18	44	Valeur critique supérieure (T)	2,109818524		
19	54	Seuil descriptif -alpha p	0,16692055		
20	53	Décision	Ne pas rejeter l'hypothèse nulle		
21	48				
22		**Test unitaléral à gauche**			
23		Valeur critique inférieure (moy)	44,46062734		
24		Valeur critique inférieure (T)	-1,739606432		
25		Seuil descriptif -alpha p	0,916539725		
26		Décision	Ne pas rejeter l'hypothèse nulle	Pour le calcul du SI	0,0834603
27				Pour le calcul du SI	0,9165397
28		**Test unilatéral à droite**			
29		Valeur critique supérieure(moy)	47,53937266		
30		Valeur critique supérieure (T)	1,739606432		
31		Seuil descriptif -alpha p	0,916539725		
32		Décision	Ne pas rejeter l'hypothèse nulle		

Les formules requises sont indiquées dans la feuille Excel suivante.

	A	B	C	D	E	F	G	H
3	Âge							
4	43	Test de Student						
5	40	Hypothèse nulle μ =	46					
6	43	Seuil de signification α	0,05					
7	49	Taille de l'échantillon *n*	18					
8	45	Moyenne de l'échantillon	47,27777778					
9	44	Écart-type de l'échantillon	=ECARTYPE(A4:A21)					
10	46	Erreur-type de la moyenne	=C9/RACINE(C7)					
11	50	Calcul de l'écart réduit *T*	=(C8-C5)/C10					
12	46	Nombre de degrés de liberté	=C7-1					
13	50							
14	48	**Test bilatéral**						
15	48	Valeur critique inférieure(moy)	=C5-(LOI.STUDENT.INVERSE(C6;C12))*C10					
16	48	Valeur critique supérieure(moy)	=C5+(LOI.STUDENT.INVERSE(C6;C12))*C10					
17	52	Valeur critique inférieure(*T*)	=-LOI.STUDENT.INVERSE(C6;C12)					
18	44	Valeur critique supérieure (*T*)	=LOI.STUDENT.INVERSE(C6;C12)					
19	54	Seuil descriptif -alpha p	=LOI.STUDENT(ABS(C11);C12;2)					
20	53	Décision	=SI(C19<C6; "Rejeter l'hypothèse nulle";"Ne pas rejeter l'hypothèse nulle")					
21	48							
22		**Test unilatéral à gauche**						
23		Valeur critique inférieure (moy)	=C5-(LOI.STUDENT.INVERSE(2*C6;C12))*C10					
24		Valeur critique inférieure (*T*)	=-LOI.STUDENT.INVERSE(2*C6;C12)					
25		Seuil descriptif -alpha p	=1-E26					
26		Décision	=SI(C25<C6; "Rejeter l'hypothèse nulle";"Ne pas rejeter l'hypothèse nulle")	Pour le calcul du SI	=LOI.STUDENT(ABS(C11);C12;1)			
27				Pour le calcul du SI	=1-E26			
28		**Test unilatéral à droite**						
29		Valeur critique supérieure(moy)	=C5+(LOI.STUDENT.INVERSE(2*C6;C12))*C10					
30		Valeur critique supérieure (*T*)	=LOI.STUDENT.INVERSE(2*C6;C12)					
31		Seuil descriptif -alpha p	=SI(C11<0;E26;E27)					
32		Décision	=SI(C31<C6; "Rejeter l'hypothèse nulle";"Ne pas rejeter l'hypothèse nulle")					

Feuille Excel du chapitre 7: ANNEXE EX3

EXEMPLE 3: Test sur une moyenne avec les valeurs critiques ($n > 30$)

Servons-nous à nouveau des données de l'exemple 7.4 (l'entreprise Multipak) pour illustrer comment effectuer un test statistique sur la moyenne avec les valeurs critiques, et ceci dans le cas d'un grand échantillon

Nous effectuons également le calcul du seuil descriptif du test (valeur *p*).

Nous travaillons dans une nouvelle feuille d'Excel.

	A	B
1	**Exemple 3 - Test sur une moyenne avec les valeurs critiques**	
2	**Test sur la moyenne**	Exemple 7.4
3		
4	**Écart réduit *Z***	
5	Hypothèse nulle μ =	200
6	Seuil de signification α	0,05
7	Taille de l'échantillon *n*	144
8	Estimation de l'écart-type de la population	48,24
9	Moyenne de l'échantillon	193,74
10	Erreur-type de la moyenne	4,02
11	Calcul de l'écart réduit *z*	-1,5572
12		
13	**Test bilatéral**	
14	Valeur critique inférieure de la moyenne d'échantillon	192,1209496
15	Valeur critique supérieure de la moyenne d'échantillon	207,8790504
16	Seuil descriptif -alpha p	0,119419724
17	Décision	Ne pas rejeter l'hypothèse nulle
18		
19	**Test unilatéral à gauche**	
20	Valeur critique inférieure de la moyenne d'échantillon	193,387689
21	Seuil descriptif -alpha p	0,059709862
22	Décision	Ne pas rejeter l'hypothèse nulle
23		
24	**Test unilatéral à droite**	
25	Valeur critique supérieure de la moyenne d'échantillon	206,612311
26	Seuil descriptif -alpha p	0,940290138
27	Décision	Ne pas rejeter l'hypothèse nulle

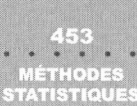
Les formules requises sont indiquées dans la feuille Excel suivante.

	A	B
1	**Exemple 3 - Test sur une moyenne avec les valeurs critiques**	
2	**Test sur la moyenne**	Exemple 7.4
3		
4	Écart réduit Z	
5	Hypothèse nulle $\mu =$	200
6	Seuil de signification α	0,05
7	Taille de l'échantillon n	144
8	Estimation de l'écart-type de la population	48,24
9	Moyenne de l'échantillon	193,74
10	Erreur-type de la moyenne	=B8/RACINE(B7)
11	Calcul de l'écart réduit z	=(B9-B5)/B10
12		
13	**Test bilatéral**	
14	Valeur critique inférieure de la moyenne d'échantillon	=B5-(LOI.NORMALE.STANDARD.INVERSE(0,975))*B10
15	Valeur critique supérieure de la moyenne d'échantillon	=B5+(LOI.NORMALE.STANDARD.INVERSE(0,975))*B10
16	Seuil descriptif -alpha p	=2*(1-LOI.NORMALE.STANDARD(ABS(B11)))
17	Décision	=SI(B16<B6; "Rejeter l'hypothèse nulle";"Ne pas rejeter l'hypothèse nulle")
18		
19	**Test unilatéral à gauche**	
20	Valeur critique inférieure de la moyenne d'échantillon	=B5-(LOI.NORMALE.STANDARD.INVERSE(0,95))*B10
21	Seuil descriptif -alpha p	=LOI.NORMALE.STANDARD(B11)
22	Décision	=SI(B21<B6; "Rejeter l'hypothèse nulle";"Ne pas rejeter l'hypothèse nulle")
23		
24	**Test unilatéral à droite**	
25	Valeur critique supérieure de la moyenne d'échantillon	=B5+(LOI.NORMALE.STANDARD.INVERSE(0,95))*B10
26	Seuil descriptif -alpha p	=1-LOI.NORMALE.STANDARD(B11)
27	Décision	=SI(B26<B6; "Rejeter l'hypothèse nulle";"Ne pas rejeter l'hypothèse nulle")

EXEMPLE 4: Calcul du risque de 2e espèce et courbe d'efficacité

**Feuille Excel du chapitre 7:
ANNEXE EX4**

Servons-nous à nouveau des données de l'exemple 7.7 pour illustrer le calcul du risque de 2e espèce. Nous traçons par la suite, la courbe d'efficacité du test ainsi que la courbe de puissance du test.

Nous travaillons dans une nouvelle feuille d'Excel. Nous avons entré les principales caractéristiques du test statistique (hypothèse nulle, valeurs critiques de la moyenne, l'erreur-type) et, dans la colonne A, diverses valeurs de μ. Les formules requises sont présentées à la page suivante.

	A	B	C	D	E	F	G
1	**Exemple 4 - Courbes d'efficacité et de puissance (procédé d'extrusion)**						
2					$n = 5$	Erreur-type =	2,012
3	mu =	270	moy1 =	266,056	moy2 =	273,944	
4							
5	**Valeurs de mu**	z_1	z_2	$P(Z<=z_1)$	$P(Z<=z_2)$	Bêta $= P(z_1<=Z<=z_2)$	1- Bêta
6	260	3,010	6,930	0,998693	1,00000	0,00131	0,99869
7	262	2,016	5,936	0,978095	1,00000	0,02190	0,97810
8	264	1,022	4,942	0,846578	1,00000	0,15342	0,84658
9	266	0,028	3,948	0,511102	0,99996	0,48886	0,51114
10	268	-0,966	2,954	0,166971	0,99843	0,83146	0,16854
11	270	-1,960	1,960	0,024984	0,97502	0,95003	0,04997
12	272	-2,954	0,966	0,001567	0,83303	0,83146	0,16854
13	274	-3,948	-0,028	0,000039	0,48890	0,48886	0,51114
14	276	-4,942	-1,022	0,000000	0,15342	0,15342	0,84658
15	278	-5,936	-2,016	0,000000	0,02190	0,02190	0,97810
16	280	-6,930	-3,010	0,000000	0,00131	0,00131	0,99869

Cellule B6: =($D$3-A6)/$G$2
Cellule C6: =($F$3-A6)/$G$2
Cellule D6: =LOI.NORMALE.STANDARD(B6)
Cellule E6: =LOI.NORMALE.STANDARD(C6)
Cellule F6: =E6-D6
Cellule G6: =1-F6

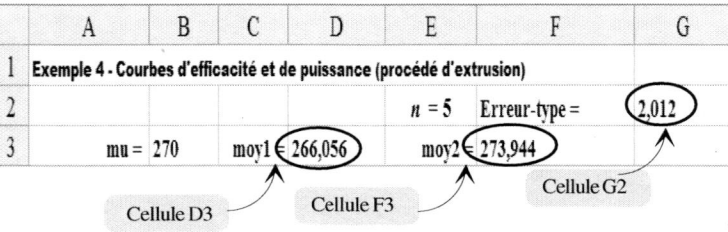

Cellule D3
Cellule F3
Cellule G2

Les autres valeurs s'obtiennent à l'aide de la Recopie Incrémentée.

Comment copier une formule à l'aide de la Recopie incrémentée

1. Sélectionnez la cellule contenant la formule à copier.
2. Placez le pointeur sur l'angle inférieur droit de la cellule sélectionnée (poignée de Recopie).
3. Faites glisser la souris sur les cellules adjacentes dont vous voulez copier la formule, puis relachez le bouton de la série.

B6   *fx*   =($D$3-A6)/$G$2

	A	B	C	D	E	F	G
1	**Exemple 4 - Courbes d'efficacité et de puissance (procédé d'extrusion)**						
2					n = 5	Erreur-type =	2,012
3	mu =	270	moy1 =	266,056	moy2 =	273,944	
4							
5	**Valeurs de mu**	z_1	z_2	$P(Z<=z_1)$	$P(Z<=z_2)$	**Bêta = $P(z_1<=Z<=z_2)$**	**1- Bêta**
6	260	3,010	6,930	0,998693	1,00000	**0,00131**	0,99869
7	262	2,016	5,936	0,978095	1,00000	**0,02190**	0,97810
8	264	1,022	4,942	0,846578	1,00000	**0,15342**	0,84658
9	266	0,028	3,948	0,511102	0,99996	**0,48886**	0,51114
10	268	-0,966	2,954	0,166971	0,99843	**0,83146**	0,16854
11	270	-1,960	1,960	0,024984	0,97502	**0,95003**	0,04997
12	272	-2,954	0,966	0,001567	0,83303	**0,83146**	0,16854
13	274	-3,948	-0,028	0,000039	0,48890	**0,48886**	0,51114
14	276	-4,942	-1,022	0,000000	0,15342	**0,15342**	0,84658
15	278	-5,936	-2,016	0,000000	0,02190	**0,02190**	0,97810
16	280	-6,930	-3,010	0,000000	0,00131	**0,00131**	0,99869

Ainsi, le risque de 2e espèce, lorsque le procédé opère à 274 g, est de 0,488886.

Tracé de la courbe d'efficacité

On utilise l'Assistant Graphique avec le type Nuage de points.

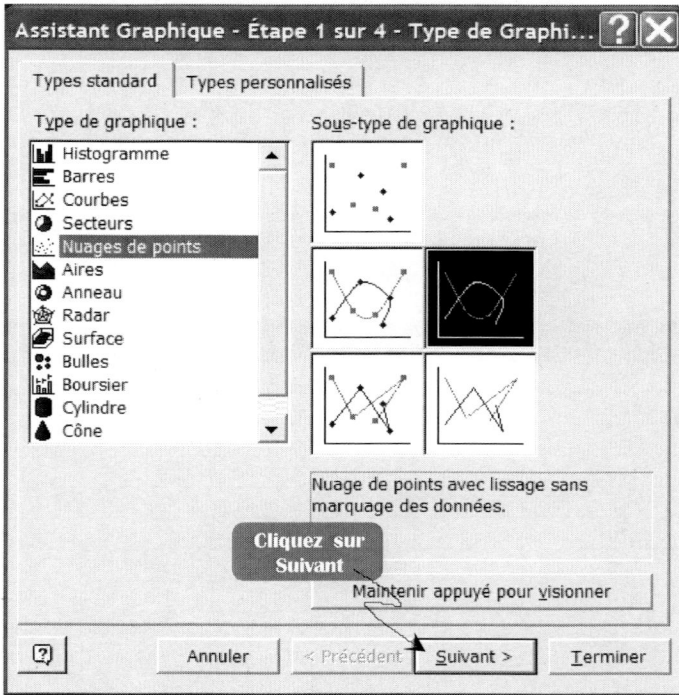

Sélectionnez les valeurs de la colonne A (A6:A16) et, en maintenant la touche Ctrl enfoncée, les valeurs de la colonne F (F6:F10).

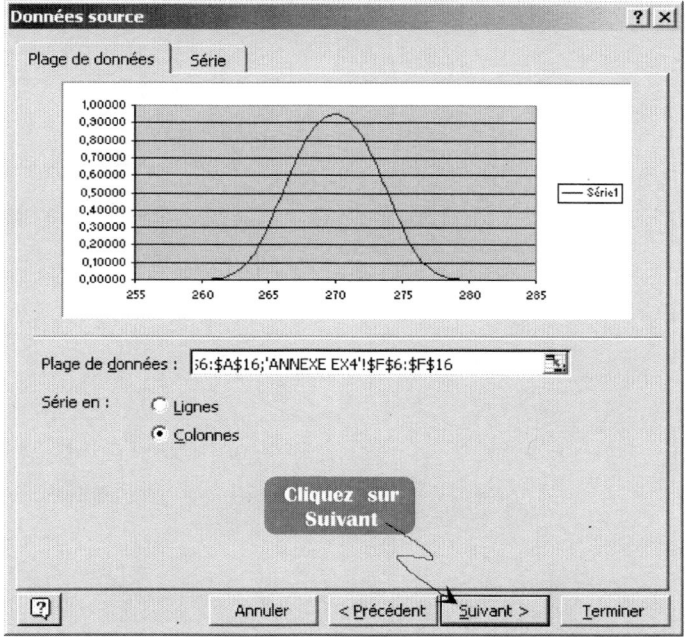

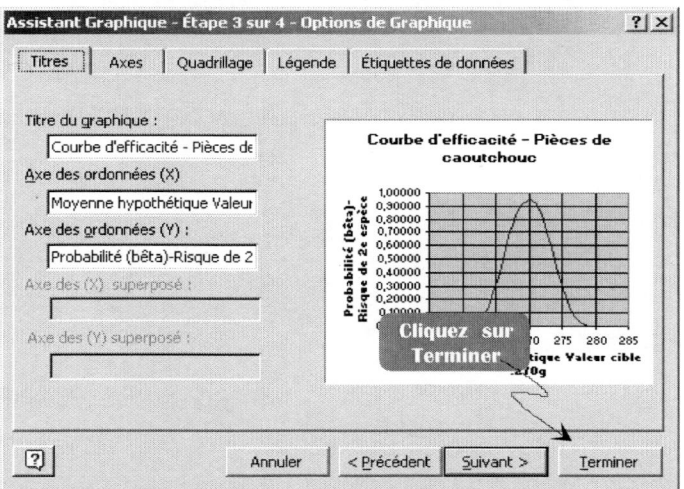

	A	B	C	D	E	F	G
3	mu =	270	moy1 =	266,056	moy2 =	273,944	
4							
5	Valeurs de mu	z_1	z_2	$P(Z<=z_1)$	$P(Z<=z_2)$	Bêta = $P(z_1<=Z<=z_2)$	1- Bêta
6	260	3,010	6,930	0,998693	1,00000	0,00131	0,99869
7	262	2,016	5,9		1,00000		
8	264	1,022	4,9				
9	266	0,028	3,9				
10	268	-0,966	2,9				
11	270	-1,960	1,9				
12	272	-2,954	0,9				
13	274	-3,948	-0,				
14	276	-4,942	-1,				
15	278	-5,936	-2,				
16	280	-6,930	-3,				

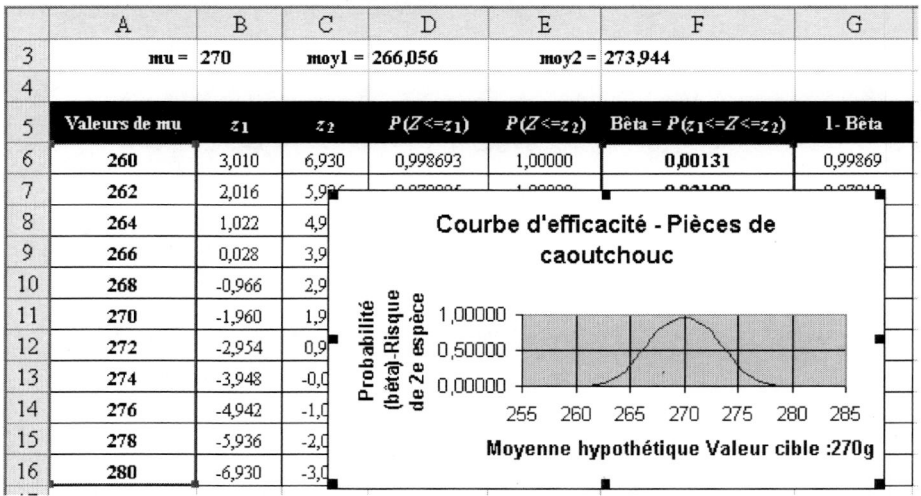

En étirant le graphique et en effectuant quelques modifications, on obtient ce qui suit.

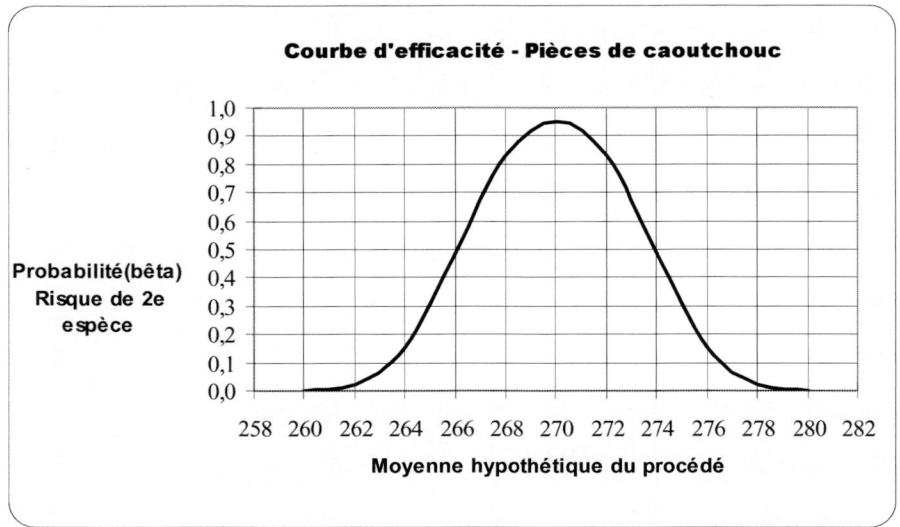

Tracé de la courbe de puissance

En opérant de façon similaire, on obtient la courbe de puissance du test $(1-\beta \text{ vs } \mu)$

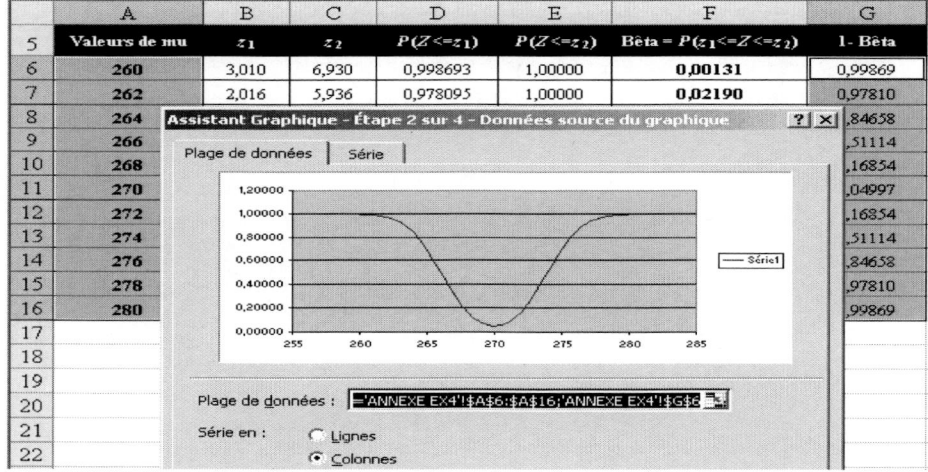

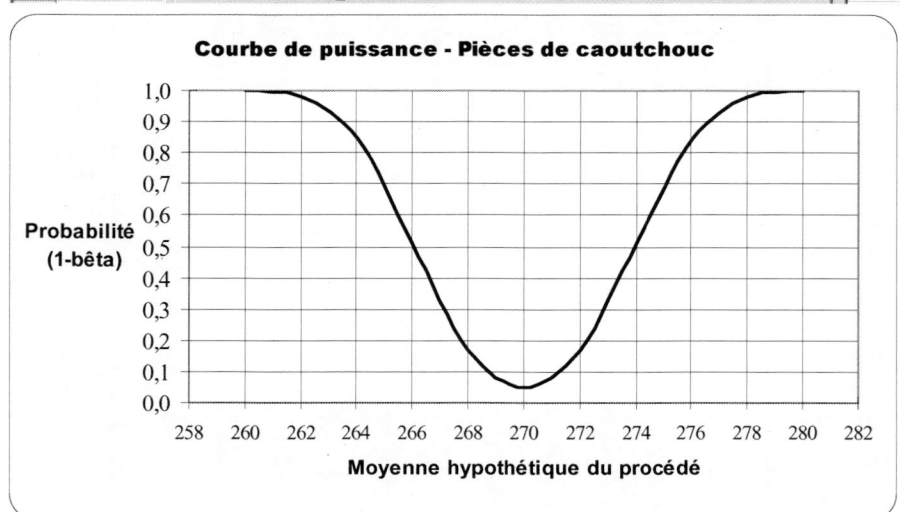

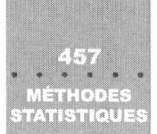

EXEMPLE 5 : Test sur une proportion - Grand échantillon

**Feuille Excel du chapitre 7:
ANNEXE EX5**

Servons-nous des données de l'exemple 7.9 pour illustrer comment effectuer un test statistique sur la proportion en utilisant la variable centrée réduite.

Un cadre d'une société conseil en gestion stratégique des technologies de l'information affirme que 36% des entreprises québécoises de cinq employés et plus ont reçu ou placé des commandes par Internet*.

*Source: Adapté de Barbe, J.F. *Le Québec vend peu sur le Net.* Journal LES AFFAIRES, 13 juillet 2002.

Une enquête sur l'adoption du commerce électronique par les entreprises québécoises comptant 5 employés et plus indique que, sur un échantillon de 256 entreprises, 96 font du commerce électronique.

Peut-on considérer, au seuil de signification de 5%, que l'affirmation du conseiller en gestion stratégique des technologies est vraisemblable?

Nous travaillons dans une nouvelle feuille d'Excel.

Pour obtenir les résultats ci-après, nous avons utilisé diverses formules.

	A	B
1	**Exemple 5 - Test sur une proportion**	
2	**Test sur une proportion**	Exemple 7.9
3	Grand échantillon	
4	**Écart réduit Z**	
5	Hypothèse nulle p =	0,36
6	Seuil de signification α	0,05
7	Taille de l'échantillon n	256
8	Écart-type de la population	0,030
9	Nombre de succès	96
10	Proportion de succès	0,375
11	Calcul de l'écart réduit z	0,50
12		
13	**Test bilatéral**	
14	Z critique inférieure	-1,9600
15	Z critique supérieure	1,9600
16	Décision	Ne pas rejeter l'hypothèse nulle
17		
18	**Test unilatéral à gauche**	
19	Z critique inférieure	-1,6449
20	Décision	Ne pas rejeter l'hypothèse nulle
21		
22	**Test unilatéral à droite**	
23	Z critique supérieure	1,6449
24	Décision	Ne pas rejeter l'hypothèse nulle

Les formules requises sont présentées à la page suivante.

	A	B
1	**Exemple 5 - Test sur une proportion**	
2	**Test sur une proportion**	Exemple 7.9
3	Grand échantillon	
4	**Écart réduit Z**	
5	Hypothèse nulle p =	0,36
6	Seuil de signification α	0,05
7	Taille de l'échantillon n	256
8	Écart-type de la population	=RACINE((B5)*(1-B5)/B7)
9	Nombre de succès	96
10	Proportion de succès	=B9/B7
11	Calcul de l'écart réduit z	=(B10-B5)/B8
12		
13	**Test bilatéral**	
14	Z critique inférieure	=-(LOI.NORMALE.STANDARD.INVERSE(0,975))
15	Z critique supérieure	=(LOI.NORMALE.STANDARD.INVERSE(0,975))
16	Décision	=SI(ABS(B11)>B15; "Rejeter l'hypothèse nulle";"Ne pas rejeter l'hypothèse nulle")
17		
18	**Test unilatéral à gauche**	
19	Z critique inférieure	=-(LOI.NORMALE.STANDARD.INVERSE(1-B6))
20	Décision	=SI(B11<B19; "Rejeter l'hypothèse nulle";"Ne pas rejeter l'hypothèse nulle")
21		
22	**Test unilatéral à droite**	
23	Z critique supérieure	=(LOI.NORMALE.STANDARD.INVERSE(1-B6))
24	Décision	=SI(B11>B23; "Rejeter l'hypothèse nulle";"Ne pas rejeter l'hypothèse nulle")

Chapitre 8
Comparaison de moyennes et de variances

Application de la statistique | Satisfaction et structure organisationnelle

Une recherche* avait pour but d'évaluer dans quelle mesure la décentralisation d'un service de ressources humaines a un impact sur la satisfaction de ses clients. Une enquête par questionnaire a été réalisée dans deux organisations du secteur public fédéral (l'une possédant un service centralisé et l'autre ayant opté pour une structure décentralisée).

Un échantillon aléatoire correspondant à environ 15% des effectifs (excluant toutefois les professionnels en ressources humaines) a été tiré dans chacune des organisations.

La satisfaction des clients est mesurée à l'aide de six indicateurs avec une échelle de type Likert allant de 1 à 6 (1 = tout à fait en désaccord, ..., 6 = tout à fait en accord).

	Structure centralisée	Structure décentralisée
Nombre de clients	237	194
Satisfaction moyenne	3,86	3,90
Écart-type	1,12	1,29

* Source: Wils., T. M. Saint-Onge et C. Labelle, *Décentralisation des services de ressources humaines. Impacts sur la satisfaction des clients*, Relations industrielles, vol. 49, no 3, 1994, p. 483.

Une des hypothèses de recherche qu'on veut vérifier est:

«La satisfaction globale (tous clients confondus) est plus élevée dans une structure décentralisée que dans une structure centralisée».

L'analyse statistique permettra, en comparant le niveau moyen de la satisfaction des clients utilisant les deux types de structure organisationnelle, de confirmer ou d'infirmer l'hypothèse de recherche. Ce type d'analyse (comparaison de deux moyennes) est traité dans ce chapitre; nous y abordons également un test statistique qui permet de comparer la variabilité de données mesurées sur une échelle de rapport, données obtenues de deux populations.

Comparaison de moyennes et de variances

Objectifs pédagogiques

☐ **Objectif général.** *Dans le chapitre précédent, nous n'avons traité que de situations comportant une seule population. Nous abordons ici l'étude des tests statistiques dans le cas où nous devons comparer certains paramètres de deux populations.*

☐ **Objectifs spécifiques.** *Lorsque vous aurez complété l'étude du chapitre 8, vous pourrez:*

1. *identifier la distribution des fluctuations d'échantillonnage de la différence de deux moyennes;*

2. *préciser les principales propriétés de la distribution d'échantillonnage de la différence de deux moyennes;*

3. *énoncer, pour les différents cas traités, quelles sont les conditions d'application requises pour effectuer les différents tests d'hypothèse sur deux moyennes;*

4. *appliquer la démarche proposée dans l'exécution des différents tests qui y sont étudiés;*

5. *utiliser la méthode de comparaison appropriée dans le cas d'échantillons dépendants ou appariés;*

6. *identifier la distribution d'échantillonnage du quotient de deux variances de deux populations normales;*

7. *utiliser la table de Fisher-Snedecor pour en déduire les valeurs tabulées;*

8. *effectuer un test d'hypothèse sur l'égalité des variances de deux populations normales;*

9. *calculer un intervalle de confiance pour le quotient de deux variances;*

10. *utiliser les outils d'analyse statistique de l'Utilitaire d'analyse d'Excel pour effectuer divers tests statistiques présentés dans ce chapitre.*

8.1 Introduction

Nous examinons dans ce chapitre comment comparer certains paramètres de deux populations (moyennes, variances,...) comme par exemple comparer deux groupes de professionnels selon leur revenu, comparer deux usines selon le taux d'absentéisme, comparer le revenu familial selon deux groupes d'âge ,...). Les distributions d'échantillonnage qui sont alors utilisées pour effectuer des tests d'hypothèse (ou calculer des intervalles de confiance) sont celles correspondant aux fluctuations d'échantillonnage de la différence de deux moyennes observées d'échantillons.

8.2   Comparaison de deux moyennes

On veut comparer les moyennes μ_1 et μ_2 de deux populations. Cette comparaison, basée sur les moyennes $\overline{x}_1$ et $\overline{x}_2$ de deux séries de mesures, repose sur la connaissance de certaines caractéristiques des populations échantillonnées qui nous permet de déduire la distribution des fluctuations d'échantillonnage de la différence de deux moyennes. Cette distribution sera nécessaire pour élaborer la règle de décision du test.

> Pour caractériser complètement la distribution de la différence $\overline{X}_1 - \overline{X}_2$, il faut en connaître:
> a) *la forme de la distribution*
> b) *la moyenne*
> c) *l'écart-type.*

Trois cas peuvent se présenter:

❶ Populations normales et variances σ_1^2 et σ_2^2 connues.

❷ Grands échantillons, $n_1 \geq 30$, $n_2 \geq 30$, variances σ_1^2 et σ_2^2 inconnues.

❸ Populations normales, variances des populations inconnues mais supposées égales $\sigma_1^2 = \sigma_2^2 = \sigma_c^2$ et l'un des échantillons, ou les deux, sont petits.

Nous résumons comme suit les distributions d'échantillonnage de $\overline{X}_1 - \overline{X}_2$ avec les propriétés corrrespondantes.

Distribution d'échantillonnage de la différence de deux moyennes

Cas 1.   Populations normales
variances σ_1^2 et σ_2^2 connues

On prélève au hasard et indépendamment deux échantillons de tailles n_1 et n_2, respectivement de deux populations normales dont les éléments possèdent un caractère mesurable de paramètres μ_1 et σ_1^2 sur la population 1, μ_2 et σ_2^2 sur la population 2 où μ_1 et μ_2 sont inconnues. La différence de moyennes, $\overline{X}_1 - \overline{X}_2$ (estimateur de $\mu_1 - \mu_2$) est une variable aléatoire (la différence observée $\overline{x}_1 - \overline{x}_2$ étant une réalisation de cette variable) dont la *distribution d'échantillonnage* possède les propriétés suivantes.

a) La distribution de $\overline{X}_1 - \overline{X}_2$ est normale.

b) La moyenne (l'espérance) de $\overline{X}_1 - \overline{X}_2$ est $E(\overline{X}_1 - \overline{X}_2) = \mu_1 - \mu_2$

c) L'écart-type de la distribution d'échantillonnage de $\overline{X}_1 - \overline{X}_2$ notée $\sigma(\overline{X}_1 - \overline{X}_2)$ est: $\sigma(\overline{X}_1 - \overline{X}_2) = \sqrt{\dfrac{\sigma_1^2}{n_1} + \dfrac{\sigma_2^2}{n_2}}$

Les fluctuations de l'écart réduit

$$Z = \frac{(\overline{X}_1 - \overline{X}_2) - (\mu_1 - \mu_2)}{\sqrt{\dfrac{\sigma_1^2}{n_1} + \dfrac{\sigma_2^2}{n_2}}}$$

suivent la *loi normale centrée réduite.*

Cas 2. **Grands échantillons, $n_1 \geq 30, n_2 \geq 30$**

variances σ_1^2 et σ_2^2 inconnues

On prélève au hasard et indépendamment deux échantillons de grandes tailles $n_1 \geq 30$ et $n_2 \geq 30$, respectivement de deux populations dont les éléments possèdent un caractère mesurable de paramètres μ_1 et σ_1^2 sur la population 1, μ_2 et σ_2^2 sur la population 2 où μ_1, μ_2, σ_1^2 et σ_2^2 sont inconnues. La différence de moyennes, $\overline{X}_1 - \overline{X}_2$ (estimateur de $\mu_1 - \mu_2$) est une variable aléatoire (la différence observée $\overline{x}_1 - \overline{x}_2$ étant une réalisation de cette variable) dont la *distribution d'échantillonnage* possède les propriétés suivantes.

a) La distribution de $\overline{X}_1 - \overline{X}_2$ est approximativement normale.

b) La moyenne (l'espérance) de $\overline{X}_1 - \overline{X}_2$ est

$$E(\overline{X}_1 - \overline{X}_2) = \mu_1 - \mu_2$$

c) L'écart-type de la distribution d'échantillonnage de $\overline{X}_1 - \overline{X}_2$ noté

$s(\overline{X}_1 - \overline{X}_2)$ est: $s(\overline{X}_1 - \overline{X}_2) = \sqrt{\dfrac{S_1^2}{n_1} + \dfrac{S_2^2}{n_2}}$

Les fluctuations de l'écart réduit

$$Z = \frac{(\overline{X}_1 - \overline{X}_2) - (\mu_1 - \mu_2)}{\sqrt{\dfrac{S_1^2}{n_1} + \dfrac{S_2^2}{n_2}}}$$

suivent la *loi normale centrée réduite*.

Nous traitons du cas 3, dans une section subséquente.

8.3   Test sur deux moyennes

Examinons maintenant la situation où on veut comparer deux populations selon un critère quantitatif particulier (salaires, performance, absentéisme, résultats à un test d'aptitude, temps de transaction de deux systèmes,...). Nous aurons recours à nouveau à la loi normale centrée réduite ou à la loi de Student comme distribution de l'écart réduit pour déterminer les valeurs critiques et établir les règles de décision.

Nous résumons les tests sur deux moyennes dans les tableaux suivants en ayant soin d'indiquer les conditions d'application des tests. La démarche pour effectuer les tests de comparaisons de deux moyennes est identique à celle que nous avons présentée dans le cas d'un test sur une moyenne.

L'objectif de ce type de test statistique consiste à vérifier l'hypothèse selon laquelle les moyennes de deux populations distinctes peuvent être ou non considérées comme égales. L'hypothèse nulle que l'on veut tester est $H_0 : \mu_1 = \mu_2$. Dans les tests sur l'égalité de deux moyennes, la statistique qui convient est $\overline{X}_1 - \overline{X}_2$ (estimateur de $\mu_1 - \mu_2$).

Tout comme le test sur une moyenne, nous résumons au tableau 8.1 les types de tests dans le cas de deux moyennes.

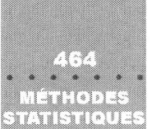

Tableau 8.1

Types de tests sur deux moyennes

Formulation des hypothèses statistiques

	Types de test	
Test unilatéral à gauche	**Test bilatéral**	**Test unilatéral à droite**
$H_0: \mu_1 = \mu_2$	$H_0: \mu_1 = \mu_2$	$H_0: \mu_1 = \mu_2$
$H_1: \mu_1 < \mu_2$	$H_1: \mu_1 \neq \mu_2$	$H_1: \mu_1 > \mu_2$

Le tableau 8.2 résume l'application de tests de comparaison de deux moyennes dans le cas d'échantillons provenant de deux populations normales de variances connues.

Tableau 8.2

Tests sur deux moyennes: Échantillons prélevés au hasard et indépendamment de populations normales de variances connues

σ_1^2 et σ_2^2

$$Z = \frac{(\overline{X}_1 - \overline{X}_2)}{\sqrt{\dfrac{\sigma_1^2}{n_1} + \dfrac{\sigma_2^2}{n_2}}}$$

Hypothèse nulle : $H_0: \mu_1 = \mu_2$

Contre-hypothèses	Règles de décision du test
$H_1: \mu_1 \neq \mu_2$	Rejeter H_0 si $Z > z_{\alpha/2}$ ou $Z < -z_{\alpha/2}$
$H_1: \mu_1 > \mu_2$	Rejeter H_0 si $Z > z_\alpha$
$H_1: \mu_1 < \mu_2$	Rejeter H_0 si $Z < -z_\alpha$

*En supposant H_0 vraie et selon les conditions d'application, l'écart réduit $Z = \dfrac{(\overline{X}_1 - \overline{X}_2)}{\sqrt{\dfrac{\sigma_1^2}{n_1} + \dfrac{\sigma_2^2}{n_2}}}$ est distribué selon une loi normale centrée réduite.

Le tableau 8.3 résume l'application de tests de comparaison de deux moyennes dans le cas d'échantillons de grandes tailles.

Tableau 8.3

Tests sur deux moyennes: Échantillons prélevés au hasard et indépendamment dont les tailles respectivement sont ≥30

$$Z = \frac{(\overline{X}_1 - \overline{X}_2)}{\sqrt{\dfrac{S_1^2}{n_1} + \dfrac{S_2^2}{n_2}}}$$

Hypothèse nulle : $H_0: \mu_1 = \mu_2$

Contre-hypothèses	Règles de décision du test
$H_1: \mu_1 \neq \mu_2$	Rejeter H_0 si $Z > z_{\alpha/2}$ ou $Z < -z_{\alpha/2}$
$H_1: \mu_1 > \mu_2$	Rejeter H_0 si $Z > z_\alpha$
$H_1: \mu_1 < \mu_2$	Rejeter H_0 si $Z < -z_\alpha$

*En supposant H_0 vraie et selon les conditions d'application, l'écart réduit $Z = \dfrac{(\overline{X}_1 - \overline{X}_2)}{\sqrt{\dfrac{S_1^2}{n_1} + \dfrac{S_2^2}{n_2}}}$ est distribué selon une loi normale centrée réduite.

Exemple 8.1

Comparaison de la performance de deux groupes de cadres intermédiaires

On fait subir à des cadres intermédiaires de deux grandes entreprises (une oeuvrant dans la fabrication d'équipement de transport et l'autre dans la fabrication de produits électriques) un test d'appréciation et d'évaluation de diverses caractéristiques managériales et ceci à l'aide de diverses simulations de cas d'entreprises présentant divers niveaux de difficulté.

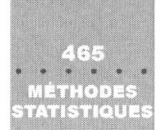

La compilation des résultats pour chaque groupe à l'issue de cette évaluation s'établit comme suit:

	Secteur d'équipement de transport	Secteur de produits électriques
Nombre de cadres	$n_1 = 32$	$n_2 = 34$
Appréciation globale moyenne du groupe	$\overline{x}_1 = 178$	$\overline{x}_2 = 184$
Variance	$s_1^2 = 318$	$s_2^2 = 480$

En admettant que chaque groupe est représentatif de chaque secteur, répondons aux questions suivantes.

a) On veut obtenir une estimation de la différence réelle pouvant exister entre les cadres intermédiaires de ces deux secteurs concernant l'appréciation globale moyenne. Selon les résultats de cette évaluation, quelle serait une estimation ponctuelle de $\mu_1 - \mu_2$?

Une estimation ponctuelle de $\mu_1 - \mu_2$ est donnée par $\overline{x}_1 - \overline{x}_2 = 178 - 184 = -6$.

b) Quelle serait une estimation de la variance de l'appréciation globale moyenne pour l'ensemble des cadres intermédiaires de chaque secteur?

$$\text{Equipement de transport:} \quad s^2(\overline{X}_1) = \frac{s_1^2}{n_1} = \frac{318}{32} = 9,9375$$

$$\text{Produits électriques:} \quad s^2(\overline{X}_2) = \frac{s_2^2}{n_2} = \frac{480}{34} = 14,1176$$

c) Quel est l'écart-type de la différence des moyennes d'échantillons $\overline{X}_1 - \overline{X}_2$?

$$s(\overline{X}_1 - \overline{X}_2) = \sqrt{s^2(\overline{X}_1) + s^2(\overline{X}_2)} = \sqrt{9,9375 + 14,1176} = 4,9.$$

d) *Intervalle de confiance pour la différence des moyennes $\mu_1 - \mu_2$.* L'intervalle de confiance associée à l'estimation de $\mu_1 - \mu_2$ ayant un niveau de confiance $100(1-\alpha)\%$ de contenir la valeur vraie de la différence $\mu_1 - \mu_2$ est, sous les conditions d'application précisées au cas 2,

$$\overline{x}_1 - \overline{x}_2 - z_{\alpha/2} \sqrt{\frac{s_1^2}{n_1} + \frac{s_2^2}{n_2}} \leq \mu_1 - \mu_2 \leq \overline{x}_1 - \overline{x}_2 + z_{\alpha/2} \sqrt{\frac{s_1^2}{n_1} + \frac{s_2^2}{n_2}}$$

où $z_{\alpha/2}$ est obtenu de la table de la loi normale centrée réduite.

D'après les résultats obtenus, déterminez l'intervalle de confiance qui a 95 chances sur 100 de contenir la vraie valeur de $\mu_1 - \mu_2$. On a $\overline{x}_1 - \overline{x}_2 = -6$, $s(\overline{X}_1 - \overline{X}_2) = 4,9$, $z_{0,025} = 1,96$.

$$\text{Limite inférieure} = -6 - (1,96)(4,9) = -6 - 9,604 = -15,604.$$
$$\text{Limite supérieure} = -6 + (1,96)(4,9) = -6 + 9,604 = +3,604.$$

L'intervalle ayant un niveau de confiance de 95% de contenir la valeur vraie de la différence des moyennes des populations est donc $-15,604 \leq \mu_1 - \mu_2 \leq +3,604$

Question. Selon cet intervalle, que peut-on conclure quant à la performance des cadres intermédiaires de ces deux secteurs au test d'appréciation des caractéristiques managériales? Est-ce qu'en moyenne, la performance est vraisemblablement identique ou semble-t-il exister une différence significative entre ces deux groupes?

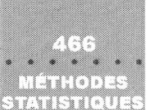

Exemple 8.2

Comparaison du niveau moyen d'absentéisme

Le département des ressources humaines de l'entreprise MIP est préoccupé par l'absentéisme au sein de l'entreprise. Deux échantillons aléatoires indépendants sur deux groupes de travailleurs de l'entreprise donnent les résultats suivants concernant le nombre de jours d'absences:

$$Lamineurs \quad (n_1 = 45): \quad \overline{x}_1 = 11,5, \; s_1 = 3,2$$

$$Soudeurs \quad (n_2 = 38): \quad \overline{x}_2 = 9,0, \;\; s_2 = 2,9$$

Peut-on affirmer, au seuil de signification de 1%, que le niveau moyen d'absentéisme est identique pour les deux groupes de travailleurs?

Démarche du test

1. **Hypothèses statistiques.**
   $H_0: \mu_1 = \mu_2$
   $H_1: \mu_1 \neq \mu_2$

2. **Seuil de signification.**
   $\alpha = 0,01$.

3. **Conditions d'application du test:** Grands échantillons aléatoires avec $n_1 > 30$ et $n_2 > 30$.

4. **La statistique** qui convient pour le test est $\overline{X}_1 - \overline{X}_2$. L'écart réduit est, selon les conditions d'application et en supposant H_0 vraie,

$$Z = \frac{(\overline{X}_1 - \overline{X}_2)}{\sqrt{\dfrac{S_1^2}{n_1} + \dfrac{S_2^2}{n_2}}}$$. Il est distribué suivant la loi normale centrée réduite.

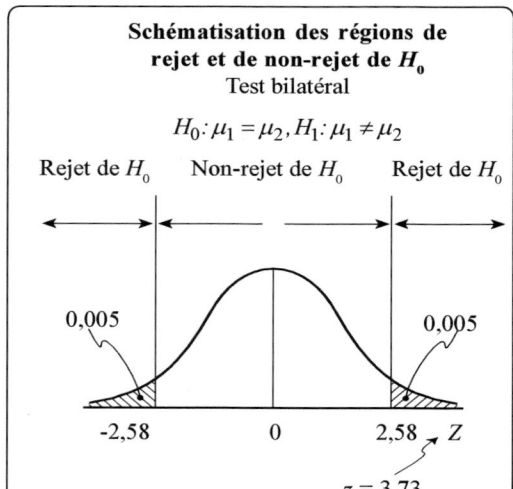

Schématisation des régions de rejet et de non-rejet de H_0
Test bilatéral

$H_0: \mu_1 = \mu_2, H_1: \mu_1 \neq \mu_2$

Rejet de H_0 — Non-rejet de H_0 — Rejet de H_0

0,005   0,005

-2,58   0   2,58 Z

$z = 3,73$

5. **Règle de décision.** D'après H_1 et au seuil $\alpha = 0,01$, les valeurs critiques de l'écart réduit sont $z_{0,005} = 2,58$ et $-z_{0,005} = -2,58$. On adoptera la règle de décision suivante: rejeter H_0 si $Z > 2,58$ ou $Z < -2,58$, sinon ne pas rejeter H_0.

6. **Calcul de l'écart réduit.** En substituant les valeurs appropriées, on obtient:

$$z = \frac{(11,5 - 9,0)}{\sqrt{\dfrac{(3,2)^2}{45} + \dfrac{(2,9)^2}{38}}} = \frac{2,5}{\sqrt{0,4489}} = \frac{2,5}{0,67} = 3,73$$

7. **Décision et conclusion.** Puisque $3,73 > 2,58$, nous rejetons H_0. La différence observée (2,5 jours) entre les deux groupes concernant le niveau moyen d'absentéisme est significative au seuil 1%.

8.4   Comparaison de deux moyennes dans le cas de petits échantillons

Il arrive fréquemment qu'on ne dispose pas de grands échantillons. On veut toujours comparer deux moyennes dont l'un des échantillons ou les deux sont inférieurs à 30. Si les échantillons proviennent de populations normales de variances connues, nous sommes en présence des conditions d'application du cas 1.

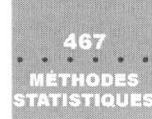

Toutefois si les variances des populations sont inconnues, une modification importante devra être apportée: on doit supposer que les échantillons proviennent de *populations normales* respectivement de moyennes μ_1 et μ_2 (inconnues) et de *variances inconnues mais supposées égales* $\sigma_1^2 = \sigma_2^2 = \sigma^2$. Dans le cas de petits échantillons, on ne peut remplacer σ_1^2 et σ_2^2 par leurs estimations s_1^2 et s_2^2 calculées sur chacun des échantillons (elles seront peu précises). Puisqu'on les suppose égales à une valeur commune σ^2, on se servira de l'information des deux échantillons pour obtenir une estimation unique S_C^2, de la variance commune σ^2.

On obtient cette estimation en combinant la variabilité observée dans chaque échantillon comme suit (on effectue l'addition des sommes de carrés respectives):

$$S_C^2 = \frac{\sum (X_{i1} - \overline{X}_1)^2 + \sum (X_{i2} - \overline{X}_2)^2}{(n_1 - 1) + (n_2 - 1)} = \frac{\sum (X_{i1} - \overline{X}_1)^2 + \sum (X_{i2} - \overline{X}_2)^2}{n_1 + n_2 - 2}$$

qui peut également s'écrire

$$S_C^2 = \frac{(n_1 - 1)S_1^2 + (n_2 - 1)S_2^2}{n_1 + n_2 - 2}$$

Le nombre de degrés de liberté associé à la variance combinée S_c^2 est donc $n_1 + n_2 - 2$. L'écart-type de la différence $\overline{X}_1 - \overline{X}_2$ s'écrit alors

$$s(\overline{X}_1 - \overline{X}_2) = \sqrt{\frac{S_C^2}{n_1} + \frac{S_C^2}{n_2}} = S_C \sqrt{\frac{1}{n_1} + \frac{1}{n_2}}$$

Dans ce cas, la distribution d'échantillonnage de $\overline{X}_1 - \overline{X}_2$ présente les caractéristiques suivantes:

Cas 3. Populations normales de variances inconnues mais supposées égales et l'un des échantillons ou les deux sont petits (<30).

On prélève au hasard et indépendamment deux échantillons de petites tailles $n_1 < 30$ et $n_2 < 30$, respectivement de deux populations normales dont les éléments possèdent un caractère mesurable de paramètres μ_1 et σ_1^2 sur la population 1, μ_2 et σ_2^2 sur la population 2 où μ_1 et μ_2 sont inconnues et les variances sont *inconnues mais supposées égales* $\sigma_1^2 = \sigma_2^2 = \sigma_c^2$. La différence de moyennes, $\overline{X}_1 - \overline{X}_2$ (estimateur de $\mu_1 - \mu_2$) est une variable aléatoire (la différence observée $\overline{x}_1 - \overline{x}_2$ étant une réalisation de cette variable) dont la *distribution d'échantillonnage* possède les propriétés suivantes.

a) La distribution de $\overline{X}_1 - \overline{X}_2$ est normale. b) La moyenne (l'espérance) de $\overline{X}_1 - \overline{X}_2$ est $E(\overline{X}_1 - \overline{X}_2) = \mu_1 - \mu_2$

c) L'écart-type de la distribution d'échantillonnage de $\overline{X}_1 - \overline{X}_2$ notée $s(\overline{X}_1 - \overline{X}_2)$ est:

$$s(\overline{X}_1 - \overline{X}_2) = \sqrt{\frac{S_c^2}{n_1} + \frac{S_c^2}{n_2}}$$

où S_c^2 donne une estimation de la variance commune σ_c^2.

Les fluctuations de l'écart réduit

$$T = \frac{(\overline{X}_1 - \overline{X}_2)}{\sqrt{\dfrac{\sum (X_{i1} - \overline{X}_1)^2 + \sum (X_{i2} - \overline{X}_2)^2}{n_1 + n_2 - 2}} \sqrt{\dfrac{1}{n_1} + \dfrac{1}{n_2}}}$$

suivent la *loi de Student* avec $v = n_1 + n_2 - 2$ degrés de liberté.

Le tableau 8.4 résume l'application de tests de comparaison de deux moyennes dans le cas de petits échantillons.

Tableau 8.4

Tests sur deux moyennes: Échantillons de petites tailles (n_1 < 30 et/ou n_2 < 30) prélevés au hasard et indépendamment de populations normales de variances inconnues mais supposées égales à une valeur commune

Hypothèse nulle : $H_0 : \mu_1 = \mu_2$

Contre-hypothèses	Règles de décision du test
$H_1 : \mu_1 \neq \mu_2$	Rejeter l'hypothèse nulle et favoriser l'hypothèse alternative si $T > t_{\alpha/2;n_1+n_2-2}$ ou $T < -t_{\alpha/2;n_1+n_2-2}$.
$H_1 : \mu_1 > \mu_2$	Rejeter l'hypothèse nulle et favoriser l'hypothèse alternative si $T > t_{\alpha;n_1+n_2-2}$.
$H_1 : \mu_1 < \mu_2$	Rejeter l'hypothèse nulle et favoriser l'hypothèse alternative si $T < -t_{\alpha;n_1+n_2-2}$.

*En supposant H_0 vraie et selon les conditions d'application, l'écart réduit

$$T = \frac{(\bar{X}_1 - \bar{X}_2)}{\sqrt{\dfrac{\sum(X_{i1}-\bar{X}_1)^2 + \sum(X_{i2}-\bar{X}_2)^2}{n_1+n_2-2}}\sqrt{\dfrac{1}{n_1}+\dfrac{1}{n_2}}} \quad \text{est distribué selon}$$

la loi de Student avec $\nu = n_1 + n_2 - 2$ degrés de liberté.

Exemple 8.3

Comparaison du salaire annuel moyen selon le sexe de l'individu

	A	B	C
1	Exemple 8.3		
2	Test d'égalité de deux moyennes - Petits échantillons		
3	Comparaison du salaire annuel moyen selon le sexe		
4	**Masculin**	**Féminin**	
5	41620	40355	
6	41745	39022	
7	42635	40350	
8	42060	40860	
9	42220	40406	
10	42675	39854	
11	40370	39374	
12	42445	38200	
13	42520	38360	
14	42340	40020	
15	43205	39622	
16	43155	38878	
17	40825	38496	
18	40930	39940	
19	43305	39230	
20	41550	41328	
21	42586	40325	
22	40012	38990	
23	41424		
24	40926		
25	41992		
26	43394		

On a prélevé d'une base de données d'une grande entreprise de service, un échantillon aléatoire d'une quarantaine d'employés de niveau « cadres intermédiaires ». Les employés ont été regroupés selon le sexe; les données obtenues sont présentées dans la feuille Excel ci-contre.

Suite à une discussion avec un cadre du département des ressources humaines affirmant que les cadres de sexe féminin sont moins bien rémunérés que ceux de sexe masculin, on veut comparer le salaire annuel moyen selon le sexe de l'employé.

Est-ce que l'affirmation du cadre du département des ressources humaines est fondée?

Utilisez un seuil de signification de 5%.

On suppose que les données obtenues pour chaque groupe d'employés sont distribuées normalement avec variances inconnues mais supposées égales à une valeur commune σ^2.

Démarche du test

1. Hypothèses statistiques.

$H_0 : \mu_1 = \mu_2$

$H_1 : \mu_1 > \mu_2$

2. Seuil de signification.

$\alpha = 0,05$.

3. Conditions d'application du test: Petits échantillons ($n_1=22$ et $n_2=18$) aléatoires indépendants provenant de deux populations normales de variances inconnues mais supposées égales.

4. La statistique qui convient pour le test est $\overline{X}_1 - \overline{X}_2$. L'écart réduit est, selon les conditions d'application et en supposant H_0 vraie,

$$T = \frac{(\overline{X}_1 - \overline{X}_2)}{\sqrt{\dfrac{\sum (X_{i1} - \overline{X}_1)^2 + \sum (X_{i2} - \overline{X}_2)^2}{n_1 + n_2 - 2}} \sqrt{\dfrac{1}{n_1} + \dfrac{1}{n_2}}}$$

Il est distribué suivant la loi de Student avec $v = n_1 + n_2 - 2 = 22 + 18 - 2 = 38$ degrés de liberté.

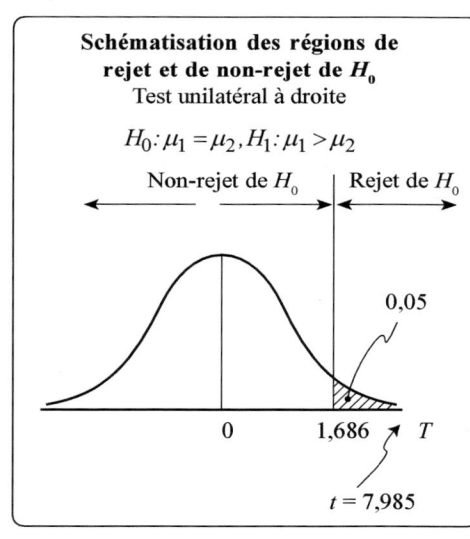

Schématisation des régions de rejet et de non-rejet de H_0
Test unilatéral à droite

$H_0 : \mu_1 = \mu_2, H_1 : \mu_1 > \mu_2$

Non-rejet de H_0 | Rejet de H_0

0,05

0   1,686 T

$t = 7,985$

5. Règle de décision. D'après H_1 et au seuil $\alpha = 0,05$, la valeur critique de l'écart réduit est $t_{0,05;38} = 1,686$ (test unilatéral). On adoptera la règle de décision suivante: rejeter H_0 si $T > 1,686$, sinon ne pas rejeter H_0.

6. Calcul de l'écart réduit. On obtient les calculs suivants:

$$\sum x_{i1} = 923934, \quad \sum x_{i2} = 713610$$

$$\overline{x}_1 = 41997, \quad \overline{x}_2 = 39645$$

$$\sum (x_{i1} - \overline{x}_1)^2 = 19302194$$

$$\sum (x_{i2} - \overline{x}_2)^2 = 13333780$$

$$t = \frac{(41997 - 39645)}{\sqrt{\dfrac{(19302194 + 13333780)}{38}} \sqrt{\dfrac{1}{22} + \dfrac{1}{18}}} = 7,985 .$$

Nous traitons à la section 8.8, comment vérifier l'hypothèse d'égalité des variances avec la statistique de Fisher.

7. Décision et conclusion. La valeur $t = 7,985$ se situe dans la région de rejet de H_0.

La différence observée est significative. L'affirmation du cadre du département des ressources humaines est fondée!

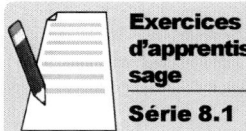

Exercices d'apprentissage

Série 8.1

📖 Comparaison de l'économie monétaire attribuable à deux stratégies de négociation

1. On veut évaluer* l'impact sur l'économie monétaire pour une entreprise de deux types de stratégies (stratégie compétitive, stratégie coopérative) adoptés par les acheteurs.

Stratégie compétitive: stratégie caractérisée par un comportement ferme visant à obtenir des concessions de la part de l'acheteur.

Stratégie coopérative: stratégie axée sur une attitude de négociations orientée vers la résolution de problèmes et comportant un niveau élevé de confiance et de coopération.

Un échantillon aléatoire de 16 acheteurs ont participé à une expérience de négociation

*Source: Clopton, S.W. "Seller and buying firm factors affecting industrial buyers' negotiation behavior and outcomes." *Journal of Marketing*, février 1984. American Marketing Association.

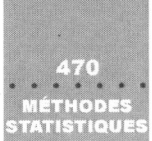

CHAPITRE 8

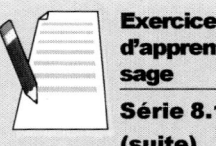

Exercices
d'apprentis-
sage

Série 8.1
(suite)

où 8 acheteurs ont adopté la *stratégie compétitive*, et les 8 autres, la *stratégie coopérative*. Les économies obtenues pour chaque groupe d'acheteurs sont présentées ci-après:

Économie monétaire

Stratégie compétitive	Stratégie coopérative
1 857 $	1 544 $
1 700 $	2 640 $
1 829 $	1 645 $
2 644 $	2 275 $
1 566 $	2 137 $
663 $	2 327 $
1 712 $	2 152 $
1 679 $	2 130 $

Selon la théorie, l'économie moyenne des acheteurs adoptant une stratégie compétitive sera moindre que celle des acheteurs adoptant une stratégie coopérative.

a) Précisez les hypothèses H_0 et H_1 que l'on veut soumettre au test. Tenez compte de l'affirmation mentionnée.

b) Précisez les conditions d'application du test.

c) Quelle statistique convient pour effectuer ce test?

d) D'après H_1 et au seuil $\alpha = 0{,}05$, précisez la valeur critique de l'écart réduit.

e) Quelle règle de décision doit-on adopter?

Le traitement statistique des données conduit aux résultats suivants:

	Stratégie compétitive	Stratégie coopérative
Moyenne	1706,25	2106,25
Variance	289431,93	127796,50
Observations	8	8
Variance commune	208614,21	
Différence hypothétique des moyennes	0	
Degré de liberté	14	
Statistique t	-1,7515	
P(T<=t) unilatéral	0,0509	
Valeur critique de t (unilatéral)	1,7613	
P(T<=t) bilatéral	0,1017	
Valeur critique de t (bilatéral)	2,1448	

f) Sous l'hypothèse d'égalités des variances, quelle est l'estimation de la variance commune aux deux populations?

g) Quelle valeur a été obtenue pour l'écart réduit?

h) Quelle hypothèse est favorisée par les résultats de cette expérience, au seuil de signification 5%? L'hypothèse nulle ou l'hypothèse de recherche? Justifiez votre conclusion.

2. Une étude publiée dans le *Journal Of Organizational Behavior*, vol 13, 1992, sur une recherche effectuée auprès de professionnels concernant les effets de la charge de travail et de la fatigue psychologique sur le niveau de satisfaction au travail (sur une échelle de 20 points) conduit à la conclusion que les professionnels à leur compte ont une plus grande satisfaction $(\bar{x}_1 = 14{,}2)$ que ceux qui ne sont pas à leur compte $(\bar{x}_2 = 13{,}1)$. La recherche comportait 318 professionnels à leur compte et 84 qui ne sont pas à leur compte. La valeur de l'écart réduit pour la comparaison des scores moyens est de 2,2.

a) Précisez l'hypothèse nulle et l'hypothèse de recherche.

b) Laquelle des hypothèses est favorisée au seuil de signification 5%?

📖 Comparaison du niveau de satisfaction au travail pour deux groupes de professionnels

Exercices d'apprentissage

Série 8.1 (suite)

⬚Comparaison du nombre moyen d'heures de travail selon deux modes d'exploitation du dépanneur

3. Dans une recherche effectuée auprès de dépanneurs dans le secteur alimentaire, on a obtenu des données à l'aide d'un questionnaire sur différents aspects de la gestion des dépanneurs. Les données qui sont présentées ci-après ont été obtenues à l'aide de la question suivante:

> Quel est le nombre d'heures de travail que vous allouez personnellement aux opérations du dépanneur, au cours d'une semaine normale?

Après répartition des données selon le mode d'exploitation (Indépendant ou Bannière), on a les valeurs suivantes (fichier SPSS) concernant le nombre d'heures de travail d'une semaine normale.

APP SÉRIE 8.1.3 - SPSS Data Editor

File   Edit   View   Data   Transform   Analyze

44 :

	modeexp	heures			modeexp	heures
1	1	70				
2	1	65		20	1	65
3	1	68		21	1	60
4	1	70		22	1	66
5	1	65		23	2	60
6	1	70		24	2	64
7	1	60		25	2	64
8	1	65		26	2	66
9	1	64		27	2	66
10	1	62		28	2	68
11	1	68		29	2	64
12	1	70		30	2	66
13	1	64		31	2	66
14	1	68		32	2	65
15	1	60		33	2	60
16	1	60		34	2	65
17	1	64		35	2	66
18	1	60		36	2	65
19	1	66		37	2	60

Le fichier comporte 22 données associées au mode d'exploitation «Indépendant» et 15 pour le mode «Bannière».

On veut comparer le nombre moyen d'heures de travail selon chaque mode d'exploitation.

Le traitement de données avec le logiciel SPSS conduit à la sortie de la page suivante .

**Exercices
d'apprentis-
sage**

**Série 8.1
(suite)**

Sortie SPSS

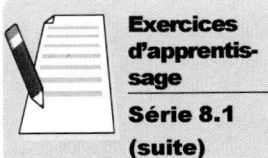

T-Test

Group Statistics

	Mode d'exploitation	N	Mean	Std. Deviation	Std. Error Mean
Nombre d'heures	Independant	22	65,00	3,559	,759
	Bannière	15	64,33	2,469	,637

Independent Samples Test

		Levene's Test for Equality of Variances		t-test for Equality of Means						
									95% Confidence Interval of the Difference	
		F	Sig.	t	df	Sig. (2-tailed)	Mean Difference	Std. Error Difference	Lower	Upper
Nombre d'heures	Equal variances assumed	2,273	,141	,628	35	,534	,67	1,061	-1,487	2,820
	Equal variances not assumed			,673	35,0	,506	,67	,991	-1,345	2,679

a) On veut tester si le nombre moyen d'heures de travail des propriétaires-dirigeants est égal ou s'il diffère selon le mode d'exploitation du dépanneur. Précisez les hypothèses statistiques requises ici.

b) On suppose que les données proviennent de deux populations normales et indépendantes, de variances inconnues mais supposées égales. Dans le cas de comparaison de deux moyennes, l'écart réduit qui doit être utilisé ici est:

   i) la variable normale centrée réduite

   ii) le T de Student

   iii) la variable de Fisher.

c) D'après la formulation de l'hypothèse H_1, et au seuil de signification 5%, quelle est la valeur critique de l'écart réduit?

d) Quelle est la différence qui a été observée entre les deux moyennes?

e) Quelle est la valeur observée pour l'écart réduit?

f) Quel est l'intervalle de confiance à 95% pour $\mu_1 - \mu_2$?

g) Est-ce que la différence qui a été observée entre les deux moyennes est significative au seuil 5%? Justifiez votre conclusion.

Remarque. Dans la comparaison de moyennes, on peut également spécifier en H_0 une valeur particulière pour la différence de moyennes soit $\mu_1 - \mu_2 = D_0$, où D_0 peut être positif, négatif ou nul. L'hypothèse H_1 sera, selon le cas, $\mu_1 - \mu_2 \neq D_0$, $\mu_1 - \mu_2 > D_0$ ou $\mu_1 - \mu_2 < D_0$. La construction du test est la même; on prendra soin toutefois de substituer dans l'expression de l'écart réduit la valeur D_0 posée en H_0 ou encore dans la fenêtre *Différence entre les moyennes* si vous utilisez Excel.

8.5   Test de comparaison pour deux échantillons appariés

Les situations que nous avons traitées jusqu'ici concernant la comparaison de deux moyennes comportaient des échantillons indépendants et ceci constituait une des conditions d'application du test d'hypothèse. Il arrive fréquemment toutefois que des données sont obtenues à partir de la même unité expérimentale (même individu, même instrument) avant et après avoir subi un certain traitement.

Données obtenues sur les mêmes unités statistiques: échantillons dépendants

Lorsque nous avons, pour chaque élément de l'échantillon, deux valeurs obtenues à des périodes différentes ou selon des traitements différents, nous sommes en présence *d'échantillons dépendants* ou *appariés*. Les deux séries de mesures ne sont pas indépendantes l'une de l'autre. Il serait alors incorrect de procéder à un test de comparaison de moyennes tel que décrit précédemment.

La méthode correcte pour comparer deux séries appariées x_{i1} et x_{i2}, $i = 1,...,n$ est la *méthode des couples* et consiste à former, pour chaque paire, la différence $d_i = x_{i2} - x_{i1}$ des deux mesures. On suppose que les différences sont distribuées normalement et indépendamment de moyenne μ_d (inconnue) et de variance σ_d^2 (inconnue). On obtient une estimation de μ_d avec la moyenne des différences

$$\bar{d} = \frac{\sum d_i}{n} \text{ et de } \sigma_d^2 \text{ avec } s_d^2 = \frac{\sum (d_i - \bar{d})^2}{n-1} = \frac{\sum d_i^2 - (\sum d_i)^2 / n}{n-1}.$$

La distribution d'échantillonnage de $\bar{D}$ possède les propriétés suivantes:
❶ La distribution d'échantillonnage de $\bar{D}$ est normale.
❷ La moyenne de la distribution de $\bar{D}$ est: $E(\bar{D}) = \mu_d$.
❸ L'écart-type de la distribution d'échantillonnage de $\bar{D}$ est:

$$s(\bar{D}) = \frac{s_d}{\sqrt{n}} \text{ où } s_d = \sqrt{\frac{\sum (d_i - \bar{d})^2}{n-1}}.$$

Dans le cas où $n < 30$ (le nombre de couples d'observations), les fluctuations de l'écart réduit

$$T = \frac{\bar{D} - \mu_d}{\frac{s_d}{\sqrt{n}}}$$

sont celles de la loi de Student avec $\nu = n - 1$ degrés de liberté.

Le tableau 8.5 résume les règles de décision à adopter selon les hypothèses H_1. Nous indiquons également les conditions d'application du test.

Tableau 8.5

Tests sur la différence moyenne: Échantillon aléatoire de n différences (*n*<30) distribuées normalement

$$T = \frac{\overline{D} - \mu_d}{\dfrac{s_d}{\sqrt{n}}}$$

Hypothèse nulle : $H_0 : \mu_d = 0$

Contre-hypothèses	Règles de décision du test
$H_1 : \mu_d \neq 0$	Rejeter l'hypothèse nulle et favoriser l'hypothèse alternative si $T > t_{\alpha/2;n-1}$ *ou* $T < -t_{\alpha/2;n-1}$.
$H_1 : \mu_d > 0$	Rejeter l'hypothèse nulle et favoriser l'hypothèse alternative si $T > t_{\alpha;n-1}$.
$H_1 : \mu_d < 0$	Rejeter l'hypothèse nulle et favoriser l'hypothèse alternative si $T < -t_{\alpha;n-1}$.

* En supposant H_0 vraie et selon les conditions d'application, l'écart réduit T est distribué selon la loi de Student avec $\nu = n - 1$ degrés de liberté.

Exemple 8.4

Comparaison de deux séries de mesures sur les sujets d'un même échantillon

La directrice des ressources humaines de l'entreprise Giscom veut suggérer à la direction de l'entreprise de mettre en oeuvre un programme spécial d'apprentissage pour les employés affectés au département d'assemblage. Pour évaluer l'efficacité de ce programme, d'une durée de trois semaines, on a choisi au hasard 15 employés et on a observé le nombre de pièces assemblées durant une certaine période de temps. Par la suite, on a administré à ces mêmes employés le programme d'apprentissage et on a observé à nouveau le nombre de pièces assemblées durant la même période de temps. Les résultats sont présentés ci-après:

Individu i	Avant le programme x_{i1}	Après le programme x_{i2}	Différence $x_{i2} - x_{i1}$
1	15	17	2
2	13	16	3
3	8	10	2
4	9	9	0
5	7	9	2
6	12	13	1
7	11	14	3
8	12	15	3
9	11	14	3
10	9	11	2
11	10	14	4
12	12	11	-1
13	11	13	2
14	7	10	3
15	12	13	1

Est-ce que la directrice des ressources humaines est justifiée de suggérer la mise en place de ce programme d'apprentissage pour les employés affectés au département d'assemblage?

Utilisez $\alpha = 0,01$.

Nous constatons immédiatement qu'on ne peut comparer le nombre moyen obtenu avant le programme d'apprentissage avec celui obtenu après le programme puisque nous n'avons pas deux échantillons aléatoires indépendants. En effet, les observations sont obtenues pour chaque condition expérimentale, sur les mêmes unités statistiques (employés); elles ne sont pas indépendantes. On doit alors appliquer la méthode des couples.

Les calculs préliminaires conduisent à:

$$\Sigma d_i = 30, \bar{d} = \frac{30}{15} = 2, s_d^2 = \frac{\Sigma (d_i - \bar{d})^2}{n-1} = \frac{24}{14} = 1{,}7143, s_d = 1{,}3093 \ .$$

Appliquons la démarche du test.

Démarche du test

1. **Hypothèses statistiques.**
   $H_0 : \mu_d = 0$
   $H_1 : \mu_d > 0$

2. **Seuil de signification.**
   $\alpha = 0{,}01$.

3. **Conditions d'application du test:** Échantillon aléatoire de n différences ($n=15<30$) distribuées normalement.

4. **La statistique** qui convient pour le test est $\overline{D}$.
   L'écart réduit est, selon les conditions d'application et en supposant H_0 vraie,

   $$T = \frac{\overline{D} - \mu_d}{\dfrac{s_d}{\sqrt{n}}}$$

   qui est distribué selon la loi de Student avec
   $\nu = n - 1 = 14$ degrés de liberté.

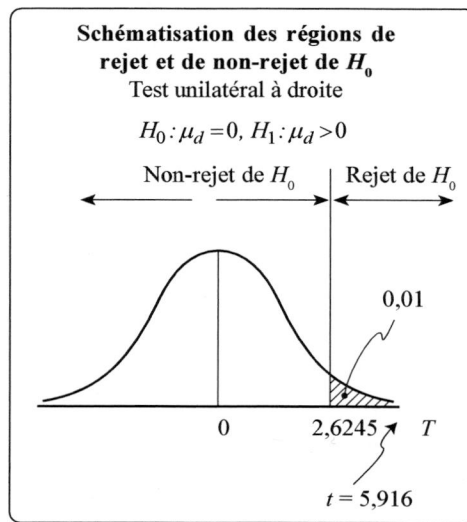

Schématisation des régions de rejet et de non-rejet de H_0
Test unilatéral à droite

$H_0 : \mu_d = 0$, $H_1 : \mu_d > 0$

Non-rejet de H_0 Rejet de H_0

0,01

0   2,6245 T

$t = 5{,}916$

5. **Règle de décision.** D'après H_1 et au seuil $\alpha = 0{,}01$, la valeur critique de l'écart réduit est $t_{0{,}01;14} = 2{,}6245$ (test unilatéral à droite). On adoptera la règle de décision suivante: rejeter H_0 si $T > 2{,}6245$, sinon ne pas rejeter H_0.

6. **Calcul de l'écart réduit.** En utilisant les calculs préliminaires, on obtient la valeur suivante pour l'écart réduit:

   $$t = \frac{2}{\dfrac{1{,}3093}{\sqrt{15}}} = 5{,}916 \ .$$

7. **Décision et conclusion.** La valeur $t = 5{,}916$ se situe dans la région de H_0. La moyenne observée des différences du nombre de pièces assemblées est significative au seuil $\alpha = 0{,}01$.

Si les coûts encourus par la mise en place du programme d'apprentissage sont moindres que la réduction des coûts résultant d'une augmentation de la productivité, le programme sera économiquement justifié.

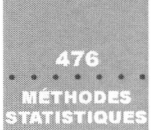

Exercices
d'apprentis-
sage
Série 8.2

📖 Comparaison de deux estimateurs concernant l'estimation de coûts de projet

1. Une importante société de la région de Montréal, offrant un éventail de services en ingénierie allant de la préparation à l'exécution de projets de construction, de gestion de projets en milieu industriel, veut s'assurer que les personnes qui sont affectées à l'estimation des coûts des projets et à la préparation des soumissions présentent une certaine uniformité dans leurs estimations. Le responsable des travaux de génie civil et de services municipaux a décidé de structurer un plan d'expérience pour détecter s'il pouvait exister des différences significatives sur l'évaluation des projets.

Six projets furent sélectionnés, chacun des projets devant être évalué par chacun des 2 estimateurs, l'ordre des projets soumis étant aléatoire. Les estimations obtenues sont présentées dans le tableau ci-après.

	Estimateurs		Différence
	A	**B**	**A-B**
Projet 1	59,2	60,1	-0,9
Projet 2	55,6	55,9	-0,3
Projet 3	85,4	83,6	1,8
Projet 4	105,2	103,5	
Projet 5	68,2	69,5	
Projet 6	29,3	28,6	
		Somme:	

a) Complétez le tableau ci-haut.

b) Déterminez la moyenne des différences.

c) Calculez l'écart-type des différences.

d) Existe-t-il une différence significative dans la valeur estimative des projets entre les estimateurs?

📖 Évaluation de l'effet d'un nouveau médicament sur la tension artérielle systolique

2. Dans une étude* sur l'effet d'un nouveau médicament («Captopril») pour réduire la tension artérielle systolique, on a obtenu les valeurs de tension (en mm de Hg) suivantes, observées avant et après le traitement.

Individu	Tension avant	Tension après	Différence	Différence au carré
A	200	191	-9	81
B	174	170	-4	16
C	198	177	-21	441
D	170	167	-3	9
E	179	159	-20	400
F	182	151		
G	193	176		
H	209	183		
I	185	159		
J	155	145		
K	169	146		
L	210	177		

*Source: MacGregor et al. "Essential Hypertension: Effect of an Oral Inhibitor of Angiotension-Converting Enzyme". *British Medical Journal*, vol 2.

L'hypothèse de recherche est la suivante:

Le médicament Captopril réduit la tension artérielle systolique.

a) Complétez le tableau ci-haut.

b) Est-ce que ces résultats permettent de favoriser, au seuil de 5%, l'hypothèse de recherche?

8.6   Comparaison de variances et la distribution de Fisher-Snedecor

La comparaison de deux populations normales peut porter non seulement sur leur valeur centrale, leur moyenne, mais également sur leur dispersion. La caractéristique de dispersion la plus utilisée est la variance. Rappelons qu'une des conditions d'application du test de Student dans le cas de comparaison de deux moyennes est que les échantillons proviennent de deux populations normales de variances identiques: $\sigma_1^2 = \sigma_2^2$. Cette hypothèse peut être vérifiée à l'aide d'un test sur l'égalité de deux variances. Pour effectuer un tel test, il faut faire intervenir une nouvelle distribution d'échantillonnage soit celle du *quotient de deux variances dite distribution du F* ou *distribution de Fisher-Snedecor*.

Donnons un bref aperçu de la distribution de Fisher.

Distribution de Fisher (*F*)

La loi de Fisher est une loi continue dont l'expression algébrique de la densité de probabilité est complexe et ne sera pas présentée ici. Cette loi fut découverte d'abord par Fisher en 1924 puis tabulée par Snedecor en 1934. Les principales propriétés de cette loi sont les suivantes.

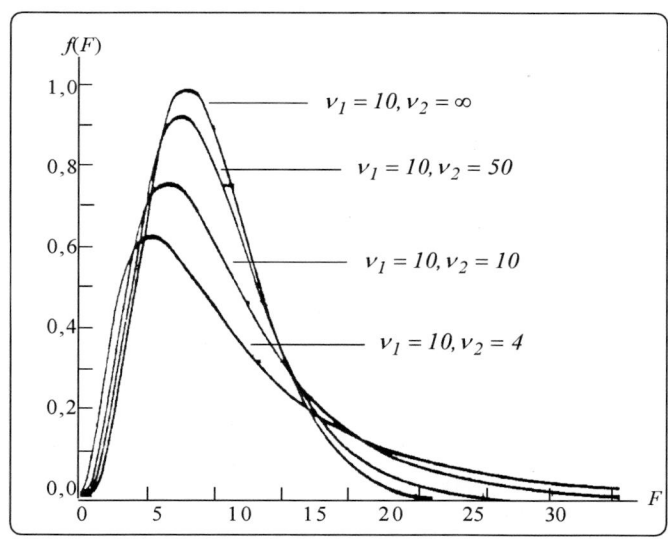

Propriétés de la loi de Fisher

❶ La quantité *F* est une variable aléatoire continue issue du rapport de deux variables du χ^2 divisées par leurs degrés de liberté respectifs: $F = \dfrac{\chi_1^2/v_1}{\chi_2^2/v_2}$ est une variable aléatoire suivant la distribution de Fisher avec v_1 et v_2 degrés de liberté. Cette quantité prend des valeurs réelles non négatives ($F \geq 0$).

❷ Elle dépend des nombres de degrés de liberté v_1 et v_2. Cette loi présente diverses formes dissymétriques selon les valeurs de v_1 et v_2 (il existe donc plusieurs distributions du *F*). Elle présente une asymétrie positive.

❸ À mesure que les nombres de degrés de liberté v_1 et v_2 augmentent, la loi de Fisher tend vers une loi normale.

❹ On démontre que l'espérance mathématique et la variance de cette variable aléatoire sont:

$$E(F) = \frac{v_2}{v_2 - 2}, v_2 > 2, \; Var(F) = \frac{v_2^2(2v_1 + 2v_2 - 4)}{v_1(v_2 - 2)^2(v_2 - 4)}, v_2 > 4$$

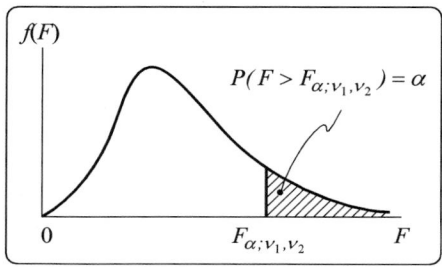

Valeurs tabulées du *F* et leur signification

Les valeurs de *F* dépendent de α (le seuil de signification) et des nombres de degrés de liberté v_1 et v_2. Elles sont tabulées de manière telle que la probabilité pour que *F* soit supérieure à une valeur fixée $F_{\alpha; v_1, v_2}$ est donnée par la relation $P(F > F_{\alpha; v_1, v_2}) = \alpha$. La valeur particulière $F_{\alpha; v_1, v_2}$ se lit directement des valeurs tabulées de la distribution de Fisher.

Dans la lecture des valeurs tabulées, il est important de noter que v_1 représente le nombre de degrés de liberté du numérateur et v_2, celui du dénominateur et ces nombres doivent se présenter dans l'ordre v_1 et v_2. À moins que $v_1 = v_2$,

$$F_{\alpha; v_1, v_2} \neq F_{\alpha; v_2, v_1}$$

Dans l'exécution de tests statistiques (ou dans le calcul d'intervalles de confiance) sur l'égalité de deux variances, on voudra obtenir, à partir de la table de la distribution de Fisher, des valeurs particulières (valeurs critiques) de F, selon α, v_1 et v_2.

Extrait des valeurs tabulées de la distribution de Fisher
$\alpha = 0{,}05$

	Degrés de liberté au numérateur										
	1	**2**	**3**	**4**	**5**	**6**	**7**	**8**	**9**	**10**	**11**
1	161,446	199,499	215,707	224,583	230,160	233,988	236,767	238,884	240,543	241,882	242,981
2	18,513	19,000	19,164	19,247	19,296	19,329	19,353	19,371	19,385	19,396	19,405
3	10,128	9,552	9,277	9,117	9,013	8,941	8,887	8,845	8,812	8,785	8,763
4	7,709	6,944	6,591	6,388	6,256	6,163	6,094	6,041	5,999	5,964	5,936
5	6,608	5,786	5,409	5,192	5,050	4,950	4,876	4,818	4,772	4,735	4,704
6	5,987	5,143	4,757	4,534	4,387	4,284	4,207	4,147	4,099	4,060	4,027
7	5,591	4,737	4,347	4,120	3,972	3,866	3,787	3,726	3,677	3,637	3,603
8	5,318	4,459	4,066	3,838	3,688	3,581	3,500	3,438	3,388	3,347	3,313
9	5,117	4,256	3,863	3,633	3,482	3,374	3,293	3,230	3,179	3,137	3,102
10	4,965	4,103	3,708	3,478	3,326	3,217	3,135	3,072	3,020	2,978	2,943
11	4,844	3,982	3,587	3,357	3,204	3,095	3,012	2,948	2,896	2,854	2,818
12	4,747	3,885	3,490	3,259	3,106	2,996	2,913	2,849	2,796	2,753	2,717
13	4,667	3,806	3,411	3,179	3,025	2,915	2,832	2,767	2,714	2,671	2,635
14	4,600	3,739	3,344	3,112	2,958	2,848	2,764	2,699	2,646	2,602	2,565
15	4,543	3,682	3,287	3,056	2,901	2,790	2,707	2,641	2,588	2,544	2,507

Degrés de liberté au dénominateur (axe vertical)

Par exemple, quelle est la valeur tabulée de F lorsque $\alpha = 0{,}05$, $v_1 = 10$ et $v_2 = 12$?

De la table, on lit: $F_{\alpha; v_1, v_2} = F_{0{,}05; 10, 12} = 2{,}753$.

Cette quantité peut s'interpréter comme suit:

On a 5 chances sur 100 que la variable aléatoire F avec $v_1 = 10$ et $v_2 = 12$ degrés de liberté soit supérieure à 2,753, c.-à-d. $P(F > 2{,}753) = 0{,}05$.

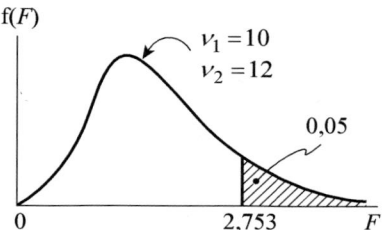

Comme la distribution de Fisher est continue, les probabilités suivantes sont équivalentes:

$$P(F > F_{\alpha; v_1, v_2}) = P(F \geq F_{\alpha; v_1, v_2}) = \alpha .$$

Remarque. La fonction Excel qui permet d'obtenir les valeurs de la variable de Fisher est: =INVERSE.LOI.F(probabilité;degrés_liberté1;degrés_liberté2). Ainsi dans notre exemple, on a: =INVERSE.LOI.F(0,05;10;12), ce qui donne 2,753.

Relation complémentaire pour le *F* de Fisher

$$F_{1-\alpha;\nu_2,\nu_1} = \frac{1}{F_{\alpha;\nu_1,\nu_2}} \quad \text{ou} \quad F_{\alpha;\nu_1,\nu_2} = \frac{1}{F_{1-\alpha;\nu_2,\nu_1}}$$

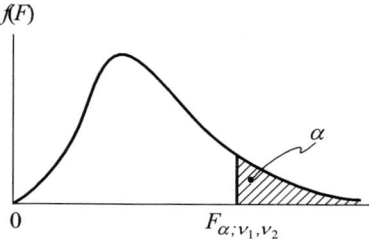

$$P(F > F_{\alpha;\nu_1,\nu_2}) = \alpha$$
$$F_{0,05;12,8} = 3,28$$
$$P(F > 3,28) = 0,05$$

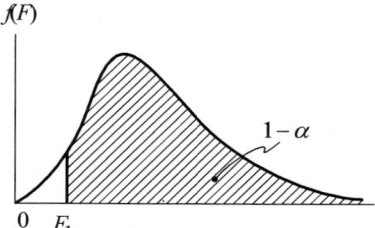

$$P(F > F_{1-\alpha;\nu_1,\nu_2}) = 1-\alpha$$
$$F_{0,95;12,8} = \frac{1}{F_{0,05;8,12}} = \frac{1}{2,849} = 0,351$$
$$P(F > 0,351) = 0,95$$

À noter l'inversion de l'ordre des degrés de liberté du numérateur et du dénominateur dans la relation complémentaire de *F*.

8.7   Distribution d'échantillonnage du quotient de deux variances

La distribution de Fisher est nécessaire pour la comparaison de deux variances. On caractérise la distribution d'échantillonnage du quotient de deux variances comme suit:

> **Distribution d'échantillonnage du quotient de deux variances.** On prélève au hasard et indépendamment deux échantillons de tailles n_1 et n_2 respectivement de deux populations *normales* dont les éléments possèdent un caractère mesurable avec variances σ_1^2 sur la population 1 et variances σ_2^2 sur la population 2. Les échantillons ayant donné respectivement les variances S_1^2 et S_2^2 , on démontre que la quantité
>
> $$F = \frac{S_1^2/\sigma_1^2}{S_2^2/\sigma_2^2} = \frac{\sigma_2^2/S_1^2}{\sigma_1^2/S_2^2}$$
>
> est distribuée selon la loi de Fisher avec $\nu_1 = n_1\text{-}1$ et $\nu_2 = n_2\text{-}1$ degrés de liberté.

Remarques. a) Sous l'hypothèse que les deux populations ont même variance, $\sigma_1^2 = \sigma_2^2$, le rapport

devient $F = \dfrac{S_1^2}{S_2^2}$, soit simplement le quotient des variances d'échantillons.

b) Le rapport *F* aurait pu également s'écrire $F = \dfrac{\dfrac{(n_1-1)S_1^2}{\sigma_1^2}/(n_1-1)}{\dfrac{(n_2-1)S_2^2}{\sigma_2^2}/(n_2-1)}$

où $\dfrac{(n_1-1)S_1^2}{\sigma_1^2}$ suit une loi du χ^2 avec $(n_1\text{-}1)$ degrés de liberté et $\dfrac{(n_2-1)S_2^2}{\sigma_2^2}$ celle du χ^2 avec $(n_2\text{-}1)$

degrés de liberté.

8.8   Test sur l'égalité de deux variances

Le tableau suivant résume les éléments requis pour exécuter un test d'hypothèse sur l'égalité de variances de deux populations normales.

Tableau 8.6
Tests sur l'égalité de deux variances: Échantillons de taille n_1 et n_2 prélevés au hasard et indépendamment de populations normales de variances

σ_1^2 et σ_2^2 **inconnues**

$$F = \frac{S_1^2}{S_2^2}$$

Hypothèse nulle : $H_0 : \sigma_1^2 = \sigma_2^2$

Contre-hypothèses	Règles de décision du test
$H_1 : \sigma_1^2 \neq \sigma_2^2$	Rejeter H_0 si $F > F_{\alpha/2; n_1-1, n_2-1}$ ou $F < F_{1-\alpha/2; n_1-1, n_2-1}$
$H_1 : \sigma_1^2 > \sigma_2^2$	Rejeter H_0 si $F > F_{\alpha; n_1-1, n_2-1}$
$H_1 : \sigma_1^2 < \sigma_2^2$	Rejeter H_0 si $F < F_{1-\alpha; n_1-1, n_2-1}$

*En supposant H_0 vraie et selon les conditions d'application, la quantité obtenue du rapport des variances d'échantillons soit $F = \dfrac{S_1^2}{S_2^2}$ est distribuée selon la loi de Fisher avec $(n_1 - 1)$ et $(n_2 - 1)$ degrés de liberté.

Exemple 8.5

Test sur l'égalité de deux variances: comparaison de la variabilité de durées d'appels de service

L'entreprise CBM Systèmes Inc., spécialisée dans la fabrication et la vente de logiciels de gestion de projet, examine la possibilité d'augmenter le nombre de personnes affectées à son service à la clientèle. Le responsable du service aimerait connaître si le temps passé (en minutes) à répondre aux appels de service des logiciels est plus important pour les appels classés «assistance technique» ou pour ceux classés «renseignements généraux».

Les résultats suivants ont été obtenus par un échantillon d'appels des deux catégories.

	Renseignements généraux	Assistance technique
Nombre d'appels	$n_1 = 32$	$n_2 = 25$
Durée moyenne (minutes)	8,56	16,78
Variance	29,85	39,97

i) Peut-on considérer comme vraisemblable et ceci au seuil de signification $\alpha = 0,05$, l'hypothèse selon laquelle la variabilité de la durée des appels est identique, peu importe la catégorie d'appels?

Démarche du test

1. **Hypothèses statistiques.**
$$H_0 : \sigma_1^2 = \sigma_2^2$$
$$H_1 : \sigma_1^2 \neq \sigma_2^2$$

2. **Seuil de signification.**
   $\alpha = 0,05$.

3. **Conditions d'application du test:** Échantillons provenant de deux populations normales de variances σ_1^2 et σ_2^2.

4. **La statistique** qui convient pour le test est le rapport des deux variances. Cette quantité est, selon les conditions d'application et en supposant H_0 vraie,

$$F = \frac{S_1^2 / \sigma_1^2}{S_2^2 / \sigma_2^2} = \frac{S_1^2}{S_2^2}.$$

Elle est distribuée suivant la loi de Fisher avec $(n_1 - 1) = 31$ et $(n_2 - 1) = 24$ degrés de liberté.

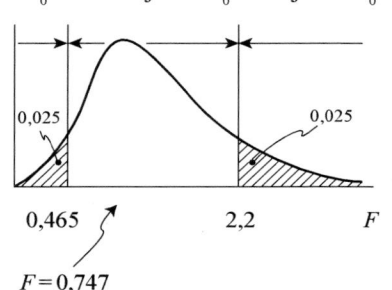

Schématisation des régions de rejet et de non-rejet de H_0
Test bilatéral

$H_0 : \sigma_1^2 = \sigma_2^2$
$H_1 : \sigma_1^2 \neq \sigma_2^2$

Rejet de H_0 Non-rejet de H_0 Rejet de H_0

0,025   0,025

0,465   2,2 F

$F = 0,747$

5. **Règle de décision.** D'après H_1 et au seuil $\alpha = 0,05$, avec $v_1 = 31$ et $v_2 = 24$ degrés de liberté, les valeurs critiques du F sont

$$F_{0,025;31,24} = 2,2 \quad \text{et} \quad F_{0,975;31,24} = \frac{1}{F_{0,025;24,31}} = \frac{1}{2,15} = 0,465.$$

On adoptera la règle de décision suivante: rejeter H_0 si $F > 2,2$ ou $F < 0,465$, sinon ne pas rejeter H_0.

6. **Calcul du quotient des variances.** On obtient le quotient suivant:

$$F = \frac{s_1^2}{s_2^2} = \frac{29,85}{39,97} = 0,747$$

7. **Décision et conclusion.** Puisque $0,465 < F = 0,747 < 2,2$, on ne peut rejeter H_0. Rien ne s'oppose, avec un risque de 5% de se tromper, à ce que les variabilités des durées des appels issus des deux catégories soient supposées identiques.

Remarque. On notera que pour obtenir la valeur critique inférieure du F, on doit utiliser la relation

$$F_{1-\alpha/2;n_1-1,n_2-1} = \frac{1}{F_{\alpha/2;n_2-1,n_1-1}}.$$

b) Il en sera de même pour un test unilatéral à gauche où $F_{1-\alpha;n_1-1,n_2-1} = \frac{1}{F_{\alpha;n_2-1,n_1-1}}$.

c) La variable F est également très employée en analyse de régression et en analyse de variance.

---

ii)   On envisage d'ajouter une autre personne-ressource si les appels classés «assistance technique» requièrent, en moyenne, une durée de plus de 12 minutes comparés à ceux classés «renseignements généraux». En utilisant un seuil de signification $\alpha = 0,01$, est-ce que l'ajout d'une autre personne-ressource serait justifié?

La notion de comparaison de deux variances nous sera à nouveau particulièrement utile au chapitre 10 sur l'introduction à l'analyse de variance et aux chapitres 11 et 12 sur l'analyse de régression.

Il s'agit de tester l'hypothèse $H_0: \mu_2 - \mu_1 = 12$ contre l'hypothèse $H_1: \mu_2 - \mu_1 > 12$ au seuil de signification $\alpha = 0,01$.

Les conditions d'application du test sont celles du cas 3.

Nous avons vérifié en i) l'hypothèse d'égalité des variances des deux populations normales.

Le calcul de l'écart réduit donne:

$$t = \frac{(16,78 - 8,56) - (12)}{\sqrt{\dfrac{(31)(29,85) + (24)(39,97)}{32 + 25 - 2}} \sqrt{\dfrac{1}{32} + \dfrac{1}{25}}} = \frac{-3,78}{\sqrt{\dfrac{(925,35) + (959,28)}{55}} \sqrt{0,07125}} = \frac{-3,78}{\sqrt{34,266} \sqrt{0,07125}}$$

$$t = \frac{-3,78}{(5,854)(0,267)} = \frac{-3,78}{1,563} = -2,418$$

Pour ce test, la règle de décision est: rejeter H_0 si $T > 2,396$, sinon ne pas rejeter H_0.
D'après le calcul du $t = -2,418 < 2,396$, on ne peut rejeter H_0.

Selon les résultats observés jusqu'à présent, l'écart entre les durées moyennes d'appels, soit 8,22 min, ne permet pas de supporter, au seuil $\alpha = 0,01$, l'hypothèse H_1: $\mu_2 - \mu_1 > 12$.

Remarque. Si, dans le cas d'un test d'égalité de deux moyennes, les données ne permettent pas de supporter l'hypothèse d'égalités des variances (une des conditions d'application des tests sur deux moyennes mentionnés au tableau 8.4), il est alors inapproprié de combiner les sommes de carrés de chaque échantillon pour obtenir une estimation de la variance commune. Il est quand même possible de comparer les moyennes des populations en utilisant un test proposé par Satterhwaite.

L'écart réduit (que nous notons T') est, dans ce cas, distribué approximativement selon une loi de Student avec ν degrés de liberté: $T' = \dfrac{(\overline{X}_1 - \overline{X}_2) - (\mu_1 - \mu_2)}{\sqrt{\dfrac{S_1^2}{n_1} + \dfrac{S_2^2}{n_2}}}$

Toutefois les degrés de liberté sont estimés à l'aide des résultats des échantillons comme indiqués ci-après:

$$\nu = \frac{\left[\dfrac{S_1^2}{n_1} + \dfrac{S_2^2}{n_2}\right]^2}{\dfrac{\left(\dfrac{S_1^2}{n_1}\right)^2}{n_1 - 1} + \dfrac{\left(\dfrac{S_2^2}{n_2}\right)^2}{n_2 - 1}}$$

Si ν n'est pas un nombre entier, utilisez le nombre entier le plus proche.

Exercices d'apprentissage

Série 8.3

📄 Comparaison des dépenses moyennes pour «meubles et appareils de maison» de deux régions

1. Selon une économiste, les dépenses moyennes* pour «meubles et appareils de maison» ont été plus importantes pour les ménages de la région de Montréal, que celles de la région de Québec.

Un échantillon aléatoire de 20 ménages de chaque région donne les résultats ci-contre, en ce qui a trait aux dépenses pour ce secteur d'activité économique.

*Source: Adapté de Harris, C. *Le budget familial*. Le Banquier, novembre/décembre 1999.

Une analyse des données obtenues pour chaque région donne les résultats de la page suivante (le traitement a été effectué avec le logiciel statistique MINITAB). Certaines sorties informatiques ont été éditées par l'auteur.

Région de Montréal	Région de Québec
2442	2255
2536	2320
2120	2028
2558	2336
2440	2255
2592	2360
2450	2275
2570	2350
2354	2195
2466	2270
2430	2250
2395	2220
2218	2100
2125	2035
2100	1950
2640	2390
2240	2115
2400	2225
2280	2140
2600	2400

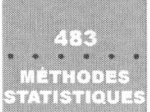

Tracé pour vérifier l'hypothèse de normalité des données obtenues de la région de Montréal

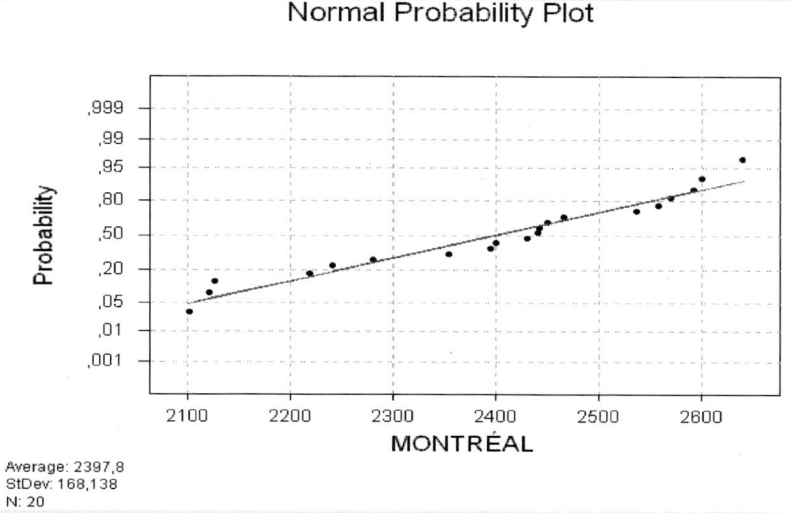

Normal Probability Plot

Average: 2397,8
StDev: 168,138
N: 20

Tracé pour vérifier l'hypothèse de normalité des données obtenues de la région de Québec

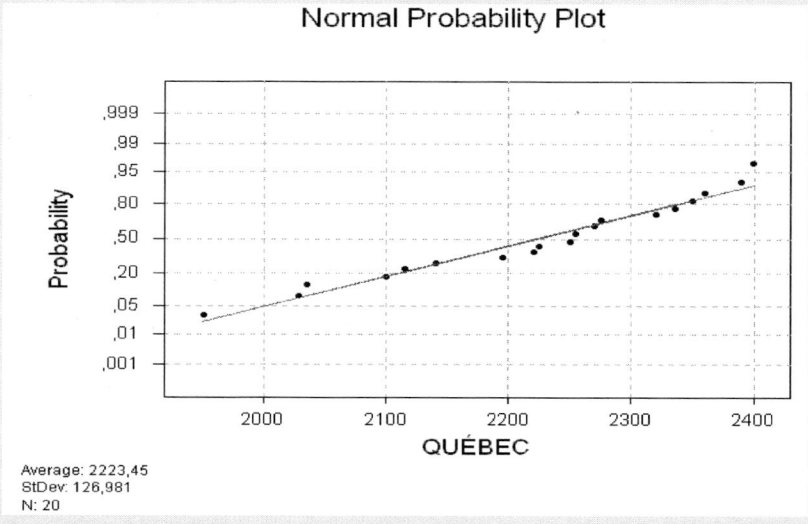

Normal Probability Plot

Average: 2223,45
StDev: 126,981
N: 20

Les deux tracés semblent confirmer l'hypothèse de normalité des données.

Les principales statistiques descriptives sont présentées ci-après:

Variable	N	Moyenne	Médiane	Écart-type
MONTRÉAL	20	2397,8	2435,0	168,1

Variable	N	Moyenne	Médiane	Écart-type
QUÉBEC	20	2223,5	2252,5	127,0

Est-ce que l'hypothèse d'égalité des variances pour cette caractéristique socio-économique mesurée dans ces deux populations est respectée?
Effectuez un test unilatéral.

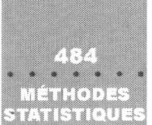

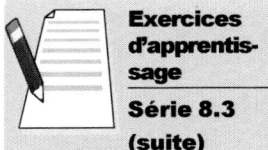

Exercices d'apprentissage

Série 8.3 (suite)

2. La sortie informatique avec Excel pour la comparaison des moyennes (test d'égalité des espérances) est présentée ci-après:

	Région de Montréal	Région de Québec
Moyenne	2397,8	2223,45
Variance	28270,37895	16124,05
Observations	20	20
Variance pondérée	22197,21447	
Différence hypothétique des moyennes	0	
Degré de liberté	38	
Statistique t	3,700604841	
P(T<=t) unilatéral	0,000339449	
Valeur critique de t (unilatéral)	1,685953066	
P(T<=t) bilatéral	0,000678899	
Valeur critique de t (bilatéral)	2,024394234	

Diagrammes en boîte obtenus avec Minitab

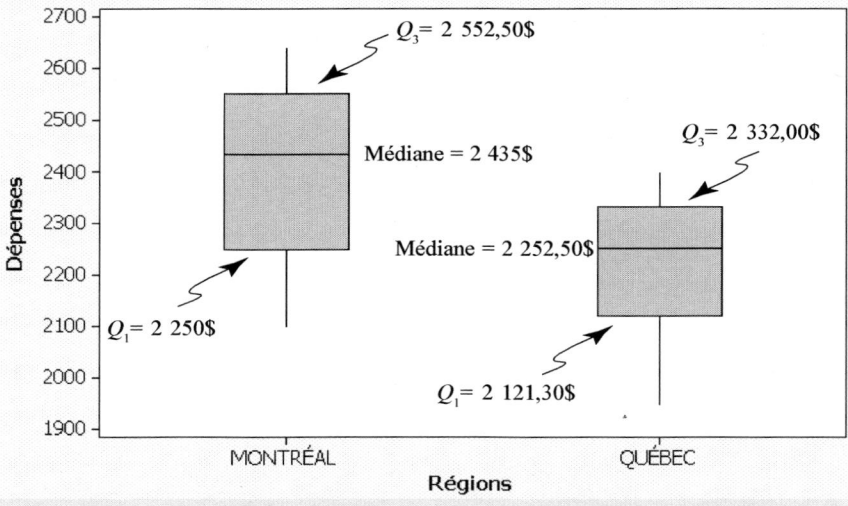

a) Précisez les hypothèses statistiques que l'on veut soumettre au test?

b) Est-ce que l'affirmation de l'économiste est vraisemblable, au seuil de signification 5%?

8.9   Résumé, glossaire et synthèse des principales formules

Résumé

▶ Nous avons indiqué dans ce chapitre comment comparer, à l'aide des tests statistiques appropriés, les moyennes et les variances de deux populations.

▶ Nous avons eu recours à nouveau à la loi normale centrée réduite et à la loi de Student pour établir les règles de décision dans le cas de comparaison de deux moyennes. Nous avons également traité du cas où les données ne proviennent pas de deux populations indépendants; on doit alors appliquer la méthode des couples, qui consiste à déterminer la différence des mesures pour chaque paire de données. Le test porte sur la moyenne des différences, qu'on suppose égale à 0 dans l'hypothèse nulle.

▶ Nous avons terminé ce chapitre en indiquant comment comparer les variances de populations normales à l'aide des variances d'échantillons issus de ces populations; on a recours à la loi de Fisher pour établir les règles de décision.

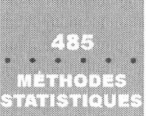
Glossaire

Test de comparaison de deux moyennes: Test statistique permettant d'établir s'il existe une différence significative entre deux moyennes de deux populations indépendantes.

Échantillons indépendants: Échantillons prélevés au hasard de deux (ou plusieurs) populations et dont les unités statistiques formant chaque échantillon sont sélectionnés dans chaque population respective.

Variance combinée: Variance obtenue à partir de l'addition des sommes de carrés attribuable à chaque série de données provenant de deux populations indépendantes; la variance combinée s'obtient en divisant la somme de carrés obtenue par la somme des degrés de liberté. Ce calcul est approprié lorsqu'on suppose que les variances des populations sont égales à une valeur commune.

Échantillons dépendants: Échantillons constitués des mêmes unités statistiques et dont les données sont obtenues à des périodes différentes ou selon des traitements différents. On s'intéresse alors à la différence des mesures pour chaque couple de données.

Test de comparaison de deux variances: Test statistique ayant recours à la loi de Fisher et permettant de comparer, à l'aide du quotient des variances d'échantillons, les variances de deux populations normales.

Principales formules

Test sur deux moyennes

L'hypothèse nulle qui est soumise au test est $H_0 : \mu_1 = \mu_2$.

Nous sommes en présence de deux échantillons aléatoires et indépendants de taille respective n_1 et n_2.

Deux populations normales de variances connues

L'écart réduit est $Z = \dfrac{(\bar{X}_1 - \bar{X}_2)}{\sqrt{\dfrac{\sigma_1^2}{n_1} + \dfrac{\sigma_2^2}{n_2}}}$; il est distribué selon la loi normale centrée réduite.

Dans le cas d'un test bilatéral ($H_1 : \mu_1 \neq \mu_2$), nous rejetons l'hypothèse nulle H_0 si $Z > z_{\alpha/2}$ ou $Z < -z_{\alpha/2}$.

Deux échantillons de grandes tailles ($n_1 \geq 30$, $n_2 \geq 30$)

L'écart réduit est $Z = \dfrac{(\bar{X}_1 - \bar{X}_2)}{\sqrt{\dfrac{S_1^2}{n_1} + \dfrac{S_2^2}{n_2}}}$; il est distribué selon la loi normale centrée réduite.

Dans le cas d'un test bilatéral ($H_1 : \mu_1 \neq \mu_2$), nous rejetons l'hypothèse nulle H_0 si $Z > z_{\alpha/2}$ ou $Z < -z_{\alpha/2}$.

Deux populations normales de variances inconnues mais supposées égales (Échantillons de petites tailles, $n_1 < 30$ et /ou $n_2 < 30$)

L'écart réduit est $T = \dfrac{(\bar{X}_1 - \bar{X}_2)}{\sqrt{\dfrac{\sum (X_{i1} - \bar{X}_1)^2 + \sum (X_{i2} - \bar{X}_2)^2}{n_1 + n_2 - 2}} \sqrt{\dfrac{1}{n_1} + \dfrac{1}{n_2}}}$; il est distribué selon la loi de

Student avec $\nu = n_1 + n_2 - 2$ degrés de liberté.

Dans le cas d'un test bilatéral ($H_1 : \mu_1 \neq \mu_2$), nous rejetons l'hypothèse nulle H_0 si $T > t_{\alpha/2; n_1 + n_2 - 2}$ ou $T < -t_{\alpha/2; n_1 + n_2 - 2}$.

**Principales
formules
(suite)**

**Test de comparaison pour deux échantillons appariés
(Échantillons de petites tailles, $n_1 < 30$ et /ou $n_2 < 30$)**

L'hypothèse nulle qui est soumise au test est $H_0 : \mu_d = 0$.

Nous sommes en présence de n différences $d_i = x_{i2} - x_{i1}$ où x_{i1} et x_{i2} représentent les valeurs des deux séries appariées.

L'écart réduit est $T = \dfrac{\bar{D} - \mu_d}{\dfrac{s_d}{\sqrt{n}}}$; il est distribué selon la loi de Student avec $(n-1)$ degrés de liberté

où $\bar{D}$ prend la valeur $\bar{d} = \dfrac{\sum d_i}{n}$ et $s_d = \sqrt{\dfrac{\sum (d_i - \bar{d})^2}{n-1}}$.

Dans le cas d'un test bilatéral ($H_1 : \mu_d \neq 0$), nous rejetons l'hypothèse nulle H_0 si $T > t_{\alpha/2;n-1}$ ou

$T < -t_{\alpha/2;n-1}$.

Test sur l'égalité de deux variances

L'hypothèse nulle qui est soumise au test est $H_0 : \sigma_1^2 = \sigma_2^2$.

Nous sommes en présence de deux échantillons aléatoires et indépendants de taille respective n_1 et n_2, provenant de deux populations normales.

La statistique utilisée pour le test est $F = \dfrac{S_1^2}{S_2^2}$; elle est distribuée selon la loi de Fisher avec $(n_1 - 1)$

et $(n_2 - 2)$ degrés de liberté avec $S_1^2 = \dfrac{\sum\limits_{i=1}^{n_1} (X_{i1} - \bar{X}_1)^2}{n_1 - 1}$ et $S_2^2 = \dfrac{\sum\limits_{i=1}^{n_2} (X_{i2} - \bar{X}_2)^2}{n_2 - 1}$.

Relation complémentaire du F de Fisher: $F_{1-\alpha;v_2,v_1} = \dfrac{1}{F_{\alpha;v_1,v_2}}$ ou $F_{\alpha;v_1,v_2} = \dfrac{1}{F_{1-\alpha;v_2,v_1}}$ avec

$v_1 = n_1 - 1$ et $v_2 = n_2 - 1$.

Dans le cas d'un test bilatéral ($H_1 : \sigma_1^2 \neq \sigma_2^2$), nous rejetons l'hypothèse nulle H_0 si

$F > F_{\alpha/2;n_1-1,n_2-1}$ ou $F < F_{1-\alpha/2;n_1-1,n_2-1}$.

8.10   Exercices d'application

Comparaison de deux moyennes

1.   On a prélevé deux échantillons respectivement de deux populations normales de moyennes μ_1 et μ_2 (inconnues) mais de variance commune $\sigma^2 = 100$.   Les moyennes de chaque échantillon sont présentées dans le tableau ci-après.   On s'intéresse à la différence des moyennes.

Échantillon no 1	Échantillon no 2
$n_1 = 25$	$n_2 = 25$
$\bar{x}_1 = 138$	$\bar{x}_2 = 135$

a) Quelle est la valeur de l'estimation de $\mu_1 - \mu_2$?

b) Déterminez $\sigma^2(\overline{X}_1)$ et $\sigma^2(\overline{X}_2)$.

c) Quel est l'écart-type de la différence $\overline{X}_1 - \overline{X}_2$?

d) Que peut-on dire quant à la forme de la distribution d'échantillonnage de $\overline{X}_1 - \overline{X}_2$?

e) Est-ce nécessaire ici d'obtenir une estimation de la variance de chaque population?

f) Quelle est l'expression de l'écart réduit entre la différence des moyennes d'échantillons et des moyennes hypothétiques des populations?

g) En supposant l'égalité des moyennes des populations, quelle est, d'après les résultats obtenus, la valeur prise par l'écart réduit?

h) En posant $H_1 : \mu_1 \neq \mu_2$, est-ce que les résultats observés semblent favoriser, au seuil $\alpha = 0,05$, l'hypothèse nulle posée en g) ou l'hypothèse H_1?

i) En supposant vraie l'hypothèse spécifiée en g), quelle est la probabilité de rejeter à tort cette hypothèse, suite aux résultats d'échantillons? Comparez cette probabilité avec le seuil de signification choisi. Que pouvez-vous conclure?

2. Un cours d'Introduction aux principes d'économie est offert à deux groupes d'individus d'un programme en sciences de la gestion. Les résultats suivants ont été obtenus en fin de session. Peut-on conclure, au seuil de signification $\alpha = 0,05$, que le groupe B est supérieur au groupe A?

Quelles sont les conditions d'application requises pour effectuer ce test?

Groupe A	Groupe B
$n_1 = 64$	$n_2 = 68$
$\overline{x}_1 = 73,2$	$\overline{x}_2 = 76,6$
$s_1 = 10,9$	$s_2 = 11,4$

3. On veut comparer les dépenses hebdomadaires moyennes pour la consommation alimentaire auprès de familles de deux régions présentant sensiblement les mêmes caractéristiques sociologiques. Un échantillon aléatoire prélevé auprès de familles de chaque milieu conduit aux résultats ci-contre.

a) Avant de connaître les résultats de cette enquête, la responsable de la mise en marché d'une grande chaîne d'alimentation avait émis l'hypothèse selon laquelle les dé-

	Région A	Région B
Nombre de familles	38	40
Moyenne	89,70$	94,50$
Variance	148,8	170,3

penses hebdomadaires moyennes pour l'alimentation ne diffèrent pas de façon significative entre les familles de ces deux régions. Est-ce que cette hypothèse est vraisemblable au seuil de signification $\alpha = 0,05$?

b) Calculez un intervalle de confiance pour la différence de moyennes $\mu_1 - \mu_2$. Utilisez un niveau de confiance de 95%.

c) Si on utilise l'intervalle de confiance obtenu en b) pour tester l'hypothèse émise en a), à quelle conclusion arrive-t-on? Discutez.

4. On a relevé, dans les dossiers de deux sociétés en courtage immobilier, les montants de prêts hypothécaires consentis depuis quelques mois.

	Société A	Société B
Nombre de prêts	75	82
Montant moyen	38 500$	42 300$
Écart-type	3 080$	3 375$

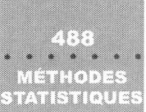

4. (suite) En supposant que le nombre de prêts consentis par chaque société représente un échantillon aléatoire des dossiers des sociétés, peut-on considérer, au seuil α = 0,05, que l'écart observé entre les montants moyens des prêts est significatif? Effectuez un test unilatéral approprié.

5. Un organisme gouvernemental a effectué une enquête par sondage sur les dépenses annuelles des ménages pour une famille de 4 personnes, selon qu'elle vit en milieu rural ou dans un milieu urbain.

	Milieu rural	Milieu urbain
Nombre de ménages	280	350
Dépenses moyennes	11 681$	16 065$
Écart-type	1 200$	1 500$

Peut-on conclure, au seuil de signification α = 0,05, que les ménages situés dans les milieux urbains dépensent, en moyenne, plus que ceux situés en milieu rural?

6. Une recherche* avait pour but d'évaluer dans quelle mesure la décentralisation d'un service de ressources humaines a un impact sur la satisfaction de ses clients. Une enquête par questionnaire a été réalisée dans deux organisations du secteur public fédéral (l'une possédant un service centralisé et l'autre ayant opté pour une structure décentralisée). Un échantillon aléatoire correspondant à environ 15% des effectifs (excluant toutefois les professionnels en ressources humaines) a été tiré dans chacune des organisations.

La satisfaction des clients est mesurée à l'aide de six indicateurs avec une échelle de type Likert allant de 1 à 6 (1 = tout à fait en désaccord, ..., 6 = tout à fait en accord).

	Structure centralisée	Structure décentralisée
Nombre de clients	237	194
Satisfaction moyenne	3,86	3,90
Écart-type	1,12	1,29

* Source: Wils., T. M. Saint-Onge et C. Labelle, *Décentralisation des services de ressources humaines, Impacts sur la satisfaction des clients*, Relations industrielles, vol. 49, no 3, 1994, p. 483.

Une des hypothèses de recherche qu'on veut vérifier est: «La satisfaction globale (tous clients confondus) est plus élevée dans une structure décentralisée que dans une structure centralisée».

Les résultats obtenus sont présentés dans le tableau ci-haut.

a) Formulez l'hypothèse nulle et l'hypothèse de recherche.

b) Quelle est l'expression de l'écart réduit qui est appropriée ici pour effectuer ce test de comparaison de deux moyennes et quelle est sa distribution?

c) En utilisant un seuil de signification α = 0,01, quelle est, selon les hypothèses spécifiées en a), la valeur critique de l'écart réduit?

d) Quelle règle de décision doit-on adopter pour tester les hypothèses en a)?

e) Est-ce que les résultats de cette recherche permettent de rejeter l'hypothèse nulle et de favoriser l'hypothèse de recherche, au seuil α = 0,01?

7. Pour contrôler l'efficacité d'une méthode d'enseignement semi-individualisé dans un cours d'introduction aux bases de données, on compare les résultats de deux groupes d'individus. Le premier groupe est constitué de 40 individus et subit la méthode d'enseignement de type magistral. Le second, constitué de 35 individus, se voit appliquer la méthode semi-individualisée. On suppose que les deux groupes ont le

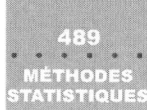
même niveau initial de connaissances. La compilation des résultats pour chaque groupe à l'issue de la session s'établit comme suit:

Groupe I: $n_1 = 40$, $\overline{x}_1 = 74$, $s_1 = 10$

Groupe II: $n_2 = 35$, $\overline{x}_2 = 79$, $s_2 = 11$

a) Quelle est la valeur de l'estimation de $\mu_1 - \mu_2$?

b) Déterminez $s^2(\overline{X}_1)$ et $s^2(\overline{X}_2)$

c) Quel est l'écart-type de la différence $\overline{X}_1 - \overline{X}_2$?

d) Que peut-on dire quant à la forme de la distribution d'échantillonnage de $\overline{X}_1 - \overline{X}_2$?

e) Supposons que ces deux groupes constituent deux échantillons aléatoires indépendants provenant de deux populations (très grandes). On émet l'hypothèse selon laquelle les deux méthodes sont de même efficacité (les moyennes μ_1 et μ_2 sont considérées comme égales dans les deux populations).

Quelle est l'expression de l'écart réduit (écart entre la différence des moyennes d'échantillons et des moyennes hypothétiques des populations exprimé par rapport à l'écart-type de la différence des moyennes d'échantillons) et selon quelle loi est-il distribué?

f) Sous les conditions posées en e) et d'après les résultats obtenus, quelle est la valeur prise par l'écart réduit?

g) Que vous manque-t-il pour conclure que l'hypothèse émise en e) est vraisemblable ou non?

h) D'après les résultats obtenus, déterminez l'intervalle de confiance qui a 95 chances sur 100 de contenir la vraie valeur de $\mu_1 - \mu_2$.

i) Peut-on conclure, avec un niveau de confiance de 95%, que le groupe subissant l'enseignement magistral a un rendement moyen inférieur à celui subissant l'enseignement semi-individualisé?

 8. Le test des points à organiser consiste à relier les sept points d'un nuage de points disposés irrégulièrement pour former un triangle et un carré. Le test est appliqué à 25 apprentis-mécaniciens et 22 mécaniciens professionnels choisis au hasard et indépendamment.

	G	H	I
1	Test d'égalité des variances (F-Test)		
2			
3		*Mécaniciens*	*Apprentis-mécaniciens*
4	Moyenne	30	23,84
5	Variance	25,3333	15,89
6	Observations	22	25
7	Degré de liberté	21	24
8	F	1,5943	
9	P(F<=f) unilatéral	0,1353	
10	Valeur critique pour F (unilatéral)	2,0146	

a) En utilisant les résultats ci-contre obtenus avec Excel, peut-on conclure que la variance des résultats à ce test pour les mécaniciens est supérieure à celle des apprentis-mécaniciens? Utilisez un seuil de signification de 5%. On suppose que les résultats à ce test sont distribués normalement.

b) On donne également les résultats ci-après. Calculez l'intervalle de confiance, ayant un niveau de confiance de 99%, de contenir la valeur vraie de la différence des moyennes.

c) À l'aide de l'intervalle de confiance calculé en b), peut-on affirmer, au seuil $\alpha = 0,01$, que les mécaniciens professionnels réussissent en moyenne aussi bien que les apprentis-mécaniciens?

	K	L	M
15		**Résultats au test des points**	
16		**Mécaniciens**	**Apprentis-mécaniciens**
17	n	22	25
18	Moyenne	30,0	23,84
19	Somme de carrés	532	381,36

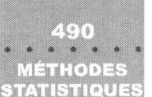

CHAPITRE 8

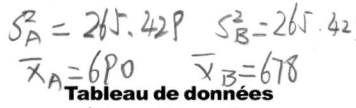

$S_A^2 = 265.428$ $S_B^2 = 265.429$

$\bar{x}_A = 680$ $\bar{x}_B = 678$

9. On veut comparer deux systèmes à temps partagé selon le temps de réponse à une commande d'édition. Les temps de réponse observés (en millisecondes) pour un certain nombre de requêtes sur chaque système sont présentés dans le tableau ci-contre.

a) On veut comparer le temps moyen de réponse des deux systèmes.

Précisez les hypothèses statistiques que l'on veut tester.

b) En utilisant un seuil de signification de 5% et le choix des hypothèses effectuées en a), peut-on conclure que le temps moyen de réponse est identique pour les deux systèmes?

On suppose que la variabilité du temps de réponse est identique pour les deux systèmes.

**Tableau de données
Exercice no 9**

Système A	Système B
672	672
670	694
687	681
665	688
717	655
699	665
688	701
703	690
693	658
672	678
714	702
699	694
698	660
673	662
700	670

10. L'entreprise Microplax se spécialise dans le placage en or de plaquettes de circuits imprimés* et veut diminuer les coûts de fabrication en réduisant la quantité de panneaux surplaqués. Certaines modifications ont été apportées au procédé de fabrication et on aimerait comparer l'épaisseur (en micropouces) moyenne de placage obtenue avec celle avant modification.

Pour fin de comparaison, on a prélevé du procédé de fabrication une vingtaine de plaquettes avant et après les modifications. L'épaisseur obtenue est présentée dans le tableau ci-contre pour chaque situation.

a) Quelles hypothèses statistiques devrait-on formuler ici?

b) En utilisant un seuil de signification de 1%, peut-on conclure que les modifications apportées par l'entreprise à son procédé de fabrication ont donné des résultats significatifs?

On suppose que l'hypothèse d'égalité des variances est vraisemblable.

Justifiez votre conclusion.

---

*Source: Adapté de "Improving a Gold Plating Process Using Taguchi Methods", Sixth symposium on Taguchi Methods, novembre 1988, American Supplier Institute, Dearborn, Michigan.

**Tableau de données
Exercice no 10**

Avant modification	Après modification
46	35
42	34
43	33
43	40
46	36
48	39
43	38
42	37
44	37
48	39
46	41
41	36
42	38
43	36
47	37
44	39
38	32
41	34
41	32
48	39

11. La responsable des ressources humaines de l'entreprise Campak doit engager une nouvelle personne pour le département d'emballage de l'entreprise. Après des tests préliminaires de sélection, deux personnes sont retenues pour l'étape finale qui consiste à l'emballage d'un certain nombre de paquets.

Les résultats de ces essais sont présentés dans le tableau de la page suivante. Ces données représentent le temps chronométré en minutes par chaque individu pour emballer le même nombre de paquets de même type.

**Tableau de données
Exercice no 11**

Individu A	Individu B
5,1	5,3
7,3	3,1
5,4	5,6
5,2	9,5
6,8	7,6
6,0	8,5
5,7	8,0
3,7	5,4
5,3	8,2
2,8	4,5
8,4	3,4
3,4	5,2
4,4	7,0
2,9	5,2
3,3	6,0
6,1	4,9
5,2	5,9
5,6	6,7
4,1	9,0
4,3	7,8

**Tableau de données
Exercice no 12**

Usines	
Ville St-Laurent	Longueuil
9,9	10,5
10,6	9,6
10,8	9,1
10,7	8,1
9,5	6,6
10,1	7,4
8,3	7,8
10,4	8,4
10,1	10,3
10,6	8,6
8,8	7,5
7,9	7,7
8,8	10,8
8,2	8,2
9,4	6,8
8,0	9,5
8,9	7,6
9,4	9,5
9,3	9,2
10,5	6,4
9,7	7,3
9,3	6,2
9,3	6,5
9,5	7,2

Elle décide de choisir l'individu A pour 2 raisons:

1. Le temps moyen d'emballage est inférieur.
2. Son travail est plus constant (variance plus petite).

On vous demande de justifier ces deux affirmations en utilisant les tests statistiques appropriés. Indiquez les hypothèses statistiques que vous soumettez au test. Utilisez un seuil de signification $\alpha = 0,05$ pour chaque test.

Pour tester la deuxième affirmation, on se servira de la sortie Excel suivante.

	A	B	C
56			
57	**Test d'égalité des variances (F-Test)**		
58			
59		*Individu B*	*Individu A*
60	Moyenne	6,34	5,05
61	Variance	3,276210526	2,183684211
62	Observations	20	20
63	Degré de liberté	19	19
64	F	1,500313329	
65	P(F<=f) unilatéral	0,192240525	
66	Valeur critique pour F (unilatéral)	2,16824958	

12. Le responsable des ressources humaines de l'entreprise MAE, fabricant de produits de haute technologie pour l'industrie aérospatiale, est préoccupé par l'absentéisme des employés affectés à l'assemblage des pièces. Selon lui, le niveau d'absentéisme est plus important à l'usine de ville St-Laurent qu'à celle de Longueuil.

Les données ci-contre ont été obtenues à partir d'un échantillon de 24 semaines et représentent le nombre d'heures d'absences au cours de chaque semaine et ceci pour chaque usine.

a) En utilisant les résultats obtenus avec Excel, peut-on affirmer, au seuil de signification de 5%, que la variabilité dans le nombre d'heures d'absences est identique aux deux usines?

	A	B	C
40	**Test d'égalité des variances (F-Test)**		
41			
42		*Longueuil*	*Ville St-Laurent*
43	Moyenne	8,2	9,5
44	Variance	1,833913043	0,769565217
45	Observations	24	24
46	Degré de liberté	23	23
47	F	2,383050847	
48	P(F<=f) unilatéral	0,021224579	
49	Valeur critique pour F (unilatéral)	2,014424183	

b) Selon les résultats du test statistique effectué en a), quel test de comparaison de moyennes est approprié dans Excel?

c) En utilisant le test statistique approprié, est-ce que l'affirmation du responsable des ressources humaines était justifiée?
Utilisez un seuil de signification de 5%.

CHAPITRE 8

13. L'entreprise Cismex fabrique divers produits de nettoyage pour usage domestique. Le laboratoire de recherche de l'entreprise a mis au point une nouvelle cire à plancher et avant de prendre une décision définitive concernant l'emballage de ce nouveau produit, on a effectué une étude préliminaire sur les ventes de ce produit, selon que l'emballage est de plastique ou en métal.

Les résultats obtenus (nombre d'unités vendues au cours d'une période donnée) à partir de deux échantillons aléatoires d'une vingtaine de points de vente (le choix de l'emballage pour chaque point de vente a également été sélectionné au hasard) sont présentés dans le tableau ci-contre.
On suppose que les ventes présentent la même variabilité, peu importe le type de contenant utilisé.

Peut-on affirmer que le nombre moyen d'unités vendues avec le contenant de plastique a été supérieur à celui ayant le contenant de métal? Effectuez un test statistique approprié. Utilisez un seuil de signification de 5%.

**Tableau de données
Exercice no 13**

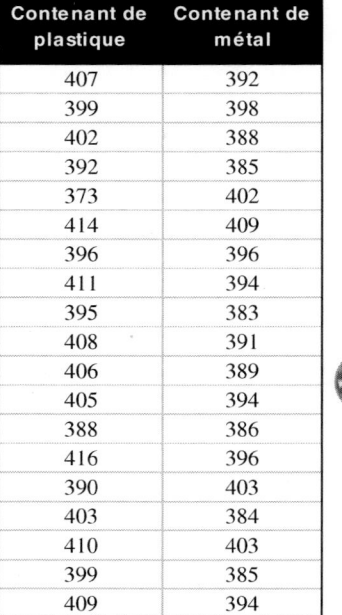

Ventes	
Contenant de plastique	Contenant de métal
407	392
399	398
402	388
392	385
373	402
414	409
396	396
411	394
395	383
408	391
406	389
405	394
388	386
416	396
390	403
403	384
410	403
399	385
409	394
394	388

14. La direction de l'entreprise Shermak veut comparer, à l'aide d'un test d'évaluation développé par une firme conseil en psychologie industrielle, les capacités managériales de deux groupes de professionnels de l'entreprise. Deux échantillons aléatoires de 15 individus chacun, provenant des secteurs «Comptabilité» et «Ingénierie» de l'entreprise donnent les résultats ci-contre.

Un des dirigeants de l'entreprise mentionne que les individus du secteur Ingénierie devraient mieux performer que ceux du secteur Comptabilité à ce test d'appréciation.
Est-ce que cette affirmation semble supportée par les données obtenues au test? Utilisez un seuil de signification de 10%.

Secteur Comptabilité	Secteur Ingénierie
125	127
115	120
120	125
100	105
106	111
120	125
106	111
121	126
116	121
120	125
115	120
119	118
122	127
116	121
119	124

Test sur des échantillons appariés

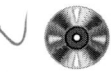

15. Un groupe de cadres d'entreprises de la région poursuivent actuellement un programme de conditionnement physique. La consommation maximale d'oxygène a été mesurée en imposant une charge de travail de 600 kgm/min. à l'aide d'une bicyclette ergométrique, au début et après deux mois de conditionnement physique.
Les résultats de consommation d'oxygène (en litres/min) de chaque individu sont présentés ci-contre.
Une augmentation de la consommation d'oxygène est une indication de l'amélioration de la condition cardio-vasculaire.

a) Sommes-nous en présence d'échantillons indépendants? Discutez. *Non, les mesures sont prélevés sur les même*
b) Comment appelle-t-on ce type de séries de mesures? *individus*
Mesure dépendante ou appariées
c) En appliquant la démarche du test, peut-on conclure, au seuil $\alpha = 0,05$, à l'amélioration de la condition cardio-vasculaire après 2 mois de conditionnement physique?
$\bar{d} = 0.1786$ $Sd/\sqrt{n} = 0.0258$

Cadre no.	Au début	Après 2 mois
1	2,4	2,6
2	2,5	2,6
3	2,6	2,8
4	2,7	2,9
5	2,6	2,7
6	2,5	2,8
7	2,4	2,7
8	2,6	2,9
9	2,5	2,6
10	2,5	2,5
11	2,6	2,8
12	2,7	2,9
13	2,5	2,7
14	2,5	2,6

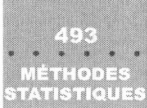

Sujet	Niveau faible	Niveau élevé
1	25,85	18,23
2	28,84	20,84
3	32,05	22,96
4	25,74	19,68
5	20,89	19,50
6	41,05	24,98
7	25,01	16,61
8	24,96	16,07
9	27,47	24,59

16. Une expérience* a été effectuée pour vérifier l'effet du niveau d'éclairage sur le temps d'effectuer une opération complexe avec rapidité. Cette expérience a été effectuée avec 9 sujets sous deux conditions d'éclairage : «niveau faible avec fond noir» et «niveau élevé avec fond blanc».

Les temps requis (en secondes) pour effectuer l'opération par les 9 sujets sont présentés dans le tableau ci-contre.
a) Est-ce que les données de cette étude ont été obtenues de façon indépendante?
b) Peut-on affirmer, au seuil de signification de 5%, que le niveau élevé d'éclairage réduit par au moins 4, le temps moyen de compléter cette opération?

*Source:Adapté de "*Performance of Complex Tasks under Different Levels of Illumination*", Journal of Illuminating Eng., 1976.

Programmeurs	Cadre A	Cadre B
1	30	36
2	28	34
3	14	19
4	29	38
5	15	21
6	17	23
7	31	34
8	16	20
9	30	34
10	32	34

17. Une entreprise oeuvrant dans le domaine du multividéo donne l'opportunité à ses programmeurs-analystes d'évaluer la performance des cadres supérieurs.

Voici les résultats obtenus (sur une échelle de 10 à 50), 50 représentant une excellente performance pour l'évaluation de deux cadres et ceci par 10 programmeurs sélectionnés au hasard.
Peut-on affirmer, au seuil de signification de 5%, que l'évaluation moyenne obtenue par les deux cadres est identique?

Individu	Avant	Après
1	54	68 −14
2	68	72 −4
3	49	58 −9
4	59	66 −10
5	71	79 −8
6	57	64 −7
7	49	54 −5
8	67	73 −6
9	65	68 −3
10	61	71 −10
11	60	67 −7
12	72	78 −6

18. Un programme de formation sur mesure a été offert à douze individus affectés uniquement à des tâches de traitement de textes. Le critère de performance utilisé pour évaluer les retombées du programme de formation est le nombre de mots par minute obtenu lors d'un test d'évaluation avant et après la formation sur mesure.

En supposant que ce groupe constitue un échantillon représentatif, peut-on affirmer qu'il y a eu amélioration de la performance au seuil de signification 1%?

19. Quinze consommateurs* ont été sélectionnés au hasard pour assister à une démonstration d'un nouvel article ménager.

On a demandé à chaque participant de préciser sur une échelle de 0 à 10, leur intention d'achat avant et après la démonstration du produit.

*Source:Adapté de C. Bialès, *Test de la différence moyenne*, Chotard et ass., 1988, p. 175.

0	—	non
1	—	possibilité très faible
2	—	possibilité faible
3	—	certaine possibilité
4	—	possibilité moyenne
5	—	assez bonne possibilité
6	—	bonne possibilité
7	—	probable
8	—	très probable
9	—	presque certain
10	—	certain

Consommateur	Avant démonstration	Après démonstration
1	2	4
2	5	8
3	6	6
4	6	3
5	3	7
6	4	1
7	1	6
8	6	5
9	7	3
10	4	8
11	7	9
12	6	6
13	6	3
14	3	7
15	5	6

**Tableau de données
Exercice no 19**

Peut-on affirmer au seuil de 5%, que les intentions d'achat ne changent pas de façon significative à la suite de la démonstration de ce produit?

20. Dans une recherche* sur l'évolution des modes de rémunération et des structures de salaire que l'on retrouve dans les conventions collectives depuis 1980, on a comparé un échantillon aléatoire de 200 conventions collectives (échantillon tiré selon diverses variables de stratification à partir de la banque de données du Centre de recherche et de statistiques sur le marché du travail (CRSMT)) qui étaient en vigueur en 1980 et qui, suite à leur renouvellement, étaient toujours en vigueur en 1992. Les principaux critères de comparaison étaient les modes de rémunération et les structures des salaires.

Diverses hypothèses de recherche ont été posées. Une de ces hypothèses était la suivante:

> La recherche d'une plus grande flexibilité fonctionnelle des conventions collectives accentue la négociation de structures de salaire dont le nombre de classes salariales et le nombre total d'emplois diminuent.

On a donc déterminé, par exemple, le nombre de classes salariales dans les conventions collectives en 1980 et celui des conventions collectives correspondantes en 1992.

Sous forme statistique, on a alors les hypothèses suivantes:

Nombre de classes: $H_0: \mu_d = 0, H_1: \mu_d < 0$

Nombre total d'emplois: $H_0: \mu_d = 0, H_1: \mu_d < 0$

Les données de cette recherche conduisent aux résultats suivants:

Nombre de classes	Nombre d'emplois
$n = 200$	$n = 182$
$\bar{d} = 0,5$	$\bar{d} = 1,67$
$s_{\bar{d}} = 0,283$	$s_{\bar{d}} = 0,747$

a) En utilisant un seuil de signification de 5%, peut-on affirmer que le nombre de classes salariales a diminué comme le précise l'hypothèse de recherche?

b) En utilisant un seuil de signification de 5%, peut-on affirmer que le nombre total d'emplois dans la structure salariale a diminué comme le précise l'hypothèse de recherche?

---

* Source: Ferland, Gilles, *Modes de rémunération et structures de salaire au Québec (1980-1992)*. Relations industrielles, 1996, vol. 51, no 1, p. 120.

Comparaison de deux variances

 21. Dans une expérimentation* industrielle, on a obtenu le[s] une caractéristique de qualité d'un produit utilisé dans le domaine produit fabriqué selon deux méthodes de construction.

Méthode 1											
572	575	576	581	582	579	574	577	576	⌐84	583	
578	584	583	586	585	591	585	585	586	596	595	592

$S_1^2 = 40.723$

Méthode 2											
581	575	577	588	586	587	579	580	577	588	589	585
588	586	585	595	597	597	586	588	598	593	597	597

$S_2^2 = 49.041$

*Source : Case studies, 6th annual Taguchi methods Symposium,1986.

Peut-on considérer, au seuil de signification 1%, que la caractéristique de qualité présente la même variabilité, peu importe la méthode de construction?

 22. Deux machines identiques sont utilisées pour fabriquer une certaine pièce. On veut déterminer si les deux machines possèdent la même variabilité quant à une caractéristique importante de cette pièce. Un échantillon aléatoire prélevé de la production de chaque machine conduit aux résultats suivants.

Machine B　　135　138　136　140　138　135　139　160.17　$S_B^2 = \dfrac{\sum x_{iB}^2 - (\sum x_{iB})^2/n}{n-1}$

Machine A　　140　135　140　138　135　138　140

a) Précisez les hypothèses statistiques que l'on veut tester et indiquez également les conditions d'application du test.

b) Effectuez le test statistique requis en utilisant un seuil de signification $\alpha = 0,05$. Que peut-on conclure?

23. On veut comparer la variabilité de deux procédés. Deux échantillons aléatoires indépendants donnent les résultats suivants:

$$\textbf{\textit{Procédé A}} : n_1 = 12, \; \bar{x}_1 = 1,5, \; \sum x_{i1}^2 = 49 \qquad S_1^2 = \dfrac{\sum x_i^2 - (\bar{x}_1)^2/n}{n-1} = 2$$

$$\textbf{\textit{Procédé B}} : n_2 = 15, \; \bar{x}_2 = 2,0, \; \sum x_{i2}^2 = 159 \qquad S_2^2 = 7.07$$

Testez, au seuil de signification $\alpha = 0,05$, l'hypothèse selon laquelle les deux procédés ont même variance.

 24. La sortie Excel suivante est basée sur les données de l'exercice 9 (comparaison du temps de réponse de deux systèmes à temps partagé à une commande d'édition).

	A	B	C	D	E	F
3	**Système A**	**Système B**		Test d'égalité des variances (F-Test)		
4	672	672				
5	670	694			*Sytème A*	*Système B*
6	687	681		Moyenne	690	678
7	665	688		Variance	270,2857143	260,5714286
8	717	655		Observations	15	15
9	699	665		Degré de liberté	14	14
10	688	701		F	1,037280702	
11	703	690		P(F<=f) unilatéral	0,473185619	
12	693	658		Valeur critique pour F (unilatéral)	2,483723449	
13	672	678				
14	714	702				
15	699	694				
16	698	660				
17	673	662				
18	700	670				

a) Quelle est la valeur p du est?

b) Avec un seuil de signification $\alpha = 0.05$, quelle hypothèse statistique est favorisée:

$$H_0 : \sigma_1^2 = \sigma_2^2 \; , \; H_1 : \sigma_1^2 > \sigma_2^2 .$$

25. Utilisons à nouveau les données de l'exercice 13 où l'on veut comparer le nombre d'unités vendues selon que le contenant utilisé est en plastique ou en métal.

$H_0 = \delta_1^2 = \delta_2^2 \; ; \; H_1 : \delta_1^2 > \delta_2^2$

	E	F	G
30	Test d'égalité des variances (F-Test)		
31	Seuil 1%		
32		*Contenant de plastique*	*Contenant de métal*
33	Moyenne	400,85	393
34	Variance	107,5026316	53,26315789
35	Observations	20	20
36	Degré de liberté	19	19
37	F	2,01833004	
38	P(F<=f) unilatéral	0,06737062	
39	Valeur critique pour F (unilatéral)	3,027366802	

Est-ce que l'hypothèse d'égalité des variances des ventes selon le type de contenant était justifiée au seuil 1%? $p > \alpha$, ne rejet pas.

Exercices de révision et de synthèse

26. Dans une étude* expérimentale sur l'étude de la relation entre satisfaction et fidélité à une marque de commerce, on a rassemblé les individus qui ont participé à l'étude selon deux groupes d'après les critères suivants:

Groupe 1: Individus présentant à la fois des caractéristiques psychologiques et comportementales de fidélité à la marque.

Groupe 2: Individus qui, ayant exprimé une intention de fidélité, ont finalement acheté une autre marque.

Les résultats présentés dans le tableau ci-contre donnent le niveau de satisfaction face à la marque de commerce pour le produit «café» selon chaque groupe d'individus (28 individus pour le groupe 1 et 16 pour le groupe 2).

a) Testez, au seuil de signification 5%, l'hypothèse d'égalité des variances concernant le niveau de satisfaction des deux groupes. On suppose que les données associées au niveau de satisfaction sont distribuées normalement.

b) Selon la conclusion du test effectué en a), testez (avec le test statistique approprié), au seuil de signification 5%, l'égalité du niveau moyen de satisfaction à la marque de commerce des groupes 1 et 2.

* Source: Adapté de Dufer, J., J.L. Moulins et P. Duncas. *Satisfaction et fidélité: les prémices d'un divorce,...* Colloque de l'association française du marketing, avril 1985.

Individu	Groupe 1	Groupe 2
1	6	5
2	5	5
3	5	4
4	5	5
5	6	5
6	6	3
7	6	5
8	4	4
9	6	5
10	5	5
11	5	4
12	5	5
13	6	6
14	6	5
15	3	4
16	6	6
17	4	
18	5	
19	6	
20	5	
21	5	
22	5	
23	6	
24	6	
25	5	
26	7	
27	7	
28	4	

27. Dans une étude* auprès d'un échantillon de 205 gestionnaires de PME québécoises concernant leurs perceptions face à l'exportation, on a obtenu les scores moyens ci-après en rapport à la question suivante:

L'accord commercial de libre-échange entre les États-Unis et le Canada sera-t-il bénéfique pour votre entreprise?

	Firmes exportatrices	Firmes non exportatrices
Nombre de firmes	66	73
Score moyen	1,924	2,369
Écart-type	0,9	1,2

Note: Le codage utilisé pour calculer le score moyen est le suivant: tout à fait d'accord=1; d'accord=2; en désaccord=3; tout à fait en désaccord=4.

Les résultats (pour 139 répondants à cette question) sont groupés selon que la firme est exportatrice ou non exportatrice.

Testez l'hypothèse selon laquelle le niveau moyen d'appréciation en ce qui a trait à l'accord commercial de libre-échange est identique pour les gestionnaires des deux types de firmes. Utilisez un seuil de signification de 5%.

*Source: Adapté de Amesse, F. et G. Zaccour. *Les différences de perception et d'attitude entre les gestionnaires de firmes exportatrices et non exportatrices au Québec.* RCSA/CJAS, 8(3).

28. La responsable du laboratoire d'assurance qualité de l'usine Domtek veut comparer le travail de deux techniciennes. Vingt feuilles* de papier sont numérotées et pesées successivement par deux techniciennes. Les résultats (en g/m²) sont présentés dans la feuille Excel ci-après.

Contrôle en laboratoire du grammage		
Feuille n°	**Technicienne A**	**Technicienne B**
1	53,5	53,9
2	54,0	54,2
3	52,5	52,4
4	53,5	53,3
5	52,5	52,7
6	54,9	54,8
7	55,9	56,1
8	56,5	57,6
9	51,0	51,2
10	55,5	55,4
11	52,5	52,8
12	54,5	54,3
13	51,5	51,2
14	55,0	55,3
15	54,0	54,2
16	54,5	55,0
17	51,0	51,3
18	54,5	54,2
19	52,2	52,3
20	54,0	54,1

*Adapté de : *Guide pratique pour l'application des méthodes statistiques dans l'industrie papetière.* Centre technique de l'industrie des papiers, cartons et cellulose, Paris.

a) Peut-on comparer directement les moyennes obtenues par chaque technicienne? Expliquez.

b) Quelle est l'hypothèse nulle qu'on veut tester ici?

c) Peut-on considérer, au seuil de signification 5%, que les deux techniciennes effectuent un travail semblable? Justifiez votre conclusion.

29. Dans une étude sur l'évaluation d'emplois, on veut comparer la moyenne du pointage total des titulaires masculins avec celle des titulaires de sexe féminin, pour le poste «technicien en droit».

L'hypothèse de recherche suivante a été posée:

La moyenne du pointage total des titulaires féminins est supérieure à celle des titulaires de sexe masculin.

Les données obtenues (pointage total), selon le sexe des titulaires, sont présentées ci-contre.

a) Précisez les hypothèses H_0 et H_1 que l'on veut soumettre au test.

b) Précisez les conditions d'application du test.

c) En admettant que ces données proviennent de deux populations normales, vérifiez l'hypothèse selon laquelle les pointages obtenus pour les titulaires de chaque sexe présentent la même variabilité. Utilisez un seuil de signification de 5%.

d) Quelle statistique convient pour tester les hypothèses précisées en a)?

e) D'après H_1 et au seuil $\alpha = 0,05$, précisez la valeur critique de l'écart réduit.

f) Quelle règle de décision doit-on adopter?

g) Quelle valeur a été obtenue pour l'écart réduit?

h) Est-ce que l'hypothèse de recherche est favorisée au seuil 5%? Justifiez votre conclusion.

**Tableau de données
Exercice no 29**

Pointage total	
Titulaire masculin	Titulaire féminin
530	538
520	526
514	520
526	533
520	526
526	534
528	536
535	544
533	541
522	528
525	532
525	532
530	538
532	540
527	534
518	524
527	534
	526
17 titulaires masculins	536
	545
	522
	540
	540
25 titulaires féminins	521
	533

30. Dans une entreprise (TELEPAK) oeuvrant dans le domaine des télécommunications, on a sélectionné au hasard 40 individus qui occupaient des postes de cadre pour en vérifier la tension artérielle systolique (pression sanguine maximale produite par le cœur). On a également noté chez ces individus quatre autres variables. Le fichier comporte les données sur cinq variables asssociées à 40 individus qui occupent des postes de cadre pour l'entreprise. Les données sont présentées à la page suivante. Les variables sont:

❑ Tension artérielle

❑ L'âge de l'individu

❑ Un indice associé à la taille et au poids de l'individu

❑ Si l'individu est fumeur ou non

❑ Son niveau de responsabilité au sein de l'entreprise évalué sur une échelle de 1 (faible responsabilité) à 5 (responsabilité élevée).

a) On veut comparer la tension artérielle des individus selon qu'ils soient fumeurs ou non. Regroupez les données selon ce critère et testez les hypothèses selon lesquelles la tension artérielle moyenne est identique pour ces deux groupes d'individus contre l'hypothèse alternative que la tension artérielle pour le groupe des fumeurs est supérieure à celle des non-fumeurs.

Précisez sous forme statistique les hypothèses et effectuez le test au seuil de signification 5%. N'oubliez pas de préciser les conditions d'application du test.

b) On aimerait également faire le même genre de comparaison, mais cette fois en utilisant l'âge comme critère de regroupement. On veut constituer deux groupes: les individus âgés de 50 ans et moins et ceux âgés de plus de 50 ans.

Regroupez les données selon ce critère et testez l'hypothèse selon laquelle la tension artérielle moyenne est identique, peu importe la catégorie d'âge à laquelle appartient l'individu.

Utilisez un seuil de signification de 5%.

**Tableau de données
Exercice no 30**

Individu No.	Tension artérielle	Indice corporel	Âge de l'individu	Fumeur	Niveau de responsabilité
1	166	4,03	64	oui	3
2	154	3,96	61	non	2
3	172	4,14	62	oui	5
4	163	3,82	62	non	4
5	128	2,96	42	non	1
6	122	2,79	42	non	1
7	134	3,22	47	oui	2
8	151	3,32	53	oui	3
9	133	3,21	49	non	4
10	139	3,49	52	non	2
11	146	3,75	57	non	3
12	152	3,66	55	oui	2
13	144	3,40	55	non	2
14	137	3,27	56	non	3
15	142	3,02	45	oui	1
16	145	3,36	48	oui	2
17	134	2,99	49	oui	1
18	148	3,56	53	oui	4
19	158	3,67	55	non	4
20	154	4,22	63	non	3
21	148	4,03	50	oui	2
22	166	3,87	58	oui	3
23	178	4,66	63	oui	5
24	144	2,48	43	oui	4
25	155	3,61	47	oui	3
26	164	3,77	59	oui	4
27	137	2,69	46	oui	3
28	147	2,99	53	oui	3
29	148	3,76	51	oui	3
30	142	3,12	48	non	4
31	124	3,35	40	non	2
32	133	2,78	44	non	2
33	128	2,58	43	non	2
34	137	2,52	46	non	3
35	140	3,21	51	non	4
36	146	3,18	44	oui	2
37	129	2,77	43	non	1
38	156	3,54	50	oui	3
39	161	4,32	56	oui	3
40	148	4,00	57	oui	3

 31. L'entreprise Westco envisage de modifier la composition du phosphore utilisé dans la fabrication de ses lampes fluorescentes, type «Blanc frais». Le laboratoire de recherche propose une étude pilote, en collaboration avec le département d'assurance de la qualité, avant de prendre une décision finale sur ce nouveau type de phosphore. L'ingénieur responsable du projet espère justifier cette nouvelle composition du phosphore par une augmentation significative de l'intensité lumineuse des lampes.

Le phosphore actuellement utilisé par le département de fabrication est le type PHO-200; la nouvelle composition proposée est identifiée PHO-500 XT.

Après la fabrication d'un grand nombre de lampes dans les mêmes conditions avec chaque type de phosphore, le département d'assurance de la qualité a mis en opération ces lampes pour une durée de 100 heures pour permettre aux différentes caractéristiques des lampes de se stabiliser. Par la suite, le laboratoire de photométrie mesura l'intensité lumineuse en lumens.

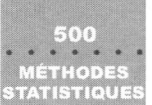

Les résultats* sont présentés dans le tableau ci-contre.

a) En supposant que ces données proviennent de deux populations normales, testez l'hypothèse d'égalité des variances au seuil 5%.

b) À l'aide de ces résultats, on veut tester l'hypothèse selon laquelle l'intensité lumineuse moyenne est la même, peu importe le type de phosphore utilisé. Utilisez le seuil de signification $\alpha = 0,05$.

i) Précisez une hypothèse H_1 appropriée.

ii) Précisez la règle de décision à adopter.

Le traitement statistique avec Excel donne la sortie informatique suivante:

———

*Département d'assurance qualité, société Westinghouse.

Type de phosphore	
PHO-200	**PHO-500XT**
2913	2954
2963	2978
2998	3008
2984	3020
3022	3005
2996	2994
2965	2983
2980	2996
2974	3012
3008	2984
2987	3002
2993	2998
2947	2971
2978	2987
3005	3018

Test d'égalité des espérances pour deux populations de variances égales

	PHO-200	**PHO-500XT**
Moyenne	2980,867	2994
Variance	721,981	330,857
Observations	15	15
Variance pondérée	526,419	
Différence hypothétique des moyennes	0	
Degré de liberté	28	
Statistique t	-1,5676	
$P(T<=t)$ unilatéral	0,0641	
Valeur critique de t (unilatéral)	1,7011	
$P(T<=t)$ bilatéral	0,1282	
Valeur critique de t (bilatéral)	2,0484	

c) Quelle décision doit prendre l'entreprise?

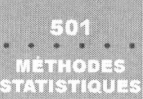

Activités de syn-thèse sur le CD-ROM

Fichier Excel: Activité de synthèse no 4 Étude statistique d'un procédé industriel

**Fichier SPSS:
Activité de synthèse no 4**

**Fichier MINITAB:
Activité de synthèse no 4**

Objectifs de l'activité

▶ Vérifier si un procédé industriel est maîtrisé.

▶ Vérifier l'hypothèse de normalité des données

▶ Comparer le niveau moyen du poids de moules selon deux périodes d'échantillonnage.

▶ Déterminer les valeurs du poids moyen requis pour maîtriser statistiquement le procédé.

Activité de synthèse no 4
· ·
Étude statistique
d'un procédé industriel

Une entreprise se spécialisant dans la fabrication de diverses pâtisseries distribuées sur le continent Nord Américain veut effectuer une évaluation statistique d'un de ses procédés de fabrication. La ligne de production concernée sera identifiée ici, ligne C; la capacité de production actuelle est de 172 800 unités par quart de travail. La ligne de production fonctionne sur trois quarts de travail (24 heures par jour)*.

La pâtisserie qui est concernée ici comporte essentiellement 4 étapes de fabrication sur une ligne de production continue. Ces 4 étapes de production sont:

- la déposition de la pâte dans des moules et cuisson
- la déposition des anneaux de crème
- la déposition du caramel
- l'enrobage de chocolat et le séchage.

Le produit est ensuite emballé par paquet de 2 unités et mis en boîte (6 emballages de 2 unités chacun).

Nous ne traitons ici que la phase du procédé qui comporte la déposition de la pâte dans les moules.

On veut évaluer le comportement statistique d'une variable importante dans cette phase de production (déposition de la pâte) soit le poids de la pâte déposée dans les moules. Ce poids doit être en moyenne de 565 grammes avec un écart-type de 2 grammes.

Si le poids est trop faible, le consommateur est pénalisé alors que s'il est trop élevé, c'est l'entreprise qui subit un coût de production plus élevé.

Le schéma des opérations est présenté à la page suivante.

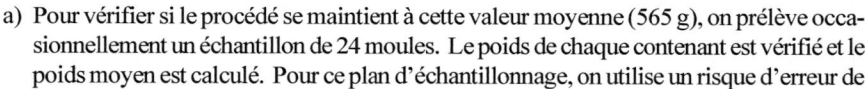

Travail à effectuer

a) Pour vérifier si le procédé se maintient à cette valeur moyenne (565 g), on prélève occasionnellement un échantillon de 24 moules. Le poids de chaque contenant est vérifié et le poids moyen est calculé. Pour ce plan d'échantillonnage, on utilise un risque d'erreur de

   i) Déterminez les hypothèses statistiques que l'on veut éprouver avec ce plan d'échantillonnage.

   ii) Décrivez, en fonction de ce problème de fabrication, de quelle façon on peut commettre une erreur de première espèce.

   iii) Si nous commettons une erreur de première espèce, qui sera affecté: les clients ou l'entreprise? Quelles sont les chances sur 100 de faire cette erreur avec le plan d'échantillonnage tel que décrit en a)?

   iv) Décrivez, dans ce problème de fabrication, dans quelle situation on peut effectuer une erreur de deuxième espèce. Identifiez ce risque.

   v) Si nous commettons une erreur de deuxième espèce, qui sera affecté: les clients, l'entreprise ou les deux? Quelles seront les conséquences de cette erreur?

---

* Adapté d'une situation réelle d'entreprise. Les données et paramètres de production ont été modifiés pour préserver la confidentialité des données de l'entreprise.

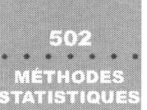
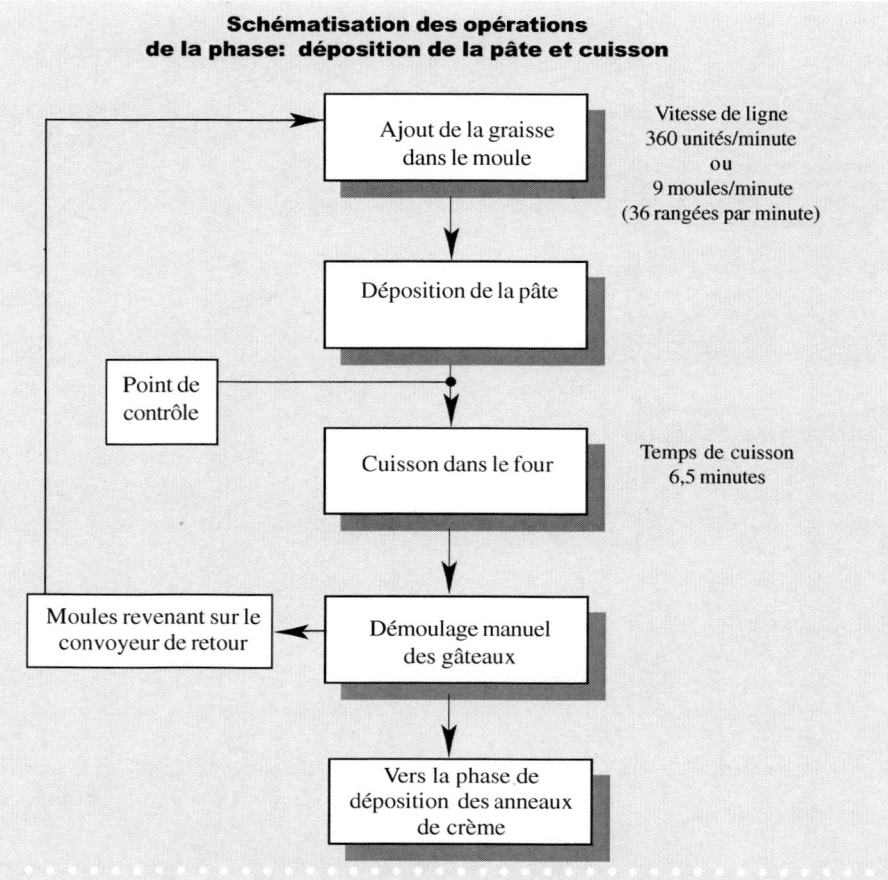

**Schématisation des opérations
de la phase: déposition de la pâte et cuisson**

b) Un échantillonnage de 24 moules a été effectué et on a obtenu les poids ci-contre en grammes.

i) Quelle décision doit-on prendre? Doit-on continuer la production?

Poids					
564	564	561	564	561	561
559	565	565	567	564	563
562	561	561	566	564	561
562	559	565	563	562	564

Effectuez un test statistique approprié. Utilisez Excel pour effectuer les principaux calculs. Assurez-vous d'abord de vérifier l'hypothèse fondamentale associée à la normalité des données. On pourra utiliser le papier gausso-arithmétique de la page suivante.

ii) L'hypothèse de normalité de la population est-elle importante pour le test statistique élaboré en i)? Motivez votre réponse.

iii) Testez l'hypothèse selon laquelle la variabilité du procédé est $\sigma^2 = 4$. Utilisez $\alpha = 0,01$.

On a également échantillonné le procédé au cours de l'avant-midi et de l'après-midi de jeudi, une quarantaine de moules ont été pesés pour chaque période (les données sont sur le CD-ROM).

c) On veut tester si la quantité moyenne de pâte crue qui a été insérée dans les moules est identique, peu importe la période d'échantillonnage. Utiliser un seuil de signification $\alpha = 0,01$. Est-ce que les données obtenues permettent d'affirmer qu'il n'y a pas de différence significative concernant le niveau moyen du poids des moules pour les deux périodes d'échantillonnage?

Travail à effectuer (suite)

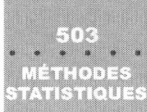

Papier gausso-arithmétique

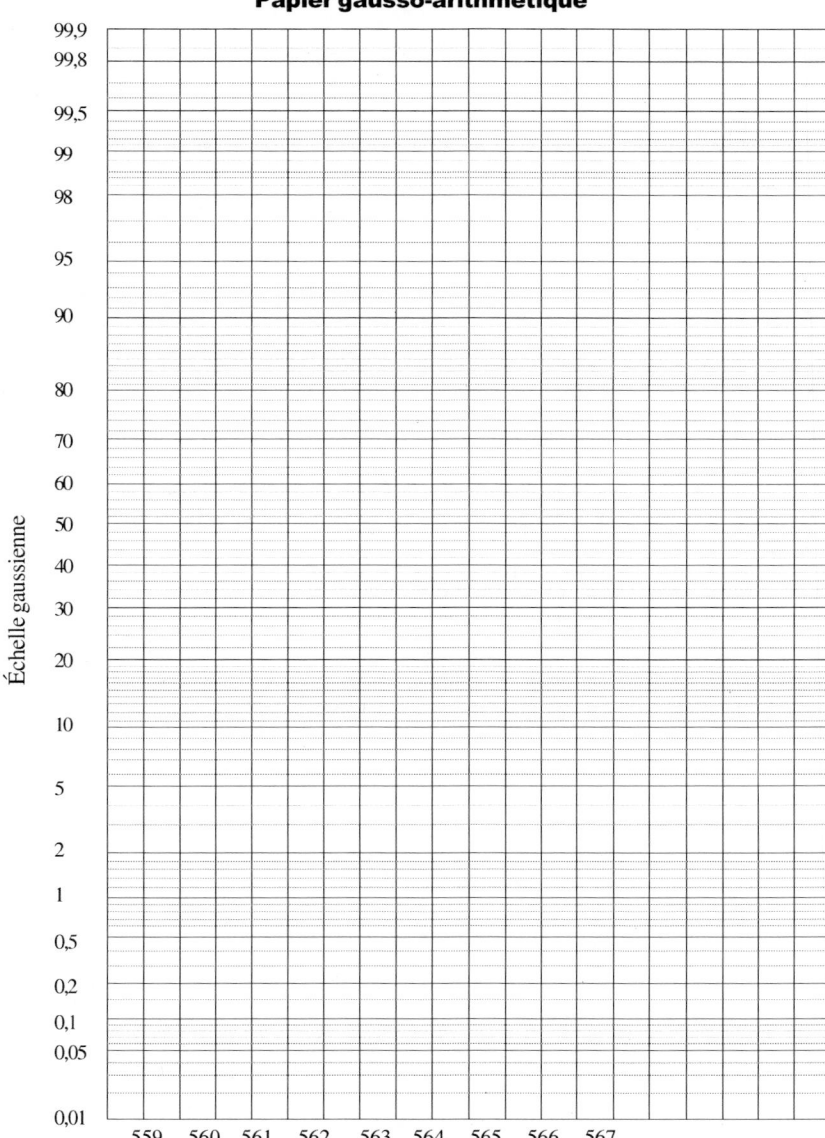

Échelle gaussienne

Poids des moules (g)   Échelle arithmétique

Travail à effectuer (suite)

d) Pour maîtriser le procédé de déposition de la pâte dans les moules, on a décidé de mettre en oeuvre un processus de contrôle sur le poids moyen des moules en utilisant une carte de contrôle pour le poids moyen observé lors de chaque échantillonnage.

On veut utiliser les paramètres suivants pour établir les limites de contrôle (Valeurs critiques du poids moyen) de la carte :

Valeur visée en moyenne : 565 grammes

Écart-type du poids de chaque moule : 2 grammes

Taille de l'échantillon : 9 moules

Fréquence d'échantillonnage : Toutes les demi-heures.

Si on accepte de réajuster le procédé inutilement 1 fois sur 100, quelles limites doit-on imposer à la carte de contrôle pour le poids moyen des moules ?

Répondez par Vrai ou Faux.

1. Lorsqu'on veut comparer les moyennes μ_1 et μ_2 de deux populations, l'estimateur de la différence de ces moyennes est $\overline{X}_1 - \overline{X}_2$. √

2. Dans le cas où les variances σ_1^2 et σ_2^2 de deux populations sont connues, la différence des moyennes d'échantillons sera distribuée normalement. V F

3. On peut contourner la restriction de normalité des populations en autant que les tailles d'échantillon pour estimer les moyennes des populations sont supérieures à 30. √

4. Lorsqu'on veut comparer deux moyennes, il est important que les échantillons soient prélevés au hasard et indépendamment dans les populations. F V

5. Le test statistique à appliquer lorsque les données sont obtenues sur les mêmes unités statistiques est celui d'égalité des moyennes. F

6. Si les variances des populations normales sont inconnues mais supposées égales, le test statistique approprié pour comparer les moyennes est celui du T de Student. V

7. Lorsqu'on veut comparer deux variances, on doit recourir à la distribution de Fisher-Snedecor. V

8. La seule condition requise pour effectuer un test d'égalité de deux variances est que les échantillons soient prélevés au hasard. X F

9. Dans un test de comparaison de deux moyennes, si les moyennes d'échantillon diffèrent de façon significative au seuil 5%, le test sera également significatif au seuil 10%. F V

10. Dans un test de comparaison de deux moyennes, on peut utiliser la variable centrée réduite Z pour effectuer le test si les échantillons sont de grandes tailles (>30), même si le caractère mesurable dans les populations n'est pas distribué normalement. F V

11. La variable F de Fisher peut prendre une valeur négative si les échantillons sont petits. F

12. Si on ne peut confirmer l'hypothèse d'égalité des variances dans l'application du t de Student pour un test sur l'égalité de deux moyennes dans le cas de petits échantillons, on peut toujours utiliser la loi normale centrée réduite comme écart réduit. V F

Questions à choix multiples. Encerclez la bonne réponse.

13. On veut comparer deux moyennes échantillonnales avec $n_1 = 15$ et $n_2 = 24$. On suppose que les variances des populations sont égales. Quelle distribution d'échantillonnage doit-on utiliser?

i) Normale   ii) Normale centrée réduite   (iii) Binomiale   iv) Student.

14. On veut comparer deux moyennes ($H_0 : \mu_1 = \mu_2$) de deux échantillons aléatoires indépendants en utilisant la variable centrée réduite. On effectue un test <u>bilatéral</u> au seuil $\alpha = 0,05$. La valeur obtenue est $z = +2,28$. La conclusion du test est:

i) Rejeter l'hypothèse nulle   ii) Ne pas rejeter l'hypothèse nulle

iii) Rejeter l'hypothèse alternative   (iv) Aucune de ces réponses.

15. L'estimation de la variance combinée dans le cas de l'application du T de Student pour comparer deux moyennes nécessite:

(i)   que les populations soient approximativement normales.

ii)   que l'écart-type de chaque population n'excède pas 5% de la moyenne respective de chaque population.

iii)   que l'écart-type de chaque population soit égal.

iv)   Aucune de ces réponses.

**Testez vos
connaissances**

Test no 8
(suite)

16. Dans un test sur l'égalité de deux moyennes avec des échantillons de tailles respectives $n_1 = 12$ et $n_2 = 10$, les degrés de liberté pour déterminer la valeur critique du t de Student sont:

    i) 22   ii) 21   iii) 18   (iv) 20.

17. On peut appliquer le T de Student pour un test d'égalité de deux moyennes lorsque:

    i)   au moins un des échantillons est petit (<30).

    ii)   les échantillons proviennent de populations normales.

    iii)   les variances des populations sont inconnues mais supposées égales.

    iv)   i) et ii)

    (v)   i), ii) et iii)

    vi)   Aucune de ces réponses.

18. Dans un test d'égalité de deux variances, on a obtenu:

$$n_1 = 10, \quad \sum (x_{i1} - \overline{x}_1)^2 = 74$$
$$n_2 = 10, \quad \sum (x_{i2} - \overline{x}_2)^2 = 42$$

a) La valeur critique du F de Fisher, pour un test unilatéral à droite, au seuil 5%, est:

    i) 3,14   ii) 2,98   iii) 3,23   (iv) 3,18.

b) La valeur observée du F de Fisher est:

    i) 2,762   ii) 2,1   (iii) 1,762   iv) 1,896.

c) L'hypothèse d'égalité des variances est:

    (i)   acceptée   ii)   refusée

    iii) On ne peut se prononcer.   iv)   Aucune de ces réponses.

19. Deux échantillons aléatoires de grandes tailles ont été prélevés de deux populations. Les moyennes et variances obtenues pour chaque échantillon sont présentées ci-après.

Échantillon 1	Échantillon 2
$n_1 = 100$	$n_2 = 70$
$\overline{x}_1 = 52$	$\overline{x}_2 = 60$
$s_1^2 = 124$	$s_2^2 = 140$

a) Une estimation ponctuelle de la différence des moyennes ($\overline{x}_1 - \overline{x}_2$) est:

    i) 20   ii) 25   (iii) -8.

b) La variance de la moyenne pour l'échantillon 1 est:

    i) 1,25   (ii) 1,24   iii) 1,4.

c) L'écart-type de la différence des moyennes est:

    i) 2,2   ii) 2,84   (iii) 1,8.

d) La marge d'erreur statistique dans l'estimation de la différence des moyennes, au niveau de confiance 95,44%, est: $z_{0.0...} = 2 \cdot S/\sqrt{n}$

    i) 4,4   (ii) 3,6   iii) 2,48.

e) L'intervalle de confiance, au niveau 95,44%, pour la différence des moyennes est:

    i) $16,4 \le \mu_1 - \mu_2 \le 23,6$ ii) $-12,4 \le \mu_1 - \mu_2 \le -3,6$ (iii) $-11,6 \le \mu_1 - \mu_2 \le -4,4$.

f) Laquelle des affirmations suivantes est vraisemblable, au seuil 4,56%?

    i) L'hypothèse $H_0 : \mu_1 - \mu_2 = 0$ est favorisée.

    ii) L'hypothèse $H_0 : \mu_1 - \mu_2 = -2$ est favorisée.

    (iii) L'hypothèse $H_0 : \mu_1 - \mu_2 = 0$ est rejetée.

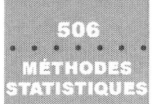

Testez vos connaissances

———

Test no 8 (suite)

20. On veut comparer deux groupes de travailleurs spécialisés en ce qui a trait à un test d'aptitude pour opérer une machine à contrôle numérique. Les résultats obtenus par les deux groupes au test d'aptitude sont présentés ci-après:

Groupe I	Groupe II
$n_1 = 16$	$n_2 = 16$
$\overline{x}_1 = 16,8$	$\overline{x}_2 = 15,4$
$\sum (x_{i1} - \overline{x}_1)^2 = 0,804$	$\sum (x_{i2} - \overline{x}_2)^2 = 1,096.$

On admettra que les données proviennent de deux populations normales de variances inconnues mais supposées égales.

On veut vérifier l'hypothèse fondamentale selon laquelle les variances des deux populations normales sont égales, et ceci au seuil 5%.

a) Le rapport F observé est:

   i) 2,691   ii) 1,887   (iii) 1,363.

b) La valeur critique de la variable de Fisher, pour un test unilatéral à droite, est:

   i) 2,33   (ii) 2,40   iii) 2,48.

c) L'hypothèse d'égalité des variances

   i) est rejetée   (ii) est acceptée   iii) On ne peut rien conclure.

(d) Les hypothèses statistiques qu'on doit spécifier ici sont, dans le cas de deux moyennes:

   i) $H_0 : \mu_1 = \mu_2$, $H_1 : \mu_1 > \mu_2$

   (ii) $H_0 : \mu_1 = \mu_2$, $H_1 : \mu_1 \neq \mu_2$

   iii) $H_0 : \mu_1 = \mu_2$, $H_1 : \mu_1 < \mu_2$.

e) L'écart réduit qui doit être utilisé pour effectuer le test satistique est:

   i)   la variable normale centrée réduite

   ii)   la variable de χ^2

   (iii) la variable de Student

   iv)   la variable de Fisher.

f) La valeur observée de l'écart réduit est:

   i) 1,4   (ii) 15,74   iii) 15,90,

g) L'hypothèse d'égalité des moyennes est:

   i) acceptée   (ii) refusée   iii) On ne peut rien conclure.

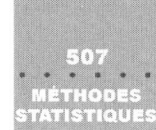
 # Annexe 8 -Traitement avec Excel

Microsoft Office 2002 et Office 1997

Comparaisons de moyennes et de variances

Il existe trois tests de comparaisons de moyennes dans l'Utilitaire d'analyse; toutefois, la nomenclature utilisée par Microsoft pour les identifier (et les explications données dans la rubrique d'aide) est d'une «pauvreté statistique navrante». Néanmoins, les tests sont exécutés correctement mais les termes employés sont, dans plusieurs cas, inadéquats ou encore tout simplement erronés sur le plan statistique. Nous résumons les tests sur l'égalité de deux moyennes (hypothèse nulle $\mu_1 = \mu_2$ ou encore $\mu_1 - \mu_2 = d$, $d \neq 0$) comme suit en donnant le test correspondant dans l'Utilitaire d'analyse d'Excel.

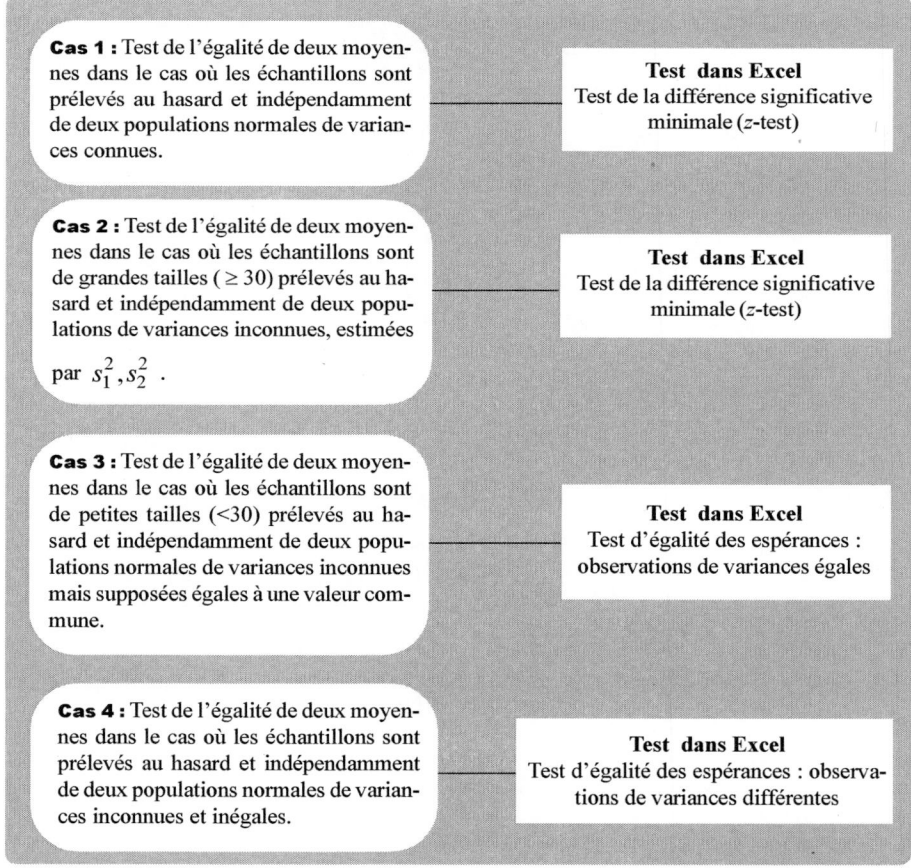

Cas 1 : Test de l'égalité de deux moyennes dans le cas où les échantillons sont prélevés au hasard et indépendamment de deux populations normales de variances connues.

Test dans Excel
Test de la différence significative minimale (*z*-test)

Cas 2 : Test de l'égalité de deux moyennes dans le cas où les échantillons sont de grandes tailles (≥ 30) prélevés au hasard et indépendamment de deux populations de variances inconnues, estimées par s_1^2, s_2^2 .

Test dans Excel
Test de la différence significative minimale (*z*-test)

Cas 3 : Test de l'égalité de deux moyennes dans le cas où les échantillons sont de petites tailles (<30) prélevés au hasard et indépendamment de deux populations normales de variances inconnues mais supposées égales à une valeur commune.

Test dans Excel
Test d'égalité des espérances : observations de variances égales

Cas 4 : Test de l'égalité de deux moyennes dans le cas où les échantillons sont prélevés au hasard et indépendamment de deux populations normales de variances inconnues et inégales.

Test dans Excel
Test d'égalité des espérances : observations de variances différentes

L'exemple 8.3 que nous avons traité correspond au cas 3. Indiquons comment effectuer ce test de comparaison de moyennes avec Excel. Il faut avoir recours à nouveau à l'Utilitaire d'analyse.

EXEMPLE 1: Comparaison du salaire annuel moyen selon le sexe

Servons-nous des données de l'exemple 8.3 pour illustrer l'application de cet outil. Les données avec l'intitulé sont présentées en colonnes (colonnes A et B, de la ligne 4 à la ligne 26) soit A4:B26.

Nous travaillons dans une nouvelle feuille d'Excel.

Procédure

❶ Dans la barre de menus, sélectionnez **Outils /Utilitaire d'analyse**.

❷ Dans la zone Outils d'analyse, choisissez **Test d'égalité des espéran-ces:observations de variances égales**

❸ Cliquez sur OK.

❹ Entrez les paramètres requis, puis cliquez sur OK.

	A	B
4	**Masculin**	**Féminin**
5	41620	40355
6	41745	39022
7	42635	40350
8	42060	40860
9	42220	40406
10	42675	39854
11	40370	39374
12	42445	38200
13	42520	38360
14	42340	40020
15	43205	39622
16	43155	38878
17	40825	38496
18	40930	39940
19	43305	39230
20	41550	41328
21	42586	40325
22	40012	38990
23	41424	
24	40926	
25	41992	
26	43394	

Pour l'exemple que nous traitons, on obtient la fenêtre ci-contre.

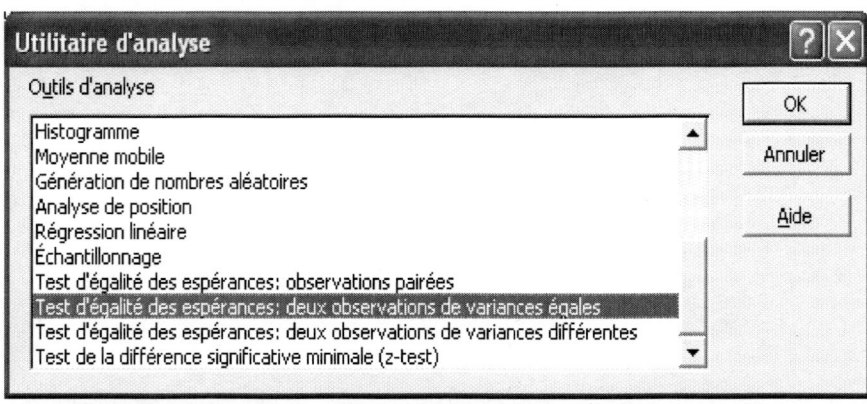

Indiquez la référence de cellules pour les données de chaque échantillon.

L'hypothèse nulle

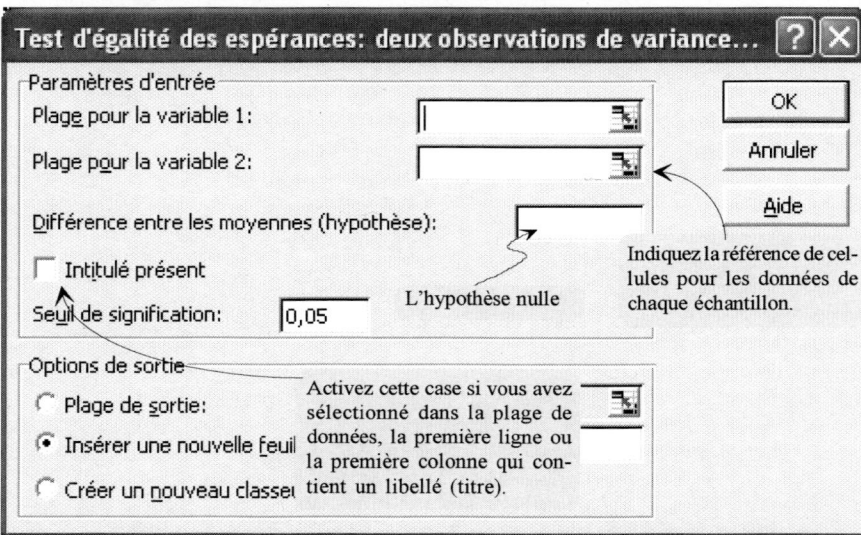

Activez cette case si vous avez sélectionné dans la plage de données, la première ligne ou la première colonne qui contient un libellé (titre).

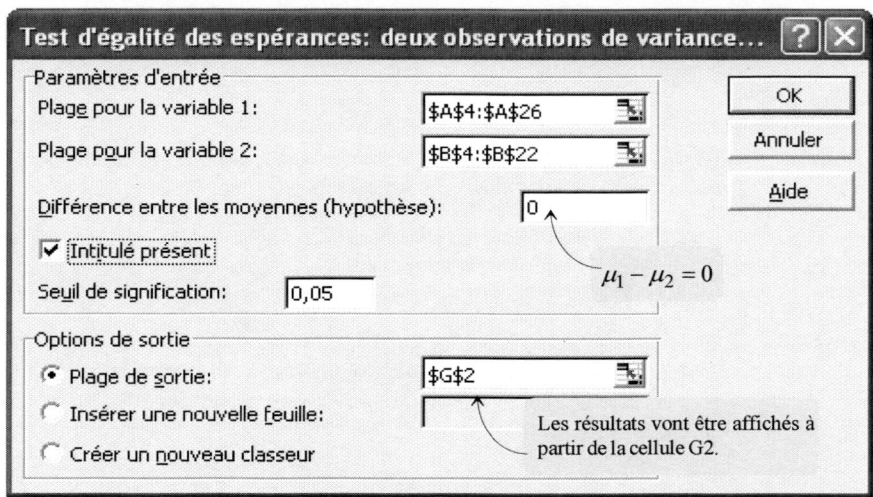

$\mu_1 - \mu_2 = 0$

Les résultats vont être affichés à partir de la cellule G2.

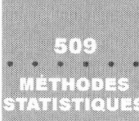

	G	H	I
2	*Test d'égalité des espérances: deux observations de variances égales*		
3			
4		*Masculin*	*Féminin*
5	Moyenne	41997	39645
6	Variance	919152,0952	784340
7	Observations	22	18
8	Variance pondérée	858841,4211	
9	Différence hypothétique des moyennes	0	
10	Degré de liberté	38	
11	Statistique t	7,985432147	
12	P(T<=t) unilatéral	5,95327E-10	
13	Valeur critique de t (unilatéral)	1,685953066	
14	P(T<=t) bilatéral	1,19065E-09	
15	Valeur critique de t (bilatéral)	2,024394234	

Titre affiché par défaut dans Excel, pour ce test (ce qui est inexact). Il faudrait plutôt lire "deux populations de variances égales".

Variance commune s_c^2

L'écart réduit (noté Statistique *t* dans la feuille Excel, ligne 11) donne en valeur absolue 7,9854 , ce qui est plus grand que la valeur critique 1,6859, dans le cas d'un test unilatéral (ligne 13). On ne peut *accepter H₀ : μ₁=μ₂ (La différence est significative)* avec un risque de 5% de se tromper. D'après les données, le salaire annuel moyen des employés de sexe féminin est inférieur à celui des employés de sexe masculin.

Remarque. Ce test statistique est basé sur l'hypothèse fondamentale selon laquelle les échantillons sont prélevés au hasard et indépendamment de deux populations normales de variances inconnues mais supposées égales. Il est bon de vérifier l'hypothèse d'égalité des variances à l'aide du test approprié dans l'Utilitaire d'analyse soit **Test d'égalité des variances (*F*-test)**. Après avoir sélectionné **Outils/Utilitaire d'analyse/Test d'égalité des variances (*F*-test),** on entre les paramètres requis dans la boîte de dialogue suivante:

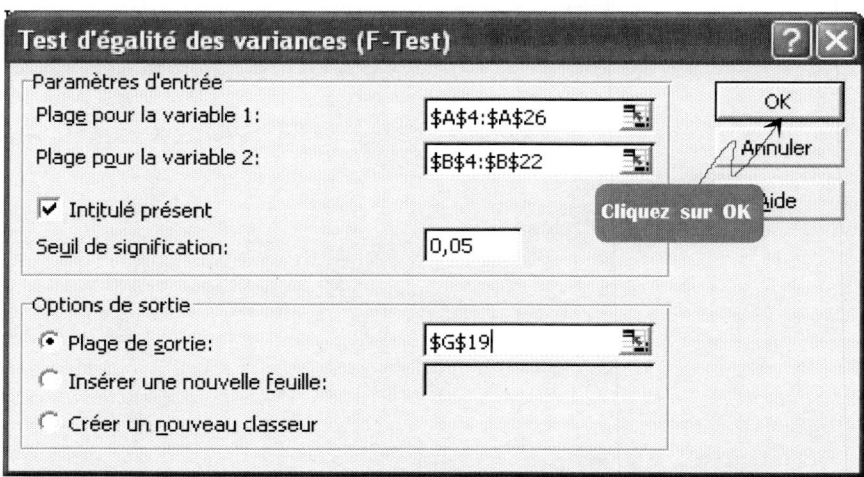

Les résultats seront affichés à partir de la cellule G19.

	G	H	I
19	Test d'égalité des variances (F-Test)		
20			
21		*Masculin*	*Féminin*
22	Moyenne	41997	39645
23	Variance	919152,0952	784340
24	Observations	22	18
25	Degré de liberté	21	17
26	F	1,171879663	
27	P(F<=f) unilatéral	0,373790592	
28	Valeur critique pour F (unilatéral)	2,218897066	

Ce test correspond à calculer le ratio des deux variances (rapport F). Le test effectué par Excel est toujours un test unilatéral. Si, dans le choix des plages d'entrée des données, la plus grande variance est au numérateur, alors $H_1 : \sigma_1^2 > \sigma_2^2$. Nous rejetons $H_0 : \sigma_1^2 = \sigma_2^2$ si la statistique F sur la sortie est plus grande que la valeur critique.

Dans le cas où la plus petite variance est au numérateur, alors $H_1 : \sigma_1^2 < \sigma_2^2$. On conclut au rejet de $H_0 : \sigma_1^2 = \sigma_2^2$ si $F <$ Valeur critique pour le F.

Le test effectué ici correspond à tester les hypothèses statistiques suivantes:

H_0 : Les variances sont égales.

H_1 : La variance du salaire annuel des employés de sexe masculin est plus grande que la variance du salaire annuel des employés de sexe féminin.

Nous ne rejetons pas H_0 si la statistique F est plus petite que la valeur critique du F. Ici, on obtient de la ligne 26 dans la feuille Excel $F = 1,17189$ et de la ligne 28, une valeur critique de 2,2188. Puisque $F = 1,17189 < 2,2188$, nous ne pouvons rejeter H_0. On peut supposer comme vraisemblable l'hypothèse selon laquelle les variances des deux populations sont égales. Dans le cas où on ne peut accepter l'hypothèse d'égalité des variances, le test de comparaison de moyennes approprié est alors le **Test d'égalité des espérances : observations de variances différentes** dans l'Utilitaire d'analyse (cas 4 que nous avons mentionné précédemment).

EXEMPLE 2: Comparaison de deux séries de mesures dans le cas d'échantillons dépendants

	B	C
3	Avant le programme	Après le programme
4	15	17
5	13	16
6	8	10
7	9	9
8	7	9
9	12	13
10	11	14
11	12	15
12	11	14
13	9	11
14	10	14
15	12	11
16	11	13
17	7	10
18	12	13

On obtient ce test de comparaison dans l'Utilitaire d'analyse d'Excel (observations pairées). Illustrons l'application de cet outil d'analyse à l'aide des données de l'exemple 8.4.

Les données avec l'intitulé sont présentées en colonnes (colonnes B et C, de la ligne 3 à la ligne 18) soit B3:C18.

Nous travaillons dans une nouvelle feuille d'Excel.

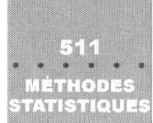

Procédure

❶ Dans la barre de menus, sélectionnez **Outils /Utilitaire d'analyse**.

❷ Dans la zone Outils d'analyse, choisissez **Test d'égalité des espérances: observations pairées.**

❸ Cliquez sur OK.

❹ Entrez les paramètres requis, puis cliquez sur OK.

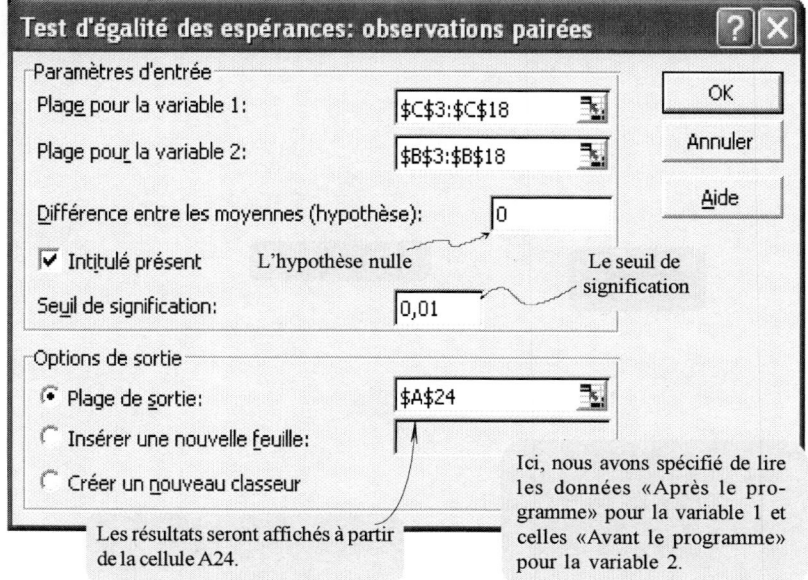

Les résultats seront affichés à partir de la cellule A24.

Ici, nous avons spécifié de lire les données «Après le programme» pour la variable 1 et celles «Avant le programme» pour la variable 2.

	A	B	C
24	*Test d'égalité des espérances: observations pairées*		
25			
26		*Après le programme*	*Avant le programme*
27	Moyenne	12,6	10,6
28	Variance	6,2571	5,1143
29	Observations	15	15
30	Coefficient de corrélation de Pearson	0,8536	
31	Différence hypothétique des moyennes	0	
32	Degré de liberté	14	
33	Statistique t	5,9161	
34	P(T<=t) unilatéral	0,0000	
35	Valeur critique de t (unilatéral)	2,6245	
36	P(T<=t) bilatéral	0,0000	
37	Valeur critique de t (bilatéral)	2,9768	

La notion de corrélation est traitée au chapitre 10.

La sortie informatique indique que la statistique $t = 5,9161$ (ligne 33), alors que la valeur critique de T pour un test unilatéral est 2,6245 (ligne 35). Puisque la valeur observée de T est plus grande que la valeur critique de T, nous rejetons H_0. Le programme de formation semble avoir augmenté la productivité de façon significative.

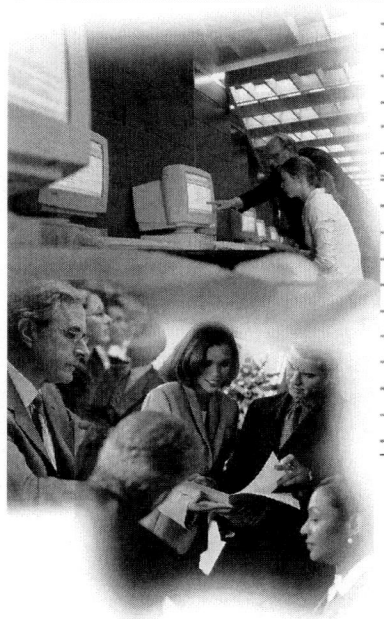

Chapitre 9

Test sur proportions, tableau croisé et test d'ajustement

Application de la statistique | **Niveau de performance en santé et sécurité du travail et nouvelles technologies**

Dans une recherche* exploratoire auprès d'entreprises dans le secteur de la fabrication des produits en métal concernant différents facteurs stratégiques d'adoption et d'implantation de nouvelles technologies susceptibles de contribuer positivement à la réduction des risques de lésions professionnelles, on a obtenu les résultats suivants associés à la dimension «capacités technologiques» existant auprès de trois types d'entreprises (au total 140 entreprises) qualifiées (selon certains critères en santé et sécurité du travail) de «Performantes», «Non performantes» et «Intermédiaires».

Nous ne présentons ici (parmi une liste de 13 technologies) que la technologie «conception assistée par ordinateur».

	Répartition observée		
	Nombre d'entreprises qui ont adopté les nouvelles technologies selon leur niveau de performance en SST		
	Groupe A	**Groupe B**	**Groupe C**
	Entreprises performantes	**Entreprises non performantes**	**Entreprises intermédiaires**
Technologies			
Conception assistée par ordinateur	19	12	21
Pas de conception assistée par ordinateur	29	35	24
Total	48	47	45

* Source: Adapté de Dionne-Proulx, J., J.B Carrière et Y. Beauchamp, *Gestion stratégique de nouvelles technologies et prévention d'accidents*, Revue Canadienne de l'Administration, mars 1999, volume 16, no 1.

L'hypothèse de recherche que l'on veut soumettre à un test statistique est la suivante:

Il existe un lien entre le niveau de performance en santé et sécurité du travail et l'utilisation de la technologie «Conception assistée par ordinateur».

L'analyse statistique consiste ici à comparer trois groupes d'entreprises concernant l'utilisation de nouvelles technologies et ceci, selon leur niveau de performance en santé et sécurité du travail à l'aide de la statistique khi-deux.

Nous traitons dans ce chapitre de l'application de la statistique khi-deux pour tester l'indépendance de deux caractères mesurés sur une échelle nominale ou ordinale, pour vérifier la représentativité d'un échantillon par rapport à une population donnée et pour tester l'égalité de plusieurs proportions.

Chapitre 9

· ·

Test sur proportions, tableau croisé et test d'ajustement

Objectifs pédagogiques

☐ **Objectif général.** *Dans ce chapitre, nous indiquons comment comparer deux proportions, comment utiliser la statistique khi-deux pour tester l'indépendance de deux caractères (variables) dans un tableau de contingence, comment utiliser le khi-deux pour vérifier la représentativité d'un échantillon et la qualité d'ajustement d'une distribution empirique à une loi normale.*

☐ **Objectifs spécifiques.** *Lorsque vous aurez complété l'étude du chapitre 9, vous pourrez:*

1. *effectuer un test de comparaison de deux proportions;*

2. *utiliser le khi-deux pour tester l'indépendance de deux caractères dans un tableau de contingence;*

3. *utiliser le khi-deux pour vérifier la représentativité d'un échantillon;*

4. *utiliser le test de Pearson pour vérifier la qualité d'ajustement à une loi normale;*

5. *effectuer un test statistique sur l'égalité de plusieurs proportions;*

6. *utiliser Excel pour effectuer le test du khi-deux dans un tableau de contingence, pour condtruire un tableau croisé et pour effectuer un test d'ajustement à une loi normale.*

9.1   Introduction

Dans ce chapitre, nous nous intéressons à la comparaison de deux populations dans le cas où les paramètres à comparer sont exprimés sous forme de pourcentages. On peut par exemple se demander si la proportion de jeunes gestionnaires affectés par un burnout est supérieure à la proportion de gestionnaires plus âgés ou encore comparer divers groupes de professionnels en ce qui a trait à leur opinion sur la situation économique.

Les données associées à ce genre de contexte nécessitent le calcul de fréquences absolues ou de proportions.

Nous y traitons également comment tester l'indépendance de deux caractères dans un tableau croisé et comment tester si une série de données associées à une variable continue provient d'une loi normale (hypothèse fondamentale qui est souvent requise pour effectuer certains tests statistiques).

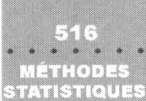
9.2   Comparaison de deux proportions (pourcentages)

Traitons d'abord du cas où on veut comparer deux proportions et conclure si oui ou non il existe une différence significative.

Il y a de nombreuses applications où nous devons décider si l'écart observé entre deux proportions échantillonnales est significatif ou s'il est plutôt attribuable au hasard de l'échantillonnage.

Comme dans le cas de comparaison de deux moyennes, on doit connaître la distribution d'échantillonnage de la différence de deux proportions pour conduire un test sur l'égalité de deux proportions (ou pour estimer, par intervalle de confiance, la différence).

Test sur l'égalité de deux proportions

L'hypothèse nulle que l'on veut tester est $H_0: p_1 = p_2$ (ou $p_1 - p_2 = 0$). Les valeurs p_1 et p_2 sont inconnues mais supposées égales à une valeur commune p ($p_1 = p_2 = p$). On obtient une estimation de cette valeur commune en combinant les proportions observées dans chaque échantillon comme suit:

Estimation de la valeur commune p

$$\hat{p} = \frac{n_1 \hat{p}_1 + n_2 \hat{p}_2}{n_1 + n_2} = \frac{x_1 + x_2}{n_1 + n_2}$$

Les proportions expérimentales s'obtiennent respectivement de $\hat{p}_1 = \frac{x_1}{n_1}$ et $\hat{p}_2 = \frac{x_2}{n_2}$ où x_1 et x_2 sont le nombre d'éléments (d'individus) de chaque échantillon sur lesquels on a observé le caractère concerné.

L'écart-type de $\hat{P}_1 - \hat{P}_2$ s'écrit, suite à cette combinaison de proportions observées,

Écart-type de

$\hat{P}_1 - \hat{P}_2$

$$s(\hat{P}_1 - \hat{P}_2) = \sqrt{\frac{\hat{p}(1-\hat{p})}{n_1} + \frac{\hat{p}(1-\hat{p})}{n_2}} = \sqrt{\hat{p}(1-\hat{p})\left(\frac{1}{n_1} + \frac{1}{n_2}\right)}$$

Sous l'hypothèse $H_0: p_1 = p_2$ et les conditions d'application $n_1\hat{p}$, $n_1(1-\hat{p}), n_2\hat{p}, n_2(1-\hat{p})$ tous ≥ 5, l'écart réduit

$$Z = \frac{(\hat{P}_1 - \hat{P}_2) - (p_1 - p_2)}{s(\hat{P}_1 - \hat{P}_2)} = \frac{\hat{P}_1 - \hat{P}_2}{\sqrt{\hat{p}(1-\hat{p})\left(\frac{1}{n_1} + \frac{1}{n_2}\right)}}$$

est distribué selon la *loi normale centrée réduite*.

Le test de comparaison de deux proportions se conduit de façon similaire à un test de comparaison de deux moyennes.

Nous résumons, dans le tableau 9.1, les types de test dans le cas de deux proportions et au tableau 9.2, les différents éléments requis pour exécuter le test de comparaison de deux proportions.

Tableau 9.1

Types de tests sur deux proportions

Types de test		
Test unilatéral à gauche	**Test bilatéral**	**Test unilatéral à droite**
$H_0: p_1 = p_2$	$H_0: p_1 = p_2$	$H_0: p_1 = p_2$
$H_1: p_1 < p_2$	$H_1: p_1 \neq p_2$	$H_1: p_1 > p_2$

Tableau 9.2

Tests sur deux proportions: Échantillons préle-vés au hasard et indé-pendamment de deux populations binomia-les avec des tailles respectives suffisam-ment élevées de sorte que soient

$n_1\hat{p}, n_1(1-\hat{p}),$
$n_2\hat{p}, n_2(1-\hat{p}),$

tous $\geq$ 5 avec

$$\hat{p} = \frac{n_1\hat{p}_1 + n_2\hat{p}_2}{n_1+n_2}$$
$$= \frac{x_1+x_2}{n_1+n_2}$$

Hypothèse nulle : $H_0 : p_1 = p_2$

Contre-hypothèses	Règles de décision du test
$H_1 : p_1 \neq p_2$	Rejeter H_0 si $Z > z_{\alpha/2}$ ou $Z < -z_{\alpha/2}$
$H_1 : p_1 > p_2$	Rejeter H_0 si $Z > z_\alpha$
$H_1 : p_1 < p_2$	Rejeter H_0 si $Z < -z_\alpha$

*En supposant H_0 vraie et selon les conditions d'application, $Z = \dfrac{\hat{P}_1 - \hat{P}_2}{\sqrt{\hat{p}(1-\hat{p})\left(\dfrac{1}{n_1}+\dfrac{1}{n_2}\right)}}$; il est distribué selon une loi normale centrée réduite.

Exemple 9.1

Comparaison de la représentativité des femmes au sein des Conseils d'administration

Dans un sondage* Banque Nationale/Groupe Everest/*La Presse* réalisé du 17 au 24 février 2000 auprès de 289 personnes membres de Conseils d'administration de PME québécoises, on a observé que 18,5% des membres étaient des femmes. Un sondage similaire effectué en 1998 auprès de 320 personnes membres de Conseils d'admi-nistration de PME québécoises indiquait que 23,8% des membres étaient des fem-mes.

* Source: Adapté de R. Dupaul, *Plus de femmes cadres au sein des PME, mais elles y sont sous représentées, La Presse*, 8 mars 2000.

Peut-on affirmer, au seuil de signification 5%, que la représentativité des femmes au sein des Conseils d'administration de PME a diminué de façon significative par rapport aux résultats de l'année 1998?

Démarche du test

1. Hypothèses statistiques.

$H_0 : p_1 = p_2$
$H_1 : p_1 < p_2$

Sondage 2000	Sondage 1998
$n_1 = 289$	$n_2 = 320$
$\hat{p}_1 = 0,185$	$\hat{p}_2 = 0,238$

2. Seuil de signification.
$\alpha = 0,05$.

3. Conditions d'application du test: Il faut que $n_1\hat{p}, n_1(1-\hat{p}), n_2\hat{p}, n_2(1-\hat{p})$ soient tous $\geq$ 5.

Vérifions. Le calcul de $\hat{p}$ (estimation de la valeur commune p) donne

$$\hat{p} = \frac{n_1\hat{p}_1 + n_2\hat{p}_2}{n_1+n_2} = \frac{(289)(0,185)+(320)(0,238)}{289+320} = 0,213$$
$$n_1\hat{p} = (289)(0,213) = 61,557, n_1(1-\hat{p}) = (289)(0,787) = 227,443$$
$$n_2\hat{p} = (320)(0,213) = 68,16, n_2(1-\hat{p}) = (320)(0,787) = 251,84$$

Donc tous $\geq$ 5.

4. La statistique qui convient pour le test est $\hat{P}_1 - \hat{P}_2$. L'écart réduit est, selon les conditions d'application et en supposant H_0 vraie, $Z = \dfrac{\hat{P}_1 - \hat{P}_2}{\sqrt{\hat{p}(1-\hat{p})\left(\dfrac{1}{n_1}+\dfrac{1}{n_2}\right)}}$.

Il est distribué suivant la loi normale centrée réduite.

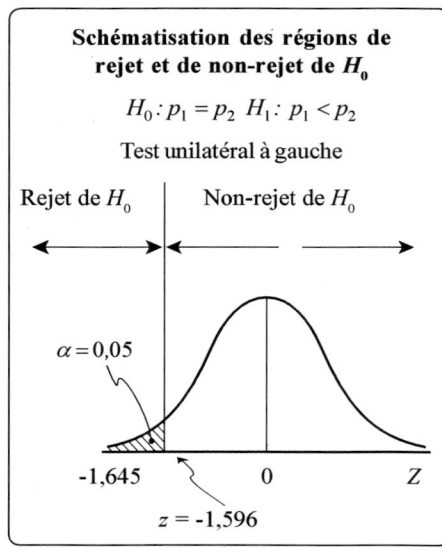

Schématisation des régions de rejet et de non-rejet de H_0

$H_0 : p_1 = p_2 \quad H_1 : p_1 < p_2$

Test unilatéral à gauche

Rejet de H_0 Non-rejet de H_0

$\alpha = 0,05$

$-1,645 \qquad 0 \qquad Z$

$z = -1,596$

5. **Règle de décision.** D'après H_1 et au seuil $\alpha = 0,05$, la valeur critique de l'écart réduit est $z_{0,05} = 1,645$ (test unilatéral à gauche). On adoptera la règle de décision suivante: rejeter H_0 si $z < -1,645$, sinon ne pas rejeter H_0.

6. **Calcul de l'écart réduit.** On obtient les calculs suivants:
On a $\hat{p} = 0,213$

$$s(\hat{P}_1 - \hat{P}_2) = \sqrt{(0,213)(0,787)\left(\frac{1}{289} + \frac{1}{320}\right)} = 0,0332$$

$$z = \frac{(0,185 - 0,238)}{0,0332} = \frac{-0,053}{0,0332} = -1,596.$$

7. **Décision et conclusion.** La valeur $z = -1,596$ se situe dans la région de non-rejet de H_0. L'écart observé n'est pas significatif au seuil 5%.

On ne peut affirmer que la représentativité des femmes au sein des Conseils d'administration de PME a diminué de façon significative par rapport à celle de 1998.

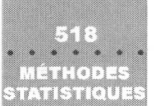

Exercice d'apprentissage
Série 9.1

📖 Comparaison de deux pourcentages

---

*Source: Barreau, J. *Financement de l'innovation: les PME innovantes sont-elles plus contraintes sur les marchés financiers que les non-innovantes?* Mémoire de recherche, UQTR, septembre 2003.

Dans une recherche* dont l'objectif est de comparer l'accès au financement des PME innovatrices par rapport aux non-innovatrices, on a obtenu les données suivantes concernant l'acceptation des demandes de financement à court terme (marge de crédit) selon que les PME soient innovantes ou non-innovantes.

	Acceptation des demandes de financement à court terme	
	Innovantes	**Non-innovantes**
Taille de l'échantillon	219	229
Demandes acceptées	193	189

L'innovation correspond à l'intégration de nouvelles idées dans les produits (biens et services) et procédés commercialement réalisables ou l'adoption par une entreprise de technologies nouvelles pour son industrie.

On veut tester, au seuil de signification de 1%, l'hypothèse selon laquelle la proportion de PME dont les demandes de marge de crédit ont été acceptées est la même selon qu'elles soient innovantes ou non.

a) Est-ce que les conditions d'application du test sont respectées?

b) Précisez les hypothèses statistiques qu'on veut soumettre au test.

c) Quelle est la proportion échantillonnale de PME, et ceci pour chaque groupe, dont la demande de marge de crédit a été acceptée?

d) Quelle est la statistique qui convient pour ce test d'hypothèses?

e) Quel type de test doit-on appliquer ici?

f) Quelle est l'expression de l'écart réduit que l'on doit utiliser ici, et quelle est sa distribution?

g) Quelles sont, pour le seuil de signification mentionné précédemment, les valeurs critiques de l'écart réduit?

h) Quelle règle de décision doit-on adopter?

i) Est-ce que l'hypothèse nulle qui est soumise au test est favorisée, au seuil 1%? Justifiez votre conclusion.

9.3 Tableau croisé et test d'indépendance

Les rapports de recherche, d'enquêtes, de sondages ou des articles de revues spécialisées présentent, dans bien des cas, des tableaux à double entrée (ou tableaux croisés) qui permettent de résumer l'information selon deux caractères (mesurés sur une échelle nominale ou ordinale) recueillie sur une question, sur une opinion ou sur les résultats d'une recherche.

L'objectif de l'analyse des résultats est d'examiner si les deux caractères observés sont indépendants ou si, au contraire, ils présentent un certain degré d'association. Le traitement statistique des données fait intervenir la statistique *khi-deux*.

> **Étude de liaison entre deux caractères mesurés sur une échelle nominale ou ordinale.** Nous prélevons d'une population un échantillon aléatoire de taille n et nous observons sur chaque unité statistique (élément, individu) de l'échantillon deux caractères qui peuvent être quantitatifs et qualitatifs ou encore l'un est quantitatif et l'autre est qualitatif. Le caractère X présente r modalités alors que le caractère Y présente k modalités. La répartition des n observations suivant les modalités croisées des deux caractères se présente sous la forme d'un tableau à double entrée appelé *tableau de contingence* ou *tableau croisé*. Il s'agit par la suite de tester, à l'aide d'une statistique appelée *khi-deux*, si les deux caractères sont indépendants ou non.

La structure d'un tableau de contingence est présentée ci-après.

• • •
Dans le cas où les deux caractères sont quantitatifs et continus, on peut recourir à une analyse de corrélation, type d'analyse qui permet d'évaluer l'intensité de la liaison linéaire entre les deux caractères (variables). Nous traitons de cette notion au chapitre 11, sur la corrélation linéaire.

Tableau 9.3
Répartition des données selon un tableau de contingence

Structure d'un tableau de contingence

Fréquence observée de la case (i,j)

Nombre d'observations associé à la modalité B_i du caractère X

Nombre d'observations associé à la modalité A_j du caractère Y

$f_{0_{ij}}$ représente la fréquence (absolue) des unités statistiques sur lesquelles on a observé la modalité B_i du caractère X et la modalité A_j du caractère Y.

$$L_i = \sum_{j=1}^{k} f_{0_{ij}}, i = 1,...,r \quad \text{(total des lignes)}$$

$$C_j = \sum_{i=1}^{r} f_{0_{ij}}, j = 1,...,k \quad \text{(total des colonnes)}$$

$$n = \sum_{i=1}^{r} L_i = \sum_{j=1}^{k} C_j = \sum_{i=1}^{r}\sum_{j=1}^{k} f_{0_{ij}}$$

Le test du khi-deux ne s'applique qu'à des résultats exprimés en fréquences absolues.

Hypothèses statistiques

Hypothèse nulle :

H_0: Les deux caractères X et Y sont indépendants.

Contre-hypothèse ou hypothèse de recherche :

H_1: Les deux caractères X et Y ne sont pas indépendants.

Conditions d'application du test

Échantillon de taille n prélevé au hasard de la population et suffisamment important pour que toutes les fréquences théoriques soient supérieures ou égales à 5 (règle conservatrice).

Calcul de la statistique khi-deux

Pour comparer le tableau des fréquences observées au tableau des fréquences théoriques absolues, on calcule la quantité

$$\chi^2 = \sum_{i=1}^{r} \sum_{j=1}^{k} \frac{(f_{o_{ij}} - f_{t_{ij}})^2}{f_{t_{ij}}} \qquad \text{où} \quad f_{t_{ij}} = \frac{L_i \times C_j}{n}$$

La quantité χ^2 est, sous l'hypothèse d'indépendance des caractères, distribuée selon la loi de khi-deux avec $\nu = (r-1)(k-1)$ degrés de liberté.

On peut résumer la démarche du test d'indépendance de deux caractères comme suit.

Démarche du test

1. Hypothèses statistiques.

H_0: Les deux caractères sont indépendants.

H_1: Les deux caractères ne sont pas indépendants.

2. Seuil de signification.

α.

3. Conditions d'application du test: Échantillon aléatoire suffisamment grand de sorte que les fréquences théoriques de chaque cellule soient 5 et plus.

4. Calcul des fréquences théoriques $f_{t_{ij}}$ en supposant H_0 vraie. La fréquence théorique pour la case (i,j) se calcule comme suit:

$$f_{t_{ij}} = \frac{L_i \times C_j}{n} \qquad \text{où } L_i \text{ correspond au total des}$$

fréquences absolues de la ligne i et C_j, le total des fréquences absolues de la colonne j.

5. La statistique qui convient pour ce test est

$$\chi^2 = \sum_{i=1}^{r} \sum_{j=1}^{k} (f_{o_{ij}} - f_{t_{ij}})^2 / f_{t_{ij}}$$

Cette quantité est distribuée selon la loi de khi-deux avec $(r\text{-}1)(k\text{-}1)$ degrés de liberté.

6. Règle de décision. Au seuil α, la valeur critique de χ^2 est $\chi^2_{\alpha;(r-1)(k-1)}$. On adopte la règle de décision suivante: rejeter H_0 si

$\chi^2 > \chi^2_{\alpha;(r-1)(k-1)}$, sinon ne pas rejeter H_0.

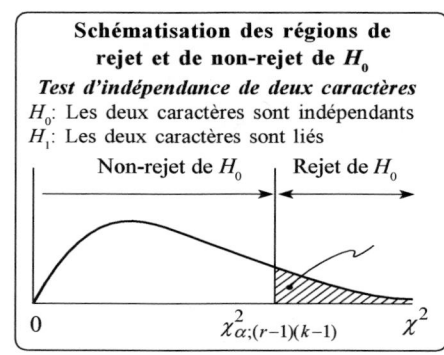

Schématisation des régions de rejet et de non-rejet de H_0

Test d'indépendance de deux caractères

H_0: Les deux caractères sont indépendants

H_1: Les deux caractères sont liés

Non-rejet de H_0 | Rejet de H_0

0 $\chi^2_{\alpha;(r-1)(k-1)}$ χ^2

7. Calcul de χ^2.

Le calcul du khi-deux expérimental s'effectue à l'aide de l'expression

$$\chi^2 = \sum_{i=1}^{r} \sum_{j=1}^{k} \frac{(f_{o_{ij}} - f_{t_{ij}})^2}{f_{t_{ij}}} \quad \text{où } f_{o_{ij}} \text{ représente la fré-}$$

quence (absolue) des unités statistiques sur lesquelles on a observé la modalité B_i du caractère X et la modalité A_j du caractère Y et $f_{t_{ij}}$, les fréquences théoriques obtenues en 4.

8. Décision et conclusion.

Si $\chi^2 > \chi^2_{\alpha;(r-1)(k-1)}$, on rejette l'hypothèse H_0 et on favorise H_1. La disparité des fréquences observées et des fréquences théoriques absolues n'est pas attribuable qu'aux fluctuations d'échantillonnage; elle est significative. On en déduit alors que les deux caractères apparaissent liés. À noter que k est le nombre de modalités de la variable Y après regroupement s'il y a lieu et r, le nombre de modalités de la variable X après regroupement, s'il y a lieu.

Exemple 9.2

Tableau croisé et test d'indépendance

Un bureau d'experts-conseils en ressources humaines veut ouvrir un bureau dans la région de Lanaudière. Un sondage a été commandé auprès d'une firme réputée pour connaître leur opinion concernant la situation économique de cette région auprès d'individus âgés de 18 ans et plus. La question posée était la suivante:

«Selon vous, dans les 12 prochains mois, la situation économique va-t-elle s'améliorer, rester stable, se détériorer, ne sais pas?»

Les résultats obtenus auprès de 250 répondants sont présentés dans le tableau croisé ci-après, et ceci selon la catégorie d'emploi.

Tableau 9.4

Répartition des données du sondage selon un tableau croisé

Situation économique	Répartition observée			
	Catégorie d'emploi			
	Professionnels	Employés de bureau	Autres	Total
S'améliorer	52	31	15	98
Reste stable	20	16	24	60
Se détériorer	13	14	21	48
NSP	8	17	19	44
Total	93	78	79	250

On veut tester les hypothèses suivantes au seuil de signification de 5%:

Hypothèse nulle (H_0): L'opinion sur la situation économique est indépendante de la catégorie d'emploi.

Contre-hypothèse (H_1): L'opinion sur la situation économique est liée à la catégorie d'emploi.

Détermination des fréquences théoriques sous l'hypothèse d'indépendance des deux caractères

Pour déterminer les fréquences théoriques , on a recours à l'expression

$$f_{t_{ij}} = \frac{\text{Total de la ligne } i \times \text{Total de la colonne } j}{\text{Taille de l'échantillon}} = \frac{L_i \times C_j}{n}$$

On obtient respectivement pour les cellules (1,1), (1,2) et (1,3), les fréquences théoriques suivantes:

Situation économique	Catégorie d'emploi				L_1
	Professionnels	Employés de bureau	Autres	Total	
S'améliorer	$f_{t_{11}} = \frac{98 \times 93}{250} = 36{,}456$	$f_{t_{12}} = \frac{98 \times 78}{250} = 30{,}576$	$f_{t_{13}} = \frac{98 \times 79}{250} = 30{,}968$	98	
Reste stable				60	
Se détériorer				48	
NSP				44	
Total	93	78	79	250	

C_1 C_2 C_3 n

On obtient les autres fréquences absolues théoriques de la même façon, en utilisant le total de la ligne appropriée:

$$f_{t_{21}} = \frac{60 \times 93}{250} = 22{,}32, \, f_{t_{22}} = \frac{60 \times 78}{250} = 18{,}72, \, f_{t_{23}} = \frac{60 \times 79}{250} = 18{,}96, \, \dots, \, f_{t_{43}} = \frac{44 \times 79}{250} = 13{,}904.$$

Répartition théorique sous l'hypothèse d'indépendance des caractères

La répartition théorique des fréquences absolues est résumée dans le tableau ci-après (nous avons réduit le nombre de décimales à 2):

• • •
Répartition
théorique des
fréquences
absolues

	Répartition théorique			
	Catégorie d'emploi			
Situation économique	**Professionnels**	**Employés de bureau**	**Autres**	**Total**
S'améliorer	36,46	30,58	30,97	98
Reste stable	22,32	18,72	18,96	60
Se détériorer	17,86	14,98	15,17	48
NSP	16,37	13,73	13,90	44
Total	93	78	79	250

Toutes les fréquences théoriques sont plus grandes que 5; aucun regroupement des modalités n'est nécessaire.

Calculons maintenant l'indicateur de disparité entre la répartition observée des répondants et la répartion théorique c.-à-d. le khi-deux.

Nous indiquons en annexe 9, comment exécuter un test statistique du khi-deux avec Microsoft Excel.

Modalités (i,j)	$f_{o_{ij}}$	$f_{t_{ij}}$	$(f_{o_{ij}} - f_{t_{ij}})$	$(f_{o_{ij}} - f_{t_{ij}})^2$	$(f_{o_{ij}} - f_{t_{ij}})^2 / f_{t_{ij}}$
(1,1)	52	36,46	15,54	241,62	6,63
(1,2)	31	30,58	0,42	0,18	0,01
(1,3)	15	30,97	-15,97	254,98	8,23
(2,1)	20	22,32	-2,32	5,38	0,24
(2,2)	16	18,72	-2,72	7,40	0,40
(2,3)	24	18,96	5,04	25,40	1,34
(3,1)	13	17,86	-4,86	23,58	1,32
(3,2)	14	14,98	-0,98	0,95	0,06
(3,3)	21	15,17	5,83	34,01	2,24
(4,1)	8	16,37	-8,37	70,02	4,28
(4,2)	17	13,73	3,27	10,71	0,78
(4,3)	19	13,90	5,10	25,97	1,87

Le khi-deux sera à nouveau utilisé dans le cas d'un test sur l'égalité de *k* proportions et et dans le cas d'un test d'homogénéité de plusieurs populations (voir exercices de fin de chapitre).

$$\chi^2 = \sum_{i=1}^{4} \sum_{j=1}^{3} \frac{(f_{o_{ij}} - f_{t_{ij}})^2}{f_{t_{ij}}} = 27,40$$

Calcul des degrés de liberté

Puisque $r = 4$ et que $k = 3$, le nombre de degrés de liberté pour le khi-deux est :
$$\nu = (r\text{-}1) \times (k\text{-}1) = (4\text{-}1) \times (3\text{-}1) = 3 \times 2 = 6.$$

Appliquons maintenant la démarche du test.

Démarche du test

1. **Hypothèses statistiques.**
   H_0: L'opinion sur la situation économique est indépendante de la catégorie d'emploi.
   H_1: L'opinion sur la situation économique est liée de la catégorie d'emploi.
2. **Seuil de signification.**
   $\alpha = 0,05$.
3. **Conditions d'application du test:** Échantillon aléatoire suffisamment grand de sorte que les fréquences théoriques de chaque cellule soient 5 et plus. Ici, $n = 250$.
4. **Calcul des fréquences théoriques $f_{t_{ij}}$ en supposant H_0 vraie.** Les fréquences théoriques ont été calculées précédemment et elles sont toutes supérieures à 5. Aucun regroupement de modalités est nécessaire.

5. La statistique qui convient pour ce test est

$$\chi^2 = \sum_{i=1}^{r} \sum_{j=1}^{k} (f_{o_{ij}} - f_{t_{ij}})^2 / f_{t_{ij}}$$

Cette quantité est distribuée selon la loi de khi-deux avec $(r\text{-}1)(k\text{-}1) = 3 \times 2 = 6$ degrés de liberté.

6. Règle de décision. Au seuil $\alpha = 0,05$, la valeur critique de χ^2 est $\chi^2_{0,05;6} = 12,5916$. On adopte la règle de décision suivante: rejeter H_0 si $\chi^2 > 12,5916$, sinon ne pas rejeter H_0.

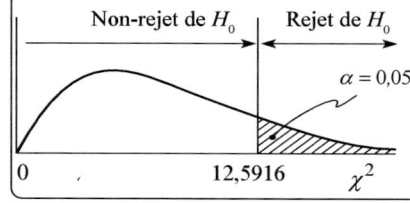

Schématisation des régions de rejet et de non-rejet de H_0

Test d'indépendance de deux caractères
H_0: Les deux caractères sont indépendants
H_1: Les deux caractères sont liés

Non-rejet de H_0 — Rejet de H_0

$\alpha = 0,05$

0 — 12,5916 — χ^2

7. Calcul de χ^2.

Le calcul du khi-deux expérimental donne: $\chi^2 = \sum_{i=1}^{4} \sum_{j=1}^{3} \dfrac{(f_{o_{ij}} - f_{t_{ij}})^2}{f_{t_{ij}}} = 27,40$

Nous indiquons en annexe, exemple 4, comment construire un tableau croisé avec Excel.

8. Décision et conclusion.

Puisque $\chi^2 = 27,40 > 12,5916$, on rejette l'hypothèse H_0 et on favorise H_1. La disparité des fréquences observées et des fréquences théoriques absolues n'est pas attribuable qu'aux fluctuations d'échantillonnage; elle est significative. On en déduit alors que l'opinion sur la situation économique est liée à la catégorie d'emploi.

Remarques. a) Dans une étude de liaison entre deux variables, on se demande habituellement s'il y a un lien entre les deux variables et quelle est l'intensité ou la force de ce lien. La variable qui est sensée avoir un effet sur l'autre variable est appelée *variable indépendante* (ou variable explicative) alors que la variable dont on observe les variations et dont on tente d'expliquer le comportement à partir de la variable indépendante est appelée *variable dépendante* (ou variable expliquée). Dans notre exemple, la catégorie d'emploi (variable indépendante) peut avoir une influence sur l'opinion concernant la situation économique (variable dépendante).

b) **Distributions conditionnelles.** Nous indiquons ci-après à l'aide de diagrammes en bâtons, la répartition des répondants d'après la catégorie d'emploi pour chaque modalité concernant la perception qu'ils ont de la situation économique.

Distribution conditionnelle de la catégorie d'emploi des répondants sachant que les répondants considèrent que la situation économique va «S'améliorer»

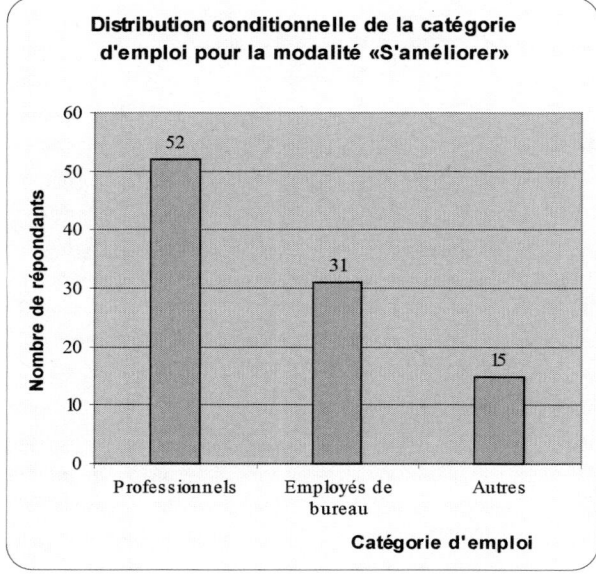

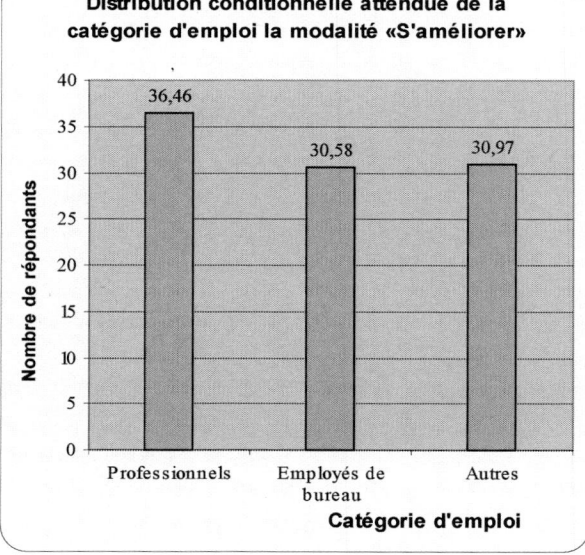

On constate la disparité entre les deux distributions.

Distribution conditionnelle de la catégorie d'emploi des répondants sachant que les répondants considè-rent que la situation économique va «Rester stable»

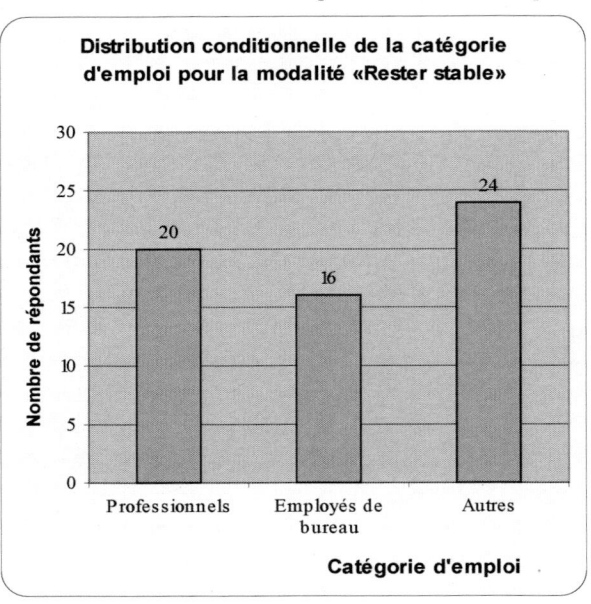

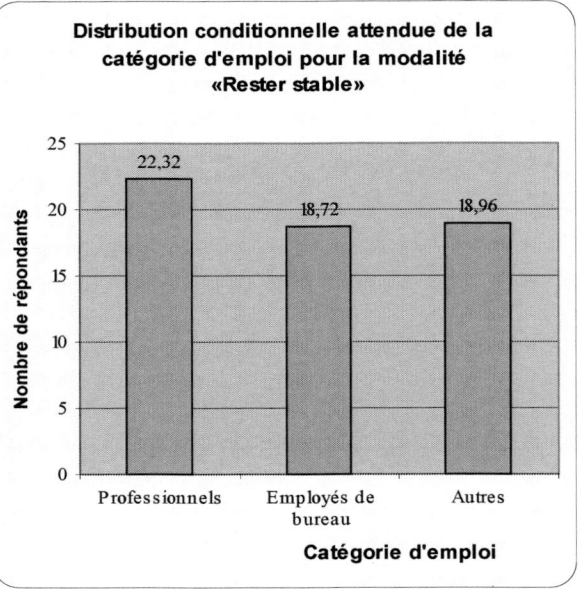

La disparité entre ces deux distributions est moins importante.

Distribution conditionnelle de la catégorie d'emploi des répondants sachant que les répondants considè-rent que la situation économique va «Se détériorer»

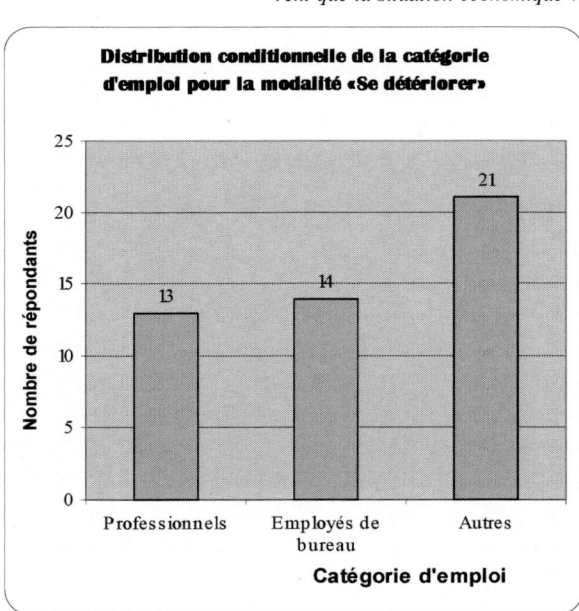

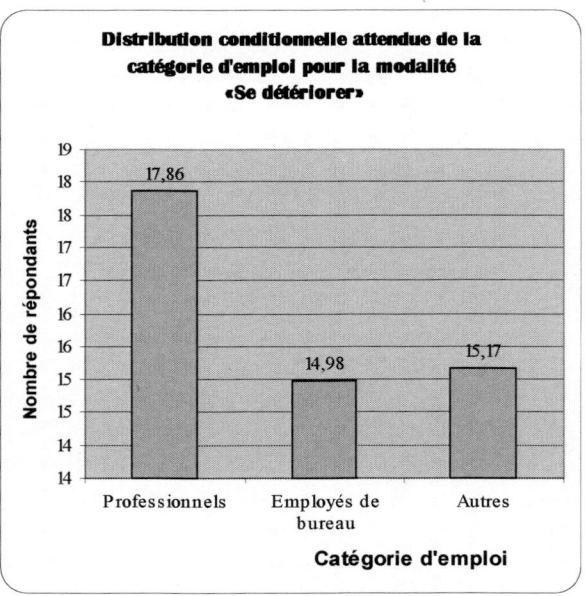

On pourrait faire de même pour la modalité «Ne sais pas».

Discussion. La disparité entre les deux distributions se manifeste particulièrement pour la modalité «S'améliorer» ; en effet la catégorie d'emploi «Professionnels» présente 52 répondants pour la situation économique «S'améliorer» alors qu'on s'attend à en trouver 36,46; cet écart est quantifié par une contribution au khi-deux de 6,63 (case (1,1)). D'autre part, la catégorie d'emploi «Autres» indique seulement un nombre de répondants de 15 pour la modalité «S'améliorer» alors qu'on s'attend à 30,97; cet écart est quantifié par une contribution au khi-deux de 8,23 (case (1,3)). L'autre combinaison de modalités qui présente une disparité est celle correspondant à la case (4,1) pour une contribution au khi-deux de 4,28.

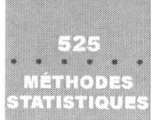
Distribution marginale de chaque caractère

Si on tient compte uniquement du caractère «Catégorie d'emploi», on obtient, en utilisant le total de chaque colonne, la distribution marginale de ce caractère; de même, en utilisant le total de chaque ligne, on obtient la distribution marginale du caractère « Situation économique».

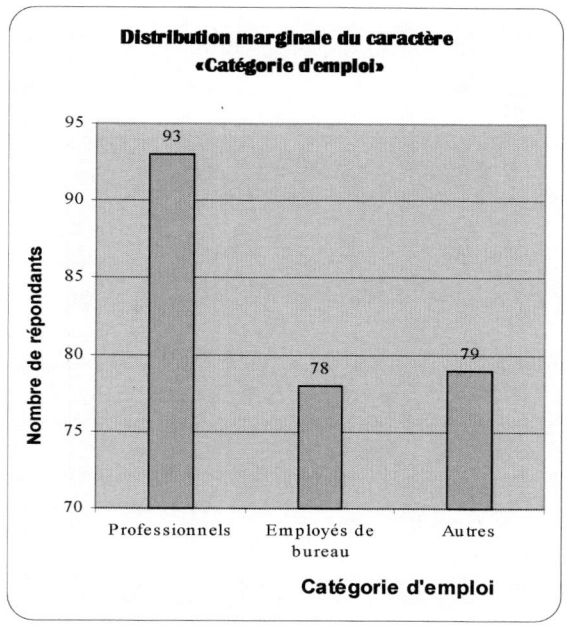

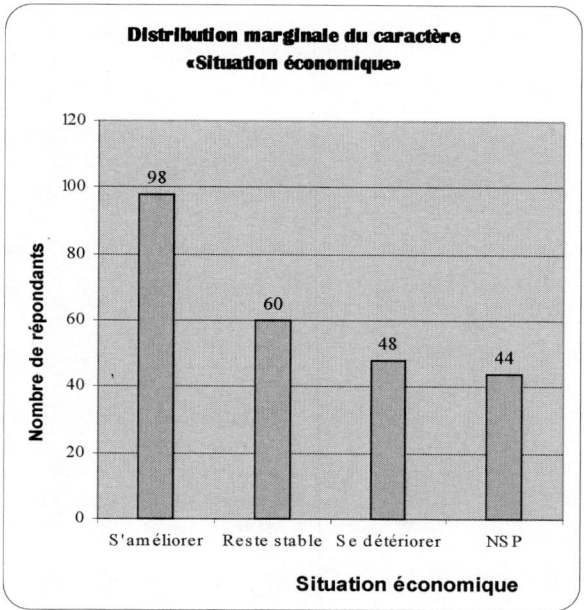

9.4   Mesures d'association entre deux caractères

Dans le cas où l'hypothèse d'indépendance des caractères est rejetée, on peut quantifier la force de l'association entre deux caractères (mesurés sur une échelle nominale ou ordinale) d'un tableau croisé à l'aide de diverses mesures descriptives. Les mesures d'association que nous traitons ici sont:

❑ Le coefficient de contingence

❑ Le *V* de Cramer

❑ Le coefficient phi (ϕ).

Toutes ces mesures s'obtiennent à partir de la valeur calculée du khi-deux dans un tableau de contingence.

> • • •
> Peu importe la mesure d'association utilisée, l'intensité de la liaison est faible si le coefficient prend une valeur voisine de 0 et est qualifiée d'association très forte si le coefficient prend une valeur voisine de 1.

9.4.1 Le coefficient de contingence

Le coefficient de contingence, noté *C*, s'obtient de l'expression suivante

> Le coefficient de contingence

$$C = \sqrt{\frac{\chi^2}{\chi^2 + n}} \text{ , } n \text{ étant la taille de l'échantillon.}$$

Ce coefficient varie entre 0 et une valeur maximale inférieure à 1. La valeur maximale de *C* dépend du nombre de modalités de chaque caractère (le nombre de lignes et de colonnes dans le tableau croisé). Pour des tableaux carrés $r \times r$, on utilise l'expression

$\sqrt{\dfrac{r-1}{r}}$ pour obtenir la valeur maximale; ainsi dans un tableau de dimension 2×2, la

valeur maximale de *C* est 0,707 alors que dans un tableau de dimensions 4×4, la valeur maximale est 0,866.

9.4.2 Le *V* de Cramer

Le *V* de Cramer

Le coefficient de contingence de Cramer noté *V*, se définit comme suit:

$$V = \sqrt{\frac{\chi^2}{n(k-1)}}$$ où *k* est le minimum entre le nombre de lignes et le nombre de

colonnes et *n* est la taille de l'échantillon.

Le *V* de Cramer varie entre 0 (aucune association entre les caractères) et 1 (parfaite association entre les caractères). La valeur maximale du *V* de Cramer est 1, indépendemment de la dimension du tableau croisé. Pour cette raison, il est préféré au coefficient de contingence *C*.

9.4.3 Le coefficient phi

Le coefficient phi

Le coefficient phi est utilisé pour les tableaux croisés 2 × 2; son expression est

$$\phi = \sqrt{\frac{\chi^2}{n}}$$ où *n* est la taille de l'échantillon.

Ce coefficient est habituellement utilisé lorsque les caractères sont de nature dichotomique (c.-à-d. les caractères ne comportent que deux modalités). Le coefficient phi varie entre 0 et 1.

Exemple 9.3

Mesures d'association entre l'opinion sur la situation économique et la catégorie d'emploi

Calculons le coefficient de contingence et le *V* de Cramer pour les caractères du tableau croisé de l'exemple 9.2 (perception de la situation économique et la catégorie d'emploi). Dans cette enquête, on a *n* = 250 et le tableau croisé est de dimensions 4 × 3. La valeur calculée de khi-deux est $\chi^2 = 27,4$.

Coefficient de contingence

$$C = \sqrt{\frac{\chi^2}{\chi^2 + n}} = \sqrt{\frac{27,4}{27,4 + 250}} = 0,314$$

V de Cramer

$$V = \sqrt{\frac{\chi^2}{n(k-1)}} = \sqrt{\frac{27,4}{250(3-1)}} = 0,234 \quad \text{avec } k = \min(3,4) = 3.$$

Le degré d'association entre la perception de la situation économique et la catégorie d'emploi est faible.

Exercices d'apprentissage

Série 9.2

📄 Test d'indépendance entre le potentiel entrepreneurial d'individus et le secteur de travail des parents

*Source: Sabourin, J. P. et Y. Gasse, *Le potentiel entrepreneurial et les intentions de création d'entreprise des élèves et des diplômés de cégep*. Revue P.M.O., volume 4 numéro 1.

1. Dans une recherche* sur le potentiel entrepreneurial et les intentions de création d'entreprises des élèves et des diplômés de cégep, on a obtenu le tableau croisé suivant concernant la distribution du potentiel entrepreneurial (obtenu à l'aide d'un test d'évaluation) en fonction du secteur de travail des parents. On donne également la répartition théorique des répondants selon l'hypothèse que les deux caractères sont indépendants.

| Secteur de travail des parents | Répartition observée | | | |
| | Potentiel entrepreneurial | | | |
	Faible	*Moyen*	*Fort*	Total
Public	30	224	50	304
Privé	19	153	52	224
À leur compte	6	116	53	175
Total	55	493	155	703

Exercices d'apprentissage

Série 9.2 (suite)

Secteur de travail des parents	Répartition théorique Potentiel entrepreneurial			
	Faible	*Moyen*	*Fort*	Total
Public	23,78	213,19	67,03	304
Privé	17,52	157,09	49,39	224
À leur compte	13,69	122,72	38,58	175
Total	55	493	155	703

a) Vérifiez le calcul des fréquences théoriques pour
   i) la case (2,2), combinaison des modalités Privé-Moyen.
   ii) la case (3,3), combinaison des modalités À leur compte-Fort

b) Les conditions d'application du test d'indépendance de deux caractères sont-elles satisfaites?

c) Doit-on regrouper entre elles certaines modalités pour respecter les conditions d'application du test?

d) On veut déterminer la disparité entre la répartition observée et la répartition théorique des fréquences absolues sous l'hypothèse d'indépendance.

Complétez le tableau suivant.

Modalités (i,j)	*Fréquence observée*	*Fréquence théorique*	*Différence (Observée - Théorique)*	*Différence au carré*	*Contribution au khi-deux*
(1,1)	30	23,78	6,22	38,64	1,62
(1,2)	224	213,19	10,81	116,87	0,55
(1,3)	50	67,03	-17,03	289,92	4,33
(2,1)	19	17,52	1,48	2,18	0,12
(2,2)	153				
(2,3)	52				
(3,1)	6	13,69	-7,69	59,16	4,32
(3,2)	116				
(3,3)	53	38,58	14,42	207,80	5,39

Khi-deux = _____

e) Quelle est la valeur obtenue pour le khi-deux?

f) Quelle est la valeur critique du khi-deux au seuil de signification de 5%?

g) Spécifiez l'hypothèse nulle que l'on veut soumettre au test.

h) Peut-on affirmer, au seuil de signification de 5%, que le secteur de travail des parents est un facteur explicatif en ce qui a trait au potentiel entrepreneurial des élèves et des diplômés de cégep?

i) À l'aide du *V* de Cramer, déterminez le degré d'association entre les deux variables concernées.

2. Un sondage effectué par la maison Impact Recherche pour le compte du journal Le Nouvelliste de Trois-Rivières permet d'obtenir, après le croisement des variables «Opinion sur la gestion des fonds publics» et «Catégorie d'âge», une valeur pour le khi-deux de 3,98. Chaque variable comportait 3 modalités et le sondage comportait 456 répondants.

📖 Tableau croisé et test d'indépendance

a) Quelle variable devrait-on identifier ici *variable dépendante*?

b) Quelle est la valeur critique de χ^2, au seuil de signification 5%?

c) Peut-on affirmer que l'âge est un facteur explicatif en ce qui a trait à l'opinion des répondants sur la gestion des fonds publics?

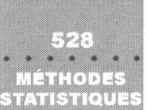

9.5   Sommaire concernant le test d'indépendance de deux caractères

Nous résumons ici la démarche à suivre pour effectuer le test d'indépendance de deux caractères, au seuil de signification α.

> ### Test d'indépendance de deux caractères
>
> ❶ On prélève d'une population un échantillon aléatoire de taille n.
>
> ❷ On observe sur chaque unité statistique de l'échantillon deux caractères X et Y qui sont habituellement mesurés sur une échelle nominale ou ordinale.
>
> ❸ Les résultats sont présentés dans un tableau de contingence suivant les r modalités du caractère X (les lignes), croisées avec les k modalités du caractère Y (les colonnes). Les résultats sont constitués de fréquences absolues $f_{o_{ij}}$ indiquant ainsi le nombre d'unités statistiques appartenant à la fois à la modalité i du caractère X et la modalité j du caractère Y.
>
> ❹ On détermine par la suite la répartition théorique des fréquences absolues sous l'hypothèse d'indépendance des deux caractères.
>
> ❺ On vérifie les conditions d'application du test.
>
> ❻ On calcule l'indicateur de disparité entre les fréquences observées et les fréquences théoriques.
>
> ❼ On compare la valeur observée du khi-deux avec la valeur critique $\chi^2_{\alpha;(r-1)(k-1)}$.
>
> ❽ Si $\chi^2 > \chi^2_{\alpha;(r-1)(k-1)}$, on ne peut considérer l'hypothèse d'indépendance comme vraisemblable au seuil α.

9.6   Le test de khi-deux et la représentativité de l'échantillon

La statistique khi-deux peut être également utilisée pour vérifier la représentativité de l'échantillon dans un sondage ou une recherche. La représentativité peut être affectée par un certain nombre de non-réponses, par des questionnaires incomplets, etc... La représentativité peut s'évaluer selon diverses caractéristiques comme le sexe, l'âge, le nombre d'enfants, l'endroit de travail, la taille de l'entreprise, ...

Il s'agit de comparer la répartition de l'échantillon (selon la caractéristique ou une combinaison de caractéristiques appropriées) à celle qui existe dans la population. La répartition de la population s'obtient habituellement à partir de données de Statistique Canada, de l'Institut de la statistique du Québec ou de toute autre fichier valide.

Pour ce faire, on compare la répartition observée (f_{o_i}) quant à la caractéristique d'intérêt avec la répartition qui existe dans la population (f_{t_i}). L'expression du khi-deux se présente alors comme suit:

$$\chi^2 = \sum_{i=1}^{k} \frac{(f_{o_i} - f_{t_i})^2}{f_{t_i}} \quad \text{où } k : \text{nombre de classes}$$

f_{o_i} : fréquence absolue observée pour la classe i

f_{t_i} : fréquence théorique pour la classe i.

L'échantillon n'est pas représentatif si $\chi^2 > \chi^2_{\alpha;\nu}$ avec $\nu = k\text{-}1$ degrés de liberté.

Les conditions d'application du test de conformité entre les deux répartitions sont les mêmes que celles du test d'indépendance (fréquences théoriques toutes plus grandes ou égales à 5).

L'exemple suivant va nous permettre d'illustrer l'application du test du khi-deux dans l'évaluation de la représentativité d'un échantillon.

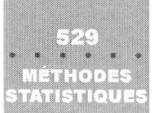

Exemple 9.4

Représentativité de l'échantillon selon la taille des entreprises

À la fin des années 80, le Conseil de la science et de la technologie a voulu indentifier les contraintes à la diffusion et à la pénétration de nouvelles technologies dans les entreprises. Cette étude* a été confiée au GREPME (Groupe de recherche en économie et gestion de petites et moyennes organisations) avec le mandat d'analyser trois secteurs industriels: les plastiques, les ateliers d'usinage et les scieries.

Les entreprises utilisatrices d'une innovation technologique, tel le contrôle numérique, ont été choisies au hasard parmi le répertoire des entreprises du MIC-Québec.

* Source: Adapté de P.A. Julien, J.B. Carrière et L. Hébert. *La diffusion des nouvelles technologies dans trois secteurs industriels.* Conseil de la science et de la technologie, avril 1988.

Le profil des PME de l'échantillon ($n=127$) selon la taille des entreprises a été le suivant:

Répartition de l'échantillon selon la taille des entreprises

Profil de l'échantillon	
Taille des entreprises	**Nombre**
Moins de 50 employés	104
de 50 à 99 employés	14
100 employés et plus	9
	$n=127$

D'autre part, selon le document du Bureau de la statistique du Québec (1987), *Forme juridique et taille des établissements manufacturiers du Québec*, le profil des PME de la population selon la taille des entreprises s'établit comme suit:

Répartition de la population selon la taille des entreprises

Profil de la population	
Taille des entreprises	**Nombre**
Moins de 50 employés	823
de 50 à 99 employés	79
100 employés et plus	55
	957

Peut-on considérer au seuil de 5% que la répartition des PME de l'échantillon selon la taille des entreprises est représentative de celle de la population?

Pour répondre à cette question, il faut comparer la répartition de l'échantillon selon la taille des entreprises à celle à laquelle on doit s'attendre d'après le fichier (la population) du Bureau de la statistique du Québec.

Selon le profil de la population, le pourcentage d'entreprises se situant dans les diverses modalités (classes selon le nombre d'employés) est le suivant:

Profil de la population		
Taille des entreprises	**Nombre**	**Pourcentage (Nombre/957 x100)**
Moins de 50 employés	823	86%
de 50 à 99 employés	79	8,25%
100 employés et plus	55	5,75%

Sous l'hypothèse (nulle) que l'échantillon est représentatif de la population, la répartition de l'échantillon ($n = 127$) devrait être celle de la page suivante:

Répartition attendue de l'échantillon selon la taille des entreprises

Répartition espérée de l'échantillon	
Taille des entreprises	**Nombre attendu**
Moins de 50 employés	$(127)(0,86)=109,22$
de 50 à 99 employés	$(127)(0,0825)=10,4775$
100 employés et plus	$(127)(0,0575)=7,3025$

Appliquons maintenant la démarche du test.

Démarche du test

1. **Hypothèses statistiques.**

   H_0: L'échantillon de PME réparti selon la taille des entreprises est représentatif de la répartition des PME dans la population

   H_1: L'échantillon de PME n'est pas représentatif de la population de PME d'après la taille des entreprises.

2. **Seuil de signification.**

   $\alpha = 0,05$.

3. **Conditions d'application du test:** Échantillon aléatoire suffisamment grand de sorte que les fréquences théoriques de chaque classe soient 5 et plus.

4. **Calcul des fréquences théoriques f_{t_i} en supposant H_0 vraie.**

   Les fréquences théoriques pour les trois classes du caractère « taille des entreprises» ont été calculées précédemment et sont toutes 5 et plus . On a donc $k=3$.

5. **La statistique** qui convient pour ce test est

   $$\chi^2 = \sum_{i=1}^{k} \frac{(f_{o_i} - f_{t_i})^2}{f_{t_i}} \text{ où les } f_{t_i} \text{ ont obtenues en supposant } H_0 \text{ vraie.}$$

   Cette quantité est distribuée selon la loi de khi-deux avec $(k-1) = 3 -1 = 2$ degrés de liberté.

6. **Règle de décision.** Au seuil $\alpha = 0,05$, la valeur critique de χ^2 est $\chi^2_{0,05;2} = 5,9915$.

   On adoptera la règle de décision suivante: rejeter H_0 si $\chi^2 > 5,9915$ sinon ne pas rejeter H_0.

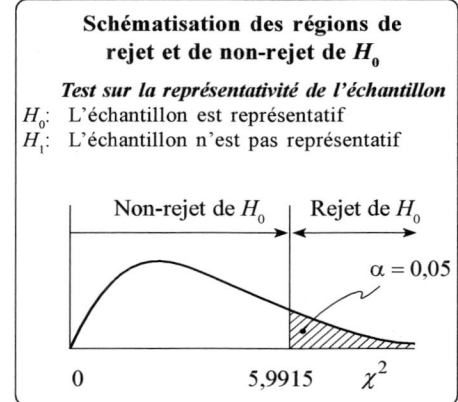

Schématisation des régions de rejet et de non-rejet de H_0

Test sur la représentativité de l'échantillon
H_0: L'échantillon est représentatif
H_1: L'échantillon n'est pas représentatif

Non-rejet de H_0 | Rejet de H_0

$\alpha = 0,05$

0   5,9915 χ^2

7. **Calcul de χ^2.**

Modalités	f_{o_i}	f_{t_i}	$(f_{o_i} - f_{t_i})^2 / f_{t_i}$
Moins de 50 employés	104	109,22	0,2495
de 50 à 99 employés	14	10,4775	1,1843
100 employés et plus	9	7,3025	0,3946
		Somme:	$\chi^2 = 1,8284$

8. **Décision et conclusion.** Puisque $\chi^2 = 1,8284 < 5,9915$, nous ne pouvons rejeter H_0. L'échantillon de PME est représentatif de la population au seuil de signification $\alpha = 0,05$.

9.7   Test d'ajustement à une loi normale: test de Pearson

Il est fréquent dans l'application de divers tests statistiques de supposer comme hypothèse fondamentale que les données proviennent d'une population normale. On peut vérifier cette hypothèse en appliquant divers tests statistiques. Nous ne traitons ici que du test de Pearson communément appelé test du *khi-deux*.

Principe général du test

Ce test permet de juger de la qualité de l'ajustement entre une distribution théorique (dans notre cas, la loi normale) et une distribution expérimentale d'une variable continue.

Pour ce faire, il s'agit d'abord de prélever un échantillon suffisamment important et de répartir les observations de la variable statistique observée selon une répartition en classes. On veut alors vérifier si cette distribution de fréquences absolues expérimentales s'apparente à une distribution normale.

À l'aide du test de Pearson, on cherche à répondre à la question suivante:

Répartition expérimentale

Classes	Fréquences absolues	
$60 \leq X < 70$	3	f_{o_1}
$70 \leq X < 80$	7	f_{o_2}
$80 \leq X < 90$	12	
$90 \leq X < 100$	18	.
$100 \leq X < 110$	15	.
$110 \leq X < 120$	4	
$120 \leq X < 130$	2	
$130 \leq X < 140$	1	f_{o_k}

$n = 62$

> Est-il plausible d'affirmer que la répartition des données de l'échantillon suivant les diverses classes puisse s'apparenter à une loi normale?

Répartition des données

Supposons que les données ont été réparties suivant k classes ayant respectivement les fréquences (absolues) $f_{o_1}, f_{o_2}, ..., f_{o_k}$ avec

$$\sum_{i=1}^{k} f_{o_i} = n,$$ où n représente le nombre de données constituant l'échantillon.

En admettant comme plausible la distribution normale, on peut construire une répartition idéale des observations de l'échantillon de taille n en ayant recours aux probabilités tabulées du *modèle normal*.

Calcul des fréquences théoriques

On obtient alors les fréquences théoriques $f_{t_1} = n \cdot p_1, f_{t_2} = n \cdot p_2, ..., f_{t_k} = n \cdot p_k$ où p_k représente la probabilité que la variable considérée prenne une valeur appartenant à la classe k. On aura également $\sum_{i=1}^{k} f_{t_i} = n$ (la somme des fréquences théoriques pour les k classes égale la taille d'échantillon n).

Mesure de l'ampleur de l'écart entre les deux distributions

Pour évaluer l'ampleur de l'écart entre les fréquences absolues observées f_{o_i} et les fréquences théoriques f_{t_i} obtenues selon le modèle normal que l'on suppose plausible, on utilise la quantité

Calcul de khi-deux

$$\chi^2 = \frac{(f_{o_1} - f_{t_1})^2}{f_{t_1}} + \frac{(f_{o_2} - f_{t_2})^2}{f_{t_2}} + ... + \frac{(f_{o_k} - f_{t_k})^2}{f_{t_k}} = \sum_{i=1}^{k} \frac{(f_{o_i} - f_{t_i})^2}{f_{t_i}}$$

Pearson a démontré que la distribution de cette quantité est approximativement celle du khi-deux avec ν degrés de liberté pourvu que l'échantillon soit suffisamment important.

Détermination du nombre de degrés de liberté du khi-deux

Le nombre de degrés de liberté associé au calcul du khi-deux prend l'une ou l'autre des valeurs suivantes:

i) $\nu = k$-1, si le modèle normal est entièrement spécifié c.-à-d. qu'il n'y a aucun paramètre du modèle à estimer à l'aide des données de l'échantillon pour obtenir les fréquences théoriques.

On perd 1 degré de liberté à cause de la restriction sur les fréquences absolues:

$$\sum_{i=1}^{k} f_{o_i} = \sum_{i=1}^{k} f_{t_i} = n \text{ (ou encore } \sum_{i=1}^{k}(f_{o_i} - f_{t_i}) = 0 \text{)}.$$

ii) $\nu = k$-1-2 $= k - 3$ s'il faut d'abord estimer les 2 paramètres du modèle normal (la moyenne et la variance), à partir des données de l'échantillon, pour caractériser complètement la distribution normale supposée comme plausible et permettre ainsi le calcul des fréquences théoriques absolues.

Remarques. a) *Règle pratique concernant les fréquences théoriques dans un test du χ^2.*
Plusieurs règles ont été développées en ce qui a trait à la valeur minimale que doit avoir une fréquence théorique pour que le test du khi-deux soit valide. Une règle conservatrice est d'appliquer la règle de Fisher qui demande que les fréquences théoriques soient toutes plus grandes ou égales à 5. Si tel n'est pas le cas, on doit effectuer des regroupements de modalités adjacentes en minimisant toutefois le plus possible la perte d'information.

b) *Considérations théoriques.* i) Le nombre de données F_{o_i} parmi l'échantillon de taille n susceptible d'appartenir à la classe i est une variable aléatoire binomiale de moyenne (fréquence théorique espérée) np_i, $i = 1,..., k$ et de variance $np_i(1$-$p_i) = np_i - np_i^2 \cong np_i$. Si n est suffisamment grand et p_i petit de sorte que $np_i \geq 5$ (condition d'approximation de la loi binomiale par la loi normale) alors chaque quantité

$$\frac{F_{o_i} - np_i}{\sqrt{np_i}}, \ i = 1, 2,..., k$$

peut être considérée comme une variable aléatoire normale centrée réduite. La valeur prise par F_{o_i} dans l'échantillon est f_{o_i}.

ii) Si nous élevons au carré chacune de ces quantités et en faisons la somme pour toutes les classes, on obtient

$$\sum_{i=1}^{k} \frac{(F_{o_i} - np_i)^2}{np_i}$$

soit la somme des carrés de k variables normales centrées réduites. La résultante est alors distribuée selon la loi de χ^2 avec $\upsilon = k$-1 ou $\upsilon = k$-1-r degrés de liberté, selon le cas.

Hypothèses statistiques et règle de décision

Une fois les fréquences déterminées, il faut par la suite décider, à l'aide de cet indicateur qu'est le χ^2, si les écarts entre les fréquences théoriques et celles qui résultent des observations

i) permettent de supporter l'hypothèse nulle émise; si tel est le cas, les écarts entre les fréquences observées et les fréquences théoriques ne sont pas significatifs.

ii) ne permettent pas de supporter l'hypothèse nulle émise; si tel est le cas, les écarts sont plutôt attribuables au fait que la distribution théorique, suivie effectivement par les données, est différente de celle que nous avons supposée. Les écarts sont significatifs.

Hypothèses statistiques et règle de décision. Les hypothèses statistiques peuvent s'énoncer comme suit:

H_0: Les données sont distribuées selon une loi normale.
H_1: Les données ne suivent pas la distribution normale spécifiée.

En acceptant de courir un risque α (seuil de signification) de refuser l'hypothèse H_0 alors qu'elle est vraie, on en déduit la règle de décision suivante:

On rejette H_0 si

$$\chi^2 = \sum_{i=1}^{k} \frac{(f_{0_i} - f_{t_i})^2}{f_{t_i}} > \chi^2_{\alpha;v}.$$

Dans ce cas, les données ne peuvent confirmer l'hypothèse H_0 au seuil de signification choisi.
On doit plutôt considérer l'hypothèse selon laquelle le phénomène observé ne suit pas la distribution normale spécifiée.

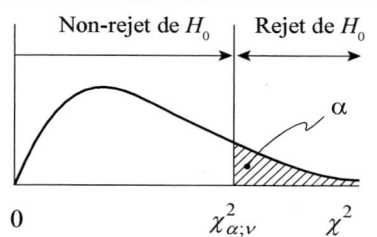

$\chi^2_{\alpha;v}$ représente donc la valeur critique pour un test sur la concordance entre deux distributions et le test sera toujours unilatéral à droite.

Dans le cas du modèle normal, on obtient une estimation des paramètres μ et σ^2 respectivement avec

$$\overline{x} = \frac{\sum f_{0_i} \cdot v_i}{\sum f_{0_i}} \text{ et } s^2 = \frac{\sum f_{0_i} \cdot v_i^2 - \frac{(\sum f_i v_i)^2}{n}}{n-1}$$

si les valeurs sont groupées en k classes avec v_i comme centres de classe et $n = \sum f_{0_i}$ = nombre total de données constituant la distribution expérimentale

ou encore avec la moyenne $\overline{x} = \frac{\sum x_i}{n}$ et la variance $s^2 = \frac{\sum (x_i - \overline{x})^2}{n-1}$ si les données ne sont pas classées.

Illustrons l'application de ce test avec l'exemple suivant.

Exemple 9.5

Test d'ajustement à une loi normale

Suite à un changement important de technologie dans tout le processus de fabrication d'une usine de transformation de la région de l'Estrie, tous les postes d'opérateur ont été reclassifiés. Le département des ressources humaines de l'entreprise a donc procédé à un affichage des postes (12 postes étaient disponibles) à l'intérieur de l'usine. Soixante-deux applicants se sont rendus jusqu'à l'étape des tests de sélection.

Les postulants ont dû subir, entre autres, une batterie de tests qui permettent de mesurer diverses aptitudes (cette batterie de tests est connue sous le nom de BGTA: batterie générale de tests d'aptitudes).

Nous présentons à la page suivante les résultats à un test: le test d'intelligence[1]. Les données ont été groupées selon la distribution de fréquences absolues suivante:

---

[1] Le test D'INTELLIGENCE. Aptitude à apprendre en général, à saisir ou à comprendre les instructions et les principes qui les sous-tendent: aptitude à raisonner et à porter des jugements. Elle est étroitement liée au succès scolaire.

Résultats au test	Nombre d'individus
$60 \leq X < 70$	3
$70 \leq X < 80$	7
$80 \leq X < 90$	12
$90 \leq X < 100$	18
$100 \leq X < 110$	15
$110 \leq X < 120$	4
$120 \leq X < 130$	2
$130 \leq X < 140$	1
	62

La moyenne et l'écart-type des résultats à ce test d'aptitude sont: $\bar{x} = 94,4$, $s = 14,5$.

Peut-on considérer comme vraisemblable l'hypothèse selon laquelle les résultats au test d'intelligence sont distribués selon une loi normale? Utilisez un seuil de signification de 1%.

Solution

Les hypothèses statistiques s'énoncent comme suit:

H_0: Les résultats au test d'intelligence sont distribués selon une loi normale.
H_1: Les résultats ne sont pas distribués selon une loi normale.

Détermination des fréquences théoriques

Pour déterminer la répartition théorique des données sous l'hypothèse que cette variable est distribuée selon une loi normale, on a recours à la transformation centrée réduite $z = \dfrac{x - 94,4}{14,5}$ et la table de la loi normale centrée réduite. x prendra les valeurs des limites de la distribution de fréquences absolues.

Répartition théorique des résultats selon une loi normale

$x_1 \leq X < x_2$	$z_1 = \dfrac{x_1 - 94,4}{14,5}$	$z_2 = \dfrac{x_2 - 94,4}{14,5}$	$p_i = P(z_1 \leq Z < z_2)$	$f_{t_i} = 62 \times p_i$
$X < 60$		-2,372	0,0088	0,548
$60 \leq X < 70$	-2,372	-1,683	0,0374	2,319
$70 \leq X < 80$	-1,683	-0,993	0,1141	7,074
$80 \leq X < 90$	-0,993	-0,303	0,2204	13,665
$90 \leq X < 100$	-0,303	0,386	0,2696	16,715
$100 \leq X < 110$	0,386	1,076	0,2087	12,939
$110 \leq X < 120$	1,076	1,766	0,1023	6,343
$120 \leq X < 130$	1,766	2,455	0,0317	1,965
$130 \leq X < 140$	2,455	3,145	0,0062	0,384
$X \geq 140$	3,145		0,0008	0,050

Théoriquement, les valeurs possibles d'une variable normale peuvent varier entre $-\infty$ et $+\infty$. C'est pour cette raison que nous calculons les fréquences théoriques absolues pour $X < 60$ (ce qui donne $P(X < 60) = P(Z < -2,372) = 0,0088$) et pour $X \geq 140$ (ce qui donne $P(X \geq 140) = P(Z \geq 3,145) = 0,0008$).

Considérons maintenant la classe $70 \leq X < 80$.

On veut $P(70 \leq X < 80)$. A l'aide de la transformation centrée réduite, on en déduit pour

$$x_1 = 70, \quad z_1 = \frac{70 - 94,4}{14,5} = -1,683$$

et pour

$$x_2 = 80, \quad z_2 = \frac{80 - 94,4}{14,5} = -0,993.$$

Alors $P(70 \leq X < 80) =$
$P(-1,683 \leq Z < -0,993)$
$= P(Z \leq -0,993) - P(Z \leq -1,683) =$
$0,1603 - 0,0462 = 0,1141.$
La fréquence théorique absolue est donc $(62)(0,1141) = 7,074.$

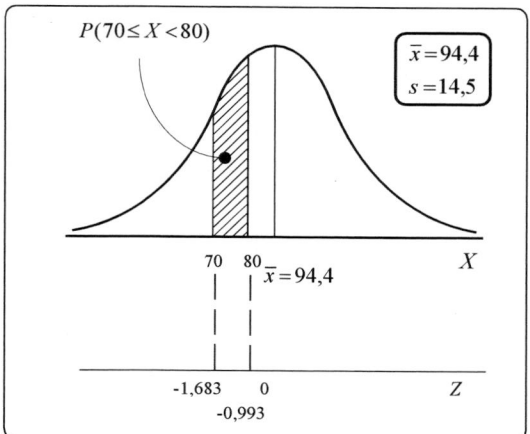

$P(70 \leq X < 80)$

$\bar{x} = 94,4$
$s = 14,5$

Calcul du χ^2

Classes	f_{o_i}		f_{t_i}		$f_{o_i} - f_{t_i}$	$(f_{o_i} - f_{t_i})^2 / f_{t_i}$
$X < 60$	0		0,548			
$60 \leq X < 70$	3 } 10		2,319 } 9,941		0,059	0,0003
$70 \leq X < 80$	7		7,074			
$80 \leq X < 90$	12		13,665		-1,665	0,2029
$90 \leq X < 100$	18		16,715		1,285	0,0988
$100 \leq X < 110$	15		12,939		2,061	0,3283
$110 \leq X < 120$	4		6,343			
$120 \leq X < 130$	2 } 7		1,965 } 8,458		-1,458	0,2513
$130 \leq X < 140$	1		0,100			
$X \geq 140$	0		0,050			

Nous avons regroupé les 3 premières classes et les 4 dernières pour assurer que toutes les fréquences théoriques $f_{t_i} \geq 5$; ici, $k = 5$ classes après regroupement.

$$\chi^2 = \sum_{i=1}^{k} \frac{(f_{0_i} - f_{t_i})^2}{f_{t_i}} = 0,8816$$

Appliquons la démarche du test.

Démarche du test

1. Hypothèses statistiques.

H_0: Les résultats au test d'intelligence sont distribués selon une loi normale.

H_1: Les résultats ne sont pas distribués selon une loi normale.

2. Seuil de signification.

$\alpha = 0,01.$

3. Conditions d'application du test: Échantillon aléatoire suffisamment important de sorte que les fréquences théoriques de chaque classe soient 5 et plus.

4. Calcul des fréquences théoriques f_{t_i} en supposant H_0 vraie.

Les fréquences théoriques ont été calculées précédemment; nous avons regroupé les classes dans les extrémités de la distribution. On a donc $k = 5$ après regroupement.

Schématisation des régions de rejet et de non-rejet de H_0

Test d'ajustement d'une loi normale
H_0: Les données proviennent d'une loi normale
H_1: Les données ne proviennent pas d'une loi normale.

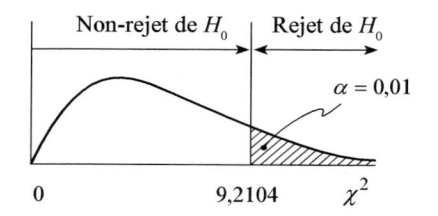

Non-rejet de H_0 | Rejet de H_0

$\alpha = 0,01$

0 $9,2104$ χ^2

Démarche du test (suite)

5. **La statistique** qui convient pour ce test est

$$\chi^2 = \sum_{i=1}^{k} \frac{(f_{0_i} - f_{t_i})^2}{f_{t_i}}$$ où les f_{t_i} sont obtenues en suppo-

sant H_0 vraie. Cette quantité est distribuée selon la loi de khi-deux avec $(k-2-1) = 5 - 3 = 2$ degrés de liberté.

6. **Règle de décision.** Au seuil $\alpha = 0,01$, la valeur critique de χ^2 est $\chi^2_{0,01;2} = 9,2104$. On adoptera la règle de décision suivante: rejeter H_0 si $\chi^2 > 9,2104$, sinon ne pas rejeter H_0.

7. **Calcul de χ^2.**

Le calcul du khi-deux donne $\chi^2 = 0,8816$.

8. **Décision et conclusion.**

Puisque $\chi^2 = 0,8816 < 9,2104$, nous ne pouvons rejeter H_0. Le modèle normal peut être considéré comme plausible au seuil de signification $\alpha = 0,01$.

Nous avons obtenu, à l'aide de l'Assistant Graphique d'Excel (type de graphique: histogramme groupé avec effet 3D), la visualisation concernant la disparité des fréquences absolues observées et des fréquences théoriques.

Classes	Fréquences théoriques groupées	Fréquences observées groupées
Moins de 80	9,941	10
80 mais moins de 90	13,665	12
90 mais moins de 100	16,715	18
100 mais moins de 110	12,939	15
110 et plus	8,458	7

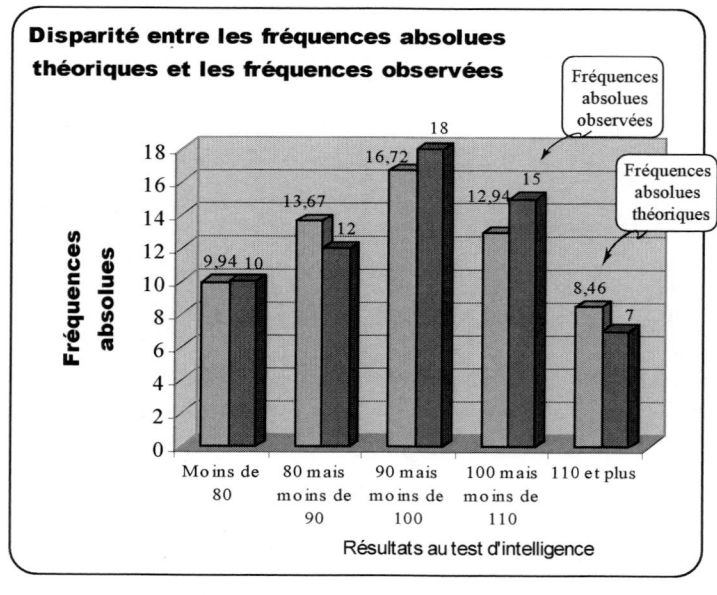

Exercice d'apprentissage

Série 9.3

📃Ajustement à une loi normale

Utilisons les données de l'exercice no 7 du chapitre 7; elles concernent le coût de modification des équipements*, lors de la mise en place du processus d'implantation des normes internationales d'assurance de la qualité ISO 9000, pour un échantillon de 34 PME.

Les données ont été dépouillées selon une distribution de fréquences absolues.

Classes (Coûts de modification)	Nombre de PME
$11\,200 \le X < 11\,800$	2
$11\,800 \le X < 12\,400$	5
$12\,400 \le X < 13\,000$	10
$13\,000 \le X < 13\,600$	12
$13\,600 \le X < 14\,200$	3
$14\,200 \le X < 14\,800$	1
$14\,800 \le X < 15\,400$	1

Les principales statistiques obtenues à partir de la série de données sont présentées ci-après:

Coût des modifications	
Moyenne	12986
Écart-type	754
Plage	3581
Minimum	11255
Maximum	14836
n	34

* Source: Adapté de Rheault, D., *Analyse descriptive du processus d'implantation et de mise en oeuvre d'un système de normes de la série ISO 9000 et ses impacts sur la PME québécoise*, Mémoire de recherche, UQTR, 1997.

Les hypothèses statistiques qu'on veut soumettre au test d'ajustement sont:

H_0: Le coût de modification est distribué selon une loi normale

H_1: Le coût de modification n'est pas distribué selon une loi normale.

a) Quelle est l'expression de la variable centrée réduite requise pour transformer les bornes de la distribution de fréquences absolues?

b) Déterminez la valeur centrée réduite pour

    i) la borne 12 400.   ii) la borne 13 600.

c) Déterminez les valeurs manquantes du tableau ci-après.

Pour obtenir les valeurs indiquées ci-contre, il faut utiliser Excel.

x_1	x_2	z_1	z_2	$P(Z <= z_1)$	$P(Z <= z_2)$	$P(z_1 <= Z <= z_2)$	Fréquences théoriques
	11200		-2,369		0,0089	0,0089	0,30
11200	11800	-2,369	-1,573	0,0089	0,0579	0,0489	1,66
11800	12400	-1,573		0,0579			
12400	13000		0,019		0,5074		
13000	13600	0,019		0,5074			
13600	14200		1,610		0,9463		
14200	14800	1,610	2,406	0,9463	0,9919	0,0456	1,55
14800	15400	2,406	3,202	0,9919	0,9993	0,0074	0,25
15400		3,202		0,9993		0,0007	0,02

d) Complétez le tableau ci-après et regroupez les classes, s'il y a lieu.

Fréquences théoriques	Fréquences observées
0,30	0
1,66	2
	5
	10
	12
	3
1,55	1
0,25	1
0,02	0

Tableau après regroupement

Fréquences théoriques	Fréquences observées	Différence	(Différence)^2 / Fréquences théoriques

Exercice d'apprentis-sage

Série 9.3 (suite)

e) Calculez la valeur expérimentale de khi-deux.

f) Quel est le nombre de degrés de liberté requis pour déterminer la valeur critique de khi-deux?

g) Quelle est, au seuil de signification 5%, la valeur critique de khi-deux?

h) Est-ce que l'hypothèse nulle est confirmée, au seuil de signification choisi? Justifiez votre conclusion.

9.8   Résumé, glossaire et synthèse des principales formules

Résumé

▸ **N**ous avons indiqué dans ce chapitre comment comparer deux proportions déduites de deux populations à l'aide de la variable centrée réduite Z, lorsque les données proviennent d'échantillons de grandes tailles.

▸ Nous avons également donné une procédure statistique qui permet de tester l'indépendance de deux caractères lorsque les données sont dépouillées dans un tableau croisé selon les modalités de chaque caractère. Diverses mesures d'association ont été traitées.

▸ Nous avons également utilisé la statistique khi-deux pour vérifier la représentativité d'un échantillon d'un sondage et la qualité d'ajustement d'une série de données à une loi normale.

Nous résumons ci-après les principaux concepts qui ont été traités dans ce chapitre.

Glossaire

Test de comparaison de deux pourcentages: Test statistique permettant d'établir s'il existe une différence significative entre deux proportions concernant un caractère qualitatif de deux populations indépendantes.

Tableau croisé: Tableau à double entrée où les modalités d'un caractère sont croisées avec les modalités d'un autre caractère. Les valeurs du tableau sont des fréquences absolues (ou des proportions).

Test d'indépendance de deux caractères (variables): Procédure statistique permettant de tester si deux caractères mesurés dans une population sont liés ou indépendants. Le test s'effectue à l'aide de la statistique khi-deux.

Mesures d'association de deux caractères: Indicateur statistique, déduit de la statistique khi-deux, qui permet d'évaluer l'intensité de la liaison entre les deux caractères.

Test d'ajustement: Test statistique qui permet de juger de la qualité de l'ajustement entre une distribution expérimentale et une distribution théorique.

Principales formules

Test d'égalité de deux proportions

Estimation de la valeur commune p

$$\hat{p} = \frac{n_1\hat{p}_1 + n_2\hat{p}_2}{n_1 + n_2} = \frac{x_1 + x_2}{n_1 + n_2}$$

où n_1 et n_2 sont les tailles respectives des échantillons provenant de chaque population et x_1 et x_2 sont le nombre d'éléments (d'individus) de chaque échantillon sur lesquels on a observé le caractère concerné.

Écart-type de $\hat{P}_1 - \hat{P}_2$

$$s(\hat{P}_1 - \hat{P}_2) = \sqrt{\frac{\hat{p}(1-\hat{p})}{n_1} + \frac{\hat{p}(1-\hat{p})}{n_2}} = \sqrt{\hat{p}(1-\hat{p})\left(\frac{1}{n_1} + \frac{1}{n_2}\right)}$$

Sous l'hypothèse nulle $H_0: p_1 = p_2$, l'écart réduit

$$Z = \frac{(\hat{P}_1 - \hat{P}_2) - (p_1 - p_2)}{s(\hat{P}_1 - \hat{P}_2)} = \frac{\hat{P}_1 - \hat{P}_2}{\sqrt{\hat{p}(1-\hat{p})\left(\frac{1}{n_1} + \frac{1}{n_2}\right)}}$$ est distribué selon la *loi normale centrée réduite*.

Principales formules (suite)

Dans le cas d'un test bilatéral, on rejette l'hypothèse nulle, au seuil α, si $Z > z_{\alpha/2}$ ou $Z < -z_{\alpha/2}$.

Test d'indépendance de deux caractères

Calcul des fréquences théoriques

$$f_{t_{ij}} = \frac{L_i \times C_j}{n}$$ où L_i représente le total des fréquences absolues de la ligne i, C_j, le total des fréquences absolues de la colonne j du tableau croisé et n, la taille de l'échantillon.

Calcul de la statistique χ^2

$$\chi^2 = \sum_{i=1}^{r} \sum_{j=1}^{k} \frac{(f_{o_{ij}} - f_{t_{ij}})^2}{f_{t_{ij}}}$$ $f_{o_{ij}}$ représente la fréquence (absolue) des unités statistiques sur lesquelles on a observé la modalité B_i du caractère X et la modalité A_j du caractère Y et $f_{t_{ij}}$, les fréquences théoriques..

On rejette l'hypothèse d'indépendance des caractères si $\chi^2 > \chi^2_{\alpha;(r-1)(k-1)}$ où k est le nombre de modalités de la variable Y après regroupement s'il y a lieu et r, le nombre de modalités de la variable X après regroupement, s'il y a lieu.

Mesures d'association

Le coefficient de contingence $C = \sqrt{\dfrac{\chi^2}{\chi^2 + n}}$, n est la taille d'échantillon.

Le coefficient de Cramer $V = \sqrt{\dfrac{\chi^2}{n(k-1)}}$ où k est le minimum entre le nombre de lignes et le nombre de colonnes et n est la taille de l'échantillon.

Le coefficient phi est utilisé pour les tableaux croisés 2×2; son expression est

$$\phi = \sqrt{\frac{\chi^2}{n}}$$ où n est la taille de l'échantillon.

Représentativité de l'échantillon

L'expression du khi-deux se calcule comme suit:

$$\chi^2 = \sum_{i=1}^{k} \frac{(f_{o_i} - f_{t_i})^2}{f_{t_i}}$$ où k: nombre de classes, f_{o_i}: fréquence absolue observée pour la classe i, f_{t_i}: fréquence théorique pour la classe i.

L'échantillon n'est pas représentatif si $\chi^2 > \chi^2_{\alpha;\nu}$ avec $\nu = k\text{-}1$ degrés de liberté.

Test d'ajustement à une loi normale

Le calcul des fréquences théoriques s'obtient de $f_{t_1} = n \cdot p_1, f_{t_2} = n \cdot p_2, ..., f_{t_k} = n \cdot p_k$ où n représente le nombre de données et p_k représente les chances sur 100 (la probabilité) que la variable considérée prenne une valeur appartenant à la classe k.

On rejette H_0 au seuil de signification α si $\chi^2 = \sum_{i=1}^{k} \frac{(f_{o_i} - f_{t_i})^2}{f_{t_i}} > \chi^2_{\alpha;\nu}$ où $\upsilon = k\text{-}3$ dans le cas où il faut estimer les 2 paramètres (moyenne et variance) du modèle normal et k est le nombre de classes après regroupement; sinon, $\upsilon = k\text{-}1$.

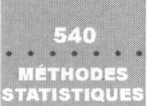
9.9   Exercices d'application

Comparaison de deux proportions

1. Dans un sondage* d'opinion concernant l'apparence physique, on a obtenu les résultats suivants selon la tranche d'âge pour la question suivante:

Est-il important pour vous de vous préoccuper de votre apparence physique?

		Oui
18-24 ans	$n_1 = 298$	227
25-34 ans	$n_2 = 431$	350

* Source: Janvrin, Marie-Pier (1997). *Typologie des comportements de santé des Français: quelles perspectives pour les actions de prévention?* Colloque Connaître et surveiller pour agir sur la santé des populations, Montréal.

Peut-on affirmer, au seuil de signification 5%, qu'il n'existe pas de différence significative concernant cette préoccupation entre les deux tranches d'âge?

2. L'entreprise Biopak fabrique des panneaux en plexiglas. Deux opérateurs sont affectés à l'opération qui consiste à appliquer une couche mince d'une matière plastique sur ces panneaux.

On veut comparer le nombre de panneaux non conformes produit par chaque opérateur.

Un échantillon aléatoire de 100 panneaux provenant de l'unité de fabrication de l'opérateur A comporte 6 panneaux non conformes alors qu'un échantillon aléatoire de 200 panneaux provenant de l'unité de fabrication de l'opérateur B comporte 9 panneaux non conformes.

Peut-on affirmer, au seuil de signification $\alpha = 0,01$, que l'opérateur B présente une proportion de panneaux non conformes supérieure à celle de l'opérateur A? Effectuez un test statistique approprié pour répondre à cette question.

3. Les francophones profitent de la vie; les non-francophones épargnent... Selon un sondage* CROP-*La Presse*, les Québécois laissent voir qu'ils sont bons vivants. Toutefois les francophones et les non-francophones du Québec n'ont absolument pas les mêmes priorités... financières.

Une des questions du sondage était la suivante:

Qu'est-ce qui est le plus important pour vous?

❏ *Épargner*
❏ *Profiter de la vie*
❏ *Juste équilibre*
❏ *NSP/Refus*

*Source : Adapté de Michel Girard. *Les francophones profitent de la vie; les non-francophones épargnent...* . *La Presse*, 6 septembre 1997.

Voici la répartition des résultats selon que le répondant est francophone ou non francophone concernant les deux premiers choix de la question.

			Épargner	Profiter de la vie
Francophones	n_1:	344	21%	45%
Non francophones	n_2:	90	44%	28%

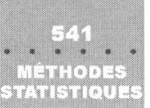

Peut-on affirmer, au seuil de signification 5%,

i) qu'il n'existe aucune différence significative concernant l'importance d'*épargner* entre francophones et non-francophones?

ii) qu'il n'existe aucune différence significative concernant l'importance de *profiter de la vie* entre francophones et non-francophones?

4. **Les PME canadiennes sont aussi dynamiques que leurs vis-à-vis américaines***. Selon diverses sources de données existantes et d'après un nouveau sondage réalisé auprès de dirigeants de PME, tant au Canada qu'aux États-Unis, on a identifié divers facteurs externes qui font obstacles à la création de PME.

Un de ces facteurs est la conjoncture économique.

L'enquête réalisée auprès de 800 entreprises (de 250 employés et moins) au Canada et de 400 aux États-Unis donna le nombre de répondants ci-après qui considèrent que la conjoncture/état du marché est un obstacle à la création de PME:

Nombre de répondants	
Canada	244
États-Unis	128

*Source : Adapté de Dupaul, R. *Les PME canadiennes sont aussi dynamiques que leurs vis-à-vis américaines, conclut cette étude. La Presse*, 8 octobre 2002.

a) Quelle est, sous l'hypothèse d'égalités des deux proportions, l'estimation de la proportion commune $\hat{p}$?

b) L'hypothèse selon laquelle les entrepreneurs de PME des deux pays considèrent, dans la même proportion, que la conjoncture économique est un obstacle à la création de PME est-elle supportée par les résultats du sondage? Utilisez un seuil de signification $\alpha = 0,01$.

Test d'indépendance de deux caractères

5. Les résultats présentés ci-après proviennent d'un sondage effectué par la maison Impact Recherche pour le compte du journal *Le Nouvelliste*. On voulait recueillir l'opinion des trifluviens sur la gestion des fonds publics. La question était la suivante (question toujours d'actualité!):

> *Au cours des dernières années, considérez-vous que les dirigeants de votre municipalité ont ...... géré les fonds publics?*
>
> *Très bien   Assez bien   Mal   Très mal   Refus   Ne peut préciser*

Les résultats ont été dépouillés selon deux caractères : l'opinion sur la gestion des fonds publics (variable dépendante) et la catégorie d'âge des répondants (variable indépendante).

Répartition observée				
	Catégorie d'âge			
Opinion sur la gestion des fonds	*18-34 ans*	*35-54 ans*	*55 ans et plus*	Total
Très bien/Assez bien	146	120	95	361
Mal/Très mal	22	31	22	75
Refus/NSP	8	6	6	20
Total	176	157	123	456

a) Déterminez la répartition théorique des fréquences absolues sous l'hypothèse d'indépendance des caractères.

b) Les conditions d'application du test d'indépendance de deux caractères sont-elles satisfaites?

c) Doit-on regrouper entre elles certaines modalités pour respecter les conditions d'application du test?

d) Calculez l'indicateur de disparité (le khi-deux) entre la répartition observée et la répartition théorique des fréquences absolues sous l'hypothèse d'indépendance.

e) Quelle est la valeur critique du khi-deux au seuil de signification de 5%?

f) Spécifiez l'hypothèse nulle que l'on veut soumettre au test.

g) On pose l'hypothèse de recherche suivante: *l'âge est un facteur explicatif en ce qui a trait à l'opinion des répondants sur la gestion des fonds publics.*

L'hypothèse de recherche précisée ci-haut est-elle favorisée au seuil de 5%?

6. Une entreprise multinationale veut vérifier statistiquement s'il existe un lien entre l'âge de ses diplômés en gestion et leurs connaissances en Management et Gestion des ressources humaines. Une batterie de tests a été administrée à 400 employés gradués en gestion pour en vérifier leurs connaissances théoriques et pratiques.

Les résultats ont été ensuite dépouillés selon un tableau de contingence; les scores au test ont été classés selon les modalités suivantes

Excellent	**Bon**	**Passable**

alors que l'âge des diplômés a été classé selon les modalités suivantes:

25 mais moins de 35 ans	**35 mais moins de 45 ans**	**45 ans et plus**

Le calcul du khi-deux donne $\chi^2 = 38,25$.

a) Peut-on affirmer, au seuil de signification 5%, que les scores obtenus selon la classification indiquée sont indépendants de l'âge des diplômés en gestion? Justifier votre conclusion.

b) Quantifiez la force de l'association entre les scores au test sur les connaissances en Management et l'âge des diplômés à l'aide du V de Cramer.

7. Le tableau ci-après a été obtenu lors du dépouillement des résultats d'une enquête auprès des Québécois et Québécoises concernant leurs perceptions sur la question suivante:

À votre avis, est-ce qu'un chercheur scientifique devrait gagner un revenu annuel plus élevé, aussi élevé ou moins élevé qu'un médecin?

Les choix des réponses étaient les suivants:

	Plus élevé	**Aussi élevé**	**Moins élevé**	**N. S. P.**
Code	1	2	3	8

On a croisé les choix de ces réponses (modalités) avec les modalités de divers caractères socio-économiques (sexe, âge, scolarité, revenu, région, langue). Voici le tableau de contingence résumant les résultats d'après le sexe et le choix des réponses.

Les résultats correspondent à 1440 questionnaires complétés.

Répartition des répondants selon le sexe et le choix des réponses

		Opinion sur la question posée		
		Plus élevé	Aussi élevé	Moins élevé
Sexe	Homme	100	487	106	693
	Femme	137	546	64	747
		237	1033	170	1440

a) En supposant que les caractères «opinion sur la question» et «'
pendants, déterminez les valeurs manquantes (fréquences abs
après.

Répartition théorique des ré l'hypothèse d'indépendance des			
	Opinion sur la question posée		
	Plus élevé	Aussi élevé	Moins élevé
Homme	114.05625	497.13125	81.8125
Femme	122.94375	535.86875	88.1875

(Sexe)

b) Peut-on affirmer qu'il y a un lien entre le sexe de l'individu et l'opinion sur la question posée au seuil $\alpha = 0.05$? 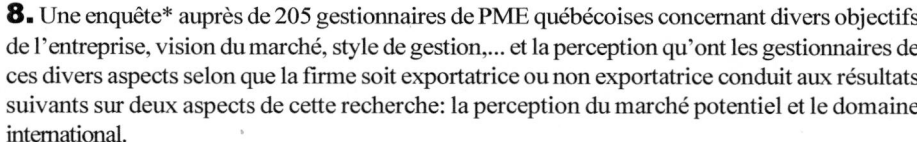 $X^2_{0.05,\ 2} \to (\text{横}-1) \times (\text{竖}-1)$

8. Une enquête* auprès de 205 gestionnaires de PME québécoises concernant divers objectifs de l'entreprise, vision du marché, style de gestion,... et la perception qu'ont les gestionnaires de ces divers aspects selon que la firme soit exportatrice ou non exportatrice conduit aux résultats suivants sur deux aspects de cette recherche: la perception du marché potentiel et le domaine international.

* Source: Amesse F. et G. Zacour. *Les différences de perception et d'attitude entre les gestionnaires de firmes exportatrices et non exportatrices au Québec*, RCSA/CJA S, 8(3).

Perception du marché potentiel par le gestionnaire

Marché potentiel	Firmes		Total
	Exportatrices	Non exportatrices	
La province de Québec	8	59	67
La région centre-est du Canada	12	23	35
Tout le Canada	13	21	34
Les marchés étrangers	53	16	69
Total	86	119	205

Importance du domaine international

Plus d'importance du domaine international dans les projets d'avenir	Firmes		Total
	Exportatrices	Non exportatrices	
Non	18	71	89
Oui	56	43	99
Total	74	114	188

a) Testez l'hypothèse selon laquelle les gestionnaires de firmes exportatrices et non exportatrices ont la même perception du marché potentiel.

b) Testez l'hypothèse selon laquelle les gestionnaires de firmes exportatrices et non exportatrices accordent la même importance quant au domaine international dans leurs projets d'avenir. UtiliseZ un seuil de signification $\alpha = 0,05$.

9. Tableau de contingence 2 × 2. Le tableau croisé le plus simple et fréquemment utilisé est le tableau de dimensions 2 × 2.

Le tableau de la page suivante présente les fréquences absolues observées (notées a, b, c, d) selon les deux modalités de chaque caractère.

*T*ableau croisé de
dimensions 2 x 2

		Caractère Y		Total des lignes
		Modalité 1	Modalité 2	
	Modalité 1	a	b	a+b
Caractère X	Modalité 2	c	d	c+d
	Total des colonnes	a+c	b+d	*n*

Dans ce cas, la valeur du khi-deux est donnée par l'expression

$$\chi^2 = \frac{n(ad - bc)^2}{(a+b)(c+d)(a+c)(b+d)} \, .$$

Cette quantité obéit approximativement à une loi du khi-deux avec 1 degré de liberté. Nous rejetons l'hypothèse d'indépendance si χ^2 est supérieur à la valeur critique du khi-deux

$(\chi^2_{0,05;1} = 3,8415, \chi^2_{0,01;1} = 6,6349)$.

Utilisez ces concepts pour résoudre l'exercice ci-après.

Dans une recherche* sur l'évolution de la gestion des ressources humaines (période allant de 1981 à 1991), on a obtenu les résultats suivants (suite à une analyse du contenu d'annonces de presse) concernant deux domaines (l'article en comporte 9) d'expertise en gestion des ressources humaines (Santé et sécurité au travail et Formation et développement de la main-d'oeuvre). Les données représentent la fréquence des affiches de recrutement associées au poste d'expertise mentionné sur les 80 premières (pour chaque année) annonces de postes.

		Année		Total
		1981	1991	
Santé et sécurité au travail	Oui	8	29	37
	Non	72	51	123
	Total	80	80	160

		Année		Total
		1981	1991	
Formation et développement	Oui	31	44	75
	Non	49	36	85
	Total	80	80	160

* Source: Arcand, M. et V. Haines. *La gestion des ressources humaines: une évolution constante.* Revue Organisation, été 1996.

Peut-on considérer, au seuil de 5%, que durant la période étudiée,
i)   le volet Santé et sécurité au travail a gagné en importance?
ii) le volet Formation et développement a gagné en importance?

Test sur l'égalité de *k* proportions

10. Une autre application de la statistique khi-deux est celle du *test d'égalité de k proportions*. La statistique se calcule de façon similaire à celle d'un tableau croisé; toutefois, il faut réaliser que nous sommes en présence de k échantillons provenant de k populations et que les résultats pour le caractère concerné sont classés selon 2 modalités (succès, insuccès, favorable, défavorable,...). Rappelons que dans le cas du test d'indépendance dans un tableau croisé, nous n'avons qu'un seul échantillon et les résultats sont répartis suivant les modalités croisées des deux caractères.

Dans le cas du test d'égalité de *k* proportions, on veut tester l'hypothèse nulle selon laquelle la proportion de succès dans *k* populations est identique:

$$H_0 : p_1 = p_2 = ... = p_k = p.$$

On obtient une estimation de *p* avec

$$\hat{p} = \frac{f_{o_{11}} + f_{o_{12}} + ... + f_{o_{1k}}}{n_1 + n_2 + ... + n_k}$$

où $f_{o_{11}}, f_{o_{12}}, ..., f_{o_{1k}}$ représentent le nombre de succès observés dans les échantillons de tailles $n_1, n_2, ..., n_k$.

L'estimation des fréquences théoriques s'obtient de: $f_{t_{1j}} = n_j \cdot \hat{p}$, $j = 1, ..., k$ (estimation du nombre de succès sous l'hypothèse d'égalité des *k* proportions ou encore du nombre d'individus présentant un certain caractère).

$f_{t_{2j}} = n_j (1 - \hat{p})$ (estimation du nombre d'insuccès ou du nombre d'individus ne présentant pas un certain caractère). On rejette H_0 au seuil de signification α si

$$\chi^2 = \sum_{i=1}^{2} \sum_{j=1}^{k} \frac{\left(f_{o_{ij}} - f_{t_{ij}} \right)^2}{f_{t_{ij}}} > \chi^2_{\alpha; \nu}$$

où $\nu = k\text{-}1$ degrés de liberté.

À l'aide de ce test, résolvez l'exercice suivant où on veut comparer trois groupes d'entreprises concernant l'utilisation de nouvelles technologies et ceci, selon leur niveau de performance en santé et sécurité du travail.

Dans une recherche* exploratoire auprès d'entreprises dans le secteur de la fabrication des produits en métal concernant différents facteurs stratégiques d'adoption et d'implantation de nouvelles technologies susceptibles de contribuer positivement à la réduction des risques de lésions professionnelles, on a obtenu les résultats suivants associés à la dimension «capacités technologiques» existant auprès de trois types d'entreprises (au total 140 entreprises) qualifiées (selon certains critères en santé et sécurité du travail) de «Performantes», «Non performantes» et «Intermédiaires».

Nous ne présentons ici (parmi une liste de 13 technologies) que la technologie «conception assistée par ordinateur».

---

* Source: Adapté de Dionne-Proulx, J., J.B Carrière et Y. Beauchamp, *Gestion stratégique de nouvelles technologies et prévention d'accidents*, Revue Canadienne de l'Administration, mars 1999, volume 16, no 1.

a) On suppose que les échantillons sont prélevés au hasard et indépendamment.

b) Les échantillons sont de tailles suffisamment importantes pour que les fréquences théoriques soient plus grandes ou égales à 5 (règle conservatrice).

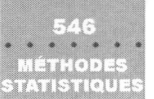

Répartition observée		
Nombre d'entreprises qui ont adopté les nouvelles technologies selon leur niveau de performance en SST		
Groupe A	Groupe B	Groupe C
Entreprises performantes	Entreprises non performantes	Entreprises intermédiaires

Technologies			
Conception assistée par ordinateur	19	12	21
Pas de conception assistée par ordinateur	29	35	24
Total	48	47	45

Testez l'hypothèse de recherche suivante, au seuil de signification 5%?

Il existe un lien entre le niveau de performance en santé et sécurité du travail et l'utilisation de la technologie «Conception assistée par ordinateur».

11. On veut savoir si la proportion des hommes exerçant la même profession ou le même métier que leur père est la même pour différents types de métier ou de profession. On interroge 1061 hommes de 25 à 55 ans choisis au hasard dans différentes professions (ou métiers) et on leur demande s'ils exercent présentement la même profession ou le même métier que leur père.

Les résultats apparaissent au tableau suivant.

Catégorie d'emplois	Nombre d'hommes interrogés	Nombre de oui
Direction et professions libérales	25	5
Travail administratif et commerce	330	41
Services	118	15
Traitement de matières premières	287	34
Construction	148	23
Transport	93	9
Autres métiers	60	7

Est-ce que la proportion des hommes exerçant la même profession ou le même métier est identique entre les diverses professions ou métiers?
Utilisez $\alpha = 0,05$.

Représentativité de l'échantillon

12. Une enquête* par questionnaire a été réalisée auprès d'une organisation du secteur public pour évaluer dans quelle mesure la structuration par équipes multidisciplinaires d'une direction de ressources humaines a un impact sur les acteurs touchés par cette réorganisation. Le tableau ci-après donne la répartition de l'échantillon (et de la population) quant aux catégories occupationnelles.

* Source: C. Labelle et T. Wils. *Restructuration d'une direction de ressources humaines*, Relations industrielles, 1997, vol 52, no 3.

Répartition des gestionnaires quant aux catégories occupationnelles		
Catégorie occupationnelle	Échantillon	Population
Cadres de premier niveau	61	107
Cadres supérieurs	8	21
Professionnels en ressources humaines	9	10
Total	78	138

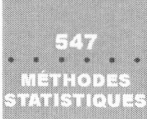

Est-ce que la répartition de l'échantillon selon les catégories occupationnelles est représentative de la population? Utilisez $\alpha = 0,05$.

13. Dans une enquête* sur les attitudes des travailleurs québécois à l'égard de l'emploi, on a la répartition (en %) suivante de l'échantillon ($n = 2265$ répondants) en regard de l'âge des répondants.

	Répartition des répondants selon l'âge		
	15 - 24 ans	25 - 44 ans	45 ans et plus
Échantillon	20,8	53,8	25,4
Population[1]	23,6	49	27,4

[1]Source: Statistique Canada, Catalogue 71-001, février 1979.

Peut-on conclure, au seuil de signification 5%, que la répartition de l'échantillon en regard de l'âge est représentative de la population?

* Source: L.H. Côté des biolles et B. Turgeon. Centre de recherche et de statistiques sur le marché du travail, Gouvernement du Québec, 1979.

Test d'ajustement

14. Un agent technique du bureau d'Organisation et Méthodes de l'entreprise Simpak a obtenu les résultats suivants pour le chronométrage de l'opération d'empaquetage à l'extrémité du convoyeur no 2.

Les temps en secondes, sur 100 empaquetages de même type sont présentés dans le tableau ci-contre. Le temps moyen observé fut de 90,8 sec. et l'écart-type de 7,75 sec.

a) En supposant que les temps pour cette opération d'empaquetage sont distribués normalement, déterminez la répartition théorique de 100 observations selon cette hypothèse.
b) Déterminez, à l'aide du χ^2, la disparité des deux distributions (observée et théorique).
c) Est-ce que l'hypothèse de normalité est vraisemblable au seuil $\alpha = 0,05\%$

Temps (sec)	Nombre d'empaquetages
$75 \leq X < 80$	6
$80 \leq X < 85$	17
$85 \leq X < 90$	28
$90 \leq X < 95$	21
$95 \leq X < 100$	15
$100 \leq X < 105$	7
$105 \leq X < 110$	4
$110 \leq X < 115$	2

Distribution observée des temps d'empaquetage en secondes

15. Distribution uniforme. Dans cet exercice, on veut déterminer si la part de marché de divers modèles d'un même type de produit est sensiblement la même. On s'intéresse à quatre modèles d'imprimantes. Dans une répartition uniforme du marché, la part de marché de chaque modèle serait de 1/4 soit 25% ($p_i = 1/4$) et les fréquences théoriques absolues s'obtiennent à l'aide de l'expression $f_{t_i} = n \cdot p_i$ ou n est le nombre de données (nombre de répondants). Le nombre de degrés de liberté pour le khi-deux s'obtient de $k - 1$ où k représente le nombre de catégories ou modalités (ici, $k = 4$). Tout comme le modèle normal, le calcul de khi-deux s'obtient de $\chi^2 = \sum_{i=1}^{k} \frac{(f_{0_i} - f_{t_i})^2}{f_{t_i}}$. À l'aide de cette information, on veut résoudre l'exercice suivant.

Le responsable de mise en marché des accessoires informatiques de l'entreprise MPW veut tester l'hypothèse selon laquelle les principaux modèles d'imprimantes laser se partagent le marché également.

Un sondage effectué par le service à la clientèle auprès d'entreprises de l'est du Canada a permis d'obtenir la répartition suivante concernant quatre modèles d'imprimantes. Deux mille vingt-quatre entreprises ont accepté de participer au sondage.

Modèles d'imprimante	Nombre d'entreprises
PW500	534
PW600P	498
OX-570	484
LQ-800	508

On veut soumettre au test du khi-deux l'hypothèse nulle suivante:

La part de marché des modèles d'imprimantes est identique (distribution uniforme)

a) Déterminez, en supposant vraie l'hypothèse nulle, la répartition théorique du nombre d'entreprises selon les divers modèles d'imprimantes.

b) Complétez le tableau suivant:

Modèles d'imprimante	Effectis théoriques	Effectifs observés	Différence	(Différence)^2 / Effectifs théoriques
PW500	506	534	-28	784/506
PW600P	506	498	8	64/506
OX-570	506	484	22	484/506
LQ-800	506	508	-2	4/506

c) Quelle est la valeur observée de khi-deux? 2.64031

d) Quelle est la valeur critique de khi-deux? $\chi^2_{0.05;3}$

e) Est-ce que l'hypothèse selon laquelle la part de marché des modèles d'imprimante est identique est vraisemblable au seuil de signification 5%? Justifiez votre conclusion.

16. La firme Optigestion, groupe d'experts-conseils dans le domaine de la psychologie industrielle a mis au point un système d'appréciation et d'évaluation de cadres d'entreprises. Diverses caractéristiques managériales recherchées par les entreprises sont évaluées à l'aide d'un certain nombre de simulations de cas d'entreprises présentant divers niveaux de difficultés.

Récemment un échantillon aléatoire de 60 cadres intermédiaires d'une grande entreprise ont subi cette évaluation, première étape effectuée par la direction de l'entreprise pour sélectionner un certain nombre de postulants à des postes de cadres supérieurs. L'appréciation globale des individus est compilée sur 200 (arrondi au plus grand entier).

Les résultats obtenus pour les 60 cadres intermédiaires sont présentés ci-après (par valeurs non décroissantes).

Appréciation globale des cadres					
120	120	122	126	127	128
131	133	134	134	136	136
137	137	139	139	139	142
142	142	144	144	145	146
146	147	147	147	148	148
149	150	150	150	151	151
152	154	154	154	155	157
157	159	159	160	160	160
161	161	161	162	163	165
165	165	166	167	169	172

a) Dépouillez ces données suivant une distribution de fréquences absolues en utilisant 120 comme limite inférieure de la première classe et une amplitude de classe de 8.
Considérez que la limite inférieure des classes est du type $\leq$.

b) En utilisant les données brutes, déterminez la valeur moyenne de l'appréciation globale des cadres ainsi que l'écart-type.

c) Déterminez, sous l'hypothèse que l'appréciation globale est distribuée normalement, la répartition qu'on aurait dû obtenir pour les 60 cadres.

d) Est-ce que l'hypothèse de normalité concernant le résulta
cadres est vraisemblable au seuil $\alpha = 0{,}05$?

17. Distribution de Poisson. Dans le cas d'un test d'aju
variable concernée est une variable discrète qui prend des va
n'avons qu'un seul paramètre à estimer, soit λ, pour définir

liberté pour le χ^2 est alors $\nu = k - 1 - 1 = k - 2$, k étant le nom
ment s'il y a lieu. Pour déterminer les fréquences théoriques, ... loi de Poisson
(revoir la section 4.9 du chapitre 4), en utilisant comme paramètre l'estimation de λ, soit

$$\bar{x} = \frac{\sum f_{0_i} \times x_i}{\sum f_{0_i}} \text{ et } p_i = P(X = x_i \mid \lambda = \bar{x}); \text{ les fréquences théoriques } f_{t_i} = n \times p_i \text{ ou } n = \sum f_{0_i}.$$

Le calcul de χ^2 s'effectue comme indiqué à la page 531. Avec ces notions, complétez l'exercice
suivant.

La responsable du comité de sécurité de l'entreprise Westpak a effectué une compilation du
nombre d'accidents de travail qui se sont produits dans l'usine depuis 2 ans. Cette compilation correspond à 500 jours ouvrables et est présentée dans le tableau ci-contre.
Il indique la répartition du nombre de jours sans
accident, avec 1 accident,..., avec 4 accidents
par jour.

Nombre d'accidents en une journée	Nombre de jours
0	194
1	138
2	80
3	52
4	36

On veut ajuster à ces données une loi de Poisson; on peut vérifier à l'aide de la distribution ci-haut

que le nombre moyen d'accidents par jour est $\bar{x} = \dfrac{\sum f_{0_i} \times x_i}{\sum f_{0_i}} = \dfrac{598}{500} = 1{,}196$ soit $1{,}2$.

a) Complétez le tableau suivant pour déterminer les fréquences théoriques.

Nombre d'accidents en une journée	Fréquence observée	Probabilité	Fréquence théorique $\times 500$
0	194	0,3012	150,60
1	138	0.3614	180.70
2	80	0.2168	108.45
3	52	0.0867	43.35
4	36	0.0260	13
5	0	0.0062	3.1
6	0	0.0012	0.6
7	0	0.0002	1

b) Déterminez la valeur de khi-deux en vous assurant de regrouper les quatre dernières fréquences théoriques.

Fréquence observée regroupée	Fréquence théorique regroupée	Différence	Différence^2	Contribution au khi-deux
194	150,60	43,40	1883,81	12,509
138	180.717	−42.7165		
80	108.430	−28.4289		
52	43.372	8.		
36	16.87			
			Khi-deux =	

$\chi^2_{0.01}$

c) Quelle est la valeur critique de khi-deux au seuil de signification 1%?

d) Peut-on considérer comme vraisemblable l'hypothèse selon laquelle cette variable statistique «nombre d'accidents en une journée» se comporte selon une loi de Poisson au seuil de signification $\alpha = 0{,}01$?

Test d'homogénéité de plusieurs populations

18. Ce test est plus général que celui concernant l'égalité de k proportions (où le caractère est classé selon seulement 2 modalités, succès, insuccès) puisque dans ce cas le caractère est classé selon r modalités. L'objectif est alors de comparer les populations entre elles pour en vérifier l'homogénéité. Le schéma suivant présente la structure que peut présenter la compilation des résultats.

Caractère observé	Populations échantillonnées				Total des lignes
	$j=1$	$j=2$	...	$j=k$	
Modalité 1	$f_{o_{11}}$	$f_{o_{12}}$	...	$f_{o_{1k}}$	$\sum_{j=1}^{k} f_{o_{1j}}$
Modalité 2	$f_{o_{21}}$	$f_{o_{22}}$	...	$f_{o_{2k}}$	$\sum_{j=1}^{k} f_{o_{2j}}$
...	...	...	...	...	...
Modalité i	$f_{o_{i1}}$	$f_{o_{i2}}$	...	$f_{o_{ik}}$	$\sum_{j=1}^{k} f_{o_{ij}}$
...			...		
Modalité r	$f_{o_{r1}}$	$f_{o_{r2}}$	...	$f_{o_{rk}}$	$\sum_{j=1}^{k} f_{o_{rj}}$
	$n_1 = \sum_{i=1}^{r} f_{o_{i1}}$	$n_2 = \sum_{i=1}^{r} f_{o_{i2}}$	...	$n_k = \sum_{i=1}^{r} f_{o_{ik}}$	$\sum_{j=1}^{k} n_j$

L'hypothèse nulle que l'on veut tester alors est:

H_0: $p_{i1} = p_{i2} = ... = p_{ik} = p_{i.}$, $i = 1, 2, ..., r$ modalités. $p_{i.}$ représente la proportion d'individus associée à la modalité i et que l'on suppose identique dans les k populations. L'estimation des $p_{i.}$ s'obtient de

$$\hat{p}_{i.} = \frac{\sum_{j=1}^{k} f_{o_{ij}}}{n_1 + n_2 + ... + n_k}, \quad i = 1, 2, ..., r$$

et, sous l'hypothèse H_0, les fréquences théoriques s'obtiennent comme suit:

$$f_{t_{ij}} = n_j \cdot \hat{p}_{i.} = n_j \cdot \frac{(f_{o_{i1}} + f_{o_{i2}} + ... + f_{o_{ik}})}{n_1 + n_2 + ... + n_k},$$

$$f_{t_{ij}} = \frac{\left(\begin{array}{c} \text{Nombre d'observations} \\ \text{dans l'échantillon } j \end{array} \right) \left(\begin{array}{c} \text{Total des fréquences} \\ \text{observées pour la modalité } i \end{array} \right)}{\text{Total des observations des } k \text{ échantillons}}.$$

Calcul de χ^2, des degrés de liberté et règle de décision

C'est la même expression que dans le cas d'un tableau de contingence, $\chi^2 = \sum_{i=1}^{r} \sum_{j=1}^{k} \frac{(f_{o_{ij}} - f_{t_{ij}})^2}{f_{t_{ij}}}$

qui, sous l'hypothèse d'homogénéité des k populations est distribué selon la loi de khi-deux avec

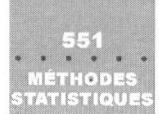

$(r-1)(k-1)$ degrés de liberté. On rejette H_0, l'hypothèse selon laquelle les k populations sont homogènes suivant les r modalités du caractère observé, si $\chi^2 > \chi^2_{\alpha;(r-1)(k-1)}$.

Résoudre l'exercice suivant à l'aide de ces concepts.

Un pré-test est effectué pour évaluer la préférence d'une pâte dentifrice. Deux cents personnes ont été choisies au hasard respectivement dans deux régions.
On a remis à chaque personne deux tubes de pâte dentifrice (ayant une couleur différente mais de marque non identifiée), l'un étant la nouvelle pâte, l'autre une pâte dentifrice d'un concurrent.

Attitude	Régions	
	1	2
Préfère la nouvelle pâte	90	105
Préfère la pâte du concurrent	50	60
Indifférent entre les deux pâtes	60	35
	200	200

À l'issue d'une période d'essai de deux semaines, les préférences sont présentées dans le tableau ci-haut.

a) Testez l'hypothèse nulle selon laquelle la préférence de la pâte dentifrice suivant les trois modalités retenues se répartit de façon identique dans les deux régions. Utilisez un seuil de signification $\alpha = 0,05$.

b) On aimerait tester l'hypothèse selon laquelle «les indifférents entre les deux pâtes sont identiques dans les deux régions». En utilisant un test d'égalité de deux proportions traité dans le chapitre précédent, peut-on rejeter l'hypothèse au seuil 5%?

19. Le département de marketing de l'entreprise Simex veut étudier la préférence des consommateurs en ce qui a trait à un nouvel emballage d'un produit déjà existant.
Cette évaluation sera effectuée dans deux régions présentant des caractères socio-économiques semblables. Deux nouveaux emballages sont à l'étude.
Pour en évaluer la préférence, on a interrogé des consommateurs de chaque région ayant utilisé ce type de produit au moins une fois durant les deux derniers mois. Ils devaient indiquer la version d'emballage qu'ils préféraient.
La compilation des résultats est présentée dans le tableau après.

Emballage	Régions	
	X	Y
Version A	85	115	200
Version B	30	24	54
Version actuelle	69	77	146
	184	216	400

a) En supposant que les deux régions sont homogènes en ce qui a trait à la préférence de l'emballage, estimez la proportion de consommateurs favorisant chaque version.

b) Répartissez dans les proportions estimées, le nombre de consommateurs interrogés dans chaque région.

c) Évaluez à l'aide du χ^2 la disparité des fréquences observées et des fréquences théoriques.

d) Est-ce que les consommateurs de chaque région apprécient de manière identique les divers emballages? Utilisez un seuil de signification $\alpha = 0,01$.

Exercices de
révision et de
synthèse

20. Un sondage a été effectué en mai 2002 pour le compte de l'Association des banquiers canadiens pour connaître les attitudes des clients en ce qui a trait aux nouvelles technologies et principalement Internet pour effectuer la majorité de leurs transactions financières.

Une des questions du sondage (qui en comportait une dizaine) était la suivante:

> *Est-ce que vous croyez que la technologie et Internet changent votre façon de gérer vos finances personnelles? Est-ce que vous diriez que la technologie change votre façon de gérer vos finances personnelles ...*
>
> De manière   Modérément   De manière   Aucunement
> très importante   peu importante

Les réponses à cette question ont été croisées avec le groupe d'âge des répondants.

Répartition observée des répondants

Attitudes concernant la façon de gérer ses finances personnelles	Catégorie d'âge				Total
	18-34 ans	35-44 ans	45-54 ans	55 ans et plus	
De manière très importante	130	109	100	118	457
Modérément	87	89	73	93	342
De manière peu importante	40	36	35	43	154
Aucunement	32	52	34	74	192
Total	289	286	242	328	1145

* Source: *Technology and Banking:A Survey of Canadian Attitudes* (www.cba.ca).

La répartition des réponses des répondants sous l'hypothèse d'indépendance des deux variables concernées est présentée à la page suivante.

a) Déterminez les fréquences théoriques manquantes:
   i) la case (2,3), combinaison des modalités «Modérément - 45-54 ans».
   ii) la case (4,3), combinaison des modalités «Aucunement - 45-54 ans».
   iii) la case (4,4), combinaison des modalités «Aucunement - 55 ans et plus».

Répartition théorique

Attitudes concernant la façon de gérer ses finances personnelles	Catégorie d'âge				Total
	18-34 ans	35-44 ans	45-54 ans	55 ans et plus	
De manière très importante	115,35	114,15	96,59	130,91	457
Modérément	86,32	85,43		97,97	342
De manière peu importante	38,87	38,47	32,55	44,12	154
Aucunement	48,46	47,96			192
Total	289	286	242	328	1145

b) Les conditions d'application du test d'indépendance des deux variables sont-elles satisfaites?

c) On veut déterminer la disparité entre la répartition observée et la répartition théorique des fréquences absolues sous l'hypothèse d'indépendance des deux variables.

Complétez le tableau de la page suivante.

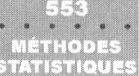
Modalité	Fréquence observée	Fréquence théorique	Différence	Différence^2	Contribution au khi-deux
(1,1)	130	115,35	14,65	214,69	1,86
(1,2)	109	114,15	−5,15	26,52	0,23
(1,3)	100	96,59	3,41	11,64	0,12
(1,4)	118	130,91	−12,91	166,76	1,27
(2,1)	87	86,32	0,68	0,46	0,01
(2,2)	89	85,43	3,57	12,78	0,15
(2,3)	73				
(2,4)	93				
(3,1)	40	38,87	1,13	1,28	0,03
(3,2)	36	38,47	−2,47	6,08	0,16
(3,3)	35	32,55	2,45	6,01	0,18
(3,4)	43	44,12	−1,12	1,24	0,03
(4,1)	32	48,46	−16,46	270,97	5,59
(4,2)	52	47,96	4,04	16,34	0,34
(4,3)	34				
(4,4)	74	55,00	19,00	360,97	6,56

khi-deux =

d) Quelle variable doit-on identifier «variable dépendante»?« Variable explicative»?

e) Quelle est la valeur obtenue pour le khi-deux?

f) Quelle est la valeur critique du khi-deux au seuil de signification de 5%?

g) Spécifiez l'hypothèse nulle que l'on veut soumettre au test statistique.

h) Peut-on affirmer, au seuil de signification de 5%, que la catégorie d'âge des répondants est un facteur explicatif en ce qui a trait aux attitudes des individus face aux nouvelles technologies pour gérer leurs finances personnelles?

i) À l'aide du V de Cramer, déterminez le degré d'association entre les deux variables concernées.

j) Considérons les groupes d'âge 18 à 34 ans et 35 à 44 ans de la répartition observée. Supposons qu'on regroupe les modalités «De manière très importante et Modérément». On obtient alors le tableau suivant:

Attitudes concernant la façon de gérer ses finances personnelles	Catégorie d'âge	
	18-34 ans	35-44 ans
De manière très importante / Modérément	217	198
Taille de l'échantillon pour chaque catégorie d'âge	289	286

  i) Quel pourcentage d'individus se situe dans cette modalité concernant la façon de gérer ses finances personnelles et ceci pour chaque groupe d'âge?

  ii) Existe-t-il une différence significative entre les groupes d'âge concernant l'im-pact de la technologie sur la façon de gérer ses finances personnelles? Utilisez un seuil de signification de 5%.

 21. L'entreprise Culimax a développé un nouveau produit alimentaire qui pourrait être disponible en trois saveurs différentes. Un test de dégustation auprès de 300 consommateurs a permis d'obtenir la répartition suivante concernant les diverses saveurs:

Répartition observée		
Saveur A	Saveur B	Saveur C
82	144	74

Peut-on affirmer, au seuil de 5%, qu'il n'existe pas de différence significative dans la répartition des préférences en ce qui a trait à la saveur de ce nouveau produit?

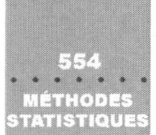

 22. Dans une recherche* auprès de cyclistes dont un des objectifs était de quantifier les facteurs influençant le confort et la sécurité ainsi que les liens existants entre l'expérience des cyclistes et les exigences en matière de sécurité et de confort, on a obtenu les résultats suivants concernant un élément influençant le confort et la sécurité (l'étude en comportait cinq dont accotement pavé, largeur de l'accotement, vitesse des voitures, ...) selon trois profils de cyclistes.

Répartition observée (appréciation de l'entretien de la route)			
Eléments influençant le confort et la sécurité	**Cyclistes actifs et sportifs**	**Cyclistes actifs et récréatifs**	**Cyclistes modérés**
Entretien de la route satisfaisant	28	32	32
Entretien de la route insatisfaisant	42	29	37
Total	70	61	69

*Source: Adapté de Leclerc, C, N. Noël et M. Lee-Gosselin (2001). *Cyclisme et convivialité de la route:développement d'un outil d'aide à la décision.* Routes et transports, volume 30, numéro 1., 8(3).

L'appréciation de l'élément «Entretien de la route» comme facteur influençant la sécurité et la convivialité est-elle identique pour les trois groupes de cyclistes? Utilisez un seuil de signification de 5%.

23. On veut vérifier l'hypothèse* selon laquelle les usagers d'un terminal à écran de visualisation ayant assisté à une formation en ergonomie (variable indépendante) initient davantage d'actions de réglage comme la hauteur de la chaise du poste de travail, la hauteur de l'écran et du clavier (variable dépendante) que les individus ne l'ayant pas suivi lorsque de telles modifications sont souhaitables et rendues possibles par les dispositifs techniques disponibles. Le plan d'expérience qui a été utilisé dans cette recherche est de type pré-test et post-test avec groupe témoin. Les données relatives aux effets intermédiaires de la formation ont été recueillies par observation à partir d'une grille standardisée administrée avant la formation en ergonomie et six mois après cette dernière. Les résultats présentés concernent 284 employés de bureau ayant suivi la formation (groupe expérimental) et 343 autres qui ne l'ont pas suivie (groupe témoin).

Avant la formation, les contraintes posturales ont été mesurées à l'aide d'une grille d'observation et portant sur diverses dimensions comme l'éclairage naturel, l'écran, la consultation de documents, la chaise,...

* Source: Adapté de M. Arial, S. Montreuil et C. Brisson, *Mesure d'effets intermédiaires d'une formation en ergonomie dispensée auprès d'usagers de terminaux à écran de visualisation* (TEV). Travail et Santé, mars 1998, Vo. 14, no 1, page S-2.

Pour mesurer certains effets intermédiaires de la formation, on a retenu les réglages de certains éléments du poste de travail comme la modification de la hauteur de la chaise, de l'écran et du clavier. Pour conclure à une modification, la comparaison des mesures prises avant la formation avec celles prises six mois après la fin de la formation devrait révéler une différence supérieure à 5 mm.

Voici les résultats obtenus (voir page suivante) pour deux éléments concernés du poste de travail où on indique le nombre de postes où un réglage a été réalisé (et ceci pour les deux groupes) ainsi que le nombre de postes où des dispositifs techniques permettaient un tel réglage.

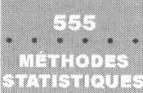

| Élément du poste de travail: hauteur du clavier | | | |
| Groupe expérimental | | Groupe témoin | |
Nombre de postes où un réglage a été effectué	Nombre de postes ayant ce dispositif	Nombre de postes où un réglage a été effectué	Nombre de postes ayant ce dispositif
39	89	24	78

| Élément du poste de travail: hauteur de l'écran | | | |
| Groupe expérimental | | Groupe témoin | |
Nombre de postes où un réglage a été effectué	Nombre de postes ayant ce dispositif	Nombre de postes où un réglage a été effectué	Nombre de postes ayant ce dispositif
183	247	219	333

Testez, au seuil de signification de 5%, les hypothèses suivantes:

i) Il n'y a pas de différence significative concernant la proportion des participants ayant initié une modification de la hauteur du clavier entre le groupe expérimental et le groupe témoin.

ii) Il n'y a pas de différence significative concernant la proportion des participants ayant initié une modification de la hauteur de l'écran entre le groupe expérimental et le groupe témoin.

24. Le responsable du service informatique de l'entreprise Multitek a noté, sur une période de 500 jours ouvrables, le nombre d'interruptions journalières du système informatique. Les données recueillies sont présentées dans le tableau suivant: $\lambda = \dfrac{207}{500} = 0.414$

| Répartition observée | | Répartition théorique | |
Nombre d'interruptions	Nombre de jours	Probabilité	Fréquence théorique
0	324		
1	148		
2	25		
3 et plus	3		

a) Déterminez la répartition théorique sous l'hypothèse que le nombre d'interruptions se comporte selon une loi de Poisson avec un taux moyen d'interruptions de 0,4 par jour.

b) Effectuez un regroupement des classes s'il y a lieu et calculez le χ^2.

c) Quelle est la valeur critique de χ^2 au seuil de signification 5%? $\chi^2_{0.05,2}$

d) Laquelle des deux hypothèses est la plus vraisemblable au seuil de 5%?

H_0 : Le nombre d'interruptions est distribué selon une loi de Poisson avec $\lambda = 0,4$.

H_1 : Le nombre d'interruptions n'est pas distribué selon une loi de Poisson avec $\lambda = 0,4$.

Activité de synthèse no 5
· ·
L'âge et la perception des nouvelles technologies

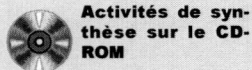

Activités de synthèse sur le CD-ROM

Fichier Excel: Activité no 5 Sondage Technologies

Fichier SPSS: Activité no 5

Fichier MINITAB: Activité no 5

Objectifs de l'activité

▶ Déterminer, à partir d'un fichier de données sur deux variables (données ordinales), un tableau croisé des modalités de réponse de chaque variable.

▶ Tester, à l'aide du khi-deux, si les deux variables sont liées ou non.

Dans une enquête effectuée par une importante entreprise du domaine des télécommunications pour connaître la perception de sa clientèle pour les nouvelles technologies, on a mesuré diverses infirmations associées à certains produits de communications.

Pour ce laboratoire, nous ne traitons que deux questions qui ont fait le sujet de cette enquête, une sur le degré d'accord d'un énoncé et l'autre, sur le groupe d'âge auquel appartient le répondant.

Enquête sur la perception de nouvelles technologies

Q1. Veuillez indiquer votre degré d'accord à l'énoncé suivant:

Il est important pour vous de connaître les nouvelles technologies dès qu'elles sont disponibles sur le marché?

Totalement d'accord ❑ 1

Assez d'accord ❑ 2

Assez en désaccord ❑ 3

Totalement en désaccord ❑ 4

Q2. À quel groupe d'âge appartenez-vous?

24 ans et moins ❑ 1		De 45 à 54 ans ❑ 4	
De 25 à 34 ans ❑ 2		55 ans et plus ❑ 5	
De 35 à 44 ans ❑ 3			

Le fichier de données comporte les réponses de 775 répondants(es) dont nous présentons un extrait ci-après.

	A	B	C	D	E	F
1	Activité de synthèse no 5 - Sondage sur les nouvelles technologies					
2						
3						
4		Q1: Importance de connaître les nouvelles technologies (degré d'accord)				
5						
6		Q2: Groupe d'âge du répondant				
7						
8	Répondant no	Q1	Q2			
9	1	1	2			
10	2	2	4			
11	3	1	5			
12	4	1	4			
13	5	2	2			

	A	B	C
14	6	1	3
15	7	3	2
16	8	1	3
17	9	1	5
18	10	2	4
19	11	3	5
20	12	1	3
21	13	4	1
22	14	1	5
23	15	3	1
24	16	2	4
25	17	1	3
26	18	2	2
27	19	1	3
28	20	1	2
29	21	1	3
30	22	1	5
31	23	4	3
32	24	1	2
33	25	1	3
34	26	1	5
35	27	3	5
36	28	1	2
37	29	2	2
38	30	1	2
39	31	1	1
40	32	3	2
41	33	2	4
42	34	1	5
43	35	1	2
44	36	2	4
45	37	3	3
46	38	4	3
47	39	2	2
48	40	1	3
49	41	1	5
50	42	2	1
51	43	1	1
52	44	4	3
53	45	1	3
54	46	2	2
55	47	1	5
56	48	3	5
57	49	2	3
58	50	1	3
59	51	1	3
60	52	1	3
61	53	2	1
62	54	4	3
63	55	1	2
64	56	1	2

L'hypothèse de recherche est la suivante:

> Il existe un lien entre l'importance de connaître les nouvelles technologies dès quelles sont disponibles sur le marché et le groupe d'âge auquel appartient le répondant.

Travail à effectuer

a) Déterminez, à l'aide l'outil *Rapport de tableau croisé dynamique** si vous utilisez Excel, un tableau croisé qui permettrait de croiser les modalités de réponse pour le groupe d'âge (en lignes) et celles du degré d'accord à l'énoncé (en colonnes).

b) Présentez par la suite le tableau croisé selon les modalités de réponse du questionnaire.

| Groupe d'âge | Importance de connaître les nouvelles technologies | | | | |
	Totalement d'accord (1)	Assez d'accord (2)	Assez en désaccord (3)	Totalement en désaccord (4)	Total
24 ans et moins (1)					
25 ans à 34 ans (2)					
35 à 44 ans (3)					
45 à 54 ans (4)					
55 ans et plus (5)					
Total					

c) i) Quel nombre de répondants appartiennent à la catégorie d'âge 25 à 34 ans?

ii) Quelle proportion de répondants est Assez d'accord avec l'énoncé?

iii) Quel le nombre de répondants appartiennent au groupe d'âge 35 à 44 ans et qui sont Totalement en accord avec l'énoncé?

d) Déterminez, à l'aide d'Excel, la répartition théorique des répondants sous l'hypothèse d'indépendance des deux variables.

e) Déterminez, dans un tableau approprié, la contribution de chaque combinaison de modalités de réponse des deux variables à la valeur du khi-deux.

f) Est-ce que l'hypothèse de recherche est retenue au seuil de signification 5%? Justifiez votre conclusion.

---

*Voir exemple 4, annexe 9, page 566.

Testez vos connaissances
_____
Test no 9

Répondez par Vrai ou Faux.

1. Dans un test d'égalité de deux proportions, l'hypothèse nulle qui est soumise au test est $H_0: p_1 = p_2$. ✓

2. Lorsqu'on veut tester l'égalité de deux proportions, on obtient une estimation de la valeur commune p à l'aide de l'expression $\hat{p} = \dfrac{x_1 + n_1}{x_2 + n_2}$. F

3. Une condition essentielle dans l'application du test d'égalité de deux proportions en utilisant la loi normale centrée réduite est que $n_1\hat{p}$, $n_1(1-\hat{p})$, $n_2\hat{p}$, $n_2(1-\hat{p})$ soient tous ≥ 5. ✓

4. Dans l'étude de liaison entre deux caractères mesurés sur une échelle nominale, l'hypothèse nulle qu'on veut soumettre au test du khi-deux concerne la dépendance des deux caractères. ✓ F

5. Dans un test d'indépendance de deux caractères, il n'existe aucune restriction sur les fréquences (absolues) théoriques. F

6. Dans un tableau croisé comportant r modalités pour le caractère A et k modalités pour le caractère B, le nombre de degrés de liberté du khi-deux est $\nu = (r-1)(k-1)$. ✓

7. Dans un test d'indépendance de deux caractères, la valeur observée de khi-deux peut prendre une valeur négative. F

8. Le coefficient de contingence C comme mesure d'association entre deux caractères dépend uniquement de la valeur observée de khi-deux. ✓ F

9. Lorsqu'il y a association parfaite entre deux caractères mesurés sur une échelle nominale, le V de Cramer prend la valeur 0,5. ✓ F

10. Dans l'évaluation de la représentativité d'un échantillon par rapport à une population donnée, une valeur de χ^2 supérieure à la valeur critique pour le test de khi-deux est une indication que l'échantillon est représentatif de la population. F

Questions à choix multiples. Encerclez la bonne réponse.

11. Lors d'un sondage* auprès de la population canadienne, sondage effectué par la firme Léger Marketing, on a constaté que chez les 20-29 ans, 72 pour cent font usage de l'Internet alors que chez les 30-39 ans, le pourcentage est de 68 pour cent. 68%

Admettons que la catégorie 20-29 ans comporte 275 répondants et que la catégorie 30-39 ans en comporte 256. ×0.68

_____
* Source. R. Parent. _Pas plus d'utilisateurs d'Internet au pays en 2002._ Le Nouvelliste, 19 août 2002.

a) L'estimation de la valeur commune de p est:

   i) 0,72   ⓘⓘ) 0,70   iii) 0,69.

b) L'écart-type de $\hat{P}_1 - \hat{P}_2$ est: $\sqrt{0.7(0.3) \cdot \left(\dfrac{1}{275} + \dfrac{1}{265}\right)}$

   i) 0,018   ii) 0,0268   ⓘⓘⓘ) 0,0398.

c) L'écart réduit associé à la différence des proportions d'échantillons est:

   ⓘ) 1,005   ii) 1,612   iii) 2,064.

d) Dans le cas d'une contre-hypothèse $H_1: p_1 \neq p_2$ et d'un seuil de signification $\alpha = 0,05$, la valeur critique de l'écart réduit est:

   i) 2,33   ii) 2,54   ⓘⓘⓘ) 1,96.

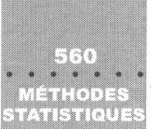

e) Peut-on conclure au seuil de signification $\alpha = 0{,}05$, que le taux d'utilisation de l'Internet est identique pour les deux catégories d'âge?

    i) Vrai, car ...   ii) Faux, car ...

12. La responsable des ressources humaines de l'entreprise Maltec doit soumettre un rapport à la direction sur l'absentéisme. Un relevé sur 230 employés de l'entreprise compilé selon la cause de l'absence et l'âge de l'employé est présenté dans le tableau ci-après.

Cause de l'absence	Âge		
	Moins de 30 ans	Entre 30 et 45 ans	45 ans et plus
Maladie	37	46	52
Autres	38	29	28

a) L'hypothèse nulle qu'on veut tester avec ces données est:

    Les caractères «Cause de l'absence» et «Âge» sont indépendants.

      i) Vrai   ii) Faux iii) Ne s'applique pas.

La répartition théorique (sous l'hypothèse d'indépendance) des 230 employés suivant les modalités de chaque caractère est présentée ci-après.

Cause de l'absence	Âge			Total
	Moins de 30 ans	Entre 30 et 45 ans	45 ans et plus	
Maladie	44,022	44,022	46,957	135
Autres	30,978	30,979	33,043	95
Total	75	75	80	230

b) La fréquence théorique manquante pour la combinaison des modalités «Autres-Entre 30 et 45 ans» est:

    i) 39,978   ii) 30,978   iii) 44,022.

c) La fréquence théorique manquante pour la combinaison des modalités «Maladie-45 ans et plus» est:

    i) 39,978   ii) 44,022   iii) 46,957.

d) La contribution au khi-deux de la cellule correspondant à la combinaison des modalités «Autres-Moins de 30 ans» est:

    i) 1,120   ii) 0,542   iii) 1,592.

e) Sachant que la valeur observée de khi-deux est 4,238, on peut conclure, au seuil de signification 5%, que:

    i)   les deux caractères sont liés.

    ii)   les deux caractères sont indépendants.

    iii)   On ne peut rien conclure.

f) Le degré d'association entre les deux caractères, mesuré par le V de Cramer, donne:

    i) 0,236   ii) 0,136   iii) 0,426.

Annexe 9 - Traitement avec Excel
Microsoft Office 2002 et Office 1997

Tous les exemples traités dans cette annexe sont dans le fichier du chapitre 9.

Tableau croisé et test d'ajustement

Nous indiquons dans cette annexe, comment calculer le khi-deux dans un tableau croisé, comment évaluer la représentativité d'un échantillon, comment effectuer un test d'ajustement et comment construire un tableau croisé avec Excel.

EXEMPLE 1: Tableau croisé et test d'indépendance

Feuille Excel du chapitre 9: ANNEXE EX1

Servons-nous des données de l'exemple 9.2 (répartition des répondants selon la catégorie d'emploi et leur opinion concernant la situation économique) pour illustrer l'application d'Excel dans le cas d'un test d'indépendance entre deux caractères.

	A	B	C	D	E	F
1	Exemple 1 - Annexe Excel					
2						
3			*Répartition observée*			
4			**Catégorie d'emploi**			
5		Situation économique	Professionnels	Employés de bureau	Autres	Total
6		S'améliorer	52	31	15	98
7		Reste stable	20	16	24	60
8		Se détériorer	13	14	21	48
9		NSP	8	17	19	44
10		Total	93	78	79	250

Nous présentons ici les diverses formules et fonctions requises pour construire la répartition théorique des fréquences absolues d'un tableau croisé et exécuter le test du khi-deux.

On peut se servir de la fonction SOMME pour obtenir le total des lignes et le total des colonnes.

	A	B	C	D	E	F
3			*Répartition observée*			
4			**Catégorie d'emploi**			
5		Situation économique	Professionnels	Employés de bureau	Autres	Total
6		S'améliorer	52	31	15	=SOMME(C6:E6)
7		Reste stable	20	16	24	=SOMME(C7:E7)
8		Se détériorer	13	14	21	=SOMME(C8:E8)
9		NSP	8	17	19	=SOMME(C9:E9)
10		Total	=SOMME(C6:C9)	=SOMME(D6:D9)	=SOMME(E6:E9)	=SOMME(C10:E10)

$$f_{t_{ij}} = \frac{\text{Total de la ligne } i \times \text{Total de la colonne } j}{\text{Taille de l'échantillon}} = \frac{L_i \times C_j}{n}$$

Les formules requises pour déterminer la répartition théorique des fréquences absolues sont présentées dans le tableau ci-après; les formules sont basées sur les éléments du tableau précédent.

Les formules sont introduites dans les cellules C18 à E21.

	A	B	C	D	E	F
14			*Répartition théorique*			
15						
16			**Catégorie d'emploi**			
17		Situation économique	**Professionnels**	**Employés de bureau**	**Autres**	**Total**
18		**S'améliorer**	=F18*$C$22/$F$22	=F18*$D$22/$F$22	=F18*$E$22/$F$22	98
19		**Reste stable**	=F19*$C$22/$F$22	=F19*$D$22/$F$22	=F19*$E$22/$F$22	60
20		**Se détériorer**	=F20*$C$22/$F$22	=F20*$D$22/$F$22	=F20*$E$22/$F$22	48
21		**NSP**	=F21*$C$22/$F$22	=F21*$D$22/$F$22	=F21*$E$22/$F$22	44
22		**Total**	93	78	79	250

On obtient alors la répartition théorique suivante:

	A	B	C	D	E	F
14			*Répartition théorique*			
15						
16			**Catégorie d'emploi**			
17		Situation économique	**Professionnels**	**Employés de bureau**	**Autres**	**Total**
18		**S'améliorer**	36,46	30,58	30,97	98
19		**Reste stable**	22,32	18,72	18,96	60
20		**Se détériorer**	17,86	14,98	15,17	48
21		**NSP**	16,37	13,73	13,90	44
22		**Total**	93	78	79	250

On peut obtenir rapidement la valeur observée de khi-deux en utilisant deux fonctions statisti-ques. D'abord la fonction TEST.KHIDEUX qui renvoie la probabilité $P(\chi^2 > \chi^2_{observé})$, puis la fonction KHIDEUX.INVERSE, qui renvoie pour une probabilité unilatérale donnée (celle qu'on vient de calculer), la valeur de khi-deux expérimentale.

• • • •
Pour obtenir cette probabilité, il faut sélectionner la plage de données qui correspond à la répartition observée (ici cellules C6 à E9) et celle qui correspond à la répartition théorique (ici cellules C18 à E21).

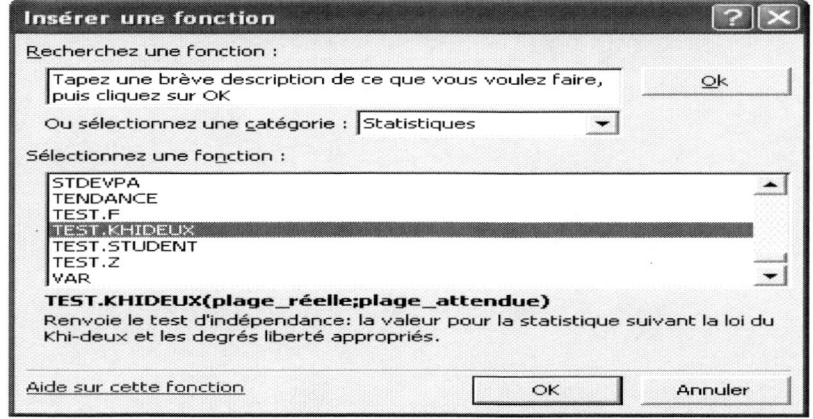

Nous avons calculé cette probabilité dans la cellule C24.

C24 fx =TEST.KHIDEUX(C6:E9;C18:E21)

	A	B	C	D
16				Catégorie d'e
17		Situation économique	Professionnels	Employés d
18		S'améliorer	36,46	30,5
19		Reste stable	22,32	18,7
20		Se détériorer	17,86	14,9
21		NSP	16,37	13,7
22		Total	93	78
23		Degrés de liberté	6	
24		Probabilité	0,000122077	
25		Khi-deux expérimental		

Ajoutons dans la cellule C26, la valeur critique de khi-deux à l'aide à nouveau, de la fonction KHIDEUX.INVERSE, pour un seuil de signification de 5% et 6 degrés de liberté.

C26 fx =KHIDEUX.INVERSE(0,05;6)

	A	B	C
23		Degrés de liberté	6
24		Probabilité	0,000122077
25		Khi-deux expérimental	27,39432217
26		Khi-deux théorique	12,59157742

On peut ajouter, dans la cellule C27, une règle de décision pour la conclusion du test.

C27 fx =SI(C25>C26; "Rejeter l'hypothèse d'indépendance";"Ne pas rejeter l'hypothèse nulle")

	A	B	C	D	E	F
23		Degrés de liberté	6			
24		Probabilité	0,000122077			
25		Khi-deux expérimental	27,39432217			
26		Khi-deux théorique	12,59157742			
27		Décision	Rejeter l'hypothèse d'indépendance			

On pourrait également préparer, à l'aide des formules appropriées, un tableau similaire à celui de l'exemple 9.2, qui permettrait d'illustrer la contribution de chaque cellule à la contribution du khi-deux (voir la feuille Excel EXEMPLE 9.2 sur le CD-ROM).

EXEMPLE 2: Représentativité de l'échantillon

On veut comparer une distribution observée provenant d'un échantillon, selon un certain critère à la distribution correspondante dans la population.

Le test d'ajustement permet de vérifier la représentativité de l'échantillon d'un sondage.

Pour illustrer les calculs à effectuer avec Excel, nous nous servons des données de l'exemple 9.4.

On veut comparer le profil des PME de l'échantillon ($n=127$) selon la taille des entreprises présentée dans le tableau suivant,

Profil de l'échantillon	
Taille des entreprises	**Nombre**
Moins de 50 employés	104
de 50 à 99 employés	14
100 employés et plus	9
	$n=127$

avec le profil des PME de la population obtenu du document Forme juridique et taille des établissements manufacturiers du Québec présenté ci-après:

Profil de la population	
Taille des entreprises	**Nombre**
Moins de 50 employés	823
de 50 à 99 employés	79
100 employés et plus	55
	957

$$\chi^2 = \sum_{i=1}^{k} \frac{(f_{o_i} - f_{t_i})^2}{f_{t_i}}$$

On veut, avec le test d'ajustement, répondre à la question suivante: peut-on considérer au seuil de 5% que la répartition des PME de l'échantillon selon la taille des entreprises est représentative de celle de la population?

Les différents calculs sont présentés dans la feuille Excel suivante:

	A	B	C	D	E	F
1	Exemple 2					
2	Représentativité de l'échantillon					
3						
4	Taille des entreprises	Nombre dans l'échantillon	Profil dans la population	Population (proportion)	Nombre espéré selon la répartition dans la population (Échantillon n= 127)	Calcul de khi-deux
5	Moins de 50 employés	104	823	0,8600	109,217	0,2492
6	de 50 à 99 employés	14	79	0,0825	10,4838	1,1793
7	100 employés et plus	9	55	0,0575	7,2989	0,3965
8		127	957		Somme	1,8250

Valeur de khi-deux

Les formules requises sont présentées ci-après.

	A	B	C	D	E	F
1	Exemple 2					
2	Représentativité de l'échantillon					
3						
4	Taille des entreprises	Nombre dans l'échantillon	Profil dans la population	Population (proportion)	Nombre espéré selon la répartition dans la population (Échantillon n= 127)	Calcul de khi-deux
5	Moins de 50 employés	104	823	=C5/$C$8	=127*D5	=(B5-E5)^2/E5
6	de 50 à 99 employés	14	79	=C6/$C$8	=127*D6	=(B6-E6)^2/E6
7	100 employés et plus	9	55	=C7/$C$8	=127*D7	=(B7-E7)^2/E7
8		127	957		Somme	=SOMME(F5:F7)

EXEMPLE 3: Ajustement à une loi normale

Feuille Excel du chapitre 9:
ANNEXE EX3

Utilisons les données de l'exemple 9.5 (résultats au test d'intelligence) pour illustrer l'application d'Excel à l'ajustement d'une loi normale. Le dépouillement des données est présenté à nouveau.

Résultats au test	Nombre d'individus
$60 \leq X < 70$	3
$70 \leq X < 80$	7
$80 \leq X < 90$	12
$90 \leq X < 100$	18
$100 \leq X < 110$	15
$110 \leq X < 120$	4
$120 \leq X < 130$	2
$130 \leq X < 140$	1
	62

La moyenne et l'écart-type des résultats à ce test d'aptitude sont: $\bar{x} = 94,4$, $s = 14,5$.

On veut tester l'hypothèse selon laquelle les résultats au test d'intelligence sont distribués selon une loi normale? On utilise un seuil de signification de 1%.

Les hypothèses statistiques s'énoncent comme suit:

H_0: Les résultats au test d'intelligence sont distribués selon une loi normale.

H_1: Les résultats ne sont pas distribués selon une loi normale.

Donnons les diverses formules requises pour déterminer d'abord les fréquences absolues théoriques, en admettant ques les données sont distribuées selon le modèle normal.

Calcul des fréquences théoriques sous l'hypothèse que les données sont distribuées selon une loi normale

	A	B	C	D	E	F	G	H
16	x_1	x_2	z_1	z_2	$P(Z <= z_1)$	$P(Z <= z_2)$	$P(z_1 <= Z <= z_2)$	Fréquences théoriques
17		60		-2,372		0,0088	0,0088	0,548
18	60	70	-2,372	-1,683	0,0088	0,0462	0,0374	2,317
19	70	80	-1,683	-0,993	0,0462	0,1603	0,1141	7,075
20	80	90	-0,993	-0,303	0,1603	0,3808	0,2204	13,668
21	90	100	-0,303	0,386	0,3808	0,6503	0,2696	16,712
22	100	110	0,386	1,076	0,6503	0,8590	0,2087	12,938
23	110	120	1,076	1,766	0,8590	0,9613	0,1023	6,340
24	120	130	1,766	2,455	0,9613	0,9930	0,0317	1,965
25	130	140	2,455	3,145	0,9930	0,9992	0,0062	0,385
26	140		3,145		0,9992		0,0008	0,052

=(A18-94,5)/14,5

Cellule C18

=(B17-94,5)/14,5

Cellule D17

=LOI.NORMALE.STANDARD(C18)

Cellule E18

=LOI.NORMALE.STANDARD(D17)

Cellule F17

=F18-E18

Cellule G18

=62*G170

Cellule H17

Les autres valeurs ont été obtenues avec la Recopie automatique.

Calcul du khi-deux

	A	B	C	D	E	F	G	H	I
45	x_1	x_2	Fréquences théoriques	Fréquences observées	Fréquences théoriques groupées	Fréquences observées groupées	Différence	(Différence)^2 / Fréquences théoriques	
46		60	0,548	0					=F48-E48
47	60	70	2,317	3					Cellule G48
48	70	80	7,075	7	9,940	10	0,060	0,0004	
49	80	90	13,668	12	13,668	12	-1,668	0,2035	
50	90	100	16,712	18	16,712	18	1,288	0,0992	=(G48)^2/E48
51	100	110	12,938	15	12,938	15	2,062	0,3286	
52	110	120	6,340	4	8,742	7	-1,742	0,3470	Cellule H48
53	120	130	1,965	2			Khi-deux	0,9787	
54	130	140	0,385	1					
55	140		0,052	0					
56									=SOMME(H48:H52)
57									Cellule H53
58	Nous avons groupé les trois premières classes et les quatre dernières pour respecter la condition sur les fréquences théoriques (5 et plus).				Seuil alpha:		0,01		
59					Degrés de liberté:		2	=KHIDEUX.INVERSE(0,01;2)	
60					Khi-deux théorique:		9,2104	Cellule F60	
61									
62					Décision:		Ne pas rejeter l'hypothèse nulle: le modèle normal est adéquat.		

Calcul du SI: =SI(H53>F60; "Rejeter l'hypothèse nulle";"Ne pas rejeter l'hypothèse nulle: le modèle normal est adéquat.")

Cellule F62

EXEMPLE 4: Élaboration d'un tableau croisé avec Excel

**Feuille Excel du chapitre 6:
ANNEXE EX4**

Pour obtenir un tableau croisé de deux variables, nous nous servons d'un outil puissant d'Excel, soit le *Tableau croisé dynamique*. Nous illustrons à nouveau la démarche avec les données de d'une enquête sur les dépanneurs dont nous donnons les questions 1 et 2 ainsi que quelques résultats (toutes les données sont sur le CD-ROM). Nous voulons croiser les données associées à la variable «Chiffre d'affaires» qui a été mesurée sur une échelle ordinale (Question 2) avec les données associées à variable «Mode d'exploitation» mesurée sur une échelle nominale (Question 1).

	A	B	C	D	E
1	**Exemple 4 - Construire un tableau croisé**				
2					
3					
4	**Dép no**	**Q1**	**Q2**		
5	1	1	1		
6	2	1	1		
7	3	2	3		
8	4	2	2		
9	5	3	1		
10	6	1	3		
11	7	2	1		
12	8	1	2		
13	9	2	1		
14	10	2	2		
15	11	3	2		
16	12	1	1		

Q1 : Quel est le mode d'exploitation de votre entreprise?

Indépendant ☐ 1

Bannière ☐ 2

Franchisé ☐ 3

Q2 : Quel a été le chiffre d'affaires de votre entreprise au cours de la dernière année?

Moins de 500 000$ ☐ 1   750 000$ à 999 999$ ☐ 3

500 000$ à 749 999$ ☐ 2   1 000 000$ et plus ☐ 4

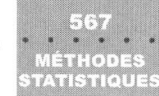
Procédure - Construction d'un tableau croisé (version 10.0)

Cliquez dans la barre de menus **Données/Rapport de tableau croisé dynamique**.

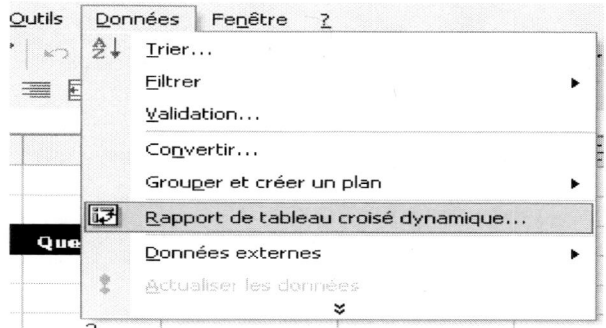

L'Assistant Tableau et graphique croisés dynamiques nous permet de construire rapidement le tableau croisé.

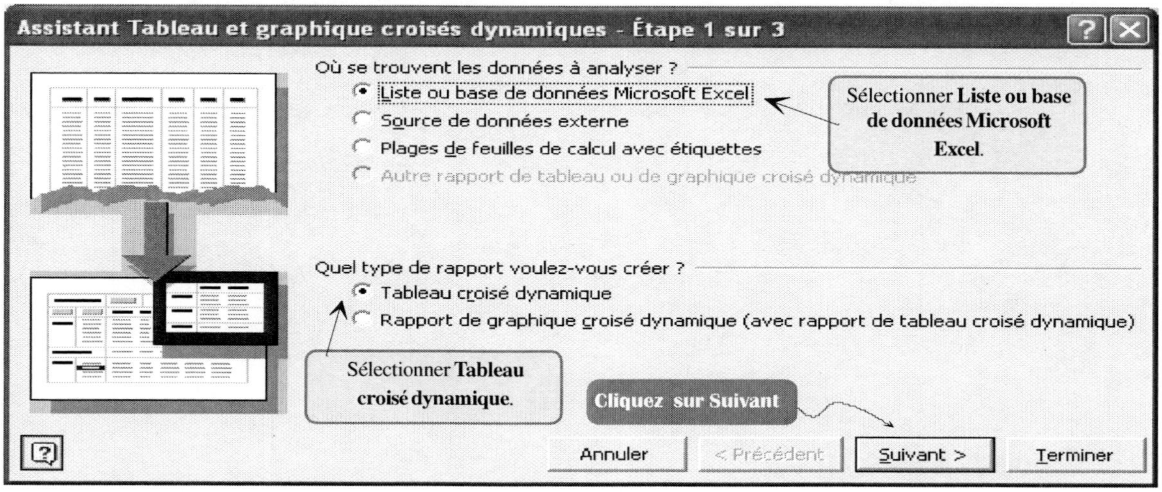

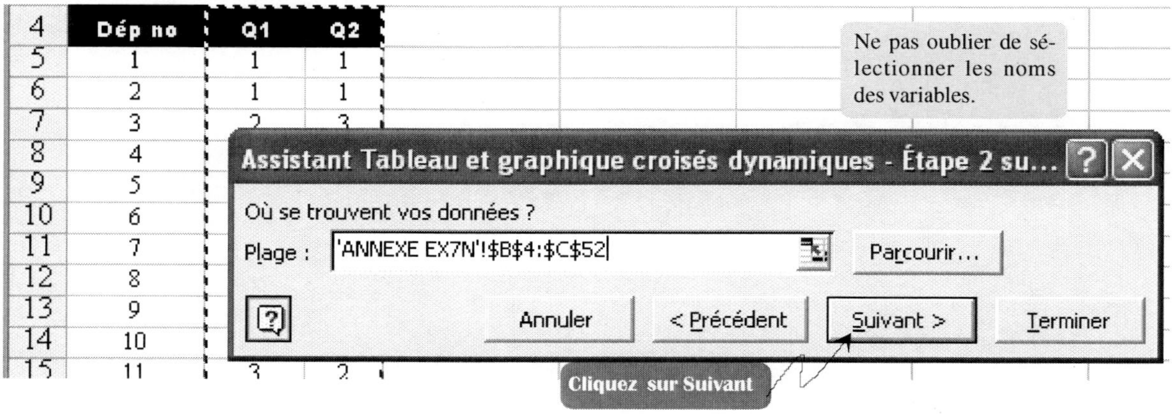

Assistant Tableau et graphique croisés dynamiques - Étape 1 sur 3

Où se trouvent les données à analyser ?
- ⦿ Liste ou base de données Microsoft Excel ← *Sélectionner **Liste ou base de données Microsoft Excel**.*
- ○ Source de données externe
- ○ Plages de feuilles de calcul avec étiquettes
- ○ Autre rapport de tableau ou de graphique croisé dynamique

Quel type de rapport voulez-vous créer ?
- ⦿ Tableau croisé dynamique
- ○ Rapport de graphique croisé dynamique (avec rapport de tableau croisé dynamique)

*Sélectionner **Tableau croisé dynamique**.*

Cliquez sur Suivant

Annuler | < Précédent | Suivant > | Terminer

4	Dép no	Q1	Q2
5	1	1	1
6	2	1	1
7	3	2	3
8	4		
9	5		
10	6		
11	7		
12	8		
13	9		
14	10		
15	11	3	2

Ne pas oublier de sélectionner les noms des variables.

Assistant Tableau et graphique croisés dynamiques - Étape 2 su...

Où se trouvent vos données ?

Plage : 'ANNEXE EX7N'!$B$4:$C$52 | Parcourir...

Annuler | < Précédent | Suivant > | Terminer

Cliquez sur Suivant

Pour construire un tableau croisé, il faut sélectionner des variables contenues dans des colonnes adjacentes. Si les variables à croiser ne sont pas dans des colonnes adjacentes, il faut alors sélectionner toutes les colonnes, puis faire le choix des variables à croiser à l'étape 3.

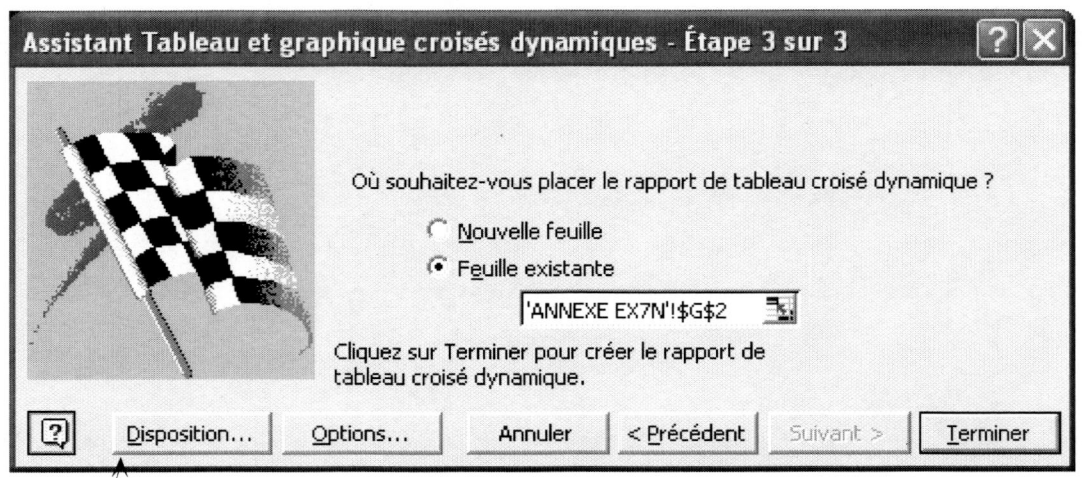

Cliquez d'abord sur le bouton Disposition

C'est à cette étape qu'on sélectionne les variables à croiser en faisant glisser les boutons à droite de la fenêtre sur le diagramme, la première variable sur la zone **LIGNE** et la seconde sur la zone **CO-LONNE**.

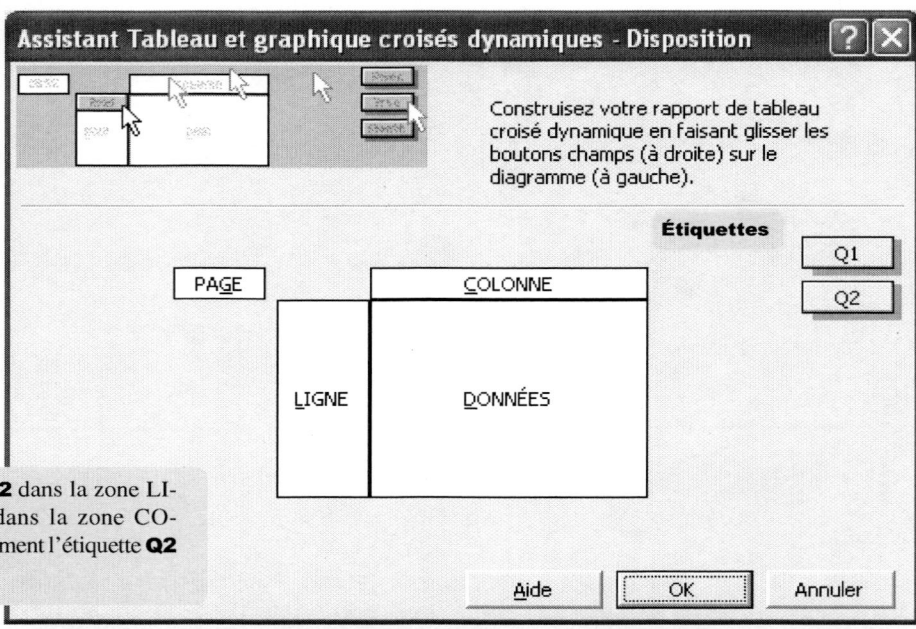

Faire glisser l'étiquette **Q2** dans la zone LIGNE et l'étiquette **Q1** dans la zone CO-LONNE; faire glisser également l'étiquette **Q2** dans la zone DONNÉES.

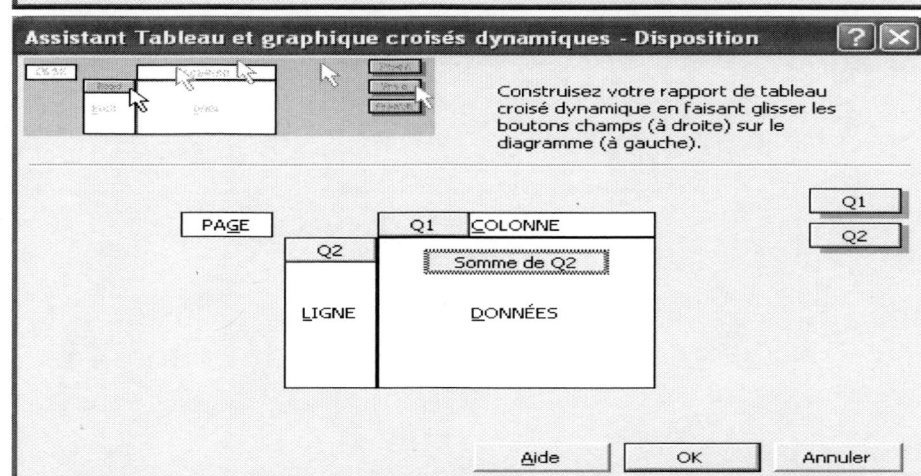

Si la variable qui est glissée dans la zone DONNÉES est numérique, Excel présente par défaut **Somme de...**; double-cliquer sur Somme de ... et sélectionner **Nb** dans la fenêtre **Champ dynamique** pour obtenir les fréquences absolues.

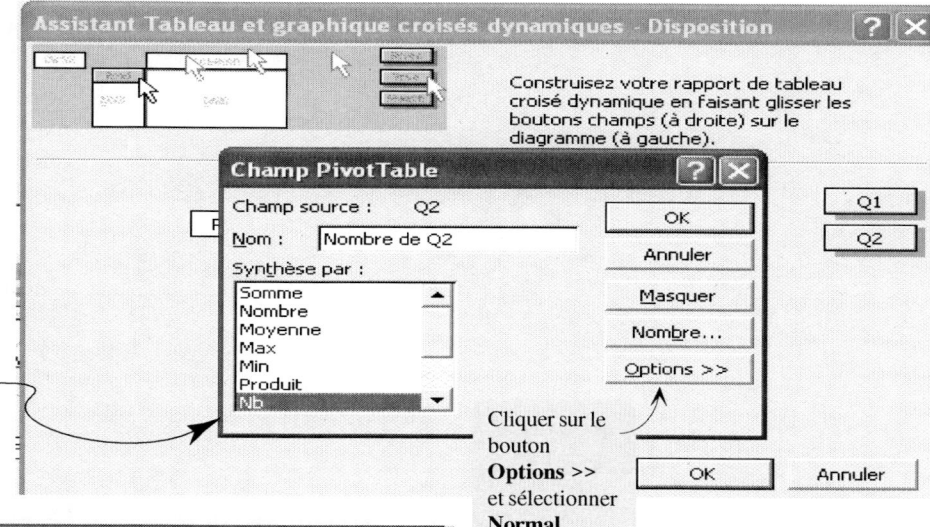

Cliquer sur le bouton **Options >>** et sélectionner **Normal**.

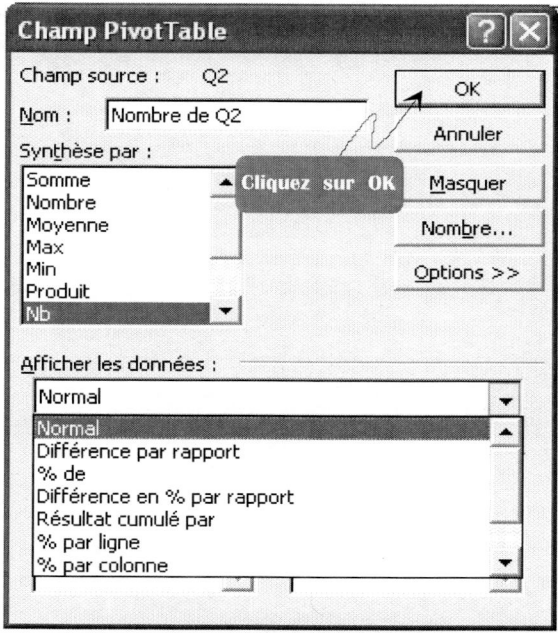

Par défaut Excel applique à l'étape 3, la fonction **Somme** lorsque les données associées aux variables à croiser sont numériques et la fonction **Nbval** dans le cas de données non numériques. Dans notre cas, il faut modifier, comme nous l'avons indiqué précédemment, la fonction dans la boîte de dialogue et sélectionner **Nb**.

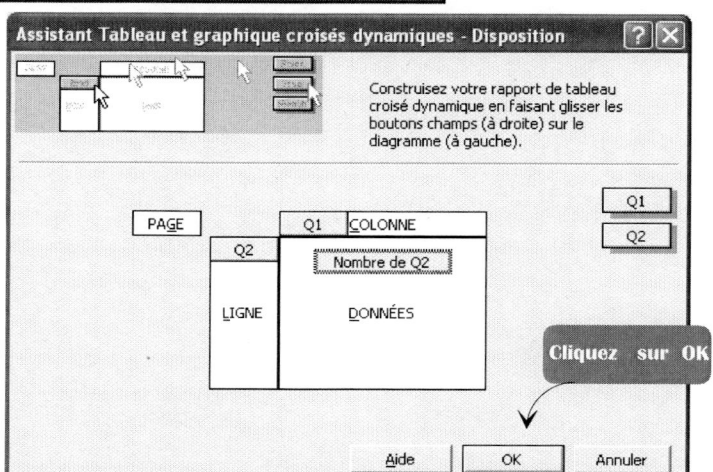

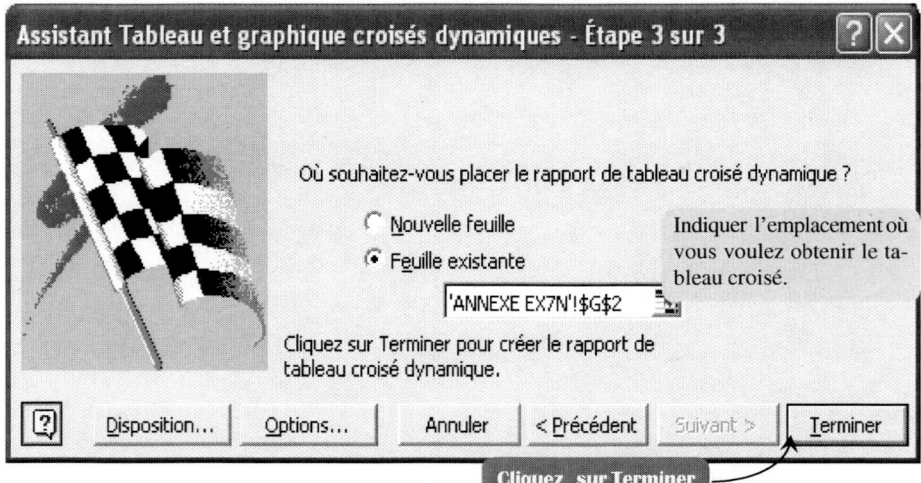

Assistant Tableau et graphique croisés dynamiques - Étape 3 sur 3

Où souhaitez-vous placer le rapport de tableau croisé dynamique ?

○ Nouvelle feuille

● Feuille existante

Indiquer l'emplacement où vous voulez obtenir le tableau croisé.

'ANNEXE EX7N'!$G$2

Cliquez sur Terminer pour créer le rapport de tableau croisé dynamique.

Disposition...   Options...   Annuler   < Précédent   Suivant >   **Terminer**

Cliquez sur Terminer

	G	H	I	J	K
1					
2	Nombre de Q2	Q1 ▼			
3	Q2 ▼	1	2	3	Total
4	1	16	5	5	26
5	2	5	6	2	13
6	3	1	4	4	9
7	Total	22	15	11	48

On peut modifier le tableau croisé obtenu pour le rendre plus explicite, en cliquant dans les cellules pour en modifier le contenu. Voici les changements que nous avons apportés au tableau.

	G	H	I	J	K
1					
2	Fréquences absolues	Mode d'exploitation ▼			
3	Chiffre d'affaires ▼	Indépendant	Bannière	Franchisé	Total
4	Moins de 50 000$	16	5	5	26
5	500 000$ à 749 999$	5	6	2	13
6	750 000$ à 999 999$	1	4	4	9
7	Total	22	15	11	48

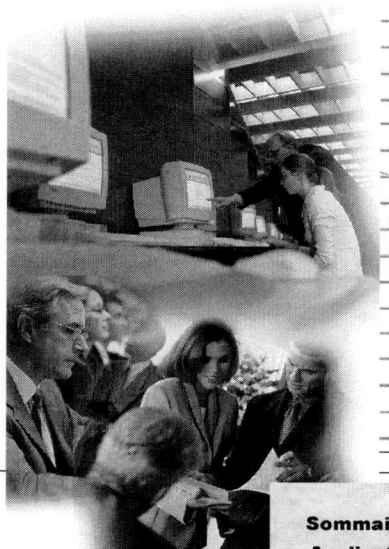

Chapitre 10

Introduction à l'analyse de variance

Dans une étude* expérimentale sur l'étude de la relation entre satisfaction et fidélité à une marque de commerce, on a rassemblé les individus qui ont participé à l'étude selon trois groupes d'après les critères suivants:

Groupe 1: Individus présentant à la fois des caractéristiques psychologiques et comportementales de fidélité à la marque.

Groupe 2: Individus qui, ayant exprimé une intention de fidélité, ont finalement acheté une autre marque.

Groupe 3: Individus qui déclarent vouloir acheter une marque différente de celle qu'ils utilisent actuellement.

Les résultats présentés ci-après donnent le niveau de satisfaction face à la marque de commerce pour le produit «shampooing».

Shampooing

	Groupe G1	Groupe G2	Groupe G3
Nombre d'individus	80	30	43
Satisfaction moyenne	5,21	5,00	4,28
Somme de carrés	$\sum_{i=1}^{80} (y_{i1} - \bar{y}_1)^2 = 34{,}76$	$\sum_{i=1}^{30} (y_{i2} - \bar{y}_2)^2 = 17{,}98$	$\sum_{i=1}^{43} (y_{i3} - \bar{y}_3)^2 = 60{,}48$

Pour comparer les trois groupes, il faut d'abord constituer un tableau d'analyse de variance pour la variable «satisfaction du consommateur» en ce qui a trait au produit *Shampooing*.

On aimerait par la suite, déterminer si le niveau moyen de satisfaction à la marque de commerce est identique, peu importe le groupe d'appartenance des individus?

* Source: Adapté de Dufer, J., J.L. Moulins et P. Duncas. *Satisfaction et fidélité: les prémices d'un divorce,...* Colloque de l'association française du marketing.

L'outil statistique requis pour comparer les moyennes de plusieurs populations (ou groupes) est l'analyse de variance. Dans bien des cas, on s'intéresse à déterminer s'il existe un effet statistique attribuable à diverses modalités d'un (ou plusieurs) facteur(s) sur une variable dépendante. Nous présentons dans ce chapitre certains aspects de l'analyse de variance.

Chapitre 10
Introduction à l'analyse de variance

Objectifs pédagogiques

☐ **Objectif général.** *Dans ce chapitre, nous traitons d'un outil puissant de la statistique qui permet de comparer deux ou plusieurs moyennes et d'analyser les effets de divers facteurs sur une variable à l'aide de l'analyse de variance.*

☐ **Objectifs spécifiques.** *Lorsque vous aurez complété l'étude du chapitre 10, vous pourrez:*

1. *décomposer la variabilité existante dans les données en variation attribuable aux modalités de un ou deux facteurs et en variation résiduelle;*

2. *construire un tableau d'analyse de variance;*

3. *préciser les hypothèses statistiques à tester et effectuer le test à l'aide du rapport de variances;*

4. *déterminer les modalités qui présentent un effet dominant en appliquant la méthode de Tukey-Kramer;*

5. *effectuer une analyse de variance suivant deux facteurs dans une structure avec affectation au hasard par blocs;*

6. *effectuer une analyse de variance suivant deux facteurs avec présence d'interaction;*

7. *utiliser les outils d'analyse de variance de l'Utilitaire d'analyse d'Excel.*

10.1 Comparaison de plusieurs moyennes: introduction à l'analyse de variance

Lorsque nous sommes dans la situation où l'on doit comparer plus de 2 moyennes, on ne peut plus utiliser le *T* de Student comme nous l'avons fait pour tester l'égalité de deux moyennes. Toutefois un outil puissant de la statistique, connu sous le nom d'*analyse de variance*, permet de tester l'hypothèse d'égalité de moyennes pour 2 populations et plus.

Cette technique d'analyse permet de comparer les moyennes d'échantillon de chaque modalité (ou niveau) à la moyenne globale des résultats et de refléter les différences à travers une analyse de variabilité.

Si l'écart entre la moyenne respective de chaque modalité par rapport à la moyenne globale est plutôt faible, on conclura (avec un test de comparaison de variances) que les moyennes ne diffèrent pas de façon significative.

Le principe d'analyse de variance consiste à décomposer la variation totale dans les données obtenues pour la variable concernée (dite variable dépendante) en diverses composantes attribuables aux différentes sources (facteurs considérés et non considérés) possibles de variation. Il s'agit par la suite, à l'aide d'un tableau d'analyse de variance, de tester quelles sources de variation sont significatives.

Donnons un premier exemple qui permet de situer le genre d'applications qui relève de l'analyse de variance.

Exemple 10.1

Comparaison de trois groupes d'employés: test de perception des formes

	A	B	C	D	E
1	Exemple 10.1				
2	Comparaison de trois groupes d'employés au test de perception des formes				
3		Atelier mécanique	Assemblage	Manutention	
4		89	93	76	
5		92	91	83	
6		92	104	73	
7		80	82	84	
8		92	103	82	
9		74	88	94	
10		79	86	91	
11		82	102	83	
12		99	97	85	
13		94	86	87	
14		72	85	81	
15		82	102	93	
16		81	89	91	
17		76	94	91	
18		72	88	87	
19		92	90	79	

L'entreprise Simtek, oeuvrant dans le domaine de la transformation du métal en feuille, vient d'afficher divers postes dans un nouveau département. Avant d'en arriver à la sélection des candidats, la responsable des ressources humaines a administré un test de perception des formes* à un échantillon d'individus provenant de trois secteurs de l'entreprise.

On s'intéresse à déterminer si la performance moyenne au test diffère de façon significative pour ces trois groupes d'employés.

Les résultats sont présentés dans le tableau ci-contre.

* Ce test permet d'évaluer l'aptitude à percevoir les détails pertinents des objets, de reproduction ou documents écrits, à comparer visuellement, à faire des distinctions et à voir les légères différences de formes et d'ombre des dessins, ainsi que les largeurs et les longueurs des lignes.

Examinons d'abord les données obtenues pour chaque groupe à l'aide d'un diagramme de dispersion et de diagrammes en boîte côte à côte.

	Atelier mécanique	Ass.	Man.
Somme	1348	1480	1360
Moyenne	84,25	92,5	85
	Moyenne générale:	87,25	

Nous indiquons également sur le tracé, la moyenne générale des résultats ainsi que les moyennes respectives des trois groupes.

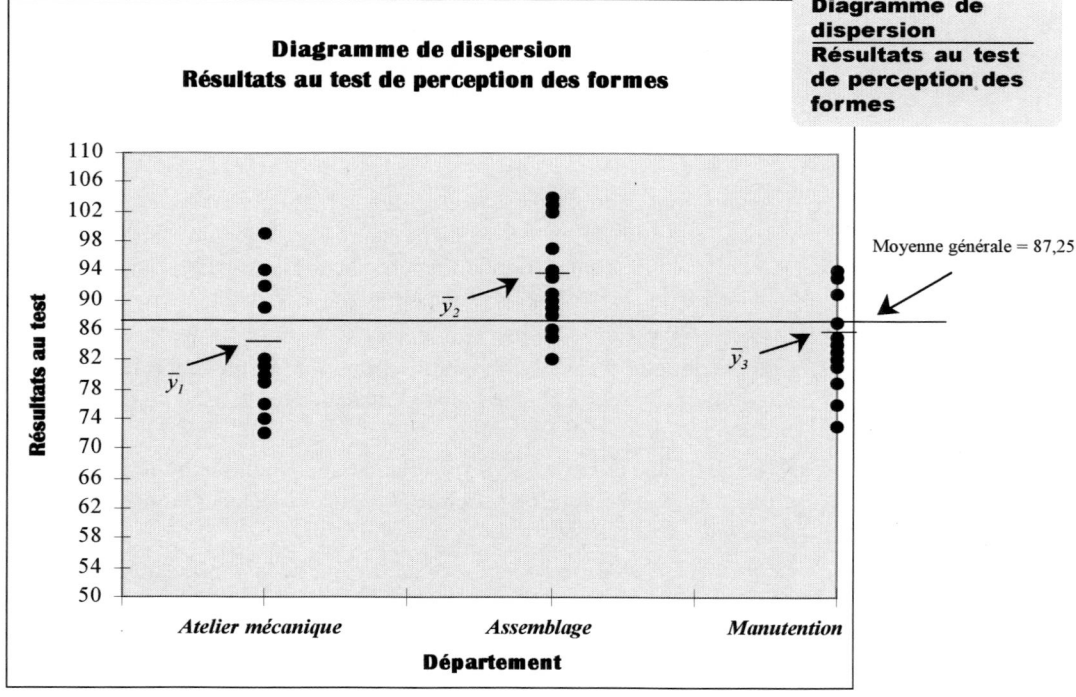

Diagramme de dispersion
Résultats au test de perception des formes

Diagramme de dispersion
Résultats au test de perception des formes

Moyenne générale = 87,25

Résultats au test

Atelier mécanique   Assemblage   Manutention

Département

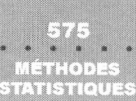

**Diagramme en boîtes
Comparaison des
trois groupes**

De ces diagrammes, nous constatons que le groupe 2 (assemblage) semble réaliser une performance moyenne supérieure aux deux autres.

S'il n'y avait pas de différence entre les trois groupes, le diagramme de dispersion présenterait une répartition uniforme autour de la moyenne générale avec une performance moyenne pour chaque groupe, très près de la moyenne générale.

Cet exemple illustre qu'il y a deux sources de variation dans les résultats que nous avons obtenus.

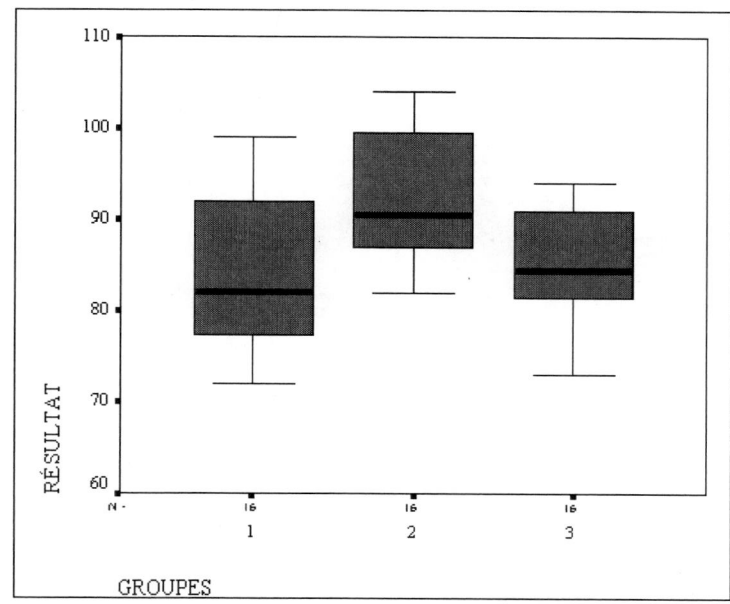

❶ Une source de variation attribuable à l'écart qui existe entre les moyennes d'échantillons provenant des 3 groupes. Cette source de variation est identifiée habituellement comme la source de variation attribuable au facteur considéré (ici les groupes d'employés) ou variation entre groupes (ou modalités).

❷ Une source de variation à l'intérieur de chaque échantillon (les résultats des employés varient à l'intérieur d'un même groupe) notée variation résiduelle ou variation à l'intérieur des groupes (modalités).

10.2 Détermination des sommes de carrés et tableau d'analyse de variance

L'analyse de variance permet de tester les hypothèses statistiques suivantes:

Hypothèses statistiques

Hypothèse nulle: H_0: $\mu_1 = \mu_2 = ... = \mu_k$
Hypothèse alternative: H_1: *les μ_j ne sont pas toutes égales.*

Pour en arriver à la statistique qui va nous permettre de trancher entre ces deux hypothèses, il faut quantifier les sources de variation que nous avons mentionnées précédemment. Pour ce faire, on décompose la variabilité existante dans tous les résultats (sans égard au facteur), dite *variation totale* en deux composantes:
variation attribuable aux modalités du facteur (que nous identifions ici facteur A) ou *variation expliquée* par le facteur et une *variation résiduelle* ou variation inexpliquée par le facteur.

Sources de variation en analyse de variance

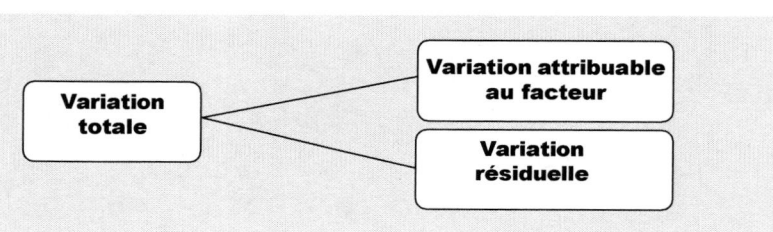

Décomposition de la variation dans les observations y_{ij}

Le calcul des sommes de carrés repose sur la relation suivante:

$$(y_{ij} - \overline{y}) = (\overline{y}_j - \overline{y}) + (y_{ij} - \overline{y}_j)$$

Schématisation des données
Facteur A

Modalité	1	2	...	j	...	k
Résultats	y_{11}	y_{12} ...	y_{1j} ...			y_{1k}
	y_{21}	y_{22} ...	y_{2j} ...			y_{2k}
	y_{31}	y_{32} ...	y_{3j} ...			y_{3k}
	.	.	.			.
	.	.	.			.
	$y_{m_1 1}$	$y_{m_2 2}$ ...	$y_{n_j j}$ ...			$y_{n_k k}$

où y_{ij} représente la i ième observation pour la modalité j.

$\overline{y}$ représente la moyenne générale ou moyenne de tous les résultats.

$\overline{y}_j$, la moyenne des résultats sous la modalité j.

De plus, n_j, est le nombre de résultats sous la modalité j.

$n = n_1 + n_2 + ... + n_k$, le nombre total de résultats.

La relation fondamentale ci-haut nous indique que l'écart total des résultats y_{ij} par rapport à la moyenne générale $\overline{y}$ se décompose en deux parties.

❑ La première, $(\overline{y}_j - \overline{y})$, représente l'écart entre la moyenne des résultats de la modalité j et la moyenne générale $\overline{y}$ (écart attribuable aux modalités du facteur considéré).

❑ La seconde, $(y_{ij} - \overline{y}_j)$, représente l'écart entre les résultats y_{ij} et la moyenne $\overline{y}_j$ de la modalité j (écart résiduel à l'intérieur d'une même modalité et non imputable au facteur considéré).

Variabilité attribuable à chaque composante

Pour avoir une idée de l'ampleur de ces écarts, c.-à-d. de la variabilité attribuable à chaque composante, on doit les exprimer en termes de sommes de carrés.

En élevant au carré chaque membre de l'équation, on obtient

$$(y_{ij} - \overline{y})^2 = [(\overline{y}_j - \overline{y}) + (y_{ij} - \overline{y}_j)]^2.$$

En effectuant les sommations sur $i = 1, 2, ..., n_j$ et sur j, $j = 1, 2, ..., k$ modalités, on trouve (résultat que nous donnons sans démonstration) l'équation fondamentale de l'analyse de variance pour un facteur contrôlé:

$$\sum_{j=1}^{k} \sum_{i=1}^{n_j} (y_{ij} - \overline{y})^2 = \sum_{j=1}^{k} \sum_{i=1}^{n_j} (\overline{y}_j - \overline{y})^2 + \sum_{j=1}^{k} \sum_{i=1}^{n_j} (y_{ij} - \overline{y}_j)^2$$

$$= \sum_{j=1}^{k} n_j (\overline{y}_j - \overline{y})^2 + \sum_{j=1}^{k} \sum_{i=1}^{n_j} (y_{ij} - \overline{y}_j)^2$$

Identifions ces sommes de carrés comme suit:

Expressions des sommes de carrés selon les diverses sources de variation

$$\text{Somme de carrés totale} = SCT = \sum_{j=1}^{k} \sum_{i=1}^{n_j} (y_{ij} - \overline{y})^2$$

$$\text{Somme de carrés attribuable au facteur A} = SC_A = \sum_{j=1}^{k} n_j (\overline{y}_j - \overline{y})^2$$

$$\text{Somme de carré résiduelle} = SC_{RES} = \sum_{j=1}^{k} \sum_{i=1}^{n_j} (y_{ij} - \overline{y}_j)^2$$

On a donc $SCT = SC_A + SC_{RES}$

Calcul des degrés de liberté

À chaque somme de carrés correspondent des degrés de liberté.

Dans le cas de SCT, on a $(n-1)$ degrés de liberté; nous avons au total n observations mais nous perdons un degré de liberté puisque nous devons estimer la moyenne générale pour calculer les écarts $(y_{ij} - \overline{y})$.

Pour SC_A, on a $(k-1)$ degrés de liberté; nous évaluons la variabilité de k moyennes correspondant aux k modalités du facteur. Toutefois nous perdons 1 degré de liberté du fait que nous devons estimer la moyenne générale pour calculer les écarts $(\overline{y}_j - \overline{y})$.

Dans le cas de SC_{RES}, on a $(n-k)$ degrés de liberté; nous avons n observations mais nous perdons k degrés de liberté puisque nous devons estimer k moyennes pour calculer les écarts $(y_{ij} - \overline{y}_j)$.

Additivité des sommes de carrés

Selon la propriété d'additivité des sommes de carrés et des degrés de liberté, on a

$$SCT = SC_A + SC_{RES} \quad \text{(sommes de carrés)}$$
$$(n-1) = (k-1) + (n-k) \quad \text{(degrés de liberté)}$$

Estimation des variances attribuables à chaque source de variation: calcul des carrés moyens

Les carrés moyens (ou variances observées) sont des estimations de variances théoriques.

En statistique, nous savons qu'une somme de carrés divisée par son nombre de degrés de liberté constitue une variance que nous appelons en analyse de variance, *carré moyen*.

Le *carré moyen dû au facteur A* (carré moyen attribuable à la variabilité entre les moyennes des k modalités) est:

$$CM_A = \frac{SC_A}{k-1} = \frac{\sum_{j=1}^{k} n_j (\overline{y}_j - \overline{y})^2}{k-1}$$

Le *carré moyen résiduel* (carré moyen attribuable à la variabilité des résultats sous chacune des k modalités) est:

$$CM_{RES} = \frac{SC_{RES}}{n-k} = \frac{\sum_{j=1}^{k} \sum_{i=1}^{n_j} (y_{ij} - \overline{y}_j)^2}{n-k}$$

Tableau d'analyse de variance

Il est de pratique courante de résumer l'ensemble de ces quantités sous forme d'un tableau appelé *tableau d'analyse de variance*. Il permet de présenter sous forme pratique les éléments d'une analyse de variance pour un facteur contrôlé.

Tableau 10.1

Tableau d'analyse de variance pour un facteur contrôlé

Source de variation	Somme de carrés	Degrés de liberté	Carrés moyens
Attribuable au facteur A (expliquée)	SC_A	$k-1$	$CM_A = \dfrac{SC_A}{k-1}$
Résiduelle (inexpliquée)	SC_{RES}	$n-k$	$CM_{RES} = \dfrac{SC_{RES}}{n-k}$
Totale	SCT	$n-1$	

Exemple 10.2

Détermination du tableau d'analyse de variance: comparaison des trois groupes d'employés

Utilisons les données de l'exemple 10.1 et déterminons le tableau d'analyse de variance pour les résultats au test de perception des formes pour les trois groupes d'employés. Les calculs peuvent s'effectuer facilement avec une petite calculatrice ou encore avec Excel.

Nous indiquons en annexe 10, comment effectuer une analyse de variance avec Excel.

$$SCT = \sum_{j=1}^{3} \sum_{i=1}^{16} (y_{ij} - \overline{y})^2 = \sum_{j=1}^{3} \sum_{i=1}^{16} (y_{ij} - 87{,}25)^2 = (89 - 87{,}25)^2 + (92 - 87{,}25)^2$$
$$+ \ldots + (87 - 87{,}25)^2 + (79 - 87{,}25)^2 = 3095$$

$$SC_{RES} = \sum_{j=1}^{3} \sum_{i=1}^{15} (y_{ij} - \overline{y}_j)^2 = \sum_{i=1}^{16} (y_{ij} - 84{,}25)^2 + \sum_{i=1}^{16} (y_{ij} - 92{,}5)^2 + \sum_{i=1}^{16} (y_{ij} - 85)^2$$
$$= 1115 + 758 + 556 = 2429$$

Par différence, on obtient

$$SC_A = SCT - SC_{RES}$$
$$= 3095 - 2429 = 666 \quad \text{ou encore en utilisant}$$

$$SC_A = \sum_{i=1}^{16} 16(\overline{y}_j - \overline{y})^2 = 16(84{,}25 - 87{,}25)^2 + 16(92{,}5 - 87{,}25)^2$$
$$+ 16(85 - 87{,}25)^2 = 666.$$

Les degrés de liberté sont respectivement
$(n\text{-}1) = 48 - 1 = 47$ pour SCT
$(k\text{-}1) = 3 - 1 = 2$ pour SC_A
$(n\text{-}k) = 48 - 3 = 45$ pour SC_{RES}.

On peut schématiser comme suit la décomposition de la variation totale dans les résultats au test de perception des formes.

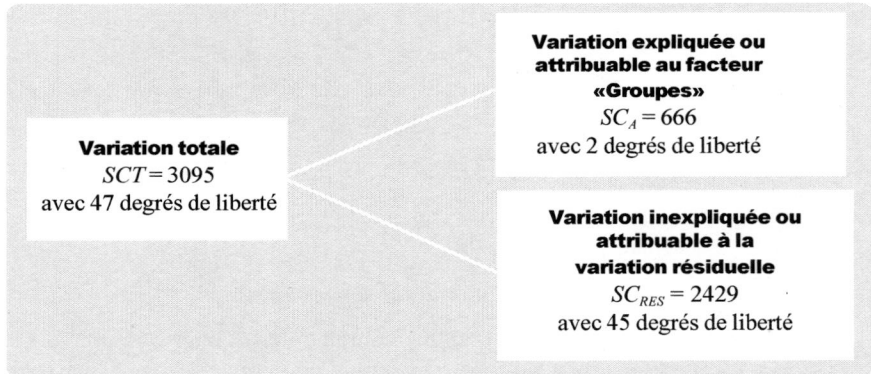

Tableau 10.2

Tableau d'analyse de variance Facteur: groupes d'employés

Source de variation	Somme de carrés	Degrés de liberté	Carrés moyens
Attribuable au facteur A (entre groupes)	666	2	666/2 = 333
Résiduelle (à l'intérieur de chaque groupe)	2429	45	2429/45 = 53,98
Totale	3095	47	

10.3   Test de l'influence du facteur A: test de Fisher

Avant de présenter le test statistique requis, précisons les conditions d'application du test.

Conditions fondamentales associées à une analyse de variance

Conditions d'application d'une analyse de variance. On suppose

a) que les observations constituent des échantillons prélevés au hasard et indépendamment;

b) que les k populations échantillonnées sont distribuées normalement;

c) que les variances des populations sont identiques.

Pour tester l'influence du facteur A comportant k modalités, on applique le test de Fisher (test d'égalité des variances) aux carrés moyens CM_A et CM_{RES} et le test sera toujours unilatéral à droite. On pourrait appliquer à nouveau la démarche du test.

Démarche du test

1. **Hypothèses statistiques.**
   $H_0: \mu_1 = \mu_2 = ... = \mu_k$
   $H_1:$ Les μ_j ne sont pas toutes égales

2. **Seuil de signification.**
   α

3. **Conditions d'application du test:** On suppose que les observations constituent des échantillons prélevés au hasard et indépendamment de k populations normales de variances identiques σ^2.

4. **La statistique** qui convient pour le test est le rapport des carrés moyens. En supposant H_0 vraie et selon les conditions d'application, la quantité $F = \dfrac{CM_A}{CM_{RES}}$ est distribuée selon la loi de Fisher avec $(k\text{-}1)$ et $(n\text{-}k)$ degrés de liberté.

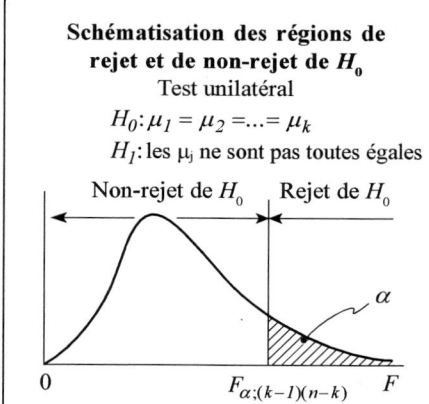

Schématisation des régions de rejet et de non-rejet de H_0
Test unilatéral
$H_0: \mu_1 = \mu_2 = ... = \mu_k$
$H_1:$ les μ_j ne sont pas toutes égales
Non-rejet de H_0 Rejet de H_0
α
0 $F_{\alpha;(k-1)(n-k)}$ F

5. **Règle de décision.** Au seuil α, la valeur critique du F de Fisher est $F_{\alpha;(k-1),(n-k)}$. Si $F > F_{\alpha;(k-1),(n-k)}$, nous rejetons H_0 et favorisons H_1.

6. **Calcul du quotient des carrés moyens.**
   $$F = \frac{CM_A}{CM_{RES}}.$$

7. **Décision et conclusion.** Si le F obtenu est supérieur à la valeur critique $F_{\alpha;(k-1),(n-k)}$, nous rejetons H_0 et favorisons H_1. Nous conclurons alors à une influence significative du facteur A.

Exemple 10.3   **Test de l'influence du facteur «Groupes» sur la performance moyenne des employés**

Pour compléter notre analyse, il suffit maintenant de calculer le rapport des carrés moyens et de le comparer à la valeur critique obtenue de la table de Fisher (ou d'Excel). Ce calcul peut être complété directement sur le tableau d'analyse de variance en ajoutant une dernière colonne, celle du rapport F.

Tableau 10.3

Test sur la performance moyenne des trois groupes d'employés

Source de variation	Somme de carrés	Degrés de liberté	Carrés moyens	Rapport F
Attribuable au facteur A (entre groupes)	666	2	333	6,169
Résiduelle (à l'intérieur de chaque groupe)	2429	45	53,98	
Totale	3095	47		

Hypothèses statistiques

$H_0: \mu_1 = \mu_2 = \mu_3$

(La performance moyenne est identique pour les trois groupes d'employés)

$H_1:$ Les μ_j ne sont pas toutes égales

Au seuil $\alpha = 0,05$, on obtient de la table de Fisher, $F_{0,05;2,45} = 3,204$. Nous rejetons l'hypothèse nulle si $F > 3,204$, sinon, nous ne pouvons rejeter H_0.

Du tableau d'analyse de variance, on a $F = 6,169 > 3,204$, nous rejetons H_0. Il semble, au seuil de signification 5%, que la performance moyenne au test de perception des formes diffère pour ces trois groupes d'employés.

Forme simplifiée pour le calcul des sommes de carrés

Le calcul des sommes de carrés est facilité en utilisant les expressions suivantes.

Autre façon de calculer les sommes de carrés

$$SCT = \sum_{j=1}^{k} \sum_{i=1}^{n_j} y_{ij}^2 - \frac{T^2}{n} \quad \text{où } T = \sum_{j=1}^{k} \sum_{i=1}^{n_j} y_{ij} \quad \text{représente la somme totale de toutes}$$

les observations.

$$SC_A = \sum_{j=1}^{k} \frac{T_j^2}{n_j} - \frac{T^2}{n} \quad \text{où } T_j = \sum_{i=1}^{n_j} y_{ij} \quad \text{représente la somme des observations sous}$$

la modalité j.

$$SC_{RES} = \sum_{j=1}^{k} \sum_{i=1}^{n_j} y_{ij}^2 - \sum_{j=1}^{k} \frac{T_j^2}{n_j} \quad n\text{: nombre total d'observations; } n_j\text{: nombre d'observations sous la modalité } j.$$

Remarques. a) Un facteur est aussi appelé «variable indépendante ou explicative». Il peut être de nature **quantitative** ou **qualitative**. Les valeurs qui sont spécifiées pour un facteur quantitatif s'appellent «niveaux» alors que les spécificités d'un facteur qualitatif s'appelle «modalités». Toutefois, plusieurs ouvrages ne font aucune distinction entre niveaux d'un facteur et modalités. Dans l'exemple que nous venons de traiter, nous avions une expérience à un facteur (groupes) comportant 3 modalités (identifiées par les trois secteurs de l'entreprise).

b) *Comparaison entre le test de Student et l'analyse de variance.* Lorsqu'il n'y a que deux modalités (ou deux populations à comparer) c.-à-d. quand le nombre de degrés de liberté pour la variation entre modalités est égal à 1, les tests de Student (t) et de Fisher (F) donnent les mêmes résultats car $F_{1,n-2} = t^2$. L'analyse de la variance est toutefois beaucoup plus puissante puisqu'elle permet de comparer plusieurs populations ($k \geq 2$).

c) Pour assurer une plus grande efficacité d'une expérience, il est préférable de prévoir un nombre égal d'observations pour chaque modalité (traitement).

Exercices d'apprentissage

Série 10.1

📖 Comparaison du nombre moyen d'unités vendues
Facteur explicatif: couleur de l'emballage

1. L'entreprise Multimark vient de mettre un nouveau produit sur le marché et s'intéresse à l'effet de la couleur de l'emballage sur les ventes. Trois couleurs sont présentement à l'étude, soit rouge, or et argent.

Un point de vente a été sélectionné au hasard avec un aménagement identique pour les trois types d'emballage. Le nombre d'unités vendues de ce nouveau produit avec chaque type d'emballage a été enregistré pour une période de 10 jours.
Les données sont présentées dans le tableau ci-après.

Jour	Couleur de l'emballage		
	Rouge	Or	Argent
1	29	34	36
2	36	30	19
3	24	18	22
4	22	21	31
5	24	39	34
6	26	24	20
7	31	30	21
8	24	29	27
9	32	33	18
10	25	21	36

a) Quelle est la variable dépendante?

b) Identifiez le facteur dont on veut évaluer l'effet sur la variable dépendante et combien comporte-t-il de modalités?

c) Décrivez en mots l'hypothèse nulle que l'on veut tester dans cette expérience et précisez-la sous forme statistique.

d) On donne également

$$\sum \sum y_{ij} = 816 \text{ et } \sum \sum y_{ij}^2 = 23272.$$

Calculez les sommes de carrés suivantes.
$SCT =$
$SCA =$
(Couleur de l'emballage)
$SC_{RES} =$

2. a) Complétez le tableau d'analyse de variance

Source de variation	Somme de carrés	Degrés de liberté	Carrés moyens	Rapport F
Couleur de l'emballage				
Résiduelle				
Totale				

Valeur critique de F: $F_{0,05;}$, = _____
Règle de décision:

b) Peut-on considérer comme vraisemblable l'hypothèse nulle spécifiée en c) au seuil de signification 5%? Justifiez votre conclusion.

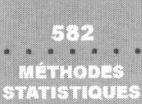

10.4 Comparaisons multiples: méthode de Tukey-Kramer

Dans le cas où l'analyse de variance conduit au rejet de l'hypothèse nulle (différence significative entre les moyennes des modalités), on peut alors se poser les questions suivantes.

a) Est-ce qu'une modalité semble avoir un effet dominant, parmi toutes les modalités?

b) Est-ce que les modalités du facteur peuvent être séparées en plusieurs groupes homogènes, les effets à l'intérieur de chaque groupe semblant pratiquement identiques?

Diverses méthodes ont été développées pour traiter de la séparation en groupes des effets des modalités. Mentionons entre autres, la méthode LSD ("least square difference", la méthode de Tukey-Kramer, de Newman-Keuls, de Duncan,....). Nous ne traiterons ici que de la méthode de Tukey-Kramer.

Pour illustrer cette méthode, utilisons les données de l'exemple 10.1.

Application de la méthode de Tukey-Kramer au seuil $\alpha = 0,05$

❶ *Ordonner par valeurs croissantes les k moyennes obtenues des k modalités* (ici $k = 3$).

Atelier mécanique	Manutention	Assemblage
84,25	85	92,5

❷ *À partir de la table de variance, relever le carré moyen résiduel (CM_{RES}) ainsi que les degrés de liberté correspondants (v).*

$$CM_{RES} = 53,98 \text{ avec } v = 45 \text{ degrés de liberté}$$

Méthode de Tukey-Kramer
Extrait de la table des valeurs
$Q_{0,05}$

Degrés de liberté du CM_{RES} (v)	Nombre de modalités (k)			
	2	3	4	5 ...
1	18,0	27,0	32,8	37,1 ...
2	6,09	8,3	9,8	10,9 ...
.	.	.	.	.
.	.	.	.	.
.	.	.	.	.
40	2,86	3,44	3,79	4,04
60	2,83	3,40	3,74	3,98

❸ *Utilisation de la table statistique $Q_{0,05}$.*

Entrer dans la table de la statistique $Q_{0,05}$ et déterminer la quantité $Q_{0,05;k,v} = Q_{0,05;3,40} = 3,44$ (nous avons utilisé $v = 40$, la valeur 45 n'étant pas dans la table).

❹ *Détermination de l'écart critique.*

L'écart minimum de séparation ou l'écart critique s'obtient de l'expression suivante:

$$\text{Écart critique} = w = Q_{0,05}\sqrt{\frac{CM_{RES}}{2}\left(\frac{1}{n_i}+\frac{1}{n_j}\right)}$$

où n_i est la taille de l'échantillon sous la modalité i et n_j, celle sous la modalité j pour les moyennes $\bar{y}_i$ et $\bar{y}_j$ que nous voulons comparer. Si la taille d'échantillon est identique pour toutes les k modalités ($n_k = n_1 = n_2 = ... = n_j$), alors l'expression se réduit à

$$\text{Écart critique} = w = Q_{0,05}\sqrt{\frac{CM_{RES}}{n_k}}$$ (la méthode s'appelle alors uniquement la méthode de Tukey).

On obtient ici, $w = 3,44\sqrt{\dfrac{53,98}{16}} = (3,44)(1,837) = 6,318$ avec $n_k = 16$

❺ *Comparaison des écarts entre les moyennes avec l'écart critique.*

Il s'agit maintenant de comparer l'écart entre les moyennes pour chaque paire de moyennes (nous en avons $\dfrac{(k)(k-1)}{2}$ paires à comparer) avec l'écart critique w.

> Nous indiquons en annexe 10, comment effectuer une analyse de Tukey-Kramer avec Excel.

Si l'écart observé entre deux moyennes est supérieur à l'écart critique w, nous concluons qu'il existe une différence significative entre les moyennes des modalités correspondantes.

Ici, on a $k = 3$, donc $\dfrac{(3)(2)}{2} = 3$ paires de moyennes à comparer.

Les comparaisons sont les suivantes en commençant avec la plus grande moyenne versus la plus petite.

Atelier mécanique	Manutention	Assemblage
84,25	85	92,5

$w = 6,318$

1. Assemblage vs Atelier mécanique
$\bar{y}_1 - \bar{y}_3 = 92,5 - 84,25 = 8,25 > 6,318$, différence significative.

2. Assemblage vs Manutention
$\bar{y}_1 - \bar{y}_2 = 92,5 - 85 = 7,5 > 6,318$, différence significative.

3. Manutention vs Atelier mécanique
$\bar{y}_2 - \bar{y}_3 = 85 - 84,25 = 0,75 < 6,318$, différence non significative.

Nous résumons ces comparaisons dans le tableau suivant.

Modalités	Écart observé	Écart critique w	Différence significative
Assemblage vs Atelier mécanique	8,25	6,318	Oui
Assemblage vs Manutention	7,5	6,318	Oui
Manutention vs Atelier mécanique	0,75	6,318	Non

Moyenne Assemblage	Moyenne Manutention	Moyenne Atelier mécanique
92,5	85	84,25

(Différence non significative)

Le groupe «Assemblage» présente une performance moyenne supérieure à celle des deux autres groupes; les différences non significatives sont soulignées.

10.5   Analyse de variance suivant deux facteurs

Nous complétons notre étude sur l'analyse de variance en examinant deux structures expérimentales à 2 facteurs. L'objectif de tout plan expérimental est essentiellement de contrôler de façon systématique les sources de fluctuations et de les identifier dans le modèle d'analyse de variance.

Un autre objectif est d'obtenir le maximum d'information avec le minimum de données, ce qui a une incidence directe sur le coût de l'expérience et le temps requis pour l'effectuer. Nous abordons ici

- Plan expérimental avec affectation au hasard par blocs
- Plan factoriel.

Ce plan d'expérience est approprié lorsqu'on veut examiner l'effet d'un facteur sur une variable dépendante mais en tenant compte également que les unités expérimentales sont classées selon un critère commun constituant ainsi un *bloc*. Ce critère commun peut être une caractéristique physique (âge, sexe, individu,...), sociologique (niveau d'éducation, type d'entreprise, revenu, taille d'une population,...), technique (machine, lot, critère de qualité, ingrédient chimique, matériaux,...).

Critères utilisés pour constituer un bloc

Ainsi dans ce type de structure expérimentale, au lieu de prélever au hasard et indépendamment des unités expérimentales de k populations (les traitements ou modalités du facteur), elles sont plutôt constituées en blocs homogènes puis les traitements sont appliqués de façon aléatoire à l'intérieur de chaque bloc. Ceci permet de comparer entre eux les traitements (l'effet du facteur) à l'intérieur d'un même bloc.

Réduction de l'erreur expérimentale en tenant compte de l'effet bloc

Ce plan d'expérience permet donc de réduire l'erreur expérimentale (on soustrait de la variance résiduelle, l'effet blocs), pour ne tenir compte que de l'effet attribuable aux modalités du facteur.

Schématisation des données
Plan en blocs randomisés
Facteur A

Blocs	1	2 ...	j ...	k
1	y_{11}	y_{12} ...	y_{1j} ...	y_{1k}
2	y_{21}	y_{22} ...	y_{2j} ...	y_{2k}
.	.	.	.	.
.	.	.	.	.
i	y_{i1}	y_{i2} ...	y_{ij} ...	y_{ik}
.	.	.	.	.
.	.	.	.	.
r	y_{r1}	y_{r2} ...	y_{rj} ...	y_{rk}

Le cas le plus simple d'un plan d'expérience de ce type est le test de comparaison de deux échantillons appariés ou dépendants que nous avons traité au chapitre 8. Dans cette situation, on a n blocs et 2 traitements. L'analyse que nous en avons faite nous a permis d'éliminer la variabilité qui pourrait être attribuable aux différents individus (âge, motivation, dextérité...) pour ne considérer que l'effet attribuable au programme d'apprentissage sur le nombre de pièces assemblées.

Modèle statistique

$$y_{ij} = \mu + \tau_j + B_i + \varepsilon_{ij}, \quad i = 1,2,...,r, j = 1,2,...,k$$

où y_{ij} représente la valeur de la variable dépendante correspondant au j ième traitement dans le i ième bloc.

μ: la moyenne générale

τ_j : l'effet du j ième traitement

B_i : l'effet du i ième bloc

ε_{ij} : représente l'erreur aléatoire que l'on suppose distribuée normalement et indépendamment avec moyenne 0 et variance identique σ^2.

Formulation des hypothèses statistiques

On s'intéresse principalement à l'effet des traitements. L'hypothèse nulle que l'on veut soumettre au test est:

$$H_0 : \mu_{t_1} = \mu_{t_2} = ... = \mu_{t_k}$$

contre l'hypothèse alternative

$$H_1 : \text{les } \mu_{t_j} \text{ ne sont pas toutes égales.}$$

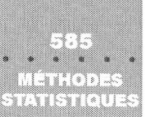

Une hypothèse secondaire que l'on peut tester est l'effet attribuable aux blocs.

Ceci nous donne une indication si oui ou non l'utilisation des blocs a permis d'absorber une partie de la variabilité dans la variable dépendante. Les hypothèses à tester sont alors:

$$H_0 : \mu_{b_1} = \mu_{b_2} = ... = \mu_{b_r}$$

H_1 : Les μ_{b_i} ne sont pas égales.

Règles de décision avec un seuil de signification α

Traitements: rejeter $H_0 : \mu_{t_1} = \mu_{t_2} = ... = \mu_{t_k}$ si $F > F_{\alpha;(k-1),(r-1)(k-1)}$

Blocs: rejeter $H_0 : \mu_{b_1} = \mu_{b_2} = ... = \mu_{b_r}$ si $F > F_{\alpha;(r-1),(r-1)(k-1)}$

Tableau 10.4
Tableau d'analyse de variance pour un plan d'expérience avec affectation au hasard par blocs

Source de variation	Somme de carrés	Degrés de liberté	Carrés moyens	Rapport F
Traitements (facteurs)	$SCTR$	k-1	$CMTR = \dfrac{SCTR}{k-1}$	$F = \dfrac{CMTR}{CM_{RES}}$
Blocs (B_i)	SCB	r-1	$CMB = \dfrac{SCB}{r-1}$	$F = \dfrac{CMB}{CM_{RES}}$
Résiduelle	SC_{RES}	$(r$-1$)(k$-1$)$	$CM_{RES} = \dfrac{SC_{RES}}{(r-1)(k-1)}$	
Totale	SCT	$(rk$-1$)$		

Les expressions requises pour calculer les diverses sommes de carrés sont indiquées ci-après.

Sommes de carrés et tableau d'analyse de variance

Le calcul des sommes de carrés repose sur la relation suivante:

$(y_{ij} - \overline{y}) = (\overline{y}_i - \overline{y})$ + $(\overline{y}_j - \overline{y})$ + écart résiduel

(écart total) = (écart + (écart
          attribuable   attribuable
          au bloc i) au traitement j)

On aura dans ce cas

$$SCT = SCB + SCTR + SC_{RES}$$

où $\quad SCT = \sum_{j=1}^{k} \sum_{i=1}^{r} y_{ij}^2 - \dfrac{T^2}{rk}$ où $T = \sum_{j=1}^{k} \sum_{i=1}^{r} y_{ij}$ (variation totale)

avec $\quad (rk$-1$)$ degrés de liberté.

$$SCB = \sum_{i=1}^{r} \dfrac{T_i^2}{k} - \dfrac{T^2}{rk}$$ où $T_i = \sum_{j=1}^{k} y_{ij}$ (variation attribuable aux blocs)

avec $\quad (r$-1$)$ degrés de liberté.

$$SCTR = \sum_{j=1}^{k} \dfrac{T_j^2}{r} - \dfrac{T^2}{rk}$$ où $T_j = \sum_{i=1}^{r} y_{ij}$ (variation attribuable aux traitements)

avec $\quad (k$-1$)$ degrés de liberté.

Par différence, on obtient

$$SC_{res} = SCT - SCB - SCTR \qquad \text{(variation résiduelle)}$$

avec $(r\text{-}1)(k\text{-}1)$ degrés de liberté.

Le schéma ci-après permet de comparer le plan expérimental entièrement au hasard* et le plan expérimental avec affectation au hasard par blocs**.

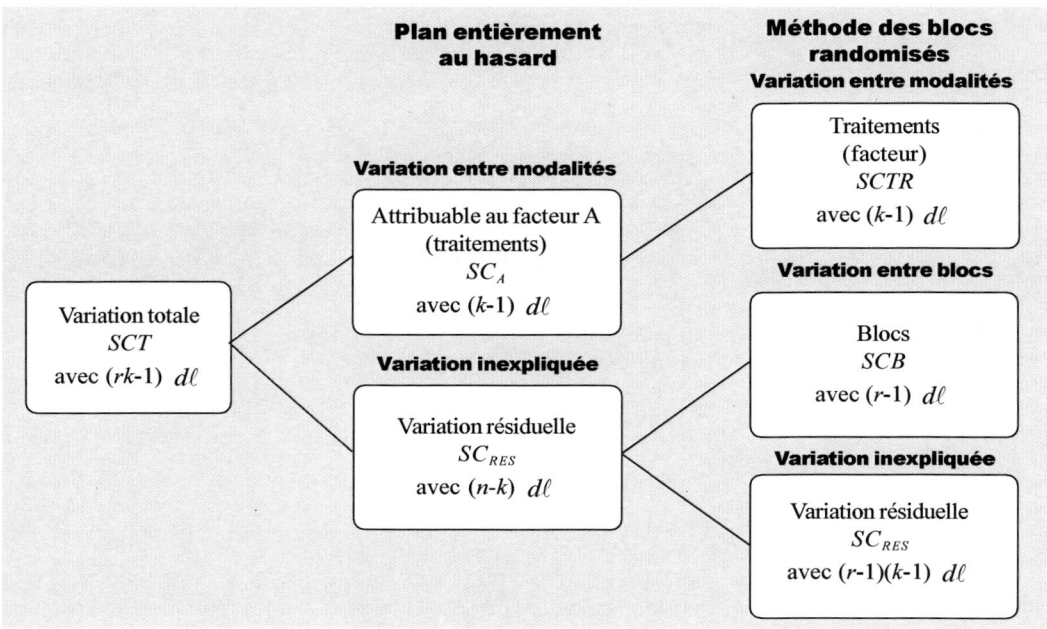

Plan entièrement au hasard

Méthode des blocs randomisés

Variation entre modalités

Variation totale
SCT
avec $(rk\text{-}1)$ $d\ell$

Variation entre modalités

Attribuable au facteur A (traitements)
SC_A
avec $(k\text{-}1)$ $d\ell$

Traitements (facteur)
$SCTR$
avec $(k\text{-}1)$ $d\ell$

Variation entre blocs

Variation inexpliquée

Variation résiduelle
SC_{RES}
avec $(n\text{-}k)$ $d\ell$

Blocs
SCB
avec $(r\text{-}1)$ $d\ell$

Variation inexpliquée

Variation résiduelle
SC_{RES}
avec $(r\text{-}1)(k\text{-}1)$ $d\ell$

* "Completely Randomized Design"
** "Randomized Block Design"

Exemple 10.4

Comparaison du temps moyen requis par quatre machines pour usiner une pièce

L'entreprise Sigmex fabrique une pièce mécanique particulière pour un fabricant d'automobiles. Quatre machines peuvent être utilisées pour usiner cette pièce. Cinq opérateurs sont susceptibles de travailler sur ces machines. Toutefois l'opération de ces machines requiert une certaine dextérité qui peut varier d'un opérateur à l'autre et affecter les résultats (le temps d'usinage de l'expérience). On devra donc tenir compte de ce facteur externe dans l'expérience. Chaque opérateur devra usiner une pièce identique avec chaque machine. Pour identifier la source de variation attribuable aux opérateurs, on a décidé de considérer chaque opérateur comme un bloc et d'affecter l'opérateur au hasard, à chacune des machines (traitements).

Avec ce plan expérimental, les conditions de comparaison sont homogènes pour chaque bloc même si elles varient d'un bloc à l'autre.

On veut déterminer si, en moyenne, les temps d'usinage sont identiques, peu importe la machine utilisée.

Données obtenues à l'aide de ce plan expérimental

Le tableau de la page suivante indique le temps d'usinage en minutes de chaque opérateur à l'aide de chacune des 4 machines.

Nous indiquons également le total de chaque ligne et chaque colonne.

Machines

					Total (T_i)
O_1	21,2	19,9	20,1	20,6	81,8
O_2	19,6	20,0	20,2	21,1	80,9
O_3	19,8	20,2	20,6	21,7	82,3
O_4	19,9	21,1	21,7	22,1	84,8
O_5	21,8	21,5	22,5	21,1	86,9
Total (T_j)	102,3	102,7	105,1	106,6	416,7 = T

Opérateurs (blocs)

Nous indiquons en annexe 10, comment effectuer une analyse de variance suivant deux facteurs avec Excel.

Calcul des sommes de carrés

1. Variation totale

$$SCT = \sum_{j=1}^{4} \sum_{i=1}^{5} y_{ij}^2 - \frac{T^2}{nk} = 8696,03 - \frac{(416,7)^2}{(5)(4)}$$
$$= 8696,03 - 8681,9445 = 14,0855 \quad \text{avec } (20-1)=19 \; d\ell$$

2. Variation attribuable aux blocs (opérateurs)

$$SCB = \sum_{i=1}^{5} \frac{T_i^2}{k} - \frac{T^2}{nk} = \frac{(81,8)^2}{4} + \frac{(80,9)^2}{4} + \frac{(82,3)^2}{4} + \frac{(84,8)^2}{4} + \frac{(86,9)^2}{4} - 8681,9445$$
$$SCB = 8687,9975 - 8681,9445 = 6,053 \quad \text{avec } (5-1) = 4 \; d\ell$$

3. Variation attribuable aux traitements (machines)

$$SCTR = \sum_{j=1}^{4} \frac{T_j^2}{n} - \frac{T^2}{nk} = \frac{(102,3)^2}{5} + \frac{(102,7)^2}{5} + \frac{(105,1)^2}{5} + \frac{(106,6)^2}{5} - 8681,9445$$
$$= 8684,43 - 8681,9445 = 2,4855 \quad \text{avec } (4-1) = 3 \; d\ell$$

4. Variation résiduelle

$SC_{RES} = SCT - SCB - SCTR = 14,0855 - 6,053 - 2,4855 = 5,547$

avec $(4)(3) = 12 \; d\ell$.

Hypothèses statistiques, tableau de l'analyse de la variance et test de Fisher

On veut tester les hypothèses suivantes:

$H_0 : \mu_{M_1} = \mu_{M_2} = \mu_{M_3} = \mu_{M_4}$ (Les temps moyens d'usinage sont identiques pour les 4 machines)

$H_1 :$ Les μ_{M_j} ne sont pas toutes égales (Les temps moyens d'usinage ne sont pas identiques)

Utilisons un seuil de signification $\alpha = 0,05$.

Tableau d'analyse de la variance et test de Fisher
Entreprise Sigmex

Tableau 10.5

Tableau d'analyse de variance des données de l'exemple 10.4

Source de variation	Somme de carrés	Degrés de liberté	Carrés moyens	Rapport F
Opérateurs (blocs)	6,053	4	1,51325	
Machines (traitements)	2,4855	3	0,8285	1,7923
Résiduelle	5,547	12	0,46225	
Totale	14,0855	19		

$F_{0,05;3,12} = 3,49$ $\quad F = 1,7923 < 3,49$, on ne peut rejeter H_0

Conclusion. Après avoir tenu compte de la variabilité possible entre les opérateurs affectés à chaque machine, il nous apparaît vraisemblable, au seuil $\alpha = 0,05$, que le temps moyen d'usinage est identique sur chaque machine.

Remarques. a) En retirant de la variation résiduelle (ou de l'erreur expérimentale) un facteur de variation autre que celui attribuable aux traitements, on obtient un test plus précis de la différence entre les traitements.
b) Chaque bloc peut comporter autant d'unités expérimentales qu'il y a de traitements. À chaque unité d'un même bloc est assigné au hasard un des traitements (ou vice versa).
c) Un cas particulier de ce plan d'expérience (méthode des blocs) est celui ne comportant que deux traitements ($k = 2$), les traitements étant appliqués sur la même unité expérimentale (expérience du genre «avant-après»). Il correspond alors au test de Student utilisé dans la comparaison de deux échantillons dépendants ou appariés. Nous en donnons une application à l'exercice no 15.

Exercices d'apprentissage

Série 10.2

📖 Plan d'expérience selon la méthode des blocs

1. Un important entrepreneur de développement domiciliaire veut comparer la consommation d'énergie de quatre systèmes de climatisation. Pour en effectuer l'évaluation, chaque système a été installé dans cinq maisons modèles et la consommation d'énergie (en kWh) a été enregistrée au cours d'une période de 2 mois.

a) Quelle variable doit servir ici de «blocs»?

b) Identifiez la variable dépendante.

c) Identifiez le facteur dont on veut examiner l'effet sur la variable dépendante.

d) Combien de modalités comporte le facteur?

On a obtenu les sommes suivantes pour les principaux éléments de ce plan expérimental.
Grand total: $T = 4738$

Total des traitements: $T_{t_1} = 1094$, $T_{t_2} = 1286$, $T_{t_3} = 1174$, $T_{t_4} = 1184$,

Total des blocs: $T_{b_1} = 1138$, $T_{b_2} = 1042$, $T_{b_3} = 864$, $T_{b_5} = 788$, $T_{b_6} = 906$

De plus $\sum \sum y_{ij}^2 = 1152\,812$, $r \cdot k = 20$.

e) Calculez la variation totale (SCT).

f) Calculez la variation attribuable aux blocs (SCB).

g) Calculez la variation attribuable aux traitements ($SCTR$).

h) Calculez la variation résiduelle (SC_{RES}).

2. a) Complétez, avec les résultats obtenus en 1, le tableau d'analyse de variance suivant.

Source de variation	Somme de carrés	Degrés de liberté	Carrés moyens	Rapport F
Blocs				
Traitements				
Résiduelle				
Totale				

b) Peut-on conclure, au seuil de signification $\alpha = 0,05$, que le niveau moyen de consommation d'énergie est identique, peu importe le système de climatisation utilisé?

c) Si nous n'avions pas tenu compte des blocs dans l'analyse, quelle aurait été alors la valeur du carré moyen résiduel?

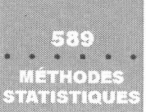

Exercices d'apprentissage

Série 10.2 (suite)

▤ Comparaison de la performance de trois groupes de cadres: analyse de variance avec le logiciel statistique MINITAB

3. On fait subir à des cadres intermédiaires de trois grandes entreprises (fabrication d'équipements de transport, fabrication de produits électriques, fabrication de produits multimédias) un test d'appréciation et d'évaluation de diverses caractéristiques managériales et ceci à l'aide de diverses simulations de cas d'entreprises présentant différents niveaux de difficulté. Les résultats obtenus pour les trois groupes de cadres sont présentés sur le CD-ROM (fichiers Excel, SPSS et Minitab).

Nous avons utilisé ici le logiciel statistique Minitab pour effectuer le traitement informatique de l'analyse de variance.

One-way Analysis of Variance

```
Analysis of Variance for Résultat

Source      DF        SS        MS        F        P
Secteur      2      2835      1417      2,61     0,079
Error       93     50460       543
Total       95     53294
```

```
                                   Individual 95% CIs For Mean
                                   Based on Pooled StDev
Level       N      Mean     StDev  --+---------+---------+---------+----
ÉLECTRIQ    34    194,56    22,67                (-------*------)
MULTIMÉD    30    199,60    25,89                   (--------*-------)
TRANSPOR    32    186,25    21,30   (-------*-------)
                                   --+---------+---------+---------+----
Pooled StDev =    23,29            180       190       200       210
```

a) Précisez dans cette situation, quelle est

   i) la variable dépendante?

   ii) la variable explicative?

b) Indiquez, à partir de la sortie informatique,

   i) combien de degrés de liberté sont associés au facteur concerné?

   ii) combien de degrés de liberté sont associés à la variation résiduelle?

c) Combien de modalités comporte le facteur de cette analyse de variance?

d) Quelle est la somme de carrés attribuable aux différents secteurs de fabrication?

e) Quel est le carré moyen attribuable aux différents secteurs de fabrication?

f) Quelle est l'estimation de la variance résiduelle?

g) Quelle est la valeur observée pour la variable de Fisher?

h) Quelle est la valeur p pour ce test d'égalité des trois moyennes?

i) On utilise un seuil de signification de 5%. Peut-on considérer comme vraisemblable l'hypothèse selon laquelle les moyennes des résultats des cadres des trois secteurs de fabrication, pour ce test d'appréciation, sont identiques? Justifiez votre réponse.

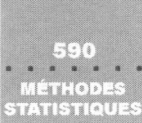

10.7   Plan d'expérience à deux facteurs contrôlés: plan factoriel

Le plan à un seul facteur contrôlé que nous avons traité en début de chapitre ne constitue qu'une simple généralisation de la comparaison de deux populations, avec toutefois une différence fondamentale, due à l'affectation au hasard des unités expérimentales.

Étudions maintenant comment analyser dans une même expérience l'action de deux ou plusieurs facteurs contrôlés. Pour ce faire, on aura recours à un plan expérimental appelé *plan factoriel* (ou expérience factorielle) qui consiste à appliquer simultanément à une unité expérimentale deux facteurs (ou plus) indépendants l'un de l'autre et ceci dans toutes leurs combinaisons de modalités. Ainsi si un facteur A comporte k_1 modalités et un facteur B comporte k_2 modalités, l'expérience consistera à recueillir des données pour les $k_1 \cdot k_2$ combinaisons expérimentales. Chaque combinaison expérimentale s'appelle *traitement*. Tout comme dans le cas du plan d'expérience à un seul facteur contrôlé, il n'y a aucune restriction sur l'affectation au hasard c.-à-d. que les unités expérimentales sont affectées au hasard à chaque traitement.

L'expérience factorielle permet (en autant que certaines conditions sont réalisées) d'étudier un effet additionnel, autre que l'effet isolé de chaque facteur, appelé *effet d'interaction des facteurs*.

Cette source de variation (l'interaction des deux facteurs) est ce qui reste de la variation entre traitements après avoir éliminé l'influence du facteur A et l'influence du facteur B.

Plan factoriel à deux facteurs avec estimation de l'effet d'interaction

Un des principaux intérêts des expériences factorielles est qu'elles permettent l'étude de l'effet d'interaction des facteurs. La présence d'interaction des facteurs A et B indique que les deux facteurs A et B agissent sur les résultats d'une manière non indépendante. Dans ce cas, le traitement simultané par A et B donne un effet supérieur, ou inférieur, à la somme des effets des deux facteurs isolés.

Conditions pour estimer l'effet d'interaction dans une expérience

Pour obtenir une estimation de l'effet d'interaction dans une expérience,

a) il faut que toutes les combinaisons des modalités des facteurs soient présentes dans l'expérience (le plan factoriel est donc requis);
b) il faut également répéter l'expérience (sur des unités expérimentales indépendantes) au moins une fois pour chaque combinaison de modalités. La répétition de l'expérience nous permet d'obtenir une véritable estimation de l'erreur expérimentale au lieu d'une variation résiduelle.

Notons que nous ne traiterons, dans l'analyse de la variance, que du cas où l'expérience factorielle est balancée, c.-à-d. que tous les traitements comportent le même nombre de répétitions.

Expérience factorielle

Supposons une expérience suivant deux facteurs, disons facteur A avec k_1 modalités et facteur B avec k_2 modalités. Nous avons donc $k_1 \cdot k_2$ modalités combinées (ou traitements) donc chacune est appliquée sur un même nombre n d'unités expérimentales. On aura donc un grand total de $k_1 \cdot k_2 \cdot n$ données où n représente le nombre de répétitions.

Dans ce type de plan d'expérience, il y a trois influences sur la variable dépendante qu'on veut tester.

Schématisation des données
Plan factoriel à deux facteurs avec interaction

**Facteur B
Modalités**

Modèle statistique

$$y_{ijk} = \mu + A_i + B_j + (AB)_{ij} + \varepsilon_{ijk},$$
$$i = 1,\ldots,k_1 \quad j = 1,\ldots,k_2, \quad k = 1,\ldots,n.$$

Formulation des hypothèses statistiques

Les hypothèses statistiques que l'on veut tester à l'aide du tableau d'analyse de variance sont les suivantes.

Test de l'influence du facteur A

H_0: Aucun effet attribuable aux k_1 modalités du facteur A (égalité des moyennes).

H_1: Effet attribuable au facteur A.

Test de l'influence du facteur B

H_0: Aucun effet attribuable aux k_2 modalités du facteur B (égalité des moyennes).

H_1: Effet attribuable au facteur B.

Test de l'effet d'interaction

H_0: Aucun effet attribuable à l'interaction AB des facteurs A et B.

H_1: Il y a présence d'interaction des facteurs A et B.

Somme de carrés et tableau d'analyse de variance

Le calcul des sommes de carrés repose sur la relation suivante:

$$\underbrace{(y_{ijk} - \bar{y})}_{\text{(écart total)}} = \underbrace{(\bar{y}_i - \bar{y})}_{\substack{\text{(écart attribuable} \\ \text{à la modalité } i \text{ du} \\ \text{facteur A)}}} + \underbrace{(\bar{y}_j - \bar{y})}_{\substack{\text{(écart attribuable} \\ \text{à la modalité } j \text{ du} \\ \text{facteur B)}}} + \underbrace{(\bar{y}_{ij} - \bar{y}_i - \bar{y}_j + \bar{y})}_{\substack{\text{(écart attribuable} \\ \text{aux modalité } i \text{ de} \\ \text{A et } j \text{ de B)}}} + \underbrace{(\bar{y}_{ijk} - \bar{y}_{ij})}_{\text{(écart résiduel)}}$$

On aura pour ce plan d'expérience
$SCT = SCA + SCB + SCAB + SC_{RES}$ avec

$$SCT = \sum_{i=1}^{k_1} \sum_{j=1}^{k_2} \sum_{k=1}^{n} y_{ijk}^2 - \frac{T^2}{k_1 \cdot k_2 \cdot n} \text{ où } T = \sum_{i=1}^{k_1} \sum_{j=1}^{k_2} \sum_{k=1}^{n} y_{ijk} \text{ avec } k_1 \cdot k_2 (n\text{-}1) \text{ degrés de}$$

liberté.

$$SCA = \sum_{i=1}^{k_1} \frac{T_i^2}{k_2 \cdot n} - \frac{T^2}{k_1 \cdot k_2 \cdot n} \text{ où } T_i = \sum_{j=1}^{k_2} \sum_{k=1}^{n} y_{ijk} \quad \text{(variation attribuable au facteur A)}$$

avec $k_1\text{-}1$ degrés de liberté

$$SCB = \sum_{j=1}^{k_2} \frac{T_j^2}{k_1 \cdot n} - \frac{T^2}{k_1 \cdot k_2 \cdot n} \text{ où } T_j = \sum_{i=1}^{k_1} \sum_{k=1}^{n} y_{ijk} \quad \text{(variation attribuable au facteur B)}$$

avec $k_2\text{-}1$ degrés de liberté

$$SCAB = \sum_{i=1}^{k_1} \sum_{j=1}^{k_2} \frac{T_{ij}^2}{n} - \sum_{i=1}^{k_1} \frac{T_i^2}{k_2 \cdot n} - \sum_{j=1}^{k_2} \frac{T_j^2}{k_1 \cdot n} + \frac{T^2}{k_1 \cdot k_2 \cdot n} \text{ où } T_{ij} = \sum_{k=1}^{n} y_{ijk}$$

avec $(k_1 - 1)(k_2 - 1)$ degrés de liberté

Par différence, on obtient:

$SC_{RES} = SCT - SCA - SCB - SCAB$ avec $k_1 \cdot k_2 (n\text{-}1)$ ou encore en utilisant l'expression

$$SC_{RES} = \sum_{i=1}^{k_1} \sum_{j=1}^{k_2} \left[\sum_{i=1}^{k_1} y_{ikj}^2 - \frac{T_{ij}^2}{n} \right]$$

Le tableau d'analyse de variance est présenté ci-après.

Source de variation	Somme de carrés	Degrés de liberté	Carrés moyens	Rapport F
Facteur A	SCA	(k_1-1)	$CMA = \dfrac{SCA}{k_1 - 1}$	$\dfrac{CMA}{CM_{RES}}$
Facteur B	SCB	(k_2-1)	$CMB = \dfrac{SCB}{k_2 - 1}$	$\dfrac{CMB}{CM_{RES}}$
Interaction AB	SC_{AB}	$(k_1-1)(k_2-1)$	$CM_{AB} = \dfrac{SC_{AB}}{(k_1 - 1)(k_2 - 1)}$	$\dfrac{CM_{AB}}{CM_{RES}}$
Résiduelle	SC_{RES}	$k_1 \cdot k_2(n-1)$	$CM_{RES} = \dfrac{SC_{RES}}{k_1 \cdot k_2(n-1)}$	
Totale	SCT	$k_1 \cdot k_2(n-1)$		

Règles de décision avec un seuil de signification α

Facteur A: rejeter H_0 si $F > F_{\alpha;(k_1-1),k_1 \cdot k_2(n-1)}$ et conclure à un effet significatif du facteur A.

Facteur B: rejeter H_0 si $F > F_{\alpha;(k_2-1),k_1 \cdot k_2(n-1)}$ et conclure à un effet significatif du facteur B.

Interaction AB: rejeter H_0 si $F > F_{\alpha;(k_1-1)(k_2-1),k_1 \cdot k_2(n-1)}$ et conclure à un effet significatif de l'interaction AB sur la variable dépendante.

Exemple 10.5

Analyse de variance suivant deux facteurs avec présence d'interaction

La directrice du marketing de l'entreprise MMX veut étudier, à l'aide d'un plan expérimental, l'effet de deux facteurs sur les ventes d'une denrée alimentaire et ceci pour une période de quinze jours. Les facteurs considérés sont: la hauteur de la tablette (45 cm, 75 cm, 115 cm) et la position de l'allée (à l'avant, au milieu ou à l'arrière du magasin). Dix-huit magasins (de nature similaire) ont été sélectionnés et 2 magasins ont été affectés au hasard à chaque traitement (combinaison position de l'allée et hauteur de la tablette). La taille de la présentation du produit était identique pour chaque magasin. Après une période de quinze jours, on a obtenu les données suivantes (présentées dans une feuille Excel) concernant le nombre d'unités vendues.

	A	B	C	D	E
				Hauteur de la tablette	
4			45 cm	75 cm	115 cm
5					
6		À l'avant	70	82	106
7			60	74	92
8		Au milieu	38	40	52
9	Position de l'allée		36	34	44
10		À l'arrière	48	60	80
11			44	48	66

Pour faciliter le calcul des sommes de carrés, donnons les sommes des résultats pour les lignes, les colonnes et celles des répétitions ($n = 2$ magasins) pour les diverses combinaisons expérimentales.

Position de l'allée	Total des lignes
À l'avant	484
Au milieu	244
À l'arrière	346

T_i

Hauteur de la tablette	Total des colonnes
45 cm	296
75 cm	338
115 cm	440

T_j

Combinaison	Somme des cellules
Avant-45 cm	130
Milieu-45 cm	74
Arrière-45 cm	92
Avant-75 cm	156
Milieu-75 cm	74
Arrière-75 cm	108
Avant-115 cm	198
Milieu-115 cm	96
Arrière-115 cm	146

T_{ij}

Déterminons les sommes de carrés et le tableau d'analyse de variance

$$SCT = \sum_i \sum_j \sum_k y_{ijk}^2 - \frac{T^2}{k_1 \cdot k_2 \cdot n} = 71436 - \frac{(1074)^2}{18} = 71\,436 - 64\,082 = 7354$$

$$SCA = \sum_i \frac{T_i^2}{k_2 \cdot n} - \frac{T^2}{k_1 \cdot k_2 \cdot n} = \frac{(484)^2}{6} + \frac{(244)^2}{6} + \frac{(346)^2}{6} - \frac{(1074)^2}{18} = 68\,918 - 64\,082 = 4836$$

$$SCB = \sum_j \frac{T_j^2}{k_1 \cdot n} - \frac{T^2}{k_1 \cdot k_2 \cdot n} = \frac{(296)^2}{6} + \frac{(338)^2}{6} + \frac{(440)^2}{6} - \frac{(1074)^2}{18} = 65\,910 - 64\,082 = 1828$$

$$SCAB = \sum_i \sum_j \frac{T_{ij}^2}{n} - \sum_i \frac{T_i^2}{k_2 \cdot n} - \sum_j \frac{T_j^2}{k_1 \cdot n} + \frac{T^2}{k_1 \cdot k_2 \cdot n}$$

$$= \frac{(130)^2}{2} + \frac{(74)^2}{2} + \frac{(92)^2}{2} + \frac{(156)^2}{2} + \frac{(74)^2}{2} + \frac{(108)^2}{2} + \frac{(198)^2}{2} + \frac{(96)^2}{2} + \frac{(146)^2}{2} - 68\,918$$

$$- 65\,910 + \frac{(1074)^2}{18}$$

$$= 71\,026 - 68\,918 - 65910 + 64082 = 280$$

$$SC_{RES} = SCT - SCA - SCB - SCAB$$
$$= 7354 - 4836 - 1828 - 280 = 410$$

Ces sommes de carrés sont résumées dans le tableau d'analyse de variance ci-après.

Tableau 10.7
Analyse de variance pour les données de l'exemple 10.5

Tableau d'analyse de variance pour plan factoriel à deux facteurs avec effet d'interaction

Source de variation	Somme de carrés	Degrés de liberté	Carrés moyens	Rapport F
Facteur A (Position)	4836	2	2418	53,078
Facteur B (Hauteur)	1828	2	914	20,063
Interaction AB	280	4	70	1,537
Résiduelle	410	9	45,556	
Totale	7354	17		

Nous présentons également à la figure suivante, un diagramme de Pareto des sommes de carrés des différents effets par ordre d'importance.

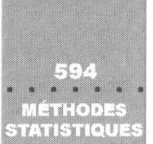
Diagramme de Pareto des sommes de carrés de l'exemple 10.5

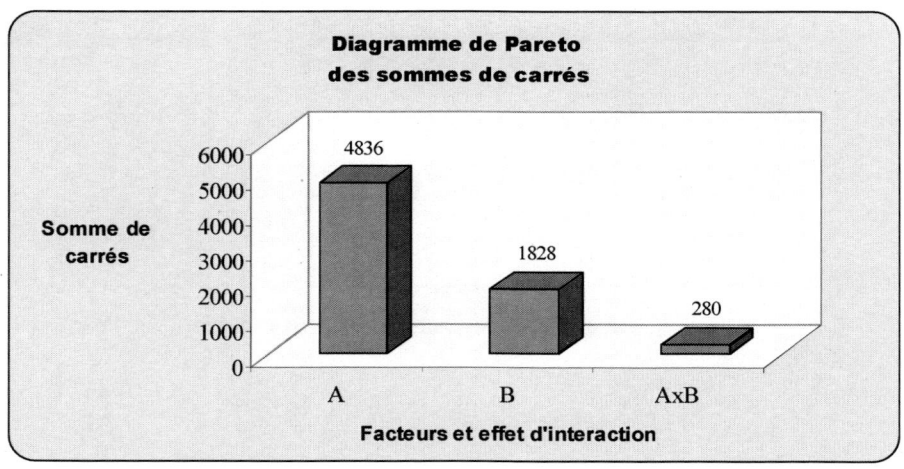

De ce diagramme, nous constatons que l'effet du facteur A domine, suivi de l'effet du facteur B puis de l'effet d'interaction A × B.

Détermination des effets significatifs

Du tableau d'analyse de variance (tableau 10.8), on peut déduire les conclusions suivantes (au seuil de signification 5%).

Facteur: Position de l'allée

H_0: Le facteur A (position de l'allée) n'a pas d'effet sur le niveau moyen des ventes.
H_1: Le facteur A a un effet sur le niveau moyen des ventes.
$F = 53,078 > 4,26$, nous rejetons H_0 et favorisons H_1.
Effet significatif de la position de l'allée sur le niveau moyen des ventes.

Facteur: Hauteur de la tablette

H_0: Le facteur B (hauteur de la tablette) n'a pas d'effet sur le niveau moyen des ventes.
H_1: Le facteur B a un effet sur le niveau moyen des ventes.
$F = 20,063 > 4,26$, nous rejetons H_0 et favorisons H_1.
La hauteur de la tablette a un effet significatif sur le niveau moyen des ventes.

Interaction A × B

H_0: L'effet d'interaction des facteurs n'a pas d'effet sur le niveau moyen des ventes.
H_1: L'effet d'interaction des facteurs a un effet sur le niveau moyen des ventes.
$F = 1,5372 < 3,63$, nous ne pouvons rejeter H_0.
Il n'y a pas d'effet d'interaction.

> Valeurs critiques de F
>
> $F_{0,05;2,9} = 4,26$
>
> $F_{0,05;4,9} = 3,63$

Pour visualiser ces différents effets, utilisons les moyennes (total des cellules pour les combinaisons expérimentales/2) des combinaisons expérimentales et reportons ces moyennes sur un graphique et ceci en fonction des niveaux de chaque facteur.

Combinaison	Somme des cellules	Moyennes
Avant-45 cm	130	65
Milieu-45 cm	74	37
Arrière-45 cm	92	46
Avant-75 cm	156	78
Milieu-75 cm	74	37
Arrière-75 cm	108	54
Avant-115 cm	198	99
Milieu-115 cm	96	48
Arrière-115 cm	146	73

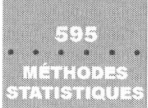

Hauteur de la tablette: 45 cm	
Position de l'allée	**Moyennes**
À l'avant	65
Au milieu	37
À l'arrière	46

Hauteur de la tablette: 75 cm	
Position de l'allée	**Moyennes**
À l'avant	78
Au milieu	37
À l'arrière	54

Hauteur de la tablette: 115 cm	
Position de l'allée	**Moyennes**
À l'avant	99
Au milieu	48
À l'arrière	73

Position de l'allée: avant	
Hauteur de la tablette	**Moyennes**
45 cm	65
75 cm	78
115 cm	99

Position de l'allée: milieu	
Hauteur de la tablette	**Moyennes**
45 cm	37
75 cm	37
115 cm	48

Position de l'allée: arrière	
Hauteur de la tablette	**Moyennes**
45 cm	46
75 cm	54
115 cm	73

Visualisation des effets

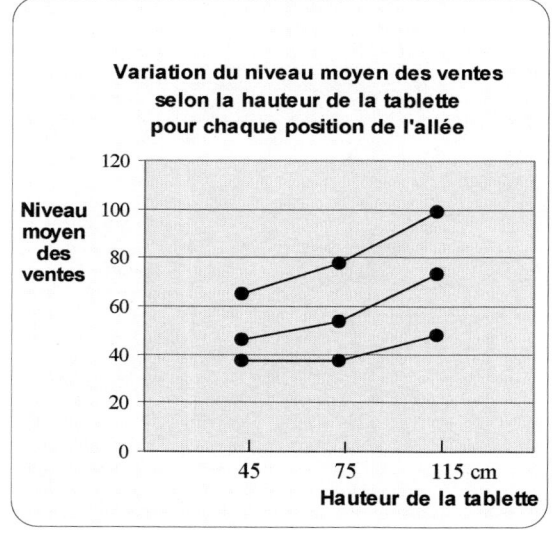

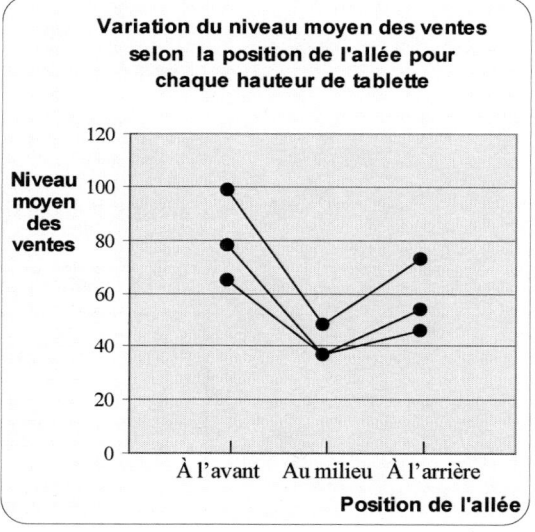

Les deux graphiques confirment les conclusions obtenues précédemment; nous constatons une variation du niveau moyen des ventes lorsque la hauteur de tablette varie de 45 cm à 115 cm. De plus, l'écart entre les courbes (à l'avant, à l'arrière et au milieu) indique un effet attribuable à la position de l'allée. Le parallélisme entre les courbes est une indication de l'absence d'interaction des deux facteurs. Nous constatons des conclusions similaires en examinant la variation du niveau moyen des ventes pour les diverses positions de l'allée.

Si on recherche un niveau élevé des ventes, la combinaison «Hauteur de tablette 115 cm - Position de l'allée à l'avant» permettrait d'atteindre cet objectif.

Exercice d'apprentissage

Série 10.3

📄 Expérience factorielle

Considérons à nouveau le plan d'expérience de l'exemple 10.5 (entreprise MMX) concernant l'effet de deux facteurs sur les ventes d'une denrée alimentaire et ceci pour une période de quinze jours. Les facteurs considérés sont: la hauteur de la tablette (45 cm, 75 cm, 115 cm) et la position de l'allée avec seulement deux modalités (à l'avant, ou à l'arrière du magasin). Douze magasins (de nature similaire) ont été sélectionnés et 2 magasins ont été affectés au hasard à chaque traitement (combinaison position de l'allée et hauteur de la tablette). La taille de la présentation du produit était identique pour chaque magasin. Après une période de quinze jours, on a obtenu les données suivantes (présentées dans une feuille Excel) concernant le nombre d'unités vendues.

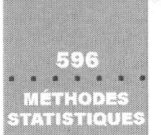

Exercice d'apprentissage

Série 10.3 (suite)

	B	C	D	E	F
3			Nombre d'unités vendues		
4			**Hauteur de la tablette**		
5			**45 cm**	**75 cm**	**115 cm**
6		**À l'avant**	70	82	106
7	**Position de l'allée**		60	74	92
8		**À l'arrière**	48	60	80
9			44	48	66

Considérons que le facteur A est la «Position de l'allée» et que le facteur B est la «Hauteur de la tablette».

a) Dans ce plan expérimental, quelles sont les valeurs de k_1, k_2 et n?

b) Quelle est la valeur moyenne des ventes

 i) pour la modalité *À l'avant* du facteur Position de l'allée?

 ii) pour la modalité *À l'arrière* du facteur Position de l'allée?

c) Quel est le nombre de degrés de liberté associé à l'effet d'interaction AB?

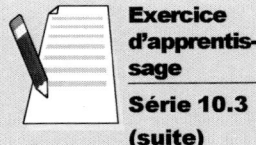

Nous présentons ci-après, une partie des résultats qu'on obtient avec le logiciel SPSS (version étudiante 11.0) pour cette expérience factorielle.

Univariate Analysis of Variance

Between-Subjects Factors

		N
POSITION	ARRIÈRE	6
	AVANT	6
HAUTEUR	115	4
	45	4
	75	4

Tests of Between-Subjects Effects

Dependent Variable: NUNITÉS

Source	Type I Sum of Squares	df	Mean Square	F	Sig.
Corrected Model	3533,667[a]	5	706,733	11,845	,005
Intercept	57408,333	1	57408,333	962,15	,000
POSITION	1587,000	1	1587,000	26,598	,002
HAUTEUR	1920,667	2	960,333	16,095	,004
POSITION * HAUTEUR	26,000	2	13,000	,218	,810
Error	358,000	6	59,667		
Total	61300,000	12			
Corrected Total	3891,667	11			

a. R Squared = ,908 (Adjusted R Squared = ,831)

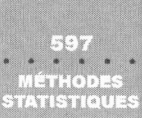

Exercice d'apprentis-sage

Série 10.3 (suite)

Estimated Marginal Means

1. Grand Mean

Dependent Variable: NUNITÉS

Mean	Std. Error	95% Confidence Interval	
		Lower Bound	Upper Bound
69,167	2,230	63,710	74,623

2. POSITION

Dependent Variable: NUNITÉS

POSITION	Mean	Std. Error	95% Confidence Interval	
			Lower Bound	Upper Bound
ARRIÈRE	57,667	3,153	49,950	65,383
AVANT	80,667	3,153	72,950	88,383

Si on utilise Excel et l'Utili-taire d'analyse, choisissez **Analyse de variance: deux facteurs avec répétition d'expérience** dans Outils d'analyse. Voir APP Série 10.3 du chapitre 10 sur le CD-ROM.

3. HAUTEUR

Dependent Variable: NUNITÉS

HAUTEUR	Mean	Std. Error	95% Confidence Interval	
			Lower Bound	Upper Bound
115	86,000	3,862	76,550	95,450
45	55,500	3,862	46,050	64,950
75	66,000	3,862	56,550	75,450

On utilise la sortie informatique de SPSS pour répondre aux questions suivantes.

d) Quelle est la valeur moyenne des ventes pour une hauteur de tablette de 75 cm?

e) Quelle est la valeur du carré moyen pour l'effet attribuable au facteur «Hauteur de la tablette»?

f) Quel facteur semble avoir le plus grand effet sur le niveau moyen des ventes?

g) Peut-on conclure, au seuil de signification 5%,

   i) que le facteur «Position de l'allée» a un efffet significatif sur le niveau des ventes?

   ii) que le facteur «Hauteur de la tablette» a un efffet significatif sur le niveau des ventes?

   iii) qu'il y a un effet d'interaction des facteurs A et B sur le niveau des ventes?

10.8   Résumé, glossaire et synthèse des principales formules

Résumé

▶ Nous avons d'abord traité dans ce chapitre d'un outil statistique qui permet de comparer 2 moyennes et plus de populations normales de variances identiques, soit l'analyse de variance. Cette technique d'analyse permet de tester, à l'aide de la variable de Fisher, si un facteur a un effet significatif sur le niveau moyen d'une variable dite variable dépendante.

▶ Dans le cas où il existe une différence significative entre les moyennes des populations normales, on peut utiliser diverses techniques pour identifier les modalités du facteur qui ne diffèrent pas de façon significative entre elles. Nous avons présenté ici la méthode de Tukey-Kramer pour effectuer les comparaisons multiples.

**Résumé
(suite)**

▸ Nous avons par la suite traité du plan d'expérience en blocs randomisés, plan d'expérience qui permet d'isoler une source de variation pour se concentrer sur le facteur qui nous intéresse. À nouveau, un tableau d'analyse de variance a été constitué et la variable de Fisher a été utilisée comme critère de décision.

▸ Nous avons complété notre étude de l'analyse de la variance en traitant d'une expérience à deux facteurs ne comportant aucune restriction, soit l'expérience factorielle. Cette expérience consiste à appliquer simultanément à une unité expérimentale, toutes les combinaisons des modalités des deux facteurs. Ce type de structure permet, si certaines conditions sont réalisées, d'étudier non seulement l'effet principal de chaque facteur sur la variable dépendante, mais également un effet combiné des facteurs, soit l'effet d'interaction.

Glossaire

Analyse de variance (ANOVA): Outil statistique qui permet de tester l'égalité de moyennes de 2 populations et plus.

Variance totale: Variabilité des données par rapport à la moyenne générale, sans égard aux modalités des facteurs.

Variation résiduelle: Variabilité des données par rapport à la moyenne respective des données obtenues pour chaque modalité.

Variation expliquée: Variabilité des moyennes respectives obtenues pour chaque modalité par rapport à la moyenne générale.

Carrés moyens: Sommes de carrés divisées par ses degrés de liberté.

Facteur: Variable explicative comportant au moins deux modalités et susceptible d'affecter la variable dépendante (réponse).

Modalité (niveau): Spécificité (ou valeur) d'un facteur.

Tableau d'analyse de variance: Tableau résumant les résultats (sommes de carrés, *dl*, carrés moyens, rapport *F*) d'une analyse de variance.

Traitement: Combinaison de niveaux (modalités) de chacun des facteurs affectée à une unité expérimentale.

Unité expérimentale: Entité (individu, objet) sur laquelle sont appliqués divers traitements.

Plan expérimental: Ensemble de facteurs et modalités selon lesquels l'expérience doit être réalisée, en tenant compte de restrictions, s'il y a lieu.

Facteurs blocs: Facteurs qualitatifs ou quantitatifs qui servent de subdivision en blocs des unités expérimentales, selon un groupe homogène.

Plan en blocs randomisés: Plan d'expérience dont les unités expérimentales sont constituées en blocs homogènes selon un critère commun et auxquelles on applique à l'intérieur de chaque bloc, et ceci de façon aléatoire, les traitements.

Expérience factorielle: Expérience dans laquelle on étudie les effets de tous les traitements possibles formés à partir de 2 facteurs ou plus, chaque facteur comportant 2 modalités (niveaux) ou plus.

Effet d'interaction: Effet conjoint de deux ou plusieurs facteurs sur une variable dépendante; un effet d'interaction indique que les facteurs n'agissent pas indépendamment sur la variable dépendante.

**Principales
formules**

Analyse de variance suivant un seul facteur

Somme de carrés totale

$$SCT = \sum_{j=1}^{k} \sum_{i=1}^{n_j} (y_{ij} - \overline{y})^2 = \sum_{j=1}^{k} \sum_{i=1}^{n_j} y_{ij}^2 - \frac{T^2}{n} \quad \text{où } T = \sum_{j=1}^{k} \sum_{i=1}^{n_j} y_{ij}, \; y_{ij} \text{ représente la } i \text{ ième ob-}$$

servation pour la modalité j, n_j est le nombre de résultats sous la modalité j, k représente le nombre de modalités et $\overline{y}$, la moyenne générale (moyenne de toutes les données). Cette somme de carrés a $(n-1)$ degrés de liberté et $n = n_1 + n_2 + ... + n_k$.

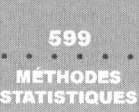
Principales formules (suite)

Analyse de variance suivant un seul facteur

Somme de carrés attribuable au facteur

$$SC_A = \sum_{j=1}^{k} n_j(\overline{y}_j - \overline{y})^2 = \sum_{j=1}^{k} \frac{T_j^2}{n_j} - \frac{T^2}{n} \quad \text{où } T_j = \sum_{i=1}^{n_j} y_{ij} \text{ , } \overline{y}_j \text{ représente la moyenne des}$$

données sous la modalité j. Cette somme de carrés a $(k - 1)$ degrés de liberté où k représente le nombre de modalités du facteur.

Somme de carrés résiduelle

$$SC_{RES} = \sum_{j=1}^{k} \sum_{i=1}^{n_j} (y_{ij} - \overline{y}_j)^2 = \sum_{j=1}^{k} \sum_{i=1}^{n_j} y_{ij}^2 - \sum_{j=1}^{k} \frac{T_j^2}{n_j} \text{ . Cette somme de carrés a } (n - k) \text{ degrés}$$

de liberté où k représente le nombre de modalités du facteur.

Tableau d'analyse de variance

Source de variation	Somme de carrés	Degrés de liberté	Carrés moyens
Attribuable au facteur A (expliquée)	SC_A	k-1	$CM_A = \dfrac{SC_A}{k-1}$
Résiduelle (inexpliquée)	SC_{RES}	n-k	$CM_{RES} = \dfrac{SC_{RES}}{n-k}$
Totale	SCT	n-1	

Test de signification sur l'égalité des *k* moyennes

Hypothèses statistiques:

$H_0: \mu_1 = \mu_2 = ... = \mu_k$
H_1: Les μ_j ne sont pas toutes égales

Seuil de signification : α

Conditions d'application du test: On suppose que les observations constituent des échantillons prélevés au hasard et indépendamment de k populations normales de variances identiques σ^2. *La statistique* qui convient pour le test est le rapport des carrés moyens. En supposant H_0 vraie

et selon les conditions d'application, la quantité $F = \dfrac{CM_A}{CM_{RES}}$ est distribuée selon la loi de

Fisher avec $(k$-1$)$ et $(n$-$k)$ degrés de liberté. Au seuil α, la valeur critique du F de Fisher est

$F_{\alpha;(k-1),(n-k)}$. Si $F > F_{\alpha;(k-1),(n-k)}$, nous rejetons H_0 et favorisons H_1.

Comparaisons multiples

Méthode de Tukey-Kramer: L'écart minimum de séparation ou l'écart critique s'obtient de l'expression suivante (pour un seuil de 5%):

$$\text{Écart critique} = w = Q_{0,05} \sqrt{\frac{CM_{RES}}{2}\left(\frac{1}{n_i} + \frac{1}{n_j}\right)} \quad \text{où } Q_{0,05} \text{ s'obtient de la table de Tukey et}$$

n_i est la taille de l'échantillon sous la modalité i et n_j, celle sous la modalité j pour les

moyennes $\overline{y}_i$ et $\overline{y}_j$ que nous voulons comparer. On déclare une différence significative si l'écart observé entre deux moyennes est supérieur à l'écart critique w.

Analyse de variance d'un plan en blocs randomisés

Somme de carrés

Dans ce plan d'expérience, on a:

$$SCT = SCB + SCTR + SC_{RES}$$

où $\quad SCT = \sum_{j=1}^{k} \sum_{i=1}^{r} y_{ij}^2 - \dfrac{T^2}{rk}$ où $T = \sum_{j=1}^{k} \sum_{i=1}^{r} y_{ij}$ (variation totale)

avec $(rk\text{-}1)$ degrés de liberté.

$$SCB = \sum_{i=1}^{r} \dfrac{T_i^2}{k} - \dfrac{T^2}{rk} \text{ où } T_i = \sum_{j=1}^{k} y_{ij} \text{ (variation attribuable aux } r \text{ blocs)}$$

avec $(r\text{-}1)$ degrés de liberté.

$$SCTR = \sum_{j=1}^{k} \dfrac{T_j^2}{r} - \dfrac{T^2}{rk} \text{ où } T_j = \sum_{i=1}^{r} y_{ij} \text{ (variation attribuable aux } k \text{ traitements)}$$

avec $(k\text{-}1)$ degrés de liberté.

Tableau d'analyse de variance

Source de variation	Somme de carrés	Degrés de liberté	Carrés moyens	Rapport F
Traitements (facteurs)	$SCTR$	$k\text{-}1$	$CMTR = \dfrac{SCTR}{k-1}$	$F = \dfrac{CMTR}{CM_{RES}}$
Blocs (B$_i$)	SCB	$r\text{-}1$	$CMB = \dfrac{SCB}{r-1}$	$F = \dfrac{CMB}{CM_{RES}}$
Résiduelle	SC_{RES}	$(r\text{-}1)(k\text{-}1)$	$CM_{RES} = \dfrac{SC_{RES}}{(r-1)(k-1)}$	
Totale	SCT	$(rk\text{-}1)$		

Règles de décision avec un seuil de signification α

Traitements: rejeter $H_0: \mu_{t_1} = \mu_{t_2} = ... = \mu_{t_k}$ si $F > F_{\alpha;(k-1),(r-1)(k-1)}$

Blocs: rejeter $H_0: \mu_{b_1} = \mu_{b_2} = ... = \mu_{b_r}$ si $F > F_{\alpha;(r-1),(r-1)(k-1)}$

Analyse de variance d'une expérience factorielle à 2 facteurs A et B

Somme de carrés

Pour l'expérience factorielle, on a:

$SCT = SCA + SCB + SCAB + SC_{RES}$ avec

$$SCT = \sum_{i=1}^{k_1} \sum_{j=1}^{k_2} \sum_{k=1}^{n} y_{ijk}^2 - \dfrac{T^2}{k_1 \cdot k_2 \cdot n} \text{ où } T = \sum_{i=1}^{k_1} \sum_{j=1}^{k_2} \sum_{k=1}^{n} y_{ijk} \text{ avec } k_1 \cdot k_2 (n\text{-}1) \text{ degrés de}$$

liberté.

$$SCA = \sum_{i=1}^{k_1} \dfrac{T_i^2}{k_2 \cdot n} - \dfrac{T^2}{k_1 \cdot k_2 \cdot n} \text{ où } T_i = \sum_{j=1}^{k_2} \sum_{k=1}^{n} y_{ijk} \text{ (variation attribuable au facteur A)}$$

avec $k_1\text{-}1$ degrés de liberté

$$SCB = \sum_{j=1}^{k_2} \dfrac{T_j^2}{k_1 \cdot n} - \dfrac{T^2}{k_1 \cdot k_2 \cdot n} \text{ où } T_j = \sum_{i=1}^{k_1} \sum_{k=1}^{n} y_{ijk} \text{ (variation attribuable au facteur B)}$$

avec $k_2\text{-}1$ degrés de liberté

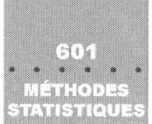

Analyse de variance d'une expérience factorielle à 2 facteurs A et B (suite)

Principales formules (suite)

Somme de carrés et tableau d'analyse de variance

$$SCAB = \sum_{i=1}^{k_1} \sum_{j=1}^{k_2} \frac{T_{ij}^2}{n} - \sum_{i=1}^{k_1} \frac{T_i^2}{k_2 \cdot n} - \sum_{j=1}^{k_2} \frac{T_j^2}{k_1 \cdot n} + \frac{T^2}{k_1 \cdot k_2 \cdot n} \text{ où } T_{ij} = \sum_{k=1}^{n} y_{ijk}$$

avec $(k_1 - 1)(k_2 - 1)$ degrés de liberté

Par différence, on obtient:

$SC_{RES} = SCT - SCA - SCB - SCAB$ avec $k_1 \cdot k_2 (n-1)$ ou encore en utilisant l'expression

$$SC_{RES} = \sum_{i=1}^{k_1} \sum_{j=1}^{k_2} \left[\sum_{i=1}^{k_1} y_{ikj}^2 - \frac{T_{ij}^2}{n} \right]$$

k_1 représente le nombre de modalités du facteur A, k_2 représente le nombre de modalités du facteur B et n, le nombre de répétitions par combinaisons expérimentales.

Tableau d'analyse de variance

Source de variation	Somme de carrés	Degrés de liberté	Carrés moyens	Rapport F
Facteur A	SCA	$(k_1 - 1)$	$CMA = \dfrac{SCA}{k_1 - 1}$	$\dfrac{CMA}{CM_{RES}}$
Facteur B	SCB	$(k_2 - 1)$	$CMB = \dfrac{SCB}{k_2 - 1}$	$\dfrac{CMB}{CM_{RES}}$
Interaction AB	SC_{AB}	$(k_1 - 1)(k_2 - 1)$	$CM_{AB} = \dfrac{SC_{AB}}{(k_1 - 1)(k_2 - 1)}$	$\dfrac{CM_{AB}}{CM_{RES}}$
Résiduelle	SC_{RES}	$k_1 \cdot k_2 (n-1)$	$CM_{RES} = \dfrac{SC_{RES}}{k_1 \cdot k_2 (n-1)}$	
Totale	SCT	$k_1 \cdot k_2 (n-1)$		

Règles de décision avec un seuil de signification α

Facteur A: rejeter H_0 si $F > F_{\alpha; (k_1 - 1), k_1 \cdot k_2 (n-1)}$ et conclure à un effet significatif du facteur A.
Facteur B: rejeter H_0 si $F > F_{\alpha; (k_2 - 1), k_1 \cdot k_2 (n-1)}$ et conclure à un effet significatif du facteur B.
Interaction AB: rejeter H_0 si $F > F_{\alpha; (k_1 - 1)(k_2 - 1), k_1 \cdot k_2 (n-1)}$ et conclure à un effet significatif de l'interaction AB sur la variable dépendante.

10.9 Exercices d'application

Analyse de variance à un seul facteur

1. Une entreprise oeuvrant dans la formation professionnelle veut évaluer trois méthodes d'apprentissage dans un cours de gestion des approvisionnements. Le cours porte sur l'utilisation de logiciels d'application et de résolution de problèmes de gestion. Quinze stagiaires inscrits à ce cours ont été répartis au hasard selon les trois méthodes d'apprentissage employées. Les résultats obtenus par chaque stagiaire à la fin du cours d'une durée de 15 heures sont indiqués dans le tableau de la page suivante.

Méthodes d'apprentissage		
M1	**M2**	**M3**
85	88	82
72	83	72
80	89	72
78	78	70
87	88	79

a) Quelle est l'hypothèse nulle que l'on veut tester avec cette structure expérimentale?

b) Déterminez la moyenne générale pour l'ensemble des résultats ainsi que la moyenne respective selon chaque méthode d'apprentissage.

c) Déterminez les sommes de carrés associées à la variation totale des résultats des quinze stagiaires, à la variation attribuable aux diverses méthodes d'apprentissage et à la variation résiduelle.

d) Déterminez le tableau d'analyse de variance.

e) Testez, au seuil de signification 5%, l'hypothèse nulle précisée en a).

f) Que peut-on conclure?

 2. L'entreprise NICOM effectue l'assemblage de montages électroniques complexes. Quatre personnes sont affectées à la vérification de ces montages. On veut examiner si, en moyenne, le temps requis (en minutes) pour effectuer la vérification de ces montages identiques est sensiblement le même pour chaque vérificateur.

On a donc décidé d'expérimenter avec 20 montages identiques qui ont été affectés au hasard aux quatre vérificateurs (cinq montages chacun). Le temps requis (en minutes) pour vérifier les montages a été enregistré et les résultats obtenus pour chaque vérificateur sont indiqués dans le tableau suivant.

6.632   13.192

Vérificateurs			
V1	**V2**	**V3**	**V4**
30,8	27,9	31,2	26,5
29,6	25,1	28,3	28,7
32,4	28,5	30,8	25,1
31,7	24,2	27,8	29,1
32,8	26,5	29,6	27,2

31.46   26.44   29.54   27.32

a) Quelle est l'hypothèse nulle que l'on veut tester à ce plan d'expérience?

b) Déterminez le temps moyen obtenu pour l'ensemble des résultats ainsi que le temps moyen réalisé par chaque vérificateur.

c) Déterminez les sommes de carrés associées à la variation totale des temps de vérification, à la variation attribuable aux divers vérificateurs et à la variation résiduelle.

d) Déterminez le tableau d'analyse de variance correspondant.

e) Testez, au seuil de signification de 5%, l'hypothèse nulle précisée en a).

3. On veut comparer les dépenses hebdomadaires moyennes pour la consommation alimentaire auprès de familles de trois régions présentant sensiblement les mêmes caractéristiques socio-économiques. Un échantillon aléatoire de 10 familles de chaque région a été prélevé et les dépenses hebdomadaires pour la consommation alimentaire sont indiquées dans le tableau de la page suivante.

a) Pour effectuer une analyse de la variance sur ces données, quelles sont les hypothèses fondamentales sous-jacentes à cette analyse?

b) Quelles sont les hypothèses statistiques que l'on veut tester?

1464   *568*   *860*

Régions		
Région A	Région B	Région C
90	85	99
80	88	96
68	75	95
70	82	98
62	80	77
99	70	92
95	81	81
84	93	93
95	94	70
77	92	89

c) Calculez le total des dépenses hebdomadaires pour chaque région.

d) Calculez la dépense hebdomadaire moyenne pour les trois régions ainsi que la moyenne pour chaque région.

e) Complétez le tableau d'analyse de variance suivant.

Source de variation	Somme de carrés	Degrés de liberté	Carrés moyens
Entre régions	*260*	2	*130*
Résiduelle	*2892*	*27*	*107,11*
Totale	3152		

f) Peut-on considérer comme vraisemblable l'hypothèse selon laquelle les dépenses hebdomadaires moyennes pour la consommation alimentaire sont identiques dans les trois régions? Utilisez $\alpha = 0,05$. *F = 1,214   Fc = F_{0,05;2,27} = 3,35*

g) En supposant H_0 vraie, on obtient, avec un programme informatique, que la probabilité que la quantité F soit supérieure ou égale à la valeur observée 1,21369 est 0,3128. *p-value* En comparant cette probabilité avec le seuil de signification $\alpha = 0,05$, que peut-on conclure?

4. Un cours d'apprentissage d'une base de données est offert à trois groupes d'individus en gestion des ressources humaines. Les résultats suivants ont été obtenus lors de l'évaluation de fin de session.

Groupe A	Groupe B	Groupe C
$n_1 = 26$	$n_2 = 29$	$n_3 = 28$ *83*
$\bar{y}_1 = 73,2$	$\bar{y}_2 = 76,6$	$\bar{y}_3 = 77,8$

75,94

De plus $\sum_{i=1}^{26} (y_{i1} - \bar{y}_1)^2 = 2851,4$, $\sum_{i=1}^{29} (y_{i2} - \bar{y}_2)^2 = 3638,9$, $\sum_{i=1}^{28} (y_{i3} - \bar{y}_3)^2 = 3953,1$.

Peut-on considérer, au seuil de signification $\alpha = 0,05$, que les moyennes des trois groupes ne diffèrent pas de façon significative?

5. Utilisant les données et les résultats d'analyse de variance de l'exercice 2, comparez, en utilisant la méthode de Tukey, les moyennes entre elles. Utilisez $\alpha = 0,05$.

On soulignera les moyennes qui ne diffèrent pas de façon significative.

6. Selon une enquête effectuée par la firme SOM, recherches et sondages, pour le compte du journal LES AFFAIRES et visant à préciser certaines des principales préoccupations des dirigeants de PME au Québec, on a obtenu des données sur la durée de semaine de travail des dirigeants.

Les données* suivantes représentent la durée en heures pour la semaine de travail d'un échantillon de 12 dirigeants de trois régions.

Montérégie	Outaouais	Estrie
52	57	57
49	52	54
51	54	56
44	45	49
46	48	51
51	54	56
46	48	51
51	55	56
49	52	54
51	54	56
49	52	54
50	54	55

* Source. Adapté de Gagnon, G. *Quatre PME sur cinq perçoivent la mondialisation comme une occasion de croissance.* LES AFFAIRES, hors série, édition 2001.

La moyenne générale donne 51,75 heures.

a) Sachant que $\sum\limits_{j=1}^{3}\sum\limits_{i=1}^{12}(y_{ij}-\overline{y}_j)^2 = 268,75$ et que $\sum\limits_{j=1}^{3}12(\overline{y}_j-\overline{y})^2 = 152$, calculez la variance observée à l'intérieur des modalités (les régions) et la variance entre les moyennes des modalités.

b) Comment appelle-t-on ces variances, dans un tableau d'analyse de variance?

c) Testez, au seuil de signification $\alpha = 0,05$, l'hypothèse selon laquelle la durée moyenne d'une semaine de travail pour les dirigeants de PME de ces trois régions est identique.

d) En utilisant la méthode de Tukey, comparez, au seuil $\alpha = 0,05$, les moyennes entre elles. On soulignera les moyennes qui ne diffèrent pas de façon significative.

7. *Équivalence entre l'analyse de la variance et le test de Student pour la comparaison de deux moyennes.* Dans le cas où le nombre de modalités du facteur contrôlé n'est que deux, la comparaison des moyennes des deux populations peut s'effectuer à l'aide d'un test de Student $(H_0: \mu_1 = \mu_2,\ H_1: \mu_1 \neq \mu_2)$ ou avec le test de Fisher (rapport F) résultant de l'analyse de la variance.

Dans le cas du test de Student, nous rejetons H_0 si, au seuil α,

$$t = \frac{\overline{y}_{i1} - \overline{y}_{i2}}{\sqrt{\dfrac{\sum(y_{i1}-\overline{y}_1)^2 + \sum(y_{i2}-\overline{y}_2)^2}{n_1 + n_2 - 2}}\sqrt{\dfrac{1}{n_1}+\dfrac{1}{n_2}}}$$ est inférieure à $-t_{\alpha/2;n_1+n_2-2}$ ou supérieure

à $t_{\alpha/2;n_1+n_2-2}$. De plus, on vérifie que $F = t^2$.

Illustrons l'équivalence des deux méthodes avec l'exercice suivant.

On veut comparer l'effet de deux types de présentation d'un accessoire informatique sur sa vente. On a relevé les ventes au cours du dernier mois, de 12 succursales vendant ce produit, mais selon deux présentations différentes.

Succursale	Présentation du produit	
	Type A	Type B
1	48	40
2	33	27
3	39	34
4	42	28
5	34	36
6	27	28
7	31	33
8	42	39
9	38	31
10	34	37
11	38	29
12	44	34

a) Calculez, pour chaque type de présentation, le niveau moyen des ventes.

b) Calculez l'écart entre la moyenne respective de type de présentation et la moyenne générale.

c) En supposant que ces mesures proviennent de populations normales de variances inconnues mais supposées égales à une variance commune σ^2, estimez cette variance commune.

d) À l'aide du T de Student, peut-on conclure, au seuil de signification $\alpha = 0,05$, que les types de présentation présentent un niveau moyen de vente identique? Quelle est l'hypothèse nulle que l'on veut soumettre au test?

e) On peut également tester l'hypothèse nulle spécifiée en d) en ayant recours à l'analyse de la variance. En effectuant les calculs appropriés, complétez le tableau d'analyse de la variance suivant.

Source de variation	Somme de carrés	Degrés de liberté	Carrés moyens
Entre «types de présentation»			
Résiduelle			
Totale	732,5		

f) Quelle est la valeur du carré moyen résiduel?

g) Comment se compare cette valeur du carré moyen résiduel avec l'estimation de la variance commune que vous avez obtenue en c)?

h) Dans le cas où l'on n'a que deux modalités, arriverons-nous toujours à la même conclusion, que nous utilisions le T de Student ou le F de Fisher?

i) Vérifiez pour les résultats obtenus que $F = t^2$.

8. Les données ci-contre représentent la rémunération annuelle pour des professionnels de cinq entreprises des secteurs pharmaceutique et biotechnologie.

Une analyse de variance avec Excel conduit aux résultats de la page suivante.

Répondez aux questions suivantes en utilisant la sortie d'Excel.

a) Quelle est la rémunération annuelle qui a été observée pour l'entreprise B? D?

b) Quelle entreprise présente la plus grande variabilité en ce qui a trait à la rémunération de ses professionnels?

c) Quelle est la valeur du carré moyen pour la source de variation «Entre entreprises»?

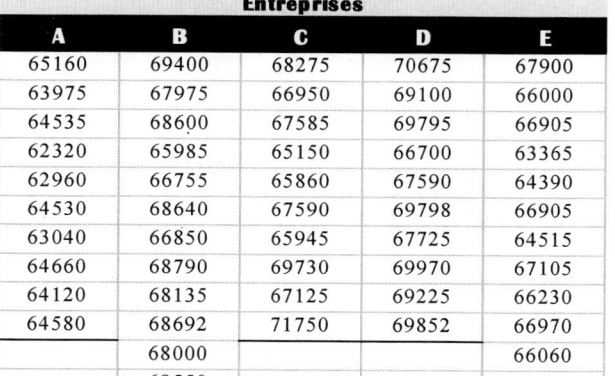

Rémunération annuelle Entreprises				
A	B	C	D	E
65160	69400	68275	70675	67900
63975	67975	66950	69100	66000
64535	68600	67585	69795	66905
62320	65985	65150	66700	63365
62960	66755	65860	67590	64390
64530	68640	67590	69798	66905
63040	66850	65945	67725	64515
64660	68790	69730	69970	67105
64120	68135	67125	69225	66230
64580	68692	71750	69852	66970
	68000			66060
	68550			66770
				67280
				66265

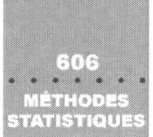

Résultats avec Excel
pour les données de
l'exercice no 8
La sortie a été éditée
par l'auteur

	H	I	J	K	L
2	Analyse de variance: un facteur				
3					
4	RAPPORT DÉTAILLÉ				
5	*Entreprises*	*Nombre d'observations*	*Somme*	*Moyenne*	*Variance*
6	A	10	639880	63988	835990
7	B	12	816372	68031	1006830,2
8	C	10	675960	67596	3848048,9
9	D	10	690430	69043	1631902
10	E	14	926660	66190	1615626,9

13	ANALYSE DE VARIANCE					
14	*Source des variations*	*Somme des carrés*	*Degré de liberté*	*Moyenne des carrés*	*F*	*Probabilité*	*Valeur critique pour F*
15	Entre Entreprises	157823036,2	4	39455759,05	22,629	8,62354E-11	2,5534
16	A l'intérieur des entreprise	88921750	51	1743563,725			
17							
18	Total	246744786,2	55				

d) Peut-on affirmer au seuil de signification 5% que la rémunération annuelle moyenne est identique, peu importe l'entreprise? Justifiez votre conclusion.

9. On veut comparer trois systèmes à temps partagé selon le temps de réponse à une commande d'édition. Les temps de réponse observés (en millisecondes) pour un certain nombre de requêtes sur chaque système sont présentés dans le tableau suivant.

	Système A	Système B	Système C
	672	672	695
	670	694	700
	687	681	714
	665	688	720
	717	655	686
	699	665	694
	688	701	716
	703	690	674
	693	658	692
	672	678	698
	714	702	708
	699	694	716
	698	660	690
	673	662	702
	700	670	695
T_j	10350	10170	10500

$n_1 = 15$
$n_2 = 15$
$n_3 = 15$

$T = 31020$

a) Calculez le temps moyen de réponse pour les trois systèmes.
b) Calculez le temps moyen de réponse pour chaque système.

c) On donne

$$\sum \sum y_{ij}^2 = 21\,396\,494,$$

$$\frac{(T)^2}{n} = 21\,383\,120 \text{ et}$$

$$\sum \frac{T_j^2}{n_j} = 21\,386\,760.$$

Complétez le tableau d'analyse de la variance.

Source de variation	Somme de carrés	Degrés de liberté	Carrés moyens
Entre «systèmes»			
Résiduelle			
Totale			

d) À l'aide du test de Fisher, peut-on conclure, au seuil $\alpha = 0,05$, que le temps moyen de réponse est identique pour les trois systèmes?

e) Comparez les moyennes observées à l'aide de la méthode de Tukey. Utilisez $\alpha = 0,05$.

f) Quelles sont les moyennes qui ne diffèrent pas de façon significative?

10. Un projet* de rénovation d'un bâtiment comporte l'enlèvement du revêtement extérieur en résine époxy pour le remplacer par des carreaux de céramique. Avant de remplacer ce revêtement extérieur, on veut examiner l'effet du degré de décapage sur la tenue du nouveau carrelage sur les murs extérieurs. Le plan d'expérience à un seul facteur contrôlé comporte les modalités suivantes:

Degré de décapage

A_1: murs non traités
A_2: enlèvement des seules parties saillantes
A_3: enlèvement de 80% du revêtement
A_4: enlèvement de 90% du revêtement
A_5: enlèvement de tout le revêtement

* Source: Adapté de Résolution des problèmes dans le secteur du bâtiment, les 14 étapes du processus, tome 2, Les applications, AFNOR, 1993, page 128.

Des carreaux de céramique ont par la suite été mis en place et des essais d'adhérence des carreaux ont été effectués sur 3 carreaux pour chaque degré de décapage.

a) Combien de modalités comporte le facteur contrôlé?
b) Le plan d'expérience comportera combien de résultats?
c) Une partie du tableau d'analyse de variance est présentée ci-après.

Source de variation	Somme de carrés	Degrés de liberté	Carrés moyens	Rapport F
Facteur A	20,23			
Résiduelle				
Totale	24,12			

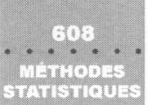

Complétez le tableau d'analyse de variance.

d) Peut-on affirmer au seuil de 5% que le degré de décapage n'a aucun effet significatif sur l'adhérence des carreaux? Justifiez votre réponse.

Affectation par blocs

 11. Une importante société de la région de Montréal offrant un éventail de services en ingénierie allant de la préparation à l'exécution de projets de construction, de gestion de projets en milieu industriel veut s'assurer que les personnes qui sont affectées à l'estimation des coûts des projets et à la préparation des soumissions présentent une certaine uniformité dans leurs estimations. Le responsable des travaux de génie civil et de services municipaux a décidé de structurer un plan d'expérience pour détecter s'il pouvait exister des différences significatives sur l'évaluation des projets.

Six projets furent sélectionnés, chacun des projets devant être évalué par chacun des 3 estimateurs, l'ordre des projets soumis étant aléatoire. Les estimations obtenues sont présentées dans le tableau suivant.

	Estimateurs		
	A	**B**	**C**
Projet 1	59,2	60,1	60,2
Projet 2	55,6	55,9	56,8
Projet 3	85,4	83,6	84,9
Projet 4	105,2	103,5	100,9
Projet 5	68,2	69,5	67,8
Projet 6	29,3	28,6	30,4

a) Précisez le modèle statistique qui permet d'identifier les diverses sources de fluctuations dans la valeur estimative des projets.

b) Dans ce plan d'expérience, précisez quel élément sert de blocs et lequel sert de traitements.

c) Quelle est l'hypothèse nulle principale que l'on veut tester ici?

d) Déterminez le tableau d'analyse de variance pour les données de ce plan d'expérience. Il serait préférable d'utiliser un programme informatique.

e) Existe-t-il, au seuil de signification $\alpha = 0,05$, une différence significative dans la valeur estimative moyenne des projets entre les estimateurs? Justifiez votre conclusion.

12. On donne les sommes de carrés suivantes pour un plan expérimental avec affectation au hasard par blocs:

$$SCT = 74,25, \quad SCB = 14, \quad SCTR = 56,25, \quad CMTR = 18,75, \quad CMB = 7.$$

a) Combien de traitements comportait ce plan expérimental?

b) Combien de blocs ont été utilisés dans cette expérience?

c) Testez, au seuil $\alpha = 0,05$, l'hypothèse nulle

H_0: aucun effet attribuable aux traitements.

d) Est-ce que l'élimination de l'effet de blocs s'est avérée efficace? Utilisez $\alpha = 0,05$.

 13. Une firme oeuvrant dans le domaine de la publicité veut étudier l'impact sur les ventes de trois façons de présenter un nouveau produit alimentaire et ceci pour quatre régions différentes. À l'intérieur de chaque région, trois marchés d'alimentation de

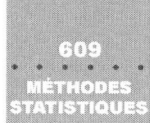
même taille et ayant sensiblement le même niveau d'achalandage sont choisis et chacun se verra assigné de façon aléatoire un type de présentation.

Le produit se vend le même prix, peu importe le type de présentation. On a enregistré durant la période d'expérimentation le nombre d'unités vendues pour chaque type de présentation dans chaque région. Les résultats sont présentés dans le tableau suivant. On s'intéresse principalement à l'impact sur les ventes des diverses présentations du produit, une fois que la variabilité entre les trois régions a été éliminée.

	Type de présentation		
	A	B	C
Région 1	250	261	251
Région 2	255	252	248
Région 3	264	270	271
Région 4	277	290	282

a) Identifiez l'unité expérimentale dans cette expérience.
b) Existe-t-il une restriction sur l'affectation au hasard des unités expérimentales dans cette expérience? Laquelle?
c) Précisez le modèle mathématique qui permet d'identifier les diverses sources de fluctuations du niveau des ventes dans cette expérience.
d) Dans cette expérience, précisez quel élément sert de blocs et lequel sert de traitements?
e) Quelles hypothèses statistiques veut-on tester avec ce plan expérimental?
f) Déterminez la somme de carrés pour la variation totale ainsi que les sommes de carrés pour les diverses sources de variation précisées dans le modèle mathématique.
g) Déterminez le tableau d'analyse de la variance pour les données de ce plan expérimental.
h) Existe-t-il, au seuil de signification $\alpha = 0,05$, une différence significative entre le niveau moyen des ventes du produit à travers les quatre régions selon le type de présentation?
i) Est-ce que l'utilisation des régions comme blocs a permis d'absorber une partie importante de la variabilité dans le niveau des ventes? Effectuez un test approprié au seuil $\alpha = 0,05$.

 14. Une entreprise pétrolière veut implanter une nouvelle station d'essence dans une région. Actuellement quatre emplacements sont envisagés. Une variable importante dans le choix de l'emplacement est l'affluence des véhicules à chaque emplacement. On décida donc de placer des compteurs à chaque emplacement et d'enregistrer le nombre de véhicules au cours des cinq jours de la semaine. Les données obtenues sont présentées dans le tableau suivant.

	Emplacements			
	A	B	C	D
Jour 1	445	494	532	505
Jour 2	540	555	655	550
Jour 3	440	436	450	442
Jour 4	455	478	504	491
Jour 5	480	487	479	472

a) Quel est l'objectif principal de cette étude?
b) Quel est le modèle statistique qui correspond à cette structure expérimentale?
c) Déterminez la variation totale dans les observations recueillies.

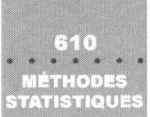

d) Déterminez les sommes de carrés associées aux diverses sources de fluctuations précisées dans le modèle statistique de ce plan expérimental.

e) Existe-t-il une différence significative entre l'affluence moyenne de chaque emplacement? Effectuez un test statistique approprié avec un seuil de signification $\alpha = 0,05$.

f) Utilisez la technique de Tukey pour déterminer quels sont les emplacements qui diffèrent. Utilisez $\alpha = 0,05$.

 15. *Échantillons appariés et la méthode par blocs.* Le test de comparaison de deux échantillons appariés ou dépendants comportant n observations couplées est un cas particulier du plan expérimental avec affectation au hasard par blocs. On a alors n blocs et seulement 2 traitements. Comme nous le savons, nous comparons deux séries de mesures appariées à l'aide de la méthode des couples qui consiste à former, pour chaque paire, la différence $d_i = Y_{i1} - Y_{i2}$, où Y_{i1} représente la i ième observation sous le traitement 1 et Y_{i2}, la i ième observation sous le traitement 2. La différence moyenne est $\bar{d} = \dfrac{\sum d_i}{n}$ et l'écart-type de la différence est $s_d = \sqrt{\dfrac{\sum (d_i - \bar{d})^2}{n-1}}$. On teste l'hypothèse selon laquelle il n'y a aucun effet attribuable aux traitements ($H_0 : \mu_d = 0$) à l'aide du T de Student où la valeur observée du T est $t = \dfrac{\bar{d}}{s_d / \sqrt{n}}$.

Au seuil α, nous rejetons H_0 (et favorisons $H_1 : \mu_d \neq 0$) si $T < -t_{\alpha/2;n-1}$ ou $T > t_{\alpha/2;n-1}$. On obtiendra la même conclusion si on utilise l'analyse de la variance pour le plan expérimental avec affectation au hasard par blocs où chaque unité expérimentale constitue un bloc. On peut vérifier également que $F = t^2$.

Considérons l'expérience suivante où les deux techniques d'analyse peuvent être utilisées. Quinze consommateurs* ont été sélectionnés au hasard pour assister à une démonstration d'un nouvel article ménager. On a demandé à chaque participant de préciser sur une échelle de 0 à 10, leur intention d'achat avant et après la démonstration du produit.

Consommateur	Avant démonstration	Après démonstration
1	2	4
2	5	8
3	6	6
4	6	3
5	3	7
6	4	1
7	1	6
8	6	5
9	7	3
10	4	8
11	7	9
12	6	6
13	6	3
14	3	7
15	5	6

*Source: Adapté de C. Bialès, *Test de la différence moyenne*, Chotard et ass., 1988, p. 175.

a) En utilisant la méthode des couples, testez, à l'aide du T de Student, l'hypothèse selon laquelle les intentions d'achat ne changent pas de façon significative à la suite de la démonstration de ce produit? Utilisez $\alpha = 0,05$.

b) Précisez, dans le cas de la méthode par blocs, le modèle mathématique du plan expérimental et identifiez chaque composante du modèle.

c) Complétez le tableau d'analyse de la variance.

Source de variation	Somme de carrés	Degrés de liberté	Carrés moyens
Blocs (Consommateurs)	55,2		
Traitements (Avant-après démonstration)			4033
Résiduelle			
Totale	122,7		

d) Précisez les hypothèses statistiques que l'on veut tester.

e) Existe-t-il, au seuil $\alpha = 0,05$, une différence significative dans les intentions d'achat une fois que nous avons tenu compte de la variabilité existante entre les consommateurs?

f) Vérifiez que $F = t^2$.

g) Estimez, à l'aide d'un intervalle de confiance ayant un niveau de confiance de 95%, la vraie différence moyenne d'intention d'achat.

16. Les sommes suivantes ont été obtenues pour les données correspondant à un plan expérimental par la méthode des blocs. L'expérience comportait 6 blocs et 3 traitements.

Grand total: $T = 1063$

Total des traitements: $T_{t_1} = 288$, $T_{t_2} = 367$, $T_{t_3} = 408$

Total des blocs: $T_{b_1} = 236$, $T_{b_2} = 159$, $T_{b_3} = 105$, $T_{b_4} = 204$, $T_{b_5} = 145$, $T_{b_6} = 214$

De plus, $\sum y_{ij}^2 = 68581$, $n = r \cdot k = (6)(3) = 18$

a) Calculez la variation totale.
b) Calculez la variation attribuable aux blocs.
c) Calculez la variation attribuable aux traitements.
d) Calculez la variation résiduelle.
e) Complétez le tableau d'analyse de la variance

Source de variation	Somme de carrés	Degrés de liberté	Carrés moyens	Rapport F
Blocs				
Traitements				
Résiduelle				
Totale	5804,944	17		

f) Peut-on conclure, au seuil de signification $\alpha = 0,05$, que l'effet des trois traitements diffère entre eux?

g) Si nous n'avions pas tenu compte des blocs dans l'analyse, quelle aurait été alors la valeur du carré moyen résiduel?

h) Quelle conclusion aurions-nous alors obtenue concernant l'effet des trois traitements?

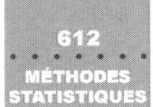

17. L'entreprise Multipak, dans sa préoccupation d'amélioration continue, envisage de réaménager l'espace de travail pour le montage de ses appareils-vidéo. Trois aménagements sont à l'étude, l'actuel et deux nouvelles propositions. On a relevé le temps d'assemblage (en minutes) de 18 appareils de même type, selon chaque aménagement (l'aménagement A étant la configuration actuelle de l'espace de travail).

a) Quelle est l'hypothèse nulle que l'on veut tester ici?

b) Déterminez le temps moyen obtenu pour l'ensemble des résultats ainsi que le temps moyen réalisé selon chaque aménagement.

c) À l'aide d'Excel (ou d'un autre logiciel statistique), déterminez le tableau d'analyse de variance.

d) Peut-on considérer comme vraisemblable l'hypothèse selon laquelle le temps moyen d'assemblage est identique, peu importe l'aménagement de l'espace de travail, au seuil $\alpha = 0,05$? Utilisez le seuil descriptif (valeur p) pour répondre à cette question.

Aménagements		
A	**B**	**C**
89	84	75
86	87	78
92	80	82
85	86	79
89	80	84
94	77	82
95	86	84
85	82	81
86	86	78
92	82	87
92	78	85
85	77	81
87	85	80
86	84	81
92	80	79
85	76	84
93	84	82
89	82	76

18. Dans une étude* auprès d'un échantillon de 205 gestionnaires de PME québécoises concernant leurs perceptions face à l'exportation, on a obtenu les scores moyens présentés ci-après en rapport à la question suivante:

> L'accord commercial de libre-échange entre les États-Unis et le
> Canada sera-t-il bénéfique pour votre entreprise?

Note: Le codage utilisé pour calculer le score moyen est le suivant: tout à fait d'accord=1; d'accord=2; en désaccord=3; tout à fait en désaccord=4.

Les résultats (pour 139 répondants à cette question) sont groupés selon que la firme est exportatrice ou non exportatrice.

*Source: Adapté de Amesse, F. et G. Zaccour. *Les différences de perception et d'attitude entre les gestionnaires de firmes exportatrices et non exportatrices au Québec.* RCSA/CJAS, 8(3).

	Firmes exportatrices	Firmes non exportatrices
Nombre de firmes	66	73
Score moyen	1,924	2,369
Somme de carrés	$\sum_{i=1}^{66} (y_{i1} - \bar{y}_1)^2 = 52,65$	$\sum_{i=1}^{73} (y_{i2} - \bar{y}_2)^2 = 103,68$

En utilisant les techniques de l'analyse de variance, testez l'hypothèse selon laquelle le niveau moyen d'appréciation en ce qui a trait à l'accord commercial de libre-échange est identique pour les gestionnaires des deux types de firmes. Utilisez un seuil de signification de 5%.

 19. Dans une expérience* sur la clarté visuelle de l'écran d'un moniteur couleur, on a examiné l'effet de diverses configurations du moniteur sur 80 sujets. Les sujets ont été répartis de façon aléatoire en quatre groupes de 20 chacun.

Les traitements utilisés sont les suivants (configuration de l'écran).

T1: caractères blancs sur fond noir
T2: caractères noirs sur fond blanc
T3: caractères blancs sur fond bleu
T4: caractères jaunes sur fond noir

Chaque sujet peut ajuster le caractère et l'intensité du fond de l'écran pour assurer une vision confortable comme durant une session de travail normal.

Les données du tableau ci-contre correspondent aux résultats obtenus pour l'acuité visuelle de la page écran visionnée. Plus le score est élevé, meilleure est l'acuité visuelle.

Traitements			
T1	**T2**	**T3**	**T4**
74	74	88	81
84	75	79	83
70	82	89	77
76	71	92	91
86	92	82	84
66	85	91	67
88	69	69	82
69	68	86	90
72	86	76	65
75	71	88	67
92	79	90	78
86	74	70	88
67	88	76	66
66	76	84	77
71	72	78	71
87	85	86	67
67	69	82	80
88	68	86	88
68	86	69	68
72	70	86	77

* Source: Adapté de Pagano, R. *Understanding Statistics*, 3e ed. (1990), page 357.

Peut-on considérer, au seuil de signification 5%, que le score moyen pour l'acuité visuelle est identique, peu importe la configuration du moniteur?

20. Dans une étude* expérimentale sur l'étude de la relation entre satisfaction et fidélité d'une marque de commerce, on a rassemblé les individus qui ont participé à l'étude selon trois groupes d'après les critères suivants:

    Groupe 1: Individus présentant à la fois des caractéristiques psychologiques et comportementales de fidélité à la marque.

    Groupe 2: Individus qui, ayant exprimé une intention de fidélité, ont finalement acheté une autre marque.

    Groupe 3: Individus qui déclarent vouloir acheter une marque différente de celle qu'ils utilisent actuellement.

Les résultats présentés ci-après et à la page suivante donnent le niveau de satisfaction face à la marque de commerce pour les produits «shampooing» et «lessive».

* Source: Adapté de Dufer, J., J.L. Moulins et P. Duncas. *Satisfaction et fidélité: les prémices d'un divorce,...* Colloque de l'association française du marketing, avril 1985.

Shampooing

	Groupe G1	Groupe G2	Groupe G3
Nombre d'individus	80	30	43
Satisfaction moyenne	5,21	5,00	4,28
Somme de carrés	$\sum_{i=1}^{80}(y_{i1}-\overline{y}_1)^2 = 34,76$	$\sum_{i=1}^{30}(y_{i2}-\overline{y}_2)^2 = 17,98$	$\sum_{i=1}^{43}(y_{i3}-\overline{y}_3)^2 = 60,48$

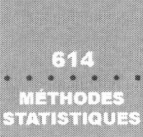
Lessive

	Groupe G1	Groupe G2	Groupe G3
Nombre d'individus	68	26	57
Satisfaction moyenne	5,38	5,07	4,35
Somme de carrés	$\sum_{i=1}^{68} (y_{i1} - \overline{y}_1)^2 = 33,5$	$\sum_{i=1}^{26} (y_{i2} - \overline{y}_2)^2 = 15,75$	$\sum_{i=1}^{57} (y_{i3} - \overline{y}_3)^2 = 48,72$

a) Déterminez le tableau d'analyse de variance pour la variable «satisfaction du consommateur» en ce qui a trait au produit *Shampooing*.

b) Est-ce que le niveau moyen de satisfaction à la marque de commerce est identique, peu importe le groupe d'appartenance des individus? Utilisez un seuil de signification 5%.

c) Déterminez le tableau d'analyse de variance pour la variable «satisfaction du consommateur» en ce qui a trait au produit *Lessive*.

d) Testez l'égalité du niveau moyen de satisfaction pour les trois groupes concernant le produit lessive au seuil de signification 5%.

21. Une étude*, dont l'objectif était de vérifier si le développement stratégique des entreprises avait une influence sur le contenu des régimes de rémunération, a été réalisée auprès d'entreprises de fabrication et de distribution situées au Québec. Les données ont été obtenues à l'aide d'un questionnaire sur lequel les répondants (les responsables des ressources humaines des entreprises) étaient invités à indiquer (sur une échelle sommative de Likert à cinq niveaux) selon quel degré leur entreprise est représentative de l'une ou l'autre des énoncées présentés.

* Source: Richer, S. et R. Laflamme (1997). *L'harmonisation stratégique des pratiques de rémunération au sein des entreprises de fabrication et de distribution du Québec.* Relations industrielles, vol 52, n°4.

Une des hypothèses de recherche était la suivante:

> *Il existe un lien entre la stratégie d'affaires et la caractéristique «accent mis sur la prise de risque» de la gestion de la rémunération.*

Mentionnons que l'étude comportait 14 caractéristiques de la gestion de la rémunération.

On a obtenu les moyennes suivantes pour la caractéristique «accent mis sur la prise de risque» selon la stratégie d'affaires adoptée qui sont du *type défenseur*, *type analyste* et *type prospecteur*.

Stratégie d'affaires		
Défenseur	**Analyste**	**Prospecteur**
($n_1 = 43$)	($n_2 = 45$)	($n_3 = 46$)
2,62	2,02	2,91

a) Dans cette étude, quelle est la variable dépendante?

b) Quel est le facteur (variable indépendante) et combien comporte-t-il de modalités?

c) Dans un tableau d'analyse de variance, combien de degrés de liberté sont associés, pour les résultats de cette étude, à

   i) la variabilité attribuable au facteur?

   ii) la variabilité résiduelle?

d) Dans cette étude, quelle est l'hypothèse nulle qu'on veut soumettre au test de Fisher?

e) Le traitement des données conduit à une valeur observée pour le F de Fisher de 3,87. Peut-on considérer, au seuil de signification 5%, que l'hypothèse de recherche mentionnée précédemment est favorisée?

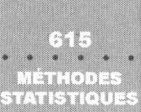
 22. La responsable du marketing de l'entreprise AMD a structuré une expérience factorielle selon deux facteurs pour connaître l'effet sur les ventes hebdomadaires (en milliers de dollars). Douze territoires de vente ont été assignés de façon aléatoire aux diverses combinaisons de modalités des facteurs. Les résultats obtenus (ventes moyennes hebdomadaires durant le mois où cette expérience a été mise à l'essai) sont présentés dans le tableau ci-après.

		Type de publicité		
		Publicité dans les circulaires	Publicité dans les journaux	Pas de publicité
Prix	**Sans rabais**	6,2	4,6	3,7
		5,9	4,0	3,9
	Avec rabais	6,7	5,7	4,2
		7,1	5,3	4,6

a) Déterminez le niveau moyen des ventes moyennes hebdomadaires pour chaque politique de prix selon chaque type de publicité.

b) Visualisez sur un graphique
   i) les variations du niveau moyen des ventes selon le type de publicité et ceci pour chaque politique de prix;
   ii) les variations du niveau moyen des ventes selon la politique de prix et ceci pour chaque type de publicité.

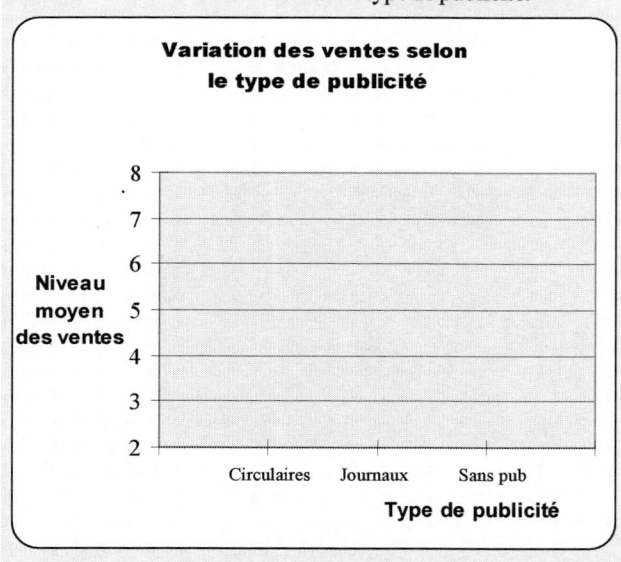

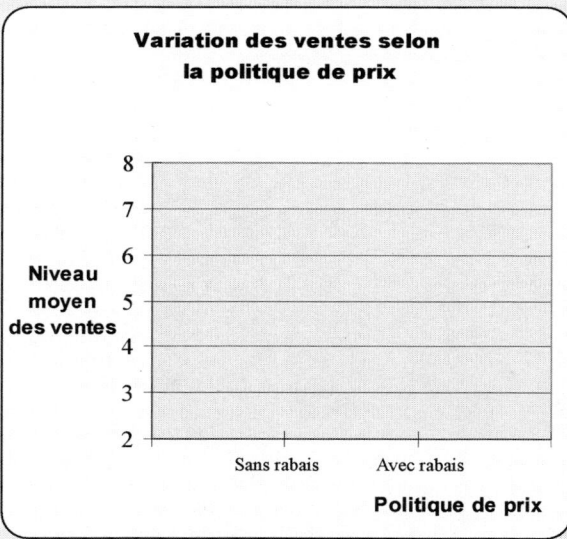

c) Est-ce qu'il semble exister un effet
   i) attribuable au type de publicité?
   ii) à la politique de prix?

d) En utilisant un seuil de signification $\alpha = 0,05$, testez les hypothèses suivantes:
   i) H_0: Niveau moyen des ventes identique peu importe le type de publicité.
   ii) H_0: Niveau moyen des ventes identique peu importe la politique de prix.
   iii) H_0: Aucun effet d'interaction type de publicité × politique de prix sur le niveau des ventes.

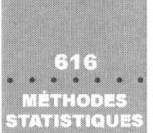

Activité de synthèse no 6
Analyse de variance: satisfaction au travail

Activités de synthèse sur le CD-ROM

Fichier Excel: Activité no 6 - Satisfaction au travail

Fichier SPSS: Activité no 6

Fichier MINITAB: Activité no 6

Objectifs de l'activité

▶ Comparer entre elles plusieurs moyennes.
▶ Déterminer s'il existe une différence significative.

Dans une recherche* effectuée auprès de trois entreprises du secteur des pâtes et papier de la région de l'Estrie, on a mesuré à l'aide d'un questionnaire divers aspects concernant la satisfaction au travail de contremaîtres (l'enquête comportait 18 facteurs, chaque facteur étant mesuré à l'aide de quatre questions équivalentes). L'étude visait à étudier la relation qui existe entre la pratique de gestion des ressources humaines et la satisfaction au travail des contremaîtres.

Les données suivantes (dont nous présentons un extrait) correspond à l'aspect «affectation du personnel» des échelles de satisfaction au travail. La somme obtenue aux quatre questions équivalentes donne le niveau de satisfaction du facteur correspondant. Les questions associées au facteur «affectation du personnel» sont présentées ci-après et consistent à répondre sur une échelle ordinale jusqu'à quel point le répondant est satisfait de cet aspect de son travail.

Affectation du personnel: la distribution des tâches selon les capacités de tous les travailleurs.

Demandez-vous: jusqu'à quel point vous êtes satisfait(e) de cet aspect de votre emploi?

	Pas du tout satisfait	Peu satisfait	Satisfait	Très satisfait	Extrêmement satisfait
1. De la distribution de l'ouvrage selon les talents de tous les employés	❏ 1	❏ 2	❏ 3	❏ 4	❏ 5
2. Du partage de travail selon les habiletés de tous les employés	❏ 1	❏ 2	❏ 3	❏ 4	❏ 5
3. De la distribution des tâches selon les capacités de tous les travailleurs	❏ 1	❏ 2	❏ 3	❏ 4	❏ 5
4. De la répartition des employés d'après les exigences du travail	❏ 1	❏ 2	❏ 3	❏ 4	❏ 5

* Source: Provencher, E. *Effet de la conception de l'homme au travail telle qu'exprimée par un style de gestion sur la satisfaction au travail des contremaîtres*, UQTR, avril 1992.

Le fichier de données (dont on présente un extrait à la page suivante) comporte la somme des différents niveaux de satisfaction pour 22, 25 et 24 contremaîtres pour les entreprises identifiées respectivement Entreprise I, II et III (chaque entreprise présente un style de gestion des ressources humaines différent).

Pour effectuer l'analyse de ces données selon les techniques de l'analyse de variance, on suppose que les données proviennent de populations normales, de variances identiques.

Travail à effectuer

	A	B	C	D
1	Activité de synthèse no 6 - Satisfaction au travail			
2				
3				
4		ENTREPRISE I	ENTREPRISE II	ENTREPRISE III
5		13	12	13
6		14	14	14
7		11	9	10
8		14	14	14
9		13	12	13
10		15	14	15
11		13	13	13
12		14	14	15
13		13	11	12
14		14	13	13
15		13	12	13
16		13	12	13
17		12	10	11
18		11	9	10

a) Identifiez la variable dépendante qui est concernée dans cette recherche.

b) Déterminez pour chaque type d'entreprise, le niveau moyen de satisfaction au travail des contremaîtres.

c) Quel est le niveau moyen de satisfaction de l'ensemble des contremaîtres, sans égard à la pratique de gestion des ressources humaines des entreprises concernées?

d) Précisez l'hypothèse nulle et l'hypothèse de recherche pour cette situation.

e) Déterminez le tableau d'analyse de variance?

f) Quel est le carré moyen pour la source de variation

   i) style de gestion des ressources humaines?

   ii) résiduelle?

g) Quelle hypothèse est confirmée, au seuil de signification de 5%? L'hypothèse nulle ou l'hypothèse de recherche? Justifiez votre conclusion.

h) Quelle est la valeur-p pour ce test d'égalité de moyennes?

Testez vos connaissances

Test no 10

Répondez par Vrai ou Faux.

1. Lorsqu'on veut tester l'égalité de 3 moyennes et plus, on ne peut utiliser le t de Student.

2. Dans une analyse de variance, la variable sur laquelle porte l'analyse est dite variable dépendante.

3. Dans une analyse de variance, la variation résiduelle correspond à la variabilité attribuable au facteur considéré.

4. L'objectif de l'analyse de variance est de tester l'égalité de plusieurs moyennes.

5. Une somme de carrés divisée par ses degrés de liberté constitue un carré moyen ou variance.

6. Dans un tableau d'analyse de variance, le nombre de degrés de liberté pour un facteur comportant 5 modalités est 3.

7. Un test d'égalité de plusieurs moyennes avec la variable de Fisher suppose entre autres que les données proviennent de populations dont les variances sont identiques.

8. Dans un tableau d'analyse de variance, si le nombre de modalités du facteur considéré est trop important, la somme de carrés associée au facteur peut être négative.

9. Le calcul du rapport F dans un tableau d'analyse de variance s'obtient de CM_A/CM_{RES}.

10. Lorsque le facteur ne comporte que deux modalités, le test d'égalité des moyennes avec un F de Fisher donne les mêmes résultats qu'un t de Student dans le cas d'un test bilatéral.

11. Dans une analyse de variance, si la variabilité résiduelle est beaucoup plus importante que la variabilité attribuable au facteur considéré, alors l'influence du facteur sur la variable dépendante est très importante.

12. Dans l'application de la méthode de Tukey-Kramer, lorsque l'écart entre deux moyennes est plus important que l'écart critique, alors la différence observée est significative.

13. Lorsque les unités expérimentales sont classées selon un critère commun, nous sommes alors en présence d'un plan expérimental en blocs randomisés.

14. Un plan d'expérience avec blocs permet de réduire la variation résiduelle et d'obtenir un test plus précis pour évaluer l'effet des modalités du facteur.

15. Dans une analyse de variance avec 3 blocs et 4 modalités du facteur, le nombre de degrés de liberté associé à la variation résiduelle est 6.

Questions à choix multiples. Encerclez la bonne réponse.

16. La distribution de Fisher permet de tester

    i) l'égalité de deux variances   ii) l'égalité de deux moyennes

    iii) l'égalité de plusieurs moyennes   iv) toutes les réponses ci-haut.

17. Le rapport F pour tester l'égalité de plusieurs moyennes s'obtient de:

    i) $\dfrac{CM_A}{SCT}$ ii) $\dfrac{CM_{RES}}{CM_A}$ iii) $\dfrac{CM_A}{CM_{RES}}$ iv) $\dfrac{SC_A}{SC_{RES}}$.

18. On veut comparer l'égalité de 4 moyennes de populations normales dont les tailles d'échantillons sont respectivement $n_1 = 5$, $n_2 = 6$, $n_3 = 4$, $n_4 = 5$.

a) Les degrés de liberté pour la somme de carrés attribuable au facteur sont:

    i) 4   ii) 5   iii) 3.

b) Les degrés de liberté pour la somme de carré résiduelle sont:

    i) 20   ii) 16   iii) 18.

**Testez vos
connaissances**
Test no 10
(suite)

19. L'hypothèse d'égalité des moyennes est rejetée si, au seuil α,

     i) $F > F_{\alpha; n_2-1, n_1-1}$

     ii) $F > F_{\alpha; n_1-1, n_2-1}$

     iii) $F < F_{\alpha; n_1-1, n_2-1}$.

20. Dans une analyse de variance comportant un seul facteur avec 3 modalités, on a $n_1 = 5$, $n_2 = 4$ et $n_3 = 6$. De plus $SCT = 27$ et $SC_{RES} = 15$. $SC_A = 12$

a) Le carré moyen résiduel est:

     i) 2,25   ii) 1,25   iii) 2,66.

b) Le carré moyen attribuable à l'influence du facteur est:

     i) 2,25   ii) 1,25   iii) 6.

c) La valeur observée pour le F de Fisher pour tester l'égalité des trois moyennes est:

     i) 2,66   ii) 2,25   iii) 4,8.

d) Au seuil $\alpha = 0,01$, la valeur critique de la variable de Fisher est:

     i) 6,36   ii) 6,93   iii) 5,10. $F_{0.01; 2, 12}$

e) L'hypothèse H_0: $\mu_1 = \mu_2 = \mu_3$ est

     i) refusée   ii) acceptée

     iii) La valeur de F étant trop petite, on ne peut rien conclure.

21. Dans une analyse de variance comportant un seul facteur à 3 modalités, on a obtenu respectivement les moyennes

$$\overline{y}_1 = 17, \ \overline{y}_2 = 12 \text{ et } \overline{y}_3 = 20.$$

Si chaque donnée sous la troisième modalité du facteur est augmentée de 10, la valeur calculée pour le F de Fisher devrait

     i) diminuer   ii) demeurer inchangée

     iii) augmenter   iv) augmenter de 10.

22. Dans une analyse de variance avec blocs comportant 4 modalités pour le facteur considéré et 6 blocs, on a $SCTR = 27,1$, $SC_{RES} = 33,4$ et $SCT = 135$.

a) Le nombre de données de ce plan d'expérience est:

     i) 10   ii) 18   iii) 24.

b) La somme de carrés attribuable aux blocs est:

     i) 60,5   ii) 74,5   iii) 107,9.

c) Le carré moyen attribuable aux traitements est:

     i) 6,775   ii) 9,033   iii) 8,35.

d) Le rapport F pour l'effet «bloc» est:

     i) 4,05   ii) 2,24   iii) 6,69.

e) La valeur calculée pour le F de Fisher en ce qui a trait aux diverses modalités du facteur est:

     i) 27,1   ii) 9,033   iii) 4,06.

f) Au seuil $\alpha = 0,01$, laquelle des trois affirmations est vraisemblable?

     i)   Les moyennes des quatre populations ne sont pas toutes égales.

     ii)   Les moyennes des quatre populations sont égales.

     iii)   Il n'y a pas d'effet attribuable aux traitements.

     iv)   ii) et iii).

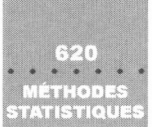

Annexe 10 - Traitement avec Excel

Microsoft Office 2002 et Office 1997

Analyse de variance avec Excel

L'Utilitaire d'analyse d'Excel comporte trois outils qui permettent d'effectuer une analyse de variance; ce sont

❑ **Analyse de variance: un facteur**
❑ **Analyse de variance: deux facteurs sans répétition**
❑ **Analyse de variance: deux facteurs avec répétitions.**

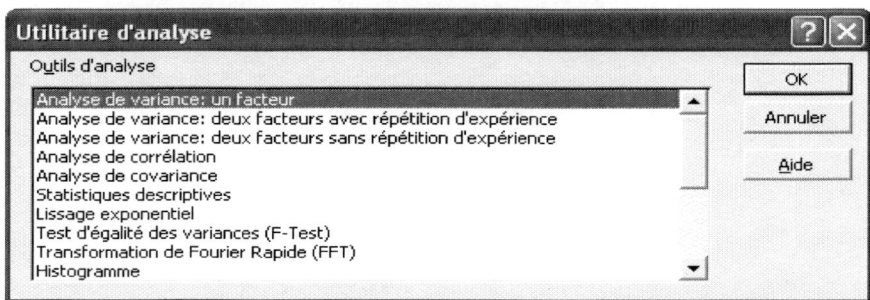

Nous ne traitons ici que des deux premiers.

Nous présentons d'abord de l'analyse de variance suivant un seul facteur en utilisant les données de l'exemple 10.1 (performance moyenne selon trois groupes d'employés).

EXEMPLE 1: Comparaison de trois groupes d'employés en appliquant l'analyse de variance aux résultats

L'entreprise Simtek, oeuvrant dans le domaine de la transformation du métal en feuille, vient d'afficher divers postes dans un nouveau département. Avant d'en arriver à la sélection des candidats, la responsable des ressources humaines a administré un test de perception de formes à un échantillon d'individus provenant de trois secteurs de l'entreprise.

On s'intéresse à déterminer si la performance moyenne au test diffère de façon significative pour ces trois groupes d'employés.

Les résultats sont présentés dans le tableau ci-contre.

Indiquons comment effectuer une analyse de variance avec Excel.

Procédure

❶ Dans la barre de menus, sélectionnez
Outils /Utilitaire d'analyse.
❷ Dans la zone Outils d'analyse, choisissez **Analyse de variance: un facteur**.
❸ Cliquez sur OK.
❹ Entrez les paramètres requis, puis cliquez sur OK.

	B	C	D
3	Atelier mécanique	Assemblage	Manutention
4	89	93	76
5	92	91	83
6	92	104	73
7	80	82	84
8	92	103	82
9	74	88	94
10	79	86	91
11	82	102	83
12	99	97	85
13	94	86	87
14	72	85	81
15	82	102	93
16	81	89	91
17	76	94	91
18	72	88	87
19	92	90	79

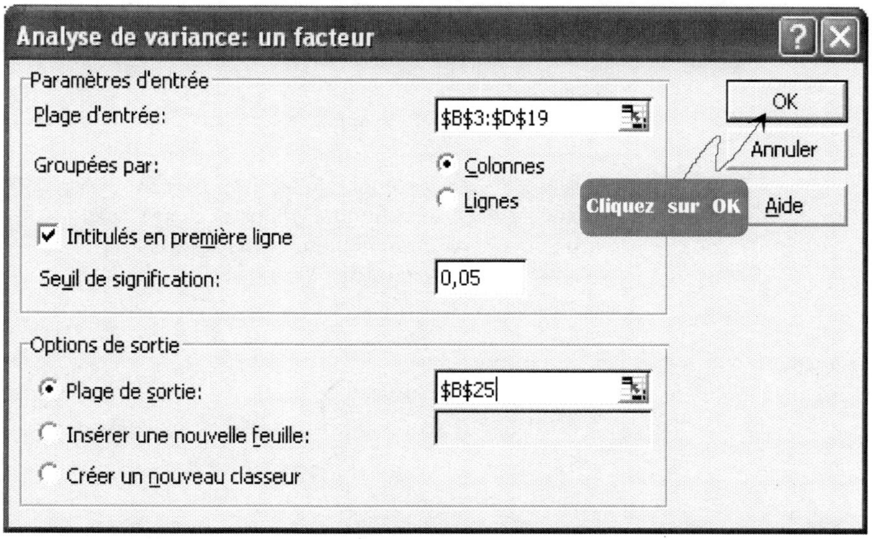

Analyse de variance: un facteur

Paramètres d'entrée
Plage d'entrée: `$B$3:$D$19`
Groupées par: ⦿ Colonnes ○ Lignes
☑ Intitulés en première ligne
Seuil de signification: `0,05`

OK
Annuler
Cliquez sur OK   Aide

Options de sortie
⦿ Plage de sortie: `$B$25`
○ Insérer une nouvelle feuille:
○ Créer un nouveau classeur

Nous obtenons la sortie informatique suivante.

	B	C	D	E	F
25	Analyse de variance: un facteur				
26					
27	RAPPORT DÉTAILLÉ				
28	Groupes	Nombre d'échantillons	Somme	Moyenne	Variance
29	Atelier mécanique	16	1348	84,25	74,3333
30	Assemblage	16	1480	92,5	50,5333
31	Manutention	16	1360	85	37,0667

Valeur p ou seuil descriptif du test

		Somme des carrés	Degré de liberté	Moyenne des carrés	F	Probabilité	Valeur critique pour F
34	ANALYSE DE VARIANCE						
35	Source des variations	Somme des carrés	Degré de liberté	Moyenne des carrés	F	Probabilité	Valeur critique pour F
36	Entre Groupes	666	2	333	6,1692	0,004288	3,20432
37	A l'intérieur des groupes	2429	45	53,978			
38							
39	Total	3095	47				

Puisque $F = 6{,}1692 > 3{,}20432$, nous rejetons l'hypothèse d'égalité des moyennes. La performance moyenne des trois groupes diffère de façon significative au test de perception des formes.

À comparer avec le seuil de signification alpha. Si Probabilité indiquée sur la sortie d'Excel est plus petite que le seuil de signification α, nous rejetons l'hypothèse nulle; il existe une différence significative entre les moyennes des différents groupes. Ici, rejet de H_0 puisque Probabilité $= 0{,}004288 < 0{,}05$.

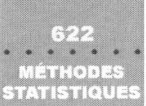

EXEMPLE 2 : Utilisation d'Excel pour la méthode de comparaison de Tukey

Bien que l'Utilitaire d'analyse d'Excel ne comporte pas de méthodes de comparaison de moyennes, on peut quand même se servir d'Excel à l'aide des formules appropriées. On suppose que l'analyse de variance a été effectuée et que les moyennes ont été obtenues.

À titre d'exemple, nous nous servons des résultats ci-contre où on veut comparer quatre employés en ce qui a trait au temps moyen d'assemblage, pour cinq tâches identiques.

Individus	Moyennes	Nombre d'observations
A	41	5
B	46	5
C	40	5
D	38	5

Procédure à suivre

❶ Il faut d'abord ordonner les moyennes comme nous l'indiquons ci-après.

❷ Obtenez le carré moyen résiduel de la table de variance ainsi que la statistique Q de la table en annexe.

❸ Calculez l'écart critique (ici l'exemple comporte le même nombre d'observations par modalité) w selon l'expression donnée à la section 10.4. La formule requise (cellule B28) est indiquée ci-après:

	A	B	C
17	*Trier les moyennes. 1. Sélectionner d'abord les moyennes à trier*		
18	*et les modalités correspondantes. 2. Dans la barre de menus,*		
19	*cliquer sur Données/Trier. 3. Dans la boîte de dialogue Trier,*		
20	*choisir comme première clé Moyennes et Croissant.*		
21	**Individus**	**Moyennes**	**Nombre d'observations**
22	D	38	5
23	C	40	5
24	A	41	5
25	B	46	5
26	**CMRES**	8,375	
27	Q	4,05	
28	**Écart critique**	5,242	

Formule requise pour calculer l'écart critique

B28		f_x =(B27)*RACINE(B26/5)

	A	B	C
26	**CMRES**	8,375	
27	Q	4,05	
28	**Écart critique**	5,242	

Dans le cas où le nombre d'observations n'est pas identique, il faut évaluer l'écart critique pour chaque comparaison selon l'expression donnée à la section 10.4.

❹ Il faut maintenant comparer les diverses modalités en calculant la différence des moyennes et la comparer à l'écart critique.

Les formules requises sont présentées ci-après; il s'agit de répéter cette formule pour calculer les autres différences (en utilisant les cellules appropriées).

B32	▼	f_x =B25-B22	
	A	B	C
31	Comparaison B vs D		
32	Différence	8	5,242

Nous avons utilisé la fonction SI (voir cellule B32) pour déclarer une différence significative, fonction que nous avons répétée dans les cellules B34, B36,B38, B40 et B42.

D32	▼	f_x =SI(B32>C32;"OUI";"NON")		
	A	B	C	D
31	Comparaison B vs D			
32	Différence	8	5,242	OUI

Comparaison des moyennes selon la méthode de Tukey

	A	B	C	D
29	*Comparaison des moyennes*			
30			**Écart critique**	**Différence significative**
31	Comparaison B vs D			
32	Différence	8	5,242	OUI
33	Comparaison B vs C			
34	Différence	6	5,242	OUI
35	Comparaison B vs A			
36	Différence	5	5,242	NON
37	Comparaison A vs D			
38	Différence	3	5,242	NON
39	Comparaison A vs C			
40	Différence	1	5,242	NON
41	Comparaison C vs D			
42	Différence	2	5,242	NON

EXEMPLE 3 : Analyse de variance pour un plan avec blocs

Nous nous servons des données de l'exemple 10.4 (temps d'usinage de quatre machines avec comme facteur «blocs», les opérateurs).

	A	B	C	D	E
4		**Machine 1**	**Machine 2**	**Machine 3**	**Machine 4**
5	**Opérateur 1**	21,2	19,9	20,1	20,6
6	**Opérateur 2**	19,6	20,0	20,2	21,1
7	**Opérateur 3**	19,8	20,2	20,6	21,7
8	**Opérateur 4**	19,9	21,1	21,7	22,1
9	**Opérateur 5**	21,8	21,5	22,5	21,1

Procédure

❶ Dans la barre de menus, sélectionnez
Outils /Utilitaire d'analyse.
❷ Dans la zone Outils d'analyse, choisissez **Analyse de variance: deux facteurs sans répétition d'expérience**
❸ Cliquez sur OK.
❹ Entrez les paramètres requis, puis cliquez sur OK.

Analyse de variance: deux facteurs sans répétition d'expérience [?] [X]

Paramètres d'entrée

Plage d'entrée: $A$4:$E$9   [OK]

☑ Intitulé présent   [Annuler]

Seuil de signification: 0,05   [Aide]

Options de sortie

⦿ Plage de sortie: $A$14

○ Insérer une nouvelle feuille:

○ Créer un nouveau classeur

Nous obtenons la sortie informatique suivante (que nous avons légèrement modifiée pour la rendre plus explicite).

Il faudrait plutôt lire ici «nombre d'observations»

	A	B	C	D	E
14	*Analyse de variance: deux facteurs sans répétition d'expérience*				
15					
16	*RAPPORT DÉTAILLÉ*	*Nombre d'échantillons*	*Somme*	*Moyenne*	*Variance*
17	Opérateur 1	4	81,8	20,45	0,3367
18	Opérateur 2	4	80,9	20,225	0,4025
19	Opérateur 3	4	82,3	20,575	0,6692
20	Opérateur 4	4	84,8	21,2	0,92
21	Opérateur 5	4	86,9	21,725	0,3492
22					
23	Machine 1	5	102,3	20,46	0,958
24	Machine 2	5	102,7	20,54	0,513
25	Machine 3	5	105,1	21,02	1,087
26	Machine 4	5	106,6	21,32	0,342

Temps moyen d'usinage

	A	B	C	D	E	F	G
29	ANALYSE DE VARIANCE						
30	*Source des variations*	*Somme des carrés*	*Degré de liberté*	*Moyenne des carrés*	*F*	*Probabilité*	*Valeur critique pour F*
31	Lignes (Opérateurs) (Blocs)	6,053	4	1,51325	3,2737	0,049390	3,25916
32	Colonnes (Machines)	2,4855	3	0,8285	1,7923	0,20216219	3,49030
33	Erreur	5,547	12	0,46225			
34	Total	14,0855	19				

Puisque $F = 1,7923 < 3,49$, nous ne pouvons rejeter l'hypothèse d'égalité des moyennes. On peut conclure que les temps d'usinage sont identiques (en considérant que l'effet Opérateurs a été soustrait de la variation résiduelle).

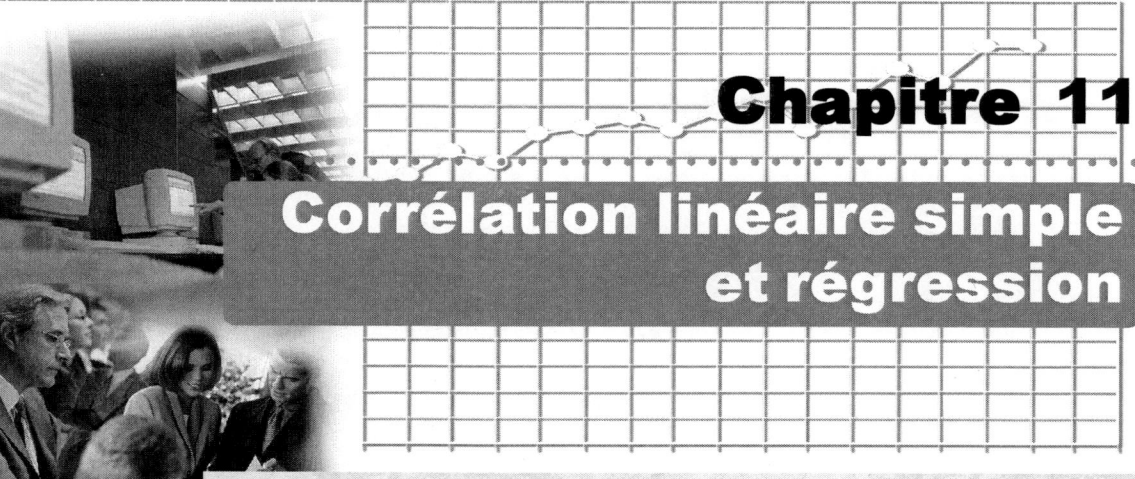

Chapitre 11

Corrélation linéaire simple et régression

Sommaire

Voici un extrait d'un éditorial écrit par Alain Dubuc, alors journaliste pour le journal *La Presse*, qui permet d'illustrer l'application d'un outil statistique puissant, soit la *régression linéaire*.

La Chambre de commerce de la province de Québec s'est lancée dans une charge à fond de train contre le rôle de l'État dans un mémoire qu'elle a présenté à la Commission Macdonald. L'organisme, qui n'y va pas avec le dos de la cuiller, estime ni plus ni moins que l'État est le principal responsable de la récession.

Elle va même jusqu'à démontrer, "études statistiques" à l'appui, que l'État est la cause de l'inflation, du chômage, de la faible croissance et de la baisse de la productivité.

Hélas, elle le fait mal. Radicalisme oblige, l'analyse présentée cette semaine a autant de rigueur et de nuances qu'un document de la CSN d'il y a quelques années! Quant à son approche statistique, c'est en fait plus une illustration imagée qu'une démonstration rigoureuse.

Les régressions linéaires

Pour appuyer son analyse sur le rôle néfaste de l'État, la Chambre de commerce du Québec utilise une méthode statistique appelée "régression linéaire". C'est une technique largement employée en économétrie, par exemple celle qu'utilise le Conference Board pour mettre au point son modèle de prévision économique. La méthode est excellente, mais elle ne suffit pas pour permettre à la Chambre de tirer toutes ces conclusions et d'affirmer que l'État est la cause de tous nos maux.

> «Une analyse statistique faite par la Chambre montre que, chaque fois que la part des dépenses publiques dans le PNB canadien augmente de 5 points de pourcentage (i.e. tous les huit ans), le taux de croissance du PNB réel diminue de 0,8 point, le taux de chômage augmente de 1,9 point, le taux de croissance de la productivité chute de 1,3 point et l'inflation grimpe de 3,5 points», a-t-on expliqué aux commissaires.

La démarche de la Chambre est simple. Il suffit de regarder la part de l'État dans l'économie depuis vingt ans, et de comparer cela, par exemple, au taux de chômage. Comme tout le monde le sait, les deux n'ont pas cessé d'augmenter. C'est également vrai pour l'inflation.

C'est là qu'intervient la "régression", qui permettra de vérifier jusqu'à quel point les deux phénomènes sont interreliés. L'étude de la Chambre montre effectivement que la corrélation entre les deux est forte. Toutefois, si cette méthode permet ainsi d'affirmer que chômage et poids économique de l'État sont liés, elle ne permet pas de dire lequel est la cause de l'autre ou encore si ce sont là deux conséquences d'un troisième phénomène.

En voici un exemple pour montrer ce qu'on ne peut pas faire dire à une régression. Comme tout le monde le sait, les brasseries vendent plus de bière l'été s'il fait chaud. Une régression linéaire le confirmerait. Mais cela ne veut pas dire que c'est la consommation de bière qui fait grimper la température!

Dans le cas de la Chambre de commerce, on pourrait tout aussi bien inverser la cause et l'effet et dire que c'est la hausse du chômage qui fait augmenter les dépenses de l'État. Quant au lien entre le rôle de l'État et les prix, leur modèle serait bien mal pris pour expliquer pourquoi l'inflation est passée de 12,5 p.cent il y a deux ans à 5,8 p. cent cette année, au moment où les dépenses publiques augmentaient.

Pierre Lemieux, le conseiller économique de la Chambre qui a préparé l'étude, est conscient des limites de l'approche. Pour lui, les régressions, en elles-mêmes, ne démontrent rien en soi, mais servent à confirmer une théorie: dans ce cas-ci, la théorie de départ étant que l'intervention de l'État engendre de l'inefficacité.

---

* Source: Alain Dubuc. *L'art de régresser*. Journal *La Presse*, maintenant éditeur du journal *Le Soleil* de Québec.

Le type d'analyse discuté dans cet article concerne les notions de corrélation linéaire et de régression que nous traitons dans ce chapitre.

. . . .

Corrélation linéaire simple et régression

☐ **Objectif général.** *L'objectif de ce chapitre est de présenter deux outils importants de la statistique soit la corrélation linéaire et la régression linéaire simple.*

☐ **Objectifs spécifiques.** *Lorsque vous aurez complété l'étude du chapitre 11 vous pourrez:*

1. *expliquer la notion de corrélation et interpréter un diagramme de dispersion;*
2. *effectuer une analyse de corrélation linéaire;*
3. *tester si la corrélation linéaire est significative;*
4. *utiliser la transformation de Fisher pour estimer par intervalle de confiance le coefficient de corrélation de la population;*
5. *distinguer, dans le cas de l'ajustement linéaire, entre variable dépendante et variable explicative;*
6. *expliquer en quoi consiste la méthode d'ajustement dite méthode des moindres carrés;*
7. *calculer les coefficients de la droite de régression;*
8. *utiliser la droite de régression comme outil de prévision;*
9. *décomposer la variation existante dans la variable dépendante en variation expliquée par la droite de régression et en variation résiduelle et calculer les sommes de carrés correspondantes;*
10. *calculer et interpréter le coefficient de détermination;*
11. *tester si la régression est significative avec la variable de Student ou la variable de Fisher;*
12. *estimer par intervalle de confiance la moyenne $E(y_h)$ à $x = x_h$ et évaluer la marge d'erreur dans l'estimation;*
13. *déterminer un intervalle de prévision pour une valeur individuelle de la variable dépendante y pour une nouvelle observation de la variable explicative;*
14. *vérifier les hypothèses fondamentales à l'aide de l'analyse des résidus;*
15. *utiliser les outils d'analyse statistique de l'Utilitaire d'analyse d'Excel pour effectuer une analyse de corrélation linéaire et une étude de régression.*

11.1 Introduction

Ce type d'analyse (corrélation et régression) est utilisé dans pratiquement toutes les sphères de l'activité humaine. On s'intéresse à un lien qui peut exister entre deux caractéristiques importantes d'un phénomène. Donnons quelques exemples de relations qui pourraient exister entre deux variables: le nombre de pièces assemblées et le résultat à un test de dextérité manuelle; le volume des ventes d'une entreprise et le montant d'argent alloué à la publicité et à la mise en marché; ...

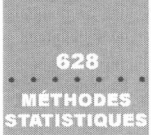

STATISTIQUES

CHAPITRE 11

Donnons un autre exemple concernant le concept de corrélation; dans une entreprise de service, on a mesuré à l'aide d'un test d'évaluation approprié, le niveau de satisfaction de leur travail et on a noté le nombre de jours d'absence au cours de la dernière année, auprès d'un échantillon aléatoire de 14 employés. On s'intéresse à déterminer s'il existe un lien entre le nombre de jours d'absence et le niveau de satisfaction au travail.

Il arrive donc fréquemment que dans ce type d'étude statistique, l'on mesure sur chaque unité de l'échantillon, un certain nombre de variables et qu'on examine par la suite s'il existe une certaine forme d'association entre elles. Nous ne traitons toutefois ici que du cas le plus simple, soit celui de l'existence d'une certaine dépendance statistique ou *corrélation* entre deux variables observées.

11.2   La notion de corrélation

Expliquons d'abord ce qu'on entend par la notion de corrélation.

Notion de corrélation. On dit qu'il y a corrélation entre deux variables observées sur les éléments d'une même population lorsque les variations des deux variables se produisent dans le même sens (corrélation positive) ou lorsque les variations sont de sens contraire (corrélation négative).

Pour effectuer une analyse de corrélation entre deux variables, il faut:

prélever d'une population un échantillon aléatoire de taille n et observer, sur chaque unité de l'échantillon, les valeurs de deux variables statistiques que nous notons conventionnellement par x et y. On dispose alors de n couples d'observations (x_i, y_i). On veut déterminer par la suite si les variations des deux variables sont liées entre elles, c.-à-d. s'il y a corrélation entre ces deux variables. Cette corrélation peut être décelée graphiquement à l'aide d'un diagramme de dispersion.

Outil graphique pour déterminer si deux variables quantitatives sont en corrélation

Nuage de points ou diagramme de dispersion. Le tracé d'un diagramme de dispersion s'obtient en reportant les couples d'observations (x_i, y_i) sur un graphique en prenant pour abscisse la variable x et pour ordonnée la variable y. Chaque point du graphique représente simultanément la valeur x_i et la valeur y_i. Le graphique résultant constitue un nuage de points appelé *diagramme de dispersion*. La forme de ce nuage de points nous permettra de constater si les variables concernées sont en corrélation.

Le nuage de points permet de déceler s'il y a existence d'une corrélation entre deux variables; son tracé est largement facilité par l'utilisation d'un logiciel comme Excel par exemple.

Il existe de nombreuses recherches dans le domaine de la gestion, de la psychologie industrielle, de la finance et de l'économie sur l'utilisation des concepts associés à la corrélation linéaire et à la régression. Nous en donnons dans ce chapitre et le suivant de nombreuses applications.

Exemple 11.1   **Diagramme de dispersion (corrélation)**

Le responsable de la productivité de l'entreprise Mécanex veut examiner l'efficacité de la main-d'oeuvre affectée à des tâches d'assemblage. D'après le contremaître du département concerné, il semble que le niveau de bruit dans l'environnement du poste de travail a une influence sur le temps pour compléter certaines tâches.

On a relevé sur un échantillon de 20 individus, le temps (y) requis en minutes pour effectuer une tâche d'assemblage spécifique et le niveau de bruit (x) en décibels dans l'environnement du poste de travail.

Les données obtenues sont présentées au tableau 11.1

Tableau 11.1

Données pour l'analyse de corélation

Obs no (i)	Niveau de bruit (x)	Temps requis (y)	Obs no (i)	Niveau de bruit (x)	Temps requis (y)
1	56	4,2	11	60	4,8
2	68	5,6	12	64	5,0
3	66	5,2	13	71	6,8
4	75	7,6	14	72	7,6
5	70	7,0	15	80	8,4
6	58	4,8	16	61	5,5
7	82	8,0	17	58	4,6
8	74	7,5	18	65	5,8
9	53	4,0	19	83	8,6
10	78	8,2	20	76	7,4

Traçons le nuage de points de ces données, en indiquant en abscisse le niveau de bruit et, en ordonnée, le temps observé pour effectuer une tâche spécifique d'assemblage. Le tracé a été effectué avec Excel (Assistant graphique et Nuage de points).

Nous indiquons en annexe 11, comment tracer un diagramme de dispersion (nuage de points) avec Microsoft Excel.

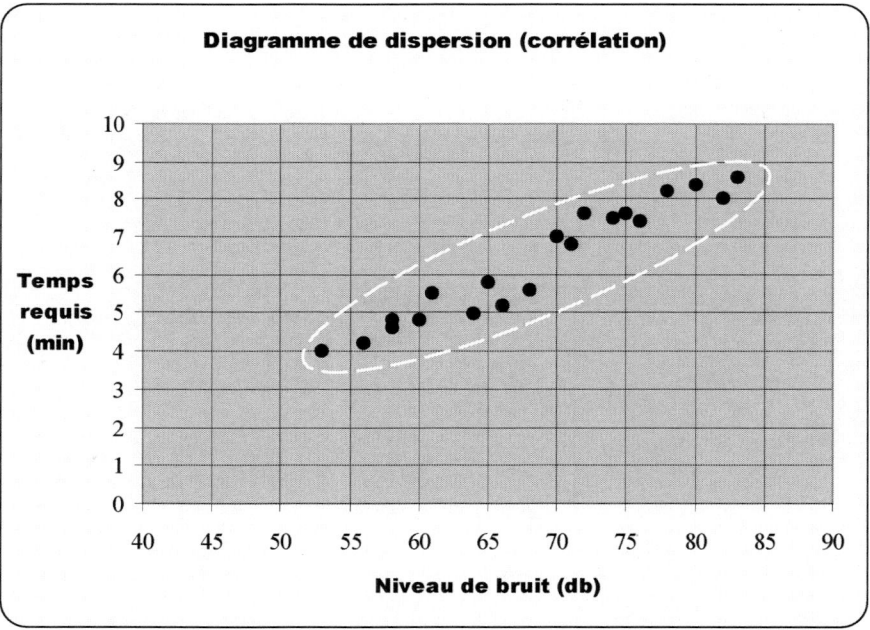

Diagramme de dispersion (corrélation)

Temps requis (min)

Niveau de bruit (db)

Le nuage de points nous indique que ces deux variables varient dans le même sens. On peut dire qu'il semble exister une corrélation linéaire (positive) entre le temps requis pour effectuer la tâche d'assemblage et le niveau de bruit dans l'environnement du poste de travail.

Remarques. a) **Forme et intensité de la liaison.** Le nuage de points nous renseigne sur la **forme** de la liaison statistique entre deux variables observées ainsi que sur **l'intensité** de cette liaison. Nous ne traitons ici que de la forme linéaire: les points ont tendance à s'aligner selon une droite de pente positive ou négative. Nous dirons alors qu'il y a **corrélation linéaire.**

b) Si y croît en même temps que x, la corrélation est dite **directe** ou **positive.** Si y décroît lorsque x croît, la corrélation est dite **inverse** ou **négative.**

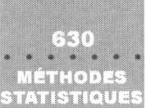
11.3   Calcul du coefficient de corrélation linéaire

Dans le cas où le nuage de points prend une forme allongée telle que les points le constituant semblent se répartir autour d'une droite (de pente positive ou négative), on peut calculer un indice qui mesure l'intensité de la liaison linéaire entre les deux variables. Nous définissons le coefficient de corrélation linéaire comme suit:

> **Coefficient de corrélation.** Le coefficient de corrélation linéaire, noté r, est un nombre sans dimension qui mesure l'intensité de la liaison linéaire entre deux variables observées. Cet indice s'obtient en calculant le rapport suivant:
>
> $$r = \frac{n\sum x_i y_i - (\sum x_i)(\sum y_i)}{\sqrt{n\sum x_i^2 - (\sum x_i)^2}\ \sqrt{n\sum y_i^2 - (\sum y_i)^2}}$$
>
> où n représente le nombre de couples d'observations (x_i, y_i).

Le calcul du coefficient de corrélation permet donc d'obtenir une estimation du degré de corrélation linéaire entre deux variables aléatoires x et y d'une même population. En raison de la symétrie de sa définition, il mesure aussi bien l'intensité de la liaison linéaire entre y et x qu'entre x et y.

Illustrons à l'aide de l'exemple suivant le calcul pratique du coefficient de corrélation.

Exemple 11.2

Calcul du coefficient de corrélation linéaire entre l'aptitude générale à apprendre et le test de numération : employés d'une usine de transformation

On veut calculer le coefficient de corrélation linéaire entre les résultats au test* d'intelligence et ceux du test de numération. Pour faciliter les calculs, nous n'utiliserons qu'une quinzaine d'opérateurs de l'usine de transformation de la région de l'Estrie.

Tableau 11.2

Données et calculs préliminaires

Sujets	Aptitudes mentales (y)	Numération (x)	$x_i y_i$	y_i^2	x_i^2
1	93	105	9765	8649	11025
2	104	111	11544	10816	12321
3	93	98	9114	8649	9604
4	79	73	5767	6241	5329
5	78	75	5850	6084	5625
6	112	121	13552	12544	14641
7	107	108	11556	11449	11664
8	100	115	11500	10000	13225
9	105	105	11025	11025	11025
10	102	109	11118	10404	11881
11	107	103	11021	11449	10609
12	107	101	10807	11449	10201
13	119	119	14161	14161	14161
14	94	107	10058	8836	11449
15	87	95	8265	7569	9025
Somme	1487	1545	155103	149325	161785

---

*Source: Les données nous ont été fournies par le professeur Normand Pettersen, Département des sciences de la gestion et de l'économie, UQTR.

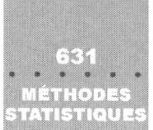

Nous avons indiqué également dans le tableau, les divers calculs préliminaires requis pour obtenir la valeur du coefficient de corrélation linéaire.

Nous indiquons en annexe 11, comment calculer un coefficient de corrélation avec Microsoft Excel.

En substituant les diverses sommations dans la formule de r, on obtient:

$$r = \frac{n\sum x_i y_i - (\sum x_i)(\sum y_i)}{\sqrt{n\sum x_i^2 - (\sum x_i)^2}\sqrt{n\sum y_i^2 - (\sum y_i)^2}}$$

$$r = \frac{(15)(155103) - (1545)(1487)}{\sqrt{(15)(161785) - (1545)^2}\sqrt{(15)(149325) - (1487)^2}}$$

$$r = \frac{29130}{(199,374)(169,428)} = 0,862.$$

Nous indiquons à la section 11.4, comment vérifier si la corrélation est significative.

Il y a une corrélation positive importante entre les résultats du test d'aptitude mentale et ceux du test de numération. Le diagramme de dispersion suivant permet d'apprécier visuellement le lien entre ces deux variables.

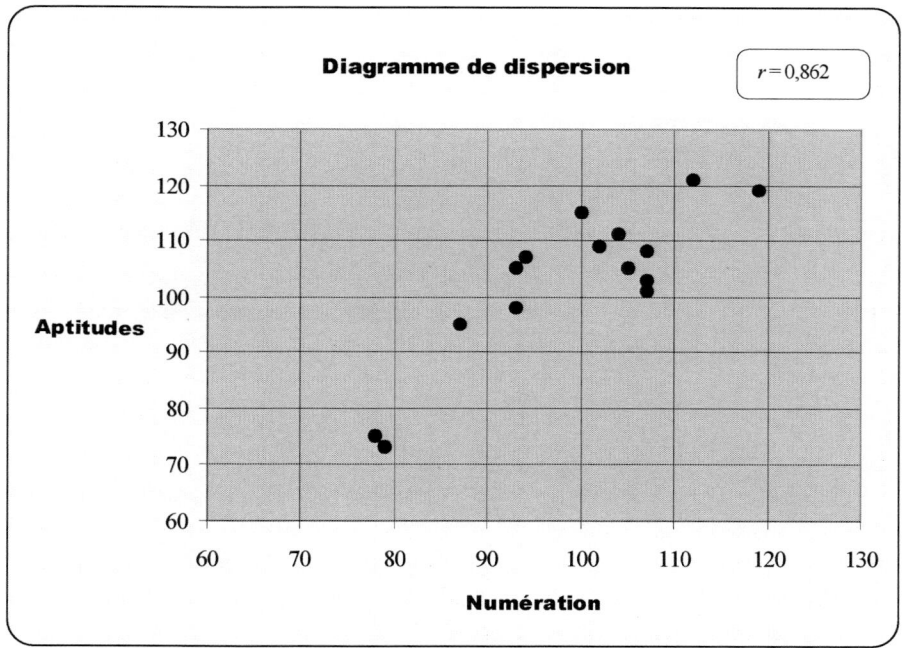

Remarques importantes concernant le coefficient de corrélation linéaire

a) Le coefficient de corrélation est indépendant des unités de mesure de x et de y.

b) La valeur de r peut varier entre -1 (corrélation négative et parfaite) et + 1 (corrélation positive et parfaite): $-1 \leq r \leq +1$.

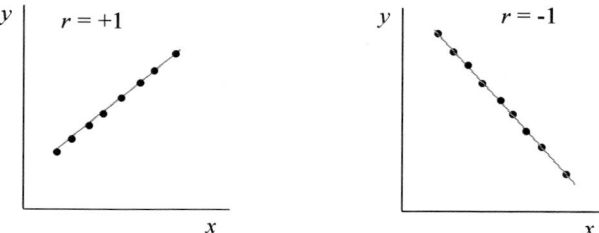

c) La corrélation parfaite est un cas extrême peu rencontré en pratique. Plus les points seront étroitement alignés selon une droite, plus la valeur du coefficient de corrélation sera élevée s'approchant de +1 ou de -1 selon le cas.

S'il y a absence de corrélation linéaire, alors $r = 0$ et inversement. $r = 0$ ne signifie pas que la corrélation est absente.

d) Si deux variables sont statistiquement indépendantes (aucune liaison entre elles), le coefficient de corrélation est nul. Toutefois la réciproque n'est pas nécessairement vraie. Si le coefficient de corrélation entre deux variables est nul (ou voisin de 0), ceci n'implique pas nécessairement qu'il y a absence de liaison entre les variables. La liaison entre les variables peut être de forme autre que linéaire.

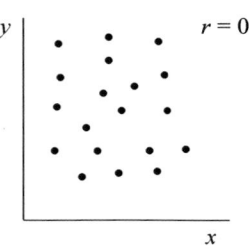
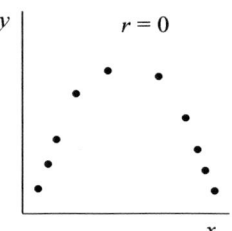

Absence de corrélation linéaire   Présence d'une corrélation autre que linéaire

e) La valeur du coefficient de corrélation linéaire est grandement affectée par les valeurs extrêmes tout comme le sont la moyenne arithmétique et l'écart-type.

Exercices d'apprentissage

Série 11.1

📄 Corrélation entre le niveau de satisfaction et le nombre de jours d'absence

1. Dans une entreprise de service, on a obtenu à l'aide d'un test d'évaluation approprié, le niveau de satisfaction de leur travail et le nombre de jours d'absence au cours de la dernière année et ceci, pour un échantillon aléatoire de 14 employés.

Niveau de satisfaction (x)	Nombre de jours d'absence (y)	Niveau de satisfaction (x)	Nombre de jours d'absence (y)
49	15	56	10
78	7	32	14
76	12	92	5
64	8	55	9
46	17	84	8
72	9	38	15
44	13	68	12

a) Tracez le nuage de points qui permettrait de visualiser la corrélation éventuelle entre le niveau de satisfaction et le nombre de jours d'absence.

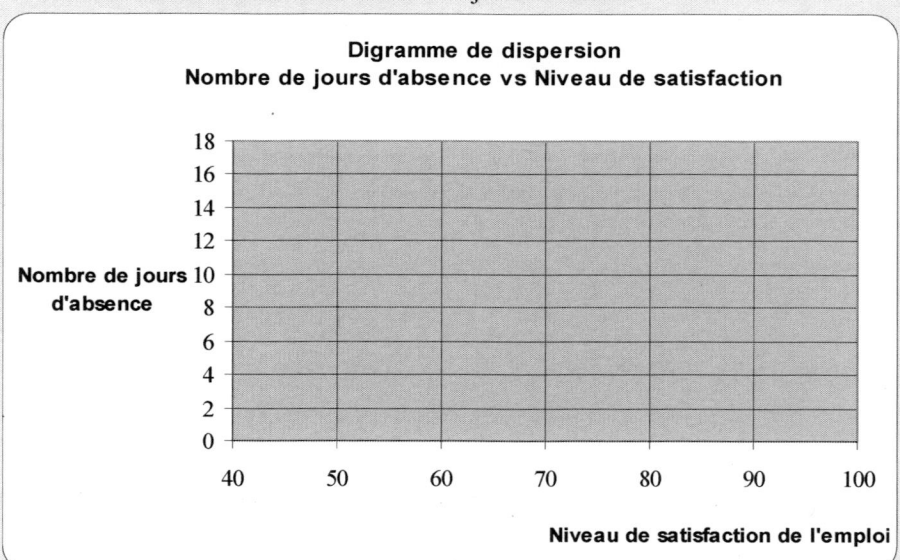

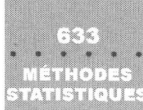

Exercices d'apprentis-sage

Série 11.1 (suite)

b) Le nuage de points permet-il de déceler que les deux variables «niveau de satisfaction du travail» et «nombre de jours d'absence» sont corrélées?

c) Est-ce que la corrélation est de nature linéaire?

d) Dans le cas où on peut soupçonner une corrélation linéaire entre ces deux variables, est-ce que les points ont tendance à s'aligner selon une droite de pente positive ou négative?

📖 Corrélation entre le délai de vente et le prix de la maison

2. Les données* présentées dans le tableau ci-après concernent le délai (x) de vente (temps observé avant de trouver preneur) en jours de condos et le prix (y) de vente ($\times 10^3$) de la maison type pour diverses régions de la ville de Québec.

Régions	Délai	Prix de vente	$x_i y_i$	x_i^2	y_i^2
Basse-ville	131	67,3			
Haute-ville	127	103,3			
Secteur Ancienne Lorette	107	64,5			
Secteur Saint-Foy	133	82,9			
Secteur Val-Bélair	131	47,2			
Secteur Charlesbourg	132	56,5			
Secteur Beauport	126	53,4			
Secteur Saint-Romuald	164	56,7			
Secteur Lévis	119	74,2			
Somme					

*Source: Adapté de Dubuc, A. *Les hausses de prix restent modérées dans la région de Québec*. LES AFFAIRES , 27 janvier 2001.

a) Complétez le tableau ci-dessus.

b) Calculez la valeur du coefficient de corrélation linéaire entre les variables «délai de vente» et «prix de vente».

c) Que peut-on dire de la corrélation entre ces deux variables?

📖 Corrélation linéaire entre les ventes d'un produit et les dépenses en publicité

3. Les ventes (en 1 000\$) d'un produit domestique (y) pour dix régions, selon les dépenses (x) en publicité (en 1 000\$) conduisent aux résultats suivants:

$$\sum x_i = 1250, \ \sum y_i = 1750, \ \sum x_i y_i = 229\ 100$$
$$\sum x_i^2 = 180\ 100, \ \sum y_i^2 = 314\ 900.$$

a) Quel est le niveau moyen des ventes pour ces dix régions?

b) Déterminez la valeur du coefficient de corrélation linéaire entre ces deux variables.

c) Peut-on dire ici, qu'à mesure que les dépenses en publicité augmentent, les ventes du produit domestique augmentent. Expliquez.

4. Les calculs préliminaires sur six couples d'observations (x_i, y_i) donnent les somma-tions suivantes:

$$\sum x_i = 44, \ \sum y_i = 116, \ \sum x_i y_i = 724$$
$$\sum x_i^2 = 386, \ \sum y_i^2 = 2496.$$

a) Calculez le coefficient de corrélation linéaire simple.

b) Comment peut-on qualifier la corrélation linéaire entre x et y?

11.4   La corrélation linéaire est-elle significative?

Comment juger si la valeur du coefficient de corrélation linéaire est suffisamment importante pour conclure qu'il y a une corrélation significative entre deux variables?

Le coefficient de corrélation, calculé à partir d'un échantillon de taille n, donne une estimation ponctuelle du coefficient de corrélation de la population noté ρ (rho).

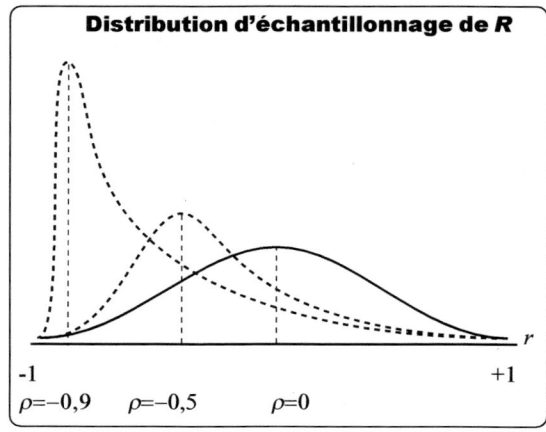

Distribution d'échantillonnage de R

-1 $+1$

$\rho = -0,9$ $\rho = -0,5$ $\rho = 0$

Désignons par R, la distribution du coefficient de corrélation linéaire. On peut envisager ρ comme la valeur moyenne des coefficients de corrélation r, obtenus à partir de tous les échantillons de même taille, tous prélevés dans une même population: $E(R) = \rho$.

Le coefficient de corrélation d'échantillon est donc une variable aléatoire qui se distribue autour de ρ. Toutefois la distribution des fluctuations d'échantillonnage de R n'est symétrique que pour $E(R) = \rho = 0$ et n'est pas symétrique lorsque $E(R) \neq 0$.

Nous ne traiterons ici que du cas où la distribution de R est symétrique.

Test de l'hypothèse $H_0 : \rho = 0$

Il s'agit alors de tester l'hypothèse selon laquelle le coefficient de corrélation linéaire est 0.

L'hypothèse nulle que l'on soumet au test est:

$$H_0: \rho = 0 \quad \text{(absence de corrélation linéaire)}.$$

Nous résumons, dans le tableau 11.3, les types de test dans le cas d'une analyse de corrélation linéaire et au tableau 11.4, les règles de décision du test selon la contre-hypothèse.

Tableau 11.3

Types de tests sur le coefficient de corrélation linéaire

Types de tests		
Test unilatéral à gauche	**Test bilatéral**	**Test unilatéral à droite**
$H_0: \rho = 0$	$H_0: \rho = 0$	$H_0: \rho = 0$
$H_1: \rho < 0$	$H_1: \rho \neq 0$	$H_1: \rho > 0$

Hypothèse nulle : $H_0: \rho = 0$

Tableau 11.4

Tests sur le coefficient de corrélation: Échantillon aléatoire provenant d'une population normale à deux dimensions

$$T = \frac{R\sqrt{n-2}}{\sqrt{1-R^2}}$$

Contre-hypothèses	Règles de décision du test
$H_1: \rho \neq 0$	Rejeter H_0 si $T > t_{\alpha/2;n-2}$ ou $T < -t_{\alpha/2;n-2}$
$H_1: \rho > 0$	Rejeter H_0 si $T > t_{\alpha;n-2}$
$H_0: \rho < 0$	Rejeter H_0 si $T < -t_{\alpha;n-2}$

*En supposant H_0 vraie c.-à-d. en supposant qu'il y a absence de corrélation linéaire entre les variables X et Y et selon les conditions d'application, l'écart réduit

$$T = \frac{R - \rho}{s(R)} = \frac{R}{\sqrt{\dfrac{1-R^2}{n-2}}} = \frac{R\sqrt{n-2}}{\sqrt{1-R^2}} \quad \text{est distribué selon la loi de Student avec } \nu = n - 2 \text{ degrés de liberté.}$$

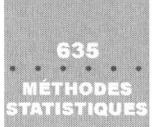

Indiquons la démarche à suivre à l'aide de l'exemple suivant. Nous appliquons la démarche du test utilisée précédemment.

Exemple 11.3

Corrélation entre la coordination motrice et l'aptitude spatiale

On a appliqué ces tests à un échantillon de 28 individus œuvrant dans le secteur de la micro-électronique. Bien que 9 facteurs étaient évalués, nous n'en retiendrons que deux:

- la coordination motrice (habileté à coordonner les yeux et les mains ou les doigts avec rapidité et précision en effectuant divers mouvements)
- l'aptitude spatiale (visualisation de formes géométriques et compréhension d'objets à trois dimensions dans une représentation à deux dimensions).

La corrélation observée entre ces deux variables fut de $r = 0,43$.

Peut-on conclure, au seuil de signification $\alpha = 0,05$, à une corrélation linéaire positive? Appliquons la démarche du test.

Démarche du test

1. **Hypothèses statistiques.**

   $H_0 : \rho = 0$

   $H_1 : \rho > 0$

2. **Seuil de signification.**

   $\alpha = 0,05$.

3. **Conditions d'application du test:** Échantillon aléatoire provenant d'une population normale à deux dimensions dont le diagramme de dispersion ne laisse pas soupçonner de relation non linéaire entre X et Y.

4. **La statistique** qui convient pour le test est R. L'écart réduit est, selon les conditions d'application et en supposant H_0 vraie,

   $$T = \frac{R\sqrt{n-2}}{\sqrt{1-R^2}}$$ qui est distribué selon la loi de Student

   avec $\nu = n - 2 = 28 - 2 = 26$ degrés de liberté.

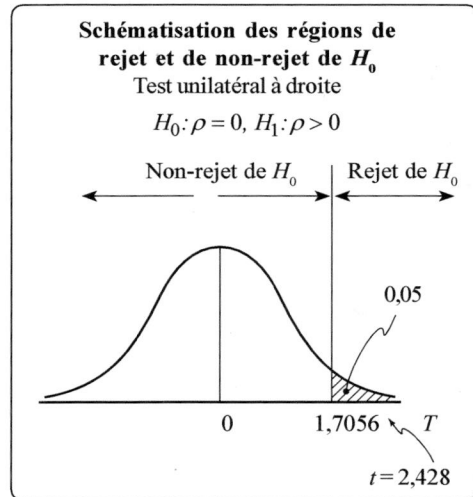

Schématisation des régions de rejet et de non-rejet de H_0
Test unilatéral à droite
$H_0 : \rho = 0$, $H_1 : \rho > 0$

Non-rejet de H_0 | Rejet de H_0

0,05

0   1,7056 T

$t = 2,428$

5. **Règle de décision.** D'après H_1 et au seuil $\alpha = 0,05$, la valeur critique de l'écart réduit est $t_{0,05;26} = 1,7056$ (test unilatéral à droite). On adoptera la règle de décision suivante: rejeter H_0 si $T > 1,7056$, sinon ne pas rejeter H_0.

6. **Calcul de l'écart réduit.** En substituant les valeurs appropriées, on obtient la valeur suivante pour l'écart réduit:

   $$t = \frac{(0,43)\sqrt{26}}{\sqrt{1-(0,43)^2}} = \frac{2,1925}{0,9028} = 2,428$$

7. **Décision et conclusion.** La valeur $t = 2,428$ se situe dans la région de rejet de H_0. Il y a corrélation linéaire positive significative entre les résultats au test de coordination motrice et ceux du test d'aptitude spatiale pour l'ensemble des individus oeuvrant dans le secteur de la micro-électronique.

Remarque. La table de Student à la fin de l'ouvrage permet d'aller jusqu'à 99 degrés de liberté; si le nombre de degrés de liberté est plus important, on utilisera alors la table de la loi normale centrée réduite pour établir les règles de décision.

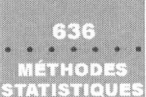

11.5   Autre façon de tester la corrélation linéaire

On peut également tester si la corrélation est significative à l'aide des valeurs critiques r_c présentées au tableau suivant. On donne ici, les valeurs critiques du coefficient de corrélation linéaire pour un seuil de signification $\alpha = 0,05$, $\alpha = 0,025$, $\alpha = 0,005$.

L'hypothèse nulle que l'on soumet au test s'énonce comme suit (ρ étant le coefficient de corrélation dans la population):

$H_0: \rho = 0$ (absence de corrélation linéaire).

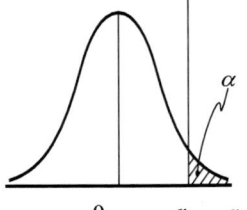

n	r_c (0,05)	r_c (0,025)	r_c (0,005)
5	0,805	0,878	0,959
10	0,549	0,632	0,765
12	0,497	0,576	0,708
15	0,441	0,514	0,641
20	0,378	0,444	0,561
22	0,360	0,423	0,537
25	0,337	0,396	0,505
30	0,306	0,361	0,463
35	0,283	0,334	0,430
40	0,264	0,312	0,403
50	0,235	0,279	0,361
60	0,214	0,254	0,330
70	0,198	0,235	0,306
80	0,185	0,220	0,286
90	0,174	0,207	0,270
100	0,165	0,197	0,256
120	0,151	0,179	0,234
150	0,135	0,160	0,210
160	0,131	0,155	0,203
161	0,130	0,155	0,202
⋮	⋮	⋮	⋮
200	0,117	0,139	0,182
205	0,114	0,137	0,180
210	0,114	0,135	0,177
220	0,111	0,132	0,173

Hypothèses statistiques — **Règles de décision**

$H_0: \rho = 0$ Rejeter H_0 si
$H_1: \rho \neq 0$ $r > r_c$ ou si $r < -r_c$

$H_0: \rho = 0$ Rejeter H_0 si
$H_1: \rho > 0$ $r > r_c$

$H_0: \rho = 0$ Rejeter H_0 si
$H_1: \rho < 0$ $r < -r_c$

Ainsi, avec 10 couples d'observations, seule une valeur de r supérieure à 0,632 permettrait, dans le cas d'un test bilatéral au seuil de signification $\alpha = 0,05$ ($\alpha/2 = 0,025$), de considérer comme plausible l'hypothèse selon laquelle ρ est différent de 0. Par contre avec 50 couples d'observations, une valeur de r supérieure à 0,279 permettrait d'arriver à la même conclusion.

On pourrait schématiser les régions de rejet et de non-rejet de H_0 dans le cas d'un test bilatéral: $H_0: \rho = 0$, $H_1: \rho \neq 0$.

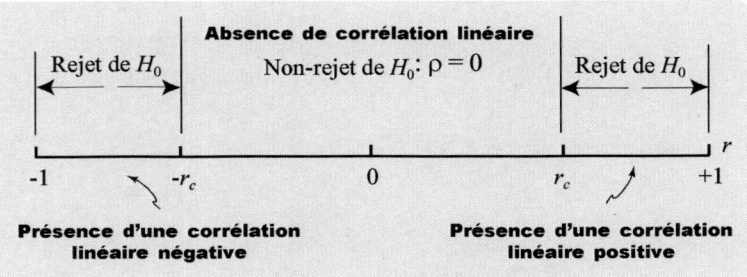

L'exemple suivant permet de tester la signification du coefficient de corrélation linéaire à l'aide de la valeur critique de r.

Exemple 11.4

Analyse de corrélation entre le support organisationnel et l'appréciation de la performance

Dans une étude* qui avait pour but d'examiner certains mécanismes intervenant dans le lien entre les pratiques de gestion des ressources humaines et l'engagement des employés, on a obtenu (résultat basé sur 210 questionnaires) une corrélation linéaire de 0,67 entre la perception qu'ont les employés concernant le soutien organisationnel pratiqué par l'entreprise et la justesse de l'appréciation de la performance des employés.

a) Quelle est la valeur critique de r que l'on doit dépasser pour conclure à une corrélation positive significative, au seuil $\alpha = 0{,}05$?

b) Peut-on conclure, au seuil de signification $\alpha = 0{,}05$, que ces deux variables (perception du soutien organisationnel et appréciation de la performance des employés) varient dans le même sens($\rho > 0$)?

*Source: Meyer, J.-P. et C.A.Smith. «HRM Practices and Organisational Commitment: Test of a Mediation Model.», *Revue canadienne des sciences de l'administration*, décembre 2000.

a) De la table des valeurs critiques de r, on peut lire (colonne $r_c(0{,}05)$), pour $n = 210$, $r_c = 0{,}114$.

b) La corrélation linéaire observée est $r = 0{,}67$. Puisque $r = 0{,}67 > r_c = 0{,}114$, on peut conclure à une corrélation linéaire positive significative entre ces deux variables.

Remarque. Pour obtenir la valeur r_c, valeur critique du coefficient de corrélation, on utilise, au seuil de signification α, l'expression de l'écart réduit

$t_{\alpha/2;n-2} = \dfrac{r_c\sqrt{n-2}}{\sqrt{1-r_c^2}}$. En résolvant cette équation pour r_c , on trouve (dans le cas d'un test bilatéral):

$r_c = \dfrac{t_{\alpha/2;n-2}}{\sqrt{t_{\alpha/2;n-2}^2 + (n-2)}}$ où $t_{\alpha/2;n-2}$ s'obtient directement de la table de Student.

On utilise $t_{\alpha;n-2}$ dans le cas d'un test unilatéral avec le signe approprié selon l'hypothèse H_1.

11.6

Test de l'hypothèse H_0: $\rho = \rho_0$ et estimation par intervalle de confiance

Les valeurs critiques pour r ainsi que l'usage du t de Student comme critère de décision s'appliquent seulement dans le cas où la formulation de l'hypothèse nulle est $H_0: \rho = 0$. C'est seulement dans ce cas que la distribution de r est symétrique. Dans le cas où la formulation de l'hypothèse nulle est $\rho = \rho_0$ où ρ_0 est une valeur autre que 0, la distribution d'échantillonnage de r devient asymétrique. On doit utiliser alors la transformation dite «de Fisher».

11.6.1 Transformation de Fisher

On peut transformer le coefficient de corrélation r en une autre variable aléatoire à l'aide de la relation

$$Z_r = \frac{1}{2}ln\frac{1+r}{1-r}.$$

Pour une taille d'échantillon suffisamment grande ($n \geq 25$), Fisher a démontré que la variable aléatoire Z_r est distribuée approximativement suivant une loi normale de moyenne $E(Z_r) = \dfrac{1}{2} ln\dfrac{1+\rho}{1-\rho}$ et d'écart-type $\sigma(Z_r) = \dfrac{1}{\sqrt{n-3}}$.

La variable centrée réduite $Z = \dfrac{Z_r - E(Z_r)}{\sigma(Z_r)}$ est distribuée d'après une *loi normale centrée réduite*.

• • • •
Des tables permettent d'obtenir directement la transformation de r en z_r. De plus la correspondance de la transformation de Fisher est unique: à une valeur r correspond une seule valeur z_r et inversement. r et z_r sont aussi de même signe (voir la table de transformation de Fisher, à la fin de l'ouvrage).

• •
La transformation de Fisher est générale; elle peut également s'appliquer pour tester l'hypothèse H_0: $\rho = 0$.

11.6.2 Test de l'hypothèse H_0: $\rho = \rho_0$ et valeurs critiques

On veut tester l'hypothèse nulle H_0: $\rho = \rho_0$. L'hypothèse alternative peut être H_1: $\rho \neq \rho_0$, H_1: $\rho < \rho_0$ ou H_1: $\rho > \rho_0$. À l'aide de la table de la transformation de Fisher, on trouve

la valeur z_r correspondant à r et

la valeur de $E(Z_r)$ correspondant à la valeur ρ_0.

Il s'agit par la suite de substituer ces valeurs dans l'expression centrée réduite

$$Z = \frac{Z_r - E(Z_r)}{\sigma(Z_r)}.$$

Le tableau suivant résume la conclusion à tirer dans le cas des diverses hypothèses H_1.

Tableau 11.3
Test sur le coefficient de corrélation $\rho = \rho_0$: échantillon aléatoire de taille $n \geq 25$

$Z = \dfrac{Z_r - E(Z_r)}{\sigma(Z_r)}$

Hypothèse nulle : $H_0 : \rho = \rho_0$

Contre-hypothèses	Règles de décision du test
$H_1 : \rho \neq \rho_0$	Rejeter H_0 si $Z > z_{\alpha/2}$ ou $Z < -z_{\alpha/2}$
$H_1 : \rho > \rho_0$	Rejeter H_0 si $Z > z_\alpha$
$H_1 : \rho < \rho_0$	Rejeter H_0 si $Z < -z_\alpha$

11.6.3 Intervalle de confiance pour ρ

On doit également se servir de la transformation de Fisher pour estimer, par intervalle de confiance, le coefficient de corrélation ρ de la population. Il faut d'abord construire l'intervalle autour de $E(Z_r)$ avec la loi normale centrée réduite et déduire, à partir des limites autour de $E(Z_r)$, celles autour de ρ avec la table de Fisher (allant de z_r à r).

Intervalle de confiance pour le coefficient de corrélation ρ. Avec un niveau de confiance $1-\alpha$, l'intervalle de confiance autour de $E(Z_r)$ est

$$z_r - z_{\alpha/2} \cdot \sqrt{\frac{1}{n-3}} \leq E(Z_r) \leq z_r + z_{\alpha/2} \cdot \sqrt{\frac{1}{n-3}}$$

où z_r est la valeur transformée de r et $z_{\alpha/2}$, la valeur de la variable centrée réduite telle que la probabilité que Z soit compris entre $-z_{\alpha/2}$ et $z_{\alpha/2}$ est $1-\alpha$. De ces limites, on obtient, en les transformant en r, celles pour ρ (on utilise la table de Fisher en sens inverse): $LI\rho \leq \rho \leq LS\rho$.

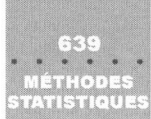

Exemple11.5

Estimation par intervalle de confiance: corrélation entre la coordination motrice et l'aptitude spatiale

On a appliqué ces tests à un échantillon de 58 individus œuvrant dans le secteur de la micro-électronique. Bien que 9 facteurs étaient évalués, nous n'en retiendrons que deux:

✔ La coordination motrice (habileté à coordonner les yeux et les mains ou les doigts avec rapidité et précision en effectuant divers mouvements).

✔ L'aptitude spatiale (visualisation de formes géométriques et compréhension d'objets à trois dimensions dans une représentation à deux dimensions).

La corrélation observée entre ces deux variables fut de $r = 0,43$.

Estimez par intervalle de confiance, le coefficient de corrélation ρ entre ces deux variables pour l'ensemble des individus œuvrant dans ce secteur. Utilisez un niveau de confiance de 95%.

Solution

On doit utiliser la transformation de Fisher. Déterminons d'abord l'intervalle de confiance autour de $E(Z_R)$.

Transformation de r en z_r

De la table de Fisher, pour $r = 0,43$, on lit $z_r = 0,460$.

L'écart-type est $\sigma(Z_r) = \dfrac{1}{\sqrt{n-3}}$.

$\sigma(Z_r) = \dfrac{1}{\sqrt{58-3}} = \dfrac{1}{7,416} = 0,1348.$

Extrait de la table de Fisher

Coefficient de corrélation r	Z de Fisher z_r	Coefficient de corrélation r	Z de Fisher z_r
0,15	0,1511	0,41	0,4356
0,16	0,1614	0,42	0,4477
0,17	0,1717	0,43	0,4599
0,18	0,1820	0,44	0,4722

Intervalle de confiance autour de $E(Z_r)$

Pour un niveau de confiance de 95%, on peut lire de la loi normale centrée réduite, $z_{0,025} = 1,96$ (l'aire entre 0 et 1,96 est 0,475).

Limite inférieure pour $E(Z_r) = z_r - z_{0,025} \cdot \sqrt{\dfrac{1}{n-3}} = 0,46 - (1,96)(0,1348) = 0,196$.

Limite supérieure pour $E(Z_r) = z_r + z_{0,025} \cdot \sqrt{\dfrac{1}{n-3}} = 0,46 + (1,96)(0,1348) = 0,724$.

Par conséquent l'intervalle de confiance autour de $E(Z_R)$ est:

$$0,196 \leq E(Z_R) \leq 0,724.$$

Intervalle de confiance sur ρ

On peut maintenant en déduire l'intervalle de confiance pour ρ en utilisant cette fois la table de Fisher en sens inverse.

Limite inférieure	Limite inférieure
pour $E(Z_R)$	pour ρ
0,196 $\longrightarrow$	0,19
Limite supérieure	**Limite supérieure**
pour $E(Z_R)$	pour ρ
0,724 $\longrightarrow$	0,62

Nous avons utilisé les valeurs les plus voisines dans la table.

L'intervalle de confiance ayant un niveau de confiance de 95% de contenir la valeur vraie de ρ est donc: $0{,}19 \leq \rho \leq 0{,}62$.

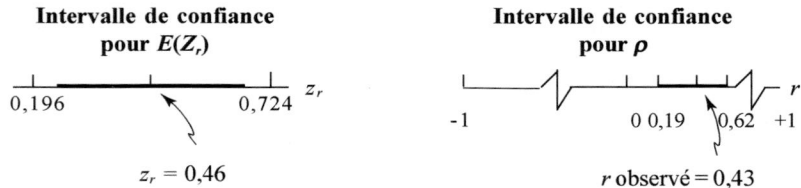

Question. Avec l'intervalle calculé précédemment, peut-on affirmer au seuil de signification $\alpha = 0{,}05$, qu'il y a absence de corrélation linéaire entre ces deux variables?

Remarque. À chaque fois que l'on détermine un intervalle de confiance pour ρ à partir d'un coefficient de corrélation positif, la limite supérieure de l'intervalle sera plus près de la valeur observée de r que la limite inférieure. Si d'autre part r est négatif, c'est la limite inférieure de confiance qui sera plus près de r que la limite supérieure. Toutefois à mesure que la taille d'échantillon augmente, l'asymétrie de la distribution du coefficient de corrélation linéaire diminue.

11.7   La régression linéaire simple

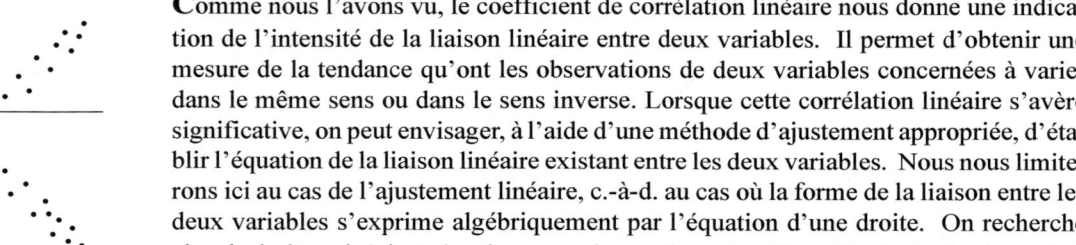

Comme nous l'avons vu, le coefficient de corrélation linéaire nous donne une indication de l'intensité de la liaison linéaire entre deux variables. Il permet d'obtenir une mesure de la tendance qu'ont les observations de deux variables concernées à varier dans le même sens ou dans le sens inverse. Lorsque cette corrélation linéaire s'avère significative, on peut envisager, à l'aide d'une méthode d'ajustement appropriée, d'établir l'équation de la liaison linéaire existant entre les deux variables. Nous nous limiterons ici au cas de l'ajustement linéaire, c.-à-d. au cas où la forme de la liaison entre les deux variables s'exprime algébriquement par l'équation d'une droite. On recherche alors la droite qui s'ajuste le mieux aux observations et on l'appelle *droite de régression.*

Droite de régression

Cette recherche de l'équation de la droite qui met en relation deux variables permettra d'obtenir un outil de prévision: on pourra estimer ou prévoir, à l'aide de cette équation, les valeurs d'une variable à partir des valeurs prises par l'autre variable.

Variable dépendante ou expliquée

Variable indépendante ou explicative

Il faut d'abord convenir de la variable que nous allons exprimer en fonction de l'autre. Ce choix est important et permet d'identifier la *variable dépendante ou expliquée* que nous notons y et la *variable indépendante ou explicative* que nous notons x.

Bien que sur le plan purement théorique, on peut établir une droite de régression de y par rapport à x et une autre de x par rapport à y, l'une peut être dénudée de tout sens pratique. Le choix d'essayer d'expliquer les fluctuations d'une variable par une autre devra donc être dicté par l'aspect pratique, physique ou économique du phénomène étudié.

11.8   Détermination de la droite de régression

La droite de régression ne permet pas d'établir avec exactitude la relation fonctionnelle qui lie une variable dépendante à une variable explicative; elle n'en fournit qu'une approximation. On veut toutefois obtenir une droite qui s'ajuste le mieux possible aux points du diagramme de dispersion.

Plusieurs droites peuvent s'ajuster à un nuage de points mais parmi toutes ces droites, on veut retenir celle qui jouit d'une propriété remarquable: *celle qui permet de rendre minimum la somme des carrés des écarts des valeurs observées y_i à la droite.*

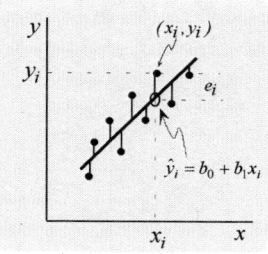

Notons par $\hat{y}_i = b_0 + b_1 x_i$, l'équation de la droite où b_0 représente l'ordonnée à l'origine et b_1 la pente de la droite. $\hat{y}_i$ représente la valeur estimée (ou prévue) de la variable dépendante pour une valeur particulière x_i de la variable explicative (indépendante).

Représentons par e_i l'écart vertical entre la valeur observée y_i et l'estimation $\hat{y}_i$ obtenue de la droite de régression à $x = x_i$: $e_i = y_i - \hat{y}_i = y_i - b_0 - b_1 x_i , i = 1,...,n.$

La *somme des carrés de ces écarts* pour l'ensemble des points est égale à

$$S = e_1^2 + e_2^2 + \cdots + e_n^2 = \sum_{i=1}^{n} e_i^2$$

$$S = \sum_{i=1}^{n} (y_i - \hat{y}_i)^2 = \sum_{i=1}^{n} (y_i - b_0 - b_1 x_i)^2.$$

Il s'agit de déterminer les expressions de b_0 et de b_1 de telle sorte que la somme S soit la plus petite possible (minimale). Pour obtenir ces expressions, on applique la méthode d'ajustement dite *méthode des moindres carrés* qui consiste à déterminer l'équation de la droite pour laquelle la somme des carrés des écarts verticaux des points observés y_i à la droite est minimum.

La droite ainsi obtenue est dite *droite des moindres carrés* ou *droite de régression*. Les expressions requises (que nous donnons sans démonstration) pour calculer les coefficients de régression b_0 et b_1 sont présentées ci-après.

b) L'écart $e_i = y_i - \hat{y}_i$ est appelé *résidu ou écart de prévision*. La somme de carrés,

$$\sum_{i=1}^{n} (y_i - \hat{y}_i)^2$$

s'appelle *somme de carrés résiduelle*. Elle permet d'obtenir une mesure de l'ampleur de l'éparpillement (la dispersion) des observations y_i autour de la droite de régression. Plus les points seront serrés autour de la droite de régression, plus la valeur de $\sum (y_i - \hat{y}_i)^2$ sera faible.

Calcul de la droite de régression. Le calcul des coefficients b_0 et b_1 de la droite de régression $\hat{y}_i = b_0 + b_1 x_i$ s'obtient, pour un échantillon de n couples d'observations (x_i, y_i), à l'aide des expressions suivantes:

$$b_1 = \frac{\sum (x_i - \bar{x})(y_i - \bar{y})}{\sum (x_i - \bar{x})^2} = \frac{n \sum x_i y_i - (\sum x_i)(\sum y_i)}{n \sum x_i^2 - (\sum x_i)^2} = \frac{\sum x_i y_i - \dfrac{(\sum x_i)(\sum y_i)}{n}}{\sum x_i^2 - \dfrac{(\sum x_i)^2}{n}}$$

$$b_0 = \bar{y} - b_1 \bar{x} \text{ où } \bar{y} = \frac{\sum y_i}{n} \text{ et } \bar{x} = \frac{\sum x_i}{n}.$$

Seule la droite des moindres carrés assure que $\sum_{i=1}^{n} (y_i - \hat{y}_i)^2$ est minimale. Cette droite est unique pour l'échantillon observé.

La droite de régression ne s'applique qu'à l'intérieur de l'étendue des valeurs expérimentales qui ont été observées pour la variable explicative. On devra donc éviter toute extrapolation en dehors de ce domaine à moins d'être certain que le phénomène se comporte de façon identique.

Note: On trouve également dans la littérature l'expression suivante pour l'équation de régression: $y = a + bx.$

Remarques. a) Avec les notions de calcul différentiel, il suffit, pour minimiser S, d'annuler les dérivées partielles de S par rapport à b_0 et à b_1. On obtient alors

$$\sum (y_i - b_0 - b_1 x_i) = 0 \qquad (\sum e_i = 0)$$
$$\sum x_i(y_i - b_0 - b_1 x_i) = 0 \qquad (\sum x_i e_i = 0)$$

et par la suite les deux équations

$$n b_0 + b_1 \sum x_i = \sum y_i$$
$$b_0 \sum x_i + b_1 \sum x_i^2 = \sum x_i y_i$$

dont la résolution permet d'obtenir les expressions de b_0 et b_1 énoncées précédemment.

b) Le numérateur dans l'expression de b_1 est le même que le coefficient de corrélation r et on

vérifie aisément que $b_1 = r \cdot \dfrac{s(y)}{s(x)}$ où $s(x) = \sqrt{\dfrac{\sum(x_i - \bar{x})^2}{n-1}}$ et $s(y) = \sqrt{\dfrac{\sum(y_i - \bar{y})^2}{n-1}}$.

Exemple 11.6

Analyse de régression pour estimer le temps de production

Un certain accessoire informatique est fabriqué par l'entreprise Micro-systèmes pour divers détaillants à travers le pays. La quantité fabriquée (habituellement en petits lots) varie avec la demande du marché. L'entreprise veut établir certaines normes sur le nombre d'hommes-minutes requis pour la production de différents lots de cet accessoire.

Le tableau ci-après obtenu à partir de 30 cédules de production, indique le nombre d'hommes-minutes requis pour fabriquer le nombre d'unités indiqué.

Tableau 11.4

Données pour l'analyse de régression

Cédule no.	Nombre d'hommes-minutes	Nombre d'unités	Cédule no.	Nombre d'hommes-minutes	Nombre d'unités
1	150	35	16	250	48
2	192	42	17	220	45
3	264	64	18	224	55
4	371	88	19	202	50
5	300	70	20	242	63
6	358	85	21	260	62
7	192	40	22	280	68
8	134	30	23	304	75
9	242	55	24	320	77
10	238	60	25	310	80
11	226	51	26	270	72
12	302	72	27	330	85
13	340	80	28	290	65
14	182	44	29	210	48
15	169	39	30	248	52

a) Tracé du diagramme de dispersion. Le tracé du diagramme de dispersion (voir page suivante) permet de soupçonner que les deux variables concernées varient dans le même sens.

Les points ont tendance à s'aligner selon une droite de pente positive.

Le diagramme de disper-
sion permet de consta-
ter que les deux variables
semblent liées selon une
droite de pente positive.

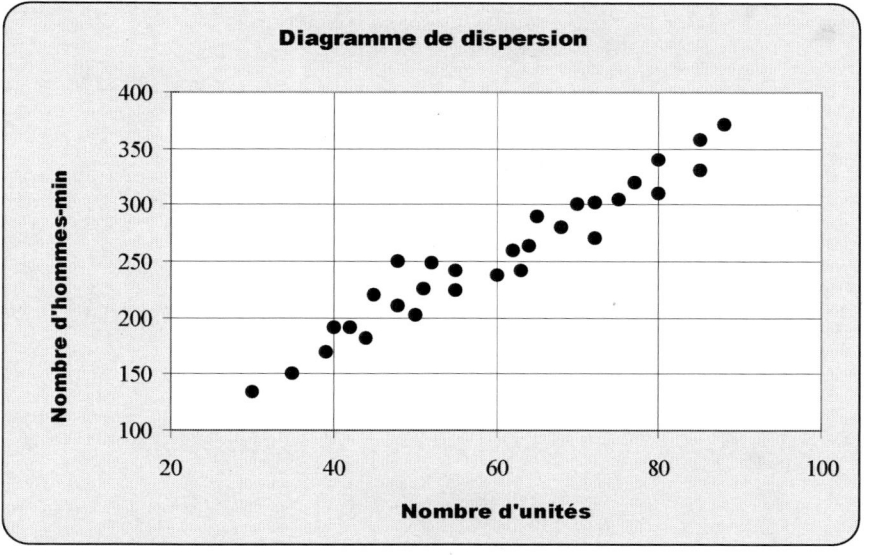

b) Tableau des calculs préliminaires

Le tableau suivant résume les calculs préliminaires à effectuer pour obtenir les coefficients de régression.

Tableau 11.5

**Calculs prélimi-
naires pour
l'analyse de
régression**

Cédule no.	Nombre d'hommes-minutes (y)	Nombre d'unités (x)	xy	x^2	y^2
1	150	35	5250	1225	22500
2	192	42	8064	1764	36864
3	264	64	16896	4096	69696
4	371	88	32648	7744	137641
5	300	70	21000	4900	90000
6	358	85	30430	7225	128164
7	192	40	7680	1600	36864
8	134	30	4020	900	17956
9	242	55	13310	3025	58564
10	238	60	14280	3600	56644
11	226	51	11526	2601	51076
12	302	72	21744	5184	91204
13	340	80	27200	6400	115600
14	182	44	8008	1936	33124
15	169	39	6591	1521	28561
16	250	48	12000	2304	62500
17	220	45	9900	2025	48400
18	224	55	12320	3025	50176
19	202	50	10100	2500	40804
20	242	63	15246	3969	58564
21	260	62	16120	3844	67600
22	280	68	19040	4624	78400
23	304	75	22800	5625	92416
24	320	77	24640	5929	102400
25	310	80	24800	6400	96100
26	270	72	19440	5184	72900
27	330	85	28050	7225	108900
28	290	65	18850	4225	84100
29	210	48	10080	2304	44100
30	248	52	12896	2704	61504
Somme	7620	1800	484929	115608	2043322

c) Calcul des coefficients b_0 et b_1 de la droite de régression. Les calculs préliminaires conduisent à:

$$\sum x_i = 1800, \ \sum y_i = 7620, \ \sum x_i y_i = 484929,$$
$$\sum x_i^2 = 115608, \ n = 30$$

On obtient alors pour b_1,

$$b_1 = \frac{n\sum x_i y_i - (\sum x_i)(\sum y_i)}{n\sum x_i^2 - (\sum x_i)^2}$$
$$= \frac{(30)(484929) - (1800)(7620)}{(30)(115608) - (1800)^2} = \frac{831870}{228240} = 3,64472$$

et pour b_0,

$$b_0 = \bar{y} - b_1 \bar{x} = \frac{7620}{30} - (3,64472)\left(\frac{1800}{30}\right)$$
$$= 254 - (3,64472)(60) = 35,317.$$

L'équation de la droite de régression peut donc s'écrire:

$$\hat{y}_i = 35,317 + 3,64472 x_i$$

ou

$$\hat{y}_i = \bar{y} + b_1(x_i - \bar{x}) = 254 + 3,64472(x_i - 60)$$

Interprétation de b_1

Interprétation des coefficients de régression

Pour le responsable de l'entreprise, la valeur de b_1, pente de la droite, représente le taux de variation du temps moyen requis en fonction du nombre d'unités. Ainsi, pour le domaine de variation étudié de la variable «nombre d'unités», on pourrait dire que le temps de fabrication augmenterait, en moyenne, de 3,65 hommes-minutes pour une augmentation unitaire du nombre d'unités.

Interprétation de b_0

Le coefficient de régression b_0 représente l'ordonnée à l'origine, c'est-à-dire la valeur de $\hat{y}$ lorsque $x = 0$. Si $x = 0$, $\hat{y} = 35,317$. On ne peut donner de signification concrète à ce cas particulier. En effet l'équation de régression empirique ne s'applique qu'à un nombre d'unités variant entre 30 et 88. La valeur de b_0 est quand même requise pour effectuer les estimations et prévisions avec l'équation de régression.

Prévision avec la droite de régression

On veut utiliser la droite de régression empirique pour prévoir le nombre d'hommes-minutes pour la fabrication de 30 unités. Calculons cette prévision.

$$\hat{y} = 35,317 + 3,64472(30) = 144,68 \cong 145 \text{ hommes-minutes.}$$

Cette prévision apparaît l'estimation la plus plausible, compte tenu de l'information que l'entreprise a en main. Les valeurs qu'on observera (les réalisations de y) lorsque les unités auront été fabriquées devront être vraisemblablement voisines de cette prévision si l'intensité de la liaison linéaire est forte entre les deux variables et si les mêmes conditions de fabrication prévalent. Effectivement, le calcul de r donne 0,968 (que l'on pourra vérifier).`

Notons néanmoins que l'information apportée par la droite de régression est d'autant meilleure que la variation résiduelle qui résulte de la dispersion des valeurs de y, pour diverses valeurs de x, autour de la droite de régression est faible. Nous traitons de cet aspect à la section 11.8.

Nous présentons à nouveau le nuage de points mais cette fois en ajoutant le tracé de la droite de régression, l'équation de régression et le coefficient r^2 que nous traitons à la section subséquente.

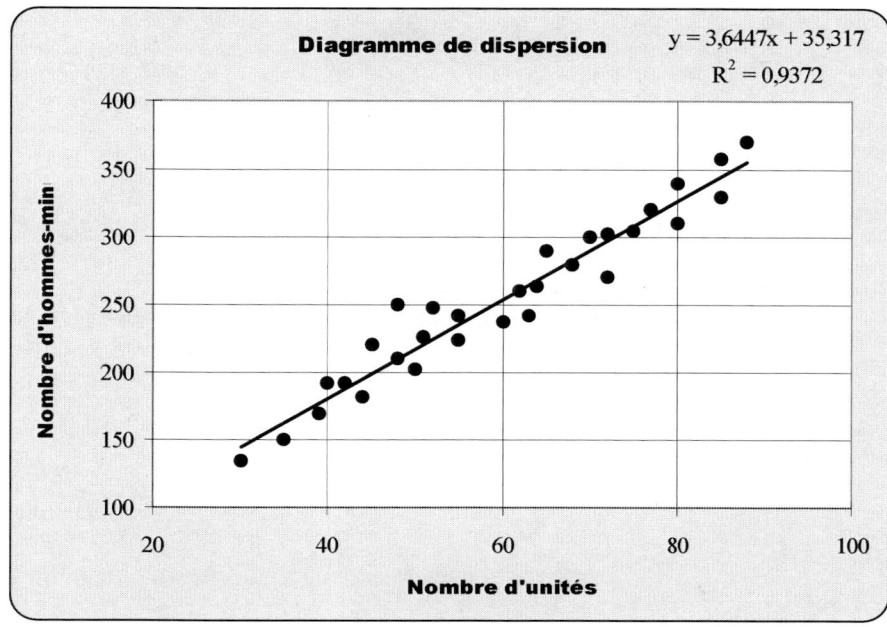

Remarques. a) Seule la droite des moindres carrés assure que $\sum (y_i - \hat{y}_i)^2$ est minimale. *Cette droite est unique pour l'échantillon observé.*

b) La droite de régression passe toujours par le point $(\overline{x}, \overline{y})$ et peut également s'écrire

$$\hat{y}_i = b_0 + b_1 x_i = \overline{y} - b_1 \overline{x} + b_1 x_i = \overline{y} + b_1 (x_i - \overline{x}) \text{ puisque } b_0 = \overline{y} - b_1 \overline{x}.$$

À $x_i = \overline{x}$, $\hat{y}_i = \overline{y} + b_1 (\overline{x} - \overline{x}) = \overline{y}$.

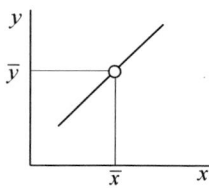

c) La droite de régression ne s'applique qu'à l'intérieur de l'étendue des valeurs expérimentales qui ont été observées pour la variable explicative. On devra donc éviter toute extrapolation en dehors de ce domaine à moins d'être certain que le phénomène se comporte de façon identique.

11.9 Décomposition de la variation dans la variable dépendante

Cette approche va nous permettre de définir un indice qui donne une mesure descriptive de la qualité de l'ajustement des points expérimentaux par la droite.

Il s'agit de décomposer la variation qui existe dans les données correspondant à la variable dépendante y en deux sources de variation, soit

Sources de variation en régression

i) *une variation explicable par la droite de régression*

et

ii) *une variation résiduelle ou inexplicable.*

C'est cette dernière variation (soit la variation résiduelle) que nous avons minimisée en appliquant la méthode des moindres carrés.

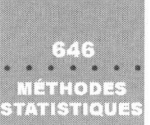

Pour obtenir les autres sommes de carrés, procédons comme suit:

Détermination de l'ampleur de la variabilité

Indiquons d'abord que l'écart total $(y_i - \overline{y})$ est la somme de deux composantes, soit

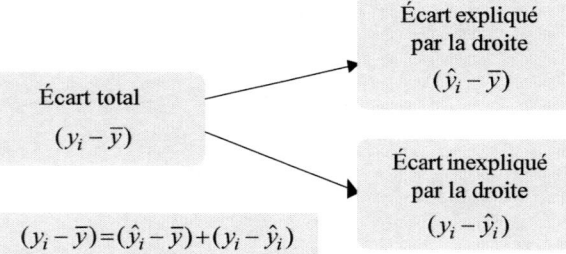

$$(y_i - \overline{y}) = (\hat{y}_i - \overline{y}) + (y_i - \hat{y}_i)$$

Pour obtenir l'ampleur de la variabilité attribuable à chacune de ces composantes, il faut élever au carré les deux membres et effectuer la sommation de $i = 1$ jusqu'à $i = n$. On obtient alors (résultat que l'on peut démontrer):

$$\sum (y_i - \overline{y})^2 = \sum (\hat{y}_i - \overline{y})^2 + \sum (y_i - \hat{y}_i)^2$$

Variation = variation expliquée + variation inexpliquée

totale   par la droite   par la droite

Le calcul de ces expressions peut toutefois être simplifié en utilisant les formes développées suivantes:

Calcul des sommes de carrés

$$Variation\ totale = \sum (y_i - \overline{y})^2 = \sum y_i^2 - \frac{(\sum y_i)^2}{n}$$

$$Variation\ expliquée = \sum (\hat{y}_i - \overline{y})^2 = b_1^2 \sum (x_i - \overline{x})^2 = b_1^2 \left[\sum x_i^2 - \frac{(\sum x_i)^2}{n} \right]$$

$$Variation\ résiduelle = \sum (y_i - \hat{y}_i)^2 = \sum y_i^2 - b_0 \sum y_i - b_1 \sum x_i y_i$$

Calcul de la somme de carrés résiduelle par différence

La variation résiduelle (ou somme de carrés résiduelle) peut également s'obtenir par différence: $\sum (y_i - \hat{y}_i)^2 = \sum (y_i - \overline{y})^2 - \sum (\hat{y}_i - \overline{y})^2$.

Proportion de la variation totale expliquée par la droite de régression

Pour mieux apprécier la contribution de la variable explicative dans l'équation de régression pour expliquer les fluctuations des données de la variable dépendante, définissons le coefficient de détermination.

· · ·
La valeur du r^2 peut être élevée sans toutefois que la forme linéaire soit la plus adéquate pour représenter la liaison statistique entre deux variables. Le diagramme de dispersion est donc très important pour nous renseigner sur la forme de liaison entre y et x.

Coefficient de détermination. La proportion de la variation totale dans la variable dépendante qui est expliquée par la droite de régression est donnée par le coefficient de détermination, noté r^2 et qui s'exprime comme le rapport de la variation expliquée à la variation totale:

$$r^2 = \frac{Variation\ expliquée}{Variation\ totale} = \frac{\sum (\hat{y}_i - \overline{y})^2}{\sum (y_i - \overline{y})^2}$$

C'est un indice de la qualité de l'ajustement de la droite aux points expérimentaux.

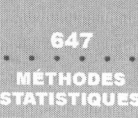
Ce coefficient varie entre 0 (aucun ajustement linéaire) et 1 (ajustement linéaire parfait): $0 \leq r^2 \leq 1$. Si les points se situent exactement sur une droite, alors la variation résiduelle $\sum(y_i - \hat{y}_i)^2$ est nulle et $\sum(\hat{y}_i - \overline{y})^2 = \sum(\hat{y}_i - \overline{y})^2$ d'où $r^2 = 1$. D'autre part, s'il y a absence de liaison, les points sont complètement éparpillés et la variation expliquée est nulle, d'où $r^2 = 0$.

Pourcentage de variation expliquée par la droite de régression

Lorsque r^2 est multiplié par 100, il donne le *pourcentage de variation totale dans la variable dépendante qui est expliquée par la droite de régression*.

La proportion de la variation totale dans y qui demeure inexpliquée par la droite de régression (c.-à-d. par la connaissance de la variable explicative x) est

$$1 - r^2 = 1 - \frac{Variation\,expliquée}{Variation\,totale} = \frac{Variation\,résiduelle}{Variation\,totale}$$

Détermination de la variance résiduelle $s_{y|x}^2$

On peut également déterminer la variance résiduelle $s_{y|x}^2$ en divisant la somme de carrés résiduelle par $(n\text{-}2)$:

$$s_{y|x}^2 = \frac{\sum(y_i - \hat{y}_i)^2}{n-2} = \frac{\sum(y_i - b_0 - b_1 x_i)^2}{n-2} = \frac{\sum y_i^2 - b_0\sum y_i - b_1\sum x_i y_i}{n-2}.$$

Calcul de l'écart-type résiduel appelé également erreur-type de l'estimation

L'écart-type résiduel, noté $s_{y|x}$, s'obtient de $s_{y|x} = \sqrt{\dfrac{\sum(y_i - \hat{y}_i)^2}{n-2}}$. Cette quantité donne une *estimation de la dispersion des valeurs de la variable dépendante y autour de la droite de régression* $\hat{y}_i = b_0 + b_1 x_i$ et a les mêmes unités que la variable dépendante.

Coefficient de corrélation linéaire simple

On peut déduire, à partir du coefficient r^2, le coefficient de corrélation linéaire simple:

$$r = \pm\sqrt{r^2}\;.$$

Le signe du coefficient de corrélation est le même que le coefficient de régression b_1. Comme nous le savons, la valeur de r peut varier entre -1 et +1.

Le coefficient r^2 permet donc de déterminer dans quelle mesure une corrélation trouvée est d'importance.

Si un coefficient de corrélation $r = 0{,}50$, seulement $r^2 = (0{,}50)^2 \times 100 = 25\%$ de la variation totale dans y est expliquée par la droite de régression.

Remarque. La valeur du r^2 peut être élevée sans toutefois que la forme linéaire soit la plus adéquate pour représenter la liaison statistique entre deux variables. Le diagramme de dispersion est donc très important pour nous renseigner sur la forme de liaison entre y et x.

Exemple 11.7

Détermination des sommes de carrés, du coefficient r^2 et de la variance résiduelle

Utilisons les données de l'exemple 11.6 et calculons les diverses sommes de carrés associées aux différentes sources de variation ainsi que la variance résiduelle.

Variation totale

$$Variation\ totale = \sum(y_i - \overline{y})^2 = \sum y_i^2 - \frac{(\sum y_i)^2}{n} = 2\,043\,322 - 1\,935\,480 = 107\,842$$

Variation expliquée

$$Variation\ expliquée = \sum(\hat{y}_i - \overline{y})^2 = b_1^2 \sum(x_i - \overline{x})^2 = b_1^2\left[\sum x_i^2 - \frac{(\sum x_i)^2}{n}\right]$$

$$= (3,64472)^2\left[115\,608 - \frac{(1800)^2}{30}\right] = (3,64472)^2\ (7608) = 101\,064,55$$

Variation inexpliquée

Par différence, on obtient

$$\sum(y_i - \hat{y}_i)^2 = \sum(y_i - \overline{y})^2 - \sum(\hat{y}_i - \overline{y})^2 = 107\,842 - 101\,064,55 = 6777,45$$

Calcul du coefficient de détermination

$$r^2 = \frac{Variation\ expliquée\ par\ la\ droite\ de\ régression}{Variation\ totale} \times 100 = \frac{101064,55}{107842} \times 100 = 93,71\%.$$

Pourcentage de variation expliquée par la droite de régression

Ainsi, pratiquement 94% de la variation totale dans le nombre d'hommes-minute est expliqué par la droite de régression. Il demeure moins de 6% d'inexpliqué.

Puisque la valeur de r^2 est importante, nous pouvons considérer que l'ajustement de la droite aux points expérimentaux est de qualité acceptable.

Calculs de la variance résiduelle et de l'écart-type

$$s_{y|x}^2 = \frac{\sum(y_i - \hat{y}_i)^2}{n-2} = \frac{6777,45}{28} = 242,05$$

$$s_{y|x} = \sqrt{\frac{\sum(y_i - \hat{y}_i)^2}{n-2}} = 15,56\ \text{hommes-minute}.$$

Remarque. Les *hypothèses fondamentales* associées au modèle de régression linéaire simple $y_i = \beta_0 + \beta_1 x_i + \varepsilon_i$ où β_0 (ordonnée à l'origine) et β_1 (la pente) sont les paramètres de régression (estimés respectivement par b_0 et b_1) et ε_i, l'erreur aléatoire non observable attribuable à un ensemble de facteurs ou de variables non pris en considération dans le modèle, s'énoncent comme suit.

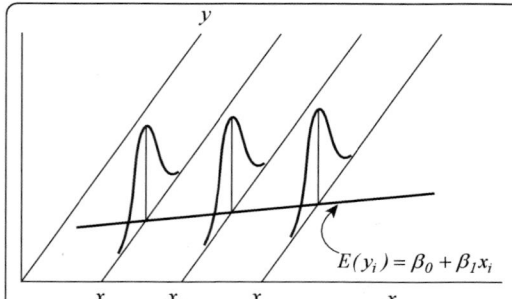

1. On suppose que le modèle linéaire simple est plausible c.-à-d. que $E(y_i) = \beta_0 + \beta_1 x_i$. L'équation de régression $\hat{y}_i = b_0 + b_1 x_i$ est une estimation de la moyenne conditionnelle $E(y_i)$. On a donc $E(\varepsilon_i) = 0$.

2. La variance des ε_i demeure constante pour toutes les valeurs x_i: $Var(\varepsilon_i) = \sigma^2$.

3. Les erreurs ε_i associées aux valeurs de la variable dépendante y_i ne sont pas corrélées entre elles; elles ne sont aucunement liées avec les précédentes et n'influent pas sur les suivantes.

4. On suppose que la distribution des ε_i est distribuée selon une loi normale de moyenne $E(\varepsilon_i) = 0$ et $Var(\varepsilon_i) = \sigma^2$. Cette hypothèse est requise pour effectuer des tests statistiques et calculer des intervalles de confiance.

On peut donc en déduire que, pour toute valeur particulière x_i, la variable dépendante y est une variable aléatoire distribuée normalement autour de l'équation de régression $E(y_i) = \beta_0 + \beta_1 x_i$ où $E(y_i)$ est la moyenne (l'espérance) de y_i avec une variance $Var(y_i) = \sigma^2$. Ces hypothèses fondamentales sont vérifiées à l'aide de l'analyse des résidus que nous traitons dans une section subséquente.

11.10   Test de signification sur β_1 avec le *t* de Student

Tout comme dans le cas de la corrélation linéaire simple, on peut tester si la régression est significative.

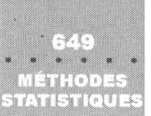
Le test porte alors sur la pente de la droite de régression dont le paramètre correspondant à b_1 est β_1.

Test de l'hypothèse H_0: $\beta_1 = 0$

L'hypothèse nulle qui est soumise au test s'énonce comme suit:

H_0: $\beta_1 = 0$ (la régression n'est pas significative).

L'hypothèse alternative (ou la contre-hypothèse) peut se présenter sous diverses formes ($\beta_1 \neq 0$, $\beta_1 > 0$ ou encore $\beta_1 < 0$). Les diverses hypothèses statistiques ainsi que les règles de décision sont résumées au tableau 11.6.

Dans le cas d'un petit échantillon, l'écart réduit pour établir les règles de décision est

$T = \dfrac{b_1 - \beta_1}{s(b_1)}$ qui est distribué selon la loi de Student avec (n - 2) degrés de liberté et

$s(b_1) = \dfrac{s_{y|x}}{\sqrt{\sum (x_i - \overline{x})^2}}$.

Tableau 11.6
Test sur le paramètre β_1: On suppose que le modèle linéaire est plausible; que la distribution d'échantillonnage de b_1 est normale; que la taille d'échantillon est petite et que la variance $\sigma^2(b_1)$ est inconnue

$T = \dfrac{b_1}{s(b_1)}$

Hypothèse nulle : H_0: $\beta_1 = 0$

Contre-hypothèses	Règles de décision du test
H_1: $\beta_1 \neq 0$	Rejeter H_0 si $T > t_{\alpha/2;n-2}$ ou $T < -t_{\alpha/2;n-2}$
H_1: $\beta_1 > 0$	Rejeter H_0 si $T > t_{\alpha;n-2}$
H_1: $\beta_1 < 0$	Rejeter H_0 si $T < -t_{\alpha;n-2}$

En supposant H_0 vraie et selon les conditions d'application du test, l'écart réduit T est distribué selon la loi de Student avec (n-2) degrés de liberté.

Remarque. *L'intervalle de confiance* sur β_1 avec un niveau de confiance 100 (1 - α)% est, dans le cas d'un petit échantillon, $b_1 - t_{\alpha/2;n-2} \cdot s(b_1) \leq \beta_1 \leq b_1 + t_{\alpha/2;n-2} \cdot s(b_1)$.

Exemple 11.8

Test de signification sur le paramètre de régression β_1

Utilisons les divers résultats obtenus à l'exemple 11.6 et à l'exemple 11.7 et déterminons s'il existe un lien linéaire significatif entre le nombre d'hommes-minutes et le nombre d'unités des lots à fabriquer.

De 11.6, on sait que $b_1 = 3{,}64472$ et $n = 30$. De plus,

$$\sum (x_i - \overline{x})^2 = \sum x_i^2 - \frac{(\sum x_i)^2}{n} = 115608 - \frac{1800}{30} = 115608 - 108000 = 7608.$$

De l'exemple 11.7, on a $s_{y|x} = 15{,}56$. Par conséquent, $s(b_1) = \dfrac{15{,}56}{\sqrt{7608}} = 0{,}1784$.

Appliquons maintenant la démarche du test statistique.

Démarche du test

1. **Hypothèses statistiques**
   H_0: $\beta_1 = 0$
   H_1: $\beta_1 \neq 0$

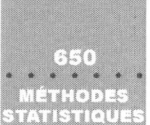
2. **Seuil de signification**

$\alpha = 0,05$

3. **Conditions d'application du test**: Modèle linéaire plausible; b_1 est distribué normalement; petit échantillon; variance $\sigma^2(b_1)$ inconnue.

4. **La statistique** qui convient pour le test est b_1. L'écart réduit est, selon les conditions d'application et en supposant H_0 vraie, $T = \dfrac{b_1}{s(b_1)}$ qui est distribué selon la loi de Student avec $v = n - 2 = 28$ dl.

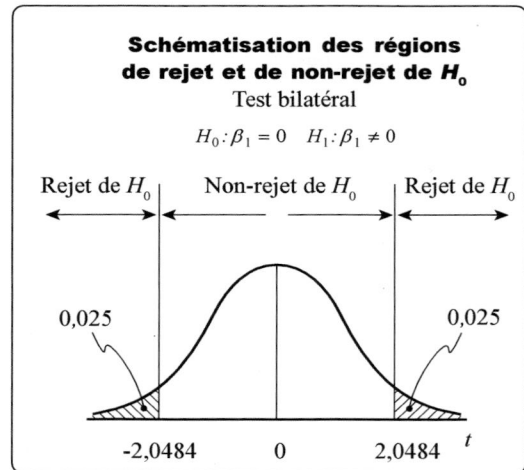

Schématisation des régions de rejet et de non-rejet de H_0

Test bilatéral

$H_0 : \beta_1 = 0 \quad H_1 : \beta_1 \neq 0$

Rejet de H_0 | Non-rejet de H_0 | Rejet de H_0

0,025 | | 0,025

-2,0484 | 0 | 2,0484 | t

5. **Règle de décision.** D'après H_1 et au seuil $\alpha = 0,05$, la valeur critique de l'écart réduit est $t_{0,025;28} = 2,0484$ (test bilatéral). On adoptera la règle de décision suivante: rejeter H_0 si $T < -2,0484$ ou si $T > 2,0484$, sinon ne pas rejeter H_0.

6. **Calcul de l'écart réduit.** En substituant les valeurs appropriées, on obtient la valeur suivante pour l'écart réduit:

$$t = \frac{3,64472}{0,1784} = 20,43.$$

7. **Décision et conclusion.** La valeur $t = 20,43$ se situe dans la région de rejet de H_0. Il y a un lien linéaire significatif entre le nombre d'hommes-minutes et le nombre d'unités des lots à fabriquer.

La régression est significative.

Remarques. a) Le calcul de l'intervalle de confiance à 95% sur β_1 donne $3,28 \leq \beta_1 \leq 4,01$; puisque l'intervalle n'englobe pas la valeur $\beta_1 = 0$, nous rejetons l'hypothèse nulle au seuil de signification 5%.

b) Il arrive occasionnellement que l'on désire soumettre au test une valeur de β_1 autre que zéro, notée β_{10}.

Dans ce cas $H_0 : \beta_1 = \beta_{10}$ et l'écart réduit pour un petit échantillon est $t = \dfrac{b_1 - \beta_{10}}{s(b_1)}$ qui est distribué selon la loi de Student avec $(n - 2)$ degrés de liberté. Les règles de décision, au seuil de signification α, demeurent les mêmes que pour le test sur $\beta_1 = 0$.

11.11 Autre façon de tester si la régression est significative: l'analyse de variance

Une autre façon de tester l'hypothèse $H_0 : \beta_1 = 0$ contre l'hypothèse $H_1 : \beta_1 \neq 0$ est de constituer un rapport de variances (une variance attribuable à la régression et l'autre attribuable à la variation résiduelle) et d'avoir recours à la loi de Fisher pour effectuer le test. C'est la même façon de procéder qu'au chapitre 10 sur l'analyse de variance. Dans le cas de la régression linéaire simple, on a la relation suivante entre les sommes de carrés:

$$SCT = SCR + SC_{RES}$$

$$\sum(y_i - \overline{y})^2 = \sum(\hat{y}_i - \overline{y})^2 + \sum(y_i - \hat{y}_i)^2$$

et dont les degrés de liberté sont respectivement

$$(n - 1) = (1) + (n - 2).$$

On en déduit par la suite les variances (appelées *carrés moyens*) en divisant les sommes de carrés SCR (due à la régression) et SC_{RES} (résiduelle) par les degrés de liberté respectifs. Ces divers calculs se résument dans un tableau d'analyse de variance.

Tableau d'analyse de variance   Régression linéaire simple

Source de variation	Somme de carrés	Degrés de liberté	Carrés moyens	Rapport F
Expliquée par la régression	$SCR = \sum(\hat{y}_i - \bar{y})^2$	1	$CMR = SCR/1$	$F = \dfrac{CMR}{CM_{RES}}$
Résiduelle	$SC_{RES} = \sum(y_i - \hat{y}_i)^2$	$n-2$	$CM_{RES} = \dfrac{SC_{RES}}{n-2}$	
Totale	$SCT = \sum(y_i - \bar{y})^2$	$n-1$		

Dans le cas des hypothèses H_0: $\beta_1 = 0$, $\beta_1 \neq 0$, la relation suivante existe entre le F et le t: $F = t^2$; il en est de même pour les valeurs critiques: $F_{\alpha;1,n-2} = t^2_{\alpha/2;n-2}$.

Notons que $s^2_{y|x} = CM_{RES}$: La statistique qui convient pour tester l'hypothèse nulle H_0: $\beta_1 = 0$ est dans ce cas: $F = \dfrac{CMR}{CM_{RES}}$.

Sous H_0, la distribution de la quantité F est celle d'une loi de Fisher avec 1 et $(n-2)$ degrés de liberté. Cette quantité permet de tester l'hypothèse nulle H_0: $\beta_1 = 0$ contre l'hypothèse alternative H_1: $\beta_1 \neq 0$. Nous rejetons H_0 et favorisons H_1 au seuil α, si $F > F_{\alpha,1,n-2}$.

À noter qu'un test d'hypothèse effectué à l'aide d'une analyse de variance est toujours un test unilatéral à droite (alors que dans le cas d'un test de Student avec H_1: $\beta_1 \neq 0$, on a un test bilatéral).

Exemple 11.9

Tableau d'analyse de variance et test de signification de la régression: entreprise Micro-systèmes

Nous nous servons des sommes de carrés calculées à l'exemple 11.7. On obtient alors le tableau d'analyse de variance suivant.

Source de variation	Somme de carrés	Degrés de liberté	Carrés moyens	Rapport F
Expliquée par la régression	101 064,55	1	101 064,55	417,5
Résiduelle	6 777,45	28	242,05	
Totale	107 842	29		

Au seuil de signification 5%, $F_{0,05;1,28} = 4,20$. La régression est très significative puisque $F = 417,5 > 4,20$.

Remarques. a) Puisque la variation expliquée $SCR = r^2SCT$ et que la variation résiduelle $SC_{RES} = (1 - r^2)\,SCT$, le rapport F peut également s'écrire $F = \dfrac{r^2}{(1-r^2)}(n-2)$ où SCT = variation totale.

b) SC_{RES} peut également s'écrire: $SC_{RES} = (1 - r^2)\,s^2_y\,(n-1)$ où $s^2_y = \dfrac{\sum(y_i - \bar{y})^2}{n-1}$

11.12   Estimation et prévision par intervalle de confiance à l'aide de la régression

Comme nous l'avons indiqué précédemment, on peut utiliser la droite de régression empirique $\hat{y}_i = b_0 + b_1 x_i$ pour obtenir une estimation de la variable dépendante pour une valeur particulière x_i de la variable explicative.

Cette estimation est une estimation ponctuelle et ne tient pas compte de l'erreur possible dans l'estimation, erreur attribuable aux fluctuations d'échantillonnage.

Nous savons que la quantité $\hat{y}_i$ qu'on obtient de la droite de régression est une estimation de $E(y_i)$ à $x = x_i$.

Estimation par intervalle de confiance

On aimerait donc (tout comme nous l'avons fait au chapitre 6 pour la moyenne μ) obtenir un intervalle de confiance pour $E(y)$. Dans le cas d'un petit échantillon, l'intervalle se définit comme suit.

Intervalle de confiance pour $E(y_i)$ à $x = x_i$

Intervalle de confiance pour $E(y_h)$ à $x = x_h$. On définit, en prenant comme estimation ponctuelle de $E(y_h)$ à $x = x_h$, la moyenne $\hat{y}_h = b_0 + b_1 x_h$, *un intervalle de confiance* ayant un niveau de confiance $100(1-\alpha)\%$ de contenir la valeur vraie de $E(y_h)$ comme suit: $\qquad \hat{y}_h - t_{\alpha/2;n-2} \cdot s(\hat{y}_h) \le E(y_h) \le \hat{y}_h + t_{\alpha/2;n-2} \cdot s(\hat{y}_h) \qquad$ où

$$s(\hat{y}_h) = s_{y|x}\left[\frac{1}{n} + \frac{(x_h - \overline{x})^2}{\sum(x_i - \overline{x})^2}\right]^{1/2}, \; t_{\alpha/2;n-2}, \text{ la valeur tabulée de la loi de Student, avec}$$

$(n-2)$ degrés de liberté telle que la probabilité que t soit compris entre $-t_{\alpha/2;n-2}$ et $t_{\alpha/2;n-2}$ est $1-\alpha$ et $s_{y|x}$, l'écart-type résiduel.

La *marge d'erreur* qu'on obtient dans l'estimation de $E(y_h)$ à $x = x_h$ sera au plus égale à $\pm t_{\alpha/2;n-2} \cdot s(\hat{y}_h)$, au niveau de confiance $100(1-\alpha)\%$.

Exemple 11.10

Estimation par intervalle de confiance du nombre moyen d'hommes-minutes

On aimerait obtenir une estimation par intervalle de confiance du nombre moyen d'hommes-minutes pour des lots comportant 45 unités. Déterminer cet intervalle avec un niveau de confiance de 95%.

D'après les calculs effectués à l'exemple 11.6 et à l'exemple 11.7, on a

$$\hat{y}_i = 35,317 + 3,64472x_i, \quad s_{y|x} = 15,56, \quad \sum(x_i - \overline{x})^2 = 7608, \quad n = 30, \quad \overline{x} = 60.$$

a) L'estimation ponctuelle à $x_h = 45$ s'obtient de $\hat{y}_h = 35,317 + (3,64472)(45) = 199,33$.

Ainsi, on s'attend à ce que le temps moyen de fabrication pour des lots d'accessoires de 45 unités soit pratiquement de 200 hommes-minutes.

b) Déterminons la marge d'erreur dans l'estimation de $E(y_h)$ à $x_h = 45$.

Il faut d'abord évaluer $s(\hat{y}_h)$. Le calcul de $s(\hat{y}_h)$ s'obtient de

Estimation par intervalle de confiance du nombre moyen d'hommes-minutes pour des lots comportant 45 unités et calcul de la marge d'erreur statistique

$$s(\hat{y}_h) = s_{y|x}\left[\frac{1}{n} + \frac{(x_h - \overline{x})^2}{\sum(x_i - \overline{x})^2}\right]^{1/2}$$

$$= (15,56)\left[\frac{1}{30} + \frac{(45 - 60)^2}{7608}\right]^{1/2}$$

$$= (15,56)[0,0333 + 0,02957]^{1/2} = (15,56)(0,2508) = 3,9027 \text{ hommes-minutes.}$$

La marge d'erreur, au niveau de confiance $100(1-\alpha)\%$, est:

$$\textit{Marge d'erreur} = \pm t_{\alpha/2;n-2} \cdot s(\hat{y}_h).$$

Pour un niveau de confiance de 95% et $n = 30$, on trouve, dans la table de Student, $t_{0,025;28} = 2,0484$.

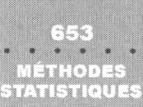

. . . .
La quantité $s(\hat{y}_h)$ nous permet d'évaluer la précision de l'estimation de $E(y_h)$ et d'en déduire une marge d'erreur dans l'estimation par intervalle de confiance.

Marge d'erreur = (2,0484) (3,9027) = 7,994 hommes-minutes, soit pratiquement 8 hommes-minutes.

c) Calculons l'intervalle de confiance. L'intervalle de confiance, ayant un niveau de confiance de 95% de contenir la valeur vraie du temps moyen requis pour fabriquer des lots de 45 unités, est 200 ± 8 soit

$$192 \leq E(y_h) \leq 208.$$

Remarque. La quantité $s(\hat{y}_h)$ nous permet d'évaluer la précision de l'estimation de $E(y_h)$ et d'en déduire une marge d'erreur dans l'estimation par intervalle de confiance.

b) La grandeur de $s(\hat{y}_h)$ est affectée de plusieurs façons:

i) Plus l'écart-type des résidus est élevé, plus $s(\hat{y}_h)$ est grand, réduisant ainsi la précision de l'estimation.

ii) plus la valeur x_h est voisine de $\overline{x}$, plus l'écart-type $s(\hat{y}_h)$ est faible; d'autre part, plus x_h est éloignée de $\overline{x}$, plus $s(\hat{y}_h)$ est élevé. La meilleure précision dans l'estimation de $E(y_h)$ s'obtient à $x_h = \overline{x}$ puisqu'alors $s(\hat{y}_h) = \dfrac{s}{\sqrt{n}}$.

iii) L'écart-type $s(\hat{y}_h)$ dépend également
- de n: plus n est grand, plus $1/n$ est petit;

- de $\sum(x_i - \overline{x})^2$: plus la dispersion des x_i autour de $\overline{x}$ est élevée, plus le rapport $\dfrac{(x_h - \overline{x})^2}{\sum(x_i - \overline{x})^2}$ sera faible, plus la valeur de $s(\hat{y}_h)$ aura tendance à être faible.

11.13   Prévision de *y* pour une nouvelle observation de *x*

$\mathbf{L}$'objectif d'une étude de régression est non seulement d'obtenir des estimations de la moyenne des y_i c.-à-d. $E(y_i)$ pour diverses valeurs x_i mais également de fournir des prévisions concernant les valeurs éventuelles de la variable dépendante y.

Par exemple, l'entreprise Micro-systèmes vient de recevoir une commande de 45 unités. Quel sera vraisemblablement le temps de fabrication? Entre quelles valeurs peut se situer le temps de fabrication, avec un niveau de confiance de 95%?

Dans le cas d'un petit échantillon, l'intervalle de prévision se définit comme suit.

Intervalle de prévision pour y_h à $x = x_h$

Intervalle de prévision pour y_h à $x = x_h$. La prévision d'une valeur éventuelle de y, que nous notons $y_{h(p)}$ pour la distinguer de la valeur réelle de y, pour une nouvelle observation x_h de la variable explicative est la valeur obtenue de la droite de régression empirique à $x = x_h$ soit: *Prévision de y_h*: $y_{h(p)} = b_0 + b_1 x_h$.

L'intervalle de prévision y_h pour une nouvelle observation x_h, ayant un niveau de confiance $100(1-\alpha)$% de contenir la vraie valeur de y est:

$$\hat{y}_h - t_{\alpha/2; n-2} \cdot s(d_h) \leq y_h \leq \hat{y}_h + t_{\alpha/2; n-2} \cdot s(d_h).$$

d_h représente *l'écart de prévision* pour une nouvelle observation x_h, $d_h = y_h - y_{h(p)}$ où y_h est la valeur éventuelle ("future") de y et $\hat{y}_h = y_{h(p)}$, la prévision de cette valeur. L'écart-type de l'erreur de prévision s'obtient de

$$s(d_h) = \sqrt{s_{y|x}^2 + s^2(\hat{y}_h)} = s_{y|x}\left[1 + \frac{1}{n} + \frac{(x_h - \overline{x})^2}{\sum(x_i - \overline{x})^2}\right]^{1/2}.$$

Exemple 11.11

Détermination d'un intervalle de prévision pour le temps éventuel requis pour la fabrication de 45 unités

L'entreprise Micro-systèmes veut déterminer un intervalle de prévision pour le temps éventuel requis pour une nouvelle commande de 45 unités. On utilise un niveau de confiance de 95%.

Prévision de la valeur éventuelle du temps de fabrication

La valeur prévisionnelle est $y_{h(p)} = \hat{y}_h = 35,317 + (3,64472)(45) = 199,33$.

Détermination de l'intervalle de prévision

On sait que $n = 30$, $s_{y|x} = 15,56$, $s(\hat{y}_h) = 3,9027$.

Puisque la variance de la prévision à $x = x_h$ est $s^2(d_h) = s^2_{y|x} + s^2(\hat{y}_h)$, on obtient en utilisant les valeurs appropriées, $s^2(d_h) = (15,56)^2 + (3,9027)^2 = 242,1136 + 15,2311$ et $s(d_h) = \sqrt{257,345} = 16,042$ hommes-minutes.

Avec un niveau de confiance de 95% et $n = 30$, on obtient de la table de Student $t_{0,025;28} = 2,0484$.

Marge d'erreur

La marge d'erreur dans la prévision, pour un niveau de confiance de 95%, est donc: $\pm (2,0484)\,(16,042) = 32,86$ hommes-minutes.

L'intervalle de prévision est donc:

Limite inférieure = 199,33 - 32,86 = 166,47
Limite supérieure = 199,33 + 32,86 = 232,19

Intervalle de prévision

$$166,47 \le y_h \le 232,19 \text{ hommes-minutes}.$$

Discussions sur les intervalles de confiance

Dans le cas de l'exemple 11.10, l'intervalle obtenu correspond à une estimation du *nombre moyen d'hommes-minutes pour tous les lots* comportant 45 unités soit $192 \le E(y_h) \le 208$; dans le cas de l'exemple 11.11, l'intervalle obtenu à $x_h = 45$ est un intervalle de prévision pour une valeur éventuelle du temps de fabrication pour *un* lot de 40 unités soit $166,47 \le y_h \le 232,19$.

Un intervalle de confiance sur une *moyenne* comporte toujours une marge d'erreur *beaucoup moindre* que celui pour une valeur individuelle.

Exemple 11.12

Comparaison de divers intervalles de confiance et intervalles de prévision: entreprise Micro-systèmes

Nous résumons dans le tableau suivant (feuille Excel) diverses estimations et prévisions pour quelques valeurs x_i (taille du lot de fabrication) au niveau de confiance 95%. Les calculs ont été effectués avec Excel.

Intervalle de confiance autour de $E(y_h)$ au niveau de confiance 95%

	B	C	D	E	F	G	H
	Nombre d'unités (x)	*Valeur estimée* $\hat{y}_i$	*Écart-type résiduel* $s_{y|x}$	*Estimation de l'écart-type de la moyenne conditionnelle* $s(\hat{y}_i)$	*Marge d'erreur statistique à 95%* $t_{\alpha/2;n-2} \cdot s(\hat{y}_i)$	*Limite inférieure de confiance à 95% de E(y)* LI	*Limite supérieure de confiance à 95% de E(y)* LS
4							
5	30	144,659	15,5583	6,058	12,410	132,249	157,069
6	40	181,106	15,5583	4,560	9,341	171,765	190,447

Intervalle de confiance autour de E(y_h) au niveau de confiance 95% (suite)

	B	C	D	E	F	G	H
4	Nombre d'unités (x)	Valeur estimée $\hat{y}_i$	Écart-type résiduel $s_{y\|x}$	Estimation de l'écart-type de la moyenne conditionnelle $s(\hat{y}_i)$	Marge d'erreur statistique à 95% $t_{\alpha/2,n-2} \cdot s(\hat{y}_i)$	Limite inférieure de confiance à 95% de E(y) LI	Limite supérieure de confiance à 95% de E(y) LS
7	45	199,329	15,5583	3,902	7,993	191,336	207,323
8	48	210,264	15,5583	3,557	7,286	202,978	217,549
9	50	217,553	15,5583	3,354	6,871	210,682	224,424
10	52	224,842	15,5583	3,179	6,512	218,331	231,354
11	55	235,777	15,5583	2,977	6,099	229,678	241,875
12	60	254,000	15,5583	2,841	5,819	248,182	259,819
13	62	261,290	15,5583	2,863	5,864	255,425	267,154
14	64	268,579	15,5583	2,929	5,999	262,580	274,578
15	65	272,224	15,5583	2,977	6,099	266,125	278,322
16	68	283,158	15,5583	3,179	6,512	276,646	289,670
17	70	290,447	15,5583	3,354	6,871	283,577	297,318
18	75	308,671	15,5583	3,902	7,993	300,678	316,664
19	77	315,960	15,5583	4,155	8,511	307,449	324,472
20	80	326,895	15,5583	4,560	9,341	317,554	336,236
21	85	345,118	15,5583	5,287	10,830	334,288	355,948
22	88	356,052	15,5583	5,746	11,769	344,283	367,822

$\bar{x}$ (pointant vers la cellule B12, valeur 60)

Intervalle de prévision de y_h au niveau de confiance 95%

	B	C	D	E	F	G	H
25	Nombre d'unités (x)	Valeur estimée $\hat{y}_i$	Écart-type résiduel $s_{y\|x}$	Écart-type de la prévision $s(d_h)$	Marge d'erreur de la prévison à 95% $t_{\alpha/2,n-2} \cdot s(d_h)$	Limite inférieure de prévision à 95%	Limite supérieure de prévision à 95%
26	30	144,659	15,5583	16,696	34,201	110,458	178,859
27	40	181,106	15,5583	16,213	33,210	147,895	214,316
28	45	199,329	15,5583	16,040	32,857	166,473	232,186
29	48	210,264	15,5583	15,960	32,692	177,572	242,955
30	50	217,553	15,5583	15,916	32,602	184,951	250,155
31	52	224,842	15,5583	15,880	32,528	192,314	257,371
32	55	235,777	15,5583	15,841	32,448	203,329	268,225
33	60	254,000	15,5583	15,815	32,397	221,604	286,397
34	62	261,290	15,5583	15,819	32,405	228,885	293,694
35	64	268,579	15,5583	15,832	32,429	236,150	301,009
36	65	272,224	15,5583	15,841	32,448	239,776	304,672
37	68	283,158	15,5583	15,880	32,528	250,630	315,686
38	70	290,447	15,5583	15,916	32,602	257,846	323,049
39	75	308,671	15,5583	16,040	32,857	275,814	341,528
40	77	315,960	15,5583	16,104	32,987	282,974	348,947
41	80	326,895	15,5583	16,213	33,210	293,684	360,105
42	85	345,118	15,5583	16,432	33,660	311,459	378,778
43	88	356,052	15,5583	16,585	33,973	322,079	390,026

Le graphique suivant permet de visualiser l'amplitude de chaque intervalle à mesure que l'on s'éloigne de la moyenne $\bar{x} = 60$.

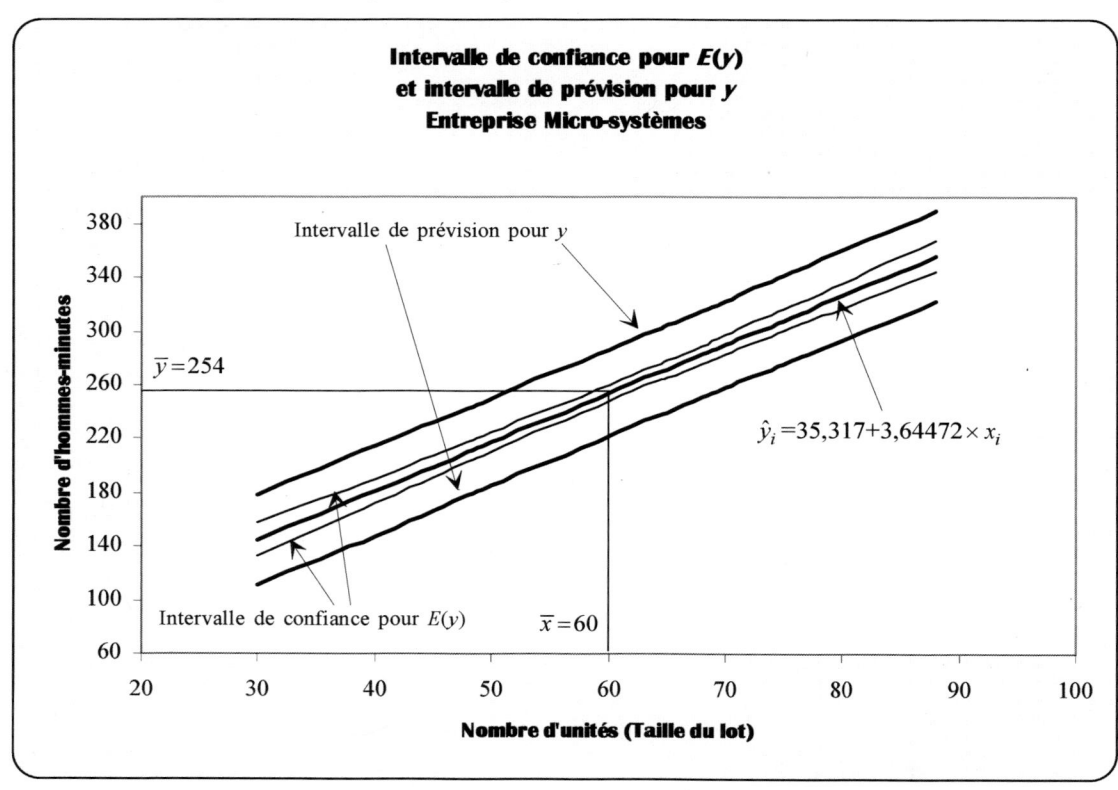

1. Le comptable de l'entreprise Samson et fille a obtenu l'information ci-contre sur le coût de la main-d'oeuvre (y) associé à la fabrication de 12 lots de diverses tailles (x) pour une pièce particulière. L'équipement utilisé par les employés est assez complexe et nécessite souvent des ajustements, avant et durant la production, affectant ainsi les coûts de la production.

On veut utiliser la régression linéaire comme outil statistique pour prévoir les coûts de la main-d'oeuvre selon la taille des lots.

Les calculs préliminaires conduisent aux résultats suivants.

$$\sum x_i = 480, \quad \sum y_i = 10956,$$
$$\sum (x_i - \bar{x})(y_i - \bar{y}) = 7232 \quad \sum (x_i - \bar{x})^2 = 736$$
$$\sum (y_i - \bar{y})^2 = 73096$$

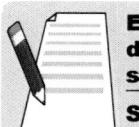

**Exercices
d'apprentis-
sage

Série 11.2**

📖Régression linéaire entre les coûts de la main-d'oeuvre et la taille des lots

Lot no.	Taille des lots	Coûts de la main-d'oeuvre
1	46	982
2	34	855
3	42	941
4	40	920
5	52	1040
6	34	842
7	24	760
8	42	910
9	50	985
10	44	964
11	30	810
12	42	947

a) Déterminez les coefficients de régression b_0 et b_1 de la droite de régression.

b) Quelle est l'équation de régression empirique?

Exercices d'apprentis-sage

Série 11.2 (suite)

c) La dispersion des coûts de la main-d'oeuvre autour de la droite de régression est estimée par $s_{y|x}^2 = 203,374$. Quelle est la somme de carrés des écarts entre les valeurs observées y_i et les estimations que l'on obtient avec la droite de régression?

d) Sachant que le résidu pour l'observation i dont $x_i = 40$ est 7, quel est le coût de la main-d'oeuvre correspondant qui a été observé?

e) Quelle proportion de la variation totale dans le coût de la main-d'oeuvre est expliquée par la taille des lots?

f) Que représente, pour le comptable de l'entreprise, la pente de la droite de régression?

g) À quel coût de la main-d'oeuvre peut-on s'attendre pour des lots de taille

   i) 40?   ii) 45?   iii) 50?

h) Pour quelle taille de lot mentionnée en g), la marge d'erreur dans la prévision des coûts de la main-d'oeuvre serait-elle la plus faible? Expliquez sans faire de savants calculs!

2. a) En utilisant les résultats de l'exercice 1(entreprise Samson et fille), déterminez la variation totale, la variation expliquée par la régression et la variation résiduelle.

b) Déterminez le carré moyen attribuable à la régression.

c) Déterminez le carré moyen résiduel.

d) Testez l'hypothèse nulle $H_0: \beta_1 = 0$ contre l'hypothèse $H_1: \beta_1 \neq 0$ à l'aide de la variable de Fisher. Utilisez un seuil de signification de 5%.

e) Déterminez un intervalle de confiance à 95% pour le paramètre du modèle qui sert à identifier les frais variables du coût de la main-d'oeuvre.

3. Quelle est la valeur du coefficient de corrélation linéaire entre les coûts de la main-d'oeuvre et la taille des lots?

4. On doit fabriquer un lot de 40 unités.

a) Quelle est la valeur prévue des coûts de la main-d'oeuvre?

b) Déterminez un intervalle de prévision à 95% pour ces coûts.

5. Une étude* comparative a été effectuée sur divers logiciels de planification pour en vérifier l'exactitude concernant le temps planifié pour le développement de projets et ceci à partir de divers paramètres comme la taille du logiciel, le type d'application, la complexité, la codification requise, l'évaluation et la validation.

📖 Analyse de régression linéaire simple avec le logiciel statistique MINITAB

---
*Source: Adapté de D. V. Ferens et B. A. Daly, "A Comparison of Software Scheduling Models".

Nous ne donnons ici que les résultats obtenus pour un de ces logiciels qui ont été utilisés pour planifier le temps requis dans le developpement de 21 projets de programmation dont on connaissait les divers paramètres.

Nous indiquons également le temps réel obtenu (en jours) pour compléter ces projets.

Projet no.	Logiciel de planification	Temps réel requis (jours)	Projet no.	Logiciel de planification	Temps réel requis (jours)
1	36,9	29	12	83,7	23
2	35,7	27	13	83,4	41
3	29,7	18	14	68,9	22
4	28,2	33	15	69,9	31
5	39,9	13	16	74,2	40
6	86,1	68	17	84,0	26
7	109,9	71	18	64,5	33
8	116,1	84	19	70,9	25
9	73,0	22	20	71,6	33
10	77,1	75	21	30,9	26
11	103,1	43			

Exercices d'apprentissage

Série 11.2 (suite)

Predictor: variable explicative
Constant: ordonnée à l'origine (b_0)

On veut effectuer une régression linéaire en utilisant le temps planifié comme prédicteur du temps réel. On utilise le logiciel statistique Minitab pour le traitement informatique.

Sortie informatique avec Minitab

```
Regression Analysis

The regression equation is
TRÉEL = 3,04 + 0,500 LOGICIEL


Predictor          Coef          StDev             T          P
Constant          3,042          9,690          0,31      0,757
LOGICIEL          0,5002         0,1326         3,77      0,001


S = 15,56          R-Sq = 42,8%        R-Sq(adj) = 39,8%

  Analysis  of  Variance

  Source           DF          SS          MS       F       P
  Regression        1        3446,6      3446,6   14,24   0,001
  Residual Error    19       4599,7      242,1
  Total             20       8046,3
```

a) Quelle est l'équation de régression entre le temps réel (y) et le temps planifié (x) avec le logiciel?

b) Quelle est la variation résiduelle?

c) Est-ce que la régression est significative au seuil de signification de 5%? Justifiez votre réponse en utilisant le rapport de Fisher.

d) Combien de degrés de liberté sont associés à la somme de carrés résiduelle?

e) Quel est le carré moyen attribuable à la régression?

f) Quelle est l'estimation du temps réel pour un temps planifié de 28,2 heures?

g) Quelle est la valeur du résidu pour l'estimation obtenue en f)?

h) On considère que la performance du logiciel de planification est adéquate si le pourcentage de variation expliquée dans les fluctuations du temps réel pour le développement de projets informatiques est de 60% ou mieux. Que peut-on conclure ici?

11.14 Analyse de la tendance d'une série chronologique avec la régression

Nous avons déjà abordé la notion de série chronologique au chapitre 1 (section 1.19); nous avons également indiqué comment la visualiser sur un graphique pour en examiner la tendance.

Nous traitons de façon plus détaillée des séries chronologiques au chapitre 14 (ce chapitre est présenté sur le CD-ROM en format pdf).

Un des objectifs visés dans l'analyse d'une série chronologique est d'estimer, avec la meilleure précision possible, la *tendance de la série*. Le diagramme de dispersion permet de visualiser le comportement de la série et d'identifier éventuellement la nature de la tendance.

Il existe de nombreuses techniques statistiques (parfois très sophistiquées) pour analyser le comportement d'une série chronologique. Nous ne traitons toutefois ici que de *l'estimation de la tendance à l'aide de la droite de régression*.

Estimation de la tendance d'une série chronologique avec la régression

Lorsque le diagramme de dispersion permet d'identifier une tendance à moyen ou à long terme, de nature linéaire, que cette tendance se manifeste selon une pente positive (croissance) ou négative (décroissante), on peut alors employer la régression pour quantifier cette tendance à l'aide de l'équation $\hat{y}_t = b_0 + b_1 t$ où $\hat{y}_t$ est la prévision au temps x_t, b_0 et b_1, les coefficients de régression que nous avons déjà présentés dans les sections précédentes où b_0 est l'ordonnée à l'origine et b_1, la pente.

Dans le cas d'une série chronologique, la pente b_1 donne le taux de variation (positif ou négatif) de la série.

Les formules pour calculer les coefficients sont identiques à celles déjà mentionnées à la section 11.7. Dans le cas où la variable temps x_t prend les valeurs 1, 2, 3, ..., t, ..., T, où T est le nombre de périodes considérées (semaine, mois, année, trimestre,...), les coefficients de régression s'obtiennent de

$$b_1 = \frac{\sum x_t y_t - \dfrac{(\sum x_t)(\sum y_t)}{T}}{\sum x_t^2 - \dfrac{(\sum x_t)^2}{T}} \quad , \quad b_0 = \frac{1}{T}(\sum y_t - b_1 \sum x_t)$$

où y_t est la valeur observée de la série à la période t.

Illustrons l'application de cet outil statistique pour estimer la tendance d'une série chronologique et de prévoir la valeur de la variable y_t pour une période à venir.

Exemple 11.14

Estimation de la tendance par régression et prévision des ventes d'un produit de l'entreprise Apex

L'entreprise Apex fabrique divers produits utilisés dans le domaine de l'édition électronique. La direction de l'entreprise souhaite connaître la tendance des ventes pour deux de ses modèles «numériseur couleur», chacun ayant une résolution 600×1200 ppp et compatible PC/MAC. Le modèle 2000P se vend (prix grand public) 127,95\$ alors que le modèle 2100U se vend 137,75\$. Cette analyse serait souhaitable pour déterminer éventuellement la stratégie à suivre en matière de campagne publicitaire et pour effectuer une meilleure planification de la production.

Les données suivantes représentent les ventes pour le modèle 2000P et ceci pour les 30 derniers mois.

Mois	Nombre d'appareils vendus	Mois	Nombre d'appareils vendus	Mois	Nombre d'appareils vendus
1	360	11	720	21	800
2	464	12	648	22	896
3	344	13	560	23	800
4	352	14	544	24	880
5	480	15	640	25	960
6	544	16	744	26	920
7	480	17	800	27	840
8	256	18	680	28	870
9	456	19	720	29	925
10	608	20	504	30	890

Le graphique de cette série de données permet de visualiser le comportement des ventes au cours des 30 derniers mois.

Ce graphique est présenté à la page suivante et nous permet de constater qu'il existe une tendance dans les ventes.

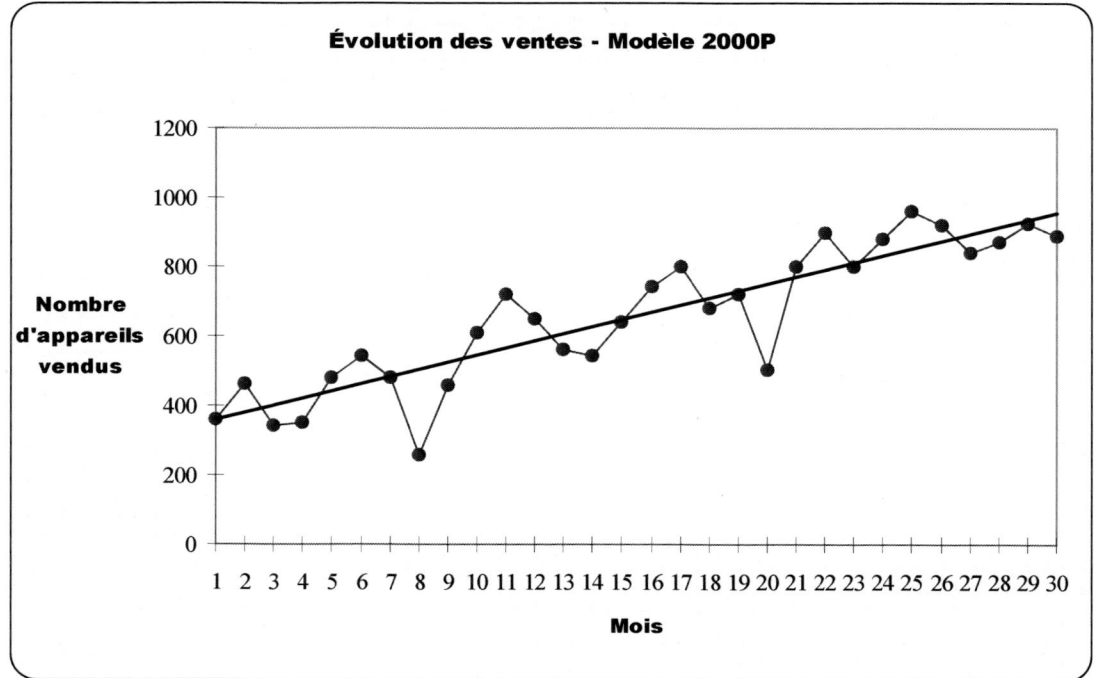

a) Déterminez la droite de tendance.

Le calcul des coefficients de la droite de tendance s'effectue comme suit:

$$b_1 = \frac{\sum x_t y_t - \dfrac{(\sum x_t)(\sum y_t)}{T}}{\sum x_t^2 - \dfrac{(\sum x_t)^2}{T}} = \frac{351\,197 - \dfrac{(465)(19\,685)}{30}}{9455 - \dfrac{(465)^2}{30}} = \frac{46\,079,5}{2247,5} = 20,5026$$

$$b_0 = \frac{1}{T}(\sum y_t - b_1 \sum x_t) = \frac{1}{30}[19\,685 - (20,5026)(465)] = \frac{10\,151,291}{30} = 338,38$$

L'équation de la droite de tendance est donc: $\hat{y}_t = 338,38 + 20,5026 x_t$ où $\hat{y}_t$ représente l'estimation des ventes au temps x_t. Les ventes prévues pour le 31e mois s'obtiennent alors de :

$$\hat{y}_{31} = 338,38 + 20,5026(31) = 973,96 \text{ soit } 974 \text{ unités.}$$

Cette prévision est raisonnable en autant que la tendance se maintient.

On pourra également vérifier que le coefficient de détermination pour la droite de tendance est $r^2 = 0,7928$.

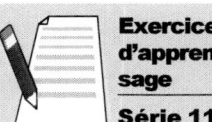

Exercices d'apprentissage

Série 11.3

📖 Estimation de la tendance et prévision des ventes d'un numériseur

1. Considérons cette fois, les ventes pour le modèle 2100U et ceci pour les 30 derniers mois. Les données sont présentées à la page suivante. On peut visualiser le comportement des ventes de ce modèle à l'aide du diagramme de dispersion.

a) Quelle conclusion peut-on tirer du diagramme présenté à la page suivante?

b) En effectuant les calculs appropriés, on obtient l'équation de régression suivante:

$\hat{y}_t = 301,57 + 14,544 x_t$ avec $r^2 = 0,9591$.

i) Que peut-on dire du taux de croissance mensuel des ventes du modèle 2100U par rapport au modèle 2000P?

ii) Quelle est la prévision des ventes du modèle 2100U pour le 31e mois?

Mois	Nombre d'appareils vendus
1	310
2	394
3	340
4	365
5	335
6	390
7	405
8	378
9	436
10	424
11	488
12	483
13	515
14	524
15	495
16	515
17	561
18	538
19	592
20	607
21	623
22	600
23	635
24	670
25	600
26	658
27	716
28	690
29	760
30	763

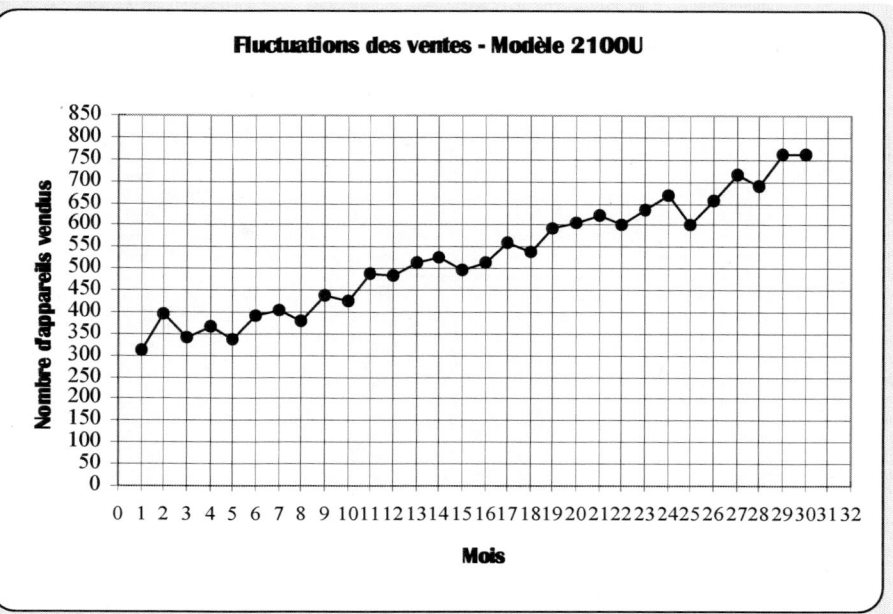

2. En utilisant la notion du coefficient de détermination, quel produit présente une plus grande incertitude dans le comportement des ventes? Le produit 2000P ou le produit 2100U? Expliquez.

Remarque. Lorsque la représentation graphique ne permet pas de déceler de façon manifeste la tendance ou encore que les fluctuations de la série sont trop importantes, on utilise une technique de lissage qui permet d'amortir les fluctuations pour obtenir une série plus lisse, plus régulière.

Les deux méthodes habituellement utilisées sont la méthode des moyennes mobiles et la technique du lissage exponentiel (voir chapitre 14 sur le CD-ROM). Il existe également d'autres méthodes avancées qui ne sont pas traitées ici.

11.15   Quelques considérations pratiques dans l'application des méthodes d'analyse de régression

L'analyse de régression est un outil puissant et lorsqu'utilisé correctement peut fournir au gestionnaire une aide précieuse à la prise de décision. Toutefois, on ne peut abuser de cette technique sans en subir les conséquences.

Extrapolation avec l'équation de régression

Il faut être très prudent dans l'utilisation d'une équation de régression en dehors des limites du domaine étudié de la variable explicative. La droite de régression empirique est basée sur un ensemble particulier d'observations. Lorsque nous effectuons une prévision au-delà des valeurs de x utilisées dans l'analyse de régression, nous effectuons une *extrapolation*.

Du point de vue purement statistique, toute extrapolation avec une équation de régression n'est pas justifiée puisqu'il n'est absolument pas évident que le phénomène étudié se comporte de la même façon en dehors du domaine observé.

En effet, la vraie fonction de régression peut être linéaire pour un certain intervalle de la variable explicative et présenter un tout autre comportement (du type curviligne par exemple) en dehors du champ observé.

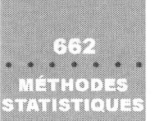
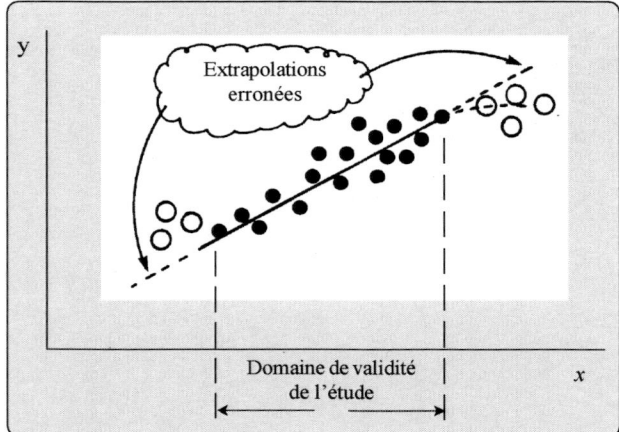

Même si des considérations théoriques ou pratiques permettent de penser que l'équation de régression peut s'appliquer dans tout le domaine, un autre inconvénient apparaît: la précision de nos estimations et prévisions diminue à mesure qu'on s'éloigne de la valeur moyenne de la variable explicative (la marge d'erreur augmente).

Pour prévenir un usage abusif de l'équation de régression dans le cas d'extrapolations, il est souhaitable d'indiquer avec l'équation de régression obtenue, le domaine étudié de la variable explicative.

Relation de cause à effet

Le fait qu'une liaison statistique existe entre deux variables n'implique pas nécessairement une relation de cause à effet. Il faut s'interroger sur la pertinence de la variable explicative utilisée comme élément prédicteur de la variable dépendante et examiner s'il n'existe pas certains facteurs ou variables non inclus dans l'analyse et dont les variations provoquent sur les variables initiales de l'étude un comportement de régression illusoire.

Validation du modèle

On peut vérifier la validité d'une équation de régression avec de nouvelles données. On pourra également ne pas utiliser toutes les observations de l'échantillon pour établir l'équation de régression. En effet, on pourrait choisir au hasard un sous-ensemble d'observations (10 à 20% par exemple) et les utiliser par la suite pour valider l'équation de régression obtenue.

Dans un cas comme dans l'autre, l'équation de régression ne devrait pas surestimer ou sous-estimer de façon systématique ou encore présenter des écarts de prévision importants.

11.16 Vérification des hypothèses fondamentales: analyse des résidus

Nous avons déjà mentionné en remarque, les hypothèses fondamentales sur lesquelles repose le modèle linéaire simple:

❶ $E(\varepsilon_i) = 0$ (*Le modèle est-il adéquat?*).

❷ *Var$(\varepsilon_i) = \sigma^2$ (Variance des erreurs constante, peu importe les valeurs x_i).*

❸ *Normalité des erreurs ε_i.*

❹ *Absence de corrélation entre les erreurs (indépendance).*

On peut détecter en bonne partie si ces hypothèses fondamentales sont violées en examinant les résidus $e_i = y_i - \hat{y}_i$ de l'équation de régression empirique. Comme les résidus sont calculés à partir de l'équation de régression $\hat{y}_i = b_0 + b_1 x_i$, ils tiennent compte de l'effet linéaire attribuable à la variable explicative x.

Les logiciels comme Minitab, SPSS, SAS, Statistica, Statgraphics, ... permettent d'obtenir rapidement une analyse des résidus. Excel présente également certains éléments dans sa boîte de dialogue *Régression linéaire* où l'on trouve une section *Analyse des résidus*.

Analyse des résidus

☐ Résidus   ☐ Courbes des résidus
☐ Résidus normalisés   ☐ Courbes de régression

Probabilité normale

☐ Diagramme de répartition des probabilités

Résidus normalisés

Les *résidus normalisés* sont simplement les résidus e_i divisés par l'écart-type résiduel:

$$\frac{e_i}{s_{y|x}} = \frac{e_i}{\sqrt{CM_{RES}}}$$

Tracé des résidus

Graphique des résidus en fonction des valeurs de la variable explicative

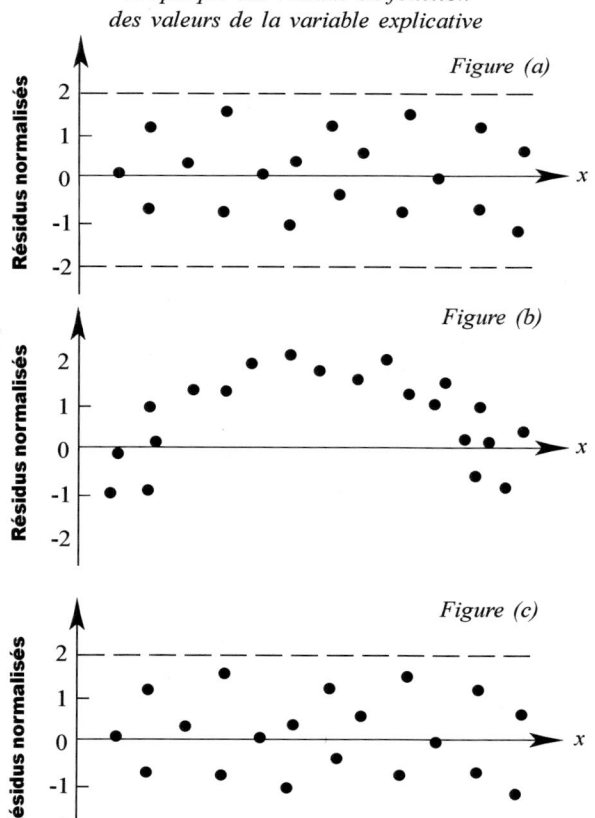

Figure (a)

Figure (b)

Figure (c)

Hypothèses fondamentales

❶ $E(\varepsilon_i) = 0$ (Le modèle est-il adéquat?)

● Pour considérer que le modèle linéaire simple est adéquat, il faut que le graphique des résidus (ou résidus normalisés) en fonction des valeurs de la variable explicative, présente un éparpillement autour de la valeur 0, sans comportement particulier (figure a).

● Après avoir tenu compte de la composante linéaire du modèle, les résidus présentent toujours un comportement qui nous permet de soupçonner la présence d'un effet quadratique (composante x^2 dans le modèle) de la variable explicative sur la variable dépendante. Le modèle linéaire simple n'est pas adéquat (figure b). Un modèle du type

$$y = \beta_0 + \beta_1 x + \beta_2 x^2 + \varepsilon$$ serait plus approprié.

❷ Homocédasticité (La variance des erreurs est-elle constante?)

● Pour confirmer l'hypothèse d'homocédasticité, les résidus devraient se situer à l'intérieur d'une bande horizontale; les points ne devraient pas présenter un écart plus important (ou moins important) à mesure que $\hat{y}_i$ ou x_i augmente (figure c).

Tracé des résidus

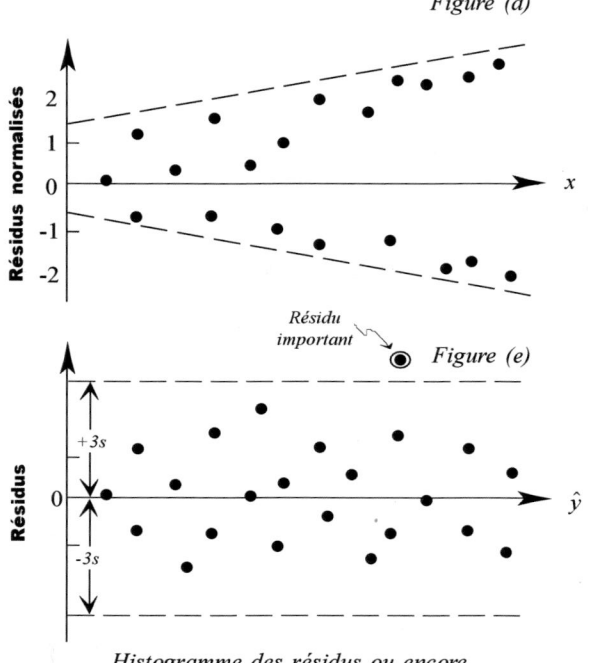

Figure (d)

Résidu important → Figure (e)

Histogramme des résidus ou encore tracé normal des résidus

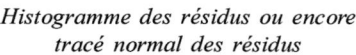

Résidus

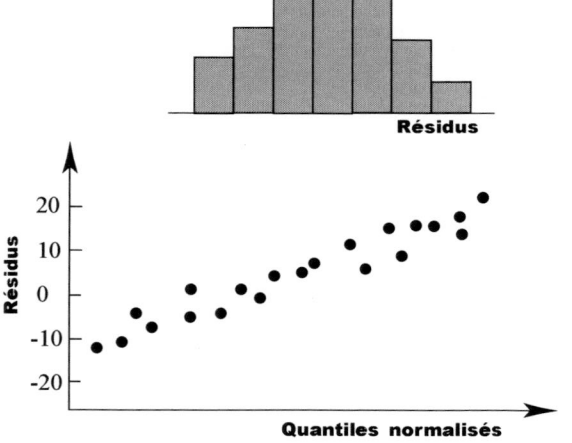

Quantiles normalisés

Graphique des résidus en fonction de l'ordre chronologique des données

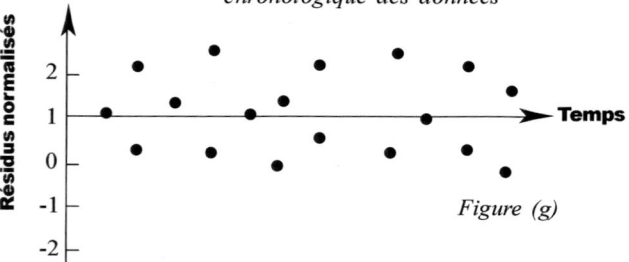

Figure (g)

Hypothèses fondamentales

● Le graphique ci-contre indique que les valeurs des résidus ont tendance à augmenter à mesure que les valeurs de la variable explicative augmentent. Ceci est une indication que la variance des erreurs n'est pas identique à mesure que x_i augmente (figure d). Une transformation sur y (comme $\log(y)$ ou $1/y$ ou encore $\sqrt{y}$) permet de stabiliser la variance.

● **Valeurs aberrantes.** Le graphique des résidus en fonction des *estimations* $\hat{y}_i$ permet également de détecter si certains résidus peuvent être considérés comme valeurs aberrantes. Un résidu qui s'écarte, en valeur absolue, de plus de *3s* de 0 est considéré comme valeur aberrante. Il faut investiguer la raison d'un tel résidu (figure e). Un résidu isolé des autres valeurs, bien qu'il ne s'écarte de plus de *3s* de 0, peut aussi avoir une influence importante sur les résultats de l'analyse de régression. Une nouvelle régression, sans ces points, peut être nécessaire.

❸ Normalité des erreurs (La distribution des erreurs est-elle normale?)

● L'histogramme nécessite un nombre suffisamment important de résidus et doit présenter sensiblement une forme de cloche.

● Le tracé normal des résidus permet de constater si les points sont alignés selon une droite (ou du moins s'en écartent peu) (figure f). Des écarts systématiques sont une indication que les résidus ne semblent pas distribués normalement. Toutefois l'hypothèse de normalité des erreurs est la moins restrictive parmi les hypothèses fondamentales de sorte que si l'écart n'est pas très important, les tests de signification et les intervalles de confiance seront peu affectés: nous disons que la régression est *robuste*.

❹ Absence de corrélation des erreurs (Les erreurs sont-elles indépendantes?)

● L'autocorrélation est préoccupante si les données ont été obtenues dans un ordre chronologique (données mensuelles, données annuelles, ...).
Le graphique des résidus en fonction du temps doit présenter un éparpillement aléatoire autour de la valeur 0 (figure g).

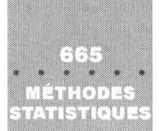

Tracé des résidus

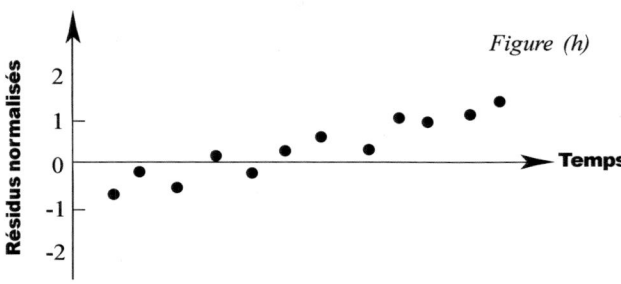

Figure (h)

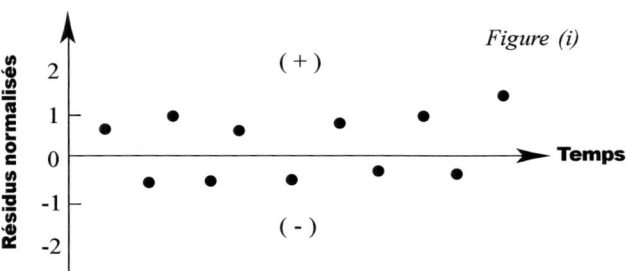

Figure (i)

Hypothèses fondamentales

● La figure h) présente une autocorrélation positive; dans ce cas, les résidus changent rarement de signe. D'autre part, une autocorrélation négative est présente lorsqu'il y a de nombreux changements de signes des résidus (figure i). Trop ou trop peu de changements de signes des résidus sont des indices d'autocorrélation (absence d'indépendance des erreurs).

● **Test de Durbin-Watson.** La statistique D de Durbin-Watson permet de tester s'il y a ou non présence d'autocorrélation:

Cette statistique doit être comparée à deux valeurs limites d_L et d_U pour statuer sur la présence ou l'absence d'autocorrélation des erreurs.

$$D = \frac{\sum_{i=2}^{n}(e_i - e_{i-1})^2}{\sum_{i=1}^{n}e_i^2}$$

S'il y a absence d'autocorrélation, la valeur D sera voisine de 2; s'il y a autocorrélation positive, la valeur D sera voisine de 0. Dans le cas d'une autocorrélation négative, D peut se situer entre 2 et 4.

Test de Durbin-Watson - Autocorrélation des erreurs

Pour effectuer les test de Durbin-Watson, il faut avoir recours aux valeurs tabulées de d_L et de d_U. Ces valeurs dépendent du nombre d'observations, du nombre k de variables explicatives ($k =1$ dans le cas de la régression linéaire simple) et du seuil de signification α (habituellement 0,05 ou 0,01). Nous reproduisons ici un certain nombre de valeurs limites, au seuil de signification 5%.

n	$k=1$		$k=2$		$k=3$		$k=4$		$k=5$	
	d_L	d_U	d_L	d_U	d_L	d_U	d_L	d_U	d_L	d_U
20	1,20	1,41	1,10	1,54	1,00	1,68	0,90	1,83	0,79	1,99
25	1,29	1,45	1,21	1,55	1,12	1,66	1,04	1,77	0,95	1,89
30	1,35	1,49	1,28	1,57	1,21	1,65	1,14	1,74	1,07	1,83
40	1,44	1,54	1,39	1,60	1,34	1,66	1,29	1,72	1,23	1,79

* Les tables de Durbin-Watson sont présentées à la fin de l'ouvrage.

Règles de décision

Les règles de décision sont présentées ci-après, selon les hypothèses nulle et alternative que l'on soumet au test de Durbin-Watson.

Autocorrélation positive ($D < 2$)

Hypothèses statistiques	Règles de décision	Conclusion
H_0: Absence d'autocorrélation H_1: Autocorrélation positive	Si $D > d_U$, on ne peut rejeter l'hypothèse nulle.	L'hypothèse d'indépendance des erreurs est confirmée.
	Si $D < d_L$, on rejette l'hypothèse nulle et on favorise H_1.	Présence d'autocorrélation positive.
	Si $d_L < D < d_U$, on ne peut rien conclure.	On ne peut rien affirmer quant à la présence ou l'absence d'autocorrélation positive.

	Hypothèses statistiques	Règles de décision	Conclusion
Autocorrélation négative (D > 2)	H_0: Absence d'autocorrélation H_1: Autocorrélation négative	Si $4 - D > d_U$, on ne peut rejeter l'hypothèse nulle.	L'hypothèse d'indépendance des erreurs est confirmée.
		Si $4 - D < d_L$, on rejette l'hypothèse nulle et on favorise H_1.	Présence d'autocorrélation négative.
		Si $4 - d_U < D < 4 - d_L$, on ne peut rien conclure.	On ne peut rien affirmer quant à la présence ou l'absence d'autocorrélation négative.

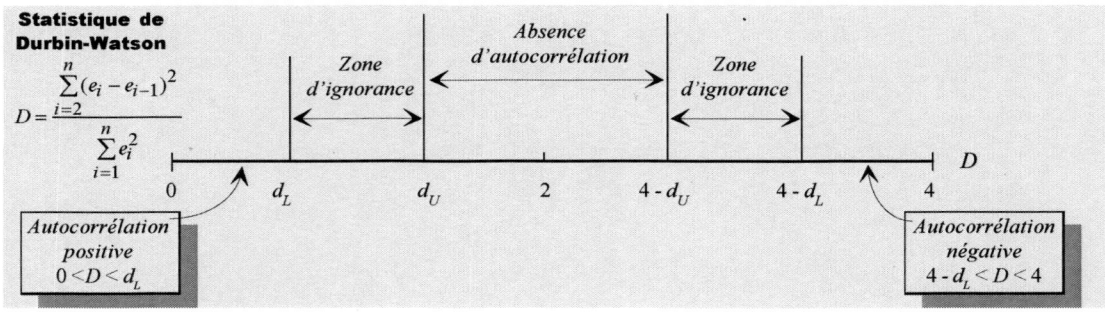

Statistique de Durbin-Watson

$$D = \frac{\sum_{i=2}^{n}(e_i - e_{i-1})^2}{\sum_{i=1}^{n}e_i^2}$$

Autocorrélation positive
$0 < D < d_L$

Autocorrélation négative
$4 - d_L < D < 4$

Exemple 11.15

Analyse de résidus d'une régression linéaire simple

Dans une analyse de régression linéaire simple, on a obtenu les statistiques suivantes pour une régression sur 23 observations:

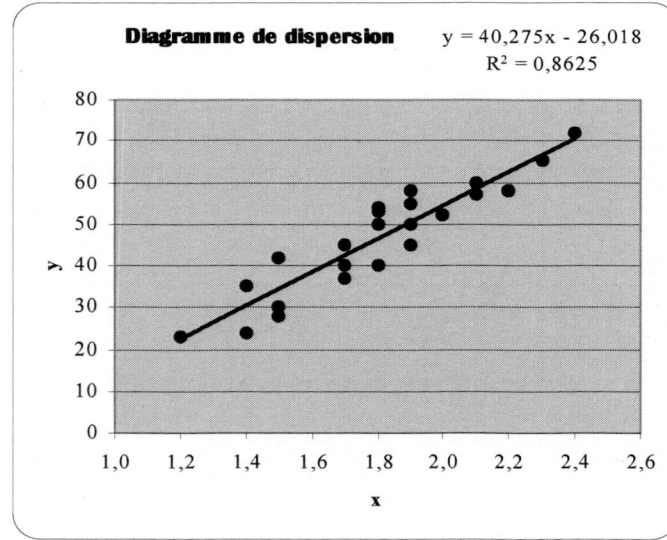

Diagramme de dispersion $y = 40{,}275x - 26{,}018$
$R^2 = 0{,}8625$

Statistiques de la régression	
Coefficient de corrélation simple	0,9287
Coefficient de détermination R^2	0,8625
Erreur-type (résidus)	4,9742
Observations	23

L'équation de régression est:

$\hat{y} = -26{,}018 + 40{,}275x$.

L'écart-type résiduel est:

$s_{y|x} = 4{,}9742$ et $3s_{y|x} = 14{,}922$.

On veut examiner les résidus pour déterminer si certaines hypothèses fondamentales sont violées. Si on utilise Excel, il faut, dans la boîte de dialogue *Régression linéaire*, cocher les éléments ci-contre.

Analyse des résidus
☑ Résidus   ☑ Courbes des résidus
☑ Résidus normalisés ☐ Courbes de régression

Probabilité normale
☑ Diagramme de répartition des probabilités

Les résultats que nous obtenons se présentent comme suit.

Observation	y	Prévisions	Résidus	Résidus normalisés
1	23	22,312	0,688	0,142
2	24	30,367	-6,367	-1,310
3	35	30,367	4,633	0,953
4	28	34,395	-6,395	-1,316
5	30	34,395	-4,395	-0,904
6	42	34,395	7,605	1,565
7	37	42,450	-5,450	-1,121
8	45	42,450	2,550	0,525
9	40	42,450	-2,450	-0,504
10	40	46,477	-6,477	-1,333
11	54	46,477	7,523	1,548
12	50	46,477	3,523	0,725
13	53	46,477	6,523	1,342
14	50	50,505	-0,505	-0,104
15	45	50,505	-5,505	-1,133
16	58	50,505	7,495	1,542
17	55	50,505	4,495	0,925
18	52	54,532	-2,532	-0,521
19	60	58,559	1,441	0,296
20	57	58,559	-1,559	-0,321
21	58	62,587	-4,587	-0,944
22	65	66,614	-1,614	-0,332
23	72	70,642	1,358	0,279

Graphique des résidus en fonction des valeurs de la variable explicative

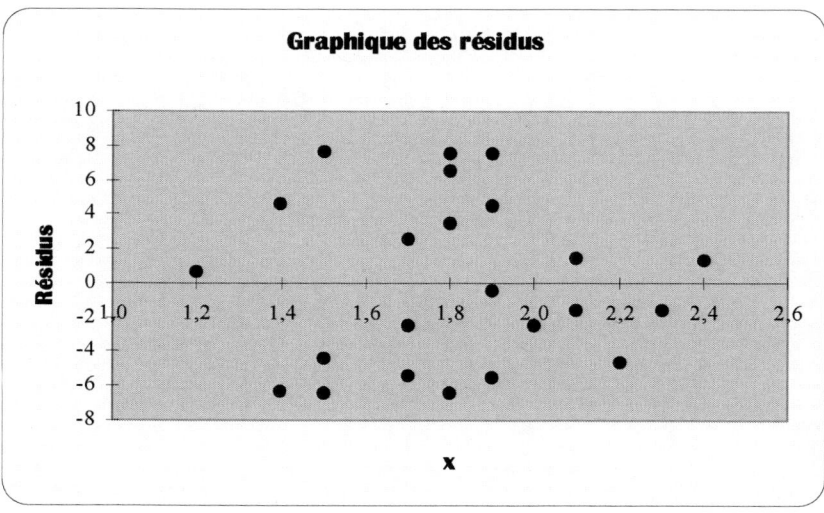

1. $E(\varepsilon_i) = 0$ (*Le modèle est-il adéquat?*)

Le graphique des résidus en fonction des valeurs de x n'indique pas de comportement particulier. Le modèle linéaire simple semble adéquat.

2. *Homocédasticité (La variance des erreurs est-elle constante?)*

Le graphique des e_i en fonction des x_i n'indique pas que les résidus augmentent à mesure que x augmente. L'hypothèse d'homocédasticité semble confirmée.

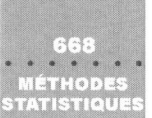
L e graphique des résidus en fonction des estimations $\hat{y}_i$ confirme les conclusions obtenues précédemment.

Aucun résidu n'excède $3s_{y|x} = 14{,}922$.

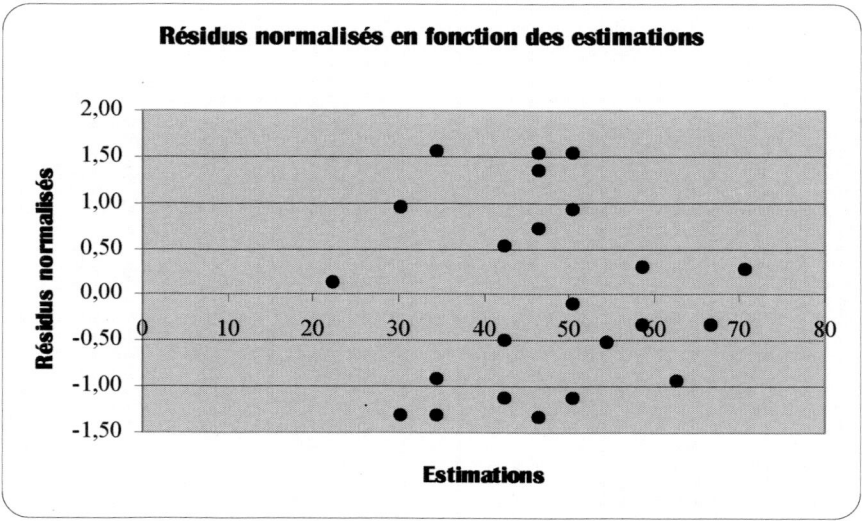

3. *Normalité des erreurs.*

Le graphique de la répartition des probabilités de la variable dépendante semble confirmer l'hypothèse de normalité, les points s'écartent peu d'une droite imaginaire.

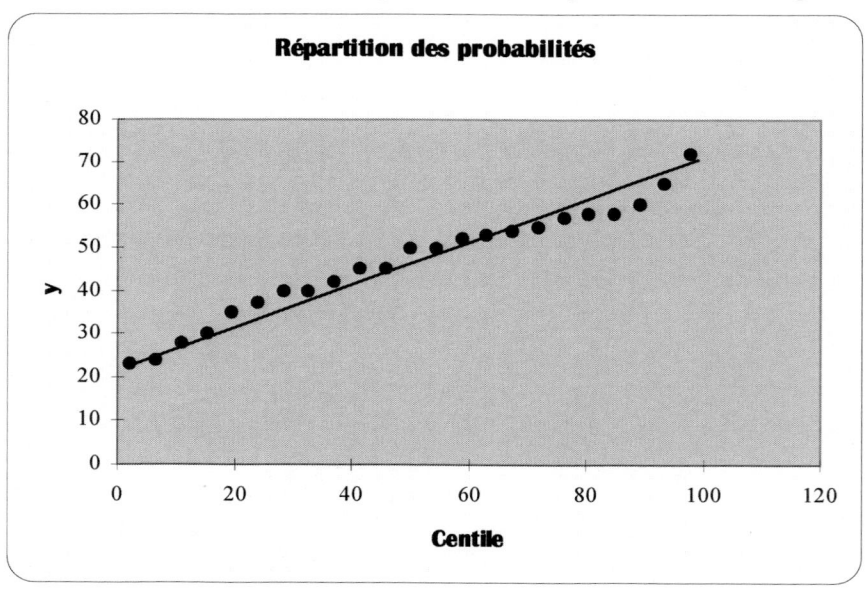

4. *Absence de corrélaion des erreurs.*

Calcul de la statistique de Durbin-Watson

La statistique de Durbin-Watson permet de vérifier l'hypothèse d'indépendance des erreurs. Son calcul donne (le tableau des calculs est indiqué à la page suivante) :

$$D = \frac{\sum_{i=2}^{n}(e_i - e_{i-1})^2}{\sum_{i=1}^{n}e_i^2} = \frac{1290{,}42}{519{,}59} = 2{,}484.$$

Puisque $D > 2$, il faut examiner s'il y autocorrélation négative.

Tableau des calculs pour la statistique de Durbin-Watson

y_i	Estimations $\hat{y}_i$	Résidus $e_i = y_i - \hat{y}_i$	e_{i-1}	$(e_i - e_{i-1})$	$(e_i - e_{i-1})^2$	$e_i^{\,2}$
23	22,31	0,69	*	*	*	0,47
24	30,37	-6,37	0,69	-7,05	49,77	40,54
35	30,37	4,63	-6,37	11,00	121,00	21,46
24	34,39	-6,39	4,63	-11,03	121,61	40,89
30	34,39	-4,39	-6,39	2,00	4,00	19,31
42	34,39	7,61	-4,39	12,00	144,00	57,84
32	42,45	-5,45	7,61	-13,05	170,43	29,70
45	42,45	2,55	-5,45	8,00	64,00	6,50
40	42,45	-2,45	2,55	-5,00	25,00	6,00
40	46,48	-6,48	-2,45	-4,03	16,22	41,95
54	46,48	7,52	-6,48	14,00	196,00	56,59
50	46,48	3,52	7,52	-4,00	16,00	12,41
53	46,48	6,52	3,52	3,00	9,00	42,55
50	50,50	-0,50	6,52	-7,03	49,39	0,25
45	50,50	-5,50	-0,50	-5,00	25,00	30,30
58	50,50	7,50	-5,50	13,00	169,00	56,18
55	50,50	4,50	7,50	-3,00	9,00	20,21
52	54,53	-2,53	4,50	-7,03	49,39	6,41
60	58,56	1,44	-2,53	3,97	15,78	2,08
57	58,56	-1,56	1,44	-3,00	9,00	2,43
58	62,59	-4,59	-1,56	-3,03	9,17	21,04
65	66,61	-1,61	-4,59	2,97	8,84	2,61
72	70,64	1,36	-1,61	2,97	8,84	1,84
				Somme	1290,42	519,59

H_0: Absence d'autocorrélation
H_1: Autocorrélation négative

Test d'indépendance des erreurs
Puisque $n = 23$ et $k = 1$, on a, au seuil 5%, $d_L = 1,26$ et $d_U = 1,44$.
Le calcul de D donne 2,484 et celui de $4 - d_U = 2,56$ et $4 - d_L = 2,74$.
Puisque $4 - d_U < D < 4 - d_L$, on ne peut rien conclure.

On ne peut rien affirmer quant à la présence ou l'absence d'autocorrélation négative.

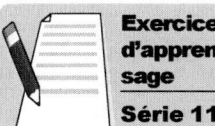

Exercice d'apprentissage

Série 11.4

📄 Traitement de factures pour une organisation bancaire avec SPSS

On a demandé à une entreprise de service conseil en réingénierie des processus d'étudier le processus de traitement des factures d'une importante organisation bancaire. On a relevé les données pour une période de 30 jours sur deux variables, soit le temps requis (en heures) pour effectuer le traitement et le nombre de factures traitées au cours d'une journée.

Les données sont sur le CD-ROM; nous en présentons un extrait ci-contre.

APP SÉRIE 11.4.sav - SPSS Data Editor

File   Edit   View   Data   Transform   Analyze

1 : temps | 2,4

	temps	nombre	v
1	2,40	152	
2	2,10	104	
3	2,60	191	
4	,60	22	
5	3,00	204	
6	1,30	61	
7	0,00	90	

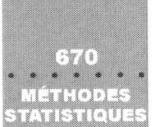

**Exercice
d'apprentis-
sage**

**Série 11.4
(suite)**

a) Dans ce contexte, quelle est la
variable dépendante? La variable
explicative?

b) On a obtenu le diagramme de
dispersion suivant à l'aide du logiciel statistique SPSS.

  i) Quelle est la nature de la
corrélation?

  ii) Est-ce que le modèle linéaire
simple est plausible pour décrire le lien entre ces deux variables?

Le traitement statistique avec le logiciel SPSS donne les résultats suivants.

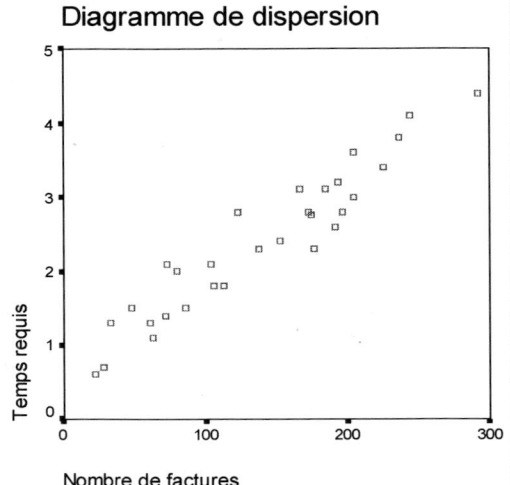

Diagramme de dispersion

Sortie SPSS

Regression

Variables Entered/Removed[b]

Model	Variables Entered	Variables Removed	Method
1	Nombre de factures[a]	,	Enter

a. All requested variables entered.

b. Dependent Variable: Temps requis

Model Summary[b]

Model	R	R Square	Adjusted R Square	Std. Error of the Estimate	Durbin-Watson
1	,952[a]	,906	,903	,30516	1,514

a. Predictors: (Constant), Nombre de factures

b. Dependent Variable: Temps requis

ANOVA[b]

Model		Sum of Squares	df	Mean Square	F	Sig.
1	Regression	25,241	1	25,241	271,060	,000[a]
	Residual	2,607	28	,093		
	Total	27,848	29			

a. Predictors: (Constant), Nombre de factures

b. Dependent Variable: Temps requis

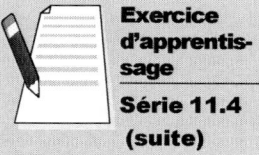

Exercice d'apprentissage Série 11.4 (suite)

Coefficients [a]

Model		Unstandardized Coefficients		Standardized Coefficients		
		B	Std. Error	Beta	t	Sig.
1	(Constant)	,596	,122		4,869	,000
	Nombre de factures	1,29E-02	,001	,952	16,464	,000

a. Dependent Variable: Temps requis

c) Quelle est l'équation de régression?

d) Quelle est la valeur de l'erreur-type d'estimation?

e) Quel pourcentage de variation dans le nombre d'heures requis est expliqué par le nombre de factures à traiter?

f) Quelle est la valeur du *T* de Student pour cette régression?

g) Peut-on conclure que la régression est significative au seuil de 5%?

h) Quelle est la prévision du nombre d'heures requis dans le cas où il y a 200 factures à traiter?

i) On veut tester s'il y a présence d'autocorrélation positive. Quelles sont les valeurs tabulées pour le test de Durbin-Watson, au seuil de signification de 5%?

j) Quelle est la valeur de la statistique de Durbin-Watson qu'on obtient pour cette régression?

k) Est-ce que l'hypothèse d'indépendance des erreurs est confirmée?

11.17 Résumé, glossaire et synthèse des principales formules

Résumé

▸ Nous avons présenté dans ce chapitre, deux façons de traiter des données bivariées selon les objectifs poursuivis soit l'analyse de corrélation et l'analyse de régression linéaire simple.

▸ L'analyse de corrélation permet de déterminer un indice qui sert à estimer la force ou l'importance du lien entre deux variables quantitatives alors que l'analyse de régression permet d'établir l'équation de la liaison linéaire existant entre les deux variables; elle permet d'obtenir ainsi un outil de prévision.

▸ Nous avons indiqué comment calculer le coefficient de corrélation et comment tester, soit à l'aide du *T* de Student ou à l'aide de valeurs critques du coefficient de corrélation, si la corrélation est statistiquement significative.

▸ Nous avons également indiqué comment tester un coefficient de corrélation dont la valeur posée comme hypothèse nulle est une valeur autre que zéro en ayant recours à la transformation de Fisher. Cette transformation est aussi requise pour estimer un coefficient de corrélation par intervalle de confiance.

▸ Nous avons également traité de façon détaillée l'analyse de régression linéaire comportant une variable explicative: nous avons indiqué comment calculer les coefficients de la droite de régression; comment utiliser la droite de régression comme outil de prévision; comment décomposer la variation existante dans la variable dépendante en variation expliquée par la droite de régression et en variation résiduelle

▶ et comment calculer les sommes de carrés correspondantes.

▶ Nous avons indiqué comment constituer un tableau d'analyse de variance pour tester si la régression est significative à l'aide de la variable de Fisher.

▶ Nous avons indiqué comment, à l'aide des sommes de carrés appropriées, calculer et interpréter le coefficient de détermination.

▶ Nous avons indiqué comment estimer par intervalle de confiance la moyenne $E(y_h)$ à $x = x_h$ et comment évaluer la marge d'erreur dans l'estimation; nous avons fait de même dans le cas d'un intervalle de prévision pour une valeur individuelle de la variable dépendante y pour une nouvelle observation de la variable explicative.

▶ Finalement nous avons indiqué comment vérifier les hypothèses fondamentales à l'aide des résidus.

Nous résumons ci-après les principaux concepts qui ont été traités dans ce chapitre.

Coefficient de corrélation linéaire: Indice servant à estimer l'importance du lien linéaire entre deux caractères (variables).

Diagramme de dispersion: Nuage de points qui permet de constater si les variables concernées sont en corrélation.

Variable dépendante: Variable (y) dont on veut analyser le comportement selon diverses valeurs prises par une autre variable dite variable indépendante.

Variable indépendante: Variable (x) qui sert à expliquer les valeurs prises par la variable dépendante.

Droite de régression: Expression algébrique de forme linéaire qui permet de mettre en relation une variable dépendante avec une variable indépendante.

Méthode des moindres carrés: Méthode qui permet d'obtenir l'équation de la droite pour laquelle la somme de carrés des écarts verticaux des points observés à la droite d'ajustement est minimum.

Somme de carrés résiduelle: Somme de carrés qui donne une mesure de l'ampleur de la dispersion des valeurs observées y_i pour la variable dépendante par rapport aux valeurs prédites $\hat{y}_i$ avec la droite de régression.

Somme de carrés régression: Somme de carrés qui donne une mesure de l'ampleur de la dispersion des valeurs estimées $\hat{y}_i$ à l'aide de la droite de régression par rapport à la moyenne $\bar{y}$ des valeurs de la variable dépendante.

Somme de carrés totale: Somme de carrés qui donne une mesure de l'ampleur de la dispersion des valeurs observées y_i pour la variable dépendante par rapport à la moyenne $\bar{y}$ des valeurs de la variable dépendante.

Écart de prévision: Différence entre une valeur observée pour la variable dépendante et la valeur prédite avec l'équation de régression.

Coefficient de détermination: Indice de la qualité d'ajustement de la droite de régression; il donne la proportion de la variation totale dans la variable dépendante qui est expliquée par la droite de régression.

Test de signification sur β_1: Procédure statistique permettant de déterminer si l'écart entre la valeur posée en H_0 pour le paramètre β_1 et la valeur obtenue pour b_1 avec la méthode des moindres carrés est significatif, au seuil de signification α.

Estimation par intervalle de confiance de $E(y_h)$: Estimation de la moyenne des y_i à $x = x_h$ à l'aide d'un intervalle ayant un certain niveau de confiance d'englober la valeur de $E(y_h)$, l'estimation ponctuelle de $E(y_h)$ étant calculée avec la droite de régression $\hat{y}_h = b_0 + b_1 x_h$.

Glossaire (suite)

Intervalle de prévision pour y_h: Intervalle avec un certain niveau de confiance pouvant contenir la valeur éventuelle de la variable dépendante pour une nouvelle valeur x_h de la variable explicative x, la prévision de y_h étant $y_{h(p)} = b_0 + b_1 x_h$.

Statistique de Durbin-Watson: Statistique qui permet de vérifier l'hypothèse d'indépendance des erreurs.

Principales formules

Coefficient de corrélation linéaire

Calcul du coefficient de corrélation linéaire

$$r = \frac{n\sum x_i y_i - (\sum x_i)(\sum y_i)}{\sqrt{n\sum x_i^2 - (\sum x_i)^2}\sqrt{n\sum y_i^2 - (\sum y_i)^2}}$$

où n représente le nombre de couples d'observations (x_i, y_i).

Test d'hypothèse selon lequel le coefficient de corrélation est nul

L'hypothèse nulle est $H_0: \rho = 0$. La statistique utilisée pour le test est:

$$T = \frac{R\sqrt{n-2}}{\sqrt{1-R^2}}$$ qui est distribuée selon la loi de Student avec n - 2 degrés de liberté. Dans le cas

d'un test bilatéral, on rejette l'hypothèse nulle, au seuil α, si $T > t_{\alpha/2;n-2}$ ou $T < -t_{\alpha/2;n-2}$.

Intervalle de confiance pour ρ

Avec un niveau de confiance 1-α, l'intervalle de confiance autour de $E(Z_r)$ est:

$$z_r - z_{\alpha/2} \cdot \sqrt{\frac{1}{n-3}} \le E(Z_r) \le z_r + z_{\alpha/2} \cdot \sqrt{\frac{1}{n-3}}$$

où z_r est la valeur transformée de r et $z_{\alpha/2}$, la valeur de la variable centrée réduite telle que la probabilité que Z soit compris entre -$z_{\alpha/2}$ et $z_{\alpha/2}$ est 1-α. De ces limites, on obtient, en les transformant en r, celles pour ρ (on utilise la table de Fisher en sens inverse): $LI\rho \le \rho \le LS\rho$.

Équation de régression empirique

Calcul de la droite de régression: $\hat{y}_i = b_0 + b_1 x_i$ où

$$b_1 = \frac{\sum(x_i - \overline{x})(y_i - \overline{y})}{\sum(x_i - \overline{x})^2} = \frac{n\sum x_i y_i - (\sum x_i)(\sum y_i)}{n\sum x_i^2 - (\sum x_i)^2} = \frac{\sum x_i y_i - \frac{(\sum x_i)(\sum y_i)}{n}}{\sum x_i^2 - \frac{(\sum x_i)^2}{n}}$$

$$b_0 = \overline{y} - b_1\overline{x} \; ; \; \overline{y} = \frac{\sum y_i}{n} \text{ et } \overline{x} = \frac{\sum x_i}{n}.$$

Calcul des sommes de carrés

Variation totale $= \sum(y_i - \overline{y})^2 = \sum y_i^2 - \frac{(\sum y_i)^2}{n}$

Variation expliquée $= \sum(\hat{y}_i - \overline{y})^2 = b_1^2 \sum(x_i - \overline{x})^2 = b_1^2\left[\sum x_i^2 - \frac{(\sum x_i)^2}{n}\right]$

Variation résiduelle $= \sum(y_i - \hat{y}_i)^2 = \sum y_i^2 - b_0\sum y_i - b_1\sum x_i y_i$

Coefficient de détermination

$$r^2 = \frac{\text{Variation expliquée}}{\text{Variation totale}} = \frac{SCR}{SCT} = \frac{\sum(\hat{y}_i - \overline{y})^2}{\sum(y_i - \overline{y})^2}$$

Le coefficient de détermination dans le cas d'une régression linéaire simple est aussi le carré du coefficient de corrélation linéaire: $(r)^2$.

Variance et écart-type résiduel

La variance résiduelle $s_{y|x}^2$ s'obtient à l'aide des expressions suivantes:

$$s_{y|x}^2 = \frac{\sum(y_i - \hat{y}_i)^2}{n-2} = \frac{\sum(y_i - b_0 - b_1 x_i)^2}{n-2} = \frac{\sum y_i^2 - b_0 \sum y_i - b_1 \sum x_i y_i}{n-2}$$

L'écart-type résiduel est:

$$s_{y|x} = \sqrt{\frac{\sum(y_i - \hat{y}_i)^2}{n-2}} = \sqrt{\frac{\sum y_i^2 - b_0 \sum y_i - b_1 \sum x_i y_i}{n-2}}$$

Test de l'hypothèse nulle $\beta_1 = 0$

$H_0: \beta_1 = 0$ (la régression n'est pas significative). La statistique utilisée pour le test est, dans le cas d'un petit échantillon, $T = \dfrac{b_1 - \beta_1}{s(b_1)}$ qui est distribuée selon la loi de Student avec $n - 2$ degrés de liberté et $s(b_1) = \dfrac{s_{y|x}}{\sqrt{\sum(x_i - \overline{x})^2}}$. Dans le cas d'un test bilatéral ($H_0: \beta_1 \neq 0$), on rejette l'hypothèse nulle, au seuil α, si $T > t_{\alpha/2;n-2}$ ou $T < -t_{\alpha/2;n-2}$.

Intervalle de confiance sur β_1

L'intervalle de confiance sur β_1 avec un niveau de confiance $100(1-\alpha)$% est, dans le cas d'un petit échantillon, $b_1 - t_{\alpha/2;n-2} \cdot s(b_1) \leq \beta_1 \leq b_1 + t_{\alpha/2;n-2} \cdot s(b_1)$.

Tableau d'analyse de variance et test de signification

Source de variation	Somme de carrés	Degrés de liberté	Carrés moyens	Rapport F
Expliquée par la régression	$SCR = \sum(\hat{y}_i - \overline{y})^2$	1	$CMR = SCR/1$	$F = \dfrac{CMR}{CM_{RES}}$
Résiduelle	$SC_{RES} = \sum(y_i - \hat{y}_i)^2$	$n - 2$	$CM_{RES} = \dfrac{SC_{RES}}{n-2}$	
Totale	$SCT = \sum(y_i - \overline{y})^2$	$n - 1$		

La régression est significative au seuil α si $F = \dfrac{CMR}{CM_{RES}} > F_{\alpha;1,n-2}$.

Intervalle de confiance pour $E(y_h)$

L'intervalle de confiance ayant un niveau de confiance $100(1-\alpha)$% de contenir la valeur vraie de $E(y_h)$ s'écrit comme suit: $\hat{y}_h - t_{\alpha/2;n-2} \cdot s(\hat{y}_h) \leq E(y_h) \leq \hat{y}_h + t_{\alpha/2;n-2} \cdot s(\hat{y}_h)$ où

$$s(\hat{y}_h) = s_{y|x}\left[\frac{1}{n} + \frac{(x_h - \overline{x})^2}{\sum(x_i - \overline{x})^2}\right]^{1/2} \text{ et } \hat{y}_h = b_0 + b_1 x_h.$$

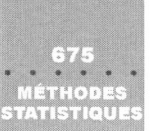

Principales formules (suite)

Intervalle de prévision pour y_h à $x = x_h$

L'intervalle de prévision y_h pour une nouvelle observation x_h, ayant un niveau de confiance $100(1-\alpha)\%$ de contenir la vraie valeur de y est:

$$\hat{y}_h - t_{\alpha/2;n-2} \cdot s(d_h) \leq y_h \leq \hat{y}_h + t_{\alpha/2;n-2} \cdot s(d_h) \text{ où}$$

$$s(d_h) = \sqrt{s^2_{y|x} + s^2(\hat{y}_h)} = s_{y|x}\left[1 + \frac{1}{n} + \frac{(x_h - \overline{x})^2}{\sum(x_i - \overline{x})^2}\right]^{1/2}$$

avec la prévision de y_h : $y_{h(p)} = b_0 + b_1 x_h$.

$$s_{y|x} = \sqrt{\frac{\sum(y_i - \hat{y}_i)^2}{n-2}} = \sqrt{\frac{\sum y_i^2 - b_0 \sum y_i - b_1 \sum x_i y_i}{n-2}}.$$

Hypothèses fondamentales concernant la régression

❶ $E(\varepsilon_i) = 0$ (Le modèle est-il adéquat?).

❷ $Var(\varepsilon_i) = \sigma^2$ (Variance des erreurs constante, peu importe les valeurs x_i).

❸ Normalité des erreurs ε_i.

❹ Absence de corrélation entre les erreurs (indépendance).

Test de Durbin-Watson

La statistique D de Durbin-Watson permet de tester s'il y a ou non présence d'autocorrélation:

$$D = \frac{\sum\limits_{i=2}^{n}(e_i - e_{i-1})^2}{\sum\limits_{i=1}^{n}e_i^2} \text{ où } e_i = y_i - \hat{y}_i.$$

S'il y a absence d'autocorrélation, la valeur D sera voisine de 2; s'il y a autocorrélation positive, la valeur D sera voisine de 0. Dans le cas d'une autocorrélation négative, D peut se situer entre 2 et 4.

La statistique D doit être comparée à deux valeurs limites d_L et d_U pour statuer sur la présence ou l'absence d'autocorrélation des erreurs.

11.18   Exercices d'application

Corrélation linéaire

1. On donne les couples d'observations suivants:

x_i	2	4	5	7	8	10	12	16
y_i	12	17	20	28	31	35	40	57

a) Reportez sur un graphique les couples (x_i, y_i).

b) Est-ce que le nuage de points permet de déceler que ces deux variables sont en corrélation?

c) Que peut-on dire quant à la forme de la liaison statistique qui peut exister entre ces deux variables?

d) Calculez le coefficient de corrélation linéaire.

2. On donne les couples d'observations suivants:

x_i	2	4	6	7	8	10	11	12
y_i	40	32	28	25	16	11	5	3

a) Tracez le diagramme de dispersion.

b) L'examen du diagramme permet-il de considérer que les deux variables varient dans le même sens?

c) Est-ce que le diagramme suggère que la liaison entre y et x est de forme linéaire?

d) Calculez le coefficient de corrélation linéaire.

3. On donne les couples d'observations suivants:

x_i	0	1	2	3	4	5	6	7	8
y_i	50	43	38	35	34	35	38	43	50

a) Reportez ces observations sur un graphique.

b) Calculez le coefficient de corrélation linéaire.

c) À partir de la valeur obtenue en b), peut-on déduire que ces deux variables sont indépendantes?

d) Est-ce que le calcul du coefficient de corrélation linéaire est approprié ici? Justifiez votre conclusion.

4. Dans une étude* pour optimiser l'aménagement d'un entrepôt pour prévenir la congestion de véhicules, on a effectué diverses simulations concernant le nombre de véhicules circulant à l'intérieur de l'entrepôt et on a enregistré le temps (en minutes) de congestion (temps total qu'un véhicule en bloquait un autre). Les données sont présentées dans le tableau ci-après.

Nombre de véhicules	Temps de congestion	Nombre de véhicules	Temps de congestion
1	0	9	0,02
2	0	10	0,04
3	0,02	11	0,04
4	0,01	12	0,04
5	0,01	13	0,03
6	0,01	14	0,04
7	0,03	15	0,05
8	0,03		

*Source: Pandit, R. et Palekar, U.S. "Response time considerations for optimal warehouse layout design". *Journal of Engineering for Industry*, Transactions of the ASME, vol. 115, août 1993.

a) Tracez le diagramme de dipersion.

b) Quelle est la nature de la liaison entre ces deux variables?

5. Dans une pré-enquête sur les habitudes de consommation, on a obtenu, auprès d'un échantillon de 30 familles, les données suivantes concernant les dépenses (en centaines de dollars) pour les loisirs et le revenu annuel (en milliers de dollars).

Dépenses (centaines \$)	Revenu (milliers \$)	Dépenses (centaines \$)	Revenu (milliers \$)	Dépenses (centaines \$)	Revenu (milliers \$)
3,4	25	9,8	38	8,4	40
4,6	29	9,0	40	7,5	32
3,6	27	5,5	35	5,4	27
5,1	33	7,2	35	6,5	35
5,0	31	7,8	39	8,0	38
6,0	29	4,5	27	7,1	37
5,8	37	4,0	30	7,2	41
9,6	43	7,0	33	9,0	37
10,0	41	6,8	29	8,1	33
6,6	31	8,0	41	8,0	36

a) Tracez le nuage de points.

b) Est-ce que le diagramme de dispersion permet d'affirmer que les deux variables varient dans le même sens?

c) Le diagramme suggère-t-il que la liaison entre x et y est de forme linéaire?

d) Calculez le coefficient de corrélation linéaire.

e) Est-ce que ces données permettent de supporter, au seuil de signification 5%, l'hypothèse selon laquelle il y a corrélation linéaire positive entre ces deux variables?

f) D'après cette étude de corrélation, comment peut-on qualifier les dépenses pour les loisirs des familles de la population échantillonnée qui ont un revenu annuel de 30 000$ par rapport aux dépenses des familles qui ont un revenu annuel de 40 000$? Sont-elles inférieures, égales ou supérieures?

6. Le responsable du bureau d'Organisation et Méthodes d'une entreprise a relevé le temps nécessaire en centiheures pour constituer un dossier en fonction du nombre de feuillets à établir. L'étude de 40 dossiers permet d'obtenir une corrélation $r = 0{,}82$, entre ces deux variables.

a) En supposant que les dossiers qui ont constitué l'étude représente un échantillon aléatoire parmi les nombreux dossiers que l'entreprise doit établir, testez l'hypothèse selon laquelle il n'y a pas de corrélation linéaire entre le temps nécessaire pour constituer un dossier et le nombre de feuillets. Utilisez un seuil de signification de 5%.

b) D'après cette étude, le temps requis pour constituer un dossier de 16 feuillets est-il inférieur, égal ou supérieur à un dossier comportant 12 feuillets. Motivez votre réponse.

 7. Le tableau ci-après donne le prix et l'efficacité contre les UVA de diverses marques de produits pour se protéger du soleil. Pour ces produits, le facteur de protection solaire (FPS) est de 15 à moins de 25. Les formats sont sensiblement les mêmes soit entre 100 et 120 ml.

Marque	Prix	Efficacité contre les UVA
Photoplex Plus	9,00	93
Coppertone UVGuard	11,00	92
Lancôme soleil contrôle corps	21,35	92
Bain de soleil Protection	11,30	87
Neutrogena écran solaire peau sensible	11,00	82
Vichy Capital soleil	13,90	82
Marcelle Lait Écran solaire	7,40	76
DuraScreen	10,50	75
Bain de soleil Le Sport	9,05	71
Nature's Gate Sportifs	10,05	63
TI-UVA-B	10,00	63
Coppertone soins sélects peau sensible	8,35	61
Amway Sun Pacer	11,75	58
Marcelle Lait Écran Solaire	7,40	58
Coppertone soins sélects peau grasse	8,60	54
PreSun Écran Solaire Crémeux	9,20	54
Coppertone soins sélects peau sèche	8,60	53
AloeCure	18,95	51
Coppertone sans huile	8,00	51
Rx Soleil	14,70	38

*Source: Protégez-vous, juillet 1997, page 19.

Est-ce que le fait de payer une marque plus chère qu'une autre, pour se protéger du soleil, nous assure une meilleure protection?

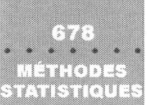

8. Dans une étude* à l'aide d'un questionnaire auprès d'organisations canadiennes dont l'objectif était de cerner les facteurs significatifs influençant l'utilisation du réseau Internet, on a posé (entre autres) l'hypothèse de recherche suivante:

Il y a une relation positive entre l'expérience de l'organisation dans le domaine de l'informatique et les attitudes des individus face au réseau Internet.

100 organisations canadiennes ont retourné le questionnaire (sur un échantillon de 400 organisations provenant des secteurs public, parapublic et privé) et après analyse, on a obtenu un coefficient de corrélation linéaire $r = -0,0699$.

Peut-on considérer, au seuil de signification 5%, que l'hypothèse de recherche précisée ci-haut est favorisée?

*Source: Limayem, M et N. Chabchoub (1999). *Les facteurs influençant l'utilisation d'Internet dans les organisations canadiennes*. Systèmes d'Information et Management, n°1, vol 4.

9. Dans une recherche* sur les effets de l'anxiété informatique et la pratique de l'ordinateur sur les performances à un test automatisé d'intelligence, on a développé un questionnaire d'anxiété informatique afin de mesurer le degré d'anxiété que ressent le sujet à l'égard de l'ordinateur. Voici un des résultats qui a été obtenu.

Cette recherche a permis d'établir, auprès de 161 étudiants, une corrélation négative $r = -0,59$ entre l'anxiété informatique et la pratique de l'ordinateur.

a) Peut-on conclure, au seuil de signification $\alpha = 0,05$, que ces deux variables (anxiété informatique et pratique de l'ordinateur) varient en sens contraire ($\rho < 0$)?

b) Quelle est la valeur critique de r que l'on doit dépasser pour conclure à une corrélation significative, au seuil $\alpha = 0,05$?

*Source: Adapté de Gaudron, J.-P., «Les effets de l'anxiété informatique et de la pratique de l'ordinateur sur les performances à un test automatisé», *Le travail humain*, tome 61 n⁰ 3/1998, 263-280.

10. Un bureau d'experts-conseil en ressources humaines a développé une batterie de tests mesurant diverses aptitudes. Cette batterie de tests a été administrée à un échantillon de cadres en ingénierie ainsi qu'à un échantillon de cadres en informatique.

Aptitudes	Ingénierie ($n_1 = 47$)	Informatique ($n_2 = 33$)
Aptitude verbale	0,40	0,59
Aptitude numérique	0,27	0,40
Aptitude spatiale	0,34	0,11
Perception des formes	0,36	0,25
Dextérité manuelle	0,04	-0,1

La corrélation entre les résultats associés à diverses aptitudes et la moyenne cumulative des participants a été calculée. Les diverses corrélations obtenues sont résumées dans le tableau ci-haut.

a) Déterminez, pour chaque échantillon, la valeur critique du coefficient de corrélation linéaire pour conclure à une corrélation linéaire significative au seuil $\alpha = 0,05$ dans le cas où $H_1: \rho \neq 0$.

b) Indiquez, dans chaque cas, quelles sont les corrélations qui sont significatives d'après les valeurs critiques obtenues en a).

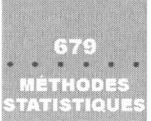
11. Dans une étude* qui avait pour but d'examiner le rôle joué par les cours formels, le tutorat, les stages dans différents services et les supports d'auto-apprentissage dans la socialisation organisationnelle de jeunes recrues, on a obtenu pour 201 nouvelles recrues du secteur bancaire, une corrélation linéaire de 0,70 entre la satisfaction générale et l'implication affective à l'égard de l'organisation.

_____
*Source: Delobbe, N. et C. Vandenberghe.« La formation en entreprise comme dispositif de socialisation organisationnelle: enquête dans le secteur bancaire». *Le travail humain*, tome 64, n⁰ 1/2001.

a) Déterminez un intervalle de confiance à 95% pour le coefficient de corrélation linéaire ρ.

b) Peut-on affirmer, au seuil de signification 5%, que la corrélation linéaire est significative entre la satisfaction générale et l'implication affective à l'égard de l'organisation? Utilisez l'intervalle calculé en a) pour répondre à cette question.

 12. Le styrène* est un solvant organique largement utilisé dans l'industrie des résines et des plastiques de type polyester renforcés à la fibre de verre. Les travailleurs exposés absorbent le styrène par voie pulmonaire. Une étude a été effectuée dans trois usines québécoises de l'industrie de fabrication d'articles en plastique pour vérifier la concentration de styrène de travailleurs associés à diverses fonctions dans l'entreprise. On veut déterminer le degré de corrélation linéaire entre la concentration moyenne de styrène ambiant mesurée dans la zone respiratoire de chaque travailleur et la concentration d'acide mandélique (AML) retrouvée dans les urines en fin de quart de travail.

a) Les résultats (moyennes) pour diverses catégories de travailleurs dans l'usine sont présentés ci-après.

Complétez le tableau et déterminez les sommes manquantes.

Fonctions	Styrène x_i	AML y_i	x_i^2	y_i^2	$x_i y_i$
Opérateur de fusil-hachoir	564	0,73			
Peintre	517	0,56			
Lamineur	502	1,26			
Démouleur	143	0,46			
Contremaître	97	0,26			
Découpeur	75	0,24			
Autres fonctions	50	0,12			
Préposé à l'entrepôt	35	0,05			
Finisseur	34	0,08			
Réparateur de moules	28	0,02			
Sommes	*2045*	*3,78*			

_____
*Source: Truchon, G. C. Ostiguy et all (1992). *Surveillance des effets neurotoxiques de l'exposition au styrène en milieu de travail.* Travail et santé, vol 8, n°2.

b) Tracez le diagramme de dispersion.

c) Quel type de corrélation présente le diagramme de dispersion?

d) Calculez la valeur du coefficient de corrélation linéaire r.

e) Est-ce que la corrélation est faible, forte ou négligeable?

Régression linéaire

13. On donne les couples d'observations suivants: $\hat{y}_i = -1.02134 + 2.13476 x_i$

y_i	55	17	36	85	62	18	33	41	63	87
x_i	18	7	14	31	21	5	11	16	26	29

a) Tracez le diagramme de dispersion des couples (x_i, y_i). Peut-on soupçonner une liaison linéaire entre ces deux variables? Oui → 看图说话.

b) Déterminez pour ces observations la droite de régression.

c) Quelle est une estimation plausible de y à $x_i = 21$?

d) Quel est l'écart entre la valeur observée de y à $x_i = 21$ et la valeur estimée avec la droite de régression? Comment appelle-t-on cet écart? Quand $x_i = 21$ $y_i = 62$
résidu. écart = $y_i - \hat{y}$

e) Est-ce que la droite de régression obtenue en b) passe par le point $(\bar{x}, \bar{y})$? Peut-on généraliser cette conclusion à n'importe laquelle droite de régression? à $x_i = \bar{x}$
Oui puisque $\hat{y} = \bar{y} + b_1(x_i - \bar{x}) \Rightarrow \bar{y} + b(\bar{x} - \bar{x}) = \bar{y}$

14. Le gérant des ventes d'une entreprise spécialisée dans les systèmes informatisés a développé une équation de régression lui permettant d'estimer le montant moyen annuel des ventes en fonction des résultats obtenus par les vendeurs à un test d'aptitude en informatique de gestion. La droite de régression empirique, basé sur 66 observations est: $\hat{y}_i = -40 + 2x_i$ où $\hat{y}_i$ est le montant moyen des ventes en milliers de dollars correspondant aux vendeurs ayant x_i comme résultat au test d'aptitude en informatique de gestion. On notera également que

$$\sum (y_i - \hat{y}_i) = 1600 \text{ et que } \sum (x_i - \bar{x}_i)^2 = 576.$$ De plus, le domaine de variation du résultat en informatique de gestion se situe entre 60 et 80.

a) Un des vendeurs de l'entreprise ne trouve pas cette équation réaliste à cause du coefficient de régression $b_0 = -40$. Quels sont vos commentaires sur cette remarque?

b) Interprétez le coefficient de régression $b_1 = 2$.

c) Déterminez la variation résiduelle. Combien de degrés de liberté sont associés à cette quantité?

d) Testez les hypothèses suivantes: $H_0: \beta_1 = 0$, $H_1: \beta_1 > 0$, $\alpha = 0,05$.

15. L'entreprise Bartek se spécialise dans la vente de fournitures de bureau et possède plusieurs succursales à travers le pays. Le chiffre d'affaires annuel d'un échantillon de 28 succursales ainsi que la population adulte correspondant pour chaque ville où est située la succursale sont indiqués dans le tableau ci-après.

Succursale no	Population (x 1000)	Chiffre d'affaires (x 10000)	Succursale no	Population (x 1000)	Chiffre d'affaires (x 10000)
1	33,4	62,7	15	45,8	60,9
2	31,8	49,8	16	101,6	122,1
3	63,6	87,6	17	62,2	80,4
4	130	142,3	18	69,8	80,1
5	44,4	54,6	19	120,0	126,6
6	72,9	91,8	20	55,7	76,2
7	50,7	66,7	21	41,5	61,7
8	97,6	116,5	22	102,0	110,6
9	89,1	109,2	23	114,2	129,4
10	68,4	78,6	24	63,9	72,8
11	121,5	144,0	25	74,7	99,9
12	73,6	87,4	26	55,6	72,8
13	32,8	49,7	27	80,7	106,4
14	62,9	73,6	28	52,0	71,1

a) Tracez le diagramme de dispersion. Semble-t-il exister un lien entre ces deux variables? Est-il de nature linéaire?

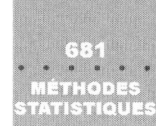

b) Déterminez l'équation de régression empirique entre la population et le chiffre d'affaires.

c) Est-ce que la régression est significative au seuil de 5%?

d) L'entreprise envisage d'ouvrir une nouvelle succursale dans une région dont la population adulte serait de l'ordre de 125 000. L'entreprise veut utiliser l'équation de régression empirique pour prévoir le chiffre d'affaires éventuel de cette nouvelle succursale en autant que la variable «population adulte» permet d'expliquer au moins 85% des fluctuations dans le chiffre d'affaires.

   i) Est-ce que cette condition est réalisée?

   ii) Si tel est le cas, à combien peut-on estimer le chiffre d'affaires?

e) Pour qu'une nouvelle succursale soit rentable, il faut réaliser un chiffre d'affaires d'au moins 750 000$. La direction de l'entreprise aimerait connaître la population adulte minimale requise pour rentabiliser une succursale.

16. Une entreprise oeuvrant dans le secteur immobilier a obtenu l'équation de régression suivante entre le prix de vente de 10 propriétés et l'évaluation municipale de ces mêmes propriétés (chacun en milliers de dollars):

$$\hat{y}_i = 2,18901 + 1,05199x_i.$$

a) Quelle est la signification pratique du coefficient de régression b_1 dans cette étude?

b) On a obtenu $s_{y|x}^2 = 14,9635$ et $\sum (x_i - \overline{x})^2 = 37\,190$. Calculez $s(b_1)$.

c) Le responsable de cette étude affirme que l'équation de régression liant le prix de vente moyen des propriétés et l'évaluation municipale devrait être une droite avec une pente de 45°. Quelle est l'hypothèse nulle qui correspondrait à cette affirmation?

d) Peut-on considérer comme vraisemblable l'hypothèse nulle spécifiée en c)? Utilisez un test unilatéral à droite et un seuil de signification $\alpha = 0,05$.

 17. Dans une étude* sur l'utilisation de coupons-réponse (comportant essentiellement sur des produits d'équipement et d'entretien de la maison, d'ameublement, d'électro-ménagers, de matériel Hi-Fi et Vidéo) auprès des consommateurs, on a obtenu les données ci-contre auprès de 26 entreprises.

Elles représentent une estimation du rendement de cette technique de marketing et du nombre de jours écoulés entre l'envoi de la documentation et la relance (téléphone, envoi d'une nouvelle documentation, envoi d'un représentant).

a) Tracez le diagramme de dispersion.

b) Peut-on noter une corrélation entre le nombre de jours écoulés et le rendement des firmes?

c) De quelle nature est cette corrélation?

d) Déterminez l'équation de régression entre le rendement et le délai.

e) Quel pourcentage de variation dans le rendement est expliqué par le nombre de jours écoulés?

f) Est-ce que la régression est significative au seuil de 5%?

Entreprise	Nombre de jours écoulés	Rendement
1	17	3
2	8	25
3	7	20
4	9	10
5	5	20
6	2	20
7	4	30
8	2	35
9	8	20
10	7	25
11	13	10
12	8	10
13	8	15
14	6	15
15	9	15
16	12	20
17	5	10
18	11	15
19	7	20
20	14	25
21	2	20
22	8	25
23	6	20
24	3	15
25	15	15
26	14	20

* Source: Bragard, L., et R. Lejoncq, *Le coupon-réponse dans la presse francophone de Belgique*, Conférence annuelle de l'Association Française du Marketing, avril 1985.

18. Un fabricant* d'automobiles est confronté avec un problème de stabilité du mécanisme du volant. L'entreprise a donc examiné les diverses composantes d'une roue d'automobile qui pouvaient avoir un effet négatif sur la stabilité du mécanisme du volant. La composante qui contribuait le plus à la condition d'instabilité était l'enjoliveur en plastique moulé. Divers facteurs du procédé de fabrication ont été identifiés et des essais ont été effectués pour déterminer ceux qui agissent sur l'homogénéité et la répartition du matériel entrant dans la fabrication de la pièce.

Cinq pièces ont été fabriquées pour chacune des conditions expérimentales qui avaient été établies selon le plan expérimental. Sur chaque pièce, on a mesuré (avec deux instruments différents) deux caractéristiques importantes : le poids total de la pièce (en grammes) et l'équilibre de la pièce (en pouce-once).

Bien que l'objectif principal était d'optimiser le procédé de fabrication pour réduire la variabilité du poids de la pièce, on s'est également intéressé à déterminer s'il existait un lien entre l'équilibre de la pièce et le poids total de la pièce. Si tel était le cas, le poids pourrait éventuellement servir comme indicateur de l'équilibre de la pièce. Plus cet indicateur est faible, meilleur est l'équilibre de la pièce. Quarante observations ont été obtenues .

*Source: Adapté de *Optimization of Ford Taurus wheel cover balance, Fifth Symposium on Taguchi Methods*, pp. 529-539,1987.

a) On postule le modèle linéaire simple $y_i = \beta_0 + \beta_1 x_i + \varepsilon_i$ comme relation plausible entre y et x où y représente l'équilibre de la pièce et x, le poids.

   i) En admettant que les erreurs ε_i sont distribuées normalement avec moyenne 0 et variance σ^2, pour tout i, quelle est la distribution de la variable «équilibre de la pièce»?

   ii) Quelle est l'expression algébrique de l'espérance mathématique de l'équilibre de la pièce pour divers poids x_i ?

   iii) Est-ce exact de préciser que $Var(\beta_0 + \beta_1 x_i) = \sigma^2$?

b) Après quelques calculs préliminaires, on obtient les sommation suivantes:

$$\sum x_i = 28850, \ \sum y_i = 39, \ \sum x_i y_i = 28242,6, \ \sum (x_i - \overline{x})^2 = 2265,76$$

   À l'aide de ces quantités, déterminez l'équation de régression empirique $\hat{y}_i = b_0 + b_1 x_i$.

c) Quelle est une estimation de l'équilibre moyen pour des pièces dont le poids est de 732 grammes?

d) On vous mentionne que si le poids des pièces passe de 724 g à 726 g , la valeur moyenne de l'équilibre augmente de 0,05 pouce-once. Est-ce que cette affirmation vous semble exacte? Justifiez.

e) On veut déterminer, au seuil de signification de 5%, s'il existe un lien linéaire *positif* entre l'équilibre de la pièce et le poids de la pièce. On considère que

$$\sum_{i=1}^{40} (y_i - \hat{y}_i)^2 = 1,43186 .$$

   i) Formulez les hypothèses statistiques que l'on veut tester.

   ii) Effectuez le test statistique approprié; que peut-on conclure?

f) On vous mentionne qu'il est vraisemblable, au risque de se tromper 5 fois sur 100, que l'équilibre moyen vrai est de 1,0 pouce-once pour des pièces de 725 grammes. Est-ce que cette affirmation vous semble plausible au risque spécifié?

g) Pour quel poids, l'estimation de l'équilibre moyen serait-elle la plus précise? En préciser la valeur.

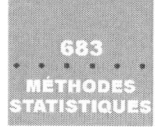

18. (suite) h) Quelle est la marge d'erreur dans l'estimation de l'équilibre moyen, et ceci au niveau de confiance de 95% pour les pièces dont le poids est celui déterminé en g)?

i) On aimerait, qu'en moyenne, l'équilibre des pièces n'excède pas 0,70. Quelle valeur devrait-on viser pour le poids des pièces?

19. Dans une étude de régression, on a obtenu 0,95 comme proportion de la variation expliquée par la droite de régression. De plus, la variation totale donne 500.
a) Déterminez la somme de carrés due à la régression.
b) Déterminez la somme de carrés due à la variation résiduelle.
c) Supposons que les deux variables de cette étude varient en sens contraire, quelle est la valeur du coefficient de corrélation linéaire? Quel signe doit-on lui attribuer?

20. Dans une étude de régression linéaire simple comportant 20 observations, on a obtenu r^2 = 0,80. Quelle est la valeur observée pour le rapport F?

21. La responsable du département d'Assurance qualité des produits d'éclairage de l'entreprise Luminar veut établir une équation de régression qui permettrait de prévoir la durée de vie (en heures) de lampes à incandescence à partir de son rendement énergétique (lumens/watt). Le test de durée de vie s'échelonne sur plusieurs semaines; toutefois, les mesures de l'intensité lumineuse et de la consommation d'énergie des lampes se font au laboratoire de photométrie, à mesure que la fabrication progresse. Une relation statistique significative entre la durée de vie (y) et le rendement énergétique (x) des lampes permettrait de juger la journée même, de la durée de vie probable des lampes, sans attendre plusieurs semaines.

Un test de durée de vie de 36 lampes conduit aux résultats suivants:

$$\sum x_i = 599,2 \quad \sum y_i = 38\,059 \quad \sum (x_i - \bar{x})(y_i - \bar{y}) = -775,614$$
$$\sum (x_i - \bar{x})^2 = 1,96 \quad \sum (y_i - \bar{y})^2 = 357\,439,64$$

où y_i représente la durée de vie de la i ième lampe, et x_i, le rendement énergétique.

a) Déterminez les coefficients de régression b_0 et b_1 de la droite de régression.

b) Quelle est l'équation de régression empirique?

c) La dispersion de la durée de vie autour de la droite de régression est estimée par $s_{y|x}^2 = 1475,0832$. Quelle est alors la somme de carrés des écarts entre les valeurs observées y_i et les estimations que l'on obtient avec la droite de régression?

d) Est-ce que l'unité de mesure associée à la somme de carrés obtenue en c) est

 i) watts^2? ii) lumens/watt? iii) $\left(\dfrac{\text{heures}}{\text{lumens}} \right)^2$?

 iv) heures^2? v) Aucune réponse citée?

e) Sachant que le résidu pour l'observation i dont $x_i = 16,65$ est -44,29, quelle est la durée de vie correspondante qui a été observée?

f) Quelle proportion de la variation totale dans la durée de vie est expliquée par le rendement énergétique?

22. On veut tester les hypothèses suivantes $H_0 : \beta_1 = 0, H_1 : \beta_1 \neq 0$ au seuil de signification α.

a) Déterminez, dans le cas où l'écart réduit $T = \dfrac{b_1 - \beta_1}{s(b_1)}$ s'applique, l'expression des *valeurs critiques* pour le coefficient de régression b_1 pour effectuer le test d'hypothèses.

b) Considérez la situation suivante où $n = 25$, $\hat{y}_i = 65 - 5x_i$, $s^2 = 250$ et $\sum (x_i - \bar{x})^2 = 1000$.

Déterminez, pour un seuil de signification 5%, les valeurs critiques requises pour le coefficient de régression b_1 pour tester les hypothèses statistiques mentionnées en a).

c) Avec les valeurs obtenues en b), peut-on conclure que la régression est significative au seuil de 5%? Justifiez votre conclusion.

23. Dans une étude de régression linéaire simple, on a obtenu l'équation de régression suivante: $\hat{y}_i = 60 + 5x_i$. De plus, on sait que $\sum e_i^2 = 1530$ et que les valeurs de x dans l'étude sont:

$$2 \qquad 6 \qquad 8 \qquad 8 \qquad 12 \qquad 16 \qquad 20 \qquad 20 \qquad 22 \qquad 26.$$

a) Calculez un intervalle de confiance à 95% pour $E(y_h)$ à $x_h = 8$ et $x_h = 20$.

b) Calculez également un intervalle de prévision pour y_h à $x_h = 8$ et $x_h = 20$. Utilisez un niveau de confiance de 95%.

c) Dans chacun des cas, est-ce que la marge d'erreur est plus élevée à $x_h = 8$ ou à $x_h = 20$?

 24. Le responsable du département d'Organisation et Méthodes de l'entreprise Tubex veut établir certaines estimations concernant le temps de manutention d'une matière première. Lors d'une réunion départementale avec différents chefs de service, diverses variables explicatives ont été suggérées comme pouvant avoir un effet appréciable sur le temps de manutention, entre autres, la distance parcourue en mètres, le poids manutentionné en nombre de palettes, la hauteur de déplacement vertical en mètres, ...

Un relevé de 18 observations a été effectué sur ces diverses variables. Le tableau ci-dessous n'indique toutefois que les données associées au temps de manutention en centiheures et la distance parcourue (m).

Observation no.	Distance parcourue	Temps de manutention	Observation no.	Distance parcourue	Temps de manutention
1	8	29	10	10	65
2	10	38	11	50	82
3	6	32	12	5	25
4	30	70	13	10	35
5	35	45	14	40	85
6	8	34	15	30	80
7	6	30	16	40	76
8	30	55	17	5	22
9	15	45	18	25	70

On veut expliquer les fluctuations du temps de manutention à l'aide de la distance parcourue. Après quelques calculs préliminaires, on obtient les résultats suivants:

$$\sum x_i = 363, \ \sum y_i = 918, \ \sum x_i y_i = 23181, \sum (x_i - \bar{x})^2 = 3704,5, \sum (y_i - \bar{y})^2 = 8106.$$

a) À l'aide des quantités obtenues ci-haut, déterminez l'équation de régression empirique $\hat{y}_i = b_0 + b_1 x_i$.

b) On vous mentionne que, pour une augmentation unitaire (1 mètre) de la distance parcourue, le temps de manutention devrait augmenter d'environ 26 centiheures. Est-ce que cette affirmation est exacte?

c) La dispersion du temps de manutention autour de la droite de régression est estimée par $s_{y|x}^2 = 138,944$. Quelle est alors la somme des carrés des écarts entre les valeurs observées y_i et les estimations $\hat{y}_i$?

d) Peut-on affirmer, au risque de se tromper 5 fois sur 100, que le taux de variation du temps moyen de manutention dans l'intervalle de la distance observée lors de cette étude est de 2 centiheures/m? Justifiez votre conclusion.

e) Un cadre de l'entreprise se pose la question suivante:

> Si on ne tient pas compte de la distance parcourue, quelle serait d'après les données recueillies, une bonne estimation du temps moyen de manutention? Précisez-en la valeur.

f) Plus la variance $s^2(b_1)$ est grande, meilleure est la précision dans l'estimation du paramètre β_1. Est-ce que cette affirmation est exacte? Discutez.

g) Peut-on considérer, au seuil de signification 5%, qu'il existe un *lien linéaire positif* entre le temps de manutention et la distance parcourue? Formulez les hypothèses statistiques que l'on veut tester et effectuez le test statistique approprié.

h) Quel pourcentage de variation dans le temps de manutention demeure inexpliqué par la droite de régression?

i) Un chef de service mentionne qu'il lui apparaît vraisemblable, au risque de se tromper 5 fois sur 100, que le vrai temps moyen de manutention est de 75 centiheures, pour des déplacements de 30m. Est-ce que cette affirmation vous semble vraisemblable au risque spécifié? Justifiez votre réponse.

j) Pour quelle distance parcourue, l'estimation du temps moyen de manutention serait-elle la plus précise?

k) Quelle est la marge d'erreur dans l'estimation du temps moyen de manutention, et ceci au niveau de confiance de 95%, pour des déplacements dont la distance est celle précisée en j?

25. À la suite d'une enquête auprès de PME de la région de Lanaudière, on a obtenu l'information suivante concernant le salaire annuel (y) de 16 cadres intermédiaires ainsi que le nombre d'années d'expérience (x).

On veut utiliser la régression linéaire simple et la variable nombre d'années d'expérience comme variable explicative du salaire annuel.

À l'aide de l'Outil d'analyse de Régression linéaire d'Excel, on a obtenu les résultats suivants.

	G	H
5	*Statistiques de la régression*	
6	Coefficient de corrélation linéaire	0,9837
7	Coefficient de détermination R^2	0,9678
8	Coefficient de détermination R^2 ajusté	0,9654
9	Erreur-type	459,8985
10	Observations	16

Nombre d'années	Salaire annuel	Nombre d'années	Salaire annuel
2	45600	9	51400
4	47100	6	49500
6	49200	10	51600
5	48000	8	51000
3	45900	11	51800
7	50200	5	48200
12	53100	13	54100
8	50000	10	52000

	G	H	I	J	K	L	M
12	ANALYSE DE VARIANCE						
13		*Degré de liberté*	*Somme des carrés*	*Moyenne des carrés*	*F*	*Valeur p*	
14	Régression	1	88863282,8	88863282,8	420,14428	7,70553E-12	
15	Résidus	14	2961092,204	211506,586			
16	Total	15	91824375				
17							
18		*Coefficients*	*Erreur-type*	*Statistique t*	*Probabilité*	*Limite inférieure pour seuil de confiance = 95%*	*Limite supérieure pour seuil de confiance = 95%*
19	Constante	44339,89	295,462	150,070	7,484E-24	43706,19	44973,59
20	Nombre d'années	750,10	36,595	20,497	7,706E-12	671,61	828,59

a) Quelle est l'équation de régression empirique entre le salaire annuel et le nombre d'années d'expérience?

b) Pourriez-vous donner une valeur concernant le salaire annuel pour des cadres intermédiaires n'ayant pas d'expérience?

c) Quelle est la variance résiduelle?

d) Entre quelles valeurs peut varier, dans 95% des cas, l'augmentation du salaire annuel moyen, pour une augmentation d'une année d'expérience?

e) La régression est-elle significative au seuil 5%?

f) Déterminez un intervalle de confiance à 95%, pour le salaire annuel moyen de cadres intermédiaires de la région de Lanaudière ayant 8 années d'expérience?

26. Dans une recherche* sur la mesure de l'efficacité du sponsoring autour du sport, on a utilisé la régression comme approche quantitative pour évaluer les retombées du sponsoring en termes de notoriété.

On a essayé d'établir un lien entre la notoriété spontanée des sponsors et l'intérêt porté à un événement ainsi que le lien entre la mémorisation assistée des sponsors et l'intérêt porté à l'événement. Le facteur explicatif «intérêt porté à un événement» est mesuré à l'aide d'une échelle à quatre points.

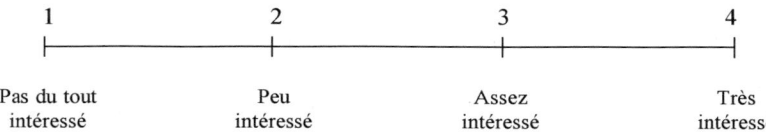

Les données ci-après ne représentent toutefois que celles associées au nombre moyen de sponsors reconnus (notoriété assistée) c'est-à-dire le nombre moyen de sponsors reconnus sur des listes de marques comportant chacune entre 35 et 40 noms.

*Source: Adapté de A. Frédéric. *La mesure de l'efficacité du sponsoring*. Revue Française de Marketing, 1992, n°138.

Observation no	Nombre moyens de sponsors reconnus	Degré d'intérêt pour l'événement	Observation no	Nombre moyens de sponsors reconnus	Degré d'intérêt pour l'événement
1	1,6	1	11	6,1	3
2	2	1	12	6,3	3
3	3,2	1	13	7,1	3
4	3,6	1	14	8	3
5	4,2	2	15	8,1	3
6	4,9	2	16	6,3	4
7	5,4	2	17	7,2	4
8	6	2	18	8	4
9	7,2	2	19	8,4	4
10	5,7	3	20	8,2	4

On veut utiliser le modèle linéaire simple pour déterminer le lien entre le nombre moyen de sponsors reconnus (y) et le degré d'intérêt pour l'événement (x).

a) Déterminez l'équation de régression empirique.

b) Déterminez la variance résiduelle.

c) Déterminez le coefficient de détermination.

d) Est-ce que la régression est significative au seuil 5%? Utilisez la variable de Fisher.

e) Tracez le diagramme de dispersion. Est-ce que le modèle linéaire simple semble approprié? Discutez.

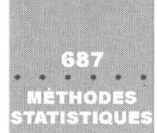
Séries chronologiques et régression

27. Le responsable de l'entretien de l'équipement industriel d'une entreprise veut estimer les frais d'entretien mensuel. Les données pour les dix derniers mois, ainsi que le nuage de points sont présentés ci-après.

Mois	1	2	3	4	5	6	7	8	9	10
Frais d'entretien	980	940	925	1075	1125	1230	1325	1380	1400	1370

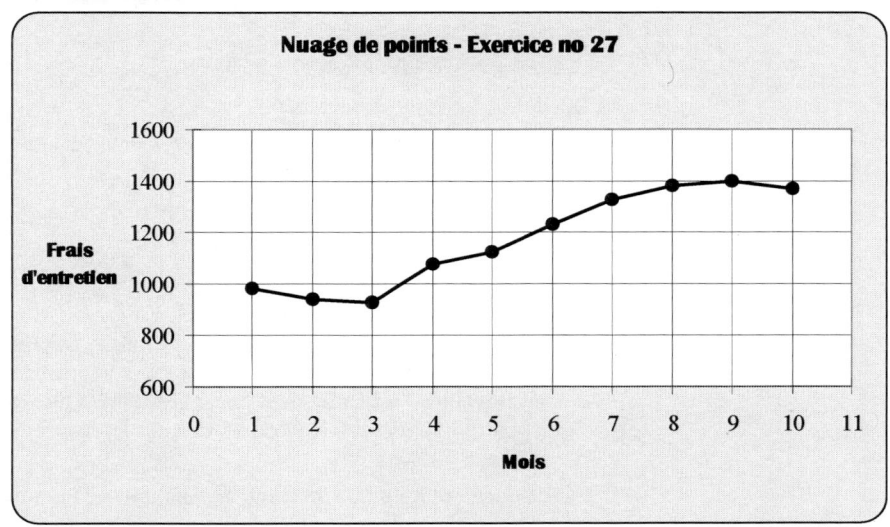

a) On veut utiliser la régression linéaire pour estimer la tendance. Déterminez les coefficients de l'équation de régression.

b) Quelle est l'équation de régression?

c) À quelle augmentation (diminution) peut-on s'attendre pour les frais d'entretien pour le prochain mois?

d) On veut prévoir les frais d'entretien pour le 11e mois. Quelle serait, selon l'équation de régression obtenue, une estimation plausible pour les frais d'entretien?

28. On a relevé d'une publication* de la Direction de la planification et de la recherche (secteur de l'énergie) du Gouvernement du Québec, la consommation de gaz naturel en milliers de m^3 pour le secteur résidentiel et ceci pour une période de 21 années.

Période	Consommation	Période	Consommation
1	534 472	12	680 500
2	486 785	13	645 200
3	462 800	14	621 500
4	419 900	15	655 451
5	526 900	16	591 146
6	602 000	17	664 150
7	581 601	18	666 410
8	579 901	19	707 729
9	639 999	20	686 719
10	697 800	21	735 858
11	731 057		

*Source: L'énergie au Québec, 1998. Direction de la planification et de la recherche, secteur de l'énergie. Ministère des Ressources naturelles, Les Publications du Québec.

a) Représentez graphiquement la série.

b) Est-ce que le graphique permet de noter qu'il existe une tendance dans la consommation, pour le secteur résidentiel, du gaz naturel?

c) En utilisant la régression linéaire, estimez la consommation du gaz naturel pour la période 22.

29. Les données* suivantes représentent le nombre d'heures travaillées (en millions d'heures) dans le secteur du génie civil et de la voirie pour les années 1990 à 2001.

a) On veut utiliser la régression linéaire pour estimer la tendance. Déterminez les coefficients de l'équation de régression.

b) Quelle est l'équation de régression?

c) À quelle augmentation (diminution) peut-on s'attendre pour le nombre d'heures travaillées pour 2002?

d) On veut prévoir le nombre d'heures travaillées dans le secteur du génie civil et de la voirie pour l'année 2002.

Quelle serait, selon l'équation de régression obtenue, une estimation plausible pour ce nombre?

e) Selon les prévisions de la Commission de la construction du Québec (CCQ), le secteur du génie civil et de la voirie devrait travailler 16,5 millions d'heures en 2002. Quel est l'écart entre l'estimation avec la régression linéaire et la prévision de la CCQ?

f) Est-ce que la régression surestime ou sous-estime le nombre d'heures?

*Source: DuhameL, A. *La reprise est enfin amorcée*. LES AFFAIRES, 25 mai 2002.

Année	Nombre d'heures travaillées
1990	21,1
1991	22,2
1992	18,7
1993	17,2
1994	16,5
1995	16,2
1996	13,7
1997	12,4
1998	15,4
1999	13,7
2000	13,5
2001	14,0

30. Le tableau* ci-après indique le nombre total de permis (construction neuve, rénovation,...) accordé par la ville de Trois-Rivières pour la période 1986 à 1999 ainsi que les valeurs déclarées correspondantes.

a) Estimez, en utilisant la régression linéaire,

i) le nombre total de permis pour l'année 2000;

ii) la valeur déclarée pour l'année 2000.

Utilisez les valeurs 1, 2, 3 ... au lieu de l'année pour identifier les valeurs de la période couverte.

b) Tracez le diagramme de dispersion mettant en relation les valeurs déclarées et le nombre total de permis. Est-ce qu'il semble y avoir une corrélation entre ces deux variables?

c) Effectuez une régression linéaire entre les valeurs déclarées (variable dépendante) et le nombre total de permis (variable explicative). Quelle est l'équation de régression?

d) En utilisant la prévision pour l'année 2000 du nombre total de permis obtenus en a), utilisez cette valeur (arrondie) pour prévoir à l'aide de l'équation de régression obtenue en b), la valeur déclarée pour l'année 2000.

Année	Nombre total de permis	Valeurs déclarées ($)
1986	1793	68 623 900
1987	1730	59 151 700
1988	1686	61 920 600
1989	1736	68 979 000
1990	1286	62 848 105
1991	1394	62 802 689
1992	1386	32 106 878
1993	1332	58 522 467
1994	1861	76 446 117
1995	1230	40 335 200
1996	1575	52 220 799
1997	1233	34 500 200
1998	1126	37 988 869
1999	1157	45 130 552

* Source: Service de l'urbanisme et de l'aménagement de la ville de Trois-Rivières.

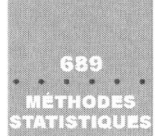

Analyse des résidus

31. Dans une étude sur l'optimisation d'un procédé de placage en or de panneaux de circuits imprimés, on a examiné divers facteurs qui pouvaient agir sur l'épaisseur (en micro-pouces) du placage des panneaux. Les données ci-contre indiquent les valeurs de l'épaisseur du placage sur un côté du panneau pour diverses valeurs d'un facteur du procédé soit 125, 130 et 135.

Une analyse de régression linéaire simple avec Excel conduit aux résultats suivants (la sortie a été éditée par l'auteur).

Facteur X	Épaisseur
125	36
125	38
125	38
125	39
125	33
125	32
130	51
130	53
130	51
130	53
130	49
130	55
135	47
135	42
135	43
135	45
135	43
135	44

	A	B
28	*Statistiques de la régression*	
29	Coefficient de corrélation	0,4758
30	Coefficient de détermination R^2	0,2264
31	Coefficient de détermination R^2 ajusté	0,1781
32	Erreur-type	6,4031
33	Observations	18

	A	B	C	D	E	F
35	ANALYSE DE VARIANCE					
36		*Degré de liberté*	*Somme des carrés*	*Moyenne des carrés*	*F*	*Valeur p*
37	Régression	1	192	192	4,6829	0,045935
38	Résidus	16	656	41		
39	Total	17	848			

		Coefficients	Erreur-type	Statistique t	Probabilité	Limite inférieure pour seuil de confiance = 95%	Limite supérieure pour seuil de confiance = 95%
41							
42	Constante	-60	48,08	-1,25	0,23	-161,93	41,93
43	Facteur X	0,8	0,37	2,16	0,05	0,02	1,58

a) En utilisant la valeur p, peut-on considérer que la régression est significative au seuil 10%?

b) Quel est l'écart-type résiduel?

c) Quelle est l'équation de régression?

d) Avec cette équation de régression, à quelle valeur de placage peut-on s'attendre lorsque le procédé opère à 130?

e) Le graphique des résidus en fonction des valeurs du facteur X est présenté ci-après.

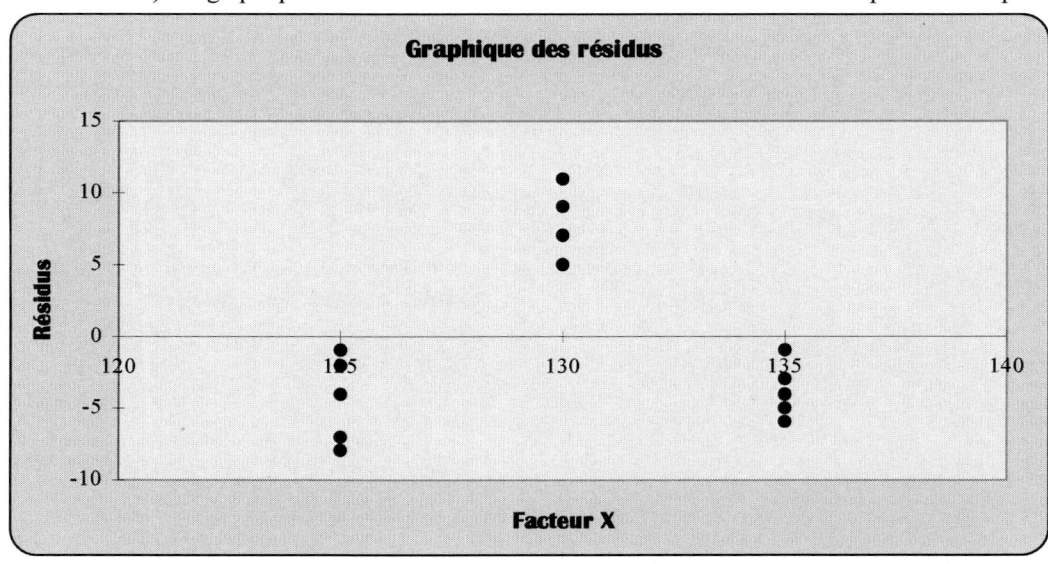

i) Est-ce que l'hypothèse d'homocédasticité semble valide? Expliquez.

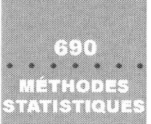
ii) Est-ce que le modèle $y = \beta_0 + \beta_1 x_i + \varepsilon_i$ semble adéquat? Expliquez.

iii) Peut-on conclure qu'il n'existe aucun lien statistique entre le facteur X du procédé et l'épaisseur du placage?

32. Afin de trouver un bon estimateur des frais généraux de fabrication mensuels* dans une usine de vêtements, on a effectué une analyse de régression à l'aide des observations des 20 premiers mois d'exploitation.

Deux équations de régression ont été obtenues:

Régression 1): Frais généraux de fabrication mensuels $= 5\,320 + 6{,}95x$

où x représente le nombre d'heures de main-d'oeuvre directe.

Régression 2): Frais généraux de fabrication mensuels $= 5938 + 10{,}16x$

où x représente le nombre d'heures machines.

On a également les statistiques suivantes:

	Régression 1	Régression 2
Écart-type résiduel	825	789
Erreur-type du coefficient b_1	3,62	3,71
Coefficient de détermination	0,639	0,629
Statistique de Durbin-Watson	2,9	1,9

*Source: Adapté de l'examen d'admission, juin 1993, La Société des comptables en management du Canada.

a) Quel pourcentage de variation est expliqué par chaque régression respective?

b) Peut-on considérer au seuil 5%, que chaque régression respecte l'hypothèse d'indépendance des erreurs? Sinon, quelle est la nature de l'autocorrélation?

c) Quelle régression permettrait de fournir les meilleures estimations concernant les frais généraux de fabrication mensuels?

d) Peut-on conclure que l'équation de régression sélectionnée en c) est significative au seuil 5%?

33. L'entreprise RPI Technologies fabrique des microprocesseurs pour divers constructeurs de micro-ordinateurs. La direction de l'entreprise a déterminé que les ventes annuelles (en nombre d'unités) peuvent s'exprimer selon l'équation de régression suivante: $\hat{y}_i = 30\,000 + 2500x_i$ où $\hat{y}_i$ représente le niveau des ventes annuelles pour l'année x_i. L'année d'origine est 1998 année où les ventes ont été de 32 000 unités.

L'entreprise a une capacité annuelle de production de 48 500 unités.

a) Selon cette équation, quelle est l'augmentation moyenne annuelle de microprocesseurs vendus?

b) Si les ventes poursuivent la même tendance pour les prochaines années, combien d'années seront requises pour que les ventes dépassent la capacité de production?

c) Au cours de quelle année, peut-on s'attendre à ce que la capacité de production sera insuffisante?

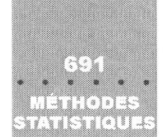

Exercices de révision et de synthèse

34. Le « Fonds de lutte contre la pauvreté par la réinsertion du travail», lancé à l'issue du Sommet sur l'économie et l'emploi d'octobre 1996, a permis de créer en 10 mois 3769 emplois au Québec. Ces 3769 personnes nouvellement embauchées étaient auparavant bénéficiaires de l'aide sociale; elles reçoivent aujourd'hui le « salaire du marché», selon leur emploi, et ce salaire ne peut être inférieur à 8$ l'heure.

Le tableau* ci-après, fournit pour chacune des régions du Québec le montant accordé aux projets de création d'emplois à plein temps ainsi que le nombre d'emplois créés.

Région	Montant accordé	Nombre de personnes embauchées
Gaspésie-Iles-de-la-Mad.	1,9	289
Bas-Saint-Laurent	1,4	86
Saguenay-Lac-Saint-Jean	2,7	123
Québec	4,1	168
Chaudière-Appalaches	0,9	48
Mauricie	3,9	248
Centre-du-Québec	1,3	109
Estrie	1,0	145
Iles de Montréal et Laval	10,8	865
Laurentides	2,8	127
Lanaudière	2,2	110
Montérégie	5,7	187
Outaouais	1,6	67
Abitibi	1,3	72
Côte-Nord	0,8	49
Nord-du-Québec	0,1	3
Projets conjoints (plusieurs régions)	17,0	1073
Total	59,5	3769

Source: Le Nouvelliste, 5 mai 1998, page 14.

a) Tracez le diagramme de dispersion

b) Est-ce que la forme de liaison entre les deux caractères est linéaire?

c) Quel est le sens de la liaison?

d) Calculez le coefficient de corrélation entre le montant accordé et le nombre de personnes embauchées.

On veut effectuer une analyse de régression pour ces deux variables.

e) Laquelle des deux variables correspond à la variable dépendante y? Laquelle correspond à la variable indépendante x?

f) Le calcul des coefficients de régression b_0 et b_1 conduit aux résultats suivants:

$b_0 = -6,4235$ $b_1 = 65,1798$.

Quelle est l'équation de régression empirique?

g) D'après cette relation statistique, quel serait un nombre plausible d'emplois créés pour un montant accordé de 2 millions de dollars? Pour un montant de 4 millions?

h) Quelle proportion de la variation dans le nombre d'emplois créés est expliquée par le montant de financement accordé?

i) La ministre responsable de l'administration du Fonds mentionne qu'une augmentation de 1 million de dollars dans le montant accordé permet de créer, en moyenne, 100 nouveaux emplois! Êtes-vous d'accord avec une telle affirmation?

Justifiez votre conclusion.

j) En examinant le diagramme de dispersion, on constate que deux points s'écartent passablement de l'ensemble des observations. Ces deux points correspondent aux montants accordés

j) (suite) et au nombre de personnes embauchées dans la région Îles de Montréal et Laval et pour les projets conjoints. On décide d'éliminer ces données de l'analyse de régression. Les calculs préliminaires conduisent à

$$\sum x_i = 31,7 \quad \sum y_i \doteq 1831 \quad \sum x_i y_i = 4891,3$$

$$\sum x_i^2 = 98,45 \quad \sum y_i^2 = 306265$$

Quelle est la conséquence de ce geste sur

   i) la valeur du coefficient de corrélation linéaire?

   ii) la valeur du coefficient de détermination?

k) Si on refait une nouvelle régression avec les quinze couples d'observations restantes, on obtient alors l'équation de régression suivante:

$$\hat{y}_i = 53,422 + 32,482 x_i \ .$$

Quelle serait alors la prédiction du nombre d'emplois créés pour un montant accordé de 2 millions? Pour un montant de 4 millions?

35. L'entreprise Weavex* fabrique des toiles métalliques pour des usines de pâtes et papier. Afin de mieux répartir son personnel, le responsable de la production aimerait utiliser la régression pour estimer le temps requis, en moyenne, pour la finition des toiles. Une variable importante pouvant affecter le temps de finition est la surface de la toile. Le tableau suivant donne l'information sur 15 toiles qui ont été fabriquées par l'usine.

Surface de la toile (mc)	Temps de finition (heures)	Surface de la toile (mc)	Temps de finition (heures)	Surface de la toile (mc)	Temps de finition (heures)
10	5,5	25	7,5	20	7,1
15	5,9	12	5,5	17	7,0
12	5,8	22	7,2	18	6,9
16	6,3	17	6,5	17	6,8
18	7	16	6,5	18	6,6

*Source: Les données proviennent d'un projet d'application effectué à la compagnie Weavex de Trois-Rivières.

Le responsable de la production veut utiliser, suite à l'analyse du diagramme de dispersion, la régression linéaire pour analyser le lien possible entre le temps de finition (y_i) et la surface de la toile (x_i).

On veut d'abord estimer le temps de finition pour diverses surfaces de toile, selon la relation $\hat{y}_i = b_0 + b_1 x_i$. Les calculs préliminaires conduisent à:

$$\sum x_i = 253, \sum y_i = 98,1 \sum x_i y_i = 1685,9, \sum x_i^2 = 4473, \sum y_i^2 = 647,05.$$

a) Déterminez l'équation de la droite de régression de cet échantillon.

b) Estimez le temps de finition pour des toiles dont la surface est de 12 mètres carrés.

c) Calculez la variance du temps de finition autour de la droite de régression. S_e^2

d) Déterminez la variation expliquée par la droite de régression. $\sum(\hat{y}_i - \bar{y})^2$

e) Quel pourcentage de variation est expliqué par la droite de régression? r^2

f) La régression est-elle significative au seuil de signification de 5%? Effectuez un test bilatéral.

g) Déterminez le tableau d'analyse de variance.

h) Peut-on conclure, avec les résultats du tableau d'analyse de variance, que le temps de finition est lié de façon significative à la surface de la toile? Utilisez un seuil de signification $\alpha = 0,05$.

$S(\hat{y}_h) \times t_{0.05,13} =$ Marge d'erreur

i) Déterminez un intervalle de confiance à 95%, pour le temps m[...]
12 m² de surface. $X_h = 12$

j) L'entreprise vient de recevoir une commande d'usine de p[...]
Cantons de l'Est pour une toile de 20 m². Entre quelles v[...]
éventuel de finition de cette toile de 20 m²? Utilisez un nivea[...]
On veut analyser les résidus qu'on obtient de la régression [...]
surface de la toile.

k) Si on examine les résidus normalisés après, peut-on affirmer qu'il n'y a aucune valeur
aberrante? Expliquez.

	E	F	G	H
23	ANALYSE DES RESIDUS			
24				
25	Observation	Prévisions Temps de finition (y)	Résidus	Résidus normalisés
26	1	5,496	0,004	0,017
27	2	6,256	-0,356	-1,513
28	3	5,800	0,000	0,000
29	4	6,408	-0,108	-0,460
30	5	6,712	0,288	1,222
31	6	7,777	-0,277	-1,175
32	7	5,800	-0,300	-1,275
33	8	7,320	-0,120	-0,512
34	9	6,560	-0,060	-0,256
35	10	6,408	0,092	0,390
36	11	7,016	0,084	0,355
37	12	6,560	0,440	1,868
38	13	6,712	0,188	0,797
39	14	6,560	0,240	1,019
40	15	6,712	-0,112	-0,477

-3 -2 -1   1 2 3
-1 -1 68%
-2 -2 95%
-3 -3 99.7%
不说用3.

l) Le graphique des résidus normalisés en fonction des estimations est présenté ci-après. Est-ce
que le modèle linéaire simple semble adéquat?

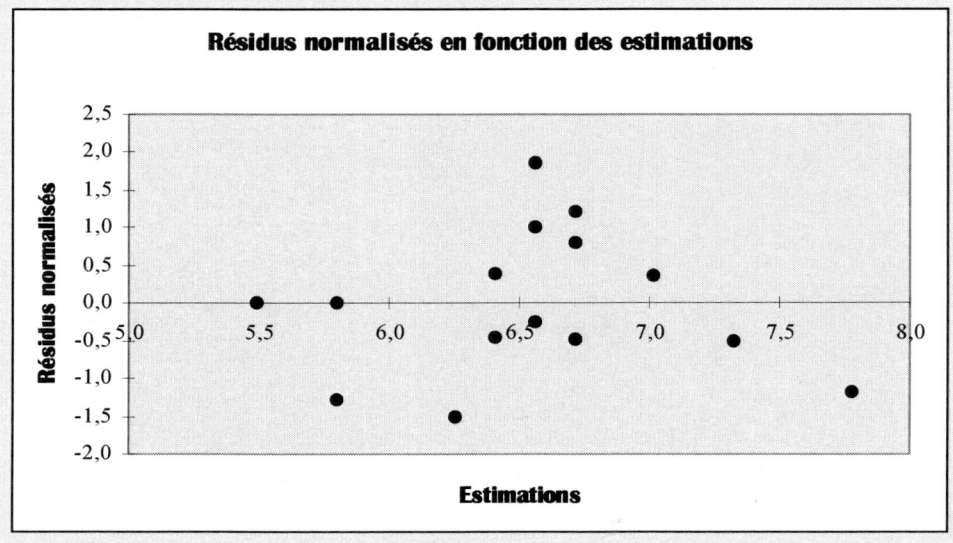

Résidus normalisés en fonction des estimations

m) Le graphique des résidus en fonction des quantiles est présenté ci-après.
   Est-ce que l'hypothèse de normalité des erreurs est plausible? Expliquez.

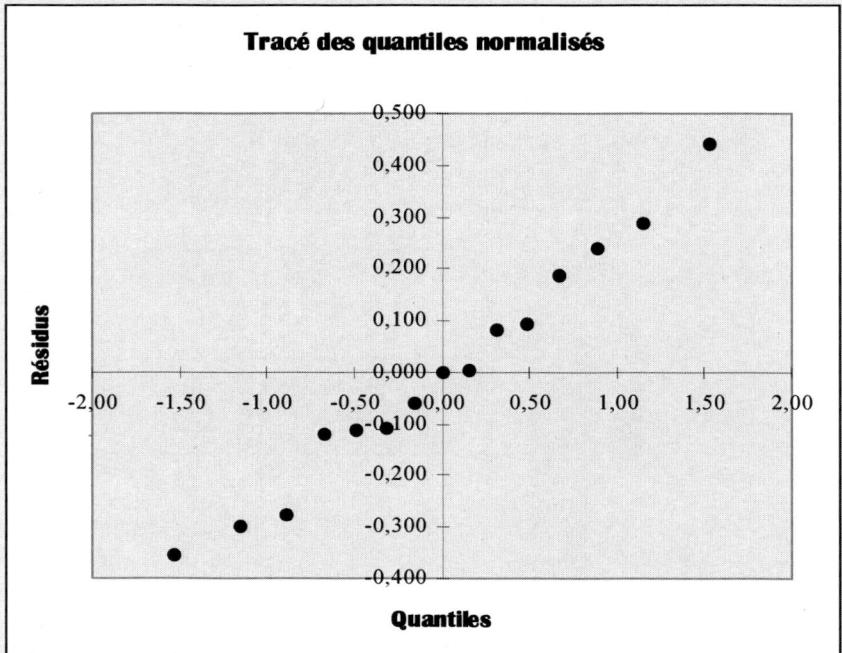

Tracé des quantiles normalisés

On veut vérifier l'hypothèse d'indépendance des erreurs.
À l'aide des résidus, on obtient les sommes de carrés suivantes:

$$\sum_{i=2}^{n} (e_i - e_{i-1})^2 = 0,9851 \qquad \sum_{i=1}^{n} e_i^2 = 0,72014$$

n) Calculez la statistique de Durbin-Watson.

Résidus $e_i = y_i - \hat{y}_i$	e_{i-1}	$(e_i - e_{i-1})$	$(e_i - e_{i-1})^2$	e_i^2
0,004	*	*	*	0,00002
-0,356	0,004	-0,004	0,0000	0,12687
0,000	-0,356	0,248	0,0615	0,00000
-0,108	0,000	0,288	0,0828	0,01171
0,288	-0,108	-0,168	0,0283	0,08276
-0,277	0,288	-0,588	0,3455	0,07651
-0,300	-0,277	0,156	0,0244	0,09004
-0,120	-0,300	0,240	0,0575	0,01452
-0,060	-0,120	0,212	0,0450	0,00363
0,092	-0,060	0,144	0,0207	0,00842
0,084	0,092	0,348	0,1211	0,00699
0,440	0,084	0,104	0,0108	0,19336
0,188	0,440	-0,200	0,0400	0,03523
0,240	0,188	-0,300	0,0900	0,05747
-0,112	0,240	-0,240	0,0575	0,01261

o) Au seuil $\alpha = 0,01$, quelle hypothèse est favorisée? L'hypothèse d'indépendance des erreurs
   ou la présence d'une auto-corrélation positive?
   Justifiez votre réponse.

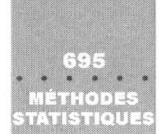

36. On veut tester les hypothèses suivantes:

$$H_0: \beta_1 = -5, \quad H_1: \beta_1 \neq -5.$$

a) Sachant que $n = 25$, $\hat{y}_i = 65 - 7x_i$, $s_{y|x}^2 = 250$ et $\sum (x_i - \overline{x})^2 = 1000$, déterminez, pour un seuil de signification de 5%, les valeurs critiques requises pour le coefficient de régression b_1, pour effectuer le test statistique.

b) Avec les valeurs critiques et les résultats indiqués en i), peut-on accepter l'hypothèse nulle spécifiée, au seuil de signification 5%? Justifiez votre conclusion.

37. Des chercheurs dans le domaine de la sécurité au travail ont développé un test permettant de mesurer le temps de réaction (durée qui sépare la réaction motrice à un stimulus) à un stimulus visuel. L'objectif de l'étude est d'examiner dans quelle mesure la présence de bruit de diverses intensités peut avoir un effet sur le temps de réaction. Vingt-quatre sujets ont participé à cette étude. Chaque participant a été affecté à chaque niveau de bruit de façon aléatoire. Ces niveaux sont 50 décibels, 55, 60, 65, 70 et 75. Il y a donc quatre participants par niveau de bruit. Les calculs préliminaires indiquent que $\overline{x} = 62,5$, $\overline{y} = 3,57958$, $\sum x_i y_i = 5040,55$,

$\sum x_i^2 = 95\ 500$, $\sum y_i^2 = 371,7977$, $b_0 = 15,32315$, $b_1 = -0,1879$ et $\sum e_i^2 = 2,49193$.

a) Quelle est l'équation de la droite de régression?

b) Quel est l'écart-type de la variable «temps de réaction» autour de la droite de régression?

c) Estimez, par intervalle de confiance, le temps moyen de réaction pour tous les sujets qui sont soumis à un niveau de bruit de 55 db. Utilisez un niveau de confiance de 95%.

d) Pour un niveau de confiance de 95%, l'intervalle de confiance pour $E(y_h)$ lorsque $x_h = 55$ a une amplitude plus grande que celle de l'intervalle pour $E(y_h)$ lorsque $x_h = 60$. Vrai ou faux? Expliquez votre choix.

38. Dans une étude de régression comportant 6 observations, on a obtenu

$$\hat{y}_i = 1,75 + 0,25x_i, \quad s_{y|x}^2 = 0,09375 \text{ et } \sum (x_i - \overline{x})^2 = 26.$$

a) Déterminez SCR. b) Déterminez SC_{RES}. c) Complétez le tableau d'analyse de variance suivant:

Source de variation	Somme de carrés	Degrés de liberté	Carrés moyens
Due à la régression			
Résiduelle			
Totale			

d) Quelle proportion de variation dans la variable dépendante est expliquée par l'équation de régression?

e) Quelle est la valeur du coefficient de corrélation linéaire simple et quel signe doit-on lui attribuer?

f) Quel est l'écart-type des résidus?

g) On veut tester l'hypothèse $H_0 : \beta_1 = 0$ contre l'hypothèse $H_1 : \beta_1 \neq 0$ avec le F de Fisher. Quelle règle de décision doit-on adopter au seuil de signification $\alpha = 0,05$?

h) D'après les résultats du tableau d'analyse de variance, quelle hypothèse est favorisée?

Régression par l'origine

39. Dans le cas où les données peuvent se conformer à une droite de régression passant par l'origine $(0, 0)$, le modèle de régression est alors $y_i = \beta_1 x_i + \varepsilon_i$, puisque l'ordonnée à l'origine est $\beta_0 = 0$.

39. (suite) À l'aide de la méthode des moindres carrés, on cherche à déterminer la valeur b_1 (estimateur de β_1) qui minimise la somme de carrés résiduelle $\sum(y_i - b_1 x_i)^2$. On démontre alors que l'expression de b_1 est

$$b_1 = \frac{\sum x_i y_i}{\sum x_i^2}$$ et que la variance résiduelle est

$$s^2 = \frac{\sum(y_i - b_1 x_i)^2}{n-1} = \frac{\sum y_i^2 - \dfrac{(\sum x_i y_i)^2}{\sum x_i^2}}{n-1}$$

De plus $s^2(b_1) = \dfrac{s^2}{\sum x_i^2}$ et $s^2(\hat{y}_h) = \dfrac{x_h^2 s^2}{\sum x_i^2}$

À l'aide de ces expressions, résolvez l'exercice suivant.

Dans une étude de régression linéaire simple, on a obtenu les couples d'observations ci-contre.

a) Tracez le diagramme de dispersion correspondant à ces données.

b) Il semble raisonnable, d'après le diagramme de dispersion, de postuler le modèle $y_i = \beta_1 x_i + \varepsilon_i$. Estimez, à l'aide des données, le paramètre β_1.

x	y
10	3
25	11
40	14
50	22
60	25
70	27
100	39
125	51
140	54
150	64

c) Déterminez la variance résiduelle pour l'équation de régression passant par l'origine.

d) Calculez la variance du coefficient de régression b_1.

e) Déterminez un intervalle de confiance pour le paramètre β_1, avec un niveau de confiance de 95%.

f) Le paramètre de régression est-il significatif, au seuil 5%? Expliquez.

g) Estimez par intervalle de confiance $E(y_h)$ à $x_h = 50$, et ceci avec un niveau de confiance de 95%.

40. Dans une étude* sur l'estimation de la fréquentation du lieu historique national des Fortifications-de-Québec, on veut évaluer la fiabilité de compteurs magnétiques utilisés pour mesurer la variation de la fréquentation temporelle. Trois journées d'enquête ont été choisies pour représenter chacun des jours de la semaine et l'évaluation s'est déroulée durant 21 journées, et ceci en deux horaires pour couvrir la fréquentation non seulement pendant la journée, mais aussi tôt en soirée.

Le nombre de personnes fréquentant les Fortifications ont été dénombrées manuellement. On a relevé également le nombre de passages perçus par les compteurs magnétiques.

Les données de la page suivante ont été lues à partir du diagramme de dispersion.

On veut effectuer une régression linéaire simple entre le nombre réel de personnes dénombrées manuellement et le nombre de passages perçus par les compteurs magnétiques.

Utilisez un programme informatique pour répondre aux questions.

a) Déterminez l'équation de régression empirique selon le modèle $y_i = \beta_0 + \beta_1 x_i + \varepsilon_i$.

* Source: Adapté de Daigle, S. et S. Dion (1991). *Estimation de la fréquentation au lieu historique national des Fortifications-de-Québec.* Actes du colloque sur les méthodes et domaine d'application de la statistique. Bureau de la statistique du Québec.

Nombre perçu par le compteur (x)	Nombre réel de personnes (y)	Nombre perçu par le compteur (x)	Nombre réel de personnes (y)
4	11	30	54
5	12	30	68
6	7	32	60
7	18	32	70
9	21	32	72
10	24	32	78
12	26	35	82
12	22	35	90
15	23	37	68
15	31	37	70
15	32	37	78
15	26	37	86
16	40	39	82
18	37	39	84
20	42	40	82
20	60	44	86
20	62	44	91
20	36	46	96
22	38	46	106
22	50	46	108
25	60	46	140
25	68	50	135
25	50	54	135

b) Quel est l'intervalle de confiance à 95% pour le paramètre β_0?

c) Devrait-on conserver dans le modèle de régression, le paramètre β_0? Expliquez.

d) On veut analyser le modèle de régression passant par l'origine.
   i) Quelle est l'équation de régression empirique?
   ii) Quelle est l'erreur-type associée au coefficient de régression?
   iii) Est-ce que l'équation de régression passant par l'origine est significative, au seuil de 5%?

e) Déterminez un intervalle de confiance à 95% pour le nombre moyen réel de personnes au cours d'une journée aux Fortifications-de-Québec, si le nombre de passages perçus par le compteur magnétique est de 30.

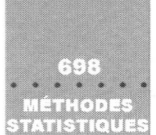

Activités de synthèse sur le CD-ROM

Fichier Excel: Activité no 7 Régression linéaire

Fichier SPSS: Activité no 7

Fichier MINITAB: Activité no 7

Activité de synthèse no 7

⋯⋯⋯⋯⋯⋯⋯⋯⋯⋯⋯⋯⋯

Utilisation de la régression linéaire par la société de transport Laviolette

La société de Transport Laviolette veut développer un outil statistique fiable pour établir le nombre d'heures requis pour effectuer du transport local selon le cubage à transporter.

Le contrôleur de l'entreprise a prélevé, à partir d'une base de données, un échantillon aléatoire de 70 cas de transport local, permettant d'obtenir des données sur les deux variables qu'il veut mettre en relation soit:

✓ Nombre d'heures requis
✓ Volume transporté en mètre cube (mc).

La direction de l'entreprise a toutefois fixé certaines exigences concernant les résultats de l'analyse de régression

i) le coefficient de détermination doit être d'au moins 85%;

ii) La marge d'erreur statistique dans l'estimation du nombre d'heures moyen pour des transports variant entre 10 et 40 mc, soit d'au plus 2,5 heures pour un niveau de confiance de 95%.

Le fichier comporte les données sur 70 cas de transport local dont nous présentons un extrait ci-après.

Objectifs de l'activité

▶ Tracer un diagramme de dispersion
▶ Effectuer une analyse de corrélation et de régression sur deux variables quantitatives
▶ Mise en application de la droite de régression

	A	B	C
1	**Activité de synthèse no 7**		
2	Société de transport Laviolette		
3	**Cas no**	**Volume transporté**	**Nombre d'heures**
4	1	16,46	26,25
5	2	12,36	15,75
6	3	16,94	28,50
7	4	16,32	27,00
8	5	7,27	11,25
9	6	10,78	22,00
10	7	17,14	24,25
11	8	10,66	13,50
12	9	26,51	48,00
13	10	9,11	14,24
14	11	25,52	41,00
15	12	24,56	42,00
16	13	10,78	21,75
17	14	11,23	20,25
18	15	22,27	30,25
19	16	10,44	20,20

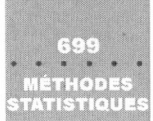

a) Tracez le diagramme de dispersion qui permettrait de visualiser le lien éventuel entre ces deux variables.

b) Est-ce que la régression semble plausible pour décrire le lien entre ces deux variables? Expliquez.

c) Est-ce que le diagramme de dispersion présente une particularité? Expliquez.

d) Effectuez une analyse de régression linéaire simple et précisez les valeurs suivantes:

i) les coefficients de régression;

ii) la somme de carrés résiduelle:

iii) le pourcentage de variation expliquée par la droite de régression;

iv) la valeur observée de la variable de Fisher.

e) Déterminez les résidus pour cette équation de régression.

f) Tracez un diagramme de dispersion illustrant les résidus en fonction du volume transporté. Est-ce que le diagramme présente une particularité? Expliquez.

g) Après vérification dans le fichier de données, on a constaté qu'une erreur de transcription s'était glissée pour l'observation douteuse constatée en f). Il faut plutôt lire 38 heures au lieu de 64 heures.

En apportant cette modification aux données, déterminez à nouveau les quantités suivantes:

i) les coefficients de régression;

ii) la somme de carrés résiduelle:

iii) le pourcentage de variation expliquée par la droite de régression;

iv) la valeur observée de la variable de Fisher.

Commentez les résultats.

h) On veut établir, à l'aide de la droite de régression obtenue en g), un intervalle de confiance à 95% pour le nombre d'heures moyen estimé pour des transports ayant respectivement

i) 10 mc;   ii) 20 mc;   iii) 30 mc.

ii) Indiquez également la marge d'erreur statistique pour chaque estimation.

k) Est-ce que les exigences mentionnées au début concernant la mise en application du modèle de régression sont respectées? Discutez.

l) L'entreprise veut soumissionner pour un transport local ayant 22,5 mc. Sachant que le tarif horaire de l'entreprise est de 45$ et des frais fixes de 125$, quel devrait être le montant de la soumission?

Testez vos connaissances

Test no 11

Répondez par Vrai ou Faux.

1. Dans une étude de corrélation, si y décroît lorsque x croît, la corrélation est dite positive. F

2. Le coefficient de corrélation linéaire a les mêmes unités que les variables x et y. XF

3. Un coefficient de corrélation linéaire négatif est une indication que le lien entre x et y est faible. XF

4. Le diagramme de dispersion permet de constater si deux variables sont en corrélation. FV

5. L'intensité de la liaison linéaire entre deux variables est évaluée à l'aide du coefficient de corrélation linéaire. √

6. S'il y a absence de corrélation linéaire entre deux variables, le coefficient de corrélation prend alors la valeur -1. F

7. Lorsque le coefficient de corrélation linéaire entre deux variables est nul, on peut alors conclure qu'il y a absence de liaison entre les deux variables. VF

8. Nous disons que la valeur du coefficient de corrélation linéaire est statistiquement significative lorsque nous acceptons l'hypothèse nulle $H_0 : \rho = 0$. F

9. Le calcul de l'intervalle de confiance pour ρ nécessite l'utilisation du t de Student. XF

10. Si deux variables aléatoires sont indépendantes, alors $\rho = 0$. V

11. La valeur du coefficient de corrélation linéaire peut varier entre 0 et 1. F

12. Le signe du coefficient de corrélation linéaire est toujours le même que celui de l'ordonnée à l'origine (constante). F

13. Dans le cas de l'ajustement linéaire, la droite qui s'ajuste le mieux aux observations s'appelle droite de régression ou droite des moindres carrés. FV

14. Dans une équation de régression linéaire simple, la valeur de b_0 est toujours une quantité positive. F

15. Le coefficient de régression b_1 (la pente de la droite) et le coefficient de corrélation linéaire r sont toujours de même signe. V

16. Pour un échantillon donné, il existe plusieurs droites d'ajustement qui permettent de minimiser la somme de carrés résiduelle. XF

17. Le nombre minimum de couples d'observations qui est requis pour calculer les coefficients de régression b_0 et b_1 est 2. FV

18. L'écart-type des résidus a toujours la même unité de mesure que la variable explicative x. F

19. La variance $s^2(b_1)$ du coefficient de régression b_1 a tendance à augmenter si la variance des résidus diminue. VF

20. Dans un diagramme de dispersion, si les points sont complètement éparpillés, la valeur du coefficient de détermination sera très élevée. F

Testez vos connaissances

Test no 11
(suite)

21. Le coefficient de détermination r^2 peut varier entre -1 et +1. F

22. Dans un tableau d'analyse de variance, la quantité qui permet d'évaluer l'ampleur de la variabilité résiduelle est *CMR*. ✗ F

23. La proportion de variation qui demeure inexpliquée dans la variable dépendante est $1 - r^2$. F V

24. Lorsque le coefficient de corrélation linéaire est nul, l'écart-type des résidus est égal à la valeur 0. F

Questions à choix multiples. Encerclez la bonne réponse.

25. Si tous les couples d'observations (x_i, y_i) se situent sur une droite, alors le coefficient de détermination est:

i) 0   ii) 0,5   iii) 1.

26. Lorsque, dans une analyse de régression, la somme de carrés résiduelle est nulle,

    i) la droite de régression passe nécessairement par l'origine.
    ii) l'écart-type de x = l'écart-type de y.
    iii) la droite de régression a une pente nulle.
    iv) Aucune des réponses citées n'est vraie.

27. Lorsque le coefficient de corrélation linéaire entre y et x est 1,

    i) la droite de régression est horizontale.
    ii) la droite de régression est verticale.
    iii) la somme de carrés résiduelle est égale à la somme de carrés de régression.
    iv) Aucune des réponses citées n'est vraie.

28. Dans une recherche sur l'évaluation de l'aptitude physique d'ouvriers métallurgistes, on a déterminé une corrélation de -0,51 entre la consommation d'oxygène (VO_2) par kilogramme de poids corporel mesurée au cours d'une charge maximale et l'âge de 73 ouvriers qui ont participé à cette étude.

a) Que peut-on dire quant à l'affirmation suivante: Plus les ouvriers sont âgés, moins la consommation d'oxygène est élevée.

    i) Faux   ii) Vrai   iii) Ne s'applique pas.

b) L'hypothèse statistique qui permettrait de tester qu'il y a absence de corrélation linéaire entre ces deux variables est:

    i) $H_0: \rho = 0,5$ ii) $H_0: \rho = -1$ iii) $H_0: \rho = 0$.

c) On pose l'hypothèse de recherche suivante:

Il y a une corrélation négative entre la consommation d'oxygène par kg de poids corporel et l'âge des ouvriers.

Quelle est la valeur critique du T de Student au seuil $\alpha = 0,05$ qu'on doit utiliser comme critère de décision?

    i) 1,6425   ii) -2,3800   iii) -1,6666.

d) La valeur observée du t de Student pour cette étude de corrélation est: $\sqrt{r(n-2)}$

    i) 2,99   ii) -4,995   iii) -6,138.

$$r = \frac{b_1^2 \, \Sigma(x_i - \bar{x})^2}{\Sigma(y_i - \bar{y})^2} \qquad s^2(b_1) = \frac{s_e^2}{\Sigma(x_i - \bar{x})^2} \qquad \frac{\Sigma e^2}{\Sigma e^2} \times (n-2)$$

$$r \frac{\Sigma(y_i - \bar{y})^2}{\Sigma(x_i - \bar{x})^2} \times \frac{\Sigma(x_i - \bar{x})^2}{s_e^2} \qquad \frac{r\Sigma(y_i - \bar{y})^2}{s_e^2} \qquad \frac{r \Sigma e^2}{s_e^2}$$

Testez vos connaissances

Test no 11
(suite)

e) Laquelle des conclusions est appropriée?

    i)   L'hypothèse nulle est confirmée.
    ii) L'hypothèse de recherche est acceptée.
    iii) L'hypothèse de recherche n'est pas retenue.

29. On a appliqué une batterie de tests permettant de mesurer la coordination motrice et l'aptitude spatiale à un échantillon aléatoire de 120 employés oeuvrant dans la fabrication de pièces électroniques pour micro-ordinateurs. Le calcul du coefficient de corrélation linéaire simple à l'aide d'une calculatrice de poche donne $r = +1,12$ entre les deux variables mentionnées. On peut conclure que la corrélation linéaire est:

    i) Exceptionnelle   ii) Très très significative
    iii) Non linéaire   iv) On ne peut rien conclure.

30. Dans une étude* auprès de 100 fonctionnaires de la fonction publique québécoise pour mieux circonscrire les paramètres de l'évaluation du rendement, une des hypothèses de recherche était la suivante.

    Une faible marge de confiance à l'égard du processus d'évaluation du rendement est associée à une évaluation plus indulgente.

* Source: Adapté de Morin, D., K.R. Murphy et A. Larocque (1999). *La relation entre le contexte de l'évaluation du rendement et l'indulgence de l'évaluation.* Relations industrielles, vol. 54, no 4.

La corrélation linéaire entre ces deux variables donne $r = 0,32$. Supposons qu'on utilise un seuil de signification de **5%**.

a) Sous forme statistique, l'hypothèse de recherche s'écrit:

    i) $H_1: \rho = 0$ ii) $H_1: \rho < 0$ iii) $H_1: \rho > 0$.

b) La valeur critique du coefficient de corrélation pour effectuer le test statistique est:

    i) 0,197   ii) 0,256   iii) 0,165.

c) D'après les résultats de cette étude, l'hypothèse de recherche

    i)   n'est pas confirmée empiriquement.
    ii) est confirmée empiriquement.
    iii) est contredite.

31. Une étude* comparative a été effectuée sur cinq logiciels de planification pour en vérifier l'exactitude concernant le temps planifié pour le développement de projets et ceci, à partir de divers paramètres comme la taille du logiciel, le type d'application, la complexité, la codification requise, l'évaluation et la validation.

*Source: Adapté de D. V. Ferens et B. A. Daly, *A Comparison of Software Scheduling Models.*

Nous présentons, à la page suivante, le diagramme de dispersion pour les résultats obtenus pour un logiciel qui a été utilisé pour planifier le temps requis dans le developpement de 10 projets de programmation dont on connaissait les divers paramètres.

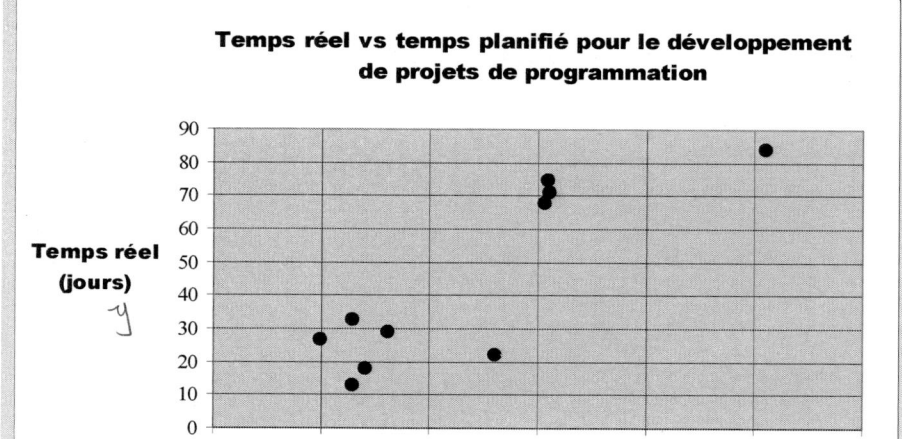

Temps réel vs temps planifié pour le développement
de projets de programmation

On postule le modèle de régression linéaire simple entre ces deux variables où y est le temps réel (en jours) pour le développement des projets de programmation et x, le temps planifié.

L'analyse des données avec un programme informatique donne les résultats suivants:

$$\sum x_i = 470, \quad \sum y_i = 440, \quad n = 10, \quad s(x) = 25{,}64, \quad s(y) = 27{,}13.$$

Coefficient de corrélation linéaire $= 0{,}857$.

a) La valeur du coefficient de régression b_1 est: $\quad b_1 = r \dfrac{s(y)}{s(x)}$

    i) 23,25   ii) 0,907   iii) 0,810.

b) L'ordonnée à l'origine b_0 est: $\bar{y} = 44 \quad \bar{x} = 47$

    i) 3,721   ii) 4,092   iii) 1,371. $\hat{y} = 0{,}907 + 1{,}371x$

c) On peut s'attendre à ce que le temps réel de développement augmente, en moyenne, de _____ lorsque le temps planifié augmente de 1 jour.

    i) 1,371   ii) 0,810   iii) 0,907.

d) Le pourcentage de variation dans le temps réel de développement des projets de programmation qui est expliqué par la droite de régression est: $\quad b_1^2 \cdot \sum(x_i - \bar{x})^2$

    i) 85,7%   ii) 73,44%   iii) 90,7%. $540{,}8/7$

e) Sachant que $SCT = 6624$, on peut écrire que la variance résiduelle $s_{résidus}^2$ est:

    i) 1756,64   ii) 219,58   iii) 249,75. $r^2 = 0{,}734448$ $947{,}232$
                                                      $SCR = 4864{,}99$

32. Dans une étude de régression comportant 6 observations, on a obtenu $1759{,}01$

$$\hat{y}_i = \underset{b_0 \; + b_1}{1{,}75 + 0{,}25x_i}, \quad s_{résidus}^2 = 0{,}09375 \text{ et } \sum(x_i - \bar{x})^2 = 26.$$

a) La somme de carrés attribuable à la régression est: $SRT = 2$

    i) 7,96   ii) 1,625   iii) 6,5.

b) La somme de carrés attribuable à la variation résiduelle est:

    i) 1,625   ii) 0,375   iii) 2,0.

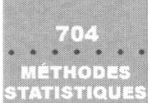

c) Le coefficient de détermination est:

   i) 0,1875   ii) 0,5125   (iii) 0,8125.

d) La régression est significative $(H_1 : \beta_1 \neq 0)$ au seuil 5% si le t calculé de Student est supérieur à:

0,073484 $s(b_1) = \dfrac{se^2}{\Sigma(x_i - \bar{x})^2}$

   i) 2,1318   (ii) 2,7765   iii) 2,4469.

e) On peut conclure à une régression significative puisque le t calculé est:

   i) 5,22   ii) 3,17   (iii) 4,16.

33. La société Demark veut utiliser la régression pour obtenir une estimation des frais de réception (qui englobent la vérification des produits quant au nombre et à la conformité selon le bon d'achat ainsi que les frais d'inspection selon un plan d'échantillonnage développé par le groupe Qualité de l'entreprise) en fonction du nombre de bons de commande.

Le contrôleur de l'entreprise a obtenu les données ci-contre pour les 16 derniers mois.

Le diagramme de dispersion (non illustré ici) permet de supposer qu'il y a une relation linéaire entre les frais de réception et le nombre de commandes.

Le traitement statistique avec Excel conduit aux résultats suivants (la sortie informatique a été éditée par l'auteur).

Mois	Frais de réception	Nombre de bons de commande
1	20000	1200
2	14000	850
3	30000	1640
4	22500	1400
5	19700	1100
6	23000	1200
7	31000	1800
8	26000	1550
9	29000	1660
10	19500	950
11	21200	1100
12	26000	1300
13	24440	1200
14	25400	1500
15	16000	710
16	18000	1000

	A	B	C	D	E	F
27						
28	*Statistiques de la régression*					
29	Coefficient de corrélation linéaire	0,942				
30	Coefficient de détermination R^2	0,887				
31	Erreur-type	1716,244				
32	Observations	16				
33						
34	ANALYSE DE VARIANCE					
35		*Degré de liberté*	*Somme des carrés*	*Moyenne des carrés*	*F*	*Valeur p*
36	Régression	1	323907471	323907471	109,967146	0,000000052
37	Résidus	14	41236903,6	2945493,12		
38	Total	15	365144375			

Testez vos connaissances

Test no 11
(suite)

	A	B	C	D	E	F	G
40		Coefficients	Erreur-type	Statistique t	Probabilité	Limite inférieure pour seuil de confiance = 95%	Limite supérieure pour seuil de confiance = 95%
41	Constante	4060,40	1843,25	2,20	0,0448603	107,02	8013,79
42	Nombre de bons de commande	14,92	1,42	10,49	0,000000052	11,87	17,97

a) L'équation de régression pour ces données est:

i) $\hat{y} = 1843,25 + 1,42x$

ii) $\hat{y} = 1843,25 + 14,92x$

iii) $\hat{y} = 4060,40 + 1,42x$

iv) $\hat{y} = 4060,40 + 14,92x$.

b) Le pourcentage de variation dans les frais de réception qui est expliqué par la variable explicative «nombre de bons de commande» est:

i) 94,2%   ii) 88,7%   iii) 85,7%.

c) La variance résiduelle est:

i) 1843,25   ii) 2945493,12   iii) 109,96.

d) Le coefficient de corrélation linéaire est:

i) 0,9217   ii) 0,942   iii) 0,887.

e) L'erreur-type du coefficient de régression associé à la variable explicative «Nombre de bons de commande» est:

i) 2,20   ii) 10,49   iii) 1,42.

f) Les degrés de liberté associés à la variation résiduelle sont:

i) 15   ii) 14   iii) 1.

Le calcul du nombre moyen de bons de commande pour les seize mois analysés

donne 1260. De plus, $\sum (x_i - \bar{x})^2 = 1455200$. Le nombre de bons de commande pour le 17e mois est de 1 260.

g) La prévision pour les frais de réception pour le 17e mois est:

i) 18 799$ ii) 22 859,60$ iii) 28 859,60$.

h) La marge d'erreur dans la prévision des frais de réception, au niveau 95%, est:

i) 3594,29$ ii) 3794,29$ iii) 4794,29$.

 **Annexe 11- Traitement avec Excel**
Microsoft Office 2002 et Office 1997

Corrélation linéaire et régression linéaire simple

Nous indiquons dans cette annexe, comment tracer un diagramme de dispersion et comment effectuer une analyse de régression linéaire simple.

EXEMPLE 1: Tracé du diagramme de dispersion

Feuille Excel du chapitre 11: ANNEXE EX1

Nous nous servons du contexte de l'application 11.1 où le responsable de la productivité de l'entreprise Mécanex veut examiner l'efficacité de la main-d'oeuvre affectée à des tâches d'assemblage. On a relevé sur un échantillon de 20 individus, le temps (y) requis en minutes pour effectuer une tâche d'assemblage spécifique et le niveau de bruit (x) en décibels dans l'environnement du poste de travail.

	A	B	C
3	Obs no (i)	Niveau de bruit (x)	Temps requis (y)
4	1	56	4,2
5	2	68	5,6
6	3	66	5,2
7	4	75	7,6
8	5	70	7,0
9	6	58	4,8
10	7	82	8,0
11	8	74	7,5
12	9	53	4,0
13	10	78	8,2
14	11	60	4,8
15	12	64	5,0
16	13	71	6,8
17	14	72	7,6
18	15	80	8,4
19	16	61	5,5
20	17	58	4,6
21	18	65	5,8
22	19	83	8,6
23	20	76	7,4

Indiquons comment obtenir le nuage de points correspondant aux couples d'observations (x_i, y_i) à l'aide de l'Assistant graphique d'Excel. Pour tracer le diagramme, assurez-vous que les données sont dans l'ordre *XY* dans la feuille Excel.

Les données (variables x et y) avec l'intitulé sont présentées en colonnes (colonne B et colonne C, de la ligne 3 à la ligne 23) soit B3:C23.

Il faut d'abord cliquer sur l'icône ▮▮ de l'Assistant Graphique dans la barre d'outils et par la suite, suivre les étapes.

❶ À l'étape 1, sélectionnez le type de graphique *Nuage de points* et le sous-type *Nuage de points. Compare des paires de valeurs*. C'est le premier en haut de la liste. Cliquez sur Suivant.

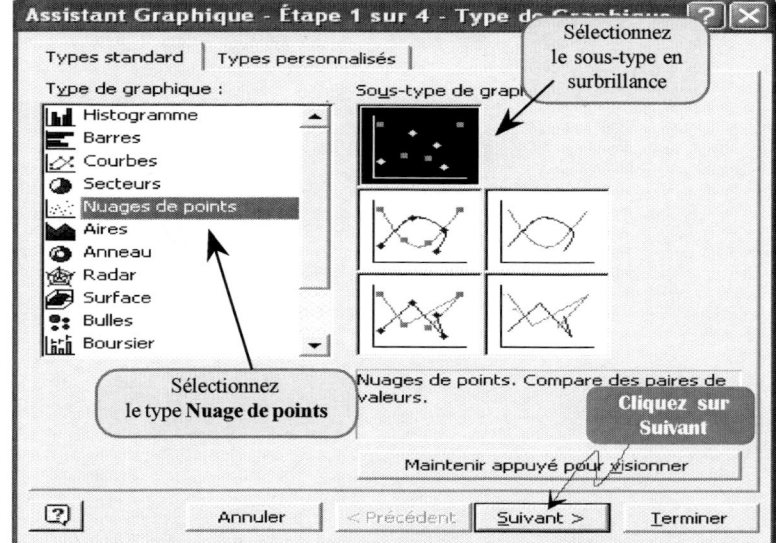

❷ À l'étape 2, sélectionnez la plage de données (ici B3: C23). Cliquez sur Suivant.

❸ À l'étape 3, sélectionnez l'onglet *Titres* et ajoutez un titre au graphique et identifiez également les axes. Sélectionnez l'onglet *Légende* puis désactivez *Afficher la légende*. Sélectionnez l'onglet *Quadrillage* et activez Quadrillage principal de chaque axe. Cliquez sur Suivant.

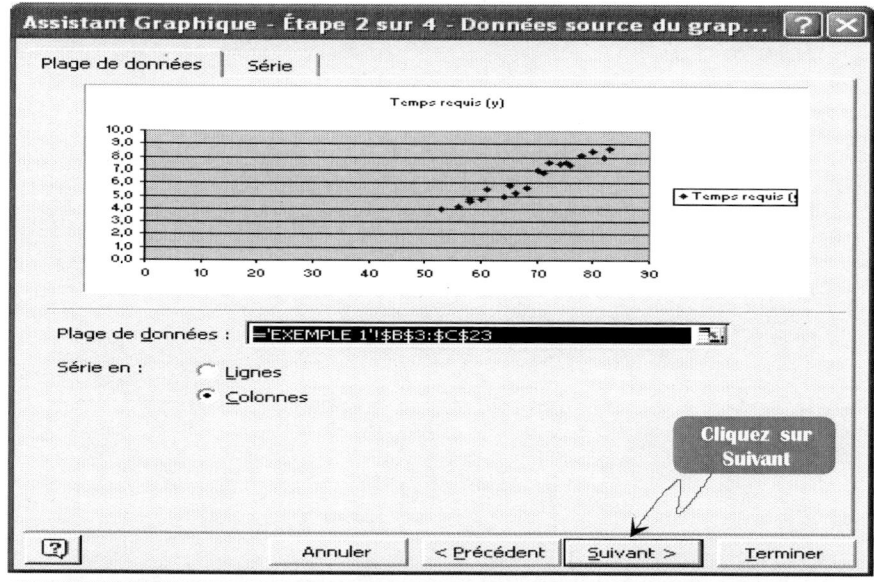

Dans la version 8.0 de Office 97, le bouton *Terminer* est identifié *Fin*.

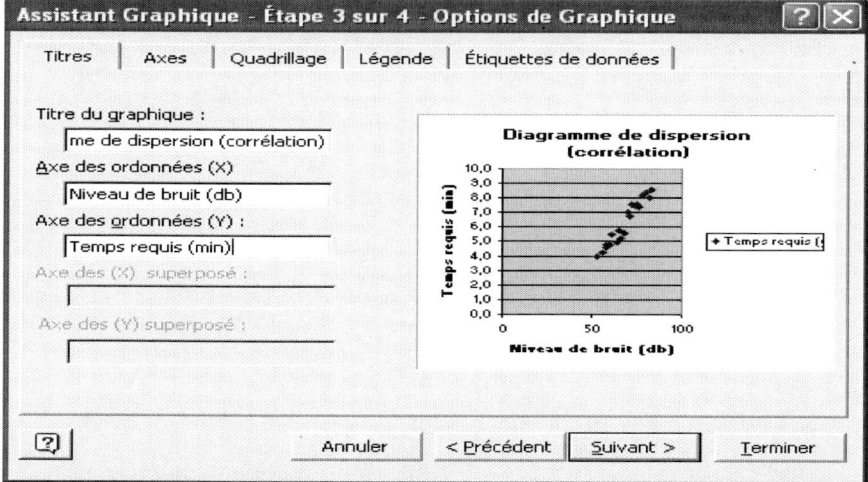

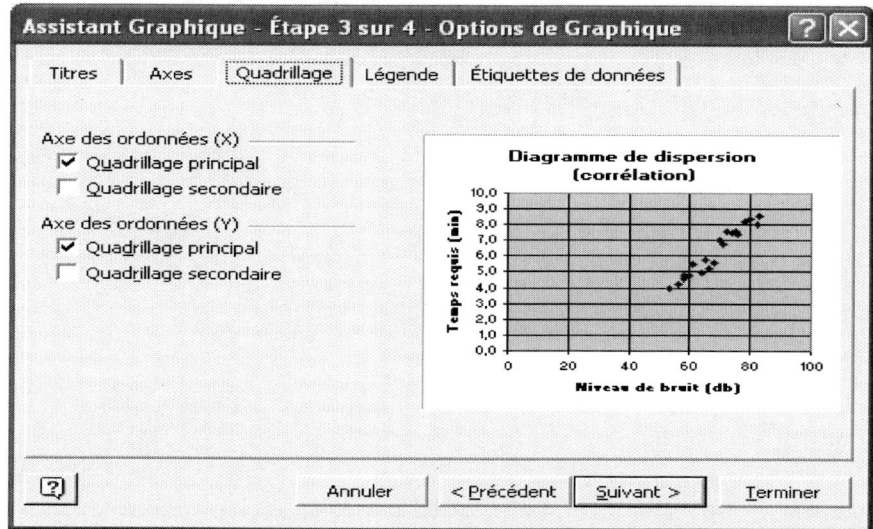

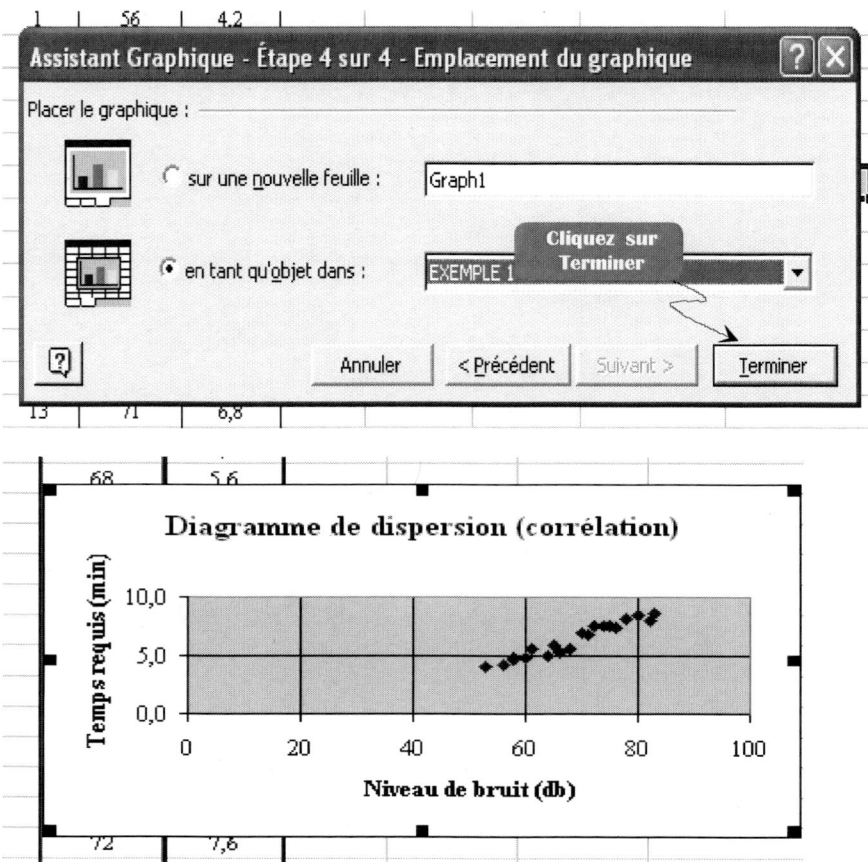

En étirant le graphique avec les poignées, on obtient le graphique ci-après. Nous avons utilisé la police Britannic Bold pour le titre et l'identification des axes et la police Times New Roman pour les autres éléments du diagramme.

On peut également modifier l'échelle des axes et les marques (◆) du diagramme.

Le graphique pourrait finalement se présenter comme suit:

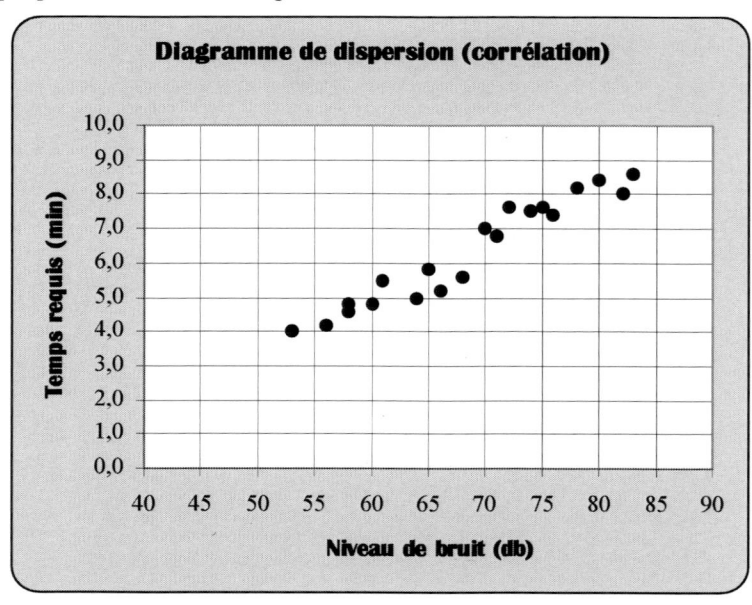

EXEMPLE 2: Calcul du coefficient de corrélation linéaire

Il y a deux façons d'obtenir la valeur du coefficient de corrélation linéaire avec Excel: à l'aide de l'Utilitaire d'analyse ou avec la fonction statistique d'Excel appropriée.

Méthode A: l'Utilitaire d'analyse

Utilisons les données (plage de données B3: C18) de l'exemple 11.2 et indiquons comment calculer le coefficient de corrélation linéaire à l'aide de l'Utilitaire d'analyse.

	A	B	C	D	E
1	Exemple 2 Calcul du coefficient de corrélation linéaire				
2	Méthode A - Utilitaire d'analyse				
3	Sujets	Aptitudes mentales (y)	Numération (x)		
4	1	93	105		
5	2	104	111		
6	3	93	98		
7	4	79	73		
8	5	78	75		
9	6	112	121		
10	7	107	108		
11	8	100	115		
12	9	105	105		
13	10	102	109		
14	11	107	103		
15	12	107	101		
16	13	119	119		
17	14	94	107		
18	15	87	95		

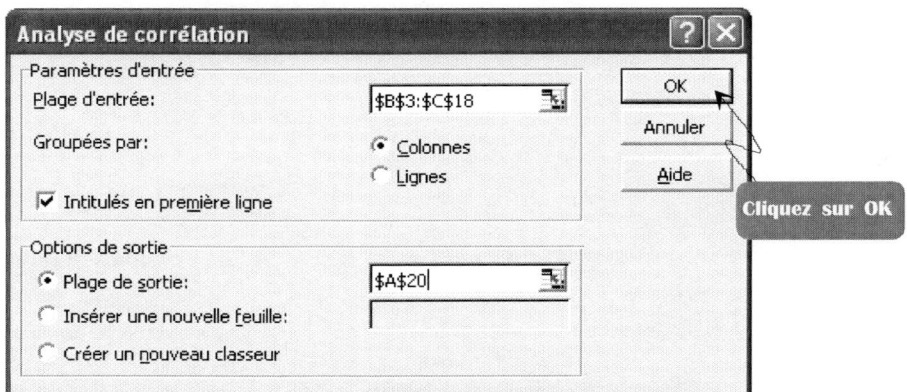

Les résultats sont affichés à partir de la cellule A20.

	A	B	C
20		*Aptitudes mentales (y)*	*Numération (x)*
21	Aptitudes mentales (y)	1	
22	Numération (x)	0,8624	1

La valeur du coefficient de corrélation linéaire est: 0,8624

Méthode B: Fonction statistique COEFFICIENT.CORRELATION

On peut obtenir facilement la valeur du coefficient de corrélation linéaire à l'aide de la fonction statistique **COEFFICIENT.CORRELATION**.

Pour les données que nous traitons, on obtient cette fonction statistique comme suit en cliquant sur f_x (voir page suivante):

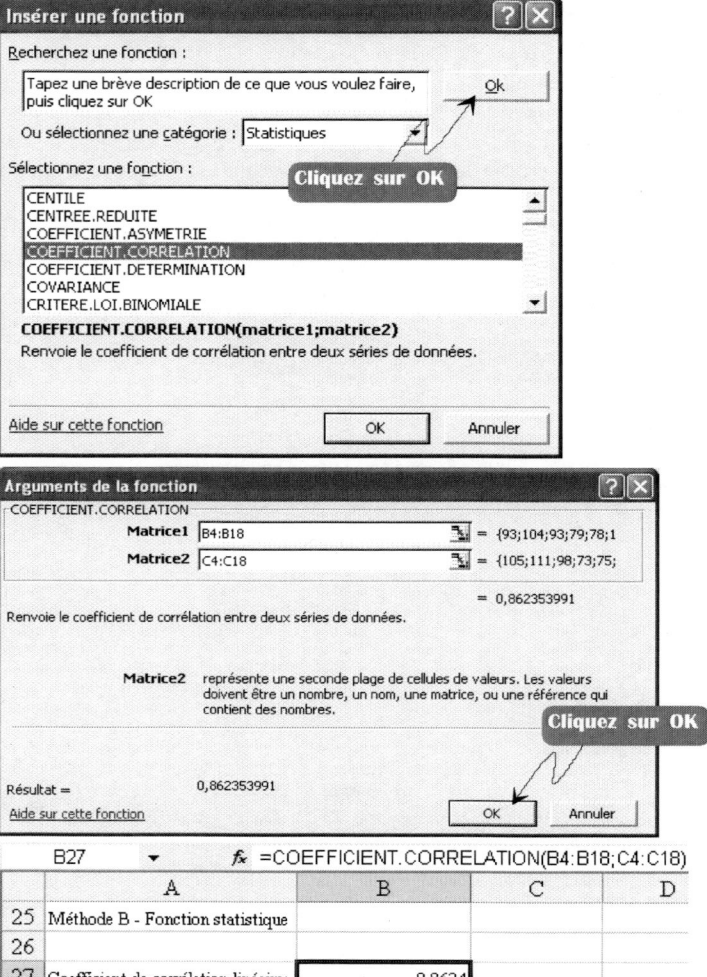

EXEMPLE 3 : Test sur le coefficient de corrélation linéaire avec le *T* de Student

Feuille Excel du chapitre 11:
ANNEXE EX3

Indiquons comment effectuer un test statistique sur le coefficent de corrélation linéaire de la population avec le *T* de Student. Nous nous servons des données de l'exemple 11.2. Les données avec l'intitulé sont présentées dans la plage A3:B18. On peut se servir de cette feuille de calcul (voir page suivante) pour effectuer un test bilatéral ou un test unilatéral.

	A	B
1	**Exemple 3 - Test sur le c**	
2	**Exemple 11.2**	
3	*Aptitudes mentales (y)*	*Numération (x)*
4	93	105
5	104	111
6	93	98
7	79	73
8	78	75
9	112	121
10	107	108
11	100	115
12	105	105
13	102	109
14	107	103
15	107	101
16	119	119
17	94	107
18	87	95

	A	B	C	D
1	**Exemple 3 - Test sur le coefficient de corrélation linéaire**			
2	**Exemple 11.2**		**Test sur le coefficient de corrélation**	Données de l'exemple 11.2
3	*Aptitudes mentales (y)*	*Numération (x)*		
4	93	105	**Test de Student**	
5	104	111	Hypothèse nulle ρ =	0
6	93	98	Seuil de signification α	0,05
7	79	73	Taille de l'échantillon n	15
8	78	75	Coefficient de corrélation	0,8624
9	112	121	Écart-type de r	0,1404
10	107	108	Calcul de l'écart réduit T	6,141
11	100	115	Nombre de degrés de liberté	13
12	105	105		
13	102	109	**Test bilatéral**	
14	107	103	Valeur critique inférieure(T)	-2,1604
15	107	101	Valeur critique supérieure (T)	2,1604
16	119	119	Décision	Rejeter l'hypothèse nulle
17	94	107		
18	87	95	**Test unilatéral à gauche**	
19			Valeur critique inférieure (T)	-1,7709
20			Décision	Ne pas rejeter l'hypothèse nulle
21				
22			**Test unilatéral à droite**	
23			Valeur critique supérieure (T)	1,7709
24			Décision	Rejeter l'hypothèse nulle

Les diverses formules requises pour exécuter le test statistique sur ρ sont présentées ci-après.

	A	B	C	D
1	**Exemple 3 - Test sur le coefficient de corrélation linéaire**			
2	**Exemple 11.2**		Test sur le corrélation de corrélation	Données de l'exemple 11.2
3	*Aptitudes mentales (y)*	*Numé- ration (x)*		
4	93	105	Test de Student	
5	104	111	Hypothèse nulle ρ =	0
6	93	98	Seuil de signification α	0,05
7	79	73	Taille de l'échantillon n	15
8	78	75	Coefficient de corrélation	=COEFFICIENT.CORRELATION(A4:A18;B4:B18)
9	112	121	Écart-type de r	=RACINE((1-D8^2)/(D7-2))
10	107	108	Calcul de l'écart réduit T	=(D8-D5)/D9
11	100	115	Nombre de degrés de liberté	=D7-2
12	105	105		
13	102	109	**Test bilatéral**	
14	107	103	Valeur critique inférieure(T)	=-LOI.STUDENT.INVERSE(D6;D11)
15	107	101	Valeur critique supérieure (T)	=LOI.STUDENT.INVERSE(D6;D11)
16	119	119	Décision	=SI(ABS(D10)>D15; "Rejeter l'hypothèse nulle";"Ne pas rejeter l'hypothèse nulle")
17	94	107		
18	87	95	**Test unilatéral à gauche**	
19			Valeur critique inférieure (T)	=-LOI.STUDENT.INVERSE(2*D6;D11)
20			Décision	=SI(D10<D19; "Rejeter l'hypothèse nulle";"Ne pas rejeter l'hypothèse nulle")
21				
22			**Test unilatéral à droite**	
23			Valeur critique supérieure (T)	=LOI.STUDENT.INVERSE(2*D6;D11)
24			Décision	=SI(D10>D23; "Rejeter l'hypothèse nulle";"Ne pas rejeter l'hypothèse nulle")

EXEMPLE 4: Détermination de la valeur critique du coefficient de corrélation linéaire

Nous donnons ici les formules requises pour calculer r_c pour diverses valeurs de n et pour des seuils de signification $\alpha = 0,05$ et $\alpha = 0,025$. Attention, il faut spécifier 2α dans la formule de la loi de Student.

Feuille Excel du chapitre 11:
ANNEXE EX4

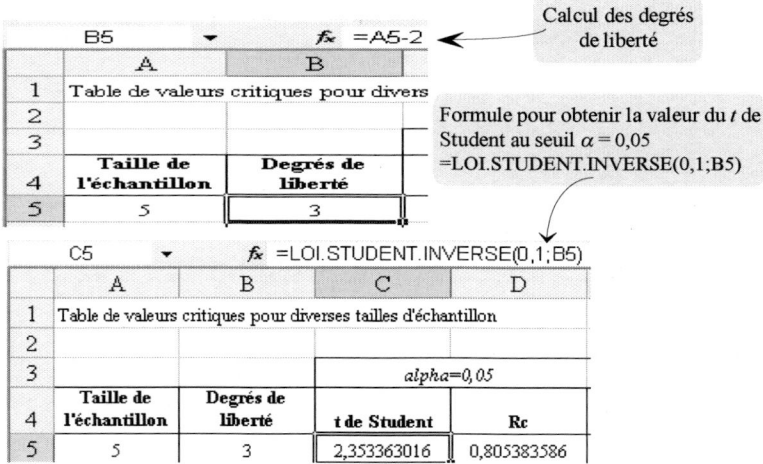

	B5	f_x	=A5-2
	A	B	
1	Table de valeurs critiques pour divers		
2			
3			
4	**Taille de l'échantillon**	**Degrés de liberté**	
5	5	3	

Calcul des degrés de liberté

Formule pour obtenir la valeur du t de Student au seuil $\alpha = 0,05$
=LOI.STUDENT.INVERSE(0,1;B5)

	C5		f_x =LOI.STUDENT.INVERSE(0,1;B5)	
	A	B	C	D
1	Table de valeurs critiques pour diverses tailles d'échantillon			
2				
3			*alpha=0,05*	
4	**Taille de l'échantillon**	**Degrés de liberté**	**t de Student**	**Rc**
5	5	3	2,353363016	0,805383586

	D5			f_x =LOI.STUDENT.INVERSE(0,1;B5)/RACINE((C5^2)+(A5-2))		
	A	B	C	D	E	F
1	Exemple 3					
2	Table de valeurs critiques pour diverses tailles d'échantillon					
3				*alpha=0,05*		*alpha=0,025*
4	*Taille de l'échantillon*	*Degrés de liberté*	*t de Student*	*Rc*	*t de Student*	*Rc*
5	5	3	2,353363016	0,805383586	3,182449291	0,878339636

En utilisant la Recopie automatique, on obtient le tableau suivant. Nous avons répété cette procédure pour un seuil de signification de 2,5%.

Formule pour obtenir la valeur critique du coefficient de corrélation linéaire au seuil $\alpha = 0,05$
=LOI.STUDENT.INVERSE(0,1;B5)/RACINE((C5^2)+(A5-2))

	A	B	C	D	E	F
2	**Table de valeurs critiques pour diverses tailles d'échantillon**					
3			*alpha=0,05*		*alpha=0,025*	
4	*Taille de l'échantillon*	*Degrés de liberté*	*t de Student*	R_c	*t de Student*	R_c
5	5	3	2,353363016	0,805383586	3,182449291	0,878339636
6	10	8	1,85954832	0,54935689	2,306005626	0,63189711
7	12	10	1,812461505	0,497264824	2,228139238	0,575983053
8	15	13	1,770931704	0,440860502	2,16036824	0,513977411
9	20	18	1,734063062	0,378340759	2,100923666	0,443763675
10	22	20	1,724718004	0,359826897	2,085962478	0,422713343
11	25	23	1,713870006	0,336523249	2,068654794	0,396069275
12	30	28	1,701130259	0,30605649	2,048409442	0,36100726
13	35	33	1,692360456	0,28259404	2,03451691	0,333844854
14	40	38	1,685953066	0,263809027	2,024394234	0,312006378
15	50	48	1,677224191	0,235289937	2,01063358	0,278710443
16	60	58	1,671553491	0,21438263	2,001715984	0,254204107

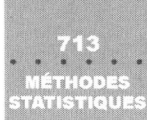
	A	B	C	D	E	F
2	Table de valeurs critiques pour diverses tailles d'échantillon (suite)					
3			alpha=0,05		alpha=0,025	
4	Taille de l'échantillon	Degrés de liberté	t de Student	R_c	t de Student	R_c
17	70	68	1,667572178	0,198210618	1,995467755	0,235197709
18	80	78	1,664625415	0,185220414	1,990847522	0,219901312
19	90	88	1,662353952	0,174489008	1,987291398	0,207246533
20	100	98	1,660550879	0,165429763	1,984467417	0,196551192
21	120	118	1,657870143	0,150872323	1,980270099	0,179342961
22	150	148	1,655214419	0,134815674	1,976122803	0,160334805
23	160	158	1,654555035	0,130503615	1,975090527	0,155225213
24	161	159	1,654493644	0,130094801	1,97499503	0,154740736
25	200	198	1,652585979	0,116642494	1,972016435	0,138788782
26	210	208	1,652213086	0,113815935	1,971434358	0,13543491

Ainsi, avec 5 couples d'observations, seule une valeur de r supérieure à 0,8783 permettrait, dans le cas d'un test bilatéral au seuil de signification $\alpha = 0,05$, de considérer comme plausible l'hypothèse selon laquelle ρ est différent de 0.

Par contre, avec 50 couples d'observations, une valeur de r supérieure à 0,2787 permettrait d'arriver à la même conclusion.

Nous schématisons ci-contre les régions de rejet et de non-rejet de H_0 dans le cas d'un test bilatéral: H_0: $\rho = 0$, H_1: $\rho \neq 0$.

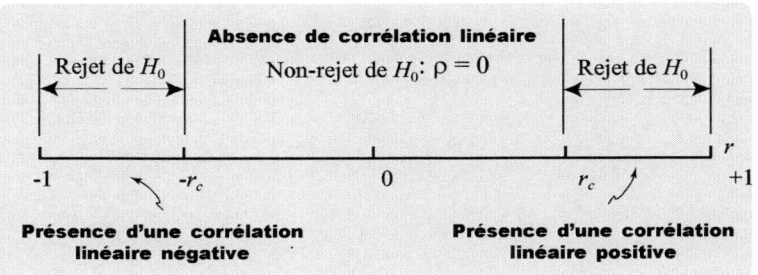

Feuille Excel du chapitre 11: ANNEXE EX5

EXEMPLE 5: Régression linéaire simple avec Excel

Comme vous l'avez constaté, la régression linéaire nécessite des calculs laborieux. Il est donc très approprié d'avoir un logiciel qui permet d'effectuer une analyse de régression. Nous allons donc indiquer comment effectuer une analyse de régression avec l'Utilitaire d'analyse d'Excel (Microsoft Excel 2002, version 0ffice 97 et version 7.0) et l'outil d'analyse: **Régression linéaire**.

Nous utilisons les données de l'exemple 11.6 pour en illustrer l'application.

	A	B	C
3	Cédule no.	Nombre d'hommes-minutes	Nombre d'unités
4	1	150	35
5	2	192	42
6	3	264	64
7	4	371	88
8	5	300	70
9	6	358	85

	A	B	C
10	7	192	40
11	8	134	30
12	9	242	55
13	10	238	60
14	11	226	51
15	12	302	72
16	13	340	80
17	14	182	44
18	15	169	39
19	16	250	48
20	17	220	45
21	18	224	55
22	19	202	50
23	20	242	63
24	21	260	62
25	22	280	68
26	23	304	75
27	24	320	77
28	25	310	80
29	26	270	72
30	27	330	85
31	28	290	65
32	29	210	48
33	30	248	52

Procédure

❶ Dans la barre de menus, sélectionnez **Outils/ Utilitaire d'analyse.**

❷ Dans la zone Outils d'analyse, choisissez **Régression linéaire**

❸ Cliquez sur OK.

❹ Entrez les paramètres requis dans la boîte de dialogue.

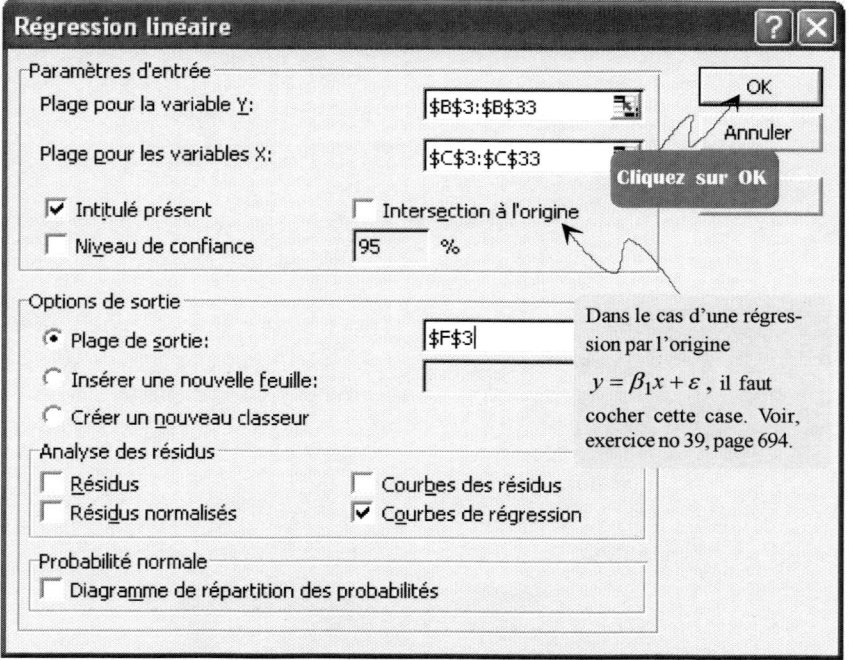

Dans le cas d'une régression par l'origine

$y = \beta_1 x + \varepsilon$, il faut cocher cette case. Voir, exercice no 39, page 694.

Les résultats qu'on obtient avec l'outil Régression linéaire sont présentés à la page suivante. Certaines corrections doivent toutefois être apportées à la nomenclature de la sortie d'Excel.

La version originale américaine de langue anglaise de l'Utilitaire d'analyse ne comporte pas ces erreurs de libellés.

	F	G
3	RAPPORT DÉTAILLÉ	
4		
5	**Statistiques de la régression**	
6	Coefficient de détermination multiple	0,9681
7	Coefficient de détermination R^2	0,9372
8	Coefficient de détermination R^2	0,9349
9	Erreur-type	15,5583
10	Observations	30

La première information (ligne 6) qu'on nous donne est erronée (les calculs sont toutefois exacts). Il faut plutôt lire *Coefficient de corrélation simple* (en valeur absolue) au lieu de coefficient de détermination multiple. Pour s'en convaincre, nous avons calculé le coefficient de corrélation linéaire, dont voici les résultats.

	I	J	K
3		*Nombre d'hommes-minutes*	*Nombre d'unités*
4	Nombre d'hommes-minutes	1	
5	Nombre d'unités	0,9681	1

La ligne 76 donne le *coefficient de détermination r²*. Le libellé de la ligne 8 est incomplet; il faudrait lire *Coefficient de détermination r² ajusté*, notion que nous traitons en régression multiple (exercice 7 du chapitre 12). La ligne 9 donne l'erreur-type ou encore l'*écart-type des résidus* (mesure de dispersion des y_i autour de la droite de régression); cette quantité correspond à

$$s_{y|x} = \sqrt{\frac{\sum(y_i - \hat{y}_i)^2}{n-2}} = 15,5583.$$

La suite de la sortie correspond aux calculs des sommes de carrés (décomposition de la variation dans les observations).

$$Moyenne\,des\,carrés = \frac{Somme\,des\,carrés}{Degrés\,de\,liberté}$$

	F	G	H	I	J	K
12	ANALYSE DE VARIANCE					
13		*Degré de liberté*	*Somme des carrés*	*Moyenne des carrés*	*F*	*Valeur critique de F*
14	Régression	1	101064,3324	101064,3324	417,5185	2,3105E-18
15	Résidus	28	6777,6676	242,0596		
16	Total	29	107842			

$$F = \frac{Variance\,expliquée\,par\,la\,régression}{Variance\,résiduelle} = \frac{101064,3324}{242,0596} = 417,5185$$

La valeur indiquée ici correspond à une probabilité et non à la valeur critique de F: Prob (F>Valeur critique de F). La régression est significative au seuil indiqué soit 2,3105E-18.

On peut obtenir la valeur critique de F au niveau de signification 5% à l'aide de la fonction suivante:

=INVERSE.LOI.F(probabilité;degrés de liberté 1; degrés de liberté 2)
=INVERSE.LOI.F(0,05;1;28) = 4,19598

K14		▼	*fx* =INVERSE.LOI.F(0,05;1;28)			

	F	G	H	I	J	K
12	ANALYSE DE VARIANCE					
13		*Degré de liberté*	*Somme des carrés*	*Moyenne des carrés*	*F*	*Valeur critique de F au niveau 5%*
14	Régression	1	101064,3324	101064,3324	417,5185	4,19598
15	Résidus	28	6777,6676	242,0596		
16	Total	29	107842			

> Nous avons modifié le libellé de la cellule K13.

Puisque le rapport calculé $F = 417,5185$ est supérieur à la valeur critique 4,19598, nous rejetons l'hypothèse nulle. On conclut à une régression significative au seuil de signification de 5%.

La suite de la sortie informatique permet d'obtenir les coefficients de régression b_0 et b_1.

Intervalle de confiance à 95% pour le paramètre β_0

	F	G	H	I	J	K	L
18		*Coefficients*	*Erreur-type*	*Statistique t*	*Probabilité*	*Limite inférieure pour seuil de confiance = 95%*	*Limite supérieure pour seuil de confiance = 95%*
19	Constante	35,31703	11,0728	3,1895	0,003497	12,6353	57,9988
20	Nombre d'unités	3,64472	0,17837	20,4333	2,3105E-18	3,2793	4,0101

b_0

b_1 $s(b_1)$ $t = \dfrac{b_1}{s(b_1)}$ Valeur p

Intervalle de confiance à 95% pour le paramètre β_1

La pente (3,64472) de la droite de régression nous indique, pour les données de cette étude, que le nombre d'hommes-minutes augmente de 3,64472 pour une augmentation unitaire de la taille du lot fabriqué.

L'équation de régression est donc: $\hat{y}_i = 35,317 + 3,64472x_i$.

Courbe de régression

Nous avions coché la case **Courbes de régression** dans la boîte de dialogue Régression linéaire. La courbe qu'on obtient correspond au diagramme de dispersion qu'on doit modifier, en étirant le graphique et en modifiant les échelles des axes pour le rendre plus lisible. Nous opérons comme nous l'avons indiqué précédemment. Nous pouvons modifier tous les éléments du graphique en les sélectionnant tour à tour (modification du titre, modification de la police de caractères, modification de l'échelle des axes,...). Nous avons également ajouté, en sélectionnant d'abord un point du diagramme, la courbe de tendance, l'équation de régression et le coefficient de détermination.

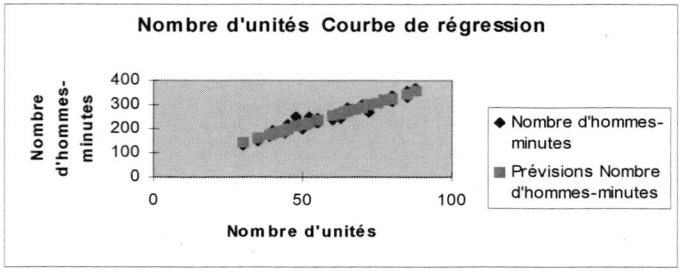

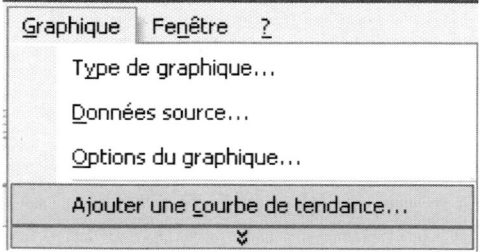

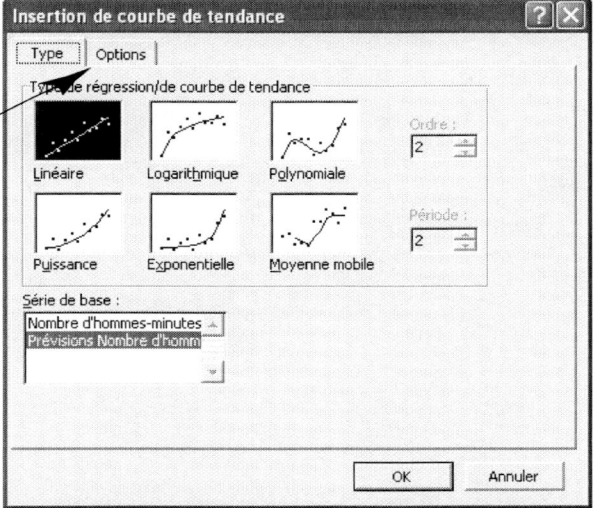

Cliquez sur l'onglet Options pour obtenir la fenêtre ci-après.

Procédure pour ajouter le tracé de la droite de régression (version 7.0)

Double-cliquez dans le graphique puis sélectionnez un point du graphique. Dans la barre de menus, sélectionnez **Insertion/ Courbe de tendance...** Dans la fenêtre Insertion courbe de tendance, sélectionnez le type **Linéaire**.

Cliquez sur l'onglet Options et cochez les cases Afficher l'équation... et Afficher le coefficient de détermination... puis cliquez sur OK.

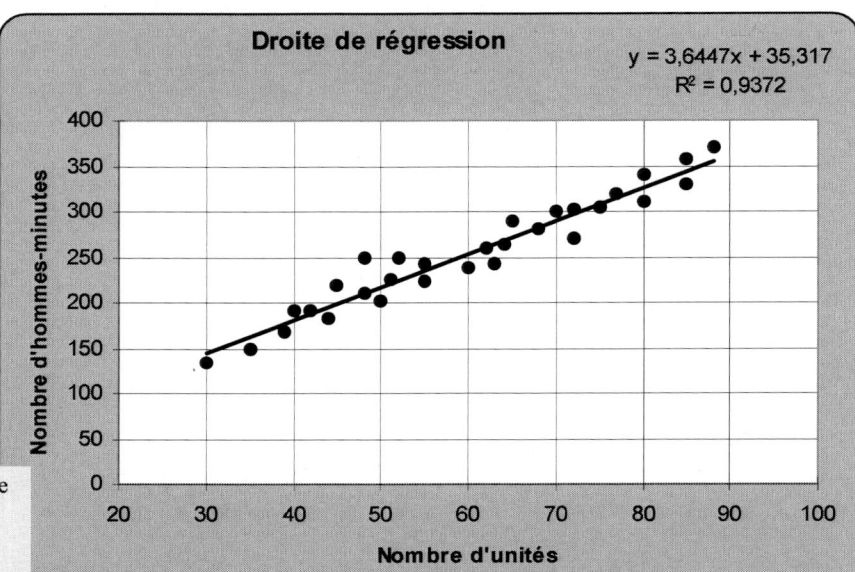

Voici le résultat qu'on obtient après diverses modifications.

Dans notre notation, la droite de régression s'écrit:

$$\hat{y}_i = 35{,}317 + 3{,}6447x_i$$

EXEMPLE 6: Intervalle de confiance pour *E(y)* et intervalle de prévision

Feuille Excel du chapitre 11:
ANNEXE EX6

Nous donnons ci-après les formules requises dans Excel pour obtenir les estimations et prévisions pour quelques valeurs x_i (taille du lot de fabrication) au niveau de confiance 95%.

Intervalle de confiance autour de $E(y_h)$ au niveau de confiance 95%

	B	C	D	E	F	G	H
	Nombre d'unités (x)	Valeur estimée $\hat{y}_i$	Écart-type résiduel $s_{y|x}$	Estimation de l'écart-type de la moyenne conditionnelle $s(\hat{y}_i)$	Marge d'erreur statistique à 95% $t_{\alpha/2,n-2} \cdot s(\hat{y}_i)$	Limite inférieure de confiance à 95% de E(y) LI	Limite supérieure de confiance à 95% de E(y) LS
4							
5	30	144,659	15,5583	6,058	12,410	132,249	157,069
6	40	181,106	15,5583	4,560	9,341	171,765	190,447
7	45	199,329	15,5583	3,902	7,993	191,336	207,323
8	48	210,264	15,5583	3,557	7,286	202,978	217,549
9	50	217,553	15,5583	3,354	6,871	210,682	224,424
10	52	224,842	15,5583	3,179	6,512	218,331	231,354
11	55	235,777	15,5583	2,977	6,099	229,678	241,875
12	60	254,000	15,5583	2,841	5,819	248,182	259,819
13	62	261,290	15,5583	2,863	5,864	255,425	267,154
$\bar{x}$ 14	64	268,579	15,5583	2,929	5,999	262,580	274,578
15	65	272,224	15,5583	2,977	6,099	266,125	278,322
16	68	283,158	15,5583	3,179	6,512	276,646	289,670
17	70	290,447	15,5583	3,354	6,871	283,577	297,318
18	75	308,671	15,5583	3,902	7,993	300,678	316,664
19	77	315,960	15,5583	4,155	8,511	307,449	324,472
20	80	326,895	15,5583	4,560	9,341	317,554	336,236
21	85	345,118	15,5583	5,287	10,830	334,288	355,948
22	88	356,052	15,5583	5,746	11,769	344,283	367,822

Formules utilisées dans Excel

L'Outil d'analyse *Régression linéaire* d'Excel ne donne pas les intervalles de confiance pour la moyenne $E(y_h)$ ainsi que les intervalles de prévision. On peut toutefois utiliser des formules pour effectuer ces calculs et la Recopie incrémentée pour obtenir les valeurs des autres cellules.

❏ Formule pour obtenir les *estimations avec l'équation de régression empirique*: (cellule C5) =35,317+3,64472*B5.

❏ L'écart-type résiduel a été copié du rapport détaillé de la sortie Excel (erreur-type).

❏ Formule pour calculer $s(\hat{y}_i)$: (cellule E5) =D5*RACINE(1/30+((B5-60)^2/7608))

❏ Formule pour calculer la *marge d'erreur* : (cellule F5) =LOI.STUDENT.INVERSE(0,05;28)*E5

❏ Formule pour calculer la *limite inférieure de l'intervalle de confiance* pour *E (y)* : (cellule G5) =C5-F5

❏ Formule pour calculer la *limite supérieure de l'intervalle de confiance* pour *E (y)* : (cellule H5) =C5+F5

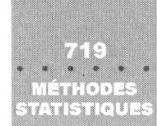

Les formules utilisées pour les intervalles de prévision sont indiquées ci-après; elles sont basées sur la feuille Excel présentée après les formules.

❏ Formule pour obtenir les *prévisons avec l'équation de régression empirique*: (cellule C25) =35,3170347003156+3,64472*B25.

❏ L'écart-type résiduel a été copié du rapport détaillé de la sortie Excel (erreur-type).

❏ Formule pour calculer $s(d_h)$: (cellule E25) =D25*RACINE(1+1/30+((B25-60)^2/7608))

❏ Formule pour calculer la *marge d'erreur* : (cellule F25) =LOI.STUDENT.INVERSE(0,05;28)*E25

❏ Formule pour calculer la *limite inférieure de l'intervalle de prévision* pour y_h : (cellule G25) =C25-F25

❏ Formule pour calculer la *limite supérieure de l'intervalle de prévision* pour y_h : (cellule H25) =C25+F25

Intervalle de prévision de y_h au niveau de confiance 95%

	B	C	D	E	F	G	H
24	Nombre d'unités (x)	Valeur estimée $\bar{y}_i$	Écart-type résiduel $s_{y\|x}$	Écart-type de la prévision $s(d_h)$	Marge d'erreur de la prévison à $t_{\alpha/2,n-2} \cdot s(d_h)$	Limite inférieure de prévision à 95%	Limite supérieure de prévision à 95%
25	30	144,659	15,5583	16,696	34,201	110,458	178,859
26	40	181,106	15,5583	16,213	33,210	147,895	214,316
27	45	199,329	15,5583	16,040	32,857	166,473	232,186
28	48	210,264	15,5583	15,960	32,692	177,572	242,955
29	50	217,553	15,5583	15,916	32,602	184,951	250,155
30	52	224,842	15,5583	15,880	32,528	192,314	257,371
31	55	235,777	15,5583	15,841	32,448	203,329	268,225
32	60	254,000	15,5583	15,815	32,397	221,604	286,397
33	62	261,290	15,5583	15,819	32,405	228,885	293,694
34	64	268,579	15,5583	15,832	32,429	236,150	301,009
35	65	272,224	15,5583	15,841	32,448	239,776	304,672
36	68	283,158	15,5583	15,880	32,528	250,630	315,686
37	70	290,447	15,5583	15,916	32,602	257,846	323,049
38	75	308,671	15,5583	16,040	32,857	275,814	341,528
39	77	315,960	15,5583	16,104	32,987	282,974	348,947
40	80	326,895	15,5583	16,213	33,210	293,684	360,105
41	85	345,118	15,5583	16,432	33,660	311,459	378,778
42	88	356,052	15,5583	16,585	33,973	322,079	390,026

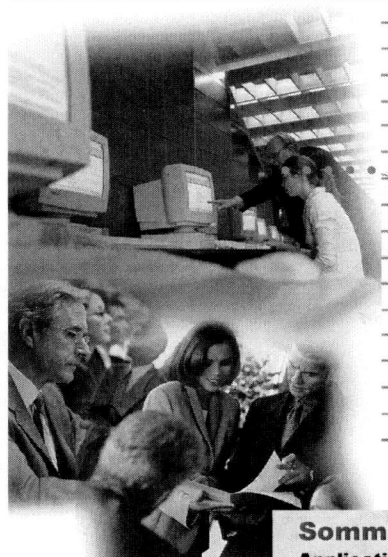

Chapitre 12

Régression linéaire multiple

Une étude* consiste à examiner, auprès de 45 supérieurs et 45 subordonnés, le degré de liaison entre deux séries de mesure de leadership: le style de gestion préconisé par le supérieur immédiat et le style de gestion perçu par le subordonné.

Pour mesurer le style de gestion préconisé par les supérieurs, un questionnaire comportant 75 énoncés a été utilisé et permet d'évaluer les valeurs en gestion en rapport avec trois composantes du leadership: l'exercice plus ou moins souple de l'autorité, le caractère plus ou moins étroit des relations interpersonnelles avec les subordonnés et le degré d'équité dans la relation supérieur-subordonné.

Les sujets ont à exprimer leur degré d'accord (sur une échelle en cinq points de type Likert) face à chacun des énoncés selon ce qu'ils croient être le comportement d'un bon supérieur.

La régression multiple a été utilisée pour déterminer les variables explicatives qui sont liées significativement avec le style de gestion préconisé par le supérieur immédiat.

Voici les résultats de l'analyse de régression multiple pour deux des composantes du style de gestion perçu: l'équité perçue par le subordonné et l'exercice de l'autorité perçu.

Tableau 1: Variable dépendante: perception de l'équité par le subordonné		
Variables explicatives	**Coefficients de régression**	**Valeur p**
Équité préconisée	0,008	0,958
Sexe du supérieur	0,263	0,084
Ancienneté au poste de supérieur	-0,287	0,033
Nombre d'employés supervisés	-0,087	0,570
Sexe du subordonné	0,4033	0,003
Ancienneté au poste de subordonné	-0,224	0,143

* Source: Cardinal, L. et C. Lamoureux. *Le style de gestion du personnel: les intentions du supérieur et les perceptions du subordonné.* RCSA/CJAS, 8(2), 1991.

On aimerait connaître les variables explicatives qui apportent une contribution marginale significative à l'explication de la perception de l'équité par le subordonné. Cette approche de l'analyse statistique relève du domaine de la régression multiple où on s'intéresse à développer un modèle statistique qui tient compte de divers facteurs explicatifs et qui permet de prévoir les valeurs d'une variable importante dite variable dépendante. Nous traitons dans ce chapitre des principaux aspects de la régression multiple.

Chapitre 12
· ·
Régression linéaire
multiple

□ **Objectif général.** *Nous avons traité dans le chapitre précédent de situations ne comportant qu'une seule variable explicative. Nous abordons dans ce chapitre l'étude de la régression linéaire mais en considérant cette fois plusieurs variables explicatives.*

□ **Objectifs spécifiques.** *Lorsque vous aurez complété l'étude du chapitre 12, vous pourrez:*

1. *distinguer entre régression linéaire simple et régression linéaire multiple;*
2. *identifier correctement les composantes d'un modèle linéaire multiple;*
3. *préciser les hypothèses fondamentales du modèle de régression multiple;*
4. *estimer les paramètres d'un modèle de régression multiple à l'aide d'Excel;*
5. *calculer les sommes de carrés associées aux diverses sources de fluctuations dans les observations y_i;*
6. *partitionner correctement les degrés de liberté associés aux diverses sommes de carrés;*
7. *estimer la variance des erreurs;*
8. *construire un tableau d'analyse de la variance dans une étude de régression multiple;*
9. *calculer et interpréter le coefficient de détermination multiple;*
10. *exécuter un test statistique sur l'ensemble des paramètres de régression du modèle;*
11. *expliquer ce qu'on entend par seuil descriptif du test;*
12. *tester la contribution marginale d'une variable explicative et interpréter le test;*
13. *estimer la moyenne de la variable dépendante par intervalle de confiance;*
14. *indiquer comment utiliser l'information qualitative dans un modèle de régression multiple;*
15. *tester la nullité d'un sous-ensemble de paramètres β_j dans un modèle de régression multiple;*
16. *calculer le coefficient de corrélation partielle et l'interpréter;*
17. *utiliser la méthode de régression pas à pas pour pour développer un modèle de régression multiple;*
18. *utiliser les outils d'analyse statistique de l'Utilitaire d'analyse d'Excel pour effectuer une étude de régression multiple.*

12.1 Introduction

La régression linéaire multiple est une généralisation de la régression linéaire simple. Cette fois l'objectif est d'établir une relation statistique entre la variable dépendante et plusieurs variables explicatives (variables indépendantes).

Cette recherche de liaison linéaire entre ces variables permet d'obtenir un outil de prévision: on pourra estimer ou prévoir, à l'aide de cette équation, les valeurs d'une variable à partir des valeurs prises par les autres variables qui se sont avérées statistiquement significatives lors de l'analyse.

Énoncé du modèle comportant *k* variables explicatives

Énonçons le modèle linéaire multiple sous sa forme la plus générale. Le mot multiple est introduit ici à cause de la présence de plusieurs variables explicatives dans le modèle contrairement à une seule variable explicative dans le cas du modèle linéaire simple. Le terme linéaire s'applique, par contre, aux paramètres du modèle et non aux variables explicatives. Les méthodes de régression que nous étudions dans les prochaines sections seront également valides même si le modèle comporte des termes non linéaires en *x* (puissance, produit de variables,...).

Le modèle de régression multiple permet de décrire la liaison entre une variable dépendante *y* et un ensemble de variables explicatives $x_1, x_2,..., x_k$. La forme générale de cette liaison s'énonce comme suit.

> **Modèle de régression linéaire multiple.** Le modèle de régression multiple à *k* variables explicatives s'écrit: $y_i = \beta_0 + \beta_1 x_{i1} + \beta_2 x_{i2} + \beta_j x_{ij} +...+ \beta_k x_{ik} + \varepsilon_i$ où y_i est la variable dépendante (ou expliquée) dont les valeurs sont conditionnées par celles des variables explicatives $x_{i1}, x_{i2},..., x_{ik}$ et la composante aléatoire ε_i (non observable).
>
> $\beta_0, \beta_1, \beta_2,..., \beta_k$ sont les ($k+1$) paramètres du modèle; x_{ij}, $j=1,2,...,k$ représente la *i* ième valeur de la variable explicative x_j; on les considère comme des grandeurs certaines.
>
> ε_i dénote la fluctuation aléatoire non observable attribuable à un ensemble de facteurs ou de variables non pris en considération dans le modèle ou que nous ne savons pas identifier.

À noter que les variables explicatives peuvent représenter également des termes qui correspondent à des produits de variables ($x_4 = x_2 \cdot x_3$) ou encore des puissances de variables ($x_5 = x_2^2$)

Objectif de la régression multiple

L'objectif est d'estimer les paramètres β_j du modèle de régression et d'examiner les termes du modèle pour ne retenir que ceux qui apportent une contribution significative.

Donnons un exemple de formulation d'un modèle de régression multiple.

Exemple 12.1

Formulation d'un modèle de régression multiple: interprétation des composantes du modèle

Le responsable de la gestion des ressources humaines de l'entreprise JPL a développé en collaboration avec le psychologue industriel de l'entreprise un système d'évaluation pour mieux cerner les capacités managériales des cadres de l'entreprise. On a appliqué ce système à 15 cadres de niveau inférieur de l'entreprise.

Les variables observées sont: la performance de l'individu (variable dépendante) sur une échelle de 0 à 100 dans ses fonctions actuelles de gestionnaire et trois variables explicatives:

- le résultat à un test concernant l'habileté de communication (x_1)
- un test sur l'habileté dans ses relations interpersonnelles (x_2)
- un test permettant d'évaluer l'habileté de l'individu à prendre des décisions (x_3).

On veut formuler un modèle de régression multiple qui permettrait d'expliquer les fluctuations dans la performance des cadres de niveau inférieur en fonction des résultats aux divers tests d'habileté.

Spécification du modèle de régression multiple

Notant par y_i, la variable dépendante (performance de l'individu *i*), le modèle peut s'écrire, en utilisant l'identification des variables explicatives mentionnées ci-haut,

$$y_i = \beta_0 + \beta_1 x_{i1} + \beta_2 x_{i2} + \beta_3 x_{i3} + \varepsilon_i, \quad i=1,...,n$$

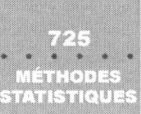
où ε_i représente une fluctuation aléatoire non observable dont le comportement est régi par un certain nombre de facteurs incontrôlables ou par l'influence d'autres variables explicatives non prises en considération et n, le nombre de cadres.

En admettant que ε_i est distribuée normalement avec espérance 0 et variance σ^2, alors la performance y_i des cadres est distribuée normalement avec

moyenne $E(y_i) = \beta_0 + \beta_1 x_{i1} + \beta_2 x_{i2} + \beta_3 x_{i3}$

et

variance $Var(y_i) = \sigma^2$.

La composante $E(y_i)$ représente la performance moyenne des cadres.

Interprétation des paramètres du modèle

Interprétation des
paramètres du modèle
de régression

Théoriquement β_0 représente le niveau moyen des y_i lorsque chaque variable explicative est nulle. Il arrive fréquemment qu'on ne puisse donner de signification concrète à β_0, n'ayant aucune observation pour des valeurs nulles des variables explicatives.

D'autre part, les paramètres de régression β_j représentent le changement subi par $E(y_i)$, la performance moyenne des cadres, attribuable à une variation unitaire dans la valeur de la j ième variable explicative alors que les autres variables explicatives demeurent inchangées. Par exemple, β_3, représente le changement subi par la performance moyenne correspondant à une variation unitaire au résultat d'habileté à prendre des décisions, les autres facteurs pouvant influencer la performance demeurant fixes.

Un nombre minimum de 4 données est requis ($n \geq 3 + 1$ soit le nombre de paramètres de régression à estimer + 1), pour estimer les paramètres du modèle; toutefois un nombre beaucoup plus important de données est requis pour obtenir une bonne estimation de la variation résiduelle qui servira de base pour les tests de signification subséquents.

Remarques. Les hypothèses fondamentales sur lesquelles repose le modèle de régression multiple sont sensiblement les mêmes que celles du modèle linéaire simple.
1. On suppose que le terme ε_i est une variable aléatoire de moyenne 0 et de variance constante σ^2.
2. Il n'existe aucune corrélation entre les erreurs.
3. Les variables explicatives $x_1, x_2,..., x_k$ sont des grandeurs certaines. Elles ne présentent donc pas un caractère aléatoire. Elles sont observées sans erreur ou fixées à des valeurs arbitraires.
4. Dans le but de construire des intervalles de confiance et d'effectuer des tests d'hypothèses, on suppose que les fluctuations aléatoires ε_i sont distribuées normalement: $\varepsilon_i \sim N(0, \sigma^2)$.

12.2   Détermination de l'équation de régression: estimation des paramètres du modèle

Tout comme dans le cas de la régression linéaire simple, nous avons recours à la méthode des moindres carrés pour obtenir les estimations des différents paramètres du modèle de régression multiple. Toutefois le système d'équations à résoudre devient rapidement lourd à manipuler. Pour cette raison, une étude de régression multiple ne peut s'effectuer dans la plupart des cas sans avoir recours à un programme informatique (Excel, SPSS, Minitab, Statistica, SAS, ...).

Supposons un modèle à 2 variables explicatives,

$$y_i = \beta_0 + \beta_1 x_{i1} + \beta_2 x_{i2} + \varepsilon_i$$

avec $E(y_i) = \beta_0 + \beta_1 x_{i1} + \beta_2 x_{i2}$ et

$$Var(y_i) = \sigma^2.$$

Estimation de la moyenne des y_i

L'estimation de $E(y_i) = \beta_0 + \beta_1 x_{i1} + \beta_2 x_{i2}$ s'obtient de $\hat{y}_i = b_0 + b_1 x_{i1} + b_2 x_{i2}$.

Pour obtenir les expressions de b_0, b_1 et b_2 qui minimisent la somme des carrés résiduelle $\sum (y_i - \hat{y}_i)^2$, on doit résoudre le système d'équations normales suivant:

Système d'équations pour une régression linéaire simple

$$
\begin{aligned}
nb_0 + b_1 \sum x_{i1} + b_2 \sum x_{i2} &= \sum y_i \\
b_0 \sum x_{i1} + b_1 \sum x_{i1}^2 + b_2 \sum x_{i1} x_{i2} &= \sum x_{i1} y_i \\
b_0 \sum x_{i2} + b_1 \sum x_{i1} x_{i2} + b_2 \sum x_{i2}^2 &= \sum x_{i2} y_i
\end{aligned}
$$

Lorsque les valeurs de b_1 et b_2 ont été obtenues, on peut en déduire la valeur de b_0 en utilisant la première équation et en divisant chaque membre de l'équation par n soit:

$$b_0 = \bar{y} - b_1 \bar{x}_1 - b_2 \bar{x}_2 .$$

Ainsi, lorsqu'il y a trois paramètres à estimer ($\beta_0, \beta_1, \beta_2$), nous devons résoudre un système de 3 équations à 3 inconnues (b_0, b_1, b_2). Dans le cas général, nous avons ($k + 1$) paramètres à estimer, ce qui conduit à un système de ($k + 1$) équations à ($k + 1$) inconnues (les coefficients de régression). Le système d'équations devient donc rapidement lourd à résoudre algébriquement.

Estimation de la variance des y_i

L'estimation de $Var(y_i) = \sigma^2$ s'obtient de la variance résiduelle $s^2 = \dfrac{\sum (y_i - \hat{y}_i)^2}{n - 3}$ dans le cas où le modèle ne comporte que trois paramètres (ici $\beta_0, \beta_1, \beta_2$) à estimer (nous perdons trois degrés de liberté, un pour chaque paramètre que l'on doit estimer).

Exemple 12.2

Estimation des paramètres d'un modèle de régression comportant deux variables explicatives

La responsable des ressources humaines de l'entreprise Systek veut examiner si les résultats au test de dextérité manuelle, combinés au nombre d'années d'expérience, permettraient de prévoir d'une manière suffisamment fiable l'aptitude des employés à accomplir certaines opérations d'assemblage. À cette fin, trente employés de l'entreprise effectuant actuellement sensiblement les mêmes tâches furent choisis.

On a relevé sur chaque employé participant à cette étude (les données sont présentées au tableau 12.1), la quantité (y) de pièces assemblées durant une période déterminée, le résultat (x_1) obtenu au test de dextérité manuelle et le nombre d'années (x_2) d'expérience sur une chaîne d'assemblage.

On veut déterminer l'équation de régression multiple liant la performance de l'individu en nombre de pièces assemblées (y) aux deux variables explicatives.

Dans ce cas le modèle de régression s'écrit:

$$y_i = \beta_0 + \beta_1 x_{i_1} + \beta_2 x_{i_2} + \varepsilon_i$$

où y_i: nombre de pièces assemblées par l'individu i

x_{i_1}: résultat au test de dextérité de l'individu i

x_{i_2}: nombre d'années d'expérience de l'individu i

ε_i: fluctuation aléatoire non observable.

Tableau 12.1

Données pour l'analyse de régression multiple

Employé no	Quantité de pièces	Test de dextérité	Années d'expérience
1	15	84	8
2	10	71	5
3	11	73	4
4	13	78	12
5	11	69	1
6	15	81	7
7	11	68	3
8	12	71	6
9	15	80	12
10	11	75	6
11	9	67	3
12	12	82	6
13	10	68	5
14	16	85	9
15	14	75	7
16	12	70	6
17	10	67	2
18	13	76	6
19	10	72	5
20	9	69	4
21	14	81	7
22	9	66	6
23	14	78	7
24	13	72	6
25	12	70	5
26	12	74	6
27	13	77	7
28	12	76	6
29	13	80	10
30	9	65	3

On veut estimer les paramètres β_j du modèle. L'équation de régression empirique aura la forme

$$\hat{y}_i = b_0 + b_1 x_{i_1} + b_2 x_{i_2}.$$

Le tableau des calculs préliminaires est présenté au tableau 12.2, page 728.

À l'aide de ces calculs préliminaires, on a obtenu les équations suivantes à résoudre:

$$12b_0 + 135,3b_1 + 576b_2 = 670,9$$
$$135,3b_0 + 1639,01b_1 + 6448,6b_2 = 6547,92$$
$$572b_0 + 6448,6b_1 + 29584b_2 = 32999,2$$

Nous indiquons en annexe 12, comment effectuer une analyse de régression multiple avec Microsoft Excel.

La résolution de ce système conduit aux valeurs suivantes pour les coefficients de régression:

$$b_0 = -8,2901132, \qquad b_1 = 0,2639485, \qquad b_2 = 0,1263211.$$

L'équation de régression empirique est:

$$\hat{y}_i = -8,2901132 + 0,2639485x_{i1} + 0,1263211x_{i2}.$$

Estimation avec l'équation de régression

Par exemple, pour $x_1 = 81$ (résultat au test de dextérité) et $x_2 = 7$ (nombre d'années d'expérience), l'estimation du nombre moyen de pièces assemblées pour les individus ayant ces résultats est:

$$\hat{y} = -8,2901132 + 0,2639485 \, (81) + 0,1263211 \, (7) = 13,974$$

soit pratiquement 14 pièces.

Tableau 12.2
Calculs préliminaires pour estimer les paramètres du modèle de régression

y_i	x_{i1}	x_{i2}	x_{i1}^2	x_{i2}^2	$x_{i1}x_{i2}$	$x_{i1}y_i$	$x_{i2}y_i$	y_i^2
15	84	8	7056	64	672	1260	120	225
10	71	5	5041	25	355	710	50	100
11	73	4	5329	16	292	803	44	121
13	78	12	6084	144	936	1014	156	169
11	69	1	4761	1	69	759	11	121
15	81	7	6561	49	567	1215	105	225
11	68	3	4624	9	204	748	33	121
12	71	6	5041	36	426	852	72	144
15	80	12	6400	144	960	1200	180	225
11	75	6	5625	36	450	825	66	121
9	67	3	4489	9	201	603	27	81
12	82	6	6724	36	492	984	72	144
10	68	5	4624	25	340	680	50	100
16	85	9	7225	81	765	1360	144	256
14	75	7	5625	49	525	1050	98	196
12	70	6	4900	36	420	840	72	144
10	67	2	4489	4	134	670	20	100
13	76	6	5776	36	456	988	78	169
10	72	5	5184	25	360	720	50	100
9	69	4	4761	16	276	621	36	81
14	81	7	6561	49	567	1134	98	196
9	66	6	4356	36	396	594	54	81
14	78	7	6084	49	546	1092	98	196
13	72	6	5184	36	432	936	78	169
12	70	5	4900	25	350	840	60	144
12	74	6	5476	36	444	888	72	144
13	77	7	5929	49	539	1001	91	169
12	76	6	5776	36	456	912	72	144
13	80	10	6400	100	800	1040	130	169
9	65	3	4225	9	195	585	27	81
360	2220	180	165210	1266	13625	26924	2264	4436

12.3   Analyse de variance en régression multiple

Une analyse de régression multiple s'accompagne toujours d'un tableau d'analyse de variance. Ce tableau permettra de tester si l'ensemble des variables explicatives a un effet significatif sur la variable dépendante. Il permettra également d'en déduire l'estimation de la variance des y_i autour de l'équation de régression (c.-à-d. l'estimation de la variance des erreurs σ^2); on pourra également en déduire le coefficient de détermination multiple R^2.

Calcul des sommes de carrés

La décomposition de la variation dans les observations s'effectue de façon similaire à celle effectuée dans le cas de la régression linéaire simple. En effet, l'écart total ($y_i - \overline{y}$) est la somme de deux composantes.

Expression permettant
de déduire les sommes
de carrés en régression
multiple

$$\text{Écart total} = \text{Écart expliqué par l'équation} + \text{Écart résiduel ou inexpliqué}$$
$$\text{de régression multiple} \qquad \text{par l'équation}$$
$$(y_i - \overline{y}) = (\hat{y}_i - \overline{y}) + (y_i - \hat{y}_i)$$

où $\hat{y}_i$ sont les estimations de $E(y_i)$, déduites de l'équation de régression multiple selon diverses valeurs des variables explicatives.

On obtient l'ampleur de la variabilité attribuable à chacune de ces composantes à l'aide des sommes de carrés suivantes.

Calcul des sommes de carrés en régression multiple

Variation totale: $SCT = \displaystyle\sum_{i=1}^{n} (y_i - \bar{y})^2$

Variation expliquée par la régression: $SCR = \displaystyle\sum_{i=1}^{n} (\hat{y}_i - \bar{y})^2$

Variation résiduelle: $SC_{RES} = \displaystyle\sum_{i=1}^{n} (y_i - \hat{y}_i)^2$

$SCT = SCR + SC_{RES}$

$\displaystyle\sum_{i=1}^{n} (y_i - \bar{y})^2 = \sum_{i=1}^{n} (\hat{y}_i - \bar{y})^2 + \sum_{i=1}^{n} (y_i - \hat{y}_i)^2$

Calcul des degrés de liberté

Dans le cas où l'analyse de régression comporte $(k + 1)$ paramètres à estimer à l'aide de n observations, les degrés de liberté des sommes de carrés précédentes se décomposent comme suit:

Sommes de carrés
et degrés de liberté

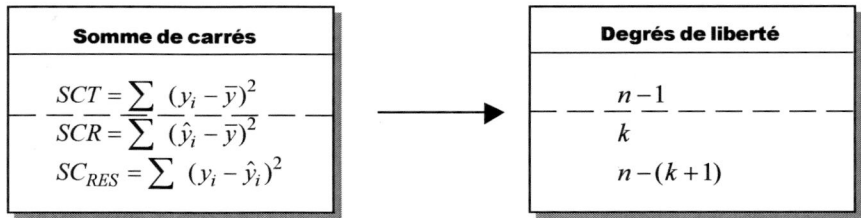

Somme de carrés	Degrés de liberté
$SCT = \sum (y_i - \bar{y})^2$	$n-1$
$SCR = \sum (\hat{y}_i - \bar{y})^2$	k
$SC_{RES} = \sum (y_i - \hat{y}_i)^2$	$n-(k+1)$

Tableau d'analyse de la variance

On en déduit par la suite les carrés moyens en divisant les sommes de carrés SCR (due à la régression) et SC_{RES} (résiduelle) par les degrés de liberté respectifs. Ces divers calculs se résument dans un tableau d'analyse de variance comme nous l'avons fait pour la régression linéaire simple.

Tableau 12.3
Tableau d'analyse de variance pour une régression comportant *k* variables explicatives

**Tableau d'analyse de variance
Régression multiple**

Source de variation	Somme de carrés	Degrés de liberté	Carrés moyens
Expliquée par la régression	$SCR = \sum (\hat{y}_i - \bar{y})^2$	k	$CMR = SCR / k$
Résiduelle	$SC_{RES} = \sum (y_i - \hat{y}_i)^2$	n-k-1	$CM_{RES} = \dfrac{SC_{RES}}{n - k - 1}$
Totale	$SCT = \sum (y_i - \bar{y})^2$	n-1	

Formes développées des sommes de carrés

On peut également écrire les sommes de carrés, dans le cas d'une régression à 2 variables explicatives dont l'équation de régression empirique est $\hat{y}_i = b_0 + b_1 x_{i1} + b_2 x_{i2}$ comme suit:

Calculs des sommes de carrés attribuables à la régression, à la variation résiduelle et à la variation totale

$$SCT = \sum (y_i - \bar{y})^2 = \sum y_i^2 - \frac{\left(\sum y_i\right)^2}{n}$$

$$SCR = \sum (\hat{y}_i - \bar{y})^2 = \sum (b_0 + b_1 x_{i1} + b_2 + b_1 x_{i2} - \bar{y})^2$$

$$= b_0 \sum y_i + b_1 \sum x_{i1} + b_2 \sum x_{i2} y_i - \frac{\left(\sum y_i\right)^2}{n}$$

$$SC_{RES} = \sum (y_i - \hat{y})^2 = \sum (y_i - b_0 - b_1 x_{i1} - b_2 x_{i2})^2$$

$$= \sum y_i^2 - b_0 \sum y_i - b_1 \sum x_{i1} y_i - b_2 \sum x_{i2} y_i$$

Estimation de σ^2 : calcul de s^2

Tout comme dans le cas de la régression linéaire simple, le carré moyen résiduel, CM_{RES} est une estimation ponctuelle de σ^2 (variance des y_i autour du modèle de régression ou variance des erreurs). On peut déduire cette estimation directement du tableau d'analyse, puisque

Calcul de la variation résiduelle

$$CM_{RES} = \frac{\sum (y_i - \hat{y}_i)^2}{n - k - 1} = s^2_{résidus}$$

L'écart-type des résidus nous donne une mesure de dispersion des y_i autour de l'équation de régression multiple:

$$s_{résidus} = \sqrt{CM_{RES}}.$$

Les unités associées à $s_{résidus}$ sont celles de la variable dépendante y.

Coefficient de détermination multiple: R^2

Pour évaluer la qualité de l'ajustement linéaire de l'équation de régression entre la variable dépendante y et l'ensemble des variables explicatives, on a recours au coefficient de détermination (ou d'explication) multiple, noté R^2. Sa définition est analogue à celle utilisée en régression linéaire simple, soit

Calcul du coefficient de détermination

$$R^2 = \frac{SCR}{SCT} = \frac{\sum (\hat{y}_i - \bar{y})^2}{\sum (y_i - \bar{y})^2} \qquad \text{avec } 0 \le R^2 \le 1..$$

Interprétation du coefficient de détermination

Le coefficient R^2 permet d'évaluer la *proportion de la variation des y_i autour de la moyenne $\bar{y}$ qui est expliquée par l'ensemble des variables explicatives retenues dans l'équation de régression.*

La proportion qui demeure *inexpliquée* est $1 - R^2$. Cette partie inexpliquée est attribuable à l'omission de variables explicatives qui pourraient contribuer de façon importante à l'explication des fluctuations de y, à une formulation incorrecte du modèle (d'autres termes seraient requis) et à l'erreur expérimentale.

La racine carrée du coefficient de détermination donne le *coefficient de corrélation multiple*: $R = \sqrt{R^2}$.

Exemple 12.3

Détermination du tableau d'analyse de variance: entreprise Systek

Utilisons les résultats de l'exemple 12.2 et déterminons le tableau d'analyse de variance.

Calcul de SCT

Du tableau 12.2 (exemple 12.2), on a

$$\sum y_i^2 = 4436$$

$$\sum y_i = 360, \frac{(\sum y_i)^2}{n} = \frac{(360)^2}{30} = 4320, \text{ d'où}$$

$$SCT = \sum y_i^2 - \frac{(\sum y_i)^2}{n} = 4436 - 4320 = 116$$

Calcul de SCR

$$\sum x_{i1}y_i = 26\,924, \sum x_{i2}y_i = 2264$$
$$b_0 = -8,2901132, \ b_1 = 0,2639485, \ b_2 = 0,1263211$$

$$SCR = b_0\sum y_i + b_1\sum x_{i1}y_i + b_2\sum x_{i2}y_i - \frac{(\sum y_i)^2}{n}$$
$$= (-8,2901132)(360) + (0,2639485)(26\,924) + (0,1263211)(2264) - 4320$$
$$= 4408,10 - 4320 = 88,10$$

Calcul de SC_{RES}

Par différence, on obtient

$SC_{RES} = SCT - SCR = 116 - 88,10 = 27,9$.

Sachant que $n = 30$ et $k = 2$, le tableau d'analyse de variance se présente comme suit:

Tableau 12.4
Tableau d'analyse de variance concernant le nombre de pièces assemblées

Modèle de régression:
$$y_i = \beta_0 + \beta_1 x_{i1} + \beta_2 x_{i2} + \varepsilon_i$$

Source de variation	Somme de carrés	Degrés de liberté	Carrés moyens
Régression	88,10	2	44,05
Résiduelle	27,9	27	1,033
Totale	116	29	

Détermination de la variance des résidus et du coefficient R^2

Du tableau d'analyse de variance, on peut déduire que $s_{résidus}^2 = CM_{RES} = \frac{27,9}{27} = 1,033$.

L'écart-type des résidus est $s_{résidus} = \sqrt{1,033} = 1,016$.

Le coefficient de détermination est $R^2 = \frac{SCR}{SCT} = \frac{88,10}{116} = 0,7595$.

Pratiquement 76% de la variabilité dans le nombre de pièces assemblées est expliquée par les variables explicatives «test de dextérité manuelle et nombre d'années d'expérience».

12.4   Comment déterminer si la régression est significative dans son ensemble?

Dans un modèle de régression multiple, disons un modèle comportant k variables explicatives,

$$y_i = \beta_0 + \beta_1 x_{i1} + \beta_2 x_{i2} + \ldots + \beta_k x_{ik} + \varepsilon_i,$$

on veut tester si la régression est significative dans son ensemble. Les hypothèses nulle et alternative que l'on veut alors soumettre au test sont les suivantes:

$H_0 : \beta_1 = \beta_2 = \cdots = \beta_k = 0$ (aucune contribution significative des x_j)

H_1 : au moins un des β_j est différent de 0   (au moins une variable, disons x_j, apporte une contribution significative).

Pour effectuer le test, on a recours aux carrés moyens mentionnés précédemment. Il s'agit de comparer le carré moyen dû à la régression avec le carré moyen résiduel en calculant la quantité

$$F = \frac{CMR}{CM_{RES}} = \frac{SCR/k}{SC_{RES}/n-k-1}$$

ce qui constitue un rapport de deux variances.

Valeur p
Une façon équivalente d'établir la régle de décision est d'évaluer la probabilité, en supposant $H_0 : \beta_1 = \beta_2 = \cdots = \beta_k = 0$ vraie, pour que la quantité F soit supérieure ou égale à la valeur observée de F selon les résultats de l'échantillon: $P(F \geq F_{observé})$. Si cette valeur est très petite, les résultats de l'échantillon ne permettent pas de supporter l'hypothèse H_0. Pour conclure, on compare cette valeur de probabilité avec le seuil α. Si $P(F \geq F_{observé}) < \alpha$, on rejette H_0. Cette probabilité est parfois identifiée *Valeur p* ("p-value").

Sous l'hypothèse $H_0 : \beta_1 = \beta_2 = \cdots = \beta_k = 0$, on démontre que la quantité $F = \dfrac{CMR}{CM_{RES}}$ est distribuée selon la loi de Fisher avec k et $n\text{-}k\text{-}1$ degrés de liberté.

Test de signification: $H_0 : \beta_1 = \beta_2 = \cdots = \beta_k = 0$. Au seuil de signification α, le test peut se résumer comme suit:

Modèle: $y : \beta_0 + \beta_1 x_1 + \beta_2 x_2 + \ldots + \beta_k x_k + \varepsilon$

Hypothèses: $H_0 : \beta_1 = \beta_2 = \cdots = \beta_k = 0$

         H_1 : *Au moins un des* $\beta_j \neq 0$

Quotient des carrés moyens: $F = \dfrac{CMR}{CM_{RES}}$

Règle de décision: Rejeter H_0 si

$F > F_{\alpha;k,n-k-1}$ et favoriser H_1.

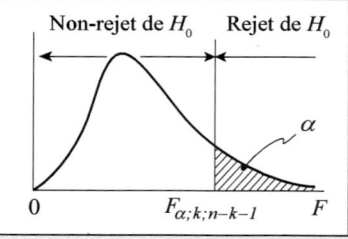

Si nous rejetons H_0, nous concluons que la contribution de l'ensemble des variables pour expliquer les fluctuations de la variable dépendante y est significative au seuil α. Au moins un des facteurs (variable explicative) agit de façon significative sur la variable dépendante.

Remarque. Ce test ne permet pas toutefois de préjuger de la signification d'un coefficient de régression en particulier. Comme nous l'indiquons subséquemment, un test de Student (l'hypothèse nulle est alors $H_0 : \beta_j = 0$) permet de déterminer si la contribution marginale de chaque variable explicative est significative.

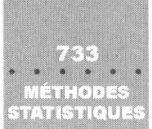

Exemple 12.4

Test de signification dans son ensemble: facteurs explicatifs concernant le nombre de pièces assemblées

Dans le cas de l'exemple 12.2, on veut tester les hypothèses suivantes:

$H_0: \beta_1 = \beta_2 = 0$ (aucun effet attribuable au test de dextérité manuelle et au nombre d'années d'expérience)

$H_1:$ au moins un des $\beta_j \neq 0$, au seuil de signification $\alpha = 0,05$.

Ajoutons au tableau d'analyse de variance de l'exemple 12.2, le rapport $F = CMR/CM_{RES}$. On obtient alors le tableau suivant:

Source de variation	Somme de carrés	Degrés de liberté	Carrés moyens	Rapport F
Régression	88,10	2	4,05	42,74
Résiduelle	27,90	27	1,033	
Totale	116,00	29		

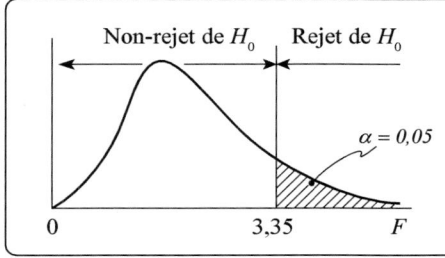

Au seuil $\alpha = 0,05$, $F_{0,05;2,27} = 3,35$.
La règle de décision est rejeter H_0 (et favoriser H_1) si $F > 3,35$, sinon ne pas rejeter H_0.

Du tableau d'analyse de variance, on a $F = 42,74 > 3,35$. Nous rejetons H_0 et favorisons H_1. La régression est significative dans son ensemble au seuil 5%. Ceci pourrait être attribuable aux résultats au test de dextérité ou au nombre d'années d'expérience ou aux deux.

Remarque. *Utilisation du R^2 pour tester si la régression est significative dans son ensemble*. On peut établir une relation entre la variable de Fisher (F) et le coefficient de détermination R^2 pour tester l'hypothèse $H_0: \beta_1 = \beta_2 = \cdots = \beta_k = 0$. En effet, $SCR = R \cdot SCT$ et $SC_{RES} = (1-R^2) \cdot SCT$; alors

$$F = \frac{SCR/k}{SC_{RES}/n-k-1} = \frac{R^2 \cdot SCT/k}{(1-R^2) \cdot SCT/n-k-1} = \frac{R^2/k}{(1-R^2)/n-k-1}$$

qui est distribué selon la loi de Fisher avec k et n-k-1 degrés de liberté.

Exercices d'apprentissage

Série 12.1

📄Analyse de régression multiple comportant 5 variables explicatives

1. Dans une étude de régression linéaire multiple, on veut vérifier si les résultats à un test de performance (y) sont reliés aux résultats à un test de dextérité manuelle (x_1), de perception visuelle (x_2), d'habileté mécanique (x_3), d'efficience physique (x_4) et au temps de réaction (x_5) à un stimulus. Une partie du tableau d'analyse de variance des résultats de l'expérience apparaît ci-après.

Source de variation	Somme de carrés	Degrés de liberté	Carrés moyens
Expliquée par la régression	271,656		
Résiduelle			
Totale	398,3	13	

a) Complétez le tableau d'analyse de variance en indiquant les valeurs manquantes.

b) Quel est le modèle de régression que nous voulons analyser ici?

c) Combien d'observations ont été effectuées?

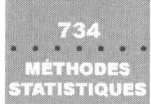

Exercices d'apprentissage

Série 12.1 (suite)

d) On veut tester si la régression est significative dans son ensemble. Précisez les hypothèses statistiques H_0 et H_1.

e) D'après les résultats du tableau d'analyse de variance, l'hypothèse H_1 est-elle retenue au seuil de signification 10%?

f) Le test effectué en e) permet-il de conclure que les 5 variables explicatives apportent une contribution significative au seuil de 10% dans l'explication des résultats au test de performance?

g) Quel pourcentage de variation dans les résultats au test de performance est expliqué par l'ensemble des cinq variables explicatives? Quel est le nom de cette mesure?

h) Quel est l'écart-type des résidus?

i) Donnez une estimation de la variance des erreurs.

2. D'après la valeur observée pour le rapport F du tableau d'analyse de variance de l'exercice 1, entre quelles valeurs se situe la *valeur p* du test de signification de la régression dans son ensemble? Utilisez la table de la loi de Fisher pour répondre à cette question.

3. Déterminez la valeur exacte de cette probabilité (*valeur p*), en utilisant la fonction de calcul Excel suivante:

LOI.F(x;degrés_liberté1;degrés_liberté2)

x représente la variable avec laquelle la fonction doit être calculée.

degrés_liberté1 représente le numérateur des degrés de liberté.

degrés_liberté2 représente le dénominateur des degrés de liberté.

4. Le service de comptabilité de l'entreprise Sigmex a les données* suivantes concernant les frais généraux de fabrication (y) d'un système électro-mécanique, le nombre d'heures-machines (x_1) et le coût des matières directes (x_2) pour les quinze derniers mois.

On veut utiliser la régression multiple pour estimer les frais généraux de fabrication à partir des variables explicatives x_1 et x_2. Dans ce cas, le modèle de régression s'écrit:

$$y_i = \beta_0 + \beta_1 x_{i_1} + \beta_2 x_{i_2} + \varepsilon_i$$

où y_i: frais généraux ($\$ \times 10^2$) de fabrication pour le i ième mois.

x_{i_1}: nombre d'heures-machines pour le i ième mois.

x_{i_2}: coût ($\$ \times 10^2$) des matières directes pour le i ième mois.

ε_i: fluctuation aléatoire non observable.

Période	Frais généraux de fabrication (x100)	Nombre d'heures-machines	Coût des matières directes (x100)
1	21,07	62	19,64
2	20,40	62	18,51
3	29,16	120	36,15
4	23,22	71	29,02
5	18,96	50	11,36
6	24,71	95	23,15
7	31,05	142	50,13
8	23,16	86	27,51
9	25,55	112	28,16
10	27,80	136	34,61
11	20,61	85	17,02
12	29,10	103	38,19
13	28,35	96	39,40
14	27,15	101	36,13
15	19,86	53	17,41

*Source: Adapté de M. Maher, *Data for Regression Estimation*, *Cost Accounting*, McGrawhill, 1997, p354.

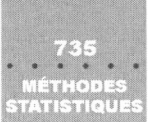

Exercices d'apprentis-sage
Série 12.1
(suite)

On veut estimer les paramètres β_j du modèle. L'équation de régression empirique aura la forme $\hat{y}_i = b_0 + b_1 x_{i_1} + b_2 x_{i_2}$.

La sortie informatique avec le logiciel statistique (SPSS, version 11.0) conduit aux résultats suivants:

Régression

Variables introduites dans l'équation de régression

Variables Entered/Removed[b]

Model	Variables Entered	Variables Removed	Method
1	COÛT, HEURESMA[a]	,	Enter

a. All requested variables entered.

b. Dependent Variable: FRAISGÉN

Coefficient R^2 et écat-type des résidus

Model Summary

Model	R	R Square	Adjusted R Square	Std. Error of the Estimate
1	,976[a]	,952	,944	,93658

a. Predictors: (Constant), COÛT, HEURESMA

Analyse de variance et test de signification

ANOVA[b]

Model		Sum of Squares	df	Mean Square	F	Sig.
1	Regression	208,027	2	104,014	118,58	,000[a]
	Residual	10,526	12	,877		
	Total	218,554	14			

a. Predictors: (Constant), COÛT, HEURESMA

b. Dependent Variable: FRAISGÉN

Coefficients de régression et erreurs-types

Coefficients[a]

Model		Unstandardized Coefficients B	Std. Error	Standardized Coefficients Beta	t	Sig.
1	(Constant)	13,340	,837		15,93	,000
	HEURESMA	4,36E-02	,016	,316	2,762	,017
	COÛT	,258	,042	,697	6,101	,000

a. Dependent Variable: FRAISGÉN

a) Quelle est l'équation de régression qu'on obtient avec cette sortie informatique?
b) Quel pourcentage de variation dans les frais généraux de fabrication est expliqué par les deux variables de l'équation de régression?
c) Quel est le carré moyen attribuable à la régression?
d) Est-ce que la régression est significative dans son ensemble?

12.5   Test de signification sur chaque paramètre de régression

. . . .
Le test de contribution marginale avec le *T* de Student se
base sur le fait que, sous l'hypothèse de normalité des erreurs (ou celle des y_i), la distribution d'échantillonnage
du coefficient b_j, $j = 0,1,...,k$
est celle d'une loi normale
de moyenne $E(b_j) = \beta_j$ et de
variance $\sigma^2(b_j)$. On obtient
une estimation de $\sigma^2(b_j)$ avec
$s^2(b_j)$. L'erreur-type $s(b_j)$ de
chaque coefficient de régression s'obtient de

$$s(b_j) = \sqrt{s^2(b_j)}.$$ Dans le

cas d'un petit échantillon,
les fluctuations de l'écart ré-

duit $\dfrac{b_j - \beta_j}{s(b_j)}$ sont celles de

la loi de Student avec
n-k-1 degrés de liberté.

Lorsqu'on déclare que la régression est significative dans son ensemble, ceci ne veut pas nécessairement dire que toutes les variables explicatives dans l'équation de régression ont un apport significatif. Il s'agit alors de déterminer si la contribution marginale de chaque variable explicative (ou de chaque terme du modèle) est significative. Ce test consiste à examiner si l'ajout d'une variable explicative à la suite d'autres variables explicatives déjà dans l'équation de régression apporte une contribution significative dans l'explication de la variabilité de la variable dépendante.

Ce test permet de juger de la pertinence de chaque variable explicative comme si elle était la dernière variable introduite dans l'équation de régression.

Le test de contribution marginale de la variable explicative x_j (test de signification du paramètre β_j correspondant) s'effectue à l'aide du *T* de Student comme indiqué ci-après.

Test de signification sur chaque paramètre β_j. On veut tester si la contribution margi-nale de chaque variable explicative x_j est significative dans le modèle
$$y = \beta_0 + \beta_1 x_1 + \beta_2 x_2 + ... + \beta_k x_k + \varepsilon$$
au seuil de signification α. Il s'agit alors de tester les hypothèses suivantes:

$$H_0 : \beta_j = 0, \quad j=1,2,...,k. \quad H_1 : \beta_j \neq 0$$

Sous H_0, l'écart réduit devient $t = \dfrac{b_j}{s(b_j)}$ qui est distribué selon la loi de Student avec n-k-1

degrés de liberté.

Règle de décision: Rejeter H_0 si $T > t_{\alpha/2; n-k-1}$ ou si $T < -t_{\alpha/2; n-k-1}$, sinon ne pas rejeter H_0.

Conclusion: Si H_0 est rejetée, la contribution marginale de la variable explicative x_j est significative au seuil α.

Dans le cas où le programme informatique que vous utilisez affiche le seuil descriptif du test («*p-value*»), on utilise la règle de décision suivante:

Rejeter H_0 si Probabilité $p < \alpha$ (le seuil de signification) et conclure à un effet significatif de la contribution marginale de la variable explicative correspondante.

Conclusion pratique de ce test de signification lorsqu'il y a plusieurs variables explicatives en cause

Le test de contribution marginale nécessite quelques explications supplémentaires. Lors-que l'hypothèse nulle H_0: $\beta_j = 0$ n'est pas rejetée, il faut conclure que la contribution marginale de la variable explicative x_j, lorsqu'elle est introduite à la suite des autres variables explicatives est non significative. Son ajout dans l'équation de régression est superflu compte tenu de la présence des autres variables explicatives déjà dans l'équa-tion. En d'autres termes, l'ajout de cette variable ne réduit pas de façon appréciable la variation non expliquée par les autres variables explicatives déjà dans l'équation de régression.

. . . .
Éliminer une variable explicative d'une équation de régression multiple nécessite
d'effectuer une autre régression avec les variables restantes pour obtenir les nouvelles valeurs de coefficients
de régression et des diverses
quantités du tableau d'analyse de variance.

Lorsqu'un test de contribution marginale est effectué sur chaque variable explicative, il est important de noter que si on ne peut rejeter H_0 dans le cas de deux paramètres ou plus, il ne faut pas éliminer immédiatement du modèle toutes les variables correspondan-tes. Il faudrait d'abord retrancher une variable explicative, celle qui s'avère la moins significative (celle correspondant à la plus faible valeur de *t* en valeur absolue). Par la suite, on doit ré-estimer les paramètres du modèle avec les variables restantes pour obtenir la valeur appropriée du carré moyen résiduel.

Remarques. a) On peut obtenir la contribution additionnelle en terme de somme de carrés régression pour l'ajout d'une variable explicative dans l'équation de régression, en utilisant l'expression

$$SCR(x_k | x_1, x_2, ..., x_{k-1}) = \frac{b_k^2}{s^2(b_k)} \cdot s_{résidus}^2 = t_k^2 \cdot s_{résidus}^2$$

où b_k et $s(b_k)$ sont respectivement le coefficient de régression et l'erreur-type de ce coefficient dans l'équation de régression

$$\hat{y} = b_0 + b_1 x_1 + b_2 x_2 + ... + b_{k-1} x_{k-1} + b_k x_k \text{ et}$$

$s_{résidus}^2$, le carré moyen résiduel du tableau d'analyse de variance pour la régression comportant les k variables explicatives. Cette somme de carrés a 1 degré de liberté. Mentionnons également que la somme de carrés attribuable à l'ensemble des k variables explicatives peut également s'écrire:

$$SCR(x_1, x_2, ..., x_{k-1}, x_k) = SCR(x_1) + SCR(x_2 | x_1) + ... + SCR(x_k | x_1, x_2, ..., x_{k-1}).$$

b) Dans la situation où l'hypothèse nulle ne comporte qu'un seul paramètre, ce qui est le cas pour un test de contribution marginale sur x_j avec $H_0 : \beta_j = 0$, et $H_1 : \beta_j \neq 0$ il y a une relation entre le F de Fisher et le T de Student. C'est la même que nous avons mentionnée à la section 11.11 sur la régression linéaire simple, soit ici

$$F_j = t_j^2 = \left[\frac{b_j}{s(b_j)}\right]^2.$$ La valeur critique du F de Fisher est alors $F_{\alpha;1,n-k-1}$. On a également $F_{\alpha;1,n-k-1} = t_{\alpha/2;n-k-1}^2$.

Exemple 12.5

Test sur la contribution marginale de chaque variable explicative avec le *T* de Student

Dans une étude de régression multiple portant sur l'analyse de facteurs pouvant être liés à la rémunération de cadres intermédiaires d'entreprises de taille moyenne, on a obtenu les valeurs suivantes pour les coefficients de régression et les erreurs-types de chaque coefficient. L'étude a porté sur un échantillon aléatoire de 22 cadres.

Variables explicatives	Coefficients de régression b_j	Erreurs-types $s(b_j)$
x_1	1455,57	140,679
x_2	874,16	247,686
x_3	-1646,74	904,122
Coefficient b_0	10726,22	1549,356

L'équation de régression multiple est donc:

$$\hat{y} = 10\,726,22 + 1455,57 x_1 + 874,16 x_2 - 1646,74 x_3.$$

Testons la contribution marginale de chaque variable explicative dans le modèle $y = \beta_0 + \beta_1 x_1 + \beta_2 x_2 + \beta_3 x_3 + \varepsilon$. On utilise le T de Student pour effectuer le test et un seuil de signification $\alpha = 0,05$.

La valeur critique est donc: $t_{0,025;18} = 2,1009$.

Variable	Hypothèses statistiques	Écart réduit $t = b_j/s(b_j)$	Critère de décision: Rejeter H_0 si $T > 2,1009$ ou $T < -2,1009$
x_1	$H_0: \beta_1 = 0$ $H_1: \beta_1 \neq 0$	$t = \dfrac{1455,57}{140,679}$ $= 10,347$	Puisque $t = 10,347 > 2,1009$, nous rejetons H_0. La contribution marginale de x_1 est significative.
x_2	$H_0: \beta_2 = 0$ $H_1: \beta_2 \neq 0$	$t = \dfrac{874,16}{247,686}$ $= 3,529$	Puisque $t = 3,529 > 2,1009$, nous rejetons H_0. La contribution marginale de x_2 est significative.
x_3	$H_0: \beta_3 = 0$ $H_1: \beta_3 \neq 0$	$t = \dfrac{-1646,74}{904,122}$ $= -1,821$	Puisque $t = -1,821 > -2,1009$, on ne peut rejeter H_0. La contribution marginale de x_3 n'est pas significative.

De cette analyse, on peut dire

a) lorsque les variables explicatives x_2 et x_3 sont déjà dans l'équation de régression, l'ajout de x_1 représente un apport significatif dans l'explication des fluctuations de la rémunération des cadres;

b) lorsque les variables explicatives x_1 et x_3 sont déjà dans l'équation de régression, l'ajout de x_2 représente aussi un apport significatif;

c) finalement, lorsque les variables explicatives x_1 et x_2 sont déjà dans l'équation de régression, l'ajout de x_3 ne permet pas de réduire de façon appréciable la variation non expliquée par x_1 et x_2; son apport marginal n'est pas significatif.

Exercice d'apprentissage

Série 12.2

📖 Analyse de régression multiple sur des variables explicatives pouvant influencer le niveau de satisfaction au travail

La vice-présidente aux ressources humaines de l'entreprise JPX, veut connaître le niveau de satisfaction au travail (y) des cadres de niveau intermédiaire de l'entreprise, et ceci à l'aide d'un questionnaire établi par un expert-conseil en psychologie industrielle.

Un échantillon aléatoire de 20 cadres intermédiaires a été sélectionné pour participer à cette étude. On a également relevé dans le fichier du personnel, certaines caractéristiques pouvant être liées au niveau de satisfaction au travail.

Cadre i	Satisfaction à l'emploi	Rémunération	Âge	Années de service	Années d'expérience préalable
1	12,1	57,98	46	6	1
2	10,0	40,42	42	12	0
3	14,0	71,09	55	22	3
4	12,6	46,48	44	13	4
5	11,5	35,98	45	9	2
6	11,0	53,56	50	8	3
7	10,6	30,1	42	5	7
8	9,2	30,51	30	2	1
9	9,9	25,16	44	3	2
10	7,3	27,41	37	3	2
11	16,1	69,26	59	20	9
12	7,4	22,31	29	2	1
13	10,7	35,36	32	5	0
14	11,4	49,77	51	15	3
15	7,7	33,19	37	10	0
16	8,4	42,74	36	2	1
17	6,0	22,45	29	2	0
18	13,9	71,86	51	7	3
19	9,8	22,94	41	5	3
20	8,4	31,77	31	3	1

Ces variables explicatives sont:

• La rémunération (en milliers de dollars) (x_1)

• L'âge (en années) (x_2)

• Les années de service avec l'entreprise (x_3)

• Le nombre d'années d'expérience associé à la fonction avant l'engagement chez JPX (x_4).

On a effectué une régression multiple selon le modèle

$$y = \beta_0 + \beta_1 x_1 + \beta_2 x_2 + \beta_3 x_3 + \beta_4 x_4 + \varepsilon.$$

À l'aide d'un programme informatique (nous avons utilisé ici Régression linéaire d'Excel), on a obtenu les résultats présentés ci-après.
La sortie informatique a été éditée par l'auteur.

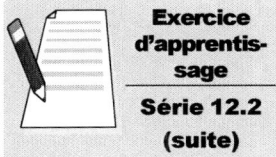

Statistiques de la régression

Coefficient de corrélation multiple	0,9226
Coefficient de détermination R^2	0,8512
Écart-type résiduel	1,1074
Nombre d'observations	20

ANALYSE DE VARIANCE

Source de variation	Degré de liberté	Somme des carrés	Carrés Moyens	F	Valeur p
Régression	4	105,2053	26,3013	21,4474	0,0000046
Résidus	15	18,3947	1,2263		
Total	19	123,6			

	Coefficients	Erreur-type	Statistique t	Probabilité
Constante	3,5477	1,8335	1,9349	0,0721
Rémunération	0,0763	0,0279	2,7303	0,0155
Âge	0,0674	0,0675	0,9985	0,3339
Années de service	0,0338	0,0704	0,4801	0,6381
Années d'expérience préalable	0,2881	0,1504	1,9158	0,0747

Intervalle de confiance pour les paramètres de régression

	Limite inférieure pour seuil de confiance = 95%	Limite supérieure pour seuil de confiance = 95%
Constante	-0,3603	7,4558
Rémunération	0,0167	0,1358
Âge	-0,0765	0,2113
Années de service	-0,1162	0,1838
Années d'expérience préalable	-0,0324	0,6087

a) Quel pourcentage de variation dans le niveau de satisfaction au travail est expliqué par l'équation de régression multiple?

b) Est-ce que la régression est significative dans son ensemble? Utilisez un seuil de signification de 5%.

c) Est-ce que la conclusion obtenue en b) implique que toutes les variables explicatives sont liées au niveau de satisfaction au travail? Expliquez.

d) Peut-on conclure que chaque variable explicative a un apport marginal significatif dans l'explication du niveau de satisfaction au travail des cadres intermédiaires? Utilisez un seuil de signification de 5%.

e) Quelle variable devrait-on, en premier lieu, éliminer du modèle de régression? Justifiez votre choix.

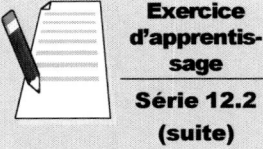

Exercice d'apprentissage Série 12.2 (suite)

Une nouvelle régression a été obtenue, en tenant compte des trois variables restantes dans l'équation de régression. Les résultats sont présentés ci-après.

Statistiques de la régression

Coefficient de corrélation multiple	0,9214
Coefficient de détermination R^2	0,8489
Écart-type résiduel	1,0804
Nombre d'observations	20

ANALYSE DE VARIANCE

Source de variation	Degré de liberté	Somme des carrés	Carrés Moyens	F	Valeur p
Régression	3	104,9226	34,9742	29,9607	0,0000008
Résidus	16	18,6774	1,1673		
Total	19	123,6			

	Coefficients	Erreur-type	Statistique t	Probabilité
Constante	3,1126	1,5550	2,0016	0,0626
Rémunération	0,0790	0,0267	2,9563	0,0093
Âge	0,0816	0,0593	1,3762	0,1877
Années d'expérience préalable	0,2871	0,1467	1,9567	0,0681

Intervalle de confiance pour les paramètres de régression

	Limite inférieure pour seuil de confiance = 95%	Limite supérieure pour seuil de confiance = 95%
Constante	-0,1839	6,4091
Rémunération	0,0223	0,1356
Âge	-0,0441	0,2072
Années d'expérience préalable	-0,0240	0,5981

f) Quel est l'intervalle de confiance à 95% pour le paramètre de régression correspondant à la variable *Années d'expérience préalable*?

g) En utilisant l'intervalle de confiance obtenu en f), peut-on conclure que la contribution marginale de la variable *Années d'expérience préalable* est significative, au seuil 5%? Expliquez.

La vice-présidente aux ressources humaines aimerait obtenir une régression comportant les variables explicatives *Rémunération* et *Âge* du cadre intermédiaire.

Une analyse avec Excel conduit aux résultats de la page suivante.

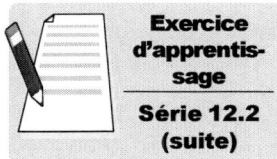

Exercice
d'apprentis-
sage
Série 12.2
(suite)

Statistiques de la régression

Coefficient de corrélation multiple	0,9015
Coefficient de détermination R^2	0,8127
Écart-type résiduel	1,1669
Nombre d'observations	20

ANALYSE DE VARIANCE

Source de variation	Degré de liberté	Somme des carrés	Carrés Moyens	F	Valeur p
Régression	2	100,4535	50,2267	36,8891	0,00000065
Résidus	17	23,1465	1,3616		
Total	19	123,6			

	Coefficients	Erreur-type	Statistique t	Probabilité
Constante	1,4470	1,4055	1,0296	0,3176
Rémunération	0,0656	0,0279	2,3525	0,0310
Âge	0,1507	0,0514	2,9338	0,0093

Intervalle de confiance pour les paramètres de régression

	Limite inférieure pour seuil de confiance = 95%	Limite supérieure pour seuil de confiance = 95%
Constante	-1,5182	4,4123
Rémunération	0,0068	0,1244
Âge	0,0423	0,2591

h) Peut-on considérer, au seuil de signification $\alpha = 0,05$, que les variables explicatives «Rémunération» et «Âge» apportent une contribution marginale significative à l'explication du niveau de satisfaction au travail? Motivez votre réponse.

i) Quelle est l'équation de régression résultante et le pourcentage de variation qui est expliqué par cette équation de régression multiple?

Remarques. *a) Intervalle de confiance sur β_j.* La plupart des programmes informatiques donnent également l'intervalle de confiance sur chaque paramètre β_j (habituellement avec un niveau de confiance de 95%). Au niveau de confiance 100 (1-α)%, l'intervalle de confiance s'écrit:

$$b_j - t_{\alpha/2;n-k-1} \cdot s(b_j) \leq \beta_j \leq b_j + t_{\alpha/2;n-k-1} \cdot s(b_j).$$

Si $\beta_j = 0$ se situe dans l'intervalle, la contribution marginale de la variable explicative x_j, compte tenu des autres variables explicatives déjà incluses dans l'équation de régression, est non significative au seuil de signification α.

b) Coefficients bêta ou coefficients de régression satndardisés. Certains logiciels statistiques donnent, en plus des coefficients de régression b_j, les coefficients de régression standardisés b_j^*. Ces coefficients sont indépendants des unités de mesure des variables (expliquée et explicatives) et s'obtiennent à l'aide de l'expression

$$b_j^* = b_j \frac{s(x_j)}{s(y)}$$ où $s(x_j)$ est l'écart-type associé à la variable explicative x_j et $s(y)$, l'écart-type de la variable dépendante y.

12.6   Estimation de $E(y_h)$ par intervalle de confiance

Nous avons déjà traité de cet aspect (estimation par intervalle de confiance de la moyenne conditionnelle de y à $x = x_h$ dans le cas linéaire simple) en régression simple. Dans le cas de la régression multiple, l'expression de la marge d'erreur dans l'estimation de $E(y_h)$ est particulièrement complexe (et nécessite une approche avec le calcul matriciel, aspect que nous ne traitons pas ici). Toutefois les logiciels plus performants sur le plan analyse statistique qu'Excel, comme SPSS, Minitab, SAS,..., permettent d'obtenir les intervalles de confiance.

On peut obtenir avec Excel un intervalle de confiance approximatif (en utilisant les formules appropriées que nous indiquons dans une section subséquente).

L'intervalle de confiance pour $E(y_h)$ pour l'observation $i = h$ s'obtient comme suit.

Intervalle de confiance pour $E(y_h)$ pour un modèle à k variables explicatives

L'estimation ponctuelle, à $i = h$, s'obtient de

$$\hat{y}_h = b_0 + b_1 x_{h_1} + b_2 x_{h_2} + ... + b_k x_{h_k}$$

L'intervalle ayant un niveau de confiance $100(1-\alpha)\%$ de contenir la vraie moyenne $E(y_h)$ s'écrit, dans le cas d'un petit échantillon, $\hat{y}_h - t_{\alpha/2;n-k-1} \cdot s(\hat{y}_h) \leq E(y_h) \leq \hat{y}_h + t_{\alpha/2;n-k-1} \cdot s(\hat{y}_h)$ où $s(\hat{y}_h)$ est l'erreur-type de l'estimateur $\hat{y}_h$.

C'est l'expression $s(\hat{y}_h)$ qui est complexe dans le cas de la régression multiple; nous n'en donnerons ici qu'une valeur approximative:

$$s(\hat{y}_h) \cong \frac{s}{\sqrt{n}} \text{ où } s = \sqrt{CM_{RES}} = \sqrt{\frac{SC_{RES}}{n-k-1}}.$$

Remarques. a) Dans le cas d'un modèle à 2 variables explicatives, l'estimation de $E(y_h) = \beta_0 + \beta_1 x_{h1} + \beta_2 x_{h2}$ s'obtient de $\hat{y}_h = b_0 + b_1 x_{h1} + b_2 x_{h2}$. L'expression exacte de $s^2(\hat{y}_h)$ est

$$s^2(\hat{y}_h) = s^2(b_0) + x_{h1}^2 s^2(b_1) + x_{h2}^2 s^2(b_2) + 2x_{h1} cov(b_0, b_1 + 2x_{h2} cov(b_0, b_2) + 2x_{h1}x_{h2} cov(b_1, b_2).$$

Cette expression nécessite la connaissance des covariances entre les coefficients de régression b_j.
b) De façon générale, la marge d'erreur dans l'estimation de $E(y_h)$ au niveau de confiance $100(1-\alpha)\%$, ayant k variables explicatives dans l'équation de régression est:

$$\text{Marge d'erreur au niveau } 100(1-\alpha)\% = \pm(t_{\alpha/2;n-k-1}) \cdot s(\hat{y}_h).$$

Exemple 12.6

Estimation par intervalle de confiance: temps moyen de manutention

Les données de la page suivante ont été obtenues par l'agent technique de l'entreprise M-Pak dans le cadre d'une étude préliminaire sur les temps de manutention (en centiheures) d'une matière première en fonction du poids manutentionné en nombres de palettes (x_1), de la distance parcourue en mètres (x_2) et de la hauteur du déplacement vertical en mètres (x_3).

Temps de manutention	Nombre de palettes	Distance parcourue	Hauteur de déplacement
29	12	8	0,8
38	14	10	1,0
32	11	6	1,2
70	21	30	0,5
45	6	35	0,6
34	18	8	0,4
72	10	6	1,3
55	5	30	0,8
45	20	15	0,5
80	30	10	1,5
82	8	50	0,7
25	10	5	1,0

L'analyse des données avec Excel, pour le modèle de régression multiple

$y_i = \beta_0 + \beta_1 x_{i1} + \beta_2 x_{i2} + \beta_3 x_{i3} + \varepsilon_i$, $i = 1,...,2$, conduit à la sortie informatique suivante (que nous avons éditée pour une meilleure compréhension).

	I	J
4	*Statistiques de la régression*	
5	Coefficient de corrélation multiple	0,8650
6	Coefficient de détermination R^2	0,7482
7	Coefficient de détermination R^2 ajusté	0,6537
8	Erreur-type (écart-type résiduel)	12,1232
9	Observations	12

10							
11	ANALYSE DE VARIANCE						
12	*Sources de variation*	*Degré de liberté*	*Somme des carrés*	*Moyenne des carrés*	*F*	*Seuil descriptif du test (valeur p)*	*Valeur critique de F au seuil 5%*
13	Régression	3	3493,133	1164,38	7,922	0,00884	4,0662
14	Résidus	8	1175,784	146,97			
15	Total	11	4668,917				
16							
17	*Variables explicatives*	*Coefficients*	*Erreur-type*	*Statistique t*	*Probabilité*	*Limite inférieure pour seuil de confiance = 95%*	*Limite supérieure pour seuil de confiance = 95%*
18	Constante	-20,9278	16,2230	-1,2900	0,2331	-58,338	16,482
19	Nombre de palettes	1,3840	0,5311	2,6060	0,0313	0,159	2,609
20	Distance parcourue	1,3196	0,2911	4,5329	0,0019	0,648	1,991
21	Hauteur de déplacement	33,8541	11,8155	2,8652	0,0210	6,607	61,101

De la sortie informatique, on constate que:

la régression est significative dans son ensemble au seuil 5% (valeur $p = 0,00884 < \alpha = 0,05$);

la contribution marginale de chaque variable explicative est significative au seuil 5%;

le coefficient de détermination est pratiquement de 75% ($R^2 = 0,7482$).

L'équation de régression empirique est: $\hat{y} = -20{,}9278 + 1{,}384x_1 + 1{,}3196x_2 + 33{,}8541x_3$.

On aimerait obtenir une estimation par intervalle de confiance pour le temps moyen de manutention, avec un niveau de confiance de 95%, pour des manutentions dont le nombre de palettes est 5, la distance parcourue est 30 m et la hauteur de déplacement est 0,8 m.

On ne peut obtenir avec Excel la valeur exacte de l'intervalle de confiance. Toutefois on peut en évaluer une valeur approximative (la valeur exacte de l'intervalle a une plus grande amplitude) en calculant $s(\hat{y}_h)$ à l'aide de l'expression suivante:

$$s(\hat{y}_h) \cong \frac{s}{\sqrt{n}} \text{ où ici } s = \sqrt{CM_{RES}} = \sqrt{146{,}97} = 12{,}1232 \, et \, n = 12.$$

On obtient $s(\hat{y}_h) = \frac{12{,}1232}{\sqrt{12}} = 3{,}5.$

L'estimation ponctuelle à $x_1 = 5$, $x_2 = 30$ et $x_3 = 0{,}8$ est

$\hat{y} = -20{,}9278 + (1{,}384)(5) + (1{,}3196)(30) + (33{,}8541)(0{,}8) = 52{,}66$ centiheures.

La marge d'erreur approximative, pour un niveau de confiance de 95%, est:
(2,3060)(3,5) = 8,07.

L'intervalle de confiance approximatif est:
52,66 ± 8,07 soit $44{,}59 \leq E(y_h) \leq 60{,}73$ centiheures.

$t_{0,025;8} = 2{,}3060$

Remarque. *Traitement avec SPSS.* Si on utilise le logiciel SPSS, on obtient pour l'erreur-type de l'estimation de $E(y_h)$ à $x_1 = 5$, $x_2 = 30$ et $x_3 = 0{,}8$, $s(\hat{y}_h) = 5{,}934$ et l'intervalle de confiance à 95% pour $E(y_h)$, $38{,}979 \leq E(y_h) \leq 66{,}346$. La marge d'erreur statistique dans l'estimation par intervalle de confiance de $E(y_h)$ est (2,3060)(5,934) = 13,684.

Intervalle de confiance approximatif   44,59 $\hat{y}_h = 52{,}66$ 60,73

Intervalle de confiance exact au niveau de confiance 95%   38,979 $\hat{y}_h = 52{,}66$ 66,346

On peut vérifier que, pour les valeurs des variables explicatives mentionnées ici, l'intervalle de confiance approximatif correspond en fait à un niveau de confiance de l'ordre de 79%.

12.7   Intervalle de prévision pour la valeur individuelle y_h

Fréquemment, c'est plutôt la prévision d'une valeur individuelle de la distribution de y qui nous intéresse. Pour une nouvelle observation $x_{h1}, x_{h2},..., x_{hk}$, la prévision la plus plausible est obtenue de l'équation de régression. On obtient alors la même valeur que $\hat{y}_h$. Toutefois l'incertitude dans cette prévision se détermine à l'aide de l'estimation de la variance de l'erreur de prévision, soit

$$s^2(d_h) = s^2(\hat{y}_h) + s^2$$

où $s^2 = CM_{RES}$ de la régression à k variables explicatives.

L'écart-type de l'erreur de prévision est donc $s(d_h) = \sqrt{s^2(d_h)}$.

Intervalle de prévision au niveau de confiance 100(1-α)%. L'intervalle de prévision ayant un niveau de confiance de 100(1-α)% de contenir la vraie valeur de y, s'écrit

$$\hat{y}_h - t_{\alpha/2;n-k-1} \cdot s(d_h) \leq y_h \leq y_h + t_{\alpha/2;n-k-1} \cdot s(d_h).$$

Une approximation de la variance de l'erreur de prévision s'obtient avec

$$s^2(d_h) \cong \frac{s^2}{n} + s^2 = s^2 \frac{(n+1)}{n}$$

et la valeur approximative de l'écart-type est

$$s(d_h) \cong s\sqrt{\frac{n+1}{n}} \text{ où } s = \sqrt{CM_{RES}} = \sqrt{\frac{SC_{RES}}{n-k-1}}.$$

Exemple 12.7

Intervalle de prévision des frais généraux de fabrication

Utilisons les données de l'exercice d'apprentissage no 4, série 12.1 (régression exprimant les frais généraux de fabrication (y) en fonction du nombre d'heures-machines (x_1) et coût des matières directes (x_2)) et déterminons un intervalle de prévision pour une période comportant 80 heures-machines et 25 ($\times$ 100\$) de coût de matières directes et ceci avec un niveau de confiance de 95%.

L'estimation ponctuelle est $\hat{y} = 13,34 + (0,0436)(80) + (0,258)(25) = 23,278$ (soit 2327,80\$).

Déterminons la variance approximative de l'erreur de prévision. La formule est:

$$s^2(d_h) \cong s^2\left(\frac{n+1}{n}\right)$$

Ici, on a $s^2 = CM_{RES} = 0,877$ et $n = 15$, d'où

$$s^2(d_h) = (0,877)\left(\frac{16}{15}\right) = 0,936$$

$$s(d_h) = 0,967.$$

Pour un niveau de confiance de 95%, on trouve $t_{0,025;12} = 2,1788$.

Limite inférieure de l'intervalle de prévision = 23,278 - (2,1788)(0,967)
$$= 23,278 - 2,107 = 21,171$$

Limite supérieure de l'intervalle de prévision = 23,278 + 2,107 = 25,385.

L'intervalle approximatif de prévision est $21,171 \leq y_h \leq 25,385$ soit entre 2117,10\$ et 2538,50\$.

Remarque. La valeur de l'intervalle de confiance est exacte dans le cas où les estimations sont calculées pour les valeurs de variables explicatives qui correspondent aux moyennes respectives $\bar{x}_1, \bar{x}_2, ..., \bar{x}_k$. Dans ce cas, $s^2(\hat{y}_h) = \frac{s^2}{n}$ et $s^2(d_h) = \frac{s^2}{n} + s^2$.

12.8 Utilisation de l'information qualitative dans un modèle de régression multiple: variables auxiliaires

Les situations que nous avons traitées jusqu'à présent ne comportaient que des variables explicatives de nature quantitative comme dépenses en publicité, résultats à un test d'évaluation, nombre d'années d'expérience, superficie,... Il arrive fréquemment toutefois que des situations peuvent comporter de l'information qualitative utile pour expliquer les fluctuations de la variable dépendante. D'autre part, cette information ne peut être mesurée sur une échelle continue. C'est le cas pour le sexe, la profession, l'absence ou la présence d'un matériau particulier, la localisation géographique, les saisons, le niveau de responsabilité de cadres d'entreprises, les opérateurs... De plus, ce type d'information peut comporter plusieurs modalités. Ainsi le niveau de responsabilité de cadres d'entreprises pourrait se répartir selon trois modalités: cadre junior, cadre intermédiaire, cadre supérieur. Comment alors intégrer cette information avec d'autres variables explicatives quantitatives, dans un modèle de régression multiple.

Les variables auxiliaires sont également appelées variables muettes ou encore variables binaires.

Variables auxiliaires. Dans le cas d'une information qualitative présentant deux modalités, nous définissons une variable auxiliaire prenant la valeur 0 ou 1 selon la modalité du caractère observé. Dans le cas d'une information qualitative présentant p modalités, nous définissons $(p\text{-}1)$ variables auxiliaires prenant respectivement la valeur 0 ou 1 selon la modalité du caractère observé.

À noter que pour chaque nature de l'information qualitative, nous devons définir une ou plusieurs variables auxiliaires selon le nombre de modalités de chacune.

Les exemples suivants vont permettre d'illustrer l'application de cette technique.

Exemple 12.8

Utilisation d'une variable auxiliaire dans un modèle de régression multiple

Chez l'entreprise Microtron, on veut étudier si les fluctuations du niveau de productivité d'employés affectés à une tâche d'assemblage et de vérification sont explicables par les résultats à un test d'aptitude et par le sexe de l'employé.

Pour un échantillon de 27 employés, on a l'information suivante.

Employé i	Niveau de productivité	Résultats au test d'aptitude	Sexe de l'employé
1	45	105	Masculin
2	49	120	Masculin
3	51	117	Féminin
4	51	114	Féminin
5	49	110	Féminin
6	49	112	Féminin
7	50	118	Féminin
8	45	106	Masculin
9	50	121	Féminin
10	45	108	Masculin
11	46	112	Masculin
12	49	116	Féminin
13	48	110	Féminin
14	50	115	Féminin
15	52	125	Féminin
16	46	108	Masculin
17	48	122	Masculin
18	45	107	Masculin
19	47	115	Masculin
20	51	120	Féminin
21	48	111	Féminin
22	48	108	Féminin
23	51	123	Féminin
24	49	118	Féminin
25	47	113	Masculin
26	46	111	Masculin
27	51	124	Féminin

Effectuons d'abord une régression linéaire simple entre le niveau de production (y) et les résultats au test d'aptitude (x_1). Les résultats de cette analyse ne comportant qu'une seule variable explicative se résument comme suit (traitement avec Excel):

	I	J	K	L	M	N
4	*Statistiques de la régression*					
5	Coefficient de corrélation multiple	0,7993				
6	Coefficient de détermination R^2	0,6389				
7	Coefficient de détermination R^2 ajusté	0,6244				
8	Erreur-type	1,3399				
9	Observations	27				
10						
11	ANALYSE DE VARIANCE					
12	*Sources de variation*	*Degré de liberté*	*Somme des carrés*	*Moyenne des carrés*	*F*	*Seuil descriptif du test (valeur p)*
13	Régression	1	79,411	79,411	44,229	0,000000573
14	Résidus	25	44,886	1,795		
15	Total	26	124,296			
16						
17		*Coefficients*	*Erreur-type*	*Statistique t*	*Probabilité*	
18	Constante	14,2061	5,1436	2,7619	0,010615	
19	Résultats au test d'aptitude	0,2986	0,0449	6,6505	0,000000573	

Ajout de l'information qualitative

Quantifions maintenant l'information qualitative (sexe de l'employé) à l'aide d'une variable auxiliaire que nous notons x_{i2}, où

$$x_{i2} = \begin{cases} 0, \text{ si l'employé } i \text{ est de sexe masculin} \\ 1, \text{ si l'employé } i \text{ est de sexe féminin} \end{cases}$$

Le modèle de régression multiple est alors
$$y_i = \beta_0 + \beta_1 x_{i1} + \beta_2 x_{i2} + \varepsilon_i \quad \text{et}$$
$$E(y_i) = \beta_0 + \beta_1 x_{i1} + \beta_2 x_{i2}$$

où $E(y_i)$ représente le niveau moyen de productivité pour l'ensemble des i employés ayant un résultat x_{i1} au test d'aptitude et dont le sexe est identifié par la variable auxiliaire x_{i2}.

Ainsi, dans le cas où l'employé est de sexe féminin, alors $x_{i2} = 1$ et le niveau moyen de productivité pour cette catégorie est:

$$E(y_i) = \beta_0 + \beta_1 x_{i1} + \beta_2(1)$$
$$= (\beta_0 + \beta_2) + \beta_1 x_{i1}.$$

Cette expression représente donc une droite de pente β_1 et dont l'ordonnée à l'origine est $(\beta_0 + \beta_2)$.

Dans le cas où l'employé est de sexe masculin, alors $x_{i2} = 0$ et

$$E(y_i) = \beta_0 + \beta_1 x_{i1} + \beta_2(0)$$
$$= \beta_0 + \beta_1 x_{i1}.$$

C'est aussi une droite de pente β_1 mais dont l'ordonnée à l'origine est β_0.
Dans ce cas, le sexe masculin sert de *base de référence*.
Théoriquement, on pourrait représenter ces deux droites selon la figure suivante. De plus, pour cette représentation graphique, on suppose que β_0 et β_2 sont positifs.

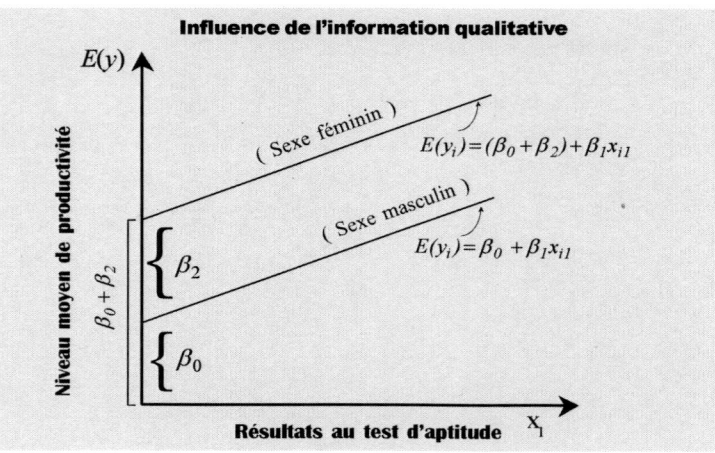

L'écart entre les deux droites indique l'influence de la variable auxiliaire. Son ampleur sera évaluée par la somme de carrés associée à cette variable.

Si l'influence du sexe s'avère non significative (on favorise alors l'hypothèse H_0: $\beta_2 = 0$), alors ces deux droites se confondent puisque $\beta_0 + \beta_2 = \beta_0$; le modèle se réduit alors à $y_i = \beta_0 + \beta_1 x_{i1} + \varepsilon_i$.

Estimation et analyse du modèle $y_i = \beta_0 + \beta_1 x_{i1} + \beta_2 x_{i2} + \varepsilon_i$

Pour effectuer une régression multiple comportant l'information quantitative et l'information qualitative, il faut affecter les valeurs 0 ou 1, selon le sexe de l'employé, à la variable auxiliaire x_2.

Les données à traiter seront alors les suivantes.

Sexe masculin: $x_{i2} = 0$
Sexe féminin: $x_{i2} = 1$

Employé i	Niveau de productivité (y_i)	Résultats au test d'aptitude (x_1)	Sexe de l'employé (x_2)
1	45	105	0
2	49	120	0
3	51	117	1
4	51	114	1
5	49	110	1
6	49	112	1
7	50	118	1
8	45	106	0
9	50	121	1
10	45	108	0
11	46	112	0
12	49	116	1
13	48	110	1
14	50	115	1
15	52	125	1
16	46	108	0
17	48	122	0
18	45	107	0
19	47	115	0
20	51	120	1
21	48	111	1
22	48	108	1
23	51	123	1
24	49	118	1
25	47	113	0
26	46	111	0
27	51	124	1

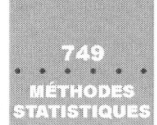

À l'aide de ces données, on veut analyser le modèle $y_i = \beta_0 + \beta_1 x_{i1} + \beta_2 x_{i2} + \varepsilon_i$. On obtient les résultats suivants à l'aide d'Excel (dont nous avons modifié la sortie).

	B	C	D	E	F	G
71	*Statistiques de la régression*					
72	Coefficient de corrélation multiple	0,95767				
73	Coefficient de détermination R^2	0,91713				
74	Coefficient de détermination R^2 ajusté	0,91022				
75	Erreur-type	0,65512				
76	Observations	27				
77						
78	ANALYSE DE VARIANCE					
79	*Sources de variation*	*Degré de liberté*	*Somme des carrés*	*Moyenne des carrés*	*F*	*Seuil descriptif du test (valeur p)*
80	Régression	2	113,9958	56,9979	132,8047	0,000000000000105
81	Résidus	24	10,3005	0,4292		
82	Total	26	124,2963			
83						
84	*Variables explicatives*	*Coefficients*	*Erreur-type*	*Statistique t*	*Probabilité*	
85	Constante	22,9375	2,6963	8,5069	1,046E-08	
86	Résultats au test d'aptitude	0,2092	0,0241	8,6777	7,265E-09	
87	Sexe de l'employé	2,5294	0,2818	8,9768	3,873E-09	

Test sur la contribution marginale de la variable auxiliaire x_2

Pour tester la contribution marginale de la variable auxiliaire x_2 (l'information quant au sexe de l'employé), on aura recours au T de Student.

Il s'agit alors de tester les hypothèses suivantes:

$$H_0 : \beta_2 = 0$$
$$H_1 : \beta_2 \neq 0.$$

Au seuil de signification $\alpha = 0,05$, la règle de décision est: rejeter H_0 si $T > t_{0,025;24} = 2,0639$ ou $T < -2,0639$ et favoriser H_1.

Puisque $b_2 = 2,5294$ et que $s(b_2) = 0,2818$, le calcul de l'écart réduit donne

$$t = \frac{b_2}{s(b_2)} = \frac{2,5294}{0,2818} = 8,9768.$$

Puisque $t = 8,9768 > 2,0639$, nous rejetons H_0. La contribution marginale de la variable x_2 est très significative au seuil $\alpha = 0,05$. L'information concernant le sexe de l'employé apporte une contribution significative à l'équation de régression.

Nous constatons également que le coefficient R^2 est passé de 0,6389 à 0,917 avec l'ajout de la variable auxiliaire x_2, à la suite de la variable x_1 (résultats au test d'aptitude).

La figure de la page suivante permet de visualiser l'équation de régression empirique selon le sexe de l'employé ainsi que les données observées.

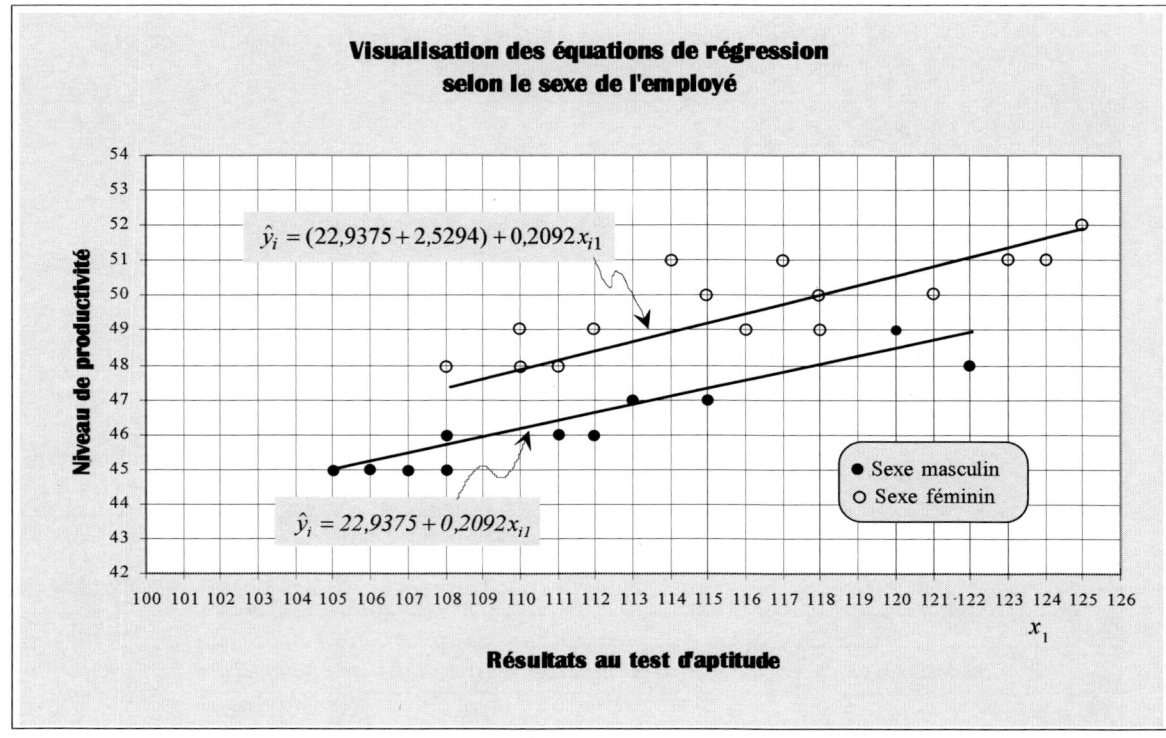

Visualisation des équations de régression selon le sexe de l'employé

$$\hat{y}_i = (22{,}9375 + 2{,}5294) + 0{,}2092\,x_{i1}$$

$$\hat{y}_i = 22{,}9375 + 0{,}2092\,x_{i1}$$

- Sexe masculin
- Sexe féminin

Niveau de productivité

Résultats au test d'aptitude

x_1

Remarque. On obtient de meilleures estimations des coefficients de régression en ajoutant une variable auxiliaire dans le modèle de régression au lieu d'effectuer séparément une analyse de régression pour chaque type d'employés. Les tests sont également plus sensibles, ayant un plus grand nombre de degrés de liberté pour le calcul du carré moyen résiduel.

Exemple 12.9

Modèle de régression multiple avec plusieurs variables auxiliaires

Une revue mensuelle dans le secteur des affaires a effectué une enquête auprès d'entreprises de PME (entre 10 et 200 employés) concernant la rémunération des cadres. On s'est limité à quatre facteurs identifiables qui pourraient affecter leur salaire annuel de base.

- Taille de l'entreprise (en nombre d'employés)
- Nombre d'années d'expérience
- Niveau de responsabilité (cadre junior, cadre intermédiaire, cadre supérieur)
- Sexe de l'individu.

On veut utiliser la régression multiple comme technique d'analyse pour déterminer les facteurs qui pourraient expliquer de façon significative les fluctuations dans le salaire annuel de base des cadres.

La variable dépendante y sera donc le salaire annuel de base.

Parmi les facteurs identifiables, nous constatons que nous avons deux facteurs quantitatifs (taille de l'entreprise et nombre d'années d'expérience) et deux facteurs qualitatifs (niveau de responsabilité et sexe de l'individu).

Notons par x_1, la taille de l'entreprise et par x_2, le nombre d'années d'expérience.

Utilisons maintenant les variables auxiliaires pour incorporer l'information qualitative dans le modèle de régression.

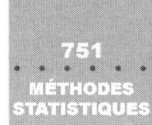
Facteur «Niveau de responsabilité»

Puisque ce facteur qualitatif présente 3 modalités (cadre junior, cadre intermédiaire, cadre supérieur), nous devons définir 2 variables auxiliaires que nous notons x_3 et x_4. On pourrait alors affecter les valeurs suivantes à ces variables:

$$x_3 = \begin{cases} 1 \text{ si cadre intermédiaire} \\ 0 \text{ autrement} \end{cases}$$

$$x_4 = \begin{cases} 1 \text{ si cadre supérieur} \\ 0 \text{ autrement} \end{cases}$$

Ainsi pour les trois modalités du facteur «niveau de responsabilité», on obtient les valeurs suivantes pour les deux variables auxiliaires x_3 et x_4.

Niveau de responsabilité	Variables auxiliaires	
	x_3	x_4
Cadre junior	0	0
Cadre intermédiaire	1	0
Cadre supérieur	0	1

Facteur «Sexe»

Ce facteur qualitatif ne comportant que deux modalités (féminin, masculin), une seule variable auxiliaire sera requise, que nous notons x_5.

$$x_5 = \begin{cases} 1 \text{ si le cadre est de sexe féminin} \\ 0 \text{ si le cadre est de sexe masculin} \end{cases}$$

Spécification du modèle de régression multiple

Le modèle de régression multiple pourrait donc s'écrire comme suit:

$$y_i = \beta_0 + \beta_1 x_{i1} + \beta_2 x_{i2} + \beta_3 x_{i3} + \beta_4 x_{i4} + \beta_5 x_{i5} + \varepsilon_i, \; i = 1,...,n, n > 6.$$

Observations de l'enquête

Quelques résultats de l'enquête pourraient se présenter comme suit:

Individu i	Salaire annuel de base	Taille de l'entreprise	Nombre d'années d'expérience	Niveau de responsabilité	Sexe
1	58 000	150	14	C. intermédiaire	Masculin
2	72 000	180	15	C. supérieur	Féminin
3	46 000	175	10	C. junior	Masculin

En quantifiant l'information qualitative, les données de cette enquête se présenteraient alors comme suit:

Observation i	y	x_{i1}	x_{i2}	x_{i3}	x_{i4}	x_{i5}
1	58 000	150	14	1	0	0
2	72 000	180	15	0	1	1
3	46 000	175	10	0	0	0

Test de signification sur les paramètres β_i

Dans le cas des paramètres β_1, β_2 et β_3, on peut utiliser le t de Student pour tester la contribution marginale de chaque variable explicative correspondante (taille de l'entreprise, nombre d'années d'expérience, sexe de l'individu).

Toutefois, pour tester l'apport du facteur «Niveau de responsabilité», on ne peut utiliser le T de Student puisque l'hypothèse nulle à tester dans ce cas comporte deux paramètres soit: H_0: $\beta_3 = \beta_4 = 0$ (puisque deux variables auxiliaires, x_3 et x_4, identifient ce facteur).

Pour tester ce facteur, il faut avoir recours à un test qui permet de tester globalement ces deux paramètres c.-à-d. avoir recours à un *rapport F*. Nous traitons de ce test dans la section qui suit.

12.9   Comment tester la nullité d'un sous-ensemble de paramètres de régression

Pour illustrer notre propos, supposons qu'un modèle de régression multiple comporte cinq variables explicatives:

$$y_i = \beta_0 + \beta_1 x_{i1} + \beta_2 x_{i2} + \beta_3 x_{i3} + \beta_4 x_{i4} + \beta_5 x_{i5} + \varepsilon_i.$$

On veut tester l'hypothèse nulle suivante H_0: $\beta_4 = \beta_5 = 0$.

Détermination de l'apport marginal de plusieurs variables explicatives avec un rapport F

Pour exécuter ce test, il s'agit d'effectuer deux analyses de régression, une avec le modèle complet (les cinq variables explicatives) et une autre avec le modèle réduit (celui ne comportant que les variables explicatives x_1, x_2 et x_3). Pour évaluer l'apport marginal des variables x_4 et x_5, nous procédons de façon similaire à l'utilisation du "*F partiel*".

Ainsi, dans le cas où les hypothèses à tester sont:

H_0: $\beta_4 = \beta_5 = 0$

H_1: au moins un des paramètres β sous H_0 est différent de 0,

on utilise la quantité

$$F = \frac{[SCR(x_1,x_2,x_3,x_4,x_5) - SCR(x_1,x_2,x_3)]/2}{SC_{RES}(x_1,x_2,x_3,x_4,x_5)/n-5-1}$$

qui, sous H_0, est distribuée selon la loi de Fisher avec 2 et n-6 degrés de liberté.

D'une façon générale, nous pouvons résumer ce test comme suit:

> ### Test statistique sur la nullité d'un sous-ensemble de paramètres β
>
> **Modèle réduit:** $y = \beta_0 + \beta_1 x_1 + \beta_2 x_2 + ... + \beta_g x_g + \varepsilon$
>
> **Modèle complet:** $y = \beta_0 + \beta_1 x_1 + \beta_2 x_2 + ... + \beta_g x_g + \beta_{g+1} x_{g+1} + ... \beta_k x_k + \varepsilon$
>
> **Hypothèses:** H_0: $\beta_{g+1} = \beta_{g+2} = ... = \beta_k = 0$
>
> H_1: au moins un des paramètres β sous H_0 est différent de 0.
>
> **Quotient des carrés moyens:** $F = \dfrac{[SCR(x_1,x_2,...,x_k) - SCR(x_1,x_2,...,x_g)]/(k-g)}{SC_{RES}(x_1,x_2,x_3,...,x_g,...,x_k)/n-k-1}$
>
> où $(k$-$g)$ représente le nombre de paramètres spécifiés en H_0.
>
> **Règle de décision au seuil α:** Rejeter H_0 si $F > F_{\alpha;k-g,n-k-1}$.

Si nous rejetons H_0, nous concluons que l'apport des variables $x_{g+1}, x_{g+2}, ..., x_k$ contribue de façon significative au modèle de régression.

Exemple 12.10   **Test sur un sous-ensemble de paramètres du modèle de régression**

Dans une étude de régression multiple comportant quatre variables explicatives, le modèle analysé fut:

$$y = \beta_0 + \beta_1 x_{i1} + \beta_2 x_{i2} + \beta_3 x_{i3} + \beta_4 x_{i4} + \varepsilon.$$

On veut tester si l'ajout des composantes $\beta_3 x_{i3}$ et $\beta_4 x_{i4}$ apporte une contribution significative au seuil de signification de 5%. L'étude comportait 18 observations.

Pour le modèle complet (comportant les quatre variables explicatives), on a

$$R^2 = 0,8628, \; SCR(x_1, x_2, x_3, x_4) = 77,026, \; SC_{RES}(x_1, x_2, x_3, x_4) = 12,252$$

Pour le modèle réduit (comportant uniquement les variables explicatives x_1 et x_2), on a
$$R^2 = 0,3284, \; SCR(x_1, x_2) = 29,321.$$

On veut tester l'hypothèse nulle H_0: $\beta_3 = \beta_4 = 0$.

On a donc $k = 4$, $g = 2$, $n = 18$ et la règle de décision au seuil de 5% est: rejeter H_0 si $F > F_{0,05;2,13} = 3,81$. Calculons le quotient des carrés moyens. On doit utiliser l'expression suivante.

$$F = \frac{[SCR(x_1, x_2, x_3, x_4) - SCR(x_1, x_2)] / (4 - 2)}{SC_{RES}(x_1, x_2, x_3, x_4) / (18 - 4 - 1)}$$

On obtient donc

$$F = \frac{[77,026 - 29,321] / 2}{12,252 / 13} = \frac{23,8525}{0,94246} = 25,309.$$

La valeur de F dépasse la valeur critique $F_{0,05;2,13} = 3,81$; nous rejetons l'hypothèse H_0: $\beta_3 = \beta_4 = 0$. L'ajout des variables x_3 et x_4 à la suite des variables x_1 et x_2 permet d'améliorer de façon significative l'équation de régression.

Exercices d'apprentissage

Série 12.3

📖 Utilisation de variables auxiliaires et test de contribution marginale

1. Dans une enquête* par questionnaire auprès de deux organisations du secteur public fédéral (l'une possédant un service de ressources humaines centralisé et l'autre, une structure décentralisée), on a étudié l'effet sur la satisfaction des clients envers leur service de ressources humaines à l'aide de trois variables explicatives soit le type de structure du service, l'endroit de travail des clients (en région ou au siège social) et le sexe du répondant. La satisfaction des clients est mesurée à l'aide de six indicateurs avec une échelle de type Likert allant de 1 à 6 (1: tout à fait en désaccord,..., 6: tout à fait en accord).

* Source: Adapté de Wils, T., M. Saint-Onge et C. Labelle. *Décentralisation des services de ressources humaines*. Relations industrielles, vol. 49, no 3, 1994.

a) Quelle est, dans cette enquête, la variable dépendante?

b) D'après l'information présentée ci-haut, quel modèle de régression peut-on analyser? Identifiez chaque variable explicative dans le modèle.

c) Définissez, selon les modalités des variables explicatives présentées dans l'énoncé de l'exercice, les valeurs appropriées pour les variables auxiliaires en tenant compte que les modalités suivantes servent de base de référence:

- Service centralisé
- Siège social
- Sexe féminin.

d) Les auteurs de l'enquête ont cru bon d'ajouter dans le modèle de régression un terme tenant compte de l'effet éventuel d'interaction des variables explicatives *Type de structure - Endroit de travail* soit $x_{i4} = x_{i1} \cdot x_{i2}$ (produit des variables x_{i1} et x_{i2}). Le modèle de régression multiple s'écrit alors

$$y_i = \beta_0 + \beta_1 x_{i1} + \beta_2 x_{i2} + \beta_3 x_{i3} + \beta_4 x_{i4} + \varepsilon_i.$$

Considérez également que l'enquête comporte 496 répondants et que le coefficient de détermination obtenu pour l'équation de régression empirique comportant les variables explicatives indiquées dans le modèle de régression ci-haut est 0,0784.

i) Peut-on déclarer, au seuil de signification 5%, que la régression est significative dans son ensemble?

ii) En admettant que $SCT = 603,9$, quelle est la somme de carrés pour la régression dans son ensemble?

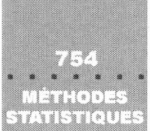

Exercices d'apprentissage

Série 12.3 (suite)

2. Le traitement informatique des résultats de l'enquête sur la décentralisation des services des ressources humaines conduit aux valeurs suivantes pour les coefficients de régression b_j et les erreurs-types $s(b_j)$:

Variable explicative	Coefficient b_j	Erreur-type $s(b_j)$
Ordonnée à l'origine	3,69	
Type de structure (x_1)	0,90	0,193
Endroit de travail (x_2)	0,42	0,163
Sexe du répondant (x_3)	-0,28	0,114
Interaction $(x_4 = x_1 \times x_2)$	-1,31	-5,54

a) Testez, au seuil de signification $\alpha = 0,05$, la contribution marginale de chaque terme de régression.

b) Déterminez une estimation du niveau moyen de satisfaction de répondants ayant les caractéristiques suivantes:
- appartiennent à un organisme ayant un service de ressources humaines décentralisé
- travaillent en région
- sont de sexe féminin.

📖 Analyse de régression multiple avec le logiciel statistique MINITAB

3. La société Optimax veut utiliser la régression multiple pour estimer le prix de vente (en 000$) de résidences provenant de leur fichier de la région de l'Estrie en fonction de diverses caractéristiques de chaque résidence. Les variables concernées sont identifiées comme suit:

PRIX: prix de vente en 000$ de la résidence (variable dépendante)

ESPHABT: espace habitable en mètres carrés

NPIECES: nombre de pièces

AGE: âge de la maison (en années)

NBAINS: nombre de salles de bains

GARAGE: avec (1) ou sans (0) garage.

On veut développer un modèle de régression multiple qui servirait de modèle prévisionnel pour estimer le prix de vente. Des données sur quarante résidences ont été obtenues et sont présentées sur le CD-ROM (fichiers Excel, SPSS et Minitab).

Nous avons utilisé ici le logiciel statistique Minitab pour effectuer le traitement informatique de l'analyse de régression.

Sortie informatique avec Minitab

Predictor: variable explicative
Constant: ordonnée à l'origine (b_0)

```
Regression Analysis

The regression equation is
PRIX = 19,4 + 0,412 ESPHABT + 1,20 NPIÈCES + 0,018 AGE
       + 13,7 NBAINS + 10,3 GARAGE

Predictor        Coef         StDev          T          P
Constant        19,37        13,82        1,40      0,170
ESPHABT        0,41190      0,06600        6,24      0,000
NPIÈCES         1,202        2,140        0,56      0,578
AGE            0,0178       0,1258        0,14      0,888
NBAINS         13,703        6,326        2,17      0,037
GARAGE         10,268        5,838        1,76      0,088

S = 13,89      R-Sq = 84,3%     R-Sq(adj) = 82,0%
```

Sortie informatique avec Minitab (suite)

```
Analysis of Variance
Source              DF        SS        MS       F       P
Regression           5    35146,5    7029,3   36,45   0,000
Residual Error      34     6556,1     192,8
Total               39    41702,7
```

a) À l'aide de la sortie de Minitab, précisez
  i) quel est le coefficient de régression associé à la variable explicative «espace habitable»?
  ii) quel est le coefficient de régression associé à la variable explicative «avec ou sans garage»?

b) Indiquez, à partir de la sortie informatique,
  i) le pourcentage de variation dans le prix des résidences qui est expliqué par l'ensemble des variables explicatives.
  ii) l'écart-type résiduel.

c) Est-ce que la régression est significative dans son ensemble? Justifiez votre réponse.

d) En effectuant les calculs appropriés, déterminez
  i) la somme de carrés additionnelle attribuable à la variable esplicative «nombre de pièces»;
  ii) la somme de carrés additionnelle attribuable à la variable esplicative «âge de la maison».

On décide d'éliminer de la régression, les variables explicatives «nombre de pièces» et «âge de la maison» et d'effectuer une nouvelle analyse. La sortie informatique qu'on obtient est présentée ci-après:

Sortie informatique avec Minitab

```
Regression Analysis

The regression equation is
PRIX = 25,5 + 0,438 ESPHABT + 12,7 NBAINS + 9,86 GARAGE

Predictor         Coef        StDev          T         P
Constant        25,501        7,904       3,23     0,003
ESPHABT        0,43789      0,04905       8,93     0,000
NBAINS         12,711        5,182       2,45     0,019
GARAGE          9,859        5,535       1,78     0,083

S = 13,57       R-Sq = 84,1%     R-Sq(adj) = 82,8%

Analysis of Variance

Source              DF        SS        MS        F         P
Regression           3      35075     11692    63,51     0,000
Residual Error      36       6627       184
Total               39      41703
```

e) Combien de degrés de liberté sont maintenant associés à la régression?

f) Quelle est la valeur du carré moyen attribuable à la régression?

g) Quelle est, en moyenne, l'augmentation du prix de vente des résidences, lorsque le nombre de salles de bains augmente de 1?

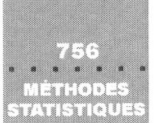
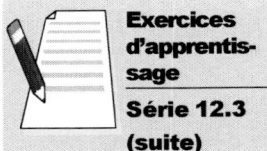

Exercices d'apprentis-sage

Série 12.3 (suite)

h) On utilise un seuil de signification de 0,10 pour éliminer une variable du modèle de régression. Devrait-on retrancher une variable explicative de la dernière sortie informatique et si oui, laquelle? Expliquez votre raisonnement.

i) Un des représentants de la société Optimax mentionne qu'il faut s'attendre à débourser un montant de l'ordre de 9 800$ de plus, pour une résidence avec garage, que pour celle sans garage. Est-ce que cette affirmation est plausible? Expliquez.

j) On aimerait obtenir, avec l'équation de régression résultante, une estimation du prix moyen de résidences ayant un espace habitable de 160 mc, ayant 7 pièces, 19 ans d'âge, 2 salles de bain et un garage.

Calculez cette estimation.

12.10 Autres modèles statistiques linéaires

Comme nous l'avons mentionné déjà, l'emploi du terme linéaire dans un modèle de régression multiple veut dire que y peut s'exprimer comme une combinaison linéaire des paramètres β_j et de ε.

Ceci n'impose donc aucune restriction sur les variables explicatives (ou d'une façon plus générale sur les termes en x).

On pourra donc préciser (selon la situation analysée) dans le modèle de régression multiple des termes en x comme x_1^2, x_1^3, des produits de variables comme $x_1 x_2, x_1 x_3, x_1 x_2 x_3$ ou des termes comme $\log(x_1)$...

La régression pourrait ne comporter qu'une seule variable explicative mais l'ajout de termes en puissance pourrait être requis ($x^2, x^3, x^4,...$).

Certains modèles typiques sont présentés ci-après:

(1) $y = \beta_0 + \beta_1 x + \beta_2 x^2 + \varepsilon$, modèle quadratique (ou polynôme d'ordre deux) ne comportant qu'une seule variable explicative.

(2) $y = \beta_0 + \beta_1 x + \beta_2 x^2 + \beta_3 x^3 + \varepsilon$, modèle cubique en x.

(3) Le modèle polynomial d'ordre k s'écrit $y = \beta_0 + \beta_1 x + \beta_2 x^2 + \beta_3 x^3 + ... + \beta_k x^k + \varepsilon$.

(4) $y = \beta_0 + \beta_1 x_1 + \beta_2 x_2 + \beta_3 x_1 x_2 + \beta_4 x_1^2 + \beta_5 x_2^2 + \varepsilon$ que l'on peut réécrire comme suit en posant $x_3 = x_1 x_2$, $x_4 = x_1^2$, $x_5 = x_2^2$:

$$y = \beta_0 + \beta_1 x_1 + \beta_2 x_2 + \beta_3 x_3 + \beta_4 x_4 + \beta_5 x_5 + \varepsilon.$$

(5) $y = \beta_0 + \beta_1 x_1 + \beta_2 \cdot \left(\dfrac{1}{x_1}\right) + \varepsilon.$

En posant $x_2 = \dfrac{1}{x_1}$, on obtient $y = \beta_0 + \beta_1 x_1 + \beta_2 x_2 + \varepsilon.$

Dans chacun des cas, on a recours à la méthode des moindres carrés pour estimer les paramètres du modèle. On pourra donc traiter ces modèles avec les logiciels statistiques usuels (Excel, SPSS, Minitab, SAS,...) en faisant intervenir certaines fonctions utilitaires du programme qui permettent de réaliser rapidement les transformations requises ($x_3 = x_1 x_2, x_4 = x_1^2$).

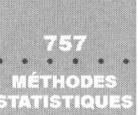

12.11 Colinéarité

Dans certaines applications de la régression, un objectif important est d'évaluer l'effet individuel des variables explicatives sur la variable dépendante. Malheureusement, les effets individuels ne peuvent être évalués de façon satisfaisante lorsque nous sommes en présence du phénomène de colinéarité entre les variables explicatives.

Colinéarité entre variables explicatives. La colinéarité est présente dans une analyse de régression lorsque les valeurs observées de deux *variables explicatives* ou plus sont liées entre elles selon une liaison linéaire. Ce phénomène peut, dans une certaine mesure, être décelé par le calcul des coefficients de corrélation linéaire entre les variables explicatives prises deux à deux.

Voici quelques exemples où il est très plausible d'observer ce phénomène:

Présence de colinéarité dans une régression multiple

1. Relation entre le niveau de consommation des familles (y) en fonction du revenu (x_1) et du niveau de scolarité (x_2); x_1 et x_2 varient dans le même sens puisque le revenu est fréquemment lié au niveau de scolarité.

2. Relation entre le salaire (y) d'individus en fonction du nombre d'années d'expérience (x_1), du niveau de scolarité (x_2) et du quotient intellectuel (x_3): les individus ayant un plus grand quotient intellectuel ont tendance à avoir un niveau de scolarité plus élevé. Les variables explicatives x_2 et x_3 sont liées.

3. Relation entre le temps requis (y) pour assembler une pièce mécanique en fonction du nombre de pièces (x_1) et du poids total des pièces (x_2). Le poids total des pièces (x_2) est directement lié au nombre de pièces (x_1).

Remarque. La colinéarité est dommageable si, au seuil de signification 5%, le test de Fisher permet de conclure à une régression significative dans son ensemble alors que la contribution marginale de chaque variable explicative ne l'est pas. Ceci est un indice d'une forte colinéarité qui indique qu'il est pratiquement impossible d'isoler l'effet particulier de chaque variable explicative sur la variable dépendante.

Les principales conséquences d'une forte colinéarité entre les variables explicatives se résument comme suit:

Effets d'une forte colinéarité entre les variables explicatives

❶ Les valeurs numériques des coefficients de régression deviennent très instables à mesure que la colinéarité devient de plus en plus forte. L'ajout ou le retrait de quelques observations produit des changements très marqués dans les valeurs des coefficients.

❷ La précision dans l'estimation des coefficients de régression est grandement affectée lorsque nous sommes en présence d'une forte colinéarité. En effet, les variances $s^2(b_j)$ seront beaucoup plus élevées que dans le cas d'absence d'une forte colinéarité.

❸ Lorsque les $s^2(b_j)$ sont élevées, ceci peut avoir comme conséquence directe de ne pas rejeter, pour chaque paramètre β_j, l'hypothèse nulle H_0: $\beta_j = 0$ avec un test de Student (contribution marginale) alors que le test pour l'ensemble des variables explicatives avec le F de Fisher s'est avéré significatif.

Une forte colinéarité présente donc des inconvénients au niveau de l'apport individuel des variables explicatives ainsi que sur les intervalles de confiance des coefficients de régression et sur les tests de signification.

Toutefois si l'objectif de l'étude est d'obtenir une équation de régression pour fins d'estimation et de prévision au lieu d'évaluer l'effet marginal de chaque variable explicative, alors une forte colinéarité entre les valeurs observées des variables explicatives présente peu d'inconvénients.

Remarques. a) Dans la majorité des applications en régression, les variables explicatives présentent toujours une certaine corrélation entre elles. Les coefficients de régression dépendent alors l'un de l'autre: il existe une covariance entre les coefficients. Dans ce cas, si nous ajoutons ou retranchons du modèle une variable explicative qui est correlée avec d'autres dans l'étude en cours, les coefficients de régression seront alors numériquement différents de ceux avant l'ajout ou le retrait de cette variable.

b) On peut réduire l'effet de colinéarité:

i) en effectuant un choix judicieux des variables explicatives à inclure initialement dans l'étude;

ii) en s'assurant au départ que le nombre d'observations dépasse largement le nombre de variables explicatives;

iii) en retranchant une ou plusieurs variables explicatives; on portera une attention particulière aux variables explicatives dont les $s(b_j)$ des coefficients de régression sont très élevés. On ne retranchera toutefois qu'une variable à la fois (une nouvelle régression devra être effectuée à chaque fois que l'on retranche une variable).

Exemple 12.11

Colinéarité entre variables explicatives

Illustrons à l'aide des données suivantes les conséquences d'une forte colinéarité entre les variables explicatives.

À l'aide de ces données, analysons le modèle de régression

$$y_i = \beta_0 + \beta_1 x_{i1} + \beta_2 x_{i2} + \varepsilon_i.$$

À l'aide d'Excel, on obtient la sortie informatique suivante.

	A	B	C
1	**Exemple 12.11**		
2			
3	y	x_1	x_2
4	55	16	9
5	78	30	16
6	37	12	7
7	126	32	18
8	160	50	28
9	102	32	19
10	66	22	13
11	55	18	9
12	82	27	15
13	76	28	14
14	36	12	7

	Statistiques de la régression	
5	*Statistiques de la régression*	
6	Coefficient de corrélation multiple	0,9684
7	Coefficient de détermination R^2	0,9378
8	Coefficient de détermination R^2 ajusté	0,9222
9	Erreur-type	10,5262
10	Observations	11

	F	G	H	I	J	K
12	ANALYSE DE VARIANCE					
13	*Source de variation*	*Degré de liberté*	*Somme des carrés*	*Moyenne des carrés*	*F*	*Seuil descriptif du test (valeur p)*
14	Régression	2	13364,142	6682,071	60,307	0,00001497
15	Résidus	8	886,403	110,800		
16	Total	10	14250,545			
17						
18	*Variables explicatives*	*Coefficients*	*Erreur-type*	*Statistique t*	*Probabilité*	
19	Constante	-3,0575	8,2322	-0,3714	0,7200	
20	x1	0,0632	2,3597	0,0268	0,9793	
21	x2	5,7355	4,1969	1,3666	0,2089	

Nous constatons que la régression est significative dans son ensemble (rejet de H_0: $\beta_1 = \beta_2 = 0$) puisque valeur $p = 0{,}0000147 < \alpha = 0{,}05$; de plus $R^2 = 0{,}9378$. L'hypothèse H_1: au moins un des $\beta_j \neq 0$ est favorisée. Toutefois si nous examinons le t de Student (ou la valeur p correspondante) pour la contribution marginale de chaque variable explicative, on constate pour x_1, valeur $p = 0{,}9793 > \alpha = 0{,}05$ et pour x_2, valeur $p = 0{,}2089 > \alpha = 0{,}05$. Dans chaque cas, on ne peut rejeter l'hypothèse nulle (H_0: $\beta_j = 0$). Ceci est la conséquence d'une forte colinéarité entre les variables explicatives x_1 et x_2.

À l'aide de l'analyse de corrélation d'Excel de l'Utilitaire d'analyse, on obtient les résultats suivants pour les corrélations linéaires simples entre y et x_1, y et x_2 et x_1 et x_2.

	F	G	H	I
26		y	x_1	x_2
27	y	1		
28	x_1	0,961	1,000	
29	x_2	0,968	0,992	1

Prise individuellement, on remarque une forte corrélation entre y et x_1 ainsi que entre y et x_2; nous constatons également une très forte corrélation entre x_1 et x_2, $r_{12} = 0{,}992$. L'ajout de x_2 dans le modèle de régression n'apporte pas de nouvelle information indépendante de x_1 pour expliquer les fluctuations dans la variable dépendante. On peut s'en convaincre en déterminant la somme de carrés additionnelle ($SCR(x_2|x_1)$):

$$SCR(x_2 \mid x_1) = \left[\frac{b_2}{s(b_2)} \right]^2 \cdot s^2 = t^2 \cdot s^2$$

Puisque $t_{b_2} = 1{,}3666$ et $s^2 = CM_{RES} = 110{,}8$, on trouve $SCR(x_2|x_1) = (1{,}3666)^2 (110{,}8) = 206{,}931$.

D'autre part, si on effectue une régression simple entre y et x_1, on trouve $SCR(x_1) = 13\ 157{,}21$ et

$$SCR(x_1, x_2) = SCR(x_1) + SCR(x_2|x_1) = 13\ 157{,}21 + 206{,}931 = 13\ 364{,}14.$$

L'apport additionnel de x_2 à la suite de x_1 est très faible. Bien qu'il existe une corrélation linéaire simple entre y et x_2, ce lien est largement atténué lorsque la variable x_2 est introduite dans le modèle de régression à la suite de x_1, à cause de la forte corrélation entre x_1 et x_2.

12.12   Diagnostic de colinéarité avec un logiciel statistique

Les logiciels statistiques (SPSS, Minitab, SAS, ...) proposent habituellement une statistique appelée le *facteur d'inflation de la variance VIF* ("Variance Inflation Factor") des coefficients de régression pour diagnostiquer la variable explicative qui présente une importante colinéarité avec les autres variables explicatives.

Statistique pour détecter la colinéarité des variables explicatives

Facteur d'inflation de la variance (VIF). Ce facteur s'obtient de l'expression

$$VIF_j = \frac{1}{1 - R_j^2}$$

où R_j^2 représente le coefficient de détermination multiple obtenu d'une régression entre x_j (qui sert de variable dépendante) et les $k - 1$ autres variables explicatives de l'étude de régression.

S'il y a absence de colinéarité entre la variable explicative x_j et les autres variables explicatives, alors $VIF_j = 1$ ($R_j^2 = 0$). Si $R_j^2 > 0$, alors $1 - R_j^2 < 1$ et $VIF_j > 1$. La variance associée au coefficient de régression b_j sera plus importante que celle qu'on obtiendrait en absence de colinéarité entre les variables explicatives. Plus la colinéarité est importante (R_j^2 sera élevé), plus le facteur VIF sera élevé. Dans la littérature, on précise que la colinéarité est trop importante lorsque $VIF \geq 5$. Les variables explicatives qui présentent ce degré de colinéarité doivent être éliminées du modèle de régression.

Remarques. a) L'inverse du VIF_j donne la valeur "Tolerance" soit $1 - R_j^2$ qu'on trouve sur certains logiciels statistiques.

b) Dans le cas d'une régression multiple, la variance $s^2(b_j)$, qui s'écrit en fonction du facteur VIF_j, est: $s^2(b_j) = \dfrac{s^2_{résidus}}{\sum (x_{ij} - \overline{x}_j)^2} VIF_j.$

Exemple 12.12

Calcul du facteur d'inflation de la variance

Le responsable de la gestion des ressources humaines a développé en collaboration avec le psychologue industriel de l'entreprise un système d'évaluation pour mieux cerner les capacités managériales des cadres de l'entreprise. On a appliqué ce système à 15 cadres de niveau inférieur de l'entreprise. Les variables observées sont: la performance de l'individu (variable dépendante) sur une échelle de 0 à 100 dans ses fonctions actuelles de gestionnaire, le résultat à un test concernant l'habileté de communication (x_1), un test sur l'habileté dans ses relations interpersonnelles (x_2) et finalement un test permettant d'évaluer l'habileté de l'individu à prendre des décisions (x_3).

Les résultats obtenus sont présentés dans le tableau ci-après.

Peformance de l'individu	Habiletés en communications	Habiletés en relations interpersonnelles	Habiletés - Processus de décision
82	51	74	23
77	52	76	24
86	44	81	27
64	42	73	22
94	59	86	30
77	46	74	22
65	48	75	21
71	39	72	24
70	40	70	25
88	55	80	35
90	48	84	38
84	46	80	25
76	45	76	23
80	60	75	25
64	58	70	20

Déterminons le VIF pour chaque variable explicative.

Nous présentons à la page suivante les résultats qu'on obtient avec deux logiciels statistiques soit Minitab et SPSS.

Les valeurs qu'on obtient pour le facteur d'inflation de la variance pour chaque variable explicative (soit respectivement 1,1, 2,4, 2,3) permettent de conclure à une faible colinéarité entre les variables explicatives. Une analyse de régression multiple sur ces données va permettre d'obtenir des résultats stables.

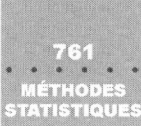

Sortie Minitab

Results for: EXEMPLE 12.12

Regression Analysis: PERFORMANCE versus COMM.; INTERPERS.; DECISION

```
The regression equation is
PERFORMANCE = - 41,0 + 0,156 COMM. + 1,29 INTERPERS. + 0,493 DECISION


Predictor      Coef    SE Coef       T       P    VIF
Constant     -40,97      24,76   -1,65   0,126
COMM.        0,1556     0,2007    0,78   0,454    1,1
INTERPERS.   1,2907     0,4189    3,08   0,010    2,4
DECISION     0,4929     0,3869    1,27   0,229    2,3


S = 4,85704   R-Sq = 80,0%   R-Sq(adj) = 74,6%


Analysis of Variance

Source           DF        SS       MS       F       P
Regression        3   1040,23   346,74   14,70   0,000
Residual Error   11    259,50    23,59
Total            14   1299,73
```

Sortie SPSS

ANOVA[b]

Model		Sum of Squares	df	Mean Square	F	Sig.
1	Regression	1040,234	3	346,745	14,698	,000[a]
	Residual	259,499	11	23,591		
	Total	1299,733	14			

a. Predictors: (Constant), Décision, Communication, Interpersonnelle

b. Dependent Variable: Performance

Coefficients[a]

Model		Unstandardized Coefficients		Standardized Coefficients	t	Sig.	Collinearity Statistics	
		B	Std. Error	Beta			Tolerance	VIF
1	(Constant)	-40,966	24,760		-1,655	,126		
	Communication	,156	,201	,109	,775	,454	,913	1,096
	Interpersonnelle	1,291	,419	,646	3,082	,010	,413	2,421
	Décision	,493	,387	,260	1,274	,229	,436	2,294

a. Dependent Variable: Performance

On pourrait également utiliser Excel pour obtenir le facteur *VIF*; il faudrait effectuer trois régressions multiples et calculer pour chaque régression le facteur *VIF* avec une formule qui utilise la valeur du coefficient de détermination pour chaque régression (voir exemple 12.12 sur le CD-ROM). Les résultats qu'on obtient sont présentés à la page suivante.

Calcul du VIF avec Excel

	J	K
5	Régression x_1 en fonction de x_2 et x_3	
6		
7	*Statistiques de la régression*	
8	Coefficient de corrélation multiple	0,295261019
9	Coefficient de détermination R^2	0,087179069
10	Coefficient de détermination R^2 ajusté	-0,064957752
11	Erreur-type	6,986818652
12	Observations	15
13	*VIF*	1,096

	M	N
5	Régression x_2 en fonction de x_1 et x_3	
6		
7	*Statistiques de la régression*	
8	Coefficient de corrélation multiple	0,766166274
9	Coefficient de détermination R^2	0,58701076
10	Coefficient de détermination R^2 ajusté	0,51817922
11	Erreur-type	3,347502758
12	Observations	15
13	*VIF*	2,421

	P	Q
5	Régression x_3 en fonction de x_1 et x_2	
6		
7	*Statistiques de la régression*	
8	Coefficient de corrélation multiple	0,751040135
9	Coefficient de détermination R^2	0,564061284
10	Coefficient de détermination R^2 ajusté	0,491404831
11	Erreur-type	3,624401558
12	Observations	15
13	*VIF*	2,294

12.13   La notion de corrélation partielle

Nous avons déjà traité de la notion de corrélation linéaire simple dans le chapitre précédent. Dans le cas de la régression multiple, la notion de corrélation linéaire simple perd de sa signification puisque l'on doit considérer une variable dépendante et plusieurs variables explicatives.

Par exemple, dans le cas des données de l'entreprise Sigmex (exercice d'apprentissage no 4, série 12.1), on obtient avec l'outil *Analyse de corrélation* d'Excel, les corrélations linéaires simples entre les variables prises deux à deux.

	Frais généraux de fabrication	Nombre d'heures-machines	Coût des matières directes
Frais généraux de fabrication	1		
Nombre d'heures-machines	0,8958	1	
Coût des matières directes	0,9598	0,8322	1

On constate que la corrélation linéaire simple entre les frais généraux de fabrication (y) et le nombre d'heures-machines (x_1) est de $r_{y1} = 0,8958$ et que celle entre y et le coût des matières directes (x_2) est $r_{y2} = 0,9598$. On observe toutefois une corrélation linéaire importante entre les deux variables explicatives x_1 et x_2 soit $r_{12} = 0,8322$.

Posons-nous maintenant la question suivante:

> Quelle corrélation subsiste entre la variable dépendante y (frais généraux de fabrication) et une variable explicative x_j (disons x_2, le coût des matières directes), lorsqu'on a déjà tenu compte d'une (ou plusieurs) variable(s) explicative(s) dans l'équation de régression (disons, après avoir effectué une régression avec x_1)?

Pour répondre à cette question, il faut évaluer la corrélation partielle entre y et x_2, l'influence de x_1 sur ces variables ayant été éliminée; cette corrélation est notée $r_{y2.1}$.

On peut obtenir cette corrélation à l'aide des sommes de carrés additionnelles ou à l'aide des coefficients de détermination multiple.

Ainsi, sachant que $SCR(x_2|x_1) = SCR(x_1,x_2) - SCR(x_1)$ et que $R_{y.1,2}^2 = \dfrac{SCR(x_1,x_2)}{SCT}$ et $R_{y.1}^2 = \dfrac{SCR(x_1)}{SCT}$, on peut obtenir le coefficient de corrélation partielle (d'ordre un) entre y et x_2 sachant que la variable x_1 est déjà dans l'équation de régression à l'aide des expressions suivantes:

$$r_{y2.1} = \sqrt{\frac{SCR(x_2|x_1)}{SC_{RES}(x_1)}} = \sqrt{\frac{R_{y.1,2}^2 - R_{y.1}^2}{1 - R_{y.1}^2}}$$

On lui associe le signe du coefficient de régression b_2 dans l'équation $\hat{y} = b_0 + b_1 x_1 + b_2 x_2$.

Dans le contexte d'application de l'entreprise Sigmex, on peut vérifier que $SCR(x_1) = 175,38$, $SCR(x_1,x_2) = 208,03$ et $SC_{RES}(x_1) = 43,18$.

Le coefficient de corrélation partielle $r_{y2.1} = \sqrt{\dfrac{(208,03 - 175,38)}{43,18}} = 0,8696$ (même signe que le coefficient de régression b_2).

Avant l'introduction de x_1 dans l'équation de régression, la corrélation r_{y2} était 0,9598; ce degré de corrélation diminue d'intensité lorsque la variable x_2 est introduite à la suite de x_1 dans l'équation de régression. On obtient alors $r_{y2.1} = 0,8696$.

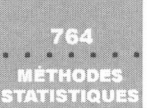
De même, on obtiendrait $r_{y3.1,2}$ (le coefficient de corrélation partielle (d'ordre deux) entre y et x_3, sachant que x_1 et x_2 sont déjà dans l'équation de régression) à l'aide des expressions suivantes:

$$r_{y3.1,2} = \sqrt{\frac{SCR(x_3|x_1,x_2)}{SC_{RES}(x_1,x_2)}} = \sqrt{\frac{R^2_{y.1,2,3} - R^2_{y.1,2}}{1 - R^2_{y.1,2}}}$$

où $SCR(x_3|x_1,x_2) = SCR(x_1,x_2,x_3) - SCR(x_1,x_2)$ et $R^2_{y.1,2,3} = \dfrac{SCR(x_1,x_2,x_3)}{SCT}$.

On lui associe le même signe que le coefficient de régression b_3 dans l'équation $\hat{y} = b_0 + b_1x_1 + b_2x_2 + b_3x_3$.

On pourrait poursuivre ainsi pour définir les coefficients de corrélation partielle d'ordre 3, d'ordre 4, ...

Remarques. a) Le carré du coefficient de corrélation partielle, identifié par *coefficient de détermination partielle*, a l'interprétation suivante:

$r^2_{y2.1}$: la variation non expliquée par x_1 (la variation résiduelle) est réduite dans une proportion de $r^2_{y2.1}$, lorsqu'on ajoute, à la suite de x_1, la variable explicative x_2.

$r^2_{y3.1,2}$: la variation non expliquée par x_1 et x_2 est réduite dans une proportion de $r^2_{y3.1,2}$ lorsqu'on ajoute, à la suite de x_1 et x_2, la variable explicative x_3.

b) La notion de corrélation partielle est particulièrement utile dans l'application de méthodes plus avancées pour élaborer un modèle de régression multiple comme la méthode de régression pas à pas ("Stepwise Regression"), que nous traitons subséquemment.

Exemple 12.13 **Calcul des coefficients de détermination et de corrélation partielle**

Dans une étude de régression multiple comportant quatre variables explicatives, on a introduit, dans l'ordre, les variables x_1, x_2, x_3 et x_4. Dans le tableau qui suit, on donne l'écart-type des résidus, le *rapport F* et la valeur du R^2 pour chaque régression. L'étude comporte 10 observations. Notons que, dans le tableau, s_y représente l'écart-type des observations de la variable dépendante y.

Variables explicatives dans l'équation	Variable addtionnelle	Écart-type des résidus	Proportion de la variation expliquée	Rapport F
Aucune	---	$s_y = 8,351$	---	
x_1	x_1	5,813	$R^2_{y.1} = 0,5692$	10,571
x_1,x_2	x_2	4,511	$R^2_{y.1,2} = 0,7730$	11,917
x_1,x_2,x_3	x_3	1,598	$R^2_{y.1,2,3} = 0,9756$	79,956
x_1,x_2,x_3,x_4	x_4	1,739	$R^2_{y.1,2,3,4} = 0,9759$	50,642

a) Pour chaque variable ajoutée dans l'équation de régression, déterminez dans quelle proportion la variation non expliquée par la ou les variables précédentes est réduite?

Ajout de la variable x_1. Dans ce cas, on obtient immédiatement 0,5692 (soit $R^2_{y.1}$).

Ajout de la variable x_2 à la suite de x_1.

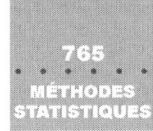

a) (suite) Il s'agit de déterminer

$$r_{y2.1}^2 = \frac{R_{y.1,2}^2 - R_{y.1}^2}{1 - R_{y.1}^2} = \frac{0,7730 - 0,5692}{1 - 0,5692} = \frac{0,2038}{0,4308} = 0,4731.$$

La variation non expliquée par x_1 est réduite de 47,31% avec l'ajout de x_2 dans l'équation de régression.

Ajout de la variable x_3 à la suite de x_1 et x_2. Il faut déterminer

$$r_{y3.1,2}^2 = \frac{R_{y.1,2,3}^2 - R_{y.1,2}^2}{1 - R_{y.1,2}^2} = \frac{0,9756 - 0,7730}{1 - 0,7730} = \frac{0,2026}{0,227} = 0,8925.$$

La variation non expliquée par les variables explicatives x_1 et x_2 est réduite de 89,25% avec l'ajout de la variable x_3 dans l'équation de régression.

Ajout de la variable x_4 à la suite de x_1, x_2 et x_3. Dans ce cas nous devons déterminer

$$r_{y4.1,2,3}^2 = \frac{R_{y.1,2,3,4}^2 - R_{y.1,2,3}^2}{1 - R_{y.1,2,3}^2} = \frac{0,9759 - 0,9756}{1 - 0,9756} = \frac{0,0003}{0,0244} = 0,01229.$$

Avec l'ajout de la variable x_4 dans l'équation de régression, nous réduisons la variation non expliquée par les variables explicatives x_1, x_2 et x_3 de 1,229%.

b) Quelle est la corrélation partielle entre y et x_3 sachant que x_1 et x_2 sont déjà dans l'équation de régression? On considère que le coefficient de régression b_3 est positif. Le coefficient de détermination partielle $r_{y3.1,2}^2$ ayant déjà été calculé, on obtient alors $r_{y3.1,2} = \sqrt{r_{y3.1,2}^2} = \sqrt{0,8925} = +0,9447$. À noter que la corrélation linéaire simple entre y et x_3 est de 0,97255.

c) Quelle est la corrélation partielle entre y et x_4 sachant que les variables x_1, x_2 et x_3 sont déjà dans l'équation de régression. On considère que le coefficient de régression b_4 est positif. On obtient

$$r_{y4.1,2,3} = \sqrt{r_{y4.1,2,3}^2} = \sqrt{0,01229} = +0,110883.$$ Notons qu'initialement, la corrélation linéaire simple entre y et x_4 était de 0,7183. Lorsque l'on tient compte des variables explicatives x_1, x_2 et x_3, cette corrélation diminue de façon appréciable comme l'indique le résultat précédent.

d) Pour l'équation de régression comportant les variables explicatives x_1 et x_2, la somme de carrés résiduelle est $SC_{RES}(x_1, x_2) = 142,4754$. Quelle est la somme de carrés de régression attribuable à la variable x_3 lorsqu'on ajoute cette variable à la suite de x_1 et x_2?

Puisque $r_{y3.1,2}^2 = \dfrac{SCR(x_3 | x_1, x_2)}{SC_{RES}(x_1, x_2)}$, alors

$$SCR(x_3 | x_1, x_2) = (r_{y3.1,2}^2)(SC_{RES}(x_1, x_2)) = (0,8925)(142,4754) = 127,1593.$$

12.14 Corrélation partielle et test de contribution marginale

Dans le cas d'une régression multiple, on peut tester l'apport marginal d'une variable explicative x_j lorsque celle-ci est introduite à la suite de m variables explicatives déjà dans l'équation de régression en faisant intervenir la corrélation partielle et le rapport F suivant:

$$F_j = \frac{[\text{Corrélation partielle entre } y \text{ et } x_j]^2}{1 - [\text{Corrélation partielle entre } y \text{ et } x_j]^2} \cdot (n - m - 2)$$

qui peut également s'écrire en termes de carrés moyens,

$$F_j = \frac{CMR(x_j \mid x_1, x_2, ..., x_m)}{CM_{RES}(x_1, x_2, ..., x_m, x_j)} .$$

La contribution marginale de la variable explicative x_j est significative, si au seuil α, $F_j > F_{\alpha; 1, n-m-2}$.

Exemple 12.14

Sélection d'une variable explicative à partir du coefficient de corrélation partielle

Une régression multiple comporte quatre variables explicatives et 26 observations. La régression comportant les variables explicatives x_1 et x_2 donne ce qui suit:

$$y_i = -70,58077 - 6,21105 x_{i1} + 1,1684 x_{i2}, \ n = 26$$

$$R^2_{y.1.2} = 0,73924, \ CM_{RES} = 114,537, \ F = 32,602.$$

On veut introduire une autre variable explicative dans l'équation de régression; le choix doit se faire entre x_3 et x_4. Les corrélations partielles entre y et x_3 et y et x_4, compte tenu des variables x_1 et x_2 déjà dans l'équation, sont:

$$r_{y3.1,2} = 0,138039, \qquad r_{y4.1,2} = 0,881527.$$

a) Sur quelle variable devrait-on porter notre choix?

b) Est-ce que la contribution marginale de la variable retenue est significative au seuil de 5%?

Solution

a) On portera notre choix sur la variable explicative qui a la plus forte corrélation partielle (en valeur absolue) avec y. Dans notre cas, nous retenons la variable x_4 puisque $r_{y4.1,2} = 0,881527 > r_{y3.1,2} = 0,138039$.

b) Vérifions si la contribution marginale de la variable x_4, lorsqu'elle est introduite à la suite de x_1 et x_2, est significative au seuil de 5%.

On a $n = 26$, $m = 2$ et $r_{y4.1,2} = 0,881527$. Le rapport F se calcule comme suit:

$$F_4 = \frac{(0,881527)^2}{[1 - (0,881527)^2]} \cdot (26 - 2 - 2) = \frac{0,77709}{(1 - 0,77709)}(22) = \frac{17,09598}{0,22291} = 76,6945.$$

Au seuil de 5%, on trouve dans la table de Fisher, $F_{0,05; 1, 22} = 4,30$.

Puisque $F_4 = 76,6945 > 4,30$, la contribution marginale de la variable x_4 est significative au seuil de 5%. Cette variable sera introduite dans l'équation à la suite de x_1 et x_2.

Il faudra alors effectuer une nouvelle régression comportant les variables x_1, x_2 et x_4.

Exercice d'apprentissage

Série 12.4

📖 Application de la notion de corrélation partielle

Le responsable de la gestion des ressources humaines a développé en collaboration avec le psychologue industriel de l'entreprise un système d'évaluation pour mieux cerner les capacités managériales des cadres de l'entreprise. On a appliqué ce système à 15 cadres de niveau inférieur de l'entreprise. Les variables observées sont: la performance de l'individu (variable dépendante) sur une échelle de 0 à 100 dans ses fonctions actuelles de gestionnaire, le résultat à un test concernant l'habileté de communication (x_1), un test sur l'habileté dans ses relations interpersonnelles (x_2) et finalement un test permettant d'évaluer l'habileté de l'individu à prendre des décisions (x_3).

Les résultats obtenus sont présentés dans le tableau ci-après (ce sont les données de l'exemple 12.12).

Peformance de l'individu	Habiletés en communications	Habiletés en relations interpersonnelles	Habiletés - Processus de décision
82	51	74	23
77	52	76	24
86	44	81	27
64	42	73	22
94	59	86	30
77	46	74	22
65	48	75	21
71	39	72	24
70	40	70	25
88	55	80	35
90	48	84	38
84	46	80	25
76	45	76	23
80	60	75	25
64	58	70	20

La matrice de corrélation linéaire obtenue avec Excel est présentée ci-après.

	Peformance de l'individu	Habiletés en communications	Habiletés en relations interpersonnelles	Habiletés - Processus de décision
Peformance de l'individu	1			
Habiletés en communications	0,3446	1		
Habiletés en relations interpersonnelles	0,8728	0,2905	1	
Habiletés - Processus de décision	0,7646	0,1831	0,7502	1

a) Que représente, dans la matrice de corrélation, la quantité
   i) 0,3446?
   ii) 0,2905?
   iii) 0,7502?

b) Si on devait ne choisir qu'une seule variable explicative pour expliquer les fluctuations concernant la performance des individus, quelle serait cette variable? Pourquoi?

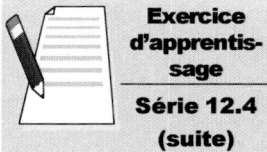
Supposons que les variables explicatives ont été introduites dans l'ordre x_1, x_2 et x_3. À partir des résultats des analyses de régression, on a obtenu le tableau suivant.

Variables explicatives dans l'équation	Variable additionnelle	Écart-type des résidus	Proportion de la variation expliquée (R^2)
Aucune		$s_y = 9{,}635$	
x_1	x_1	9,386	0,1188
x_1, x_2	x_2	4,982	0,7709
x_1, x_2, x_3	x_3	4,857	0,8

c) Dans quelle proportion la variation inexpliquée par x_1 est réduite avec l'ajout de x_2 dans l'équation de régression?

d) Quelle est la corrélation partielle entre la performance de l'individu et son habileté en relations interpersonnelles lorsqu'on tient compte d'abord de son habileté en communications? À noter que le coefficient de régression b_2 est positif.

e) Quelle est la corrélation partielle entre la performance de l'individu et son habileté à prendre des décisions lorsqu'on tient compte d'abord de son habileté en communication et en relations interpersonnelles? À noter que le coefficient de régression b_3 est positif.

12.15 Méthodes pratiques pour élaborer une équation de régression multiple

Dans la situation où, dans une étude de régression, le nombre de variables explicatives est important, il est de pratique courante d'avoir recours à des méthodes de sélection de variables qui sont disponibles sur les logiciels statistiques comme SPSS, Minitab, SAS,.... Les méthodes existantes sont:

❏ Introduction progressive des variables explicatives ("Forward regression method")
❏ Élimination progressive de variables explicatives ("Backward regression method")
❏ Régression pas à pas ("Stepwise regression method")

Ces méthodes n'existent pas malheureusement sur l'Utilitaire d'Analyse d'Excel (on peut toujours appliquer l'élimination progressive des variables en faisant nous-mêmes le choix des variables à éliminer selon le seuil de signification choisi). La méthode souvent utilisée en pratique est la méthode de régression pas à pas dont nous donnons un exemple subséquemment.

Ces méthodes sont basées sur la notion de contribution marginale et de corrélation partielle.

❏ **Introduction progressive des variables** ("Forward regression method"). Selon cette méthode, les variables explicatives sont introduites une à une, en débutant par la variable ayant la plus forte corrélation avec la variable dépendante, jusqu'à ce que, parmi les variables susceptibles d'être introduites dans l'équation, aucune n'apporte une contribution marginale significative, au seuil choisi.

❏ **Élimination progressive de variables** ("Backward method"). C'est l'inverse de l'introduction progressive de variables. Le modèle de régression est développé à partir de toutes les variables explicatives dans l'équation et sont retranchées une à une de l'équation selon un seuil de signification α, si la contribution marginale de la variable correspondante n'est pas significative. À chaque fois qu'une variable est retranchée, une nouvelle régression est effectuée. L'élimination de variables se termine lorsqu'on ne peut plus retrancher aucun terme de l'équation, d'après sa contribution marginale, au seuil α choisi.

❑ **Régression pas à pas** ("Stepwise regression"). La méthode la plus employée; elle est une combinaison des méthodes d'introduction progressive et d'élimination progressive. La méthode de régression pas à pas consiste à introduire ou à retrancher successivement, une à la fois les variables explicatives selon un critère basé sur la contribution marginale (*F partiel* qui peut se calculer à l'aide du coefficient de corrélation partielle ou *T* de Student) de chaque variable explicative pouvant être introduite et sur le même type de critère pour déterminer, s'il y a lieu, parmi les variables explicatives déjà dans l'équation de régression, de retrancher une variable qui pourrait être devenue superflue suite à l'ajout dans l'équation d'autres variables lors des étapes précédentes. La sélection de la première variable débute de la même façon que la méthode d'introduction progressive et la sélection se termine lorsqu'aucune variable explicative ne peut être ou ajoutée ou retranchée de l'équation de régression.

Nous expliquons, à l'aide de l'exemple suivant, l'essentiel de la méthode de régression pas à pas. Les calculs ont été effectués avec la version étudiante du logiciel SPSS ("Stepwise method").

Exemple 12.15 **Élaboration d'une équation de régression avec la méthode de régression pas à pas**

Les données suivantes proviennent de l'évaluation faite par le département des ressources humaines de l'entreprise JMP, entreprise se spécialisant dans la vente de systèmes informatisés. L'entreprise possède déjà un bon nombre de représentants mais doit accroître son personnel de vente pour assurer un meilleur service à sa clientèle. La plupart des représentants actuels avaient des formations universitaires provenant de divers secteurs (ingénierie, informatique, gestion...) et l'engagement se faisait simplement à partir d'une entrevue avec divers chefs de service de l'entreprise. Cette façon de faire créait parfois des situations conflictuelles en ce qui a trait à l'engagement de nouveau personnel de vente. Il a donc été proposé, lors de la réunion mensuelle du groupe d'amélioration continue de l'entreprise de soumettre les vendeurs actuels à certains tests reconnus pour l'évaluation des diverses habiletés et de déterminer si les résultats de cette évaluation peuvent être liés à l'indice de performance des vendeurs. Cet indice correspond au ratio des ventes du vendeur au cours de la dernière année et à l'objectif fixé par le vice-président aux ventes en début d'année. Un indice supérieur à 100 indique une performance qui dépasse l'objectif fixé.

Cette forme d'évaluation pourrait ajouter un élément plus objectif lors de la décision d'engagement des représentants. Les données sont présentées à la page suivante.

Pour développer l'équation de régression selon la méthode de régression pas à pas, il faut préciser un seuil d'entrée d'une variable (par exemple $\alpha=0,05$) et un seuil de sortie d'une variable en s'assurant que $\alpha_{entrée} < \alpha_{sortie}$.

La variable dépendante dans notre exemple est l'indice de performance des représentants des ventes; on essaie d'expliquer les fluctuations de cette variable dépendante à l'aide des variables explicatives (au nombre de 5) indiquées dans le tableau de données. De plus, on fixe $\alpha_{entrée} = 0,05$ et $\alpha_{sortie} = 0,10$.

Représentant no	Indice de performance	Test d'intelligence Ottawa-Weschler	Test d'estime de soi	Test de personnalité	Expérience dans la vente (en mois)	Sexe du représentant
1	95	99	58	74	44	1
2	121	85	89	85	70	1
3	103	114	55	78	67	0
4	92	85	62	72	40	1
5	93	85	57	67	52	0
6	96	92	63	78	64	0
7	92	86	59	89	46	0
8	88	89	55	58	40	1
9	112	94	72	86	74	1
10	115	98	85	88	73	0
11	101	104	72	69	54	0
12	89	86	58	64	46	1
13	115	102	78	84	65	1
14	100	87	71	77	42	0
15	106	108	67	70	55	0
16	97	98	69	80	44	1
17	95	81	56	74	40	1
18	103	96	60	86	50	0
19	105	100	76	72	48	0
20	122	130	86	92	79	1
21	84	80	72	64	46	1
22	108	90	80	80	68	0
23	94	91	50	66	43	1
24	105	98	73	68	62	0
25	88	87	70	67	65	0
26	102	84	72	70	71	1
27	111	96	64	81	67	0
28	103	89	73	84	52	0
29	99	92	81	76	50	1
30	113	94	70	72	60	1
31	114	103	69	80	58	0
32	110	114	76	78	59	0

Le test d'intelligence Ottawa-Weschler permet d'établir le quotient intellectuel d'un individu.

Le test d'estime de soi comporte 23 questions auxquelles l'individu répond sur une échelle d'intensité à cinq degrés. Le total des points aux 23 questions indique le niveau d'estime de soi. Plus le score est haut, plus le niveau d'estime de soi est élevé.

$n = 32$

Nous présentons d'abord la matrice de corrélation (obtenue avec Excel) de toutes les variables prises deux à deux.

	Indice de performance	d'intelligence Ottawa-Weschler	Test d'estime de soi	Test de personnalité	Expérience dans la vente	Sexe du représentant
Indice de performance	1					
Test d'intelligence Ottawa-	0,4967	1				
Test d'estime de soi	0,6616	0,1980	1			
Test de personnalité	0,6646	0,2706	0,4545	1		
Expérience dans la vente	0,7175	0,3659	0,5861	0,4839	1	
Sexe du représentant	-0,0975	-0,1538	-0,0148	-0,1639	-0,1594	1

- La première variable qui peut être introduite dans l'équation de régression est celle qui est la plus fortement correlée (en valeur absolue) avec la variable dépendante, soit le nombre de mois d'expérience dans la vente (corrélation = 0,7175). Au seuil $\alpha = 0,05$ et $n = 32$, $F_{entrée} = F_{0,05;1,30} = 4,17$. À partir du coefficient de corrélation, on obtient

$$F = \frac{(0,7175)^2}{(1-0,7175)^2} \times (32-1-1) = 31,826.$$ Puisque $F = 31,826 > F_{0,05;1,30} = 4,17$, la contribution de cette variable est significative et sera introduite dans l'équation de régression.

L'équation de régression qu'on obtient à cette étape est:

$\hat{y} = 67,48 + 0,62\,\text{EXPÉRIENCE}$, $R^2 = 0,515$.

- La deuxième variable qui peut être introduite dans l'équation de régression sera sélectionnée parmi les variables restantes: test d'intelligence, test d'estime de soi, test de personnalité et sexe du représentant. Le programme de SPSS permet d'obtenir les valeurs suivantes.

Variables	Corrélation partielle	F partiel	Valeur p
Test d'intelligence	0,427	6,457	0,017
Test d'estime de soi	0,4272	6,472	0,017
Test de personnalité	0,521	10,791	0,003
Sexe du représentant	0,025	0,017	0,896

La candidate est celle qui a la plus forte corrélation partielle avec la variable dépendante, soit le résultat au test de personnalité (corrélation partielle = 0,521).

> *Expression pour calculer le F partiel*
> $$F = \frac{(\text{Corr. part.})^2}{[1-(\text{Corr. part.})^2]} \times (32\text{-}2\text{-}1)$$

Au seuil $\alpha = 0,05$ et $n = 32$, $F_{entrée} = F_{0,05;1,29} = 4,18$. Puisque $F_{partiel} = 10,791 > 4,18$, la contribution marginale de cette variable est significative. L'équation de régression qu'on obtient à cette étape est:

$\hat{y} = 39,76 + 0,446\,\text{EXPÉRIENCE} + 0,493\,\text{PERSONNALITÉ}$, $R^2 = 0,646$.

À cette étape de la procédure, la méthode permet de réévaluer la pertinence de la première variable introduite en vérifiant la contribution marginale de la variable EXPÉRIENCE. Puisque $\alpha_{sortie} = 0,10$, on a comme valeur critique de F, $F_{sortie} = F_{0,10;1,29} = 2,887$. La valeur du F donne $F = t^2 = (4,096)^2 = 16,777 > 2,887$; la variable est maintenue dans l'équation.

- La troisième variable qui peut être introduite sera sélectionnée parmi les trois restantes.

Variables	Corrélation partielle	F partiel	Valeur p
Test d'intelligence	0,384	4,844	0,036
Test d'estime de soi	0,364	4,276	0,048
Sexe du représentant	0,090	0,231	0,634

Au seuil $\alpha = 0,05$, $F_{entrée} = F_{0,05;1,28} = 4,20$. La variable candidate est le résultat au test d'intelligence et sera introduite dans l'équation de régression puisque $F_{partiel} = 4,844 > 4,20$.

> *Expression pour calculer le F partiel*
> $$F = \frac{(\text{Corr. part.})^2}{[1-(\text{Corr. part.})^2]} \times (32\text{-}3\text{-}1)$$

> **Calcul du F**
> $$F = \frac{r^2}{(1-r^2)} \times (n-2)$$

L'équation de régression qu'on obtient à cette étape est:

$\hat{y} = 26{,}182 + 0{,}375$ EXPÉRIENCE $+ 0{,}429$ PERSONNALITÉ $+ 0{,}237$ INTELLIGENCE

$R^2 = 0{,}699$.

La contribution marginale des variables introduites aux étapes précédentes est maintenant vérifiée. Le critère de sortie d'une variable correspond à $F_{sortie} = F_{0{,}10;1{,}28} = 2{,}893$. On obtient avec SPSS (la sortie indique la valeur t de Student, mais nous savons que $F = t^2$), $F_{expérience} = 12{,}187$, $F_{personnalité} = 8{,}856$.

La plus faible valeur de F est 8,856; toutefois cette valeur étant supérieure à 2,893 (le critère de sortie d'une variable), la variable n'est pas retranchée.

- La quatrième variable qui peut être introduite sera sélectionnée parmi les deux suivantes:

Variables	Corrélation partielle	F partiel	Valeur p
Test d'estime de soi	0,407	5,35	0,029
Sexe du représentant	0,152	0,642	0,430

Au seuil $\alpha = 0{,}05$, $F_{entrée} = F_{0{,}05;1{,}27} = 4{,}21$. La variable «résultat au test d'estime de soi» sera introduite dans l'équation de régression, $F_{partiel} = 5{,}35 > 4{,}21$.

Expression pour calculer le F partiel
$$F = \frac{(\text{Corr. part.})^2}{[1 - (\text{Corr. part.})^2]} \times (32 - 4 - 1)$$

L'équation de régression qu'on obtient est:

$\hat{y} = 18{,}514 + 0{,}256$ EXPÉRIENCE $+ 0{,}351$ PERSONNALITÉ $+ 0{,}244$ INTELLIGENCE $+ 0{,}285$ ESTIME avec $R^2 = 0{,}748$.

La contribution marginale des variables explicatives introduites avant la variable ESTIME DE SOI est vérifiée d'après le critère $F_{sortie} = F_{0{,}10;1{,}27} = 2{,}9011$. On obtient avec la sortie informatique de SPSS,

$F_{expérience} = 5{,}161$, $F_{personnalité} = 6{,}477$, $F_{intelligence} = 5{,}919$, $F_{estime} = 5{,}35$.

La plus faible valeur correspond à $F_{expérience} = 5{,}161 > 2{,}9011$. Aucune variable n'est retranchée.

- La dernière variable qui peut être éventuellement introduite dans l'équation est celle correspondant au sexe du répondant et dont le coefficient de corrélation partielle à ce stade-ci de la procédure est 0,112 (valeur obtenue de SPSS) et dont

le $F_{partiel} = \dfrac{(0{,}112)^2}{[1 - (0{,}112)^2]} \times (32 - 5 - 1) = \left(\dfrac{0{,}01254}{0{,}98746}\right)(26) = 0{,}330$ et

$F_{entrée} = F_{0{,}05;1{,}26} = 4{,}23$.

La variable «sexe du représentant» ne sera pas introduite dans l'équation de régression puisque $F_{partiel} = 0{,}33 < F_{entrée} = 4{,}23$. Le processus de sélection de variables est terminé.

Sortie informatique avec SPSS (version étudiante)

Nous présentons ici certains éléments de la sortie informatique qu'on obtient avec SPSS selon la méthode "Stepwise" avec $\alpha_{entrée} = 0{,}05$ et $\alpha_{sortie} = 0{,}10$.

Nous donnons le sommaire des variables qui ont été entrées ou retranchées de l'équation de régression à chaque étape selon le seuil $\alpha = 0,05$ en entrée et $\alpha = 0,10$ en sortie.

Variables Entered/Removed[a]

Model	Variables Entered	Variables Removed	Method
1	EXPER	'	Stepwise (Criteria: Probability-of-F-to-enter <= ,050, Probability-of-F-to-remove >= ,100).
2	PERSONN A	'	Stepwise (Criteria: Probability-of-F-to-enter <= ,050, Probability-of-F-to-remove >= ,100).
3	IQ	'	Stepwise (Criteria: Probability-of-F-to-enter <= ,050, Probability-of-F-to-remove >= ,100).
4	ESTIME	'	Stepwise (Criteria: Probability-of-F-to-enter <= ,050, Probability-of-F-to-remove >= ,100).

a. Dependent Variable: INDPER

Le tableau suivant présente un résumé des coefficients de corrélation multiple (R), coefficients de détermination ("R square"), coefficients de détermination ajusté ("Adjusted R square"), l'écart-type résiduel ("Std. Error of the Estimate") ainsi que l'accroissement du coefficient de détermination ("R square change") à chaque étape.

Model Summary[e]

Model	R	R Square	Adjusted R Square	Std. Error of the Estimate	Change Statistics				
					R Square Change	F Change	df1	df2	Sig. F Change
1	,717[a]	,515	,499	7,06	,515	31,826	1	30	,000
2	,804[b]	,646	,622	6,13	,132	10,790	1	29	,003
3	,836[c]	,699	,666	5,76	,052	4,844	1	28	,036
4	,865[d]	,748	,711	5,36	,050	5,351	1	27	,029

a. Predictors: (Constant), EXPER

b. Predictors: (Constant), EXPER, PERSONNA

c. Predictors: (Constant), EXPER, PERSONNA, IQ

d. Predictors: (Constant), EXPER, PERSONNA, IQ, ESTIME

e. Dependent Variable: INDPER

Le tableau suivant permet d'obtenir le tableau d'analyse de variance pour chaque équation de régression qui a été obtenue; SPSS indique en légende (avec référence sous la colonne *Sig.*, qui correspond à la valeur *p*, les variables explicatives qui sont incluses dans chaque équation de régression.

ANOVA[e]

Model		Sum of Squares	df	Mean Square	F	Sig.
1	Regression	1587,276	1	1587,276	31,826	,000[a]
	Residual	1496,192	30	49,873		
	Total	3083,469	31			
2	Regression	1993,016	2	996,508	26,502	,000[b]
	Residual	1090,452	29	37,602		
	Total	3083,469	31			
3	Regression	2153,850	3	717,950	21,625	,000[c]
	Residual	929,619	28	33,201		
	Total	3083,469	31			
4	Regression	2307,602	4	576,901	20,076	,000[d]
	Residual	775,866	27	28,736		
	Total	3083,469	31			

a. Predictors: (Constant), EXPER

b. Predictors: (Constant), EXPER, PERSONNA

c. Predictors: (Constant), EXPER, PERSONNA, IQ

d. Predictors: (Constant), EXPER, PERSONNA, IQ, ESTIME

e. Dependent Variable: INDPER

Le tableau suivant indique, pour chaque équation de régression obtenue, les coefficients de régression b_j ("Unstandardized Coefficients"), l'erreur-type $s(b_j)$ ("Std Error"), les coefficients bêta ("Standardized Coefficients"), la valeur du *t* de Student pour la contribution marginale de chaque terme ainsi que la valeur *p* ("Sig.").

Les coefficients bêta s'obtiennent de $b_j' = b_j \cdot \dfrac{s(x_j)}{s(y)}$ *où $s(x_j)$ est l'écart-type de la variable explicative x_j et $s(y)$, l'écart-type de la variable dépendante y.*

Coefficients[a]

Model		Unstandardized Coefficients B	Unstandardized Coefficients Std. Error	Standardized Coefficients Beta	t	Sig.
1	(Constant)	67,480	6,283		10,740	,000
	EXPER	,620	,110	,717	5,641	,000
2	(Constant)	39,760	10,048		3,957	,000
	EXPER	,446	,109	,517	4,096	,000
	PERSONNA	,493	,150	,415	3,285	,003
3	(Constant)	26,182	11,279		2,321	,028
	EXPER	,375	,107	,434	3,491	,002
	PERSONNA	,429	,144	,360	2,976	,006
	IQ	,237	,108	,257	2,201	,036
4	(Constant)	18,514	11,004		1,682	,104
	EXPER	,256	,112	,296	2,272	,031
	PERSONNA	,351	,138	,295	2,545	,017
	IQ	,244	,100	,265	2,433	,022
	ESTIME	,285	,123	,284	2,313	,029

a. Dependent Variable: INDPER

Excluded Variables[e]

Model		Beta In	t	Sig.	Partial Correlation
1	IQ	,328[a]	2,541	,017	,427
	ESTIME	,367[a]	2,544	,017	,427
	PERSONNA	,415[a]	3,285	,003	,521
	SEXE	,017[a]	,132	,896	,025
2	IQ	,257[b]	2,201	,036	,384
	ESTIME	,275[b]	2,068	,048	,364
	SEXE	,055[b]	,481	,634	,090
3	ESTIME	,284[c]	2,313	,029	,407
	SEXE	,086[c]	,801	,430	,152
4	SEXE	,058[d]	,577	,569	,112

a. Predictors in the Model: (Constant), EXPER

b. Predictors in the Model: (Constant), EXPER, PERSONNA

c. Predictors in the Model: (Constant), EXPER, PERSONNA, IQ

d. Predictors in the Model: (Constant), EXPER, PERSONNA, IQ, ESTIME

e. Dependent Variable: INDPER

Le dernier tableau nous indique les variables qui ne sont pas dans l'équation de régression à chaque étape. Il nous indique également le t de Student pour la contribution marginale (on a toujours $F = t^2$), la valeur p ("Sig.") et le coefficient de corrélation partielle de la variable explicative avec la variable dépendante.

Nous terminons cet exemple en donnant la sortie qu'on obtient avec Excel en régressant la variable «indice de performance» avec les quatre variables retenues selon la méthode de régression pas à pas.

	L	M	N	O	P	Q	R
26							
27	*Régression avec les quatre variables retenues par la régression pas à pas*						
28							
29	*Statistiques de la régression*						
30	Coefficient de corrélation multiple	0,8651					
31	Coefficient de détermination R^2	0,7484					
32	Coefficient de détermination R^2 ajusté	0,7111					
33	Erreur-type	5,3606					
34	Observations	32					
35							
36	ANALYSE DE VARIANCE						
37	*Source de variation*	*Degré de liberté*	*Somme des carrés*	*Moyenne des carrés*	*F*	*Seuil descriptif du test (valeur p)*	
38	Régression	4	2307,6025	576,900625	20,076	9,02679E-08	
39	Résidus	27	775,86625	28,7357871			
40	Total	31	3083,4688				

Variables explicatives	Coefficients	Erreur-type	Statistique t	Probabilité	Limite inférieure pour seuil de confiance = 95%	Limite supérieure pour seuil de confiance = 95%
Constante	18,5139	11,0042	1,6824	0,1040	-4,0648	41,0927
Test d'intelligence Ottawa-Weschler	0,2436	0,1001	2,4328	0,0219	0,0381	0,4490
Test d'estime de soi	0,2851	0,1232	2,3131	0,0286	0,0322	0,5379
Test de personnalité	0,3515	0,1381	2,5445	0,0170	0,0681	0,6349
Expérience dans la vente	0,2556	0,1125	2,2725	0,0312	0,0248	0,4864

12.16 Résumé, glossaire et synthèse des principales formules

Résumé

▶ Nous avons traité dans ce chapitre d'un autre outil puissant de la statistique soit la régression linéaire multiple dont un des objectifs est d'établir une relation statistique significative entre la variable dépendante y et k variables explicatives (ou indépendantes); la régression multiple est une généralisation de la régression linéaire simple.

▶ Nous avons indiqué par la suite comment l'analyse de variance nous permet de tester la signification de la régression dans son ensemble et d'obtenir une estimation de la variance des erreurs à l'aide du carré moyen résiduel.

▶ L'outil de la régression multiple nous permet d'obtenir un indice de la qualité de l'équation de régression empirique à l'aide du coefficient de détermination; ce coefficient nous renseigne sur la proportion de la variation des valeurs de la variable dépendante, autour de la moyenne $\bar{y}$, qui est expliquée par l'ensemble des variables explicatives.

▶ Nous avons examiné comment la contribution marginale de chaque variable explicative x_j peut être examinée à l'aide d'un test de Student (ou avec la valeur p). Si la contribution marginale s'avère non significative, elle est retranchée de l'équation et une nouvelle régression est effectuée avec les variables restantes.

▶ Nous avons indiqué aussi comment établir, à l'aide de l'équation résultante, un intervalle de confiance pour la moyenne des y_i ainsi qu'un intervalle de prévision d'une nouvelle valeur de y, selon des valeurs spécifiques des variables explicatives.

▶ Nous avons également montré comment on peut incorporer de l'information provenant de variables qualitatives dans un modèle de régression multiple à l'aide de variables auxiliaires, chaque variable auxiliaire prenant la valeur 0 ou 1.

▶ Nous avons traité du facteur d'inflation de la variance pour diagnostiquer la présence de colinéarité importante entre variables explicatives.

▶ Nous avons abordé la notion de corrélation partielle, concept qui permet d'obtenir le degré de corrélation linéaire entre la variable dépendante et une variable explicative x_j, lorsqu'on a tenu compte de l'effet sur y, des autres variables explicatives de l'étude.

▶ Nous avons terminé le chapitre en traitant d'une méthode efficace pour élaborer un modèle de régression soit la méthode de régression pas à pas, méthode qui permet de construire une équation de régression multiple, en introduisant (ou en retranchant) une variable explicative, une à la fois, selon un critère de contribution marginale. La sélection des variables est terminée lorsqu'on ne peut ajouter ou retrancher une variable explicative.

Glossaire

Variable dépendante: Variable (y) dont on veut analyser le comportement selon diverses valeurs prises par une ou plusieurs autres variables dite variables indépendantes ou explicatives.

Variables indépendantes: Variables (x_1, x_2, ..., x_k) qui servent à expliquer les valeurs prises par la variable dépendante.

Modèle de régression multiple: Expression algébrique qui exprime sous forme linéaire la variable dépendante y en fonction de k variables explicatives x_1, x_2, ..., x_k et du terme aléatoire ε.

Paramètres du modèle: Terme théorique du modèle de régression multiple qui sont estimables à l'aide des données receuillies sur y et les k variables explicatives.

Coefficient de détermination multiple: Mesure de qualité de l'ajustement linéaire entre la variable dépendante y et les k variables explicatives. Il donne le pourcentage de variation dans la variable dépendante qui est expliqué par l'équation de régression multiple.

Contribution marginale d'une variable explicative: Apport additionnel en terme de somme de carrés à la régression, lorsqu'une variable explicative est ajoutée à d'autres variables explicatives dans l'équation de régression.

Variable auxiliaire: Variable explicative permettant d'intégrer dans un modèle de régresion multiple de l'information qualitative; elle ne prend que les valeurs 0 ou 1.

Facteur d'inflation de la variance: Quantité qui permet d'obtenir une mesure d'augmentation de la variance du coefficient de régression en présence de colinéarité entre les variables explicatives. Plus la colinéarité est importante, plus le facteur d'inflation sera élevé.

Corrélation partielle: Mesure de corrélation linéaire entre la variable dépendante et une variable explicative, mesure obtenue en tenant compte des autres variables explicatives déjà dans l'équation de régression.

Coefficient de détermination partielle: Mesure statistique donnant le pourcentage de réduction de la variabilité résiduelle lorsqu'une variable explicative est introduite à la suite d'autres variables explicatives dans l'équation de régression multiple.

Régression pas à pas: Méthode de construction d'une équation de régression multiple, qui consiste à introduire ou à retrancher successivement une variable explicative selon son apport à l'explication de la variation dans la variable dépendante et ceci selon un critère statistique, lorsque d'autres variables explicatives sont déjà dans l'équation de régression.

Principales formules

Modèle de régression multiple à k variables explicatives

Le modèle s'écrit: $y_i = \beta_0 + \beta_1 x_{i1} + \beta_2 x_{i2} + \beta_j x_{ij} + ... + \beta_k x_{ik} + \varepsilon_i$ où y_i est la variable dépendante (ou expliquée) dont les valeurs sont conditionnées par celles des variables explicatives $x_{i1}, x_{i2},..., x_{ik}$ et la composante aléatoire ε_i (non observable).

$\beta_0, \beta_1, \beta_2,..., \beta_k$ sont les (k+1) paramètres du modèle; x_{ij}, j=1,2,...,k représente la i ième valeur de la variable explicative x_j; on les considère comme des grandeurs certaines.

ε_i dénote la fluctuation aléatoire non observable attribuable à un ensemble de facteurs ou de variables non pris en considération dans le modèle ou que nous ne savons pas identifier.

Équation de régression empirique comportant k variables explicatives

L'équation est de la forme $\hat{y}_i = b_0 + b_1 x_{i1} + b_2 x_{i2} + ... + b_k x_{ik}$

où $\hat{y}_i$ représente l'estimation de $E(y_i)$ selon les valeurs $x_{i1}, x_{i2}, ..., x_{ik}$

k, le nombre de termes de régression

b_0, le niveau moyen des y_i lorsque chaque variable explicative est nulle

b_1, b_2, ... , b_k, les coefficients de régression associés à chaque terme de l'équation de régression.

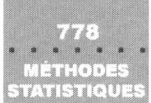

**Principales
formules
(suite)**

Tableau d'analyse de variance

Source de variation	Somme de carrés	Degrés de liberté	Carrés moyens
Expliquée par la régression	$SCR = \sum(\hat{y}_i - \overline{y})^2$	k	$CMR = SCR / k$
Résiduelle	$SC_{RES} = \sum(y_i - \hat{y}_i)^2$	$n-k-1$	$CM_{RES} = \dfrac{SC_{RES}}{n-k-1}$
Totale	$SCT = \sum(y_i - \overline{y})^2$	$n-1$	

où $SCT = \displaystyle\sum_{i=1}^{n}(y_i - \overline{y})^2$ représente la variation totale avec (n-1) degrés de liberté

$SCR = \displaystyle\sum_{i=1}^{n}(\hat{y}_i - \overline{y})^2$, la variation expliquée par la régression avec k degrés de liberté

$SC_{RES} = \displaystyle\sum_{i=1}^{n}(y_i - \hat{y}_i)^2$, la variation résiduelle avec (n -k - 1) degrés de liberté

$SCT = SCR + SC_{RES}$.

Écart-type des résidus ou l'erreur type de l'estimation

$s = \sqrt{CM_{RES}} = \sqrt{\dfrac{\sum(y_i - \hat{y}_i)^2}{n-k-1}}$ où CM_{RES} s'obtient du tableau d'analyse de variance.

Cette quantité nous donne une mesure de dispersion des y_i autour de l'équation de régression multiple.

Coefficient de détermination multiple

$R^2 = \dfrac{SCR}{SCT} = \dfrac{\sum(\hat{y}_i - \overline{y})^2}{\sum(y_i - \overline{y})^2}$ où les quantités SCR et SCT s'obtiennent du tableau d'ana-

lyse de variance et $0 \leq R^2 \leq 1$. Le coefficient R^2 permet d'évaluer la proportion de la variation des y_i autour de la moyenne $\overline{y}$ qui est expliquée par l'ensemble des variables explicatives retenues dans l'équation de régression.

La proportion qui demeure inexpliquée par l'équation de régression est donnée par $(1 - R^2)$.

Test de signification de la régression dans son ensemble

Les hypothèses nulle et alternative (contre-hypothèse ou hypothèse de recherche) que l'on veut alors soumettre au test sont les suivantes:

$H_0: \beta_1 = \beta_2 = \cdots = \beta_k = 0$ 　　　　　　(aucune contribution significative des x_j)

H_1: au moins un des β_j est différent de 0 　　(au moins une variable, disons x_j, apporte une

　　　　　　　　　　　　　　　　　　　　　　　　　contribution significative).

Pour tester ces hypothèses, on a recours à la statistique de Fisher:

$F = \dfrac{CMR}{CM_{RES}} = \dfrac{SCR/k}{SC_{RES}/n-k-1}$ qui est le rapport du carré moyen régression et du carré

moyen résiduel.

Principales formules (suite)

Test de signification de la régression dans son ensemble (suite)

Nous rejetons H_0 (et favorisons la contre-hypothèse) au seuil de signification α, si $F = \dfrac{CMR}{CM_{RES}} > F_{\alpha;k,n-k-1}$. Nous concluons que la contribution de l'ensemble des variables pour expliquer les fluctuations de la variable dépendante y est significative au seuil α. Au moins un des facteurs (variable explicative) agit de façon significative sur la variable dépendante.

La statistique de Fisher peut également se calculer à partir du coefficient de détermination R^2, du nombre de termes (k) de régression dans l'équation résultante et du nombre (n) de données:

$$F = \frac{SCR/k}{SC_{RES}/n-k-1} = \frac{R^2/k}{(1-R^2)/n-k-1}.$$

Test de contribution marginale sur chaque variable explicative

Dans ce cas, les hypothèses statistiques sont: $H_0 : \beta_j = 0$, $H_1 : \beta_j \neq 0$, $j = 1, ..., k$. La statistique requise pour effectuer ce test est: $t = \dfrac{b_j}{s(b_j)}$ où b_j est le coefficient de régression de la variable explicative x_j (ou du terme de régression correspondant) et $s(b_j)$, l'erreur-type du coefficient b_j. Cette quantité est habituellement affichée sur la sortie informatique. Nous rejetons, au seuil de signification α, l'hypothèse nulle H_0 et concluons à une contribution marginale de la variable explicative x_j, si $T > t_{\alpha/2;n-k-1}$ ou $T < -t_{\alpha/2;n-k-1}$. La valeur critique $t_{\alpha/2;n-k-1}$ s'obtient de la table de Student.

On peut également établir un intervalle de confiance sur β_j, au niveau de confiance $100(1-\alpha)\%$ à l'aide de l'expression $b_j - t_{\alpha/2;n-k-1} \cdot s(b_j) \leq \beta_j \leq b_j + t_{\alpha/2;n-k-1} \cdot s(b_j)$.

La contribution marginale de x_j est non significative si $\beta_j = 0$ (l'hypothèse nulle) se situe dans l'intervalle de confiance.

Le test de contribution marginale peut également s'effectuer à l'aide de la statistique de Fisher. Cette statistique peut se calculer à l'aide du t ou à l'aide des sommes de carrées additionnelles.

$$F = t_k^2 = \left[\frac{b_k}{s(b_k)} \right]^2.$$

$$F = \frac{CMR(x_k \mid x_1, x_2, ..., x_{k-1})}{CM_{RES}(x_1, x_2, ..., x_{k-1}, x_k)}.$$

L'hypothèse nulle $H_0 : \beta_k = 0$ est rejetée si $F > F_{\alpha;1,n-k-1}$.

La contribution marginale de la variable x_k, à la suite des variables $x_1, x_2, ..., x_{k-1}$ est significative au seuil α.

Somme de carrés additionnelle

La somme de carrés additionnelle de la variable explicative x_k (ou de terme de régression), lorsqu'elle est introduite dans l'équation de régression à la suite des variables explicatives

$x_1, x_2, ..., x_{k-1}$ s'obtient de $SCR(x_k \mid x_1, x_2, ..., x_{k-1}) = \dfrac{b_k^2}{s^2(b_k)} \cdot s^2$

où $s^2 = CM_{RES}(x_1, x_2, ..., x_{k-1}, x_k)$

Facteur d'inflation de la variance (VIF)

Ce facteur s'obtient de l'expression $VIF_j = \dfrac{1}{1 - R_j^2}$ où R_j^2 représente le coefficient de détermination multiple obtenu d'une régression entre x_j (qui sert de variable dépendante) et les $k-1$ autres variables explicatives de l'étude de régression.

Coefficient de détermination partielle

Le coefficient de détermination partielle entre y et x_2, l'influence de x_1 sur ces variables ayant été éliminée s'obtient de

$$r_{y1.2}^2 = \frac{SCR(x_2 \mid x_1)}{SC_{RES}(x_1)} = \frac{R_{y.1,2}^2 - R_{y.1}^2}{1 - R_{y.1}^2}$$

alors que le coefficient de détermination partielle entre y et x_3, l'influence de x_1 et x_2 sur ces variables ayant été éliminée s'obtient de

$$r_{y3.1,2}^2 = \frac{SCR(x_3 \mid x_1, x_2)}{SC_{RES}(x_1, x_2)} = \frac{R_{y.1,2,3}^2 - R_{y.1,2}^2}{1 - R_{y.1,2}^2}.$$

Coefficient de corrélation partielle

Le coefficient de détermination partielle entre y et x_2, l'influence de x_1 sur ces variables ayant été éliminée s'obtient de

$$r_{y1.2} = \sqrt{\frac{SCR(x_2 \mid x_1)}{SC_{RES}(x_1)}} = \sqrt{\frac{R_{y.1,2}^2 - R_{y.1}^2}{1 - R_{y.1}^2}}$$

alors que le coefficient de corrélation partielle entre y et x_3, l'influence de x_1 et x_2 sur ces variables ayant été éliminée s'obtient de

$$r_{y3.1,2} = \sqrt{\frac{SCR(x_3 \mid x_1, x_2)}{SC_{RES}(x_1, x_2)}} = \sqrt{\frac{R_{y.1,2,3}^2 - R_{y.1,2}^2}{1 - R_{y.1,2}^2}}.$$

Calcul du rapport F et corrélation partielle

Test l'apport marginal d'une variable explicative x_j lorsque celle-ci est introduite à la suite de m variables explicatives déjà dans l'équation de régression en faisant intervenir la corrélation partielle et le rapport F suivant:

$$F_j = \frac{[\text{Corrélation partielle entre } y \text{ et } x_j]^2}{1 - [\text{Corrélation partielle entre } y \text{ et } x_j]^2} \cdot (n - m - 2)$$ qui peut également s'écrire

en termes de carrés moyens

$$F_j = \frac{CMR(x_j \mid x_1, x_2, ..., x_m)}{CM_{RES}(x_1, x_2, ..., x_m, x_j)}.$$

La contribution marginale de la variable explicative x_j est significative, si au seuil α, $F_j > F_{\alpha; 1, n-m-2}$.

12.17   Exercices d'application

Estimation de paramètres de régression et analyse de variance

1. Une entreprise oeuvrant dans le commerce de détail veut étudier les fluctuations du chiffre d'affaires annuel de diverses succursales en fonction du montant d'argent alloué en publicité, de la superficie (en m²) de la succursale et du revenu médian de la région desservie par la succursale.

On veut formuler le modèle de régression multiple permettant d'associer ces diverses variables.

a) Identifiez la variable dépendante.

b) Identifiez les variables explicatives.

c) Précisez le modèle de régression multiple qui mettrait en relation ces variables.

2. Dans une étude de régression comportant deux variables explicatives, on veut estimer les paramètres β_j du modèle $y_i = \beta_0 + \beta_1 x_{i1} + \beta_2 x_{i2} + \varepsilon_i$.

a) Si $n = 10$, $\sum x_{i1} = 30$, $\sum x_{i2} = 450$, $\sum y_i = 110$ et que les valeurs obtenues pour b_1 et b_2 sont: $b_1 = -1{,}739$, $b_2 = 0{,}0622$, déterminez la valeur prise par le coefficient b_0.

b) Quelle est l'équation de régression correspondante?

c) Si $\sum y_i^2 = 1358$, $\sum x_{i1} y_i = 295$ et $\sum x_{i2} y_i = 5871$, déterminez la variance des résidus ($s_{résidus}^2$).

d) Quel est l'écart-type des résidus?

3. En utilisant certains résultats de l'exercice 2, calculez

a) la variation totale SCT

b) la variation résiduelle SC_{RES}

c) la variation expliquée par la régression.

d) Combien de degrés de liberté sont associés à chaque somme de carrés?

4. Supposons que dans l'exercice 2, la variable dépendante y représente le chiffre d'affaires hebdomadaire (en milliers de dollars), que x_1 représente le nombre de concurrents dans la région desservie par l'entreprise et x_2 représente la population (en milliers d'habitants) de la région desservie. L'étude a porté sur 10 régions ($n = 10$).

a) Si le nombre de concurrents augmente de 1 dans une région quelconque, est-ce exact de dire, qu'en moyenne, le chiffre d'affaires augmente de 17 390$, en considérant que la population de cette région demeure inchangée?

b) Quelle est l'estimation du chiffre d'affaires dans une région comportant 3 concurrents et une population de 36. Attention aux unités.

c) Si la valeur observée du chiffre d'affaires hebdomadaire pour les valeurs des variables explicatives précisées en b) était de 9000$, quel serait le résidu associé à l'estimation en b)?

5. Les données* du tableau de la page suivante représentent le prix de vente ($y \times 10^3$) de maisons unifamiliales en fonction de l'aire de la maison (x_1) en m² et une évaluation de la condition de la maison sur une échelle de 1 à 10 (10 correspondant à une maison en excellente condition).

Une analyse de régression a été effectuée en considérant le modèle

$$y_i = \beta_0 + \beta_1 x_{i1} + \beta_2 x_{i2} + \varepsilon_i.$$

L'équation de régression obtenue est: $\hat{y}_i = 9{,}7852 + 0{,}20136 x_{i1} + 1{,}278 x_{i2}$.

---

*Source: Adapté de R. L. Andrews et J.T. Ferguson, *Integrating Judgement with a Regression Appraisal*, Vol. 52, No. 2, printemps 1986.

Prix de vente	Aire de la maison	Évaluation de la condition de la maison
60,0	213,7	5
32,7	102,2	2
57,7	185,8	9
45,5	157,9	3
47,0	139,4	8
55,3	195,1	4
64,5	223,0	7
42,6	120,8	6
54,5	176,5	7
57,5	232,3	2

On a obtenu également les sommes suivantes:

$$\sum y_i = 517,3, \quad \sum x_{i1} = 1746,7,$$
$$\sum x_{i2} = 53, \quad \sum x_{i1}x_{i2} = 9300,3$$
$$\sum x_{i1}y_i = 93915,96, \quad \sum x_{i2}y_i = 2822,$$
$$\sum y_i^2 = 27587,43$$

a) Déterminez SCT.

b) Déterminez SCR.

c) Déterminez SC_{RES}.

d) Déterminez le tableau d'analyse de variance.

e) Quelle est la variance des résidus?

f) Quel pourcentage de variation est expliqué par l'équation de régression?

6. Au cours de la dernière année, on a relevé, sur 10 entreprises de taille moyenne oeuvrant dans un secteur de haute technologie (en unité de 100 000$), le profit réalisé ($y$) au cours de l'année, les dépenses en publicité (x_1) et l'investissement en capital (x_2). Les données se présentent comme ci-après.

Firme i	Profit réalisé	Dépenses en publicité	Investissement en capital
1	16	4	24
2	17	5	1
3	3	3	6
4	4	1	26
5	13	2	28
6	2	0	18
7	17	4	12
8	19	5	14
9	14	4	6
10	5	2	15

On veut utiliser le modèle de régression

$y_i = \beta_0 + \beta_1 x_{i1} + \beta_2 x_{i2} + \varepsilon_i$ pour expliquer les fluctuations dans le profit réalisé par les firmes. Les calculs préliminaires conduisent à

$$\sum x_{i1} = 30, \sum x_{i2} = 150, \sum y_i = 110,$$
$$\sum x_{i1}y_i = 417, \sum x_{i2}y_i = 1552, \sum y_i^2 = 1614$$

De plus les valeurs suivantes ont été obtenues pour les coefficients de régression b_1 et b_2: $b_1 = 4,2555, \ b_2 = 0,307$.

a) Déterminez le coefficient de régression b_0.

b) Quelle est l'équation de régression multiple?

c) Quelle pourrait être une bonne estimation du profit pour une firme ayant un budget de publicité de 400 000$ et dont l'investissement en capital serait de 1 200 000$?

6. (suite). d) Calculez la variation totale *SCT*.

e) Calculez la variation expliquée par la régression *SCR*.

f) Calculez la variation résiduelle SC_{RES}.

g) Déterminez le tableau d'analyse de variance.

h) Quelle est la variance des résidus?

i) Quelle proportion de la variation dans y (autour de la moyenne $\bar{y}$) est expliquée par les 2 variables explicatives?

7. *Coefficient R^2 ajusté.* Il arrive parfois que l'on désire comparer plusieurs équations de régression multiple comportant la même variable dépendante, mais dont ces équations diffèrent, soit par le nombre d'observations n, soit par le nombre de variables explicatives.

On a alors recours au coefficient de détermination ajusté R_a^2 .

Ce coefficient permet de tenir compte du nombre de degrés de liberté associé à la somme de carrés résiduelle, nombre qui diminue à mesure qu'une nouvelle variable explicative est introduite dans le modèle. Ce coefficient s'écrit:

$$R_a^2 = 1 - \frac{SC_{RES}/n-k-1}{SCT/n-1} = 1 - \frac{(n-1)SC_{RES}}{(n-k-1)SCT}$$

Puisque $\dfrac{SC_{RES}}{SCT} = 1 - R^2$, alors $R_a^2 = 1 - \dfrac{(n-1)}{(n-k-1)}(1 - R^2)$

Plusieurs programmes informatiques calculent aussi ce coefficient. Bien que le coefficient R^2 ne décroît jamais avec l'ajout de variables explicatives, R_a^2 peut décroître. Si R^2 est petit, R_a^2 peut même prendre une valeur négative.

Lorsque $k = 1$, $R^2 = R_a^2$; si $k > 1$, $R^2 \geq R_a^2$.

Lorsque le nombre de variables explicatives k est petit par rapport au nombre d'observations n, les coefficients R^2 et R_a^2 diffèrent peu.

Supposons que dans une régression multiple comportant 5 variables explicatives, on a obtenu $SCT = 1000$ et $SC_{RES} = 100$.

a) Calculez R^2 et R_a^2 si l'étude comporte 10 observations.

b) Calculez R^2 et R_a^2 si l'étude comporte 100 observations.

c) Que peut-on constater dans chaque cas?

8. Dans une étude de régression multiple portant sur la même variable dépendante, on a obtenu les deux équations suivantes.

1. $\hat{y} = 106{,}85 + 4{,}52x_1 - 179{,}49x_2$; $n = 30$, $R^2 = 0{,}6206$

2. $\hat{y} = -44{,}84 + 3{,}21x_1 - 133{,}47x_2 + 3{,}08x_3$; $n = 30$, $R^2 = 0{,}7305$

a) Déterminez, pour chaque équation, le pourcentage de variation expliqué en utilisant le coefficient de détermination ajusté.

b) Si on recherche une équation ayant le R_a^2 le plus élevé, laquelle devrait-on retenir?

9. Dans une étude de régression multiple effectuée par une maison de sondage se spécialisant dans les études de marché, on a obtenu le tableau de la page suivante pour la décomposition des fluctuations des ventes (en milliers de \$) d'un bien de consommation selon 6 variables explicatives. Vingt-cinq régions ont été analysées.

a) Complétez le tableau d'analyse de variance en indiquant les valeurs manquantes.

Source de variation	Somme de carrés	Degrés de liberté	Carrés moyens
Régression		6	244,52
Résiduelle			
Totale	1521,6	24	

b) Le modèle de régression analysé est:

$$y_i = \beta_0 + \beta_1 x_1 + \beta_2 x_2 + \beta_3 x_3 + \beta_4 x_4 + \beta_5 x_5 + \beta_6 x_6 + \varepsilon$$

On veut tester si la régression est significative dans son ensemble. Précisez les hypothèses nulle et alternative que l'on veut soumettre au test.

c) En ayant recours aux résultats du tableau d'analyse de variance, quelle hypothèse est favorisée par l'exécution du test statistique approprié au seuil de signification $\alpha = 0,05$?

d) Est-ce que le test effectué en c) permet de conclure que les 6 variables explicatives apportent nécessairement une contribution significative dans l'explication des ventes du bien de consommation?

e) Quel pourcentage de variation des ventes est expliqué par l'ensemble des six variables?

f) Quel est l'écart-type des résidus?

10. Dans une étude de régression multiple comportant quatre variables explicatives, on a obtenu $SCT = 6446$, $R^2 = 0,92$, $n = 10$.

a) Quelle est la somme de carrés due à la régression?

b) Combien de degrés de liberté sont associés à la SCR?

c) Quelle est la somme de carrés due à la variation résiduelle?

d) Quelle est la variance des résidus?

e) Tester les hypothèses suivantes au seuil de signification $\alpha = 0,05$.

$$H_0 : \beta_1 = \beta_2 = \beta_3 = \beta_4 = 0$$
$$H_1 : \text{Au moins un des } \beta_j \neq 0$$

Laquelle des deux hypothèses est favorisée par les résultats de cette étude?

11. Dans une étude de régression multiple comportant quatre variables explicatives et 28 observations, on a obtenu les sommes de carrés suivantes: $SCT = 395,4$, $SC_{RES} = 269,1$.

a) Déterminez la somme de carrés due à la régression.

b) Déterminez l'écart-type des résidus.

c) Quel est le coefficient de détermination?

d) Est-ce que la régression est significative dans son ensemble au seuil $\alpha = 0,01$? Précisez l'hypothèse nulle que l'on veut soumettre au test.

12. Une entreprise de la région de Montréal a fait appel à un centre d'évaluation* pour identifier les employés dont le potentiel est élevé. L'expérience consistait essentiellement à étudier les relations entre les réponses des participants au questionnaire *Style de Gestion du Personnel* et l'évaluation conjointe faite par les observateurs en regard de leur potentiel de promotion immédiat et futur. Le nombre de participants à cette étude fut de soixante-quatorze.

Une analyse de régression multiple mettant en relation l'évaluation en regard du potentiel de promotion immédiat (y) et un certain nombre de facteurs explicatifs mesurés par le questionnaire conduit à l'équation de régression suivante:

$$\hat{y} = -0,88 + 0,23x_1 - 0,023x_2 + 0,025x_3 + 0,016x_4$$

où x_1: évaluation du souci d'impartialité.

x_2: évaluation de l'ouverture à la discussion et au travail en équipe.

* Source: Adapté de Bordeleau Y. *Le centre d'évaluation: comment améliorer son fonctionnement et sa rentabilité*. Revue Gestion, Novembre 1982.

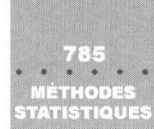
x_3: évaluation de la relation de support au travail.

x_4: évaluation de l'utilisation souple du statut hiérarchique dans l'entreprise.

La valeur du coefficient de détermination qu'on a obtenue fut de 0,1681.

Peut-on conclure que les quatre facteurs explicatifs cités ci-haut sont liés de façon significative au potentiel de promotion immédiat? Utilisez $\alpha = 0,05$.

13. Le département d'Organisation et Méthodes de l'entreprise SMA veut déterminer une équation de régression multiple qui servirait de modèle prévisionnel pour estimer le temps (y) requis (en centiheures) pour la manutention d'une matière première en fonction

✓ du poids manutentionné en nombre de palettes (x_1) et

✓ de la distance parcourue en mètres (x_2).

Un relevé de 18 observations sur ces variables est présenté dans le tableau ci-après.

Obervation i	Temps de manutention	Poids manutentionné	Distance parcourue
1	29	12	8
2	38	14	10
3	32	11	6
4	70	21	30
5	45	6	35
6	34	18	8
7	30	10	6
8	55	5	30
9	45	20	15
10	65	30	10
11	82	8	50
12	25	10	5
13	35	12	10
14	85	15	40
15	80	25	30
16	76	10	40
17	22	12	5
18	70	20	25

On veut expliquer le comportement de la variable dépendante y à l'aide du modèle de régression multiple $y_i = \beta_0 + \beta_1 x_{i1} + \beta_2 x_{i2} + \varepsilon_i$.

a) À l'aide d'Excel (ou d'un autre logiciel statistique), déterminez l'équation de régression multiple. Ne conservez que 3 décimales.

b) Dans l'équation de régression obtenue en a), quelle est la signification pratique de $\hat{y}_i$ pour l'entreprise SMA?

c) Quelle serait l'estimation du temps moyen de manutention à $x_{i1} = \overline{x}_1$ et $x_{i2} = \overline{x}_2$?

d) À l'aide d'Excel, déterminez les corrélations linéaires simples entre le temps de manutention et chaque variable explicative x_{i1} et x_{i2}. Quelle variable explicative est la plus fortement liée au temps de manutention?

e) Si on effectuait séparément une régression linéaire simple entre le temps de manutention et chacune des variables explicatives, quel serait le pourcentage de variation dans le temps de manutention qui serait expliqué par chaque équation de régression:

Régression avec le poids manutentionné?

Régression avec la distance parcourue?

f) Déterminez le tableau d'analyse de variance pour le modèle de régression à 2 variables explicatives.

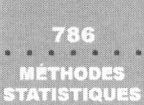
13. (suite) g) Peut-on considérer, au seuil $a = 0,05$, que la régression est significative dans son ensemble? Utilisez le seuil descriptif du test (valeur p) pour répondre à cette question?

h) Quelle est la variance des résidus?

i) Quelle proportion de la variation dans le temps de manutention est expliquée par les deux variables explicatives?

Test de contribution marginale et intervalle de confiance

14. Une étude de régression multiple comporte 30 observations et 4 variables explicatives (x_1, x_2, x_3, x_4).

a) Certains résultats de cette étude sont présentés ci-après. Indiquez les valeurs manquantes; il faut d'abord compléter le tableau d'analyse de variance.

Coefficient de détermination R^2:

Écart-type des résidus:

Tableau d'analyse de variance

Source de variation	Somme de carrés	Degrés de liberté	Carrés moyens	Rapport F
Due à la régression	206,052			
Résiduelle				
Totale	245,3	29		

Variables explicatives	Coefficients de régression	Erreurs-types	Valeur observée du t de Student
Coefficient b_0	6		
x_1	0,134	0,036	_____
x_2	0,056	0,011	_____
x_3	0,191	0,157	_____
x_4	-0,045	0,012	_____

b) Quelle est l'estimation ponctuelle de $E(y)$ si $x_1 = 8$, $x_2 = 10$, $x_3 = 2,2$ et $x_4 = 40$?

c) Selon les résultats du tableau d'analyse de variance, peut-on considérer comme vraisemblable l'hypothèse selon laquelle au moins un des $\beta_j = 0$? Utilisez un seuil de signification $\alpha = 0,05$; précisez également l'hypothèse nulle.

d) Quelle hypothèse veut-on tester lorsqu'on a recours au T de Student?

e) Testez la contribution marginale de chaque variable explicative au seuil $\alpha = 0,05$. Précisez dans chaque cas les hypothèses nulle et alternative.

f) Est-ce que chaque variable explicative apporte une contribution marginale significative?

g) Quelle variable pourrait-on retrancher de l'équation de régression?

15. Dans une étude de régression multiple comportant 15 observations, l'ajout de la variable x_2 à la suite de x_1 permet d'obtenir: $b_2 = -0,03667$, $s(b_2) = 0,0034$.

De plus, $SCT = 5006$ et $CM_{RES}(x_1, x_2) = 31,3333$.

a) Déterminez $SCR(x_2|x_1)$.

b) Quelle est la variation résiduelle pour l'équation à deux variables explicatives?

c) La contribution marginale de la variable explicative x_2 est-elle significative, au seuil de signification 5%?

16. Dans une étude de régression multiple à l'aide du modèle $y = \beta_0 + \beta_1 x_1 + \beta_2 x_2 + \beta_3 x_3 + \beta_4 x_4 + \varepsilon$, on a obtenu les résultats de la page suivante à l'aide de 50 observations.

16. (suite)

Variables explicatives	Coefficients de régression	Rapport F ("F partiel")
Ordonnée à l'origine	110,5	4,494
x_1	32,8	6,76
x_2	-56,3	1,346
x_3	85,0	1,513
x_4	-27,6	24,305

a) Tel qu'indiqué dans le tableau ci-haut, quelle est l'équation de régression multiple?

b) Est-ce que la contribution marginale de la variable x_1 est significative au seuil $\alpha = 0,05$?

c) Déterminez l'erreur-type du coefficient de régression correspondant à la variable explicative x_4.

d) Quelle est la valeur du T de Student (avec le signe approprié) pour tester la contribution marginale de la variable x_4?

e) Est-ce que la contribution marginale de la variable explicative x_4 est significative au seuil $\alpha = 0,01$?

17. Dans une étude* à l'aide d'un questionnaire auprès de 400 organisations canadiennes (seulement 104 ont retourné le questionnaire dûment rempli) provenant des secteurs public, parapublic et privé, on a élaboré une régression multiple entre le degré d'utilisation du réseau Internet et certains facteurs pouvant influencer cette utilisation, les facteurs sociaux, les conditions facilitatrices (accès facile, support et assistance,...), l'expérience d'utilisation de l'informatique, l'expérience d'utilisation des télécommunications,...

Le tableau suivant résume une partie des résultats obtenus pour l'analyse de régression.
$R^2 = 0,30617$.

Variables explicatives (x_j)	Coefficients de régression (b_j)	Erreurs-types $s(b_j)$
Attitudes	0,371809	0,0917
Conditions facilitatrices (1)	-0,209676	0,09093
Conditions facilitatrices (2)	0,333431	0,09529
Expérience informatique	0,211992	0,08844

* Source: Adapté de Limayem, M. et N. Chabchoub. *Les facteurs influençant l'utilisation d'Internet dans les organisations canadiennes.* Systèmes d'Information et Management, No 1, vol. 4, 1999.

a) Quelle est la variable dépendante?

b) Testez, au seuil de signification 5%, l'hypothèse selon laquelle la régression est significative dans son ensemble.

c) Testez, au seuil de signification $\alpha = 0,05$, la contribution marginale de chaque variable explicative indiquée dans le tableau ci-haut.

d) On aimerait introduire dans le modèle de régresssion au seuil ($\alpha = 0,05$), à la suite des quatre variables indiquées précédemment, la variable explicative «Expérience en télécommunications». On a les résultats suivants:

Coefficient de régression: -0,267347

Erreur-type du coefficient: 0,1505

Est-ce que la valeur p (seuil descriptif du test) permettrait d'introduire cette variable dans l'équation? Discutez.

18. Un bureau conseil en ressources humaines a effectué une étude sur le niveau d'anxiété y mesuré sur une échelle de 1 à 50 de cadres d'entreprises au cours d'une période de 2 semaines (valeur déduite d'un indice évalué trois fois au cours de cette période). On veut examiner si les facteurs suivants peuvent influencer le niveau d'anxiété des cadres:

x_1: pression artérielle systolique

x_2: test évaluant les capacités managériales

x_3: niveau de satisfaction du poste occupé (mesuré sur une échelle 1 à 25).

18. (suite) Le tableau d'analyse de variance ci-après indique l'apport de chaque variable introduite dans l'ordre indiqué et ceci, pour 22 cadres.

Source de variation	Somme de carrés	Degrés de liberté
Régression	981,326	1
$x_2 \mid x_1$	190,232	1
$x_3 \mid x_1, x_2$	129,431	1
Résiduelle	442,292	18
Totale	1743,281	21

a) Quelle est la somme de carrés due à la régression pour l'ensemble des trois variables x_1, x_2 et x_3?

b) Quelle proportion de la variation dans le niveau d'anxiété est expliquée par les trois variables explicatives?

c) Peut-on conclure que dans l'ensemble les trois variables explicatives ont un effet significatif sur le niveau d'anxiété? Utilisez un seuil de signification $\alpha = 0,05$. Précisez les hypothèses que l'on veut tester.

d) Si on ne tient compte que de la variable explicative x_1, quel serait alors le tableau d'analyse de variance correspondant?

Source de variation	Somme de carrés	Degrés de liberté
Due à x_1	981,326	
Résiduelle		
Totale		

19. On peut tester la contribution marginale d'une variable explicative x_k à l'aide du rapport F suivant:

$$F = \frac{[SCR(x_1, x_2, ..., x_{k-1}, x_k) - SCR(x_1, x_2, ..., x_{k-1})]/1}{CM_{RES}(x_1, x_2, ..., x_{k-1}, x_k)}$$

$$= \frac{SCR(x_k \mid x_1, x_2, ..., x_{k-1})/1}{CM_{RES}(x_1, x_2, ..., x_{k-1}, x_k)}.$$

Puisque la somme de carrés au numérateur n'a qu'un seul degré de liberté, on peut écrire

$$F = \frac{\dfrac{b_k^2}{s^2(b_k)}s_{résidus}^2}{CM_{RES}(x_1, x_2, ..., x_{k-1}, x_k)} = t_k^2$$

et $s_{résidus}^2 = CM_{RES}(x_1, x_2, ..., x_{k-1}, x_k)$.

a) En utilisant les expressions appropriées pour le rapport F et les résultats de l'exercice no 18, testez les hypothèses suivantes au seuil $\alpha = 0,05$:

   i) H_0: $\beta_1 = 0$ dans le modèle $y = \beta_0 + \beta_1 x_1 + \varepsilon$;

   ii) H_0: $\beta_2 = 0$ dans le modèle $y = \beta_0 + \beta_1 x_1 + \beta_2 x_2 + \varepsilon$;

   iii) H_0: $\beta_3 = 0$ dans le modèle $y = \beta_0 + \beta_1 x_1 + \beta_2 x_2 + \beta_3 x_3 + \varepsilon$;

b) Quelle est la valeur du R^2 associée à l'estimation de chaque modèle spécifié en a)?

c) Lequel des trois modèles semble le mieux approprié pour expliquer les fluctuations du niveau d'anxiété des cadres d'entreprises?

20. Les données* suivantes représentent les coûts de manutention ($), le nombre d'activités de manutention ainsi que le poids (en kg) manutentionné pour une période de 10 mois. On a effectué par la suite une analyse de régression linéaire simple entre les coûts de manutention et le nombre d'activités de manutention puis une régression multiple avec les variables «nombre d'activités» et «poids manutentionné».

Mois	Coût de manutention	Nombre d'activités de manutention	Poids manutentionné
Janvier	2000	100	2720
Février	3090	126	6796
Mars	2780	174	3530
Avril	1990	200	274
Mai	7500	500	13140
Juin	5300	300	10420
Juillet	4300	250	7700
Août	6300	400	11325
Septembre	5600	475	5450
Octobre	6240	425	10145

* Source: Adapté de Hansen, D.R. *Cost Management*. South-Western College Publishing, 2000, p. 89.

Les sorties informatiques (éditées par l'auteur) qu'on obtient avec Excel sont présentées ci-après.

Sortie informatique

Exercice no 20

	G	H
20	**Régression linéaire simple**	
21	*Statistiques de la régression*	
22	Coefficient de corrélation multiple	0,9293
23	Coefficient de détermination R^2	0,8636
24	Coefficient de détermination R^2 ajusté	0,8466
25	Erreur-type	768,6517
26	Observations	10

	G	H	I	J	K	L	M
28	ANALYSE DE VARIANCE						
29	*Source de variation*	*Degré de liberté*	*Somme des carrés*	*Moyenne des carrés*	*F*	*Seuil descriptif du test (valeur p)*	
30	Régression	1	29926596,56	29926596,6	50,65	0,000100293	
31	Résidus	8	4726603,44	590825,43			
32	Total	9	34653200				
33							
34	*Variable explicative*	*Coefficients*	*Erreur-type*	*Statistique t*	*Probabilité*	*Limite inférieure pour seuil de confiance = 95%*	*Limite supérieure pour seuil de confiance = 95%*
35	Constante	852,189	568,532	1,499	0,17227507	-458,849	2163,227
36	Nombre d'activités de manutention	12,399	1,742	7,117	0,00010029	8,382	16,417

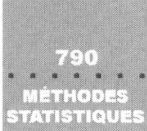
Sortie informatique

Exercice no 20 (suite)

	G	H	I	J	K	L
42	Statistiques de la régression					
43	Coefficient de corrélation multiple	0,9994				
44	Coefficient de détermination R^2	0,9988				
45	Coefficient de détermination R^2 ajusté	0,9985				
46	Erreur-type	76,6505				
47	Observations	10				
48						
49	ANALYSE DE VARIANCE					
50	Source de variation	Degré de liberté	Somme des carrés	Moyenne des carrés	F	Seuil descriptif du test (valeur p)
51	Régression	2	34612072,88	17306036,44	2945,6	0,00000000006
52	Résidus	7	41127,12	5875,30		
53	Total	9	34653200			

	G	H	I	J	K	L	M
55	Variables explicatives	Coefficients	Erreur-type	Statistique t	Probabilité	Limite inférieure pour seuil de confiance = 95%	Limite supérieure pour seuil de confiance = 95%
56	Constante	507,610	57,993	8,753	0,00005110	370,479	644,741
57	Nombre d'activités de manutention	7,837	0,237	33,033	0,00000001	7,276	8,398
58	Poids manutentionné	0,236	0,008	28,240	0,00000002	0,217	0,256

a) Quelle est l'équation de régression entre le coût de manutention et le nombre d'activités de manutention?

b) Quel pourcentage de variation dans les coûts de manutention est expliqué par le nombre d'activités de manutention?

c) Si on fait intervenir la variable «poids manutentionné» dans le modèle de régression, à la suite de la variable «nombre d'activités de manutention», peut-on considérer qu'il y a amélioration dans l'explication des fluctuations du coût de manutention? Expliquez.

d) Est-ce que la contribution marginale de la variable «poids manutentionné» est significative au seuil $\alpha = 0,05$? Utilisez l'intervalle de confiance à 95% sur β_2 pour répondre à cette question.

e) On veut estimer les coûts de manutention pour le mois de novembre. On s'attend à un nombre d'activités de 295 et à un poids à manutentionner de 7150 kg. Quelle est une bonne prévision pour les coûts de manutention du mois de novembre?

Variables auxiliaires, test d'un sous-ensemble de variables et colinéarité

21. Le gérant d'une grande chaîne alimentaire veut modeler les ventes hebdomadaires (y) d'un aliment particulier en fonction de la marque de cet aliment. Ce modèle pourrait être éventuellement utilisé pour planifier le niveau de stock de la chaîne. Trois marques de cet aliment sont disponibles sur le marché et que nous identifions respectivement par M_1, M_2 et M_3.

a) Combien de modalités présentent l'information sur cet aliment?

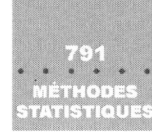
21. (suite) b) Combien de variables auxiliaires sont requises si on veut utiliser un modèle de régression multiple?

c) Spécifiez quantitativement la relation entre le niveau hebdomadaire moyen des ventes $E(y)$ et les marques de l'aliment concerné. Identifiez correctement chaque variable auxiliaire utilisée.

d) En termes des paramètres du modèle, quel est le niveau habdomadaire moyen des ventes pour la marque M_3?

22. Considérez à nouveau l'exercice no 21. Supposons que le gérant a utilisé la marque M_1 comme base de référence (variables auxiliaires = 0) et a obtenu comme équation de régression empirique, $y_i = 600 + 70x_{i1} - 40x_{i2}$ où

$$x_{i1} = \begin{cases} 1 \text{ si marque } M_2 \\ 0 \text{ autrement} \end{cases} \quad x_{i2} = \begin{cases} 1 \text{ si marque } M_3 \\ 0 \text{ autrement} \end{cases}$$

a) Quelle est la différence entre le niveau moyen estimé des ventes hebdomadaires pour les marques M_2 et M_1?

b) Quel est le niveau moyen estimé des ventes hebdomadaires pour la marque M_2?

c) Quel est le niveau moyen estimé des ventes hebdomadaires pour la marque M_3?

23. Une compagnie d'assurances expérimente actuellement trois programmes de formation, P_1, P_2 et P_3 pour ses représentants des ventes. L'analyste de la compagnie veut étudier le modèle de régression multiple suivant

$$y_i = \beta_0 + \beta_1 x_{i1} + \beta_2 x_{i2} + \beta_3 x_{i3} + \varepsilon$$

où y_i représente les ventes mensuelles (en milliers de dollars) du représentant i

x_{i1}, le nombre de mois d'expérience du représentant

$$x_{i2} = \begin{cases} 1 \text{ si le représentant } i \text{ a subi le programme de formation } P_2 \\ 0 \text{ autrement} \end{cases}$$

$$x_{i3} = \begin{cases} 1 \text{ si le représentant } i \text{ a subi le programme de formation } P_3 \\ 0 \text{ autrement} \end{cases}$$

Le programme de formation P_1 sert de base de référence.

a) On veut évaluer l'effet des programmes de formation sur le niveau moyen mensuel des ventes. Spécifiez alors l'hypothèse nulle que l'on doit soumettre au test.

b) Des données recueillies sur cinquante représentants permettent d'obtenir l'équation de régression empirique suivante:

$$\hat{y}_i = 10 + 0,5x_{i1} + 1,2x_{i2} - 0,4x_{i3} \text{ avec } SCR = 20\,484,3.$$

Une régression linéaire simple comportant uniquement le nombre de mois d'expérience du représentant comme facteur explicatif nous donne, avec les mêmes données,

$$\hat{y}_i = 11,4 + 0,4x_{i1} \text{ et } SCR = 20\,441,6.$$

De plus, $SCT = 20\,624,8$. Testez, au niveau de signification $\alpha = 0,05$, l'hypothèse nulle spécifiée en a).

24. Dans une étude de régression multiple comportant quatre variables explicatives x_1, x_2, x_3, x_4, on a obtenu le tableau d'analyse de variance suivant et ceci pour 20 observations.

Source de variation	Somme de carrés	Degrés de liberté	Carrés moyens
Régression (x_1, x_2, x_3, x_4)	85 570	4	21 392,50
Résiduelle	1 426	15	95,067
Totale corrigée	86 996	19	

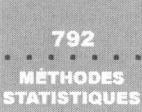

a) Est-ce que la régression est significative dans son ensemble? Utilisez $\alpha = 0,05$.

b) Une de vos collègues mentionne que les variables x_3 et x_4 sont inutiles dans le modèle de régression. Une autre analyse de régression ne comportant cette fois que les variables explicatives x_1 et x_2 conduit au tableau d'analyse de variance suivant.

Source de variation	Somme de carrés	Degrés de liberté	Carrés moyens
Régression (x_1, x_2)	62 983	2	31 491,50
Résiduelle	24 013	17	1 412,53
Totale corrigée	86 996	19	

Est-ce que l'affirmation de votre collègue est vraisemblable au seuil de signification $\alpha = 0,05$? Effectuez le test approprié.

25. Une étude de régression multiple comporte une variable quantitative (x_1) et une variable qualitative avec quatre modalités. Vingt-quatre observations ont été recueillies.

a) Si on veut incorporer l'information qualitative dans le modèle de régression multiple, combien de variables auxiliaires doit-on spécifier?

b) L'information qualitative en question consiste en quatre trimestres de l'année:

     1er trimestre   2e trimestre   3e trimestre   4e trimestre

De quelle façon pourriez-vous définir les variables auxiliaires pour tenir compte de cette information? On utilise la variable x_1 pour l'information quantitative.

c) Deux régressions ont été effectuées: une régression simple comportant uniquement l'information quantitative et une régression multiple comportant les données quantitatives et qualitatives.

Nous résumons les résultats comme suit:

Régression simple

Source de variation	Somme de carrés	Degrés de liberté	Carrés moyens	Rapport F
Régression (x_1)	13 004,85	1	13 004,85	59,37
Résiduelle	4 819,11	22	219,05	
Totale corrigée	17 823,96	23		

Régression multiple

Source de variation	Somme de carrés	Degrés de liberté	Carrés moyens	Rapport F
Régression	17 698,70	4	4 424,67	671,12
Résiduelle	125,26	19	6,593	
Totale corrigée	17 823,96	23		

Est-ce que l'ajout de l'information qualitative est significatif au seuil de signification $\alpha = 0,05$?

Précisez les hypothèses que l'on veut tester ici.

26. Le responsable du département d'assemblage de l'entreprise Multiplex est préoccupé par les différences assez marquées entre les individus de son département concernant l'assemblage de montages transistorisés. Ces montages sont effectués pour le compte d'une entreprise de la région de Montréal, laquelle vient d'obtenir un important contrat d'une firme américaine.

L'entreprise Multiplex se voit dans l'obligation d'accroître son personnel pour répondre à la demande de ce produit.

26. (suite) Pour assurer éventuellement une meilleure sélection à l'embauche, on envisage d'abord d'étudier, à partir des individus oeuvrant déjà dans le département d'assemblage, s'il existe des facteurs pouvant expliquer la bonne ou mauvaise performance des individus en ce qui a trait au nombre moyen de montages assemblés par semaine.

On a donc décidé de soumettre à un certain nombre d'individus, une batterie de tests d'aptitudes et dont les aptitudes mesurées sont les suivantes:

x_1: *Spatialisation.* (Aptitude à concevoir visuellement des formes géométriques et à comprendre la représentation d'objets en deux dimensions).

x_2: *Perception des formes.* (Aptitude à percevoir les détails pertinents des objets, reproduction ou documents écrits).

x_3: *Coordination visuo-motrice.* (Aptitude à coordonner les mouvements des yeux, des mains ou des doigts rapidement et avec précision en des gestes précis et rapides, à réagir promptement et avec à-propos).

La variable dépendante y représente le nombre total de montages assemblés au cours des deux dernières semaines. On a également noté le sexe de l'individu qui est identifié ici par la variable auxiliaire x_4 ou $x_4 = 1$ si sexe féminin et $x_4 = 0$ si sexe masculin.

Les données obtenues sont présentées dans le tableau ci-après.

Individu no	Nombre de montages	Test - Spatialisation	Test - Perception des formes	Test - Coordination visuo-motrice	Sexe de l'individu
1	132	79	70	74	1
2	154	124	103	86	1
3	166	109	118	130	1
4	129	76	72	68	0
5	144	109	88	77	0
6	162	118	102	87	1
7	157	109	103	107	0
8	150	86	89	116	0
9	155	96	92	101	1
10	148	102	94	97	1
11	157	128	96	101	1
12	157	118	90	93	0
13	169	125	115	101	0
14	144	107	65	70	1
15	137	92	70	99	0
16	163	135	101	104	0
17	148	92	99	107	1
18	140	87	68	84	1
19	168	122	122	124	0
20	143	102	94	80	0
21	149	99	101	78	1
22	147	96	86	91	1
23	150	112	96	82	1
24	145	102	78	80	0
25	149	82	89	103	1
26	148	113	92	89	0
27	140	86	83	97	0
28	131	80	79	82	1
29	154	99	107	113	1
30	170	134	126	124	1
31	164	110	105	120	0
32	149	106	88	109	0
33	134	88	72	77	1
34	152	114	98	92	0
35	160	121	107	104	0
36	144	94	86	108	1

On veut développer un modèle de régression qui servirait de modèle prévisionnel pour estimer le nombre de montages en fonction des diverses variables explicatives mentionnées à la page précédente.

On veut d'abord effectuer une étude de régression multiple comportant les résultats des trois tests selon le modèle suivant: $y = \beta_0 + \beta_1 x_1 + \beta_2 x_2 + \beta_3 x_3 + \varepsilon$. Il faudra utiliser Excel ou un autre programme informatique pour répondre aux questions de cet exercice.

a) Estimez les paramètres du modèle $y_i = \beta_0 + \beta_1 x_1 + \beta_2 x_2 + \beta_3 x_3 + \varepsilon_i$.

b) Est-ce que la régression est significative dans son ensemble au seuil $\alpha = 0,05$? Précisez l'hypothèse nulle à soumettre au test statistique.

c) Avec l'information que vous avez sur la sortie informatique, déterminez les sommes de carrés additionnelles suivantes:
   i) $SCR(x_1|x_2,x_3)$
   ii) $SCR(x_2|x_1,x_3)$
   iii) $SCR(x_3|x_1,x_2)$

d) Devrait-on retrancher une variable explicative du modèle de régression au seuil 5%? Appuyez votre conclusion en utilisant le seuil descriptif du test (valeur p).

e) Quel est l'intervalle de confiance à 95% pour chaque paramètre de régression β_1, β_2 et β_3 dans le modèle

$$y = \beta_0 + \beta_1 x_1 + \beta_2 x_2 + \beta_3 x_3 + \varepsilon.$$

f) Est-ce que l'intervalle de confiance pour chaque paramètre de régression obtenu en e) englobe la valeur 0? Que peut-on conclure?

g) Si on devait ajouter maintenant la variable «sexe» à la suite des 3 variables explicatives associées aux différents tests d'évaluation
   i) quelle serait la valeur de la somme de carrés additionnelle attribuable à cette variable?
   ii) quelle serait la valeur du T de Student pour cette variable?
   iii) quelle est la probabilité que la variable de Student soit supérieure ou égale à la valeur observée, en supposant fondée l'hypothèse $\beta_4 = 0$?
   iv) Que peut-on conclure?

h) Quel pourcentage de variation est expliqué par l'équation de régression?

i) Trois individus se sont présentés au service d'embauche de l'entreprise et ont subi les différents tests. Les résultats obtenus sont présentés ci-après.

	Spatialisation	Perception des formes	Coordination visuo-motrice	Sexe
Individu A	110	85	78	Féminin
Individu B	104	102	98	Masculin
Individu C	112	96	101	Féminin

Un individu se voit offrir un emploi en autant que le nombre de montages prévu selon les résultats aux tests se situe au-dessus de la moyenne globale obtenue des 36 individus qui ont participé à l'étude.

Est-ce qu'il y a une candidature intéressante? Justifiez votre choix.

Corrélation partielle et régression pas à pas

27. Une étude de régression multiple entre le niveau de productivité d'individus oeuvrant dans une entreprise d'assemblage de composants électroniques et trois facteurs pouvant être associés à cette variable, conduit aux résultats suivants lorsque les variables explicatives sont introduites dans l'ordre x_1, x_2 et x_3. L'étude a été effectuée sur 18 individus.

Variables explicatives dans l'équation	Variable additionnelle	Écart-type des résidus	Proportion de la variation expliquée	Rapport F
Aucune		$s_y = 21,8363$		
x_1	x_1	21,23252	$R^2_{y.1} = 0,11015$	1,9806
x_1, x_2	x_2	5,72797	$R^2_{y.1,2} = 0,93929$	116,031
x_1, x_2, x_3	x_3	3,69047	$R^2_{y.1,2,3} = 0,97648$	193,724

a) Dans quelle proportion la variation non expliquée par la variable x_1 est-elle réduite lorsque la variable x_2 est ajoutée à l'équation de régression?

b) Dans quelle proportion la variation non expliquée par x_1 et x_2 est-elle réduite lorsque la variable x_3 est ajoutée à l'équation de régression?

c) Quelle est la corrélation partielle entre y et x_2, sachant que la variable x_1 est déjà dans l'équation? On considère que le coefficient de régression b_2 est positif.

d) Quelle est la corrélation partielle entre y et la variable x_3, sachant que les variables explicatives x_1 et x_2 sont déjà dans l'équation de régression? Le coefficient de régression x_3 est positif.

e) Dans l'équation de régression comportant la variable explicative x_1, la somme de carrés résiduelle est $SC_{RES}(x_1) = 7213,1168$. Quelle est la somme de carrés attribuable à la variable x_2 lorsqu'on ajoute cette variable à la suite de x_1?

28. Considérons à nouveau les données de l'exercice 26 (entreprise Multiplex). À l'aide d'un programme informatique, on a obtenu les régressions suivantes où la variable dépendante est le nombre total de montages assemblés au cours des deux dernières semaines.

1. $\hat{y} = 92,595 + 0,5532x_1$ (x_1: test de spatialisation)

   $R^2_{y.1} = 0,6615$, $SC_{RES}(x_1) = 1392,152$.

2. $\hat{y} = 81,9786 + 0,2632x_1 + 0,4397x_2$ (x_2: Perception des formes)

   $R^2_{y.1,2} = 0,8616$, $SC_{RES}(x_1,x_2) = 568,975$.

3. $\hat{y} = 74,56 + 0,3164x_1 + 0,2589x_2 + 0,1944x_3$ (x_3: Coordination visuo-motrice)

   $R^2_{y.1,2,3} = 0,9023$, $SC_{RES}(x_1,x_2,x_3) = 401,853$.

Les corrélations linéaires simples entre la variable dépendante et chaque variable explicative sont respectivement:

$r_{y1} = 0,8133$, $r_{y2} = 0,8850$, $r_{y3} = 0,6969$, $n = 36$.

a) Si on devait effectuer une régression simple entre y et chaque variable explicative, quel serait le pourcentage de variation dans y qui serait expliqué par chaque régression?

b) Quelle variable explicative est la moins liée avec le nombre total de montages?

c) Lorsque la variable «Perception des formes» est introduite à la suite de la variable «Test de spatialisation»,

i) dans quelle proportion la variation non expliquée par le *test de spatialisation* est réduite avec l'ajout de la variable *perception des formes*?

ii) Quelle est la corrélation partielle entre le nombre total de montages assemblés et le résultat au test de perception des formes, si on tient compte de la régression entre y et le résultat au test de spatialisation?

d) En utilisant un rapport F approprié, testez la contribution marginale de la variable «Perception des formes» lorsqu'elle est introduite à la suite de la variable «Test de spatialisation». Utilisez un seuil $\alpha = 0,05$.

e) Quelle est la somme de carrés additionnelle qu'on obtient pour la régression lorsqu'on ajoute dans l'équation la variable «Test de coordination visuo-motrice» à la suite des variables x_1 et x_2?

f) Quelle est la corrélation partielle entre y et le résultat au test de coordination visuo-motrice, lorsqu'on tient compte des deux variables x_1 et x_2 déjà introduites dans l'équation de régression?

29. Dans une municipalité du centre de la Mauricie, on a effectué une étude sur l'endettement des familles. L'endettement a été mesuré à l'aide du total des soldes qui comprend les soldes d'une société prêteuse, banque, caisse populaire, cartes de crédit,..., à l'exception des prêts hypothécaires. On aimerait à l'aide de la régression multiple, déterminer une équation de régression qui pourrait établir un lien entre le solde de l'endettement et le revenu annuel, le nombre de personnes dans le ménage, le niveau de scolarité du chef de famille (en années) et s'il est locataire ou propriétaire (échelle nominale). Les données ci-après ont été obtenues.

Total des soldes	Revenu mensuel	Nombre de personnes	Scolarité	Locataire ou propriétaire
725	2280	2	9	0
3384	4410	4	12	1
3998	2934	4	8	0
5975	3840	5	10	0
12665	5700	3	14	1
8380	4242	4	11	1
4307	2700	3	10	0
4016	3360	3	9	0
5670	2724	4	10	0
4950	1854	4	10	1
6975	3220	4	8	1
1222	1806	3	9	0
11125	6222	4	15	1
908	1800	3	10	0
860	2610	1	11	0
7211	4644	4	12	1
9300	3444	3	10	1
3574	2970	1	12	0
4000	3096	2	11	0
5850	5310	4	16	0

Locataire = 0, Propriétaire = 1

	Total des soldes	Revenu mensuel	Nombre de personnes	Scolarité	Locataire ou propriétaire
Total des soldes	1				
Revenu mensuel	0,7737	1			
Nombre de personnes	0,4380	0,3616	1		
Scolarité	0,4816	0,7849	0,0399	1	
Locataire ou propriétaire	0,6909	0,4964	0,3915	0,2522	1

a) Quelle est la corrélation linéaire simple entre

   i)   le total des soldes et le revenu mensuel?

   ii) le niveau de scolarité et le nombre de personnes dans le ménage?

   iii) Est-ce exact de préciser que plus le niveau de scolarité est élevé, moins le total des soldes d'endettement est élevé?

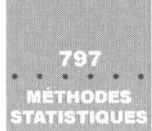
b) On utilise la régression pas à pas pour sélectionner les variables à être introduites dans l'équation de régression.

   i) Calculez les rapports F requis pour sélectionner la première variable à être introduite dans l'équation de régression.

ii) En utilisant un seuil de signification $\alpha = 0{,}05$, quelle variable sera introduite à la première étape?

   iii) Quel pourcentage de variation dans le total des soldes est expliqué par cette variable?

c) La variable sélectionnée à la question ii) de b) a été introduite dans l'équation de régression. Les corrélations partielles entre y (le total des soldes) et chacune des variables explicatives non introduites jusqu'ici dans l'équation de régression sont les suivantes:

Variable explicative	Coefficient de corrélation partielle	% de réduction de la variation non expliquée
Nombre de personnes	0,2679	
Scolarité	-0,3201	
Locataire ou propriétaire	0,5579	

Déterminez pour chacune des variables non introduite jusqu'ici, le pourcentage de réduction de la variation non expliquée du total des soldes par la première variable introduite.

d) Quelle variable peut être introduite à la prochaine étape? Pourquoi?

e) Sachant que la somme de carrés totale corrigée, $SCT = 210\ 328\ 383{,}8$, déterminez, en utilisant les résultats que vous connaissez jusqu'ici, la somme de carrés additionnelle qui serait attribuable à l'ajout éventuel de la variable précisée en d) à la suite de la première variable introduite?

f) Est-ce que la variable sélectionnée en d) sera introduite dans l'équation de régression, au seuil $\alpha = 0{,}05$? Justifier votre réponse.

g) Considérons que l'étape 2 est complétée (il y a donc 2 variables introduites dans l'équation de régression). En utilisant les résultats que vous connaissez jusqu'ici, devrait-on retrancher la première variable introduite au seuil de signification $\alpha = 0{,}10$? Utilisez le rapport F pour effectuer le test statistique approprié.

h) Supposons qu'à l'étape no 3, on a les résultats suivants (certaines valeurs présentées ci-après peuvent être différentes des valeurs calculées précédemment) obtenus avec un programme informatique.

Variables dans l'équation: REVENU MENSUEL   LOCATAIRE-PROPRIÉTAIRE

Corrélation multiple: **0,8506**
R carré: **0,7236**
R carré ajusté: **0,6910**
Écart-type résiduel: **1849,31**

Tableau d'analyse de variance

Source de variation	Degrés de liberté	Somme de carrés	Carrés moyens	Rapport F
Régression	2	152 189 040,9	76 094 520,5	22,25
Résiduelle	17	58 139 342,8	3 419 961,3	
Totale	19	210 328 383,7		

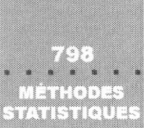
Variables dans l'équation de régression

Variables explicatives	b_j	$s(b_j)$	t	Valeur p
Ordonnée à l'origine	-960,135			
Revenu mensuel	1,485	0,382	3,892	0,0012
Locataire-propriétaire	2695,08	972,33	2,772	0,013

Variables exclues de l'équation de régression

Variables explicatives	Corrélation partielle avec y	Valeur p
Nombre de personnes	0,152	0,810
Scolarité	-0,221	0,359

i) Quelle est la valeur du rapport F qui permet de tester si la régression est significative dans son ensemble?

ii) Précisez l'hypothèse nulle que l'on veut tester avec ce rapport.

iii) La régression est-elle significative dans son ensemble, au seuil $\alpha = 0,05$? Expliquez.

i) Quelle variable peut être introduite à la prochaine étape? Justifiez votre choix.

j) Peut-on introduire la variable sélectionnée en c) au seuil $\alpha = 0,05$? Justifiez votre réponse.

k) À quelle valeur de probabilité (seuil) la variable explicative précisée en i) aurait-elle été introduite dans l'équation de régression? Expliquez.

l) Est-ce que le processus de sélection de variables est terminé, au seuil $\alpha = 0,05$?

30. La société Optimax veut utiliser la régression multiple pour estimer le prix de vente (en 000$) de résidences provenant de leur fichier de la région de l'Estrie en fonction de diverses caractéristiques de chaque résidence. Les variables concernées sont identifiées comme suit:

PRIX: prix de vente en 000$ de la résidence (variable dépendante)

ESPHABT: espace habitable en mètres carrés

NPIECES: nombre de pièces

AGE: âge de la maison (en années)

NBAINS: nombre de salles de bains

GARAGE: avec (1) ou sans (0) garage.

On veut développer un modèle de régression multiple qui servirait de modèle prévisionnel pour estimer le prix de vente.

Des données sur quarante résidences ont été obtenues et sont présentées dans le tableau de la page suivante.

Il faudra utiliser un programme informatique qui permet de calculer les corrélations partielles et d'effectuer la régression pas à pas pour répondre aux questions.

On utilisera $\alpha_{\text{entrée}} = 0,10$ et $\alpha_{\text{sortie}} = 0,12$.

a) Expliquez les affirmations suivantes en utilisant la notion de corrélation. Est-ce exact de préciser que

i) plus l'espace habitable est élevé, plus le prix de vente est élevé?

ii) plus l'âge de la résidence est élevé, plus le prix de vente est élevé?

b) Si on utilise la régression pas à pas, quelle variable sera la première introduite dans l'équation? Justifiez votre choix.

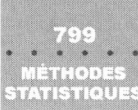

Prix	Espace habitable	Nombre de pièces	Age	Nombre de salles de bain	Avec ou sans garage
93,5	100,8	5	35	1	1
89,0	129,0	6	36	1	1
90,5	86,0	8	36	1	1
89,9	91,2	5	41	1	1
93,0	120,4	6	40	1	1
95,0	120,4	5	10	1,5	1
129,5	176,4	8	64	1,5	1
126,0	160,0	7	19	2	1
109,0	125,5	5	16	2	1
239,0	360,0	10	17	2,5	1
86,0	86,4	5	37	1	1
78,0	72,0	5	41	1	0
89,5	100,8	6	35	2	0
145,0	195,0	8	52	1,5	1
192,5	208,6	7	12	2	1
125,0	201,1	9	76	1,5	0
102,0	146,5	6	102	1	1
128,5	123,2	5	69	1,5	1
141,0	173,6	7	67	1	1
119,4	129,6	7	11	1,5	1
165,0	199,6	7	9	2,5	1
127,9	187,4	5	14	2	1
120,0	158,0	5	11	1	1
134,0	192,0	5	14	2,5	1
114,0	143,0	9	16	2	1
109,0	148,6	6	27	2	1
103,0	100,8	5	35	1	1
117,5	128,2	5	20	2	1
95,0	113,4	5	74	1	0
182,5	240,0	9	15	2,5	1
132,2	170,1	5	15	2	1
96,0	102,0	6	16	1	1
103,0	105,3	5	24	2	1
100,0	172,8	6	26	1,5	0
74,0	41,6	5	42	1	0
92,0	104,0	5	9	1,5	0
115,0	149,6	6	30	2	0
133,0	193,6	8	39	1,5	1
100,0	190,4	7	32	1	1
113,0	108,0	5	24	1,5	1

c) Laquelle, parmi les trois valeurs suivantes, correspond à la valeur du F pour la variable sélectionnée en b)?

    i) 123,84   ii) 153,941   iii) 217,268.

d) Considérons que la variable sélectionnée en b) a été introduite dans l'équation de régression. Déterminez les corrélations partielles entre le prix de vente et

    i) Nombre de pièces.

    ii) Age.

    iii) Nombre de salles de bains.

    iv) Présence ou absence d'un garage.

e) Quelle variable peut être introduite à la 2ième étape? Expliquez.

f) Considérons que trois étapes sont complétées. Il y a donc trois variables explicatives dans l'équation de régression.

  i) Quelles sont ces variables?

  ii) Quelle est la valeur du rapport F pour tester si la régression est significative dans son ensemble?

  iii) Quel pourcentage de variation dans le prix de vente est expliqué par l'équation de régression?

g) Indiquez, pour chaque variable explicative dans l'équation de régression, le seuil descriptif (valeur p).

h) Peut-on inclure une autre variable dans le modèle de régression? Justifiez votre réponse.

i) Quelle est l'équation de régression résultante de cette analyse?

j) Quel est, en moyenne, l'écart entre le prix de vente d'une résidence avec garage et l'autre, sans garage?

Exercices de révision et de synthèse

31. Un laboratoire de recherche de réputation internationale dans le domaine des pâtes et papier veut faire l'investigation de l'existence possible de relations entre les propriétés de la pulpe et les propriétés du bois d'une certaine région utilisé pour fabriquer cette pulpe. Diverses propriétés ont été analysées dont l'indice de déchirure (Nn^2/kg) de la pulpe, le pouvoir feutrant (x_1) du bois utilisé et la teneur d'un composant chimique (pentosane) en % (x_2). On a recueilli 20 observations sur ces variables.

On veut expliquer les fluctuations dans l'indice de déchirure de la pulpe à l'aide du modèle de régression multiple suivant: $y_i = \beta_0 + \beta_1 x_{i1} + \beta_2 x_{i2} + \varepsilon_i$. On suppose que ε_i est une variable aléatoire distribuée normalement avec moyenne 0 et variance σ^2.

Les calculs préliminaires conduisent aux résultats suivants:
$\bar{y} = 10,46$, $\bar{x}_1 = 76,79$, $\bar{x}_2 = 11,35$, $n = 20$, $b_1 = 0,112$, $b_2 = -0,588$.

a) Calculez le coefficient b_0.

b) Quelle est l'équation de régression empirique?

c) L'ajout de la variable «x_2: teneur de pentosanes» à la suite de la variable «x_1: pouvoir feutrant du bois» permet d'obtenir
$b_2 = -0,588$, $s(b_2) = 0,206$. De plus, $SCT = 39,128$ et $CM_{RES}(x_1, x_2) = 0,484$.
Déterminez $SCR(x_2|x_1)$.

d) Complétez le tableau d'analyse de variance suivant pour le modèle $y_i = \beta_0 + \beta_1 x_{i1} + \beta_2 x_{i2} + \varepsilon$ en indiquant les valeurs appropriées.

Source de variation	Somme de carrés	Degrés de liberté	Carrés moyens	Rapport F
Régression				
Résiduelle				
Totale corrigée				

e) Quel pourcentage de variation dans l'indice de déchirure de la pulpe est expliqué

  i) uniquement par la variable x_1: pouvoir feutrant?

  ii) par les deux variables x_1 et x_2?

f) On veut introduire une troisième variable explicative (x_3) soit la densité du bois (en g/cm³) dans l'équation de régression. On obtient alors $R^2 = 0,8324$ pour l'équation comportant les variables explicatives - pouvoir feutrant, teneur en pentosane et densité du bois.

  i) Déterminez la somme de carrés additionnelle attribuable à cette troisième variable explicative (densité du bois). On aura recours à des résultats obtenus précédemment.

  ii) En utilisant cette somme de carrés, peut-on conclure que la contribution marginale de la densité du bois est significative au seuil $\alpha = 0,05$?

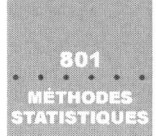

32. Dans une étude de régression multiple comportant 4 variables explicatives et 20 données, on a obtenu 0,40 pour le coefficient R^2 (coefficient de détermination).

Quelle aurait dû être la valeur minimale pour le coefficient R^2 pour que la régression soit significative dans l'ensemble, au seuil de signification 5%? Indiquez tous vos calculs.

33. Dans une recherche*, on veut déterminer les raisons qui motivent les clients à choisir un supermarché plutôt qu'un autre ou encore une marque de commerce plutôt qu'une autre. Un sondage téléphone a été mené auprès d'un échantillon aléatoire de foyers d'une petite ville d'environ 75 000 habitants.

Chaque répondant qui a participé à l'enquête devait nommer le magasin d'alimentation qui lui vient immédiatement à l'esprit concernant divers attributs (meilleur prix, meilleure qualité, rapidité du service,...). La variable dépendante était le score obtenu pour le marché d'alimentation étant le premier choix.

Les résultats ci-après représentent l'analyse de régression pour un des supermarchés d'alimentation (l'analyse finale comportait trois supermarchés) basés sur 144 répondants.

Variables explicatives x_j	Coefficients de régression b_j	Erreurs-types $s(b_j)$
Ordonnée à l'origine	0,02	
Rapidité du service (x_1)	0,23	0,10
Endroit le mieux localisé (x_2)	0,25	0,06
Plus grand choix d'aliments (x_3)	0,22	0,10
Personnel du marché affable (x_4)	0,23	0,11

$R_a^2 = 0,34.$

*Source: Woodside, A.G. et R.J. Trappey. *Finding out why customers shop your store and buy your brand.* Journal of Advertising Research, novembre/décembre, 1992.

a) Quelle est l'équation de régression empirique?
b) Déterminez le coefficient de détermination R^2.
c) Déterminez la valeur du F de Fisher qui permettrait de tester si la régression est significative dans son ensemble?
d) Testez si la régression est significative dans son ensemble au seuil $\alpha = 0,01$.
e) Testez, au seuil de signification 5%, la contribution marginale de chaque variable explicative (attribut) de l'équation de régression. Utilisez le F partiel pour effectuer les tests statistiques. Doit-on retrancher une variable explicative de l'équation de régression?

34. Dans une étude de régression multiple comportant 2 variables explicatives et 10 observations, on a obtenu, d'un programme informatique, les résultats suivants:

$b_0 = -74,189,\ \ b_1 = 10,626,\ \ b_2 = 25,973,\ \ s(b_1) = 1,872,\ \ s(b_2) = 7,154,\ \ s^2 = 69,66.$

a) Quelle est l'estimation ponctuelle de $E(y_h)$ à $x_{h1} = 4$ et $x_{h2} = 3,4$?

b) Si à $x_{h1} = 4$, $x_{h2} = 3,4$ et $s(\hat{y}_h) = 3,236$, déterminez un intervalle de confiance à 95% pour $E(y_h)$.

c) Quelle est la marge d'erreur dans l'estimation de $E(y_h)$ obtenue en b)?

d) Déterminez, pour un niveau de confiance de 95%, l'intervalle de prévision de y_h à $x_{h1} = 4$ et $x_{h2} = 3,4$.

35. Une étude* consiste à examiner, auprès de 45 supérieurs et 45 subordonnés, le degré de liaison entre deux séries de mesure de leadership: le style de gestion préconisé par le supérieur immédiat et le style de gestion perçu par le subordonné. Pour mesurer

* Source: Cardinal, L. et C. Lamoureux. *Le style de gestion du personnel: les intentions du supérieur et les perceptions du subordonné.* RCSA/CJAS, 8(2), 1991.

35. (Suite) le style de gestion préconisé par les supérieurs, un questionnaire comportant 75 énoncés a été utilisé et permet d'évaluer les valeurs en gestion en rapport avec trois composantes du leadership: l'exercice plus ou moins souple de l'autorité, le caractère plus ou moins étroit des relations interpersonnelles avec les subordonnés et le degré d'équité dans la relation supérieur-subordonné. Les sujets ont à exprimer leur degré d'accord (sur une échelle en cinq points de type Likert) face à chacun des énoncés selon ce qu'ils croient être le comportement d'un bon supérieur.

La régression multiple a été utilisée pour déterminer les variables explicatives qui sont liées significativement avec le style de gestion préconisé par le supérieur immédiat.

Voici les résultats de l'analyse de régression multiple pour deux des composantes du style de gestion perçu: l'équité perçue par le subordonné et l'exercice de l'autorité perçu. Pour répondre aux questions suivantes, on utilise un seuil de signification $\alpha = 0,10$.

Tableau 1: *Variable dépendante:* perception de l'équité par le subordonné		
Variables explicatives	*Coefficients de régression*	*Valeur p*
Équité préconisée	0,008	0,958
Sexe du supérieur	0,263	0,084
Ancienneté au poste de supérieur	-0,287	0,033
Nombre d'employés supervisés	-0,087	0,570
Sexe du subordonné	0,4033	0,003
Ancienneté au poste de subordonné	-0,224	0,143

a) Concernant les résultats du tableau 1, quelle variable explicative semble la moins significative (en terme de contribution marginale)?

b) Peut-on considérer (tableau 1) que le sexe du subordonné semble lié à l'équité perçue?

c) Est-ce qu'on obtient la même conclusion qu'en b) en considérant cette fois la perception de l'exercice de l'autorité? Expliquez.

d) Supposons qu'au niveau du traitement des données, on a utilisé le sexe masculin comme base de référence (variable auxiliaire correspondante = 0). Quelle quantité dans le tableau 1 permettrait de déclarer que les employés de sexe féminin perçoivent plus d'équité dans la relation supérieur - subordonné?

Tableau 2: Variable dépendante: perception de l'exercice de l'autorité		
Variables explicatives	*Coefficients de régression*	*Valeur p*
Exercice de l'autorité préconisée	0,183	0,227
Sexe du supérieur	-0,008	0,954
Ancienneté au poste de supérieur	-0,299	0,043
Nombre d'employés supervisés	-0,249	0,0988
Sexe du subordonné	0,075	0,620
Ancienneté au poste de subordonné	0,109	0,098

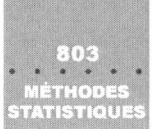

e) Selon le tableau 2, est-ce que l'affirmation suivante est exacte? Expliquez. «Plus un supérieur a cumulé d'années d'expérience, plus il est décrit comme exerçant son autorité d'une manière souple».

f) Quelles sont les variables explicatives qui n'apportent pas de contribution marginale significative dans le cas où la variable dépendante est
   i) perception de l'équité par le subordonné?
   ii) perception de l'exercice de l'autorité?

g) On a également effectué une analyse de corrélation linéaire simple entre les diverses composantes du style de gestion préconisé par le supérieur et les composantes du style de gestion décrit par le subordonné ($n = 45$). Voici les corrélations qui ont été obtenues pour certaines variables:

   i) Corrélation entre «l'exercice de l'autorité préconisée» et «l'exercice de l'autorité perçue»: 0,173.

   ii) Corrélation entre «l'exercice de l'autorité préconisée» et «les relations interpersonnelles perçues» : 0,327.

   Pour chaque cas, testez l'hypothèse selon que la corrélation linéaire est positive au seuil $\alpha = 0,05$. Déterminez la valeur p (seuil descriptif du test) pour répondre à cette question.

36. Les données ci-après ont été prélevées au hasard d'un fichier des ressources humaines de l'entreprise Matrex. On y trouve le salaire annuel, le nombre d'années d'expérience, le sexe de l'employé et la plus récente évaluation.

On suppose que l'échantillon présenté ici est un échantillon aléatoire obtenu à partir d'un fichier comportant des milliers de fiches; il comporte 3 variables explicatives et une variable dépendante (salaire annuel en \$).

a) En ignorant les variables *nombre d'années d'expérience et évaluation du supérieur immédiat*, déterminez, à l'aide d'une variable auxiliaire appropriée (utilisez sexe féminin comme base de référence), l'équation de régression entre le salaire annuel et le sexe de l'employé.

b) À l'aide de l'équation de régression obtenue en a), estimez le salaire annuel moyen pour les employés
   i) de sexe masculin;   ii) de sexe féminin.

c) Quelle interprétation peut-on donner ici au coefficient de régression obtenu en a)?

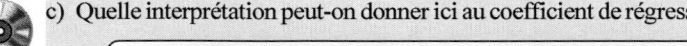

Fiche no.	Salaire annuel	Nombre d'années d'expérience	Sexe	Évaluation du supérieur immédiat
1	28000	2	Masculin	5
2	33400	6	Masculin	7
3	31600	5	Féminin	8
4	25500	1	Masculin	5
5	27000	1	Féminin	4
6	48200	12	Masculin	8
7	37900	9	Masculin	5
8	35000	10	Féminin	3
9	29800	4	Masculin	4
10	36400	8	Masculin	6
11	33250	9	Féminin	3
12	29200	2	Féminin	4
13	26650	1	Masculin	5
14	36700	5	Féminin	5
15	39100	9	Féminin	5
16	25000	1	Masculin	5

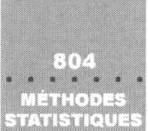
Données
Entreprise Matrex

Fiche no.	Salaire annuel	Nombre d'années d'expérience	Sexe	Évaluation du supérieur immédiat
17	32000	6	Féminin	6
18	31300	7	Féminin	6
19	35500	6	Masculin	5
20	31000	8	Féminin	3
21	29900	4	Féminin	4
22	30200	5	Féminin	5
23	46000	11	Masculin	8
24	31450	3	Féminin	4
25	35000	6	Féminin	5
26	37600	10	Masculin	5
27	30000	4	Féminin	4
28	34850	8	Masculin	6
29	33625	7	Féminin	6
30	44000	10	Masculin	7
31	37900	5	Féminin	5
32	40000	9	Féminin	6
33	28300	3	Masculin	4
34	36500	8	Masculin	6
35	34000	9	Féminin	4
36	29700	3	Féminin	4
37	27500	3	Masculin	5
38	28650	4	Féminin	4
39	49200	12	Masculin	8
40	37650	8	Féminin	6
41	37000	5	Féminin	4
42	35000	6	Féminin	3
43	33250	9	Masculin	3
44	29900	3	Féminin	4
45	26650	2	Masculin	5
46	25000	1	Masculin	4
47	45500	10	Féminin	5
48	31000	8	Féminin	3
49	39700	7	Féminin	4
50	31400	5	Féminin	5
51	31450	4	Féminin	4
52	35200	6	Féminin	5
53	37600	10	Masculin	5
54	28000	2	Masculin	5
55	33400	6	Masculin	7
56	31600	5	Féminin	8
57	25500	1	Masculin	5
58	37000	7	Féminin	6
59	48200	12	Féminin	8
60	37900	10	Masculin	5
61	29900	3	Masculin	4
62	31000	4	Féminin	4

**Données
Entreprise Matrex
(suite)**

Fiche no.	Salaire annuel	Nombre d'années d'expérience	Sexe	Évaluation du supérieur immédiat
62	31000	4	Féminin	4
63	32700	5	Masculin	5
64	31000	8	Féminin	3
65	33300	8	Masculin	3
66	34150	7	Féminin	6
67	31400	5	Masculin	5
68	32450	3	Féminin	4
69	31450	4	Masculin	4
70	30600	5	Féminin	8
71	31600	5	Masculin	8
72	35400	6	Masculin	7
73	33625	7	Féminin	6
74	34000	9	Féminin	4
75	34850	8	Masculin	6
76	35000	10	Féminin	3
77	35000	6	Masculin	5
78	35000	6	Féminin	3
79	35800	6	Masculin	5
80	27000	1	Féminin	4
81	27500	3	Masculin	5
82	28000	2	Masculin	5
83	28000	2	Masculin	5
84	28300	3	Masculin	4
85	28650	4	Féminin	4
86	29200	2	Féminin	3
87	29700	3	Féminin	4
88	29800	4	Masculin	4
89	29900	4	Masculin	4
90	30900	3	Féminin	4
91	30000	4	Féminin	4
92	30200	5	Masculin	5
93	31000	8	Féminin	3
94	31400	8	Féminin	3
95	37650	8	Féminin	6
96	37900	9	Masculin	5
97	37900	5	Féminin	5
98	37900	10	Masculin	5
99	39100	9	Féminin	5
100	36700	7	Féminin	4
101	40000	9	Féminin	6
102	44000	10	Masculin	7
103	45500	10	Féminin	5
104	46000	11	Masculin	8
105	48200	12	Masculin	8
106	48200	12	Féminin	8
107	49200	12	Masculin	8

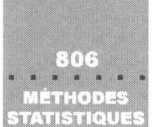
Données
Entreprise Matrex
(suite)

Fiche no.	Salaire annuel	Nombre d'années d'expérience	Sexe	Évaluation du supérieur immédiat
107	49200	12	Masculin	8
108	33250	9	Féminin	3
109	33250	9	Masculin	3
110	33400	6	Masculin	7
111	33400	6	Masculin	7
112	33625	7	Féminin	6
113	34000	9	Féminin	4
114	34850	8	Masculin	6
115	35200	10	Féminin	3
116	34900	6	Féminin	5
117	35000	6	Féminin	3
118	34200	6	Masculin	5
119	31450	4	Masculin	4
120	31600	5	Féminin	5

d) Peut-on considérer comme vraisemblable, et ceci au seuil de signification de 5%, l'hypothèse selon laquelle il n'existe aucune discrimination due au sexe de l'employé concernant le salaire annuel?

Répondez à cette question à l'aide du tableau d'analyse de variance.

e) On peut répondre à la question d) en utilisant un test de comparaison de deux moyennes que nous avons déjà traité au chapitre 8.

   i) En notant par $\mu_{masculin}$, le salaire annuel moyen de tous les employés de sexe masculin et par $\mu_{féminin}$, celui des employés de sexe féminin, précisez les hypothèses statistiques qu'on aimerait soumettre au test.

   ii) Bien que le nombre de données pour effectuer le test statistique de comparaison des moyennes soit important, on veut quand même utiliser la statistique t de Student comme critère de décision. Dans ce cas, on suppose que les données proviennent de deux populations normales de variances inconnues mais supposées égales à une variance commune σ^2. Estimez cette variance commune.

   iii) Comment se comparent la valeur de la variance commune obtenue en ii) et la valeur du carré moyen résiduel que vous obtenez dans le tableau d'analyse de variance en d)?

   iv) Déterminez l'écart-type de la différence des salaires moyens des employés des deux sexes.

   v) Quelle est la valeur observée du t de Student pour le test de comparaison de deux moyennes?

   vi) Est-ce que la différence observée entre les salaires anuuels moyens est significative, au seuil $\alpha = 5\%$?

   vii) Est-ce qu'il y a une relation entre la valeur observée du t de Student et la valeur de F du tableau d'analyse de variance en d)?

f) On veut élaborer une équation de régression multiple où y: salaire annuel ($), x_1: nombre d'années d'expérience,

$$x_2 : \begin{cases} 0, \text{ si sexe féminin} \\ 1, \text{ si sexe masculin} \end{cases}$$

x_3: évaluation du supérieur immédiat.

À l'aide d'Excel ou d'un autre logiciel, répondez aux questions suivantes.

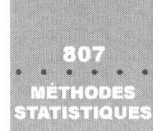
i) La régression comportant les trois variables explicatives est-elle significative au seuil 5%? Justifiez votre réponse.

ii) La contribution marginale de chaque variable explicative est-elle significative au seuil 5%? Expliquez.

iii) Quelle est la valeur p pour la variable «Sexe de l'individu» dans l'équation de régression multiple? Que peut-on conclure?

g) Effectuez à nouveau une régression, mais cette fois avec les variables significatives.

i) Quel pourcentage de variation dans la variable dépendante est expliqué par les variables explicatives restantes?

ii) Est-ce que les variables explicatives de cette équation de régression apportent une contribution marginale significative?

iii) Quelle est la contribution, en terme de somme de carrés, de la variable «Évaluation du supérieur immédiat» dans l'équation de régression multiple?

iv) À quelle augmentation (diminution) de salaire peut-on s'attendre, en moyenne, lorsque le nombre d'années d'expérience augmente de 2 (l'autre variable dans l'équation demeurant inchangée)?

37. Les données* suivantes représentent le prix (en US $) d'un échantillon de 12 portables qui ont été évalués par la revue *Consumers Reports*.

Modèle	Prix (US $)	Évaluation	Particularités
Compaq Presario 1800T	2300	80	2
Toshiba Satellite 2805-S401	2200	75	2
Sony Vaio PCG-FX170	2700	70	1
Dell Inspiration 8000	2460	69	2
Sony Vaio PCG-Z505LS	2550	68	2
Dell Inspiration 4000	1725	67	2
Gateway Solo 5300	2230	66	3
IBM Thinkpadi1200	1850	65	3
Toshiba Satellite 1735	1200	60	2
Compaq Presario 1200 12XL400	1400	58	2
Toshiba Portege 3480CT	2000	58	3
HP Pavillion n5270	2000	73	1

Modèle: Marque et description du portable

Prix : Prix suggéré en dollars américains

Évaluation: Note globale attribuée par la revue

Particularités: Score établi selon les spécificités du modèle; plus le score est faible, plus le portable a de particularités.

* Source: "Is This Your Next Computer?" *Consumer Reports,* 66, issue 6, juin 2001.

On veut expliquer les fluctuations dans le prix du portable avec les variables explicatives x_1 (Évaluation) et x_2 (Particularités) d'après le modèle $y_i = \beta_0 + \beta_1 x_{i1} + \beta_2 x_{i2} + \varepsilon_i$.

a) À l'aide d'Excel (ou d'un autre logiciel statistique), déterminez l'équation de régression multiple. Ne conservez que 2 décimales pour les coefficients de régression.

b) On utilise un seuil de signification de 0,10. Doit-on retrancher une variable explicative du modèle? Expliquez.

c) Quelle est l'équation de régression résultante? Est-elle significative au seuil $\alpha = 0,10$?

d) Quel pourcentage de variation dans le prix du portable est expliqué par l'équation de régression?

e) Selon l'équation de régression obtenue, on peut s'attendre à ce que le prix du portable augmente de 400$ lorsque l'évaluation augmente de 10 points. Commentez.

Activités de syn-
thèse sur le CD-
ROM

Fichier Excel: Activité no 8
Régression multiple

Fichier SPSS:
Activité no 8

Fichier MINITAB:
Activité no 8

Activité de synthèse no 8
Utilisation de la régression multiple par une aluminerie

La société Almax aimerait obtenir une équation de régression multiple qui servirait de modèle prévisionnel pour établir le pourcentage de liant que doit contenir une pâte particulière (dite pâte Soderberg). Cette pâte est composée d'un mélange de coke de pétrole et de brai. Une variable importante dans la fabrication de la pâte Soderberg est la fluidité de la pâte.

Quatre variables explicatives pourraient vraisemblablement avoir une influence sur le niveau de fluidité de la pâte. On a donc observé, pour quarante-quatre jours de production, le pourcentage de liant (y) à ajouter dans la pâte ainsi que quatre facteurs de production:

x_1: densité en vrac de coke (g/cm^3)

x_2: quinoléine insoluble du brai (%)

x_3: point de ramollissement du brai (°C)

x_4: élongation visée de la pâte (%).

Le fichier de données* comporte les observations pour quarante-quatre jours de production et dont nous en présentons un extrait ci-après.

Objectifs de l'activité

▶ Application de la régression multiple dans un processus de fabrication.

▶ Tester la signification de la régression dans l'ensemble.

▶ Déterminer le pourcentage de variation expliqué par la régression.

▶ Estimer une caractéristique importante du processus à partir de quatre facteurs de production.

* Les données nous ont été fournies par André Proulx.

	A	B	C	D	E	F
1	**Activité no 8 - Société Almax**					
2						
3	**Obs no**	**Liant**	**Densité - Coke**	**Quinoléine**	**Point de ramollissement**	**Élongation visée**
4	1	29,48	0,877	21,3	105,6	52
5	2	29,52	0,874	22,8	106,1	53
6	3	29,53	0,868	21,2	105,1	48
7	4	29,15	0,856	21,0	105,2	51
8	5	29,30	0,898	20,6	105,0	49
9	6	29,42	0,863	19,9	105,8	60
10	7	29,37	0,844	19,7	105,7	60
11	8	29,59	0,845	20,2	105,3	65
12	9	28,91	0,833	19,2	106,1	61
13	10	28,61	0,867	19,9	106,3	55
14	11	28,38	0,880	19,6	105,9	58
15	12	28,13	0,836	18,0	106,3	60
16	13	28,65	0,872	18,1	105,8	55
17	14	28,45	0,858	19,3	105,7	56
18	15	28,80	0,877	18,6	107,0	52
19	16	28,88	0,864	19,2	107,1	58
20	17	28,91	0,873	20,0	106,5	61
21	18	28,96	0,866	19,4	106,9	59
22	19	28,83	0,858	20,0	106,2	60
23	20	28,62	0,869	20,1	107,3	56
24	21	28,18	0,880	19,4	107,0	60
25	22	28,31	0,855	19,5	106,7	63
26	23	28,33	0,882	19,4	107,3	62
27	24	28,33	0,863	19,1	106,8	60

Travail à effectuer

On veut analyser le modèle de régression multiple

$$y = \beta_0 + \beta_1 x_1 + \beta_2 x_2 + \beta_3 x_3 + \beta_4 x_4 + \varepsilon$$

a) Laquelle des quatre variables explicatives est la plus fortement corrélée avec le pourcentage de liant à ajouter dans la pâte?

b) Est-ce exact de préciser que plus la densité en vrac est élevée, plus le pourcentage de liant à ajouter dans la pâte est élevé? Discutez.

c) On veut effectuer une régression multiple contenant les quatre variables explicatives. En effectuant cette régression avec un programme informatique, répondez aux questions suivantes par vrai ou faux.

    i)   Le coefficient de corrélation multiple est supérieur à 0,80.

    ii)   Le pourcentage de variation dans la variable dépendante qui demeure inexpliqué par les quatre variables explicatives est supérieur à 35%.

    iii)   L'hypothèse nulle H_0: $\beta_1 = \beta_2 = \beta_3 = \beta_4 = 0$ ne peut être rejetée au seuil de signification de 5%.

    iv)   L'intervalle de confiance à 95% pour le paramètre de régression associé à la variable explicative «point de ramollissement du brai» englobe la valeur $\beta_3 = 0$.

d) La contribution additionnelle en terme de somme de carrés régression pour la variable «quinoléine insoluble du brai» lorsqu'elle est introduite à la suite des trois autres variables explicatives est

    i) 1,096   ii) 3,447   iii) 3,178

    Encerclez la bonne réponse.

e) On ne peut retrancher aucune variable explicative de l'équation de régression, au seuil de signification 5%. Vrai ou faux?

f) Quel pourcentage de variation est expliqué concernant le pourcentage de liant à ajouter dans la pâte, par l'ensemble des quatre variables explicatives?

g) Calculez une estimation du pourcentage de liant à ajouter dans la pâte pour une production ayant les caractéristiques suivantes:

    Densité en vrac de coke: 0,836 g/cm³

    Quinoléine insoluble du brai: 18%

    Point de ramollissement du brai: 106,3°C

    Élongation visée de la pâte: 60%

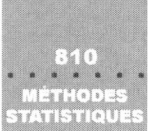

Testez vos connaissances
Test no 12

Répondez par Vrai ou Faux.

1. Dans une étude de régression multiple comportant trois variables explicatives, il faut estimer 3 paramètres pour obtenir l'équation de régression empirique.

2. Dans un modèle de régression multiple comportant six variables explicatives, le nombre minimum de données requis pour estimer les paramètres du modèle de régression est 7.

3. L'expression qui sert à estimer $E(y_i)$ dans le modèle de régression multiple $y_i = \beta_0 + \beta_1 x_i + \beta_2 x_2 + \varepsilon$ est $\hat{y}_i = b_0 + b_1 x_{i1} + b_2 x_{i2}$.

4. Supposons que dans une étude de régression multiple, on a obtenu l'équation de régression empirique $\hat{y}_i = 8,2 + 0,3 x_{i1} + 4,5 x_{i2}$. Pour une augmentation unitaire de la variable explicative x_2, on peut s'attendre à ce que $\hat{y}$ augmente de 8,5. On suppose que la variable x_1 demeure inchangée.

5. Une étude de régression multiple comporte 4 variables explicatives et 30 données. Dans le tableau d'analyse de variance, le nombre de degrés de liberté associé à la somme de carrés due à la régression est 3.

6. Dans une étude de régression multiple, la relation entre les diverses sources de variation s'écrit: $\sum (y_i - \overline{y})^2 = \sum (\hat{y}_i - \overline{y})^2 + \sum (y_i - \hat{y}_i)^2$.

7. Dans une étude de régression multiple comportant 5 termes de régression et 40 données, le nombre de degrés de liberté associé à la somme de carrés résiduelle est 35.

8. La variance des résidus correspond à la somme de carrés totale divisée par $n\text{-}k\text{-}1$ où k est le nombre de variables explicatives dans l'équation de régression.

9. La valeur du coefficient de détermination R^2 peut varier entre -1 et +1.

10. Dans une étude de régression multiple, plus la variation résiduelle est faible, plus le coefficient de détermination R^2 est élevé.

11. Pour tester si la régression est significative dans son ensemble dans un modèle à k variables explicatives, on pose comme hypothèse nulle: $H_0 : \beta_1 = \beta_2 = ... \beta_k = 0$.

12. On peut tester, au seuil α, si la régression est significative dans son ensemble si on connaît le nombre de données, le nombre de variables explicatives et le coefficient R^2.

13. Éliminer une variable explicative d'une équation de régression multiple nécessite d'effectuer une nouvelle régression avec les variables explicatives restantes.

14. On peut se servir de l'intervalle de confiance sur le paramètre de régression β_j pour tester la contribution marginale de la variable x_j.

15. Dans le cas de l'hypothèse nulle $H_0 : \beta_j = 0$, on doit conclure à une contribution marginale significative de la variable explicative x_j si la valeur 0 se situe dans l'intervalle.

16. Lorsqu'on veut tenir compte d'une information qualitative présentant 4 modalités, dans une étude de régression multiple, on doit définir 4 variables auxiliaires.

17. On peut utiliser le T de Student pour tester un sous-ensemble de paramètres (au moins 2) dans un modèle de régression.

Testez vos connaissances

Test no 12 (suite)

18. Lorsque nous ajoutons des variables explicatives dans une équation de régression, les valeurs des coefficients de régression des variables précédentes demeurent inchangées.

19. Lorsqu'on ajoute des variables explicatives dans une équation de régression, la valeur de la somme de carrés résiduelle peut diminuer.

20. La valeur observée du rapport F pour une régression comportant k variables explicatives peut prendre une valeur négative si plusieurs variables ne sont pas significatives.

Questions à choix multiples. Encerclez la bonne réponse.

21. Le groupe GPI, entreprise se spécialisant en technologie de l'information et offrant des services professionnels et des solutions performantes et évolutives en matière de gestion des ressources financières, matérielles et humaines veut utiliser diverses variables explicatives (x_1 :degré de responsabilité, x_2 :nombre de professionnels supervisés, x_3 :années de service au sein de l'entreprise, x_4 :évaluation de la structure organisationnelle) pour estimer la satisfaction au travail d'une vingtaine de cadres de l'entreprise.

L'analyse des données conduit à la somme de carrés totale suivante, $SCT = 121,2$ avec 19 degrés de liberté. De plus $CMR = 18,6$ pour l'équation de régression multiple comportant quatre variables explicatives.

a) La somme de carrés attribuable à la régression est:

    i) 55,8   ii) 102,6   iii) 74,4

b) Le nombre de degrés de liberté associé à la somme de carrés résiduelle est:

    i) 18   ii) 15   iii) 19

c) La somme de carrés résiduelle est:

    i) 74,4   ii) 121,2   iii) 46,8

d) Le pourcentage de variation dans le niveau de satisfaction qui demeure inexpliqué par les 6 variables explicatives est:

    i) 61,4%   ii) 46,8%   iii) 38,6%.

22. Dans une recherche*, on veut déterminer les raisons qui motivent les clients à choisir un supermarché plutôt qu'un autre ou encore une marque de commerce plutôt qu'une autre. Un sondage a été mené auprès d'un échantillon aléatoire de foyers d'une petite ville d'environ 75 000 habitants.

Chaque répondant qui a participé à l'enquête devait nommer le magasin d'alimentation qui lui vient immédiatement à l'esprit concernant divers attributs (meilleur prix, meilleure qualité, rapidité du service, ...). La variable dépendante était le score obtenu pour le marché d'alimentation étant le premier choix.

Les résultats ci-après représentent l'analyse de régression pour un des supermarchés d'alimentation (l'analyse finale comportait trois supermarchés) basés sur 144 répondants.

Variables explicatives x_j	Coefficients de régression b_j	Erreurs-types $s(b_j)$
Ordonnée à l'origine	0,02	
Rapidité du service (x_1)	0,23	0,10
Endroit le mieux localisé (x_2)	0,25	0,06
Plus grand choix d'aliments (x_3)	0,22	0,10
Personnel du marché affable (x_4)	0,23	0,11

$R^2 = 0,3585$.

---

*Source: Woodside, A.G. et R.J. Trappey. *Finding out why customers shop your store and buy your brand.* Journal of Advertsing Research, novembre/décembre 1992.

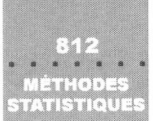

a) La valeur observée du F de Fisher pour l'ensemble des variables explicatives est:
   i) 77,68   ii) 19,42   iii) 38,84.
b) La valeur critique du F pour tester si la régression est significative dans son ensemble, au seuil 1%, est environ:
   i) 2,99   ii) 3,5   iii) 2,31.
c) La valeur observée pour le t de Student, pour tester la contribution marginale de la variable explicative «Endroit le mieux localisé» est:
   i) 17,36   ii) 2,2   iii) 4,167.
d) Sachant que la valeur critique pour le t de Student, au seuil de signification $\alpha = 0,01$, est $t_c = 1,859$, on peut dire que la contribution marginale de la variable explicative «Rapidité du service» est:
   i) significative   ii) non significative   iii) On ne peut rien conclure.

23. Une analyse de régression comporte 4 variables explicatives et 24 données. À l'aide d'un programme informatique, on a obtenu $R^2 = 0,76$ et $s^2_{résidus} = 0,168$.

a) On veut tester si la régression est significative dans son ensemble. Quel est, au seuil de signification $\alpha = 0,05$, la valeur critique du rapport F?
   i) 3,13   ii) 2,90   iii) 2,78.
b) La valeur observée du rapport F est:
   i) 20,05   ii) 19,0   iii) 15,04.
c) On peut conclure que la régression est, dans son ensemble,
   i) non significative   ii) significative   iii) On ne peut rien conclure.
d) Pour cette régression, le coefficient de détermination ajusté R^2_a est:
   i) 0,2905   ii) 0,7095   iii) 0,6968.

24. Dans une enquête* concernant la position des dirigeants syndicaux (centrales FTQ, CSN et CSD) à l'égard des nouvelles formes d'organisation du travail (NFOT), on a obtenu les résultats suivants concernant les facteurs explicatifs des positions syndicales en ce qui a trait à la flexibilité dans l'allocation et la répartition des tâches. Cette analyse est basée sur 114 questionnaires.

*Source. Lapointe, P.-A et R. Paquet (1994). *Les syndicats et les nouvelles formes d'organisation du travail.* Relations industrielles, vol. 49, no 2.

Facteurs explicatifs	Coefficients de régression	Statistique t
Connaît la position de la centrale	0,23	2,44
Expérience des NFOT	0,06	0,64
Idéologie anti-capitaliste	-0,13	-1,39
Menace pour la survie du syndicat	-0,04	-0,42
NFOT en dehors de la négociation	-0,08	-0,82
Besoin de s'adapter à l'environnement	0,19	3,79
Âge	-0,42	-2,06
(Constante)	5,95	4,22

$R^2 = 0,27$.

a) La proportion de la variabilité, en ce qui a trait aux positions syndicales, qui demeure inexpliquée par le modèle de régression multiple est:
   i) 0,52   ii) 0,24   iii) 0,73.
b) La valeur du rapport F pour tester si la régression est significative dans son ensemble est:
   i) 4,8   ii) 5,6   iii) 6,2.
c) En considérant que la valeur critique du t de Student, au seuil $\alpha = 0,05$, est 1,98, on peut conclure que le nombre de facteurs explicatifs qui semble significatif en

première analyse, pour expliquer la position des dirigeants syndicaux, est:

    i) 4   ii) 3   iii) 6.

d) Quelle affirmation, parmi les suivantes, est la plus vraisemblable?

    i)   Les plus vieux dirigeants syndicaux ont tendance à accepter plus facilement les innovations en ce qui a trait à la flexibilité dans l'allocation et la répartition des tâches.

    ii) Les jeunes dirigeants syndicaux ont tendance à accepter plus facilement les innovations que les vieux dirigeants syndicaux.

    iii) Les jeunes dirigeants syndicaux ont tendance à résister, dans une plus forte proportion, aux innovations, que les vieux dirigeants syndicaux.

25. Dans une analyse de régression multiple comportant 3 variables explicatives et 25 observations, on sait que $b_3 = -0{,}15106$, $s(b_3) = 0{,}0523$ *et* $CM_{RES} = 0{,}566$.

a) La contribution marginale de la variable x_3, à la suite des variables explicatives x_1 et x_2 est, en terme de somme de carrés, $SCR(x_3 | x_1, x_2)$:

    i) 1,635   ii) 2,1662   iii) 4,72185.

b) La valeur critique du T de Student ($\alpha = 0{,}05$) pour tester si la contribution marginale de la variable x_3 est significative est:

    i) 1,7207   ii) 2,0796   iii) 2,0595.

c) La contribution marginale de la variable x_3 à la suite des variables x_1 et x_2 est:

    i) non significative   ii) significative   iii) On ne peut rien conclure.

26. Le responsable de la gestion des ressources humaines de l'entreprise JPL a développé en collaboration avec le psychologue industriel de l'entreprise un système d'évaluation pour mieux cerner les capacités managériales des cadres de l'entreprise. On a appliqué ce système à 15 cadres de niveau inférieur de l'entreprise.

Les variables observées sont: la performance de l'individu (variable dépendante) sur une échelle de 0 à 100 dans ses fonctions actuelles de gestionnaire et trois variables explicatives:

■ le résultat à un test concernant l'habileté de communication (x_1)

■ un test sur l'habileté dans ses relations interpersonnelles (x_2)

■ un test permettant d'évaluer l'habileté de l'individu à prendre des décisions (x_3).

Les résultats qui ont été obtenus sont présentés dans le tableau ci-après.

Peformance de l'individu	Habiletés en communications	Habiletés en relations interpersonnelles	Habiletés - Processus de décision
82	51	74	23
77	52	76	24
86	44	81	27
64	42	73	22
94	59	86	30
77	46	74	22
65	48	75	21
71	39	72	24
70	40	70	25
88	55	80	35
90	48	84	38
84	46	80	25
76	45	76	23
80	60	75	25
64	58	70	20

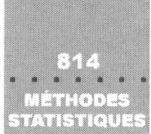

Testez vos connaissances

Test no 12
(suite)

L'analyse de régression multiple avec Excel conduit aux résultats suivants.

	J	K	L	M	N	O
57		ANALYSE DE VARIANCE				
58		*Degré de liberté*	*Somme des carrés*	*Moyenne des carrés*	*F*	*Valeur p*
59	Régression	3	1040,234	346,745	14,698	0,0003647
60	Résidus	11	259,499	23,591		
61	Total	14	1299,733			

	J	K	L	M	N	O	P
63		*Coefficients*	*Erreur-type*	*Statistique t*	*Probabilité*	*Limite inférieure pour seuil de confiance = 95%*	*Limite supérieure pour seuil de confiance = 95%*
64	Constante	-40,9657	24,7598	-1,6545	0,1262	-95,4617	13,5303
65	Habiletés en communications	0,1556	0,2007	0,7753	0,4545	-0,2861	0,5973
66	Habiletés en relations interpersonnelles	1,2907	0,4189	3,0815	0,0104	0,3688	2,2126
67	Habiletés - Processus de décision	0,4929	0,3869	1,2743	0,2288	-0,3585	1,3444

a) L'équation de régression pour ces données est:

   i) $\hat{y} = 24,76 + 0,2007x_1 + 1,2907x_2 + 0,4929x_3$

   ii) $\hat{y} = -40,9657 + 0,2007x_1 + 0,7753x_2 + 0,4545x_3$

   iii) $\hat{y} = -40,9657 + 0,1556x_1 + 0,2907x_2 + 0,4929x_3$

   iv) $\hat{y} = -40,9657 + 0,1556x_1 + 1,2907x_2 + 0,4929x_3$.

b) Le pourcentage de variation dans la performance des individus qui est expliqué par les variables explicatives est:
   i) 84,96%   ii) 74,58%   iii) 80,03%.

c) La dispersion (l'écart-type) des y_i autour de l'équation de régression multiple est:
   i) 14,698   ii) 259,499   iii) 4,857.

d) Le coefficient de corrélation multiple est:
   i) 0,9217   ii) 0,8635   iii) 0,8946.

e) L'erreur-type du coefficient de régression associé à la variable explicative «Habiletés en communications» est:
   i) 0,7753   ii) 0,3869   iii) 0,2007.

f) Quels sont les degrés de liberté au dénominateur pour le rapport F qui permettraient de tester la signification de la régression dans son ensemble?
   i) 14   ii) 3   iii) 11.

g) La statistique t qui permet de tester la contribution marginale de la variable explicative «Habiletés en relations interpersonnelles» est:
   i) 0,4189   ii) 3,0815   iii) 1,2907.

h) L'intervalle de confiance à 95% pour le paramètre de régression associé à la variable explicative «Habiletés-Processus de décision» est:

   i) $0,3688 \leq \beta_3 \leq 2,2126$ ii) $-0,3585 \leq \beta_3 \leq 1,3444$ iii) $0,3869 \leq \beta_3 \leq 1,2743$.

Annexe 12-Traitement avec Excel

Microsoft Office 2002 et Office 1997

Régression multiple

Nous indiquons dans cette annexe comment effectuer une analyse de régression multiple avec Excel.

EXEMPLE 1: Régression multiple avec deux variables explicatives

Utilisons les données de l'exemple 12.2 (l'entreprise Systek) pour illustrer la démarche à suivre dans le cas d'une analyse de régression multiple.

Les données sont résumées dans la feuille de travail ci-après.

	A	B	C	D
1	Exemple 1			
2	Entreprise Systek			
3				
4	Employé no	Quantité de pièces	Test de dextérité	Années d'expérience
5	1	15	84	8
6	2	10	71	5
7	3	11	73	4
8	4	13	78	12
9	5	11	69	1
10	6	15	81	7
11	7	11	68	3
12	8	12	71	6
13	9	15	80	12
14	10	11	75	6
15	11	9	67	3
16	12	12	82	6
17	13	10	68	5
18	14	16	85	9
19	15	14	75	7
20	16	12	70	6
21	17	10	67	2
22	18	13	76	6
23	19	10	72	5
24	20	9	69	4
25	21	14	81	7
26	22	9	66	6
27	23	14	78	7
28	24	13	72	6
29	25	12	70	5
30	26	12	74	6
31	27	13	77	7
32	28	12	76	6
33	29	13	80	10
34	30	9	65	3

Les données avec l'intitulé sont présentées en colonnes avec les variables explicatives dans les colonnes C et D, et la variable dépendante dans la colonne B soit B4:D34.

La procédure, pour effectuer une analyse de régression multiple, est similaire à celle de la régression linéaire simple. À noter que cet outil d'analyse limite le nombre de variables explicatives (nombre de termes de régression) à 16.

Procédure

❶ Dans la barre de menus, sélectionnez **Outils /Utilitaire d'analyse**.

❷ Dans la zone Outils d'analyse, choisissez **Régression linéaire.**

❸ Cliquez sur OK.

❹ Entrez les paramètres requis, puis cliquez sur OK.

Régression linéaire

Paramètres d'entrée

Plage pour la variable Y: `$B$4:$B$34`

Plage pour les variables X: `$C$4:$D$34`

☑ Intitulé présent   ☐ Intersection à l'origine
☐ Niveau de confiance   `95`   %

OK
Annuler
Aide

Options de sortie

⦿ Plage de sortie: `$G$4`
○ Insérer une nouvelle feuille:
○ Créer un nouveau classeur

Les résultats seront imprimés à partir de la cellule G4.

Analyse des résidus
☐ Résidus   ☐ Courbes des résidus
☐ Résidus normalisés   ☐ Courbes de régression

Probabilité normale
☐ Diagramme de répartition des probabilités

Les résultats qu'on obtient avec l'outil Régression linéaire sont présentés à la page suivante. Tout comme dans le cas de la régression linéaire simple, certaines corrections doivent être apportées à la nomenclature de la sortie d'Excel.

	G	H	I	J	K	L
4	RAPPORT DÉTAILLÉ					
5						
6	*Statistiques de la régression*					
7	Coefficient de détermination multiple	0,8715				
8	Coefficient de détermination R^2	0,7595				
9	Coefficient de détermination R^2	0,7417				
10	Erreur-type	1,0166				
11	Observations	30				
12						
13	ANALYSE DE VARIANCE					
14		*Degré de liberté*	*Somme des carrés*	*Moyenne des carrés*	*F*	*Valeur critique de F*
15	Régression	2	88,099	44,049	42,627	0,0000000044
16	Résidus	27	27,901	1,033		
17	Total	29	116			

	G	H	I	J	K	L	M
13	ANALYSE DE VARIANCE						
14			*Degré de liberté*	*Somme des carrés*	*Moyenne des carrés*	*F*	*Valeur critique de F*
15	Régression		2	88,099	44,049	42,627	0,0000000044
16	Résidus		27	27,901	1,033		
17	Total		29	116			
18							
19		*Coefficients*	*Erreur-type*	*Statistique t*	*Probabilité*	*Limite inférieure pour seuil de confiance = 95%*	*Limite supérieure pour seuil de confiance = 95%*
20	Constante	-8,2901	3,1829	-2,6046	0,0148	-14,8209	-1,7594
21	Test de dextérité	0,2639	0,0490	5,3834	0,0000	0,1633	0,3646
22	Années d'expérience	0,1263	0,1096	1,1522	0,2593	-0,0986	0,3513

Expliquons les différents éléments de la sortie informatique.

La première information (ligne 7) qu'on nous donne est erronée (les calculs sont toutefois exacts). Il faut plutôt lire *Coefficient de corrélation multiple* (en valeur absolue) au lieu de coefficient de détermination multiple.

	G	H
4	RAPPORT DÉTAILLÉ	
5		
6	*Statistiques de la régression*	
7	Coefficient de détermination multiple	0,8715
8	Coefficient de détermination R^2	0,7595
9	Coefficient de détermination R^2	0,7417
10	Erreur-type	1,0166
11	Observations	30

La ligne 8 donne le coefficient de détermination R^2. Le libellé de la ligne 9 est incomplet; il faudrait lire Coefficient de détermination R^2 ajusté, notion qui a été abordée à l'exercice 6 de ce chapitre. La ligne 10 donne l'erreur-type ou encore l'écart-type des résidus (mesure de dispersion des y_i autour de l'équation de régression); cette quantité correspond à

$$s_{résidus} = \sqrt{\frac{\sum(y_i - \hat{y}_i)^2}{n - k - 1}} = \sqrt{\frac{\sum(y_i - \hat{y}_i)^2}{27}} = 1,0166.$$

	G	H	I	J	K	L
13	ANALYSE DE VARIANCE					
14		Degré de liberté	Somme des carrés	Moyenne des carrés	F	Valeur critique de F
15	Régression	2	88,099	44,049	42,627	0,0000000044
16	Résidus	27	27,901	1,033		
17	Total	29	116			

La valeur indiquée ici correspond à une probabilité et non à la valeur critique de F:Prob (F>Valeur critique de F). La régression est significative au seuil indiqué: 0,0000000044.

$$F = \frac{\text{Variance expliquée par la régression}}{\text{Variance résiduelle}} = 42{,}627$$

Le libellé de la cellule L14 devrait plutôt se lire *Valeur p*. Si la valeur p est inférieure au seuil α, nous concluons à une régression significative dans son ensemble.

On peut obtenir la valeur critique de F au niveau de signification 5% à l'aide de la fonction suivante:

Arguments de la fonction

INVERSE.LOI.F

La valeur critique de F est 3,354.

Probabilité	0,05	= 0,05
Degrés_liberté1	2	= 2
Degrés_liberté2	27	= 27

= 3,354131195

Renvoie l'inverse de la distribution de probabilité suivant une loi F: si p = LOI.F (x,...), alors INVERSE.LOI.F (p,...) = x.

Degrés_liberté2 représente le nombre de degrés de liberté du dénominateur, un nombre entre 1 et 10^10, 10^10 exclus.

Cliquez sur OK.

Résultat = 3,354131195

Aide sur cette fonction   OK   Annuler

M15   fx =INVERSE.LOI.F(0,05;2;27)

	G	H	I	J	K	L	M
13	ANALYSE DE VARIANCE						
14		Degré de liberté	Somme des carrés	Moyenne des carrés	F	Valeur p	Valeur critique de F au seuil 5%
15	Régression	2	88,099	44,049	42,627	0,0000000044	3,354131195
16	Résidus	27	27,901	1,033			
17	Total	29	116				

Il est facile de modifier l'en-tête du tableau d'analyse de variance comme nous l'indiquons ci-contre. Nous avons modifié le libellé de la cellule L14 et ajouté le libellé *Valeur critique de F au seuil 5%* dans la cellule M14.

La régression est significative au seuil de 5% puisque le seuil descriptif du test $p = 0{,}0000000044 < \alpha = 0{,}05$. Nous rejetons l'hypothèse nulle $\beta_1 = \beta_2 = 0$.

	G	H	I	J	K	L	M
19		Coefficients	Erreur-type	Statistique t	Probabilité	Limite inférieure pour seuil de confiance = 95%	Limite supérieure pour seuil de confiance = 95%
20	Constante	-8,2901	3,1829	-2,6046	0,0148	-14,8209	-1,7594
21	Test de dextérité	0,2639	0,0490	5,3834	0,0000	0,1633	0,3646
22	Années d'expérience	0,1263	0,1096	1,1522	0,2593	-0,0986	0,3513

Termes dans l'équation de régression

b_j $s(b_j)$ $t = \dfrac{b_j}{s(b_j)}$ Valeur p $b_j - t_{\alpha/2;n-k-1} \cdot s(b_j)$

$b_j + t_{\alpha/2;n-k-1} \cdot s(b_j)$

On pourrait également effectuer une analyse des résidus si on le désire, en cochant les cases appropriées dans la fenêtre Régression linéaire.

Analyse des résidus

☐ Résidus   ☐ Courbes des résidus
☐ Résidus normalisés   ☐ Courbes de régression

Probabilité normale

☐ Diagramme de répartition des probabilités

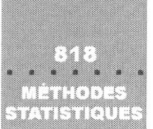

EXEMPLE 2: Calcul des sommes de carrés additionnelles

On peut calculer, à partir de la sortie informatique d'Excel pour une régression multiple, la somme de carrés régression attribuable à la dernière variable introduite dans l'équation de régression $SCR(x_k|x_1,x_2,...,x_{k-1})$. Utilisons la sortie informatique de l'exemple précédent, pour illustrer le calcul des sommes de carrés additionnelles.

Pour calculer ce type de somme de carrés, nous avons besoin du carré moyen résiduel associé à la régression multiple et valeur du t de Student pour chaque variable explicative puisque le calcul s'effectue avec l'expression

$$SCR(x_k|x_1,x_2,...,x_{k-1}) = t_k^2 \cdot CM_{RES}.$$

	G	H	I	J	K	L	M
13	ANALYSE DE VARIANCE						
14		Degré de liberté	Somme des carrés	Moyenne des carrés	F	Valeur p	Valeur critique de F au seuil 5%
15	Régression	2	88,099	44,049	42,627	0,0000000044	3,354131195
16	Résidus	27	27,901	1,033			
17	Total	29	116				
18							
19		Coefficients	Erreur-type	Statistique t	Probabilité	Limite inférieure pour seuil de confiance = 95%	Limite supérieure pour seuil de confiance = 95%
20	Constante	-8,2901	3,1829	-2,6046	0,0148	-14,8209	-1,7594
21	Test de dextérité	0,2639	0,0490	5,3834	0,0000	0,1633	0,3646
22	Années d'expérience	0,1263	0,1096	1,1522	0,2593	-0,0986	0,3513

CM_{RES}

t_1 t_2

Indiquons l'information suivante dans la cellule N19 de la sortie et indiquons les formules requises dans les cellules N21 et N22 pour calculer ces sommes de carrés.

Cellule du CM_{RES}

	J	K	L	M	N
14	Moyenne des carrés	F	Valeur p	Valeur critique de F au seuil 5%	
15	44,049	42,627	0,0000000044	3,354131195	
16	1,033				
17					
18					
19	Statistique t	Probabilité	Limite inférieure pour seuil de confiance = 95%	Limite supérieure pour seuil de confiance = 95%	$SC_{additionnelle}$
20	-2,6046	0,0148	-14,8209	-1,7594	
21	5,3834	0,0000	0,1633	0,3646	=(J21^2)*J16
22	1,1522	0,2593	-0,0986	0,3513	

N21 f_x =(J21^2)*\$J\$16

	J	K	L	M	N
19	Statistique t	Probabilité	Limite inférieure pour seuil de confiance = 95%	Limite supérieure pour seuil de confiance = 95%	$SC_{additionnelle}$
20	-2,6046	0,0148	-14,8209	-1,7594	
21	5,3834	0,0000	0,1633	0,3646	29,9482
22	1,1522	0,2593		513	

$SCR(x_1|x_2)$

N22 f_x =(J22^2)*\$J\$16

	J	K	L	M	N
19	Statistique t	Probabilité	Limite inférieure pour seuil de confiance = 95%	Limite supérieure pour seuil de confiance = 95%	$SC_{additionnelle}$
20	-2,6046	0,0148	-14,8209	-1,7594	
21	5,3834	0,0000	0,1633	0,3646	29,9482
22	1,1522	0,2593	-0,0986	0,3513	1,3719

$SCR(x_2|x_1)$

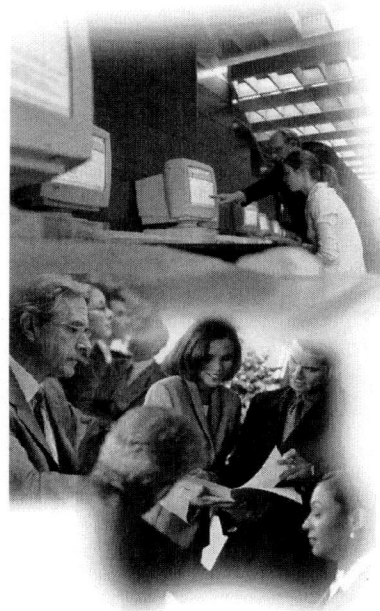

Chapitre 13

Rapport d'enquête et présentation PowerPoint

Le logiciel de présentation assisté par ordinateur PowerPoint de Microsoft Office est sans doute le plus utilisé, aussi bien dans le milieu professionnel que dans le milieu de l'enseignement.

Il offre une multitude de possibilités pour créer une présentation visuelle très dynamique. Il permet de communiquer efficacement à un auditoire de l'information de manière claire et professionnelle.

La présentation suivante est basée sur un sondage téléphonique concernant les intentions de consommation à propos des dépenses du temps des Fêtes, sondage effectué par le Groupe Géocom Recherche.

Dépenses du temps des Fêtes

Les Québécois dépenseront en moyenne 576$ par ménage pour tous leurs achats des Fêtes; pour 71% d'entre eux, il s'agit d'une somme équivalente à celle de l'an dernier.

Question: pour l'ensemble du ménage, combien pensez-vous dépenser au cours de la prochaine saison des Fêtes, incluant les cadeaux, les frais de réception, les repas, les boissons, etc.

La répartition des dépenses ira comme suit: 61% pour les cadeaux et 39% pour les plaisirs de la table.

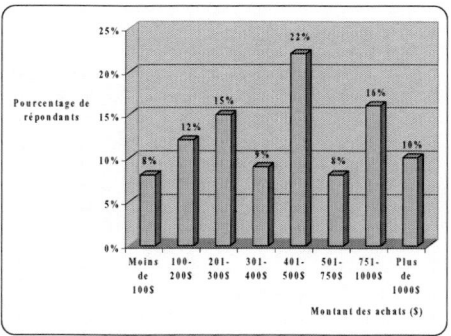

Pour cette présentation, nous avons préparé le titre avec Wordart, le graphique avec Excel, nous avons inséré du texte, ainsi que des images à partir d'un fichier.

Nous traitons dans ce chapitre de certains éléments du logiciel de présentation d'acétates électroniques PowerPoint pour présenter l'essentiel des résultats associés à un sondage, une étude de marché, un rapport de recherche, ...

Il vous sera facile par la suite d'en étudier les nombreux spécificités et raffinements.

---

*Source : Fortin, K. *Les commerçants se frottent les mains*. Le Nouvelliste, 19 novembre 2003 et Conseil québécois de commerce de détail.

Chapitre 13

· ·

Rapport d'enquête et présentation PowerPoint

❑ **Objectif général.** *Nous présentons dans ce dernier chapitre, un rapport d'enquête basé sur un questionnaire, ainsi que certains éléments de l'outil PowerPoint pour faire une présentation à l'aide d'acétates électroniques.*

❑ **Objectifs spécifiques.** *Lorsque vous aurez complété l'étude du chapitre 13, vous pourrez:*

1. *préciser les principaux éléments que doit contenir un rapport d'étude;*

2. *structurer correctement un rapport d'enquête ;*

3. *créer une nouvelle présentation avec PowerPoint;*

4. *ouvrir une présentation existante et la modifier;*

5. *créer une diapositive avec une liste à puces;*

6. *insérer une image ou un graphique;*

7. *créer une présentation à partir d'un modèle;*

7. *modifier les jeux de couleurs des diapositives;*

8. *appliquer les jeux d'animation;*

9. *définir les paramètres de transition entre les diapositives;*

10. *utiliser les différents modes de visualisation.*

13.1   Introduction

En terminant cet ouvrage, nous voulons donner une introduction à l'outil de présentation visuelle qu'est PowerPoint de la suite de Microsoft Office. Il permet de communiquer à un auditoire de façon dynamique et professionnelle, les résultats d'une étude statistique, sondage, rapport de recherche, rapport technique, structure organisationnelle, ... Nous utilisons la version PowerPoint XP-2002 (nous donnons certains aspects de la version Office 97 à la fin du chapitre). Précisons toutefois que les éléments de PowerPoint que nous présentons ici sont simples et peuvent être appliqués dans la plupart des versions de PowerPoint.

Notre présentation s'effectuera à l'aide de certaines parties du rapport d'étude que nous présentons à la section 13.4. Ce rapport se veut à titre indicatif et non un rapport détaillé sur les résultats d'une recherche.

Le rapport est basé sur certains éléments d'une analyse préliminaire* à la mise en marché d'un sac à dos muni d'un coussin amovible.

---

*Source: Étude effectuée par Valérie Gauthier et Martine Rheault avec la participation de Martin Mineau et Michel Cyr dans le cadre d'un cours d'Introduction au marketing, UQTR, novembre 2003.

13.2   Le rapport d'étude

Nous résumons ci-après les éléments requis dans un rapport basé sur une enquête ou une recherche comportant un aspect statistique.

Le rapport d'une étude statistique ou d'une recherche commerciale vise trois objectifs:

❶ Communiquer efficacement les résultats de l'enquête et les mettre en relation avec les objectifs visés.

❷ Servir de document de référence.

❸ Assurer une crédibilité au travail méthodologique et aux résultats statistiques obtenus.

▶ Communiquer efficacement les résultats

Le rapport d'étude a l'importante fonction de présenter aux lecteurs les résultats obtenus selon les objectifs poursuivis du projet. Il doit contenir:

- Les objectifs poursuivis
- La problématique de la recherche
- Une description sommaire de la méthodologie de la recherche et de la méthodologie de la collecte de données
- Une présentation efficace des résultats de l'enquête sous forme de tableaux ou de diagrammes (les diagrammes permettent de visualiser rapidement les principaux résultats de l'enquête)
- Un résumé des résultats obtenus
- Les conclusions
- Les recommandations, s'il y a lieu.

▶ Rapport d'étude comme document de référence

Le rapport d'étude peut contenir beaucoup d'informations et couvrir plusieurs objectifs. Comme le rapport peut être substantiel, il est impossible aux preneurs de décision d'en mémoriser le contenu; il servira donc de document de référence pour être consulté au besoin.

Il peut également servir de référence importante pour corroborer certaines décisions ou pour établir un nouveau plan de recherche ou sur l'élaboration d'objectifs plus spécifiques.

▶ Crédibilité accrue des résultats de l'étude

Le dernier point important du rapport d'étude est d'assurer un soutien de qualité aux aspects méthodologiques de l'étude et à la présentation des résultats.

Une présentation soignée des résultats et des conclusions (et recommandations, s'il y a lieu) ajoute à la crédibilité de l'étude et incite le gestionnaire à une lecture attentive.

13.3   Structure du rapport d'étude

La structure du rapport peut être dictée par des politiques internes de l'entreprise. Néanmoins, un rapport d'étude doit comporter certains éléments importants, tout en évitant un jargon trop technique ou encore en insistant trop sur certains outils statistiques qui ont peu d'intérêt pour un gestionnaire.

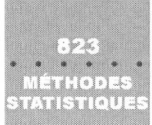
Comme nous l'avons déjà mentionné, le rapport d'étude sert à effectuer une synthèse des résultats et à les mettre en relation avec les objectifs de l'étude. Il ne faut pas oublier que ce rapport d'étude s'adresse habituellement à des gestionnaires; le rapport doit être écrit dans une perspective managériale. Il doit servir comme outil de référence d'aide à la décision. Nous présentons ci-après la structure type d'un rapport d'étude; elle peut être modifiée selon l'auditoire visé ou l'objet de la recherche.

❶ Page titre. Le rapport doit débuter par le titre de l'étude, le nom de l'organisation (ou des gestionnaires) à qui est présenté le rapport, le nom de l'auteur (ou des auteurs) du rapport et la date de dépôt du rapport. Le titre du rapport doit refléter la nature de l'étude de façon succincte mais précise.

❷ La table des matières. À moins que le rapport soit très rudimentaire, il devrait contenir une table des matières pour bien identifier tous les éléments du rapport ainsi qu'une liste des annexes, s'il y a lieu.

❸ Synthèse ou résumé des résultats. Cette partie du rapport est fondamentale et doit comporter l'essentiel: les objectifs de l'étude, la synthèse des principaux résultats, les conclusions et recommandations, s'il y a lieu. Il se peut que le gestionnaire qui prend connaissance du rapport ne lise que cette partie.

❹ Introduction. Cette section doit préciser l'information requise pour bien comprendre le reste du rapport d'enquête. Elle comporte habituellement la mise en contexte, une vue d'ensemble de la situation problématique, les objectifs de la recherche et éventuellement les enquêtes ou études antérieures qui ont portées sur le sujet.

❺ Présentation de la méthodologie. Cette section doit préciser les principales étapes mises en oeuvre pour atteindre les objectifs de l'étude, l'instrument de mesure utilisé, la population qui sert de cadre de référence, l'échantillon retenu, la méthode d'échantillonnage employée et la façon dont la collecte de données s'est effectuée. Les sources de données primaires et secondaires et la méthode de collecte de ce type de données. On y précise habituellement le logiciel d'analyse de données qui a été employé pour effectuer le traitement statistique des données.

❻ Présentation et analyse des résultats. Cette partie du rapport doit regrouper toutes les informations pour la bonne compréhension des résultats de l'étude. Elle est précédée d'une page titre. On y trouve la synthèse du dépouillement des données, présentée sous forme de tableaux ou de graphiques avec notes explicatives. Il est bon ici de reprendre chaque question et d'indiquer les statistiques obtenues (moyenne, écart-type, pourcentage, ...) selon le type de données.

❼ Conclusion. Cette section fait ressortir les principales conclusions et devrait mettre en évidence quels sont les objectifs de l'étude qui ont été atteints. On précise également si les hypothèses de recherche ont été confirmées ou non.

❽ Les annexes (si nécessaire). Cette dernière partie comporte le questionnaire utilisé pour l'étude, autres figures ou tableaux complémentaires, explications sur le choix de certains outils statistiques ou sur les formules utilisées (marge d'erreur statistique, tests d'hypothèses, ...).

www.legermarketing.com

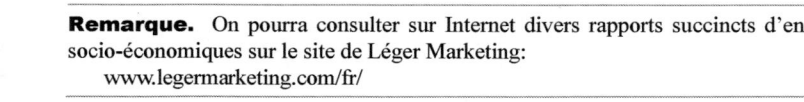

Remarque. On pourra consulter sur Internet divers rapports succincts d'enquêtes à caractères socio-économiques sur le site de Léger Marketing:

www.legermarketing.com/fr/

Nous présentons au tableau 13.1 ce que pourrait contenir de façon un peu plus détaillée un rapport d'étude et ceci sous forme de table des matières.

Tableau 13.1

**Contenu d'un
rapport de recherche**

Page titre
1. Titre
2. Nom du client ou de l'entreprise
3. Auteur (s) du rapport
4. Date

Table des matières
1. Titre des sections et des sous-sections (avec les pages correspondantes)
2. Liste des tableaux (avec les pages correspondantes)
3. Liste des figures (avec les pages correspondantes)
4. Les annexes (bibliographie ou médiagraphie, questionnaire et autre élément de nature technique qui n'a pas fait le sujet d'une section dans le rapport)

Résumé des résultats (aspect managérial)
1. Objectifs de la recherche
2. Bref aperçu de la méthodologie
3. Les principaux résultats
4. Conclusions et recommandations

Introduction
1. Mise en contexte
2. Énoncé de la situation problématique
3. Objectifs de la recherche ou de l'enquête
3. Rappel de certaines études sur cette problématique

Méthodologie de la recherche
1. Les objectifs spécifiques de l'étude
2. La procédure de collecte de données
   Collecte de données secondaires
   Méthode de collecte de données primaires
3. Le choix de l'instrument de mesure
   Objectifs et description du questionnaire
4. L'échantillonnage
   Définition de la population - Base d'échantillonnage
   Unité statistique ou d'échantillonnage
   Méthode d'échantillonnage (probabiliste ou non-probabiliste)
   Taille de l'échantillon - Sélection des unités d'échantillonnage
4. Le traitement de données
   Logiciel utilisé et brève description des analyses statistiques qui seront efectuées

Présentation et analyse des résultats
1. Analyse descriptive des répondants (profil socio-démographique)
2. Analyse des données nominales et ordinales (tableaux, distribution de fréquences, pourcentages, diagrammes, ...)
3. Analyse des données d'intervalles/de rapport (moyennes, écarts-types, quartiles, distribution de fréquences, histogrammes, estimation par intervalle de confiance et tests d'hypothèses concernant une population (dans le cas d'un échantillonnage probabiliste), calcul de la marge d'erreur statistique dans les estimations, test d'indépendance, analyse de corrélation, ...
4. Utilisation d'outils avancés (régresion multiple, analyse discriminante, ...)

Conclusions et recommandantions (s'il y a lieu)
1. Rappel des principaux objectifs de l'étude et des hypothèses de recherche
2. Les limites de la recherche concernant la généralisation des résultats (resctriction concernant la taille d'échantillon, la méthode d'échantillonnage, la représentativité de l'échantillon, les unités statistiques écartées de la recherche, ...)
3. Conclusion (mise en relation des objectifs de l'étude et les résultats obtenus)
4. Recommandations (mesures proposées et plan d'action)

Annexes
1. Présentation du questionnaire
2. Tableaux de résultats volumineux
3. Détails techniques et statistiques concernant l'utilisation de certains outils
4. Autre détails nécessaires

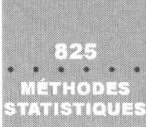
13.4   Exemple d'application d'un rapport d'étude

Nous présentons l'essentiel d'un rapport basé sur une analyse préliminaire de mise en marché d'un nouveau produit. Ce rapport peut servir de modèle d'utilisation. La structure de ce rapport est résumé ci-après.

Structure du rapport d'étude

1. **Page titre**
2. **Table des matières**
3. **Objectifs et synthèse des résultats**
4. **Présentation du produit et perspective**
5. **Présentation des résultats et analyse**
6. **Analyse du marché potentie et calcul**
7. **Conclusion**
8. **Annexe 1 - Bibliographie**
9. **Annexe 2 - Le questionnaire**

Présentation des résultats d'une enquête à l'aide d'un questionnaire

Page titre

Analyse préliminaire à
la mise en marché
d'un sac à dos muni
d'un coussin amovible

Préparé pour
Sports Plein Air

par
V. Gauthier et M. Rheault
Société VGR
Experts-conseils en mise en marché
1525 rue de l'Enquête
Trois-Rivières
G8Y 9Z4

Novembre 2003

Table des matières

TABLE DES MATIÈRES

Objectifs et synthèse des résultats

❏ Objectifs

Les principaux objectifs de cette étude concernant l'analyse préliminaire à la mise en marché d'un sac à dos muni d'un coussin amovible consistent à cerner:

▌ Le profil des consommateurs pouvant être intéressés par ce produit

▌ Les critères recherchés lors de l'achat d'un sac à dos

▌ Les habitudes d'utilisation du sac à dos

▌ L'intérêt pour ce produit

❏ Synthèse des résultats

L'échantillon

▌ L'enquête a été réalisée auprès d'une trentaine d'étudiants(es) de l'UQTR selon une méthode d'échantillonnage non probabiliste (échantillonnage subjectif)

L'usage du produit

▌ 63,3% des répondants utilisent un sac à dos pour leurs études

▌ 76,7% utilisent un sac à dos pour faire des activités de plein air

▌ 46,7% utilisent le sac à dos pour leurs études et leurs activités de plein air

▌ Ceux qui font un double usage sont surtout des hommes (57,1%)

▌ Ceux qui en font un double usage font partie du groupe des 23 - 29 ans

Fréquence de renouvellement de l'achat

▌ Les répondants remplacent leurs sacs à dos à une fréquence de 1 fois toutes les 4,3 années

❏ Synthèse des résultats

Les attributs recherchés

▌ Par ordre d'importance, les attributs recherchés dans le choix d'un sac à dos sont:

● Le rangement et le prix (cote de 3,1)

● Le confort (cote de 3,0)

● La qualité (cote de 2,9)

● L'esthétique (cote de 2,8)

● La marque (cote de 0,8)

③

Objectifs et synthèse des résultats (suite)

❏ Synthèse des résultats (suite)

Le choix des attributs

▌ Le rangement est un critère plus déterminant pour les femmes (3,8) que pour les hommes (2,3), tout comme l'esthétique (3,1 vs 2,5)

▌ Ceux qui utilisent le produit pour l'école et pour les activités sportives attachent plus d'importance à la qualité

▌ Le confort est le critère le plus souvent retenu comme prioritaire par tous les groupes

Le profil de l'acheteur

Le consommateur le plus susceptible d'être intéressé par notre produit ...

● Est un homme ou une femme

● Il est âgé entre 18 et 22 ans

● Il pratique des activités de plein air

● Il utilise son sac autant pour l'école que pour les activités de plein air

● Il renouvelle son achat à tous les 3,8 ans

● Il recherche d'abord le rangement et le confort comme principaux attributs du produit

Le marché cible

Le segment le plus prometteur est celui des consommateurs qui utilisent leur sac à dos pour le double usage sport et études. Ce segment représente 46,7% du marché.

④

Présentation du produit et perspective

○ **Le produit**

Il s'agit d'un sac à dos conventionnel muni de quelques pièces de velcro situées à différents endroits sur l'appui dos du sac. Ces velcros servent à fixer un coussin sur l'appui dos du sac. Ce coussin fut développé de façon à s'adapter à la forme du sac à dos.

(Nous avons omis la photo du produit, celui-ci devant faire la demande d'un brevet).

○ **Historique de ventes de sacs à dos**

Les ventes des quatre dernières années sont demeurées stables. Plus de 70% des consommateurs achètent des sacs d'une valeur se situant entre 50$ et 125$.

D'après les données fournies par le commerce Périgny concernant les ventes annuelles 2002, les ventes de sacs à dos sont à la hausse au cours des mois d'août, septembre, octobre et décembre (voir diagramme ci-après).

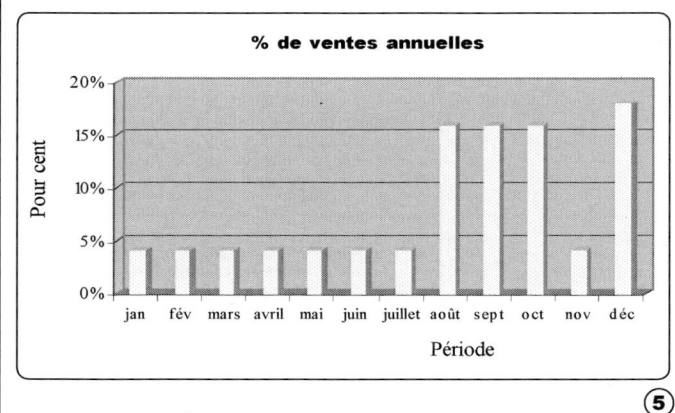

% de ventes annuelles

⑤

Méthodologie et limites de l'étude

○ Les données primaires

Afin de cerner les facteurs déterminants pour la mise en marché de notre produit, nous avons procédé par recherche de données primaires. Pour ce faire, nous avons interviewé une trentaine d' étudiants(es) de l'UQTR. Ces entrevues ont été complétées par un court questionnaire visant essentiellement à définir l'éventuel besoin du consommateur envers notre produit, les intentions d'achat de ceux-ci ainsi que diverses utilisations possibles du produit pour ainsi déterminer le marché potentiel de notre nouveau produit. Nous avons privilégié le questionnaire comme instrument de mesure pour les éléments ci-haut et ce, afin de limiter le temps d'interview aux questions de fond, comme les attributs recherchés, leurs motivations, etc.

○ La méthode d'échantillonnage et le traitement statistique

La méthode d'échantillonnage utilisée est l'échantillonnage subjectif. Les répondants sont des étudiants, hommes ou femmes de toutes catégories d'âge.

Les résultats de cette étude ne peuvent être généralisés à l'ensemble du marché visé étant donné que l'échantillon est non probabiliste.

Le traitement statistique des données a été effectué avec le logiciel Excel de Microsoft.

○ Les données secondaires

D'après Statistique Canada, la répartition de la population métropolitaine de la région selon le sexe et les tranches d'âge qui nous intéressent, est la suivante:

Population de la région en 2001	Hommes	Femmes
137 505	65 725	71 780

Population par tranche d'âge	Nombre
De 5 ans à 14 ans	16 045
De 15 ans à 19 ans	8 835
De 20 ans à 24 ans	9 340
De 25 ans à 44 ans	37 805
De 45 ans à 54 ans	22 315

Population étudiante visée:	9 631
% de femmes:	64%
% d'hommes	44%

La population étudiante visée est composée d'une proportion plus importante de femmes.

(6)

Présentation des résultats et analyse

La compilation des réponses de l'enquête conduit aux résultats suivants.

○ **Profil des répondants**

L'enquête révèle que:

- 40% des répondants ont entre 18 et 22 ans
- 50% de nos répondants ont entre 23 et 29 ans
- 80% pratiquent des sports de plein air

Le diagramme suivant permet de visualiser la segmentation du marché visé selon la catégorie d'âge.

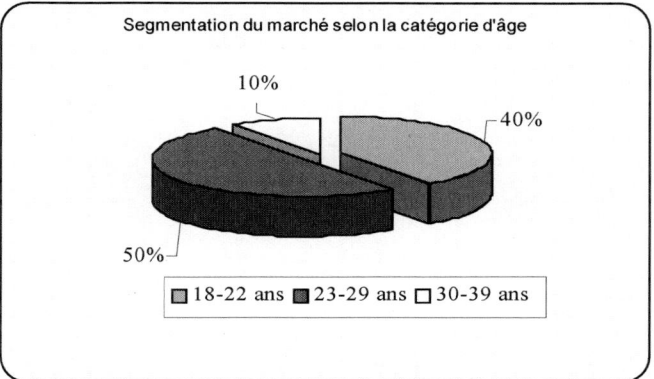

Segmentation du marché selon la catégorie d'âge

○ **Segmentation du marché**

Les résultats obtenus par notre sondage mettent en relief trois axes pertinents pour segmenter le marché, soit par groupes d'âge (facteur démographique), selon l'usage fait du produit (critère fonctionnel) ou selon les intentions d'achat.. En effet, notre analyse montre une incidence significative de ces paramètres sur les autres variables. Nous retenons néanmoins pour fin de la présente analyse la segmentation selon le critère de l'usage du produit. En effet, l'incidence de ce critère est telle que nous pouvons anticiper un profil de consommateurs distinct pour chacun des segments conséquents. Les consommateurs de chacun de ces segments rechercheront des attributs distincts (voir diagramme de la page 8).

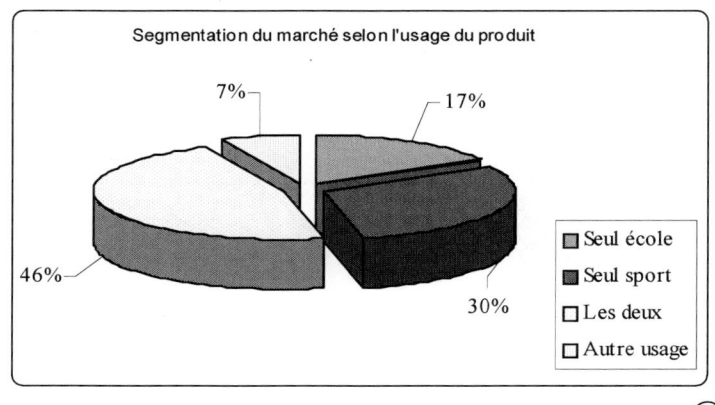

Segmentation du marché selon l'usage du produit

Présentation des résultats et analyse (suite)

○ **Segmentation du marché (suite)**

Pour mieux interpréter les résultats concernant l'importance de l'attribut selon l'usage du produit, nous présentons à nouveau la question 5 du questionnaire.

5 **Quelle importance accordez-vous aux éléments suivants lors de l'achat d'un sac à dos?**

	Très important	Important	Peu important	Sans importance
1. Rangement	❏ 1	❏ 2	❏ 3	❏ 4
2. Confort	❏ 1	❏ 2	❏ 3	❏ 4
3. Esthétique	❏ 1	❏ 2	❏ 3	❏ 4
4. Marque de commerce	❏ 1	❏ 2	❏ 3	❏ 4
5. Prix	❏ 1	❏ 2	❏ 3	❏ 4
6. Qualité	❏ 1	❏ 2	❏ 3	❏ 4

Le diagramme suivant permet de visualiser l'importance des attributs selon l'usage du produit.

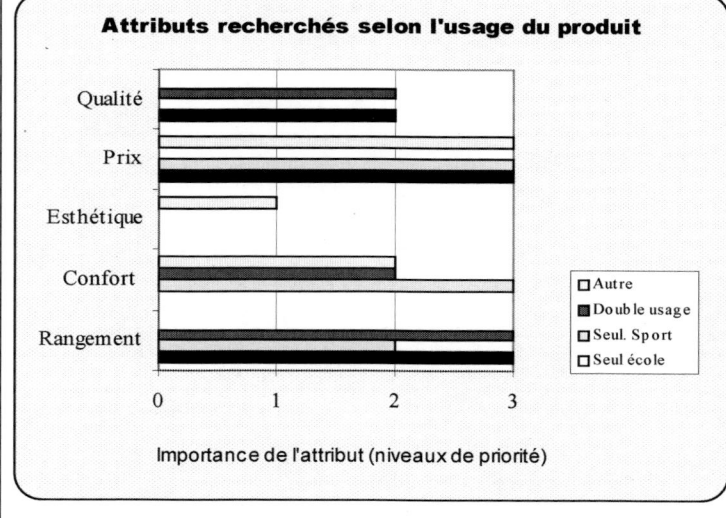

Attributs recherchés selon l'usage du produit

Importance de l'attribut (niveaux de priorité)

⑧

Analyse du marché potentiel et calcul

○ **Le marché potentiel**

Le marché analysé ($\cong$ 10 000 étudiants) se divise en 4 segments distincts comportant respectivement 1 670 consommateurs (usage seulement pour l'école), 3 000 (seulement le sport), 4 670 (école et sport) et 670 (autre usage). Considérant la fréquence de renouvellement de leur achat de sac à dos, ces segments offrent respectivement un potentiel annuel en nombre de produits de 835, 789, 1 112 et 134 unités pour un marché total annuel de 2 870 unités. Nos résultats du sondage nous permettent d'anticiper une part de marché de 46,7%.

○ **Calcul du marché potentiel**

Dans la perspective du double usage sport et études, le calcul du marché potentiel donne les résultats suivants:

Marché total (nombre de consommateurs):	10 000
Part du segment (%):	46,7%
Segment du marché (nombre de consommateurs):	4 670
Facteur de remplacement:	23,81%
Segment de marché (nombre d'unités/an):	1 112
Taux de retention anticipé:	64,3%
Potentiel de marché (nombre d'unités):	715

(9)

Conclusion

Nous avons démontré dans la présente analyse que ce produit offre un potentiel intéressant. Le segment de marché visé offre d'une part un volume suffisant et d'autre part notre sondage aura permis de valider un intérêt certain pour ce produit.

Le marché cerné représente une opportunité intéressante à cause du nombre d'étudiants desservis; c'est donc une cible de premier choix pour tester le produit.

Une autre opportunité vient des clients eux-mêmes. En effet, le peu d'importance qu'ils accordent à la marque favorise la pénétration sur le marché d'une nouvelle marque sans notoriété acquise.

Le taux élevé des intentions d'achat est certainement favorable à l'introduction sur le marché d'un sac à dos avec coussin intégré.

(10)

Annexe 1 - Bibliographie

Les tableaux

CREPUQ- Conférence des recteurs et des principaux des universités du Québec, " Populations étudiantes dans les principales universités du Québec ", [en ligne].
www.crepuq.qc.ca

Québec, Institut de la statistique, " Taux d'assistance emploi selon le sexe", [en ligne].
http://www.stat.gouv.qc.ca/regions/profils/profil04/societe/fam men niv vie/pauvrete/indicateurs04.htm

Statistique Canada, " Population de la région métropolitaine de Trois-Rivières ", [en ligne].
www.statistiquecanada.ca

Industrie Canada, " Le commerce électronique " Québec, le 28 juin 2002, [fichier PDF Acrobat].
www.e-com.ic.gc.ca/francais/recherche/rap/statscome.pdf

Références textuelles

Centre des services aux entreprises du Canada, " Comment démarrer une entreprise ", [en ligne].
sade.rcsec.org/gol/bsa/interface.nsf/frndoc/0.html

Institut de la statistique, Gouvernement du Québec, " Plus du tiers des entreprises québécoises font du commerce électronique " [en ligne].
www.stat.gouv.qc.ca/salle-presse/communiq/2002/juin/juin0228a.htm

Institut de recherche canadien sur la condition physique et le mode de vie, " Habitudes d'activité physique ", [en ligne].
www.cflri.ca/icrcp/ap/sondages/sondage_2000/2000f_qc.html

Centre des services aux entreprises du Canada.
sade.rcsec.org/gol/bsa/interface.nsf/frndoc/0.html

Industrie Canada, " Le commerce électronique " Québec, le 28 juin 2002 [fichier PDF Acrobat].
www.e-com.ic.gc.ca/francais/recherche/rap/statscome.pdf

(11)

Annexe 2 - Le questionnaire

Questionnaire
Étude de marché d'un sac à dos muni d'un coussin amovible

1 **Quel est votre sexe?**

Féminin ☐ 1

Masculin ☐ 2

2 **Dans quelle catégorie d'âge appartenez-vous?**

18 ans à moins de 22 ans ☐ 1

22 ans à moins de 30 ans ☐ 2

30 ans à moins de 40 ans ☐ 3

40 ans et plus ☐ 4

3 **Utilisez-vous un sac à dos dans le cadre de vos études?**

Oui ☐ 1

Non ☐ 2

4 **À quelle fréquence achetez-vous un sac à dos?** _____

5 **Quelle importance accordez-vous aux éléments suivants lors de l'achat d'un sac à dos?**

	Très important	Important	Peu important	Sans importance
1. Rangement	☐ 1	☐ 2	☐ 3	☐ 4
2. Confort	☐ 1	☐ 2	☐ 3	☐ 4
3. Esthétique	☐ 1	☐ 2	☐ 3	☐ 4
4. Marque de commerce	☐ 1	☐ 2	☐ 3	☐ 4
5. Prix	☐ 1	☐ 2	☐ 3	☐ 4
6. Qualité	☐ 1	☐ 2	☐ 3	☐ 4

6 **Êtes-vous confortable sur les chaises des salles de cours?**

Oui ☐ 1

Non ☐ 2

7 **Pratiquez-vous des activités de plein air?**

Oui ☐ 1

Non ☐ 2

8 **Achèteriez-vous un sac à os muni d'un coussin détachable sur lequel vous pourriez être plus confortable à vos cours ou lors d'une activité de plein air et ceci à prix concurrentiel?**

Oui ☐ 1

Non ☐ 2

(12)

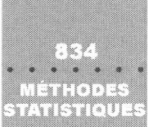

13.5   Présentation du rapport avec PowerPoint

Il existe divers logiciels permettant d'effectuer une présentation électronique d'un rapport d'enquête; nous présentons ici celui qui est sans doute le plus utilisé soit PowerPoint de la suite Microsoft Office. PowerPoint est un outil très puissant et facile d'utilisation pour effectuer une présentation professionnelle (et en peu de temps) des résultats d'une enquête, d'une recherche marketing ou encore pour présenter la synthèse d'un cours, une structure organisationnelle, ...

Nous présentons ici l'essentiel du logiciel PowerPoint, version XP-2002 (nous donnons également certains aspects de la version Office 97 à la fin du chapitre) et ceci à l'aide de certaines pages du rapport d'étude présenté à la section précédente. Il vous sera facile par la suite d'explorer les différents raffinements de l'outil.

Vous obtenez les mêmes résultats dans l'une ou l'autre des versions, ce sont les diverses options qui sont présentées différemment à l'écran.

13.5.1 Ouverture de PowerPoint (version XP-2002)

Dès l'ouverture de PowerPoint, une première diapositive (vide) apparaît.

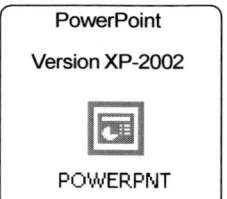

PowerPoint

Version XP-2002

POWERPNT

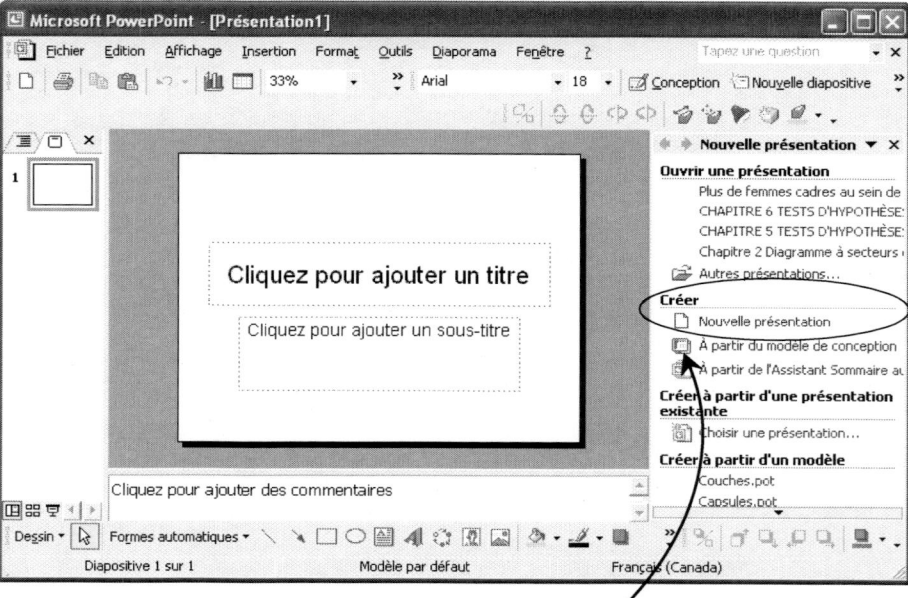

13.5.2 Création de la première diapositive

On peut insérer immédiatement du texte dans les zones désignées ou choisir une autre mise en page de la diapositive en cliquant sur **Nouvelle présentation**.

Divers choix se présentent alors à la droite de l'écran (titre seul, titre avec sous-titre, titre et texte sur deux colonnes, titre et contenu, titre avec image de la bibliothèque et contenu, diapositive vide, ...).

Supposons qu'on poursuit avec la première diapositive affichée par PowerPoint.

Pour insérer du texte à la dispositive, cliquer dans la zone de texte et entrer le texte désiré.

Supposons que la première diapositive consiste en un mot de bienvenue. Elle pourrait se présenter comme suit.

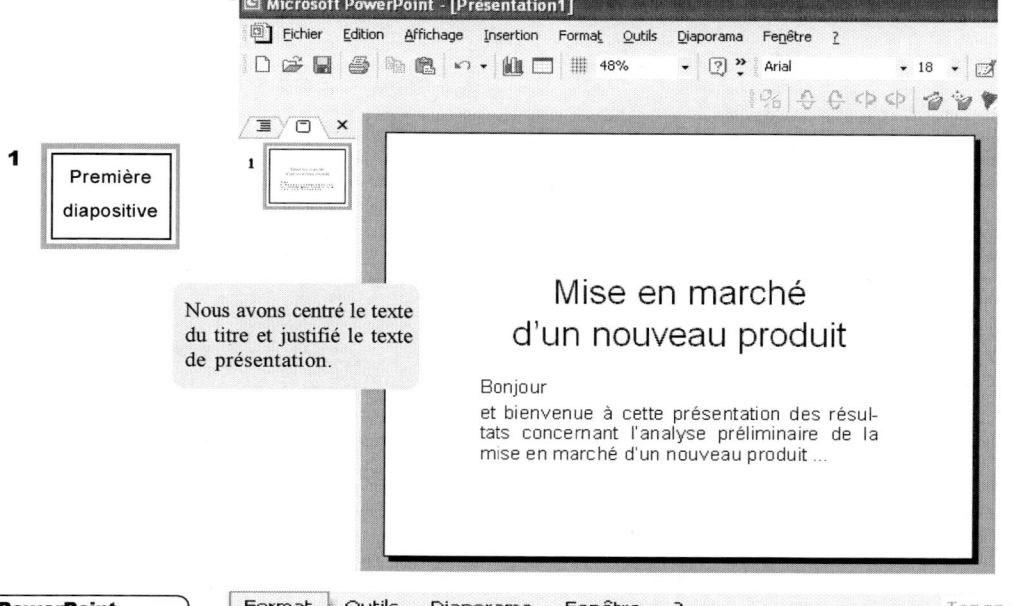

1 Première diapositive

Nous avons centré le texte du titre et justifié le texte de présentation.

PowerPoint XP-2002

Cliquer sur **Format/Alignement** et sélectionner l'alignement désiré.

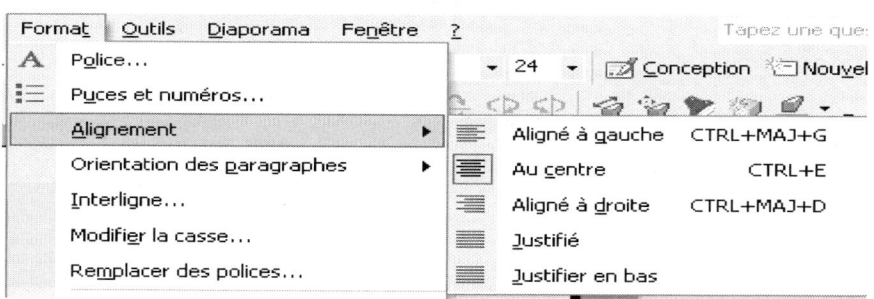

13.5.3 Création de la deuxième diapositive

Poursuivons avec une deuxième diapositive. Pour ajouter une deuxième diapositive, cliquer sur ⬚ Nouvelle diapositive dans la barre de menus en haut à droite. Une nouvelle diapositive vide apparaît à l'écran.

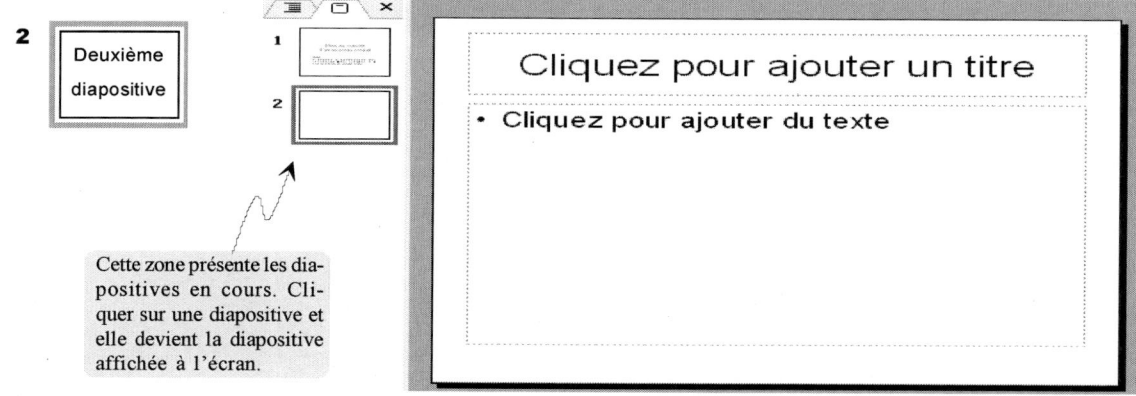

2 Deuxième diapositive

Cette zone présente les diapositives en cours. Cliquer sur une diapositive et elle devient la diapositive affichée à l'écran.

Dans la deuxième diapositive, nous voulons présenter les objectifs de l'étude, que nous reproduisons ici.

> ☐ **Objectifs**
>
> Les principaux objectifs de cette étude con-
> cernant l'analyse préliminaire à la mise en
> marché d'un sac à dos muni d'un coussin
> amovible consistent à cerner:
> ▮ Le profil des consommateurs pouvant
> être intéressés par ce produit
> ▮ Les critères recherchés lors de l'achat
> d'un sac à dos
> ▮ Les habitudes d'utilisation du sac à dos
> ▮ L'intérêt pour ce produit

Si on veut une présentation similaire dans la diapositive, il faut modifier la mise en page de la diapositive affichée à l'écran.

Entrons d'abord le texte ci-haut (on peut également copier/coller le texte si celui-ci est dans une application Windows). On obtient alors la diaspositive suivante:

2 Deuxième diapositive

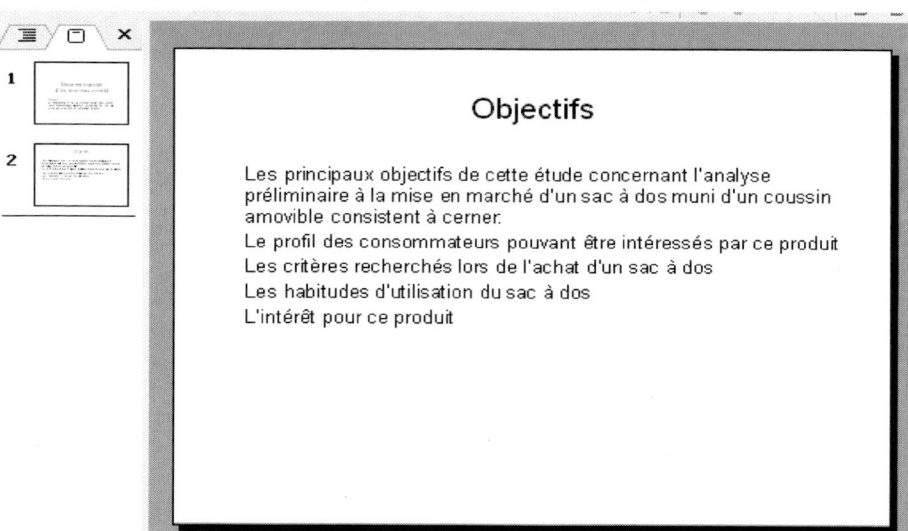

Pour ajouter des puces (ou une numérotation) à du texte,

❶ Sélectionner d'abord les lignes de texte auxquelles vous voulez ajouter des puces (ou une numérotation)

❷ Cliquer sur **Format/Puce** dans la barre de menus

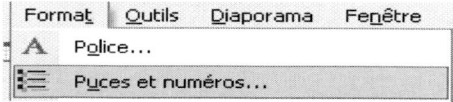

La boîte de dialogue Puce et numéro apparaît.

Nous choisissons

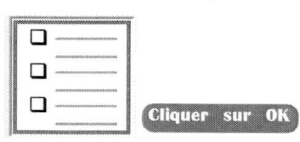

Cliquer sur OK

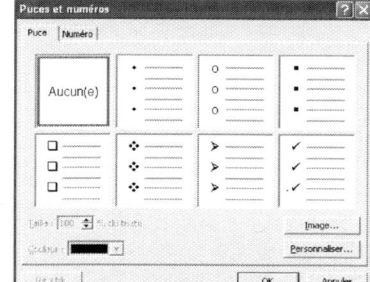

Nous avons également aligné le texte Objectifs à gauche (voir page suivante).

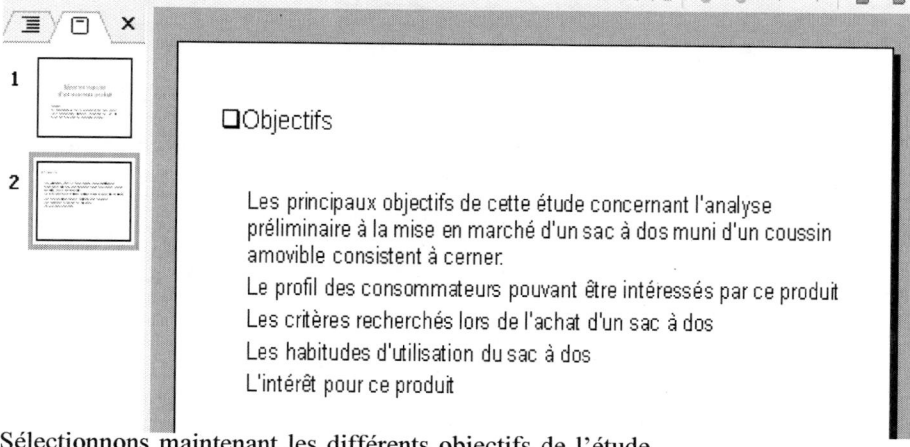

Sélectionnons maintenant les différents objectifs de l'étude,

> Les principaux objectifs de cette étude concernant l'analyse préliminaire à la mise en marché d'un sac à dos muni d'un coussin amovible consistent à cerner.
> Le profil des consommateurs pouvant être intéressés par ce produit
> Les critères recherchés lors de l'achat d'un sac à dos
> Les habitudes d'utilisation du sac à dos
> L'intérêt pour ce produit

et cliquons à nouveau sur **Format/Puce** et sélectionnons. (Il faut cliquer OK pour valider le choix).

❏Objectifs

> Les principaux objectifs de cette étude concernant l'analyse préliminaire à la mise en marché d'un sac à dos muni d'un coussin amovible consistent à cerner.
> - Le profil des consommateurs pouvant être intéressés par ce produit
> - Les critères recherchés lors de l'achat d'un sac à dos
> - Les habitudes d'utilisation du sac à dos
> - L'intérêt pour ce produit

On peut modifier le retrait dans une liste à puces. Si la règle n'est pas affichée, cliquer dans la barre de menus, **Affichage/Règle**.

Sélectionner le texte de la liste à puces que vous voulez modifier (la règle affiche les repères).

Consulter l'aide sur Microsoft PowerPoint

Aide sur Microsoft
PowerPoint

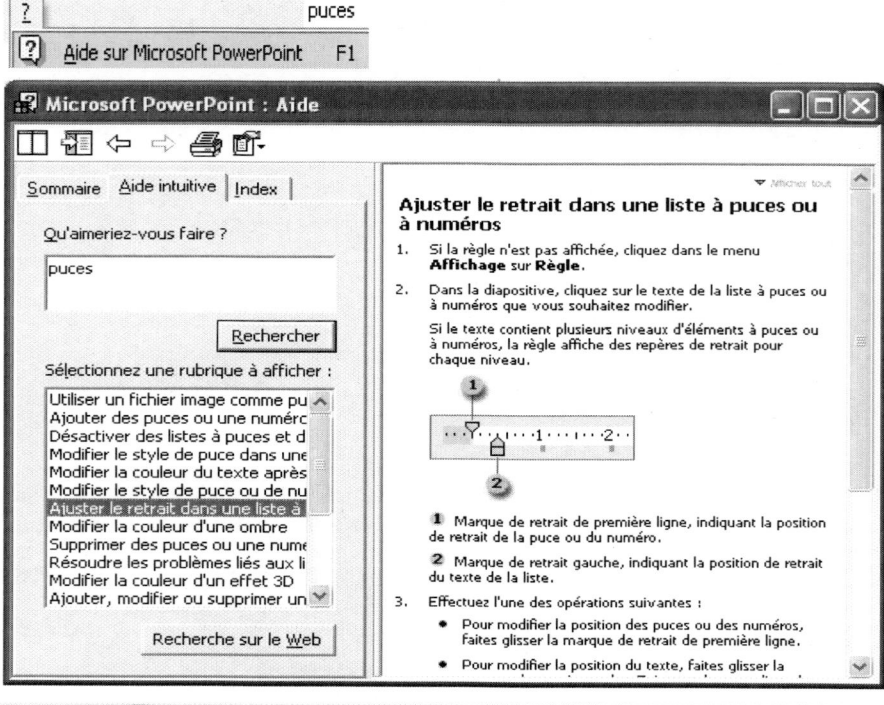

Ajustement du
retrait dans une
liste à puces

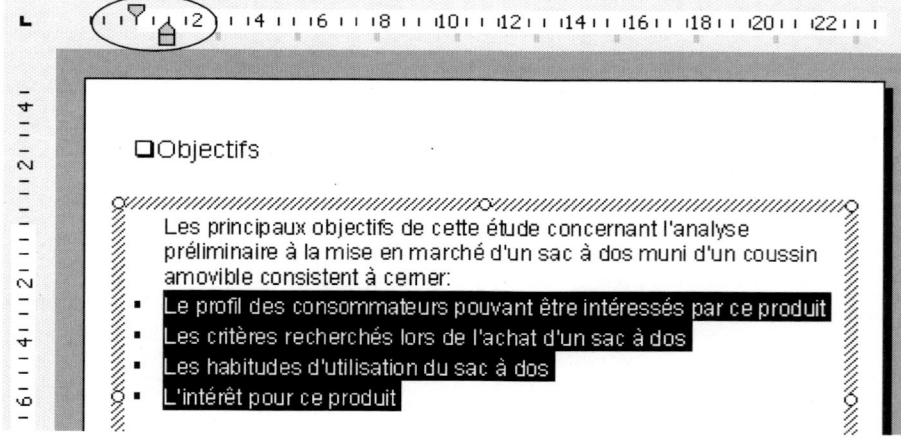

Faire glisser la marque de retrait de la première ligne pour la positionner vis-à-vis l'autre; on obtient alors l'alignement suivant.

13.5.4 Création de la troisième diapositive (texte sur deux colonnes)

Pour la troisième diapositive, ajoutons à titre d'exemple quelques résultats qui ont été obtenus. Utilisons les données obtenues pour l'usage du produit.

L'usage du produit

▊ 63,3% des répondants utilisent un sac à dos pour leurs études

▊ 76,7% utilisent un sac à dos pour faire des activités de plein air

▊ 46,7% utilisent le sac à dos pour leurs études et leurs activités de plein air

▊ Ceux qui font un double usage sont surtout des hommes (57,1%)

▊ Ceux qui en font un double usage font partie du groupe des 23 - 29 ans

Pour cette diapositive, on veut présenter ces résultats sur deux colonnes. Ajoutons une nouvelle diapositive à la présentation et utlisons la mise en page *Titre et texte sur deux colonnes.*

3 Troisième diapositive

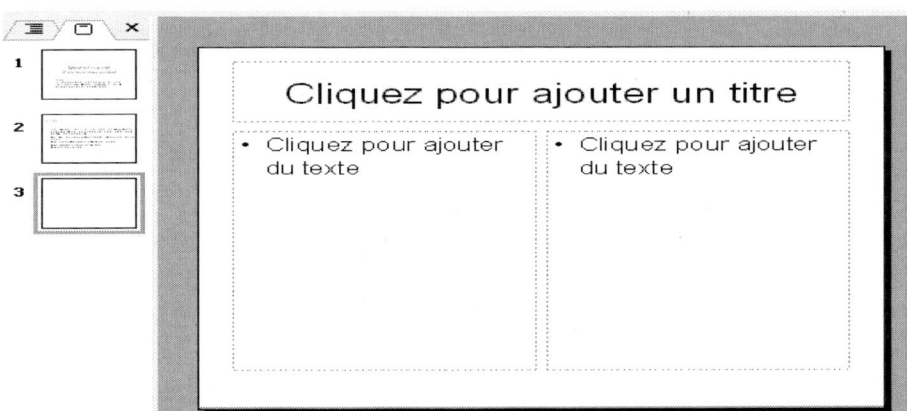

En tapant le texte dans les zones désignées, on obtient la diapositive suivante:

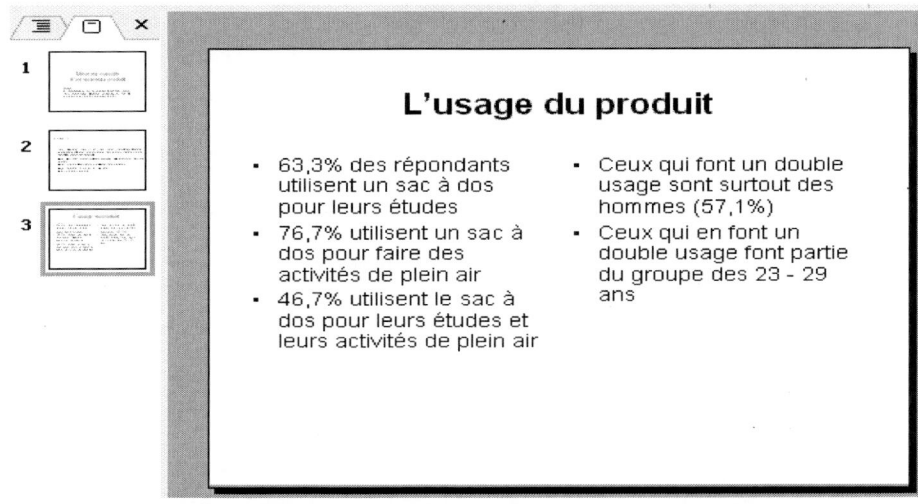

Enregistrons le travail fait jusqu'à maintenant; la procédure est similaire à celle utilisée pour Word ou Excel.

Enregistrement de
la présentation

13.5.5 Enregistrement de la présentation

Dans le barre de menus, sélectionner **Fichier / Enregistrer sous** ...

Choisir l'emplacement que vous désirez pour sauvegarder la présentation; ici nous avons choisi d'enregistrer la présentation dans le dossier RECHERCHE MARKETING et la présentation sous le nom de PRÉSENTATION SAC À DOS:

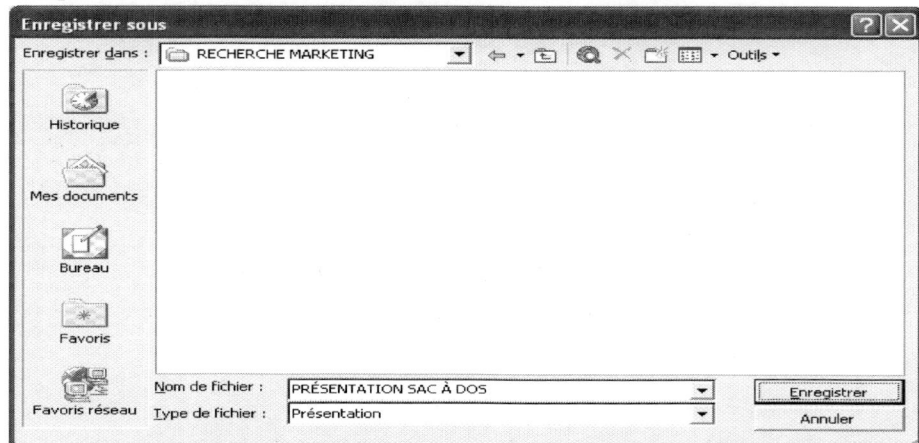

Comme on peut le cons-
tater, on peut enregistrer
la présentation selon la
version actuellement uti-
lisée ou selon une version
antérieure de PowerPoint.

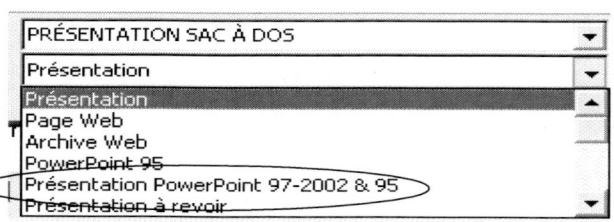

Pour fermer
le fichier

13.5.6 Fermeture du fichier et de PowerPoint

Pour fermer le fichier, cliquer sur fermer un fichier ; pour fermer
PowerPoint, cliquer sur le bouton .

13.5.7 Ouverture d'une présentation existante

Pour ouvrir une
présentation déjà
sauvegardée

Pour ouvrir une présentation existante, sélectionner le fichier désiré indiqué à la droite de l'écran; en plaçant le pointeur sur le nom du fichier, on voit apparaître l'emplacement du fichier.

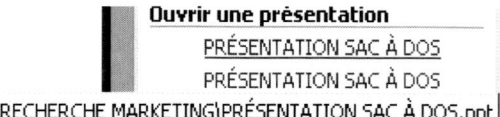

Cliquer sur le nom du fichier; la première diapositive de la présentation sélectionnée apparaît à l'écran.

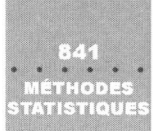
13.5.8 Création de la quatrième diapositive (texte avec graphique)

Pour cette quatrième diapositive, on aimerait présenter le profil des répondants et incorporer le diagramme à secteurs circulaires qui l'accompagne. Nous aimerions reproduire ce qui suit dans PowerPoint:

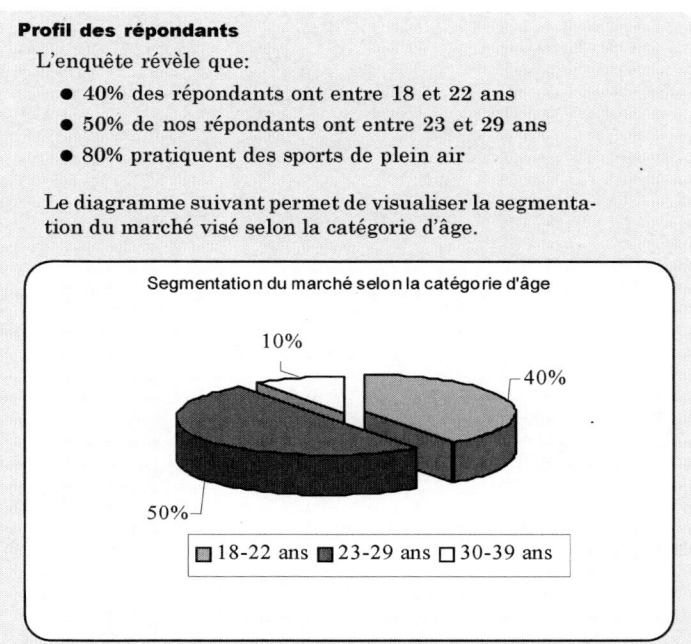

Nous allons utiliser la mise en page *Titre, texte et diagramme.*

En cliquant sur Nouvelle diapositive , la quatrième diaposi-tive apparaît à l'écran. Cliquer sur la mise en page désirée (à la droite de l'écran). On obtient alors la diapositive (vide) suivante:

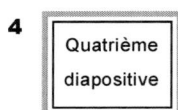

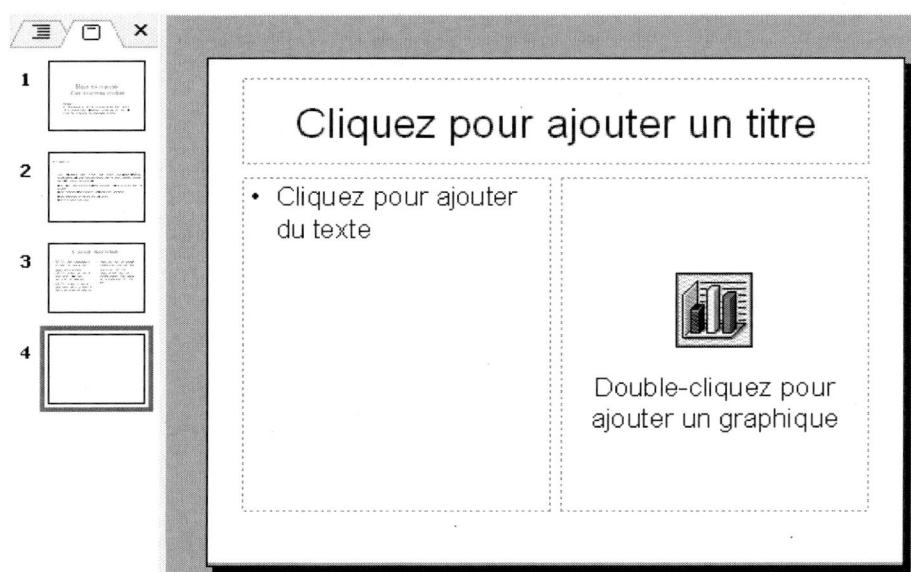

Insérons d'abord le texte dans les zones désignées.

Pour insérer le graphique que nous avons déjà fait dans la feuille Excel à la place désignée, nous allons cliquer sur cet emplacement (attention: ne pas double-cliquer, sinon vous verrez apparaître un modèle de graphique de PowerPoint). Ouvrir la feuille Excel contenant le graphique, sélectionner le diagramme à secteurs circulaires puis copier.

Copier/Coller le
graphique
fait dans Excel

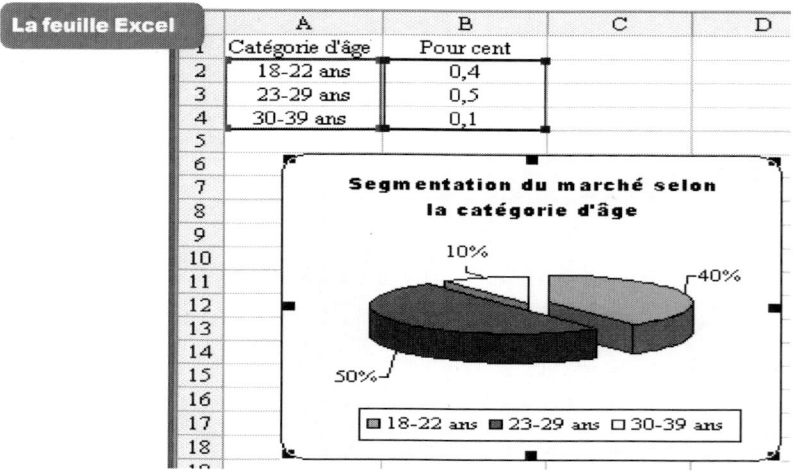

De retour dans la présentation PowerPoint, coller le graphique; on obtient le résultat suivant:

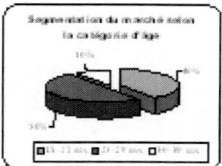

On étire par la suite, le diagramme que nous avons ajouté à la présentation. Pour compléter la diapositive, nous allons insérer le texte manquant. Dans la barre de menus, cliquer sur **Insertion / Zone de texte**.

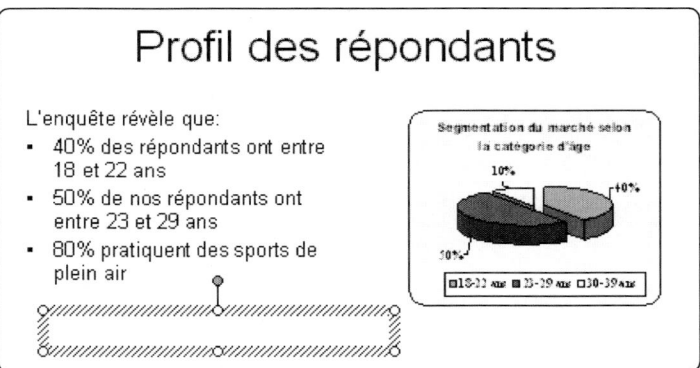

En entrant le texte dans la zone désignée, on complète la quatrième diapositive.

4 Quatrième diapositive

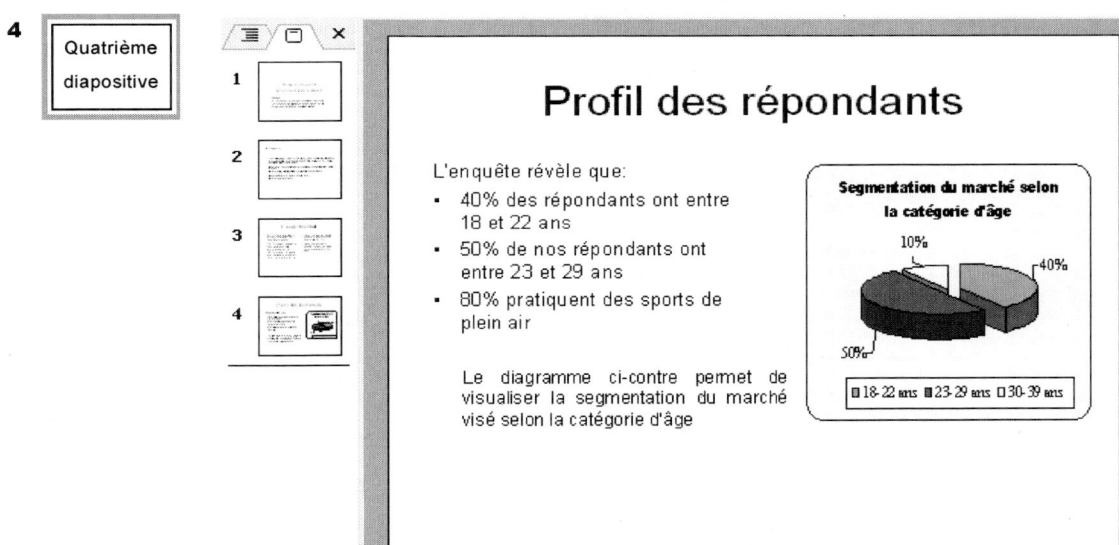

13.5.9 Création de la cinquième diapositive (texte et image de la bibliothèque)

Nous terminons la création de nos diapositives à l'aide de la conclusion de l'étude, enrichie d'une image. Une fois le texte ajouté, on a ce qui suit:

5 Cinquième diapositive

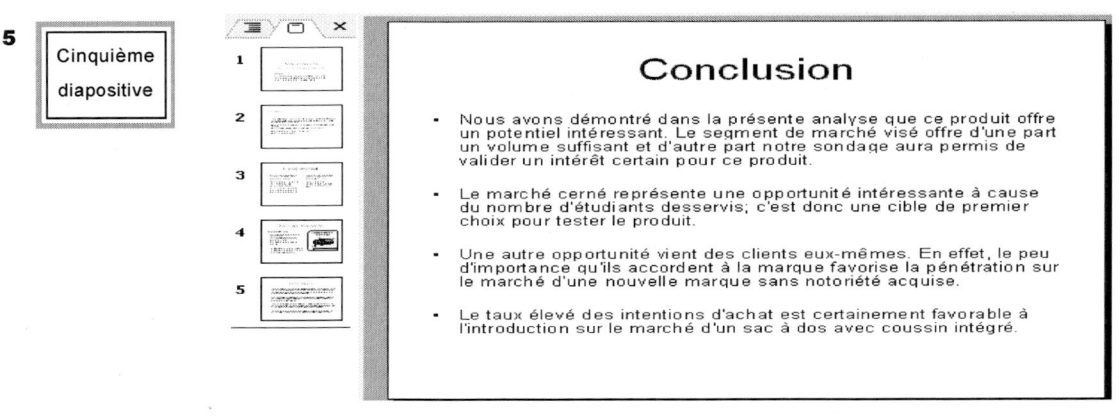

Nous voulons maintenant ajouter une image à la diapositive. Cliquer dans la barre de menus, **Insertion / Image**

Comme vous le constatez, nous avons plusieurs choix. Sélectionnons **Images clipart**.

La fenêtre ci-contre apparaît alors à la droite de l'écran.

Sélectionnons une image de la Bibliothèque multimédia ... dans la **Collections Office/Affaires**

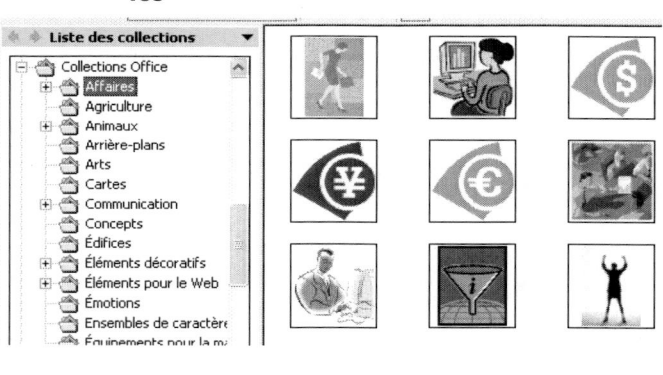

Sélectionner l'image désirée et copier (il faut dérouler le menu en cliquant sur la flèche pointée vers le bas, puis cliquer sur Copier).

Coller dans la diapositive; après avoir déplacé le texte, on obtient la diapositive de la page suivante.

5 Cinquième diapositive

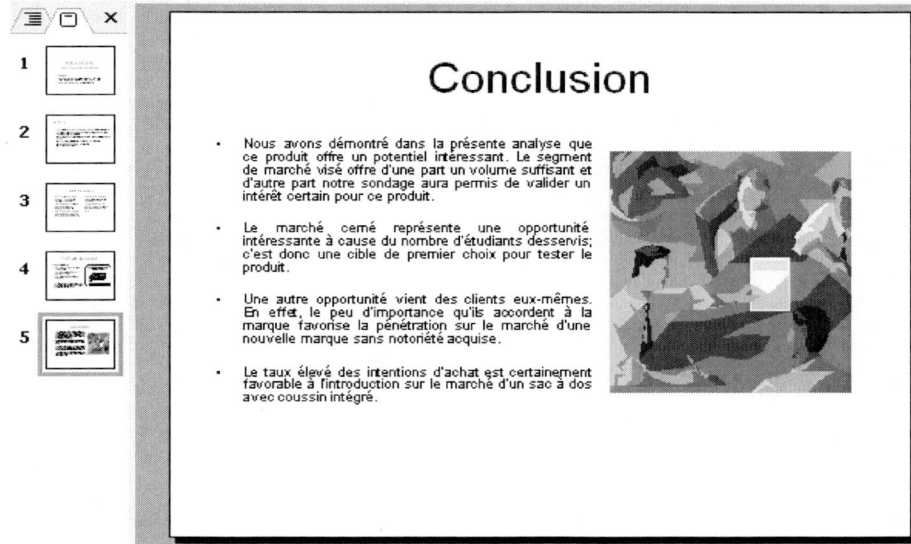

Cliquer sur **Enregistrer** pour sauvegarder la présentation.

13.6   Améliorer la présentation avec un modèle de conception

On peut améliorer de beaucoup la présentation en se servant d'un modèle de conception, que nous pouvons appliquer à toutes les diapositives.

Cliquer dans la barre de menus **Format / Conception de diapositive** ... ; vous verrez apparaître à la droite de l'écran plusieurs modèles de conception. Vous pouvez effectuer différents essais avec les modèles présentés.

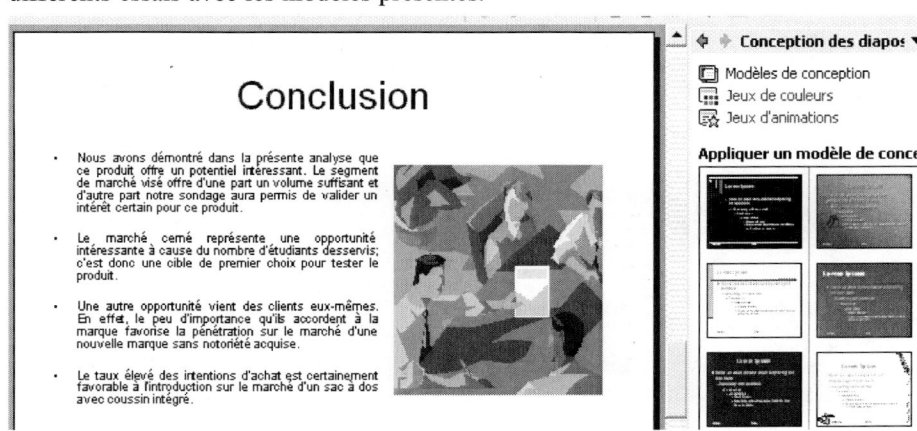

Nous sélectionnons le modèle ci-contre. En cliquant sur *Appliquer à toutes les diapositives*, on obtient ce qui suit.

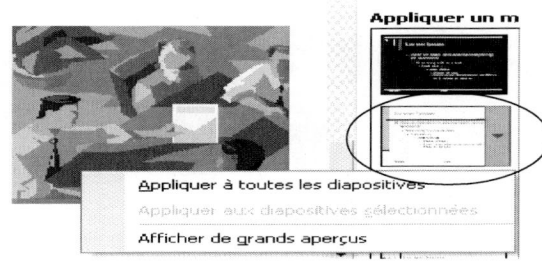

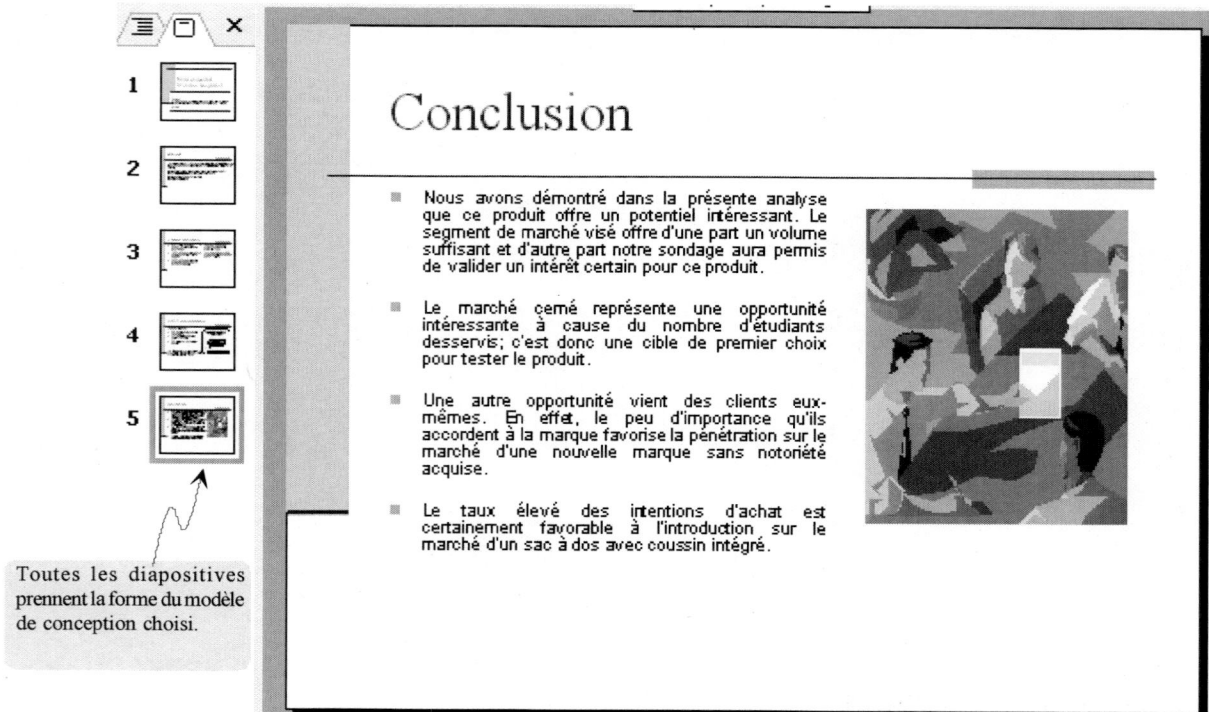

Toutes les diapositives prennent la forme du modèle de conception choisi.

On peut également uniformiser la présentation en modifiant la police de caractères. Il s'agit de sélectionner le texte et de choisir la police et la grosseur désirée

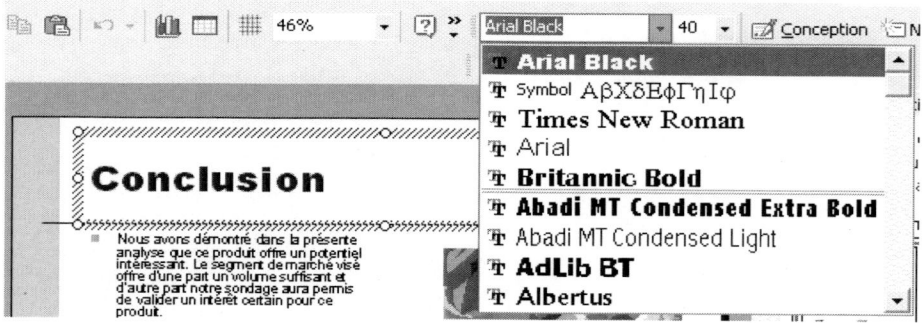

Nous avons sélectionné la police Arial Black 40 points.

13.7 Trois éléments importants de PowerPoint

Pour rendre un représentation encore plus vivante, il y a entre autres, trois fonctions importantes que nous pouvons utiliser dans PowerPoint. Ce sont

  Modèles de conception

  Jeux de couleurs

  Jeux d'animations.

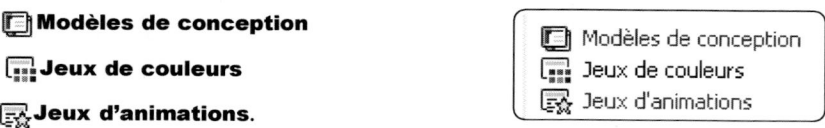

Ces éléments apparaissent à la droite de l'écran lorsqu'on clique sur la flèche pour obtenir le menu déroulant d'une nouvelle présentation: ◆ ▶ Mise en page des diapos ▼ ✕

Nous sommes déjà familiers avec les modèles de conception.

13.7.1 Jeux de couleurs

On peut modifier le jeu de couleurs d'une ou plusieurs diapositives; on sélectionne le jeu désiré (dépendant du type de présentation). Il y 10 jeux de couleurs.

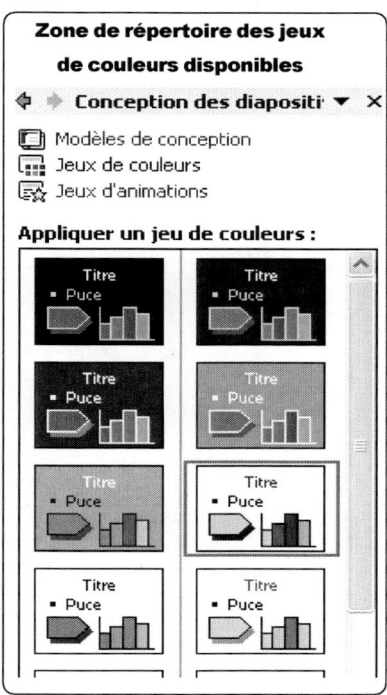

Zone de répertoire des jeux de couleurs disponibles

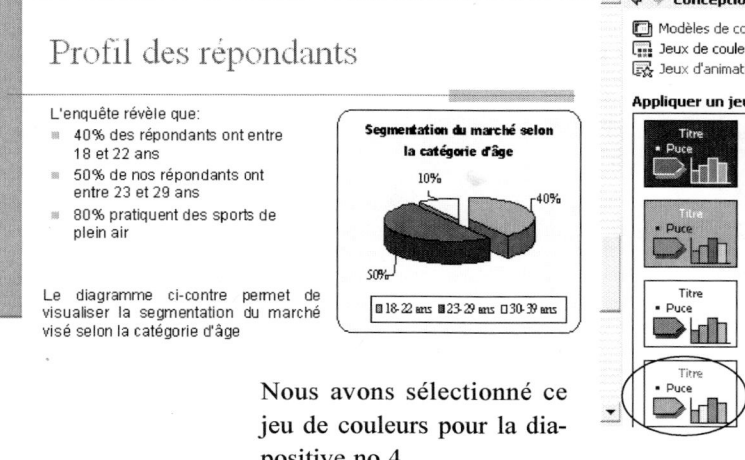

Nous avons sélectionné ce jeu de couleurs pour la diapositive no 4.

13.7.2 Animation

Le répertoire d'animation est présenté ci-contre. On peut l'obtenir en cliquant dans la barre de menus sur **Diaporama / Jeux d'animation**. Il existe une quarantaine d'animations (vous avez l'embarras du choix). Il faut les essayer pour constater l'effet sur la présentation. Ici, nous avons choisi *Fondu un par un* (Appliquer à toutes les diapositives).

13.7.3 Transition entre les diapositives

Pour gérer les transitions entre les diapositives, cliquer dans la barre de menus **Diaporama**, puis sur **Transition**.

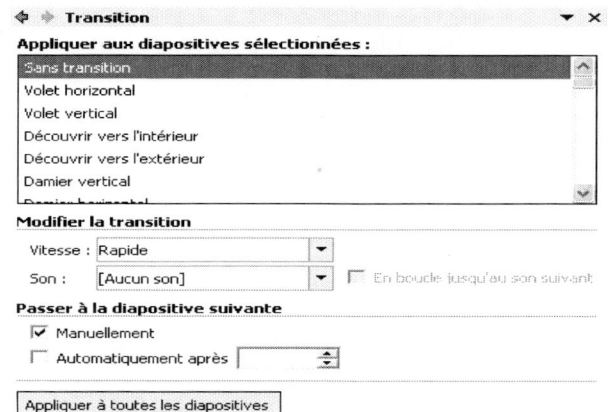

Zone de répertoire des jeux d'animation

Nous expliquons à la page suivante les différents paramètres de cette fonction.

Cliquer sur *l'effet* de transition souhaité (la barre de défilement permet d'en découvrir plus d'une cinquantaine); sélectionner la vitesse de transition (vous avez le choix entre Lente, Moyenne, Rapide); vous pouvez également choisir un son lors de l'affichage de la diapositive (ce qui risque d'énerver votre auditoire).

Vous pouvez déterminer de quelle façon les diapositives vont s'afficher une à une lors de la projection; vous avez le choix entre *Manuellement* ou *Automatiquement* (il faut indiquer le nombre de secondes de transition dans la zone de droite).

Pour passer *manuellemen*t d'une diapositive à une autre, il faut cliquer sur le bouton de la souris (ou sur la touche Entrée).

Voici les paramètres que nous avons sélectionnés et que nous avons appliqués à toutes les diapositives.

13.8 Modes de visualisation

PowerPoint comporte trois modes principaux de visualisation soit le mode **Normal**, le mode **Trieuse de diapositives** et le mode **Diaporama**.

C'est le mode *Normal* que nous avons utilisé pour écrire et concevoir les diapositives.

Le mode *Trieuse de diapositives* affiche exclusivement les diapositives sous forme de

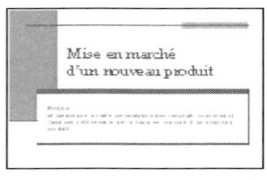
1

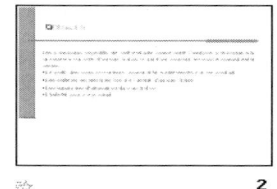
2

3

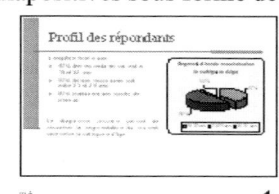
4

5

Le mode *Trieuse de diapositives* offre une vue d'ensemble des diapositives. Ce mode permet de réorganiser, ajouter ou supprimer des diapositives.

Les icônes qui permettent de basculer d'un mode de visualisation à un autre, sont affichés dans le bas, à gauche dans la fenêtre de PowerPoint.

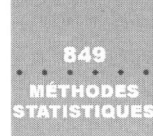
Mode Diaporama

Le mode *Diaporama* permet de visionner la présentation comme elle va apparaître devant l'auditoire (avec tous les effets utilisés dans la préparation des diapositives). Avec ce mode, chaque diapositive occupe tout l'écran de l'ordinateur.

Pour utiliser ce mode de visualisation, afficher à l'écran la diapositive qui va débuter le diaporama puis cliquer sur l'icône 🖵 (ou cliquer dans la barre de menus **Diaporama** puis **Visionner le diaporama**).

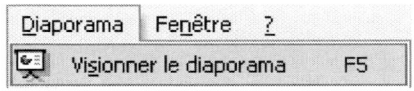

13.9   PowerPoint - Version Office 97

Lors du démarrage de PowerPoint, la boîte de dialogue initiale s'affiche.

Sélectionner pour ouvrir une présentation existante

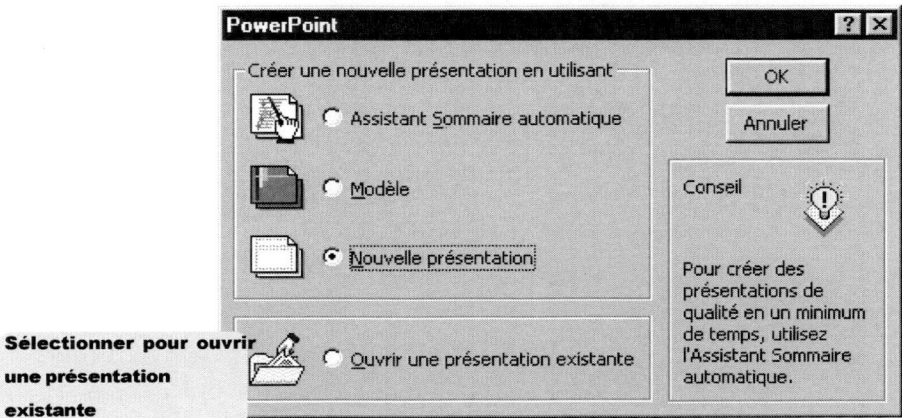

❶ Pour élaborer une nouvelle présentation, sélectionner **Nouvelle présentation**, puis cliquer sur OK.

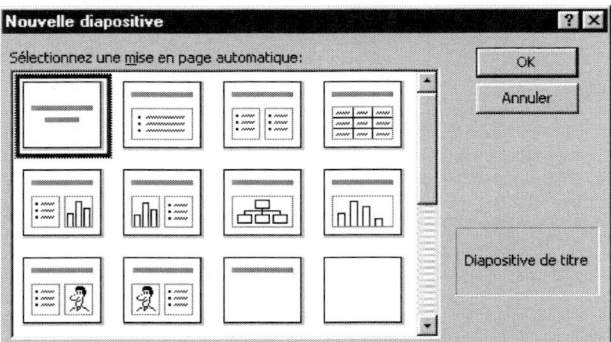

❷ PowerPoint affiche diverses mises en page des diapositives. Cliquer sur la mise en page désirée, puis sur OK.. Comme on peut le constater, le choix est varié (titre seul, titre avec sous-titre, titre et texte sur deux colonnes, titre et contenu, titre avec image de la bibliothèque et contenu, diapositive vide, ...).

Pour ajouter une puce

Pour ajouter des puces (ou une numérotation) à du texte,

❶ Sélectionner d'abord les lignes de texte auxquelles vous voulez ajouter des puces (ou une numérotation)

❷ Cliquer sur **Format/Puce ...** dans la barre de menus.

La boîte de dialogue Puce. Sélectionner l'origine des puces de votre choix et cliquer sur une puce; cliquer sur OK.

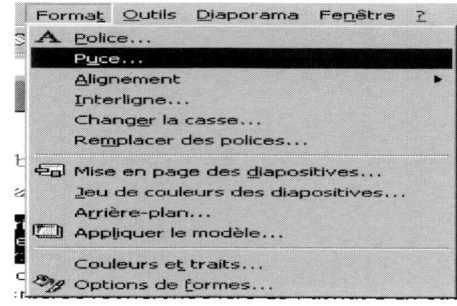

Voici d'autres boîtes de dialogue de la version Office 97

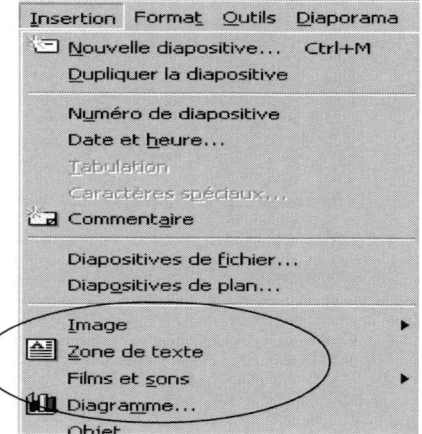

Pour insérer une zone de texte , une image, un diagramme

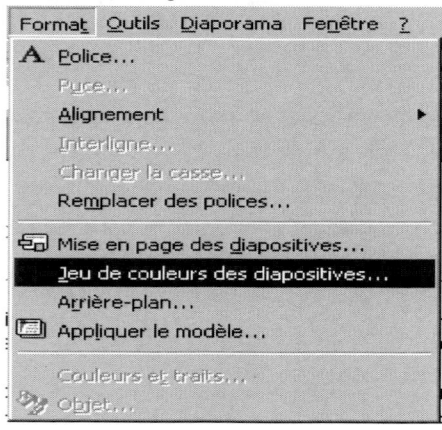

Pour appliquer un modèle

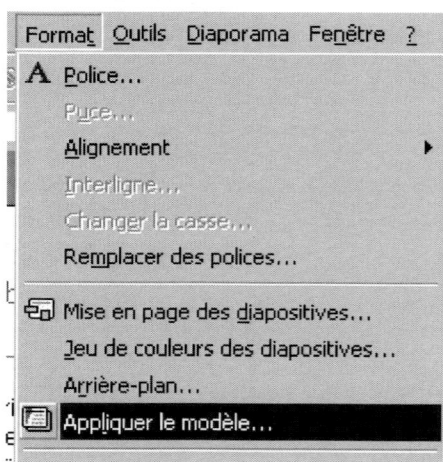

Pour utiliser un jeu de couleurs

Pour gérer les transitions

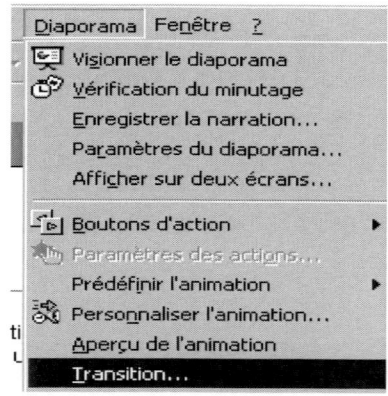

Corrigé des exercices d'apprentissage et Réponses aux exercices

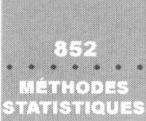
Chapitre 1 - Analyse descriptive des données

Corrigé des exercices d'apprentissage

Série 1.1

Étude	Unité statistique	Variable statistique	Type de variable Quantitative	Qualitative	Variable quantitative Continue	Discrète
Âge d'une entreprise	Entreprise	Âge	✓		✓	
Chiffre d'affaires d'une entreprise	*Entreprise*	*Chiffre d'affaires*	✓		✓	
Nombre d'heures de travail d'un dirigeant	*Dirigeant*	*Nombre d'heures*	✓		✓	
Temps d'accès à un CD-Rom	*CD-Rom*	*Temps d'accès*	✓		✓	
Salaires annuels main-d'oeuvre spécialisée	*Main-d'oeuvre*	*Salaire annuel*	✓		✓	
Nombre de tubes de verre non conformes	*Tube*	*Nombre de tubes*	✓			✓
Source d'énergie pour le chauffe-eau	*Chauffe-eau*	*Source d'énergie*		✓		

Série 1.2

a) Q1: qualitative; Q2, Q3, Q4 et Q5, quantitatives; Q6: qualitative.

b) Q1: Nominale   Q2: Ordinale   Q3: Ordinale   Q4: Ordinale   Q5: Ordinale   Q6: Nominale

Série 1.3

Exercice d'apprentissage no 1

a) 7,7   b) 12,9

c)

Classes	Dépouillement	Fréquences absolues
$7,6 \leq X < 8,4$	||	2
$8,4 \leq X < 9,2$	₩₩ ₩₩ ||||	14
$9,2 \leq X < 10,0$	||||	4
$10,0 \leq X < 10,8$	₩₩ ₩₩ ₩₩ ||||	19
$10,8 \leq X < 11,6$	₩₩ |	6
$11,6 \leq X < 12,4$	||||	4
$12,4 \leq X < 13,2$	|	1

d) Oui, il y a deux classes qui présentent des fréquences absolues élevées; la distribution est bimodale.

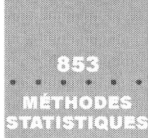
Série 1.3 (suite)

Exercice d'apprentissage no 2

a)
```
 8│4 8 8 9
 9│2 2 3 4 5 5 6 7 9
10│0 1 2 3 3 3 5 5 6 8
11│0 1 2 3 4 5 5
12│1 2
```

b) 56,25%.

Exercice d'apprentissage no 3

a) Ontario: 58$; Québec: 41$.   b) Ontario: 80$; Québec: 56$.   c) 69$; 51$.

d) Ontario: entre 68$ et 71$ Québec: entre 50$ et 51$.

e)

Ontario
```
5│8
6│0
6│223
6│4444555
6│67777
6│8888999999999 9
7│0000001111111
7│22222223333 3
7│45555
7│666
7│888 9
8│0
```

Québec
```
4│1
4│
4│555 5
4│66777777
4│888999
5│000000000011111111111 1
5│2222222333333
5│44455
5│6 7
```

Série 1.4

Exercice d'apprentissage no 1

a) La distribution de fréquences absolues.

Classes (Montant)	Fréquences absolues	Fréquences cumulées	Fréquences relatives cumulées (%)
$2800 \leq X < 3400$	3	3	7,50%
$3400 \leq X < 4000$	6	9	22,50%
$4000 \leq X < 4600$	13	22	55,00%
$4600 \leq X < 5200$	7	29	72,50%
$5200 \leq X < 5800$	8	37	92,50%
$5800 \leq X < 6400$	3	40	100,00%

b) L'histogramme et le polygone de fréquences.

c) *4000 à 4600$.*

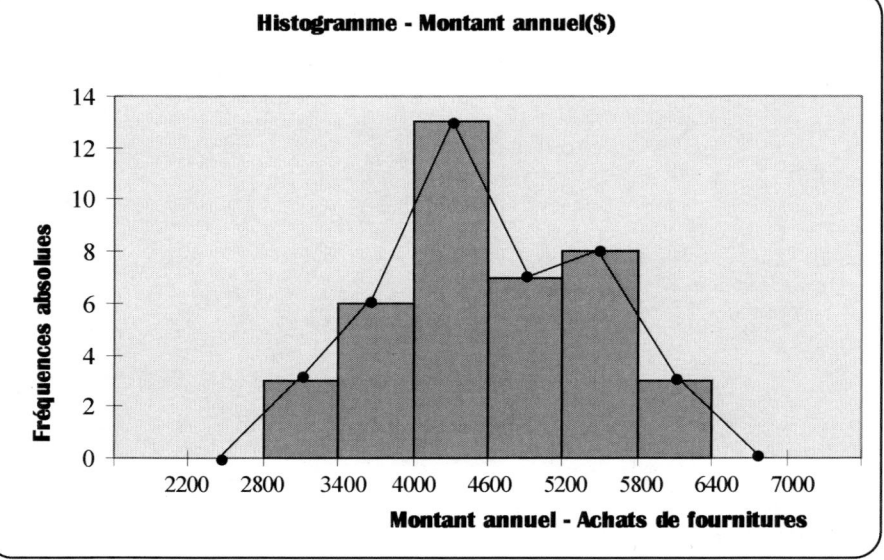

Histogramme - Montant annuel($)

Série 1.4(suite)

Exercice d'apprentissage no 2

a) 45,8%   b) Oui, deux sommets   c) 60 heures   d) Dépouiller le nombre d'heures selon chaque mode d'exploitation.

Série 1.5

a) Q1: Ordinale Q2: Ordinale   Q3: Ordinale   Q4: Nominale

b)

2. Après combien de temps avez-vous ouvert votre commande de chèques, une fois que vous l'avez eue entre les mains?

   ❑ Immédiatement   ❑ De 1 à 5 jours   ❑ De 6 à 14 jours   ❑ De 15 à 30 jours   ❑ Plus d'un mois
   1   **2**   **3**   **4**   **5**

3. Combien de temps s'est-il écoulé entre le moment où vous avez passé votre commande et celui où vous avez reçu vos chèques?

   ❑ De 1 à 3 jours ouvrables   ❑ De 4 à 5 jours ouvrables   ❑ Plus de 5 jours ouvrables
   1   **2**   **3**

4. De quelle façon avez-vous passé votre commande de chèques?

   ❑ Téléphone   ❑ Télécopieur   ❑ En succursale   ❑ Poste   ❑ Internet

c)

Client no	Q1a	Q1b	Q1c	Q1d	Q1e	Q2	Q3	Q4
001	4	5	4	5	5	2	2	3
002	4	4	3	5	4	2	1	2
003	5	5	4	4	5	1	2	3
004	4	5	4	5	5	2	3	5
005	4	4	4	4	4	3	2	3
006	8	4	4	4	4	3	3	5
007	4	5	4	5	5	3	2	3
008	3	4	4	4	4	3	3	5
009	8	4	4	4	4	3	3	5
010	4	5	4	5	5	2	3	5

Série 1.6

a) Diagramme à rectangles horizontaux.

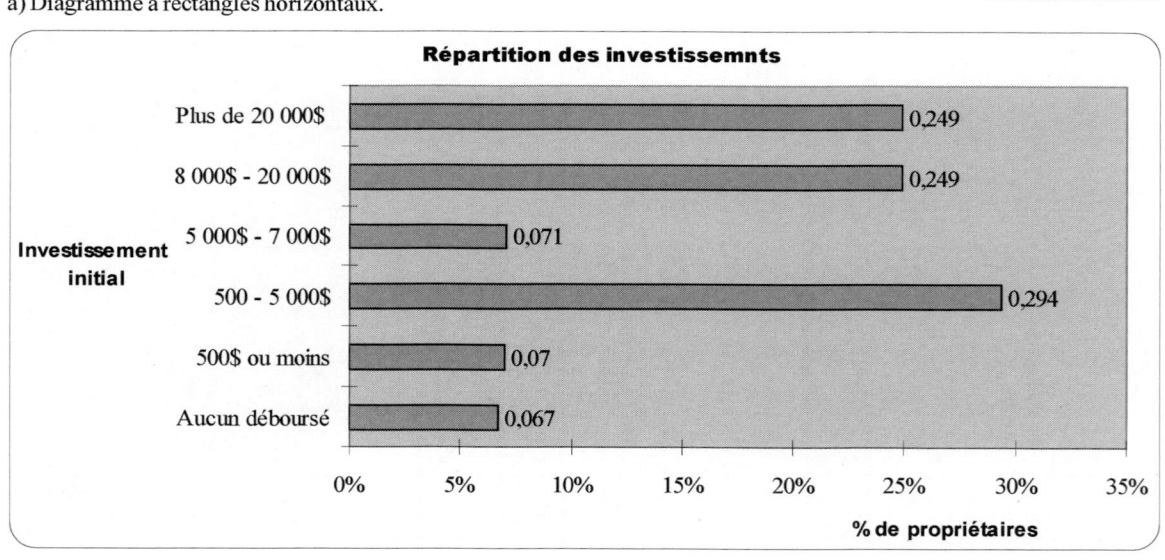

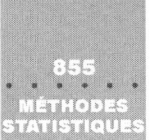
b) Diagramme à secteurs.

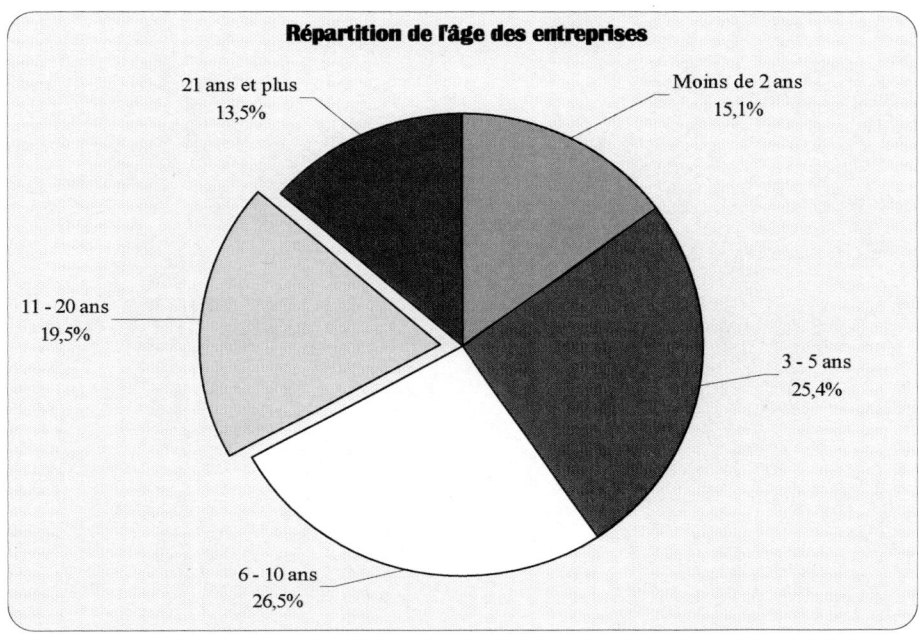

c) Diagramme à rectangles verticaux.

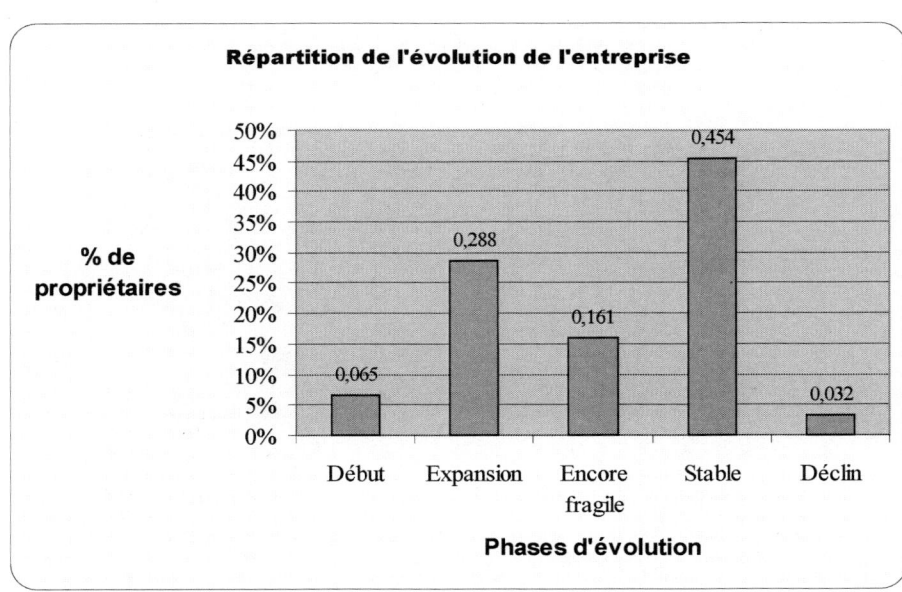

Réponses aux exercices d'application - Chapitre 1

1. i) quantitatif, ordinale ii) qualitatif, nominale   iii) qualitatif, ordinale   iv) quantitatif, ordinale
v) qualitatif, ordinale   vi) quantitatif, rapport vii) quantitatif, ordinale viii) qualitatif, ordinale
ix) qualitatif, ordinale   x) qualitatif, ordinale   xi) qualitatif, ordinale   xii) qualitatif, nominale
xiii) qualitatif, ordinale   xiv) quantitatif, ordinale

2. a) Ordinale.   b) 17.   c) 31%.

3. a) Montant des comptes-clients c) 118,77 d) 6; 19,79   e)   ii) ordinale; nominale; nominale.

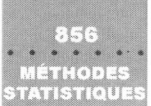
Réponses aux exercices d'application - Chapitre 1(suite)

3. e)

Classes	Fréquences abs.
250 mais moins de 275	4
275 mais moins de 300	8
300 mais moins de 325	6
325 mais moins de 350	10
350 mais moins de 375	7
375 mais moins de 400	1

f) 325 mais moins de 350

4. a) Montant annuel (en $) pour «Lecture»   c) 240)   d) 7; 34,28 soit 35

e)

Classes	Dépouillement	Fréquences absolues
$160 \leq X < 195$	|||	3
$195 \leq X < 230$	++++ ||||	9
$230 \leq X < 265$	++++ ++++ ||	12
$265 \leq X < 300$	++++ ++++ ++++ |	16
$300 \leq X < 335$	++++ ++++ ||	12
$335 \leq X < 370$	++++	5
$370 \leq X < 405$	|||	3

Total: 60

f) Entre 265$ et 300$.

5. b) 386   c) 7   d) ≈ 55 g) 200 mais moins de 250

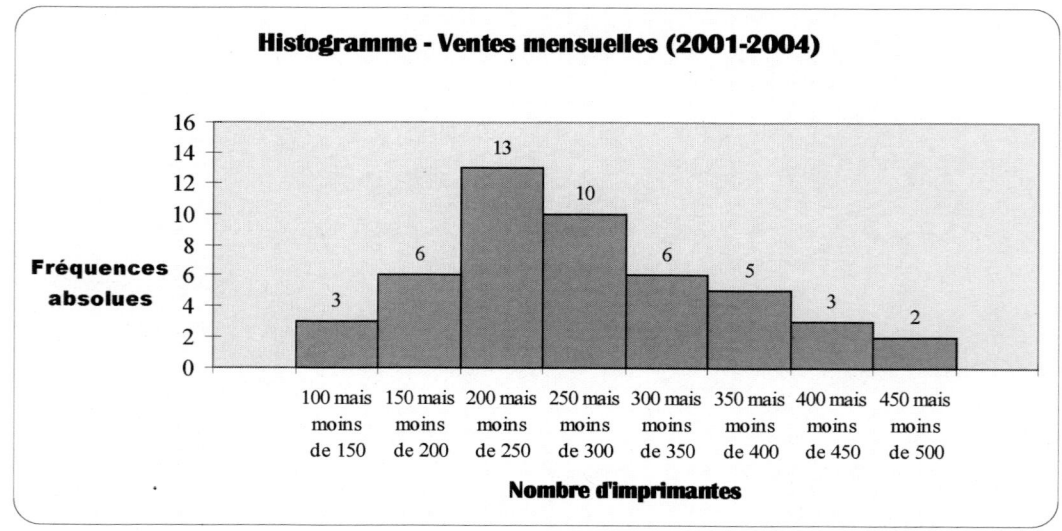

6. a) Âge du propriétaire-dirigeant   b) 38; 54   c) 48   d) Vrai.
Diagramme en feuilles

Fréquences	Tige	Feuille
1	3*	8
8	4	11233344
27	4*	5555666688888888888889999999
14	5	00000011122234

7. a)

5	6	8	9							
6	0	1	3	4	4	5	6	7	8	8	8
7	0	3	3	4	5	6	8	8	8	9	9
8	0	1	1	1	2	2	2	4	8		
9	0										

b) 5,6; 9,0   c) Entre 6 et 7,9 h.

8. a)   Nombre de plaintes par jour; variable quantitative. b) Oui.

c)

x	0	1	2	3	4
f	35	30	18	5	2

f) 92,22%

9. a)   variables quantitatives discrètes et continues.   c)   3; 14.   d)   10 revient 10 fois.

b)

Valeurs	f
3	1
4	2
5	1
6	2
7	4
8	4
9	5
10	10
11	2
12	3
13	5
14	1

e)

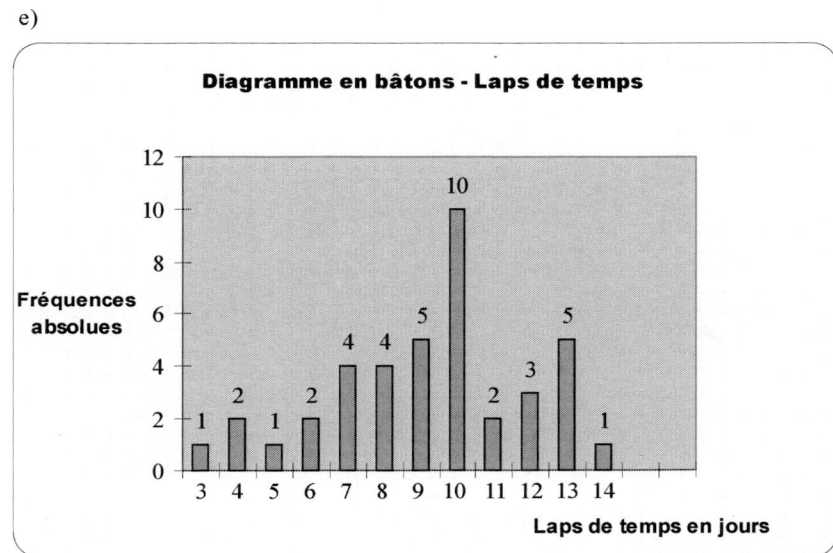

f)

Classes	Fréquence relative (%)
3 mais moins de 5	7,5%
5 mais moins de 7	7,5%
7 mais moins de 9	20,0%
9 mais moins de 11	37,5%
11 mais moins de13	12,5%
13 mais moins de 15	15,0%

h) 35%.

g)

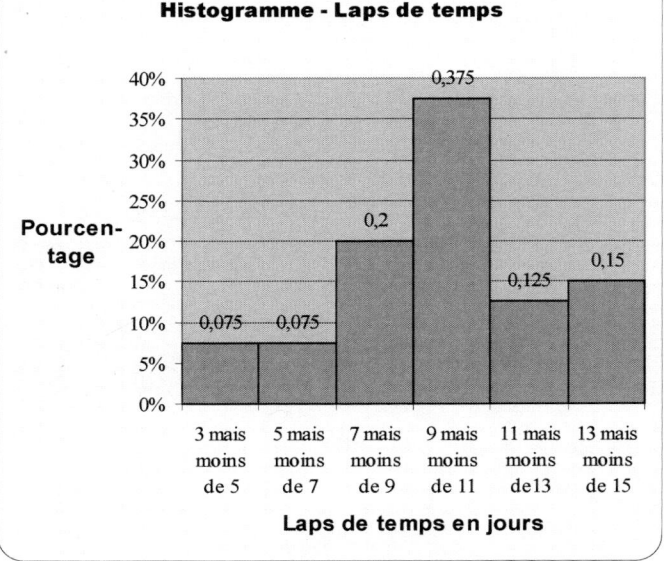

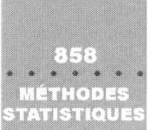
10.

a) b)

Classes	Dépouillement	f	f%
$32\ 500 \leq X < 33\ 500$	|||	3	7,5%
$33\ 500 \leq X < 34\ 500$	||||	4	10,0%
$34\ 500 \leq X < 35\ 500$	||||| |||||		11	27,5%
$35\ 500 \leq X < 36\ 500$	||||| ||||| |||	13	32,5%
$36\ 500 \leq X < 37\ 500$	||||| ||	7	17,5%
$37\ 500 \leq X < 38\ 500$			1	2,5%
$38\ 500 \leq X < 39\ 500$			1	2,5%
		40	100,0%

c)

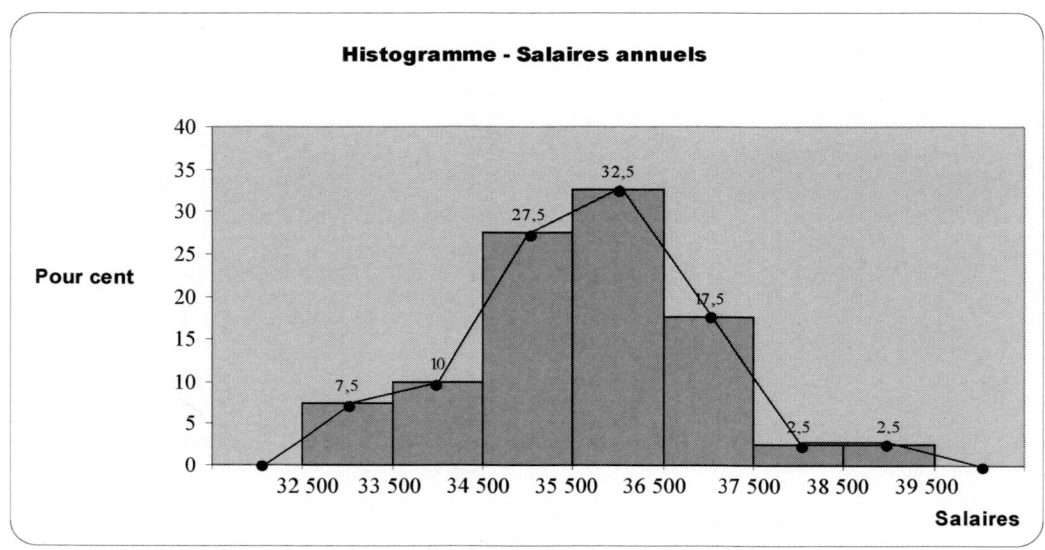

d) 60%   e) 35 500$ f) Non (72,5% trouvent un emploi en 10 jours ou moins et 55% ont un salaire supérieur ou égal à 35 500$).

11. b)

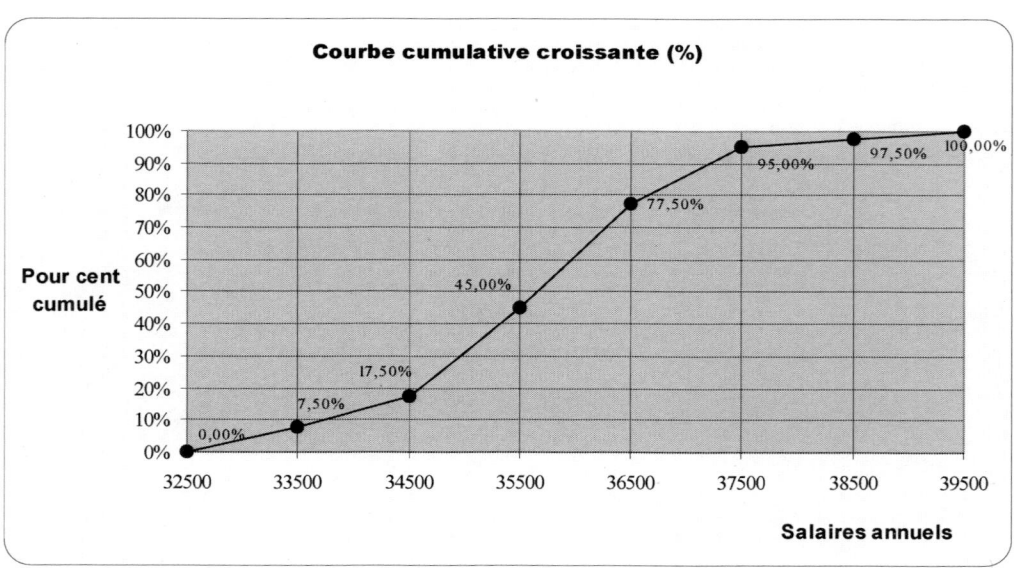

c) De la courbe cumulative croissante, on peut lire:
    17,5%;   77,5%;   97,5%.

d) De la courbe cumulative croissante, on peut lire approximativement 35 600$.

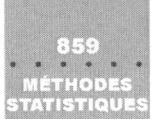

12. a)

Rang	Concentration ordonnée
1	326
2	395
3	410
4	419
5	452
6	453
7	455
8	460
9	465
10	486
11	487
12	487
13	497
14	500
15	506
16	511
17	518
18	519
19	527
20	528
21	544
22	547
23	547
24	550
25	564
26	571
27	571
28	614
29	660
30	712

b) 326; 712   c) 386   d) 6

e)

Classes (Concentration)	Fréquences absolues
320 mais moins de 380	1
380 mais moins de 440	3
440 mais moins de 500	9
500 mais moins de 560	11
560 mais moins de 620	4
620 mais moins de 680	1
680 mais moins de 720	1

f)

Histogramme

Nombre d'individus par classe de concentration de styrène : 1, 3, 9, 11, 4, 1, 1 pour les classes 320 mais moins de 380, 380 mais moins de 440, 440 mais moins de 500, 500 mais moins de 560, 560 mais moins de 620, 620 mais moins de 680, 680 mais moins de 720.

Concentration de styrène

g) Dans l'intervalle 500 mais moins de 560   h) 24 sur 30, soit 80%.

13. b) 45 800$; 78 500$
c) 32 700$
d) 7

e)

Classes (Salaires annuels)	Fréquences absolues
45 000 mais moins de 50 000	2
50 000 mais moins de 55 000	5
55 000 mais moins de 60 000	7
60 000 mais moins de 65 000	13
65 000 mais moins de 70 000	12
70 000 mais moins de 75 000	6
75 000 mais moins de 80 000	3

13. (suite) f)

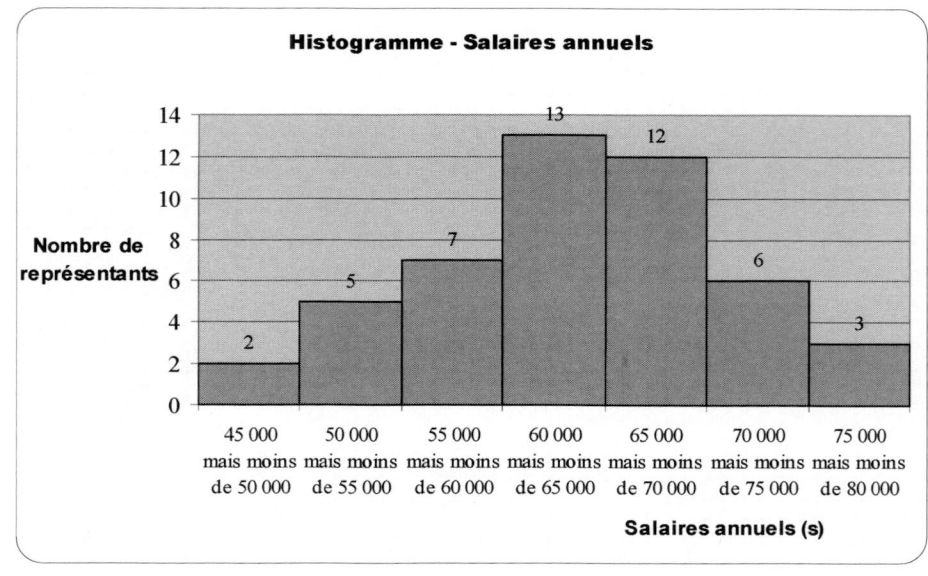

g) 60 000$ mais moins de 65 000$ h) 46 se sont vus offrir un salaire excédant 50 000$ soit 95,83%.

14. a)

20	0 2 5 5 6 6 6 8
30	0 2 2 5 7 9
40	0 1 3 5
50	1 3

b) 200$; 503$ c) 11.

15. a) Variable qualitative

c) Corporation.

b)

Statut	Fréquences absolues	Pourcentages
Corporation	25	83%
Société	3	10%
Coopérative	2	7%
	30	

16. a)

Activité comptable	Informatisation	Proportion
Grand livre	32	0,80
Comptes fournisseurs	30	0,75
Comptes clients	34	0,85

b)

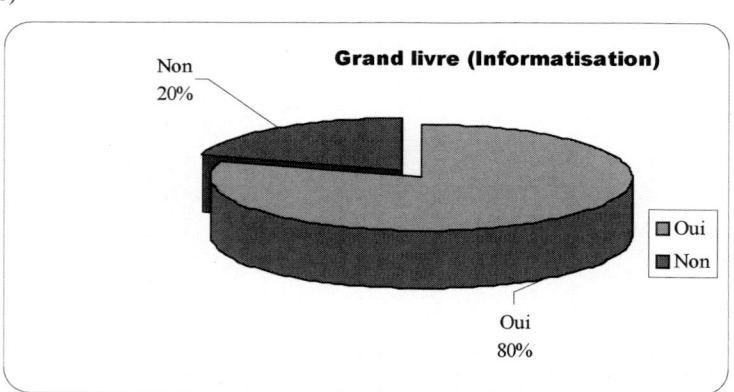

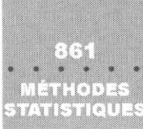
16. b) (suite)

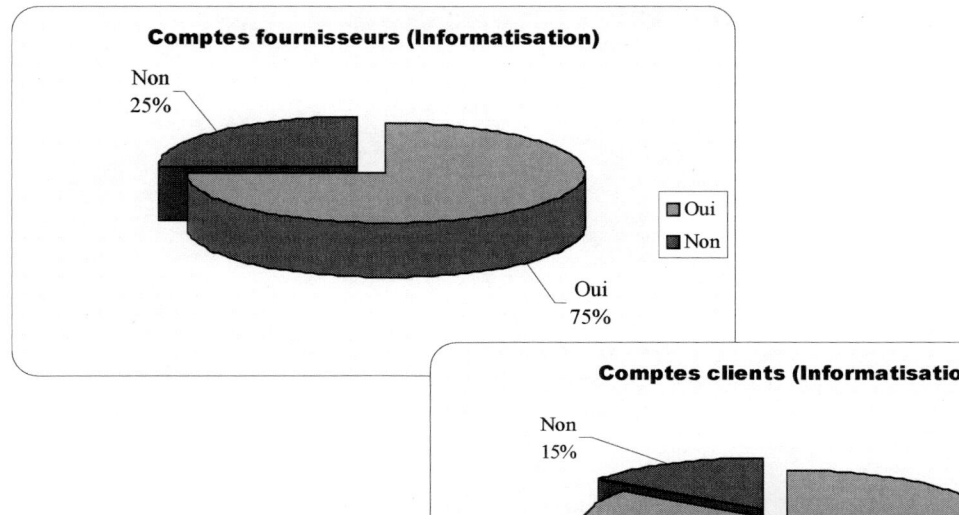

17. a) Q1: Échelle nominale   Q2: Échelle ordinale   Q3: Échelle de rapport   Q4: Échelle de rapport

c) Question Q1

Activité principale	Fréquences abs.	Pourcentages
Manufacturière	22	68,75%
Distribution	7	21,88%
Grossiste	2	6,25%
Autre	1	3,13%

Question Q2

Nombre d'employés	Fréquences abs.	Pourcentages
1 à 50	14	43,75%
51 à 100	5	15,63%
101 à 150	6	18,75%
151 à 200	6	18,75%
Plus de 200	1	3,13%

d) e) f)

Question Q3				Question Q4		
Valeurs	Dépouillement	Fréquences abs.		Valeurs	Dépouillement	Fréquences abs.
43	x	1		45	x	1
44	x x x x	4		46	x x x x	4
45	x x	2		47	x	1
46	x x x x x x x x	8		48	x x x x x x x	7
47	x x x x x x	6		49	x x x x x x x x	8
48	x x x x x x	6		50	x x x x x	5
49	x x	2		51	x x x	3
50	x	1		53	x x x	3
51	x x	2				32
		32				

g) 46 jours.

h) 49 jours.

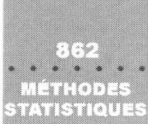

18. a)

Secteur d'activité	Nombre de gestionnaires	Pourcentage
Construction	9	10,2%
Télécommunications	12	13,6%
Technologie de l'information	31	35,2%
Aéronautique	5	5,7%
Consultation en gestion de projet	12	13,6%
Autres	19	21,6%
Total	88	100,0%

b)

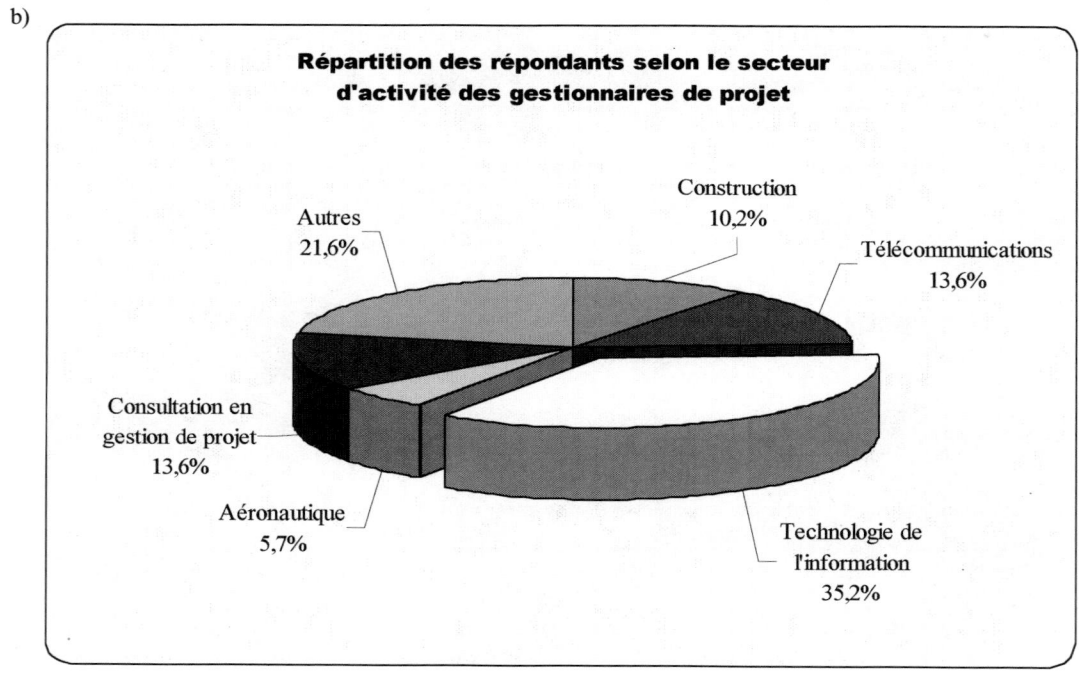

Répartition des répondants selon le secteur d'activité des gestionnaires de projet

19. a)

```
 1 | x
 2 | x
 4 | x x x x x x
 5 | x x x
 6 | x x x
 7 | x x x x x x
 9 | x x
10 | x
11 | x
12 | x
```

b) Il y en a deux: 4 jours et 7 jours.

c)

```
1 | x x
2 | x x x x
3 | x x x x x x x x
4 | x x x
5 | x x
6 | x x
7 | x
```

d) Dans le cas du mois de mai, on constate, que la majorité des retards sont concentrés entre 4 et 7 jours avec quelques valeurs excédant 9 jours. Dans le cas du mois de juin, le nombre de retards le plus fréquent est de 3 jours. La distribution des retards est également moins dispersée. Le processus de livraison a été amélioré.

20.

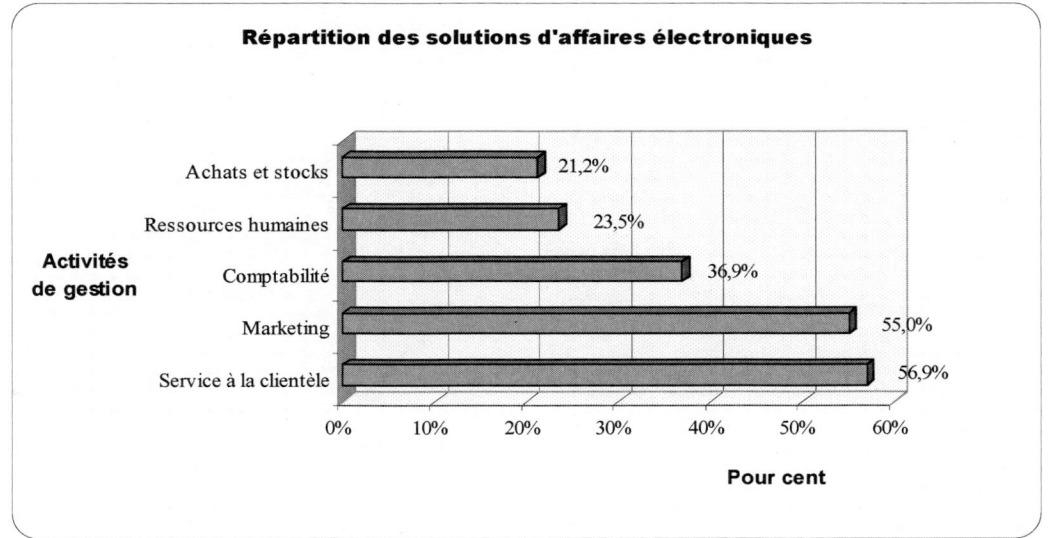

Répartition des solutions d'affaires électroniques

Activités de gestion:
- Achats et stocks — 21,2%
- Ressources humaines — 23,5%
- Comptabilité — 36,9%
- Marketing — 55,0%
- Service à la clientèle — 56,9%

Pour cent

21.

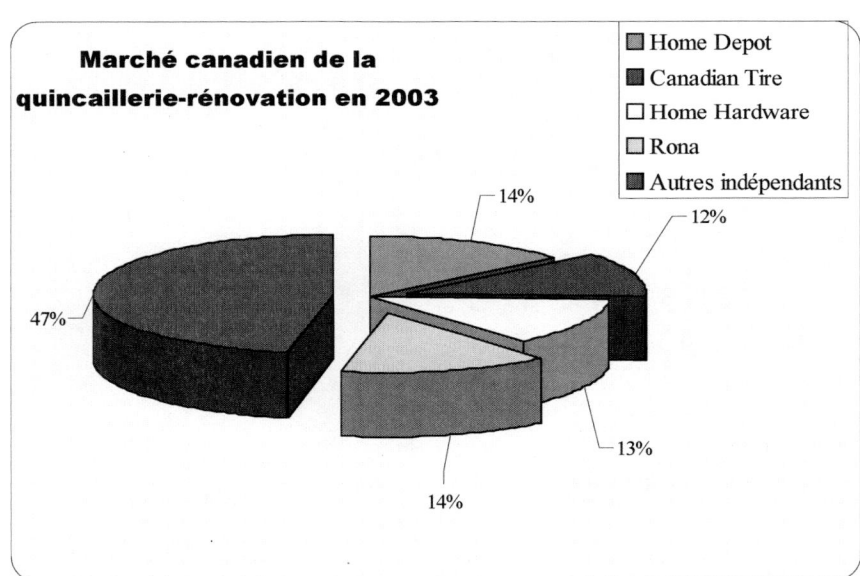

Marché canadien de la quincaillerie-rénovation en 2003

Légende:
- Home Depot
- Canadian Tire
- Home Hardware
- Rona
- Autres indépendants

14%
12%
47%
13%
14%

22.

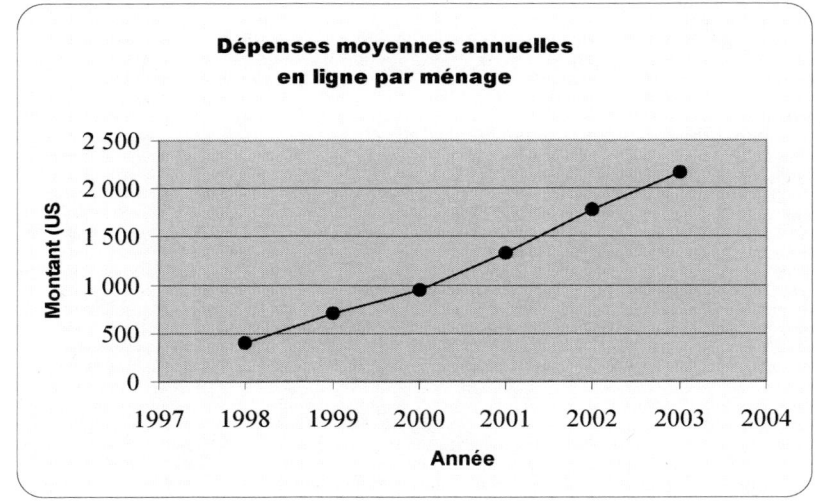

Dépenses moyennes annuelles en ligne par ménage

Montant (US

0 / 500 / 1 000 / 1 500 / 2 000 / 2 500

1997 1998 1999 2000 2001 2002 2003 2004

Année

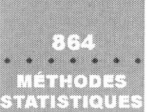

23.

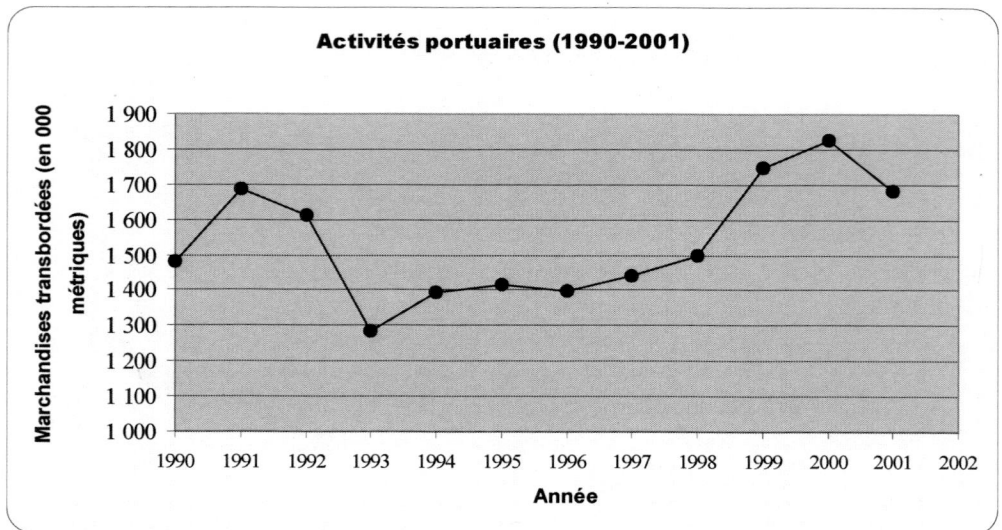

Activités portuaires (1990-2001)

24. a)

Couleur	Pourcentage ordonné
Gris argenté	20,2%
Blanc	18,4%
Noir	11,6%
Gris moyen/foncé	11,5%
Brun-beige	8,8%
Bleu moyen/foncé	8,5%
Rouge moyen	6,9%
Vert moyen/foncé	5,3%
Rouge pompier	3,8%
Rouge foncé	0,9%

b)

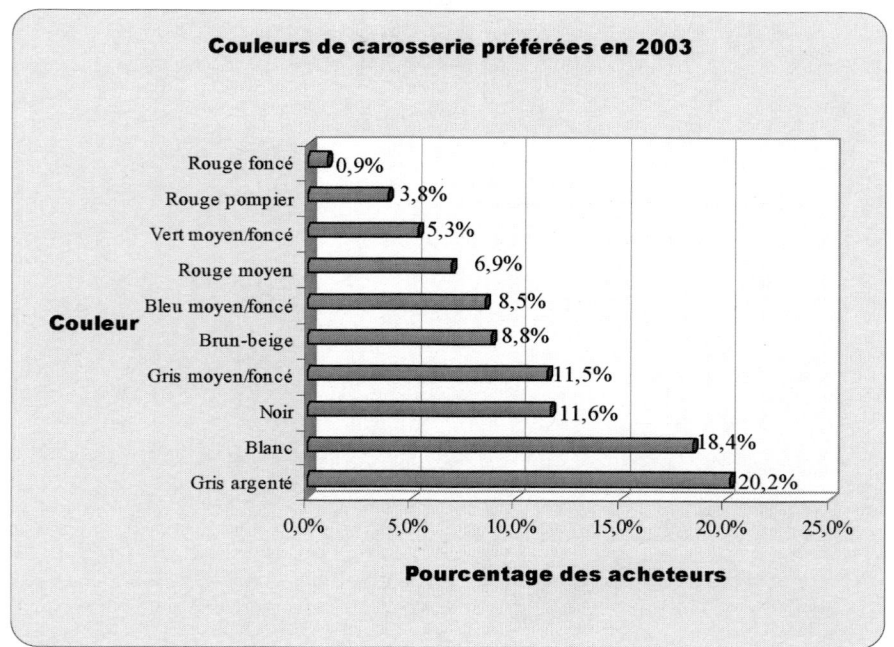

Couleurs de carosserie préférées en 2003

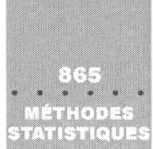
25.

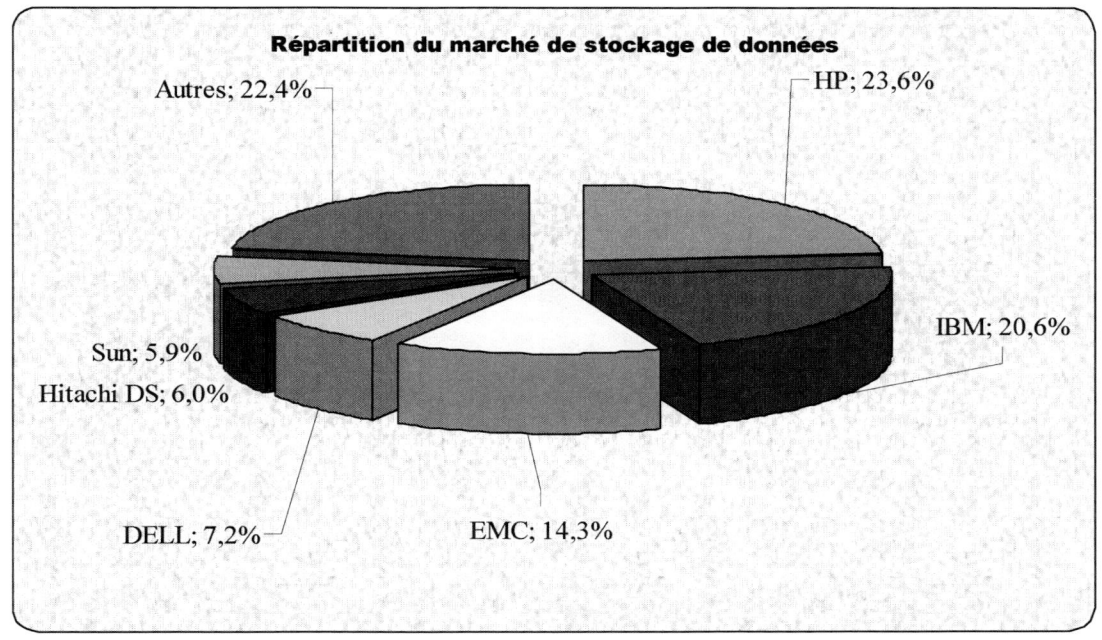

Répartition du marché de stockage de données

Autres; 22,4%

HP; 23,6%

IBM; 20,6%

Sun; 5,9%

Hitachi DS; 6,0%

DELL; 7,2%

EMC; 14,3%

Réponses aux exercices de révision et de synthèse (nombres pairs) - Chapitre 1

26. a) Temps requis pour effectuer une opération   b) continue   c) centiminutes   e) 59;69   f) 10   g) 2

d)
59	59	60	60	61	61	61	62	62	62
62	62	62	62	63	63	63	63	63	63
64	64	64	64	64	64	64	64	64	64
64	65	65	65	65	65	65	65	65	65
66	66	66	66	66	66	66	66	66	66
66	67	67	67	67	67	68	68	68	69

i) $64 \leq X < 66$

h)

Classes	Fréquences absolues	Fréquences absolues
58 mais moins de 60	2	0,033
60 mais moins de 62	5	0,083
62 mais moins de 64	13	0,217
64 mais moins de 66	20	0,333
66 mais moins de 68	16	0,267
68 mais moins de 70	4	0,067
	60	

j) Il y a 20 observations avant la classe $64 \leq X < 66$ et 20 observations après cette classe. La moyenne devrait se situer approximativement au centre de la classe $64 \leq X < 66$, soit $\cong$ 65.

Chapitre 2 - Caractéristiques de tendance centrale et de dispersion

Corrigé des exercices d'apprentissage

Exercice d'apprentissage no 1

a) Création nette moyenne: 1077   b) Somme de carrés: 10115786

c) Montréal   d)   Variance: 1264473,25 ; écart-type: 1124,49   e) $CV\%$: 104,41

f) Le coefficient de variation est très élevé, indiquant que la moyenne n'est pas représentative de la série de données.

Série 2.1(suite)

Exercice d'apprentissage no 2

a) Réduction de: 4052   b) Création nette moyenne: 705

c) Écart-type: 150,633   d) Plus homogène puisque $CV\% = 21,36\%$

Série 2.2

Exercice d'apprentissage no 1

a) Montant total: 4221 millions

b) Montant moyen: 168,84

c) La médiane correspond à la 13e observation dans la série ordonnée, $M_e = 103$.

d) Il y a 12 valeurs de chaque côté de la médiane $M_e = 103$.

Exercice d'apprentissage no 2

a) 50% ... à 103 millions.

b) Montant moyen : 136,33   Médiane = 102.   c) La moyenne.

Série 2.3

Exercice d'apprentissage no 1

a) 8e donnée dans la série ordonnée: $Q_1 = 34\ 636\$$.

b) Moyenne de la 15e et 16e donnée: $M_e = 34\ 985\$$.

c) 23e donnée dans la série ordonnée: $Q_3 = 35\ 330\$$.

d) On peut déclarer une valeur aberrante si elle est inférieure à 33 595$ ou si elle est supérieure à 36 371$.

e) Il n'y a pas de valeurs aberrantes.

Exercice d'apprentissage no 2

a) Non, puisque les quartiles ne sont pas influencés par les valeurs situées dans les extrémités de la série.

b) La moyenne arithmétique, la variance, l'écart-type et le coefficient de variation.

c)

Minimum de la série: 33 735$ Maximum de la série: 36 024$

33250 33500 33750 34000 34250 34500 34750 35000 35250 35500 35750 36000 36250 36500 36750 37000

Salaire annuel ($)

Série 2.4

Exercice d'apprentissage no 1

a) $(5\ 393/73\ 385) \times 100 = 7,35\%$

b) $\cong 5\ 973$ millions $.

Exercice d'apprentissage no 2

79,89%

Exercice d'apprentissage no 3

Le ratio est de 3 à 13; on peut dire que 13 répondants choisissent le secteur des services pour 3 qui choisissent le commerce de détail.

Exercice d'apprentissage no 4

Québec: 14,5%   Saguenay: 18,6%.

Exercice d'apprentissage no 5

23,29.

Série 2.4 (suite)

Exercice d'apprentissage no 6

a) 2 293,20$ b) 2 277,90$ c) 12,01% d) 2 096$ e) 2 289$ f) 2 096$ g) 371$ h) Oui, 3 050$.

Exercice d'apprentissage no 7

a) 249 822$ b) 42 022,54$ c) 324 200$ d) 249 822 $\pm$ 84 045$.

Réponses aux exercices d'application - Chapitre 2

1. a) Moyenne = 78   b) Variance = 22,842   Écart-type = 4,779   c) 95%.   d) Oui (6,13%)

2. a) 70,56 min.   b) 38   c) 80,46; 8,97 min.   d) Entre 42,22 et 98,9 min.

3. a) Salaire moyen = 53 125$.   b) Variance = 49 983 974,36 Écart-type = 7 069,93 $

c) Médiane = 53 833,33$.   d) 58 000$.

4. a) 21 899$ c) Gaspésie   d) 21 847$ e) 8.

5. a) $\overline{x}_{revues} = 8,33$, $\overline{x}_{rapp} = 10,79$, $\overline{x}_{com} = 7,31$ b) $s^2_{revues} = 24,24$, $s^2_{rapp} = 18,62$, $s^2_{com} = 13,98$ d) les rapports

e) celui ayant le CV le moins élevé.

6. a) 90,3387.   b) 81; 16,932   c) Oui, $CV\% = 18,74\%$.

d) $\overline{x} = 94,43$, $s = 14,54$ $CV\% = \dfrac{14,54}{94,43} \times 100 = 15,397\%$ Oui, puisque $CV\% = 18,74\% > 15,397\%$.

7. 368,20$.   **8.** a) 16,99%; 19,25%; 19,63%.   b) Fonds Trimark.

9. a) 24 875$; 1350,34$.   b) Entre 22 174$ et 27 576$.   c) 24 615$.   d) 24 020$.

10. b) 1,315.   c) 1,06.

11. c) Le chiffre d'affaires en Ontario est moins étalé, l'écart-type étant plus faible.   d) 704 328$.

12. a) Sans les données originales, on ne peut déterminer l'âge moyen des entreprises. Nous avons une   distribution à classes ouvertes.   b) 4,27 ans.

13. a) 584,1.   b) 599 546,9.   c) 492,5.   d) 521,22; 243 721,56; 485.

14. b) Revue A: 32,4 Revue B: 41,55. c) Revue A: 31,67 Revue B: 41,74 d) Revue A avec 6 600 clients ayant moins de 35 ans.

15. a) La médiane c) 40% mais moins de 45% d) 40,7%.   e) Pas plus de 50% des entreprises manufacturières ont une dépendance commerciale inférieure à 40,7% et pas plus de 50% des entreprises manufacturières ont une dépendance commerciale supérieure à 40,7%.

16. b) Médiane = 16,43 appels soit environ 16.   **17.** a) 13;20;27.

17. b) 27-13 = 14. c) Non.   **18.** a) Entre 15,528 et 24,472 semaines. b) 89%.

19. a) Banque CIBC avec une diminution de 6%.   b) Caisses pop./crédit avec une augmentation de 3,7%.

20. Oui, puisque 4,2% > 3,4%.   **21.** Ratio de 5 à 9.   **22.** a) 0,846. b) Hétérogène.

23. a) 0,898   b) Plutôt hétérogène.

Réponses aux exercices de révision et de synthèse (nombres pairs) - Chapitre 2

24. a) 91   b) 103   c) 169 d) De Havilland avec 425 millions $ et Pratt & Whitney avec 929 millions$.

26. b) Médiane = 47,68.   c) 36,1.   d) 56,73.

28. d) 90,15; 956,01; 30,92.   e) 93   f) Environ 54% g) $Q_1 = 60$; $Q_2 = 93$; $Q_3 = 116,5$

30. a) 81,725.   b) s=4,6176   c) 5,65%.

Chapitre 3 - Calcul des probabilités

Corrigé des exercices d'apprentissage

Série 3.1

Exercice d'apprentissage no 1

Schématisation des résultats possibles du contrôle

| 1er tirage | 2e tirage | 3e tirage | Résultats possibles |

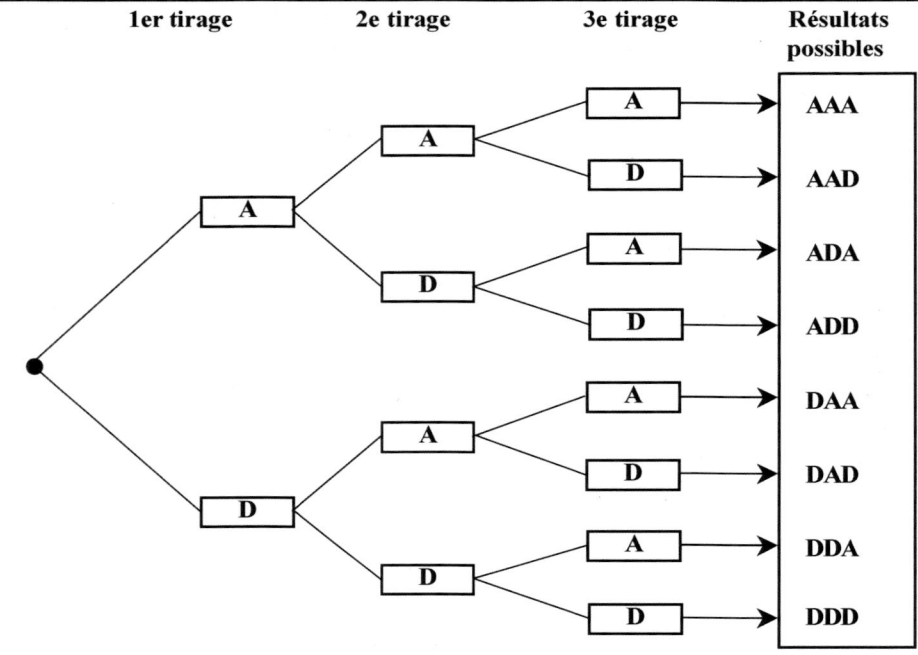

a) $S = \{$AAA, AAD, ADA, *ADD, DAA, DAD, DDA, DDD*$\}$.   b) $B = \{AAA\}$.

c) Décrire en mots à quoi correspond l'événement suivant: $C = \{$AAD, ADA, DAA$\}$.

Cet événement correspond à obtenir, comme résultat du prélèvement de trois bordereaux, *exactement deux bordereaux conformes ou exactement un bordereau non conforme.*

d) $X = \{AAA, AAD, ADA, DAA\}$.

Série 3.2

Exercice d'apprentissage no 1

$S = \{2,3,4,5,6,7,8,9,10,11,12\}$

Exercice d'apprentissage no 2

a) Dressez la liste de tous les résultats possibles de cette expérience.

$E_1 = \{P_1, P_2\}$ $E_5 = \{P_2, P_3\}$ $E_8 = \{P_3, P_4\}$ $E_{10} = \{P_4, P_5\}$

$E_2 = \{P_1, P_3\}$ $E_6 = \{P_2, P_4\}$ $E_9 = \{P_3, P_5\}$

$E_3 = \{P_1, P_4\}$ $E_7 = \{P_2, P_5\}$

$E_4 = \{P_1, P_5\}$

L'espace échantillonnal s'écrit: $S = \{E_1, E_2, E_3, E_4, E_5, E_6, E_7, E_8, E_9, E_{10}\}$

b) i) E_4 ii) $\{E_1, E_2, E_3, E_4, E_5, E_6, E_7\}$ iii) $\{E_4, E_7, E_9, E_{10}\}$

Série 3.3

Exercice d'apprentissage no 1

a) que son choix se porte sur un appareil de couleur blanche ? 0,48

b) que son choix soit celui d'appareil de couleur soit verte, soit jaune ? 0,12 + 0,34 = 0,46

c) que son choix se porte sur un appareil de couleur autre que acier ? 1 - 0,06 = 0,94

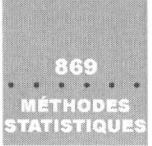
Série 3.3 (suite)

Exercice d'apprentissage no 2

a) On veut $P((\,35 \le X < 40\,) \cup (40 \le X < 45\,)) = P(35 \le X < 40) + P(40 \le X < 45\,)$
$= 201/800 + 102/800 = 303/800 = 0{,}37875$.

b) On cherche à déterminer que la probabilité que l'événement $X \ge 20$ se réalise :
$P(\,X \ge 20\,) = 1$. On pourrait qualifier cet événement comme *certain*.

Exercice d'apprentissage no 3

a) L'événement correspond à $C = \{AAD, ADA, DAA\}$.

$P(C) = 3 \times [(0{,}999)(0{,}999)(0{,}001)] = 0{,}002994$.

b) Événement $= \{AAA\}$, Probabilité $= (0{,}999)^3 = 0{,}997$.

Exercice d'apprentissage no 4

a) Propriétés A_1 et A_3 vérifiées; A_2, non vérifiée.
$P(S) = 0{,}90 < 1{,}0$.
b) Toutes les propriétés sont vérifiées.
c) Propriété A_1 non vérifiée. Une probabilité ne peut être négative.
d) Propriétés A_1 et A_3 vérifiées; A_2 non vérifiée.
$P(S) = 1{,}02 > 1$.

Série 3.4

Exercice d'apprentissage no 1

a) $P(A \cup B) = P(A) + P(B) - P(A \cap B) = \dfrac{165}{400} + \dfrac{240}{400} - \dfrac{90}{400} = \dfrac{315}{400} = 0{,}7815$

b) $P(A' \cap B) = \dfrac{240}{400} - \dfrac{90}{400} = \dfrac{150}{400} = 0{,}375$

c) $A' \cap B'$ qui peut aussi s'écrire $A' \cap B' = (A \cup B)'$

$P(A \cup B)' = 1 - P(A \cup B) = 1 - \dfrac{315}{400} = \dfrac{85}{400} = 0{,}2125$

Exercice d'apprentissage no 2

b) $P(A' \cap B) = 0{,}25$

c) $P(A' \cup B') = 0{,}80$

d) $P(A \cap B') = 0{,}10$

e) $P(A \cup B') = 0{,}75$

Série 3.5

Exercice d'apprentissage no 1

a) On suppose que les événements sont indépendants.
A: premier patient présente des effets secondaires
B: deuxième patient présente des effets secondaires
$P(A \cap B) = P(A) \times P(B) = (0{,}04)(0{,}04) = 0{,}0016$

b) $P(A \cap B') = P(A) \times P(B') = (0{,}04)(0{,}96) = 0{,}0384$

Exercice d'apprentissage no 2

a) L'événement correspondant est $E \cup F$ et

$$P(E \cup F) = P(E) + P(F) = \frac{311}{749} + \frac{8}{749} = \frac{319}{749} = 0,4259.$$

b) $P(B \cap E) = \frac{206}{749} = 0,2750.$

c) $P[C \cap (E \cup F)] = P[(C \cap E) \cup (C \cap F)] = P(C \cap E) + P(C \cap F) = \frac{84}{749} + \frac{3}{749} = \frac{87}{749} = 0,1161.$

d) $P(E \cap C | C) = \frac{P[(E \cap C) \cap C]}{P(C)} = \frac{P(E \cap C)}{P(C)}.$

Or $P(E \cap C) = \frac{84}{749}$ et $P(C) = \frac{156}{749}$, d'où $\frac{P(E \cap C)}{P(C)} = \frac{\frac{84}{749}}{\frac{156}{749}} = \frac{84}{156} = 0,5385.$

Exercice d'apprentissage no 1

a) $P(E_1 \cap A') = 0,384; P(E_2 \cap A') = 0,329; P(E_3 \cap A') = 0,2425.$

b) $E_1 \cap A'$: la forme a été traitée par le commis C_1 et ne présente pas d'erreur.

$E_2 \cap A'$: la forme a été traitée par le commis C_2 et ne présente pas d'erreur.

$E_3 \cap A$: la forme a été traitée par le commis C_3 et présente une erreur.

$E_3 \cap A'$: la forme a été traitée par le commis C_3 et ne présente pas d'erreur.

c) $P(E_2 \cap A') = 0,329$ d) $P(E_3 | A) = \frac{0,0075}{0,0445} = 0,1685$

Exercice d'apprentissage no 2

a) $P(E_2) = 0,35, P(A | E_2) = 0,06, P(E_2 \cap A) = 0,021, P(E_2 | A) = 0,4719$

$P(E_3) = 0,25, P(A | E_3) = 0,03, P(E_3 \cap A) = 0,0075, P(E_3 | A) = 0,1685$

b) Elle représente $P(A)$, la probabilité que la forme administrative présente une erreur.

$2^{10} = 1024$ profils différents.

Exercice d'apprentissage no 1

a) $P(6,4) = 360$ b) $6^4 = 1296.$

Exercice d'apprentissage no 2

a) $\binom{10}{2} = 45; \binom{8}{2} = 28; P(A) = 28 / 45;$ 62 chances sur 100.

b) $P(A') = 1 - 0,6222 = 0,3778.$ c) $1/45.$

Réponses aux exercices d'application - Chapitre 3

1. a) Prélever au hasard de la production, deux modules électroniques et les classer conformes ou non conformes.

b) 4, 2 pour chaque module (2) (2) = 4.

c) C: Module conforme   NC: Module non conforme

1er module	2e module	Résultats possibles
Conforme	Conforme	E_1 = {C, C}
Conforme	Non conforme	E_2 = {C, NC}
Non conforme	Conforme	E_3 = {NC, C}
Non conforme	Non conforme	E_4 = {NC, NC}

d) i) 0,000001823 ii) 0,0026963 iii) 0,997302

2. a) S = {0, 1, 2, 3, ..., 11, 12}.

b) A = {6, 7, 8, 9, 10, 11, 12} c) Le lot comporte 2 ou 3 ou 4 ou 5 rubans non conformes.

3. a) S = {0, 1, 2, 3, ...}

b) A = {0, 1, 2} c) Vente de 5 ou 6 ou 7 télécopieurs de marque Panak par mois.

4. a) S = {AA, AB, AC, BA, BB, BC, CA, CB, CC}

b) 1/9 c) 4/9 d) 5/9; E = {AA, AB, AC, BA, CA}.

5. a) 0,05 b) 0,60 c) 0,17 d) 1 - 0,17 = 0,83.

6. a) Choisir au hasard une personne ayant répondu à ce sondage.

b) L'ensemble des Québécois francophones qui ont répondu au sondage.

c) S = {Vélo, camping, ..., Autres}.

d) P(Vélo) = 0,25, P(Camping) = 0,15, ..., P(Autres) = 0,21. e) 0,24 f) 0,91.

7. a) Pratiquement 20 chances sur 100 b) 0,25 c) 0.

8. a) 0,2707 b) 0,01998.

9. b) S = {(0,0), (0,1), (0,2), (0,3), (1,0), (1,1), (1,2), (1,3), (2,0), 2,1), (2,2), (2,3), (3,0), (3,1), (3,2), (3,3)}.

c) {(1,1), (1,2), (1,3), (2,1), (2,2), (2,3), (3,1), (3,2), (3,3)}.

d) {(0,2), (2,0)}.

e) {(3,0), (3,1), (3,2), (3,3)}.

f) {(0,0), (1,0), (2,0), (3,0)}.

g) Une non-conformité mineure ou une non-conformité majeure ou une non-conformité critique.

10. La somme des pourcentages pour les diverses catégories listées excèdent 100%.

11. a) 1/16. b) 4/16 = 1/4. c) P(A) = 9/16. d) P(B) = 2/16. e) 4/16, événements (3,0), (3,1), (3,2), (3,3).

12. a) 435 472/934 471 b) 308 464/934 471.

13. a) 2/35 b) 34/35. c) 12/35.

14. a) 719/2238 b) 406/2238 c) 1113/2238

15. a) $P(A \cap B) = 0$ b) $P(B \cap C) = 0$ c) $P(C') = 0,43$ d) $P(A \cup C) = 0,85$ e) $P(B \cup C) = 0,72$

16. a) i) $P(A) = P(E_1) + P(E_3) + P(E_5) = 0,51$. ii) $P(B) = 0,59$. iii) $P(C) = 0,30$.

b) i) $P(A \cap B) = 0,40$. ii) $P(A \cap C) = 0,11$.

c) Non, puisqu'ils ont l'événement E_3 en commun. d) $P(B') = 0,41$. e) $P(A \cup C) = 0,70$.

17. b) $A' \cap B$; $P(A' \cap B) = 0,25$ c) $P(A \cap B') + P(A' \cap B) = 0,70$ d) 0,20

18. a) i) B ii) 0,499. b) i) D ii) 0,2849 c) i) $C \cup D$ ii) 0,9502

d) i) $A \cap C$ ii) 0,3157 e) i) $E \cap B'$ ii) 0,035 f) i) $A \cup D$ ii) 0,6355

19. a) 0,02586 b) 0,24

22. $P(A \cap B) = P(A) \cdot P(B|A)$. **23.** a) $p = 0,40$ b) $p = 4/7$ c) $p = 0,50$

24. 6/7 **25.** a) 0,57 b) 0,098 c) 0,1429

26. a) 64/359   b) 188/359   c) 25/359   d) 11/30
27. a) 0,55   b) 0,80   c) 0,25   d) 3/7
28. a) 0,30   b) 0,86   c) 0,66   d) 0,14   e) 0,68182   **29.** 0,5227
30. a) 0,7889   b) 0,60   c) 0,0278   d) 0,2778   e) 0,5555   **31.** a) 0,19   b) 0,61
32. b) 0,475   c) 0,225   **33.** a) 0,01   b) 0,18   c) 0,81
34. 1/36   **35.** $P(B|E) = 0,60 \neq P(B) = 0,2778$; les événements ne sont pas indépendants.
36. 0,999875   **37.** 0,7286   **38.** a) 0,0005 b) 0,9555 c) 0,044
39. 0,9474   **40.** a) 0,8745 b) 0,0015 c) 90,15%.   **41.** a) 0,72 b) 0,04 c) 0,4286
42. b) ii) Seulement le contrat des micro-ordinateurs est octroyé

c) $P(E_1 \cap E_2) = 0,40$ d) $P(E_1' \cap E_2) = 0,12$ e) $P(E_2) = 0,52$ f) $P(E_1|E_2) = 0,7692$

43. b) i) 0,65   ii) 0,55   iii) 0,40   c) 0,3575   d) 0,0425
44. a) 10^4 b) 26 000   c) 1 679 616   **45.** a) 118 813 760   b) 59 406 880
46. a) 360   b) 1296   c) a) 1/360; b) 1/1296   d) 23/360   **47.** 1260.   **48.** 230 300.
49. a) 720/3003   b) 756/3003   c) 6/3003   d) 2997/3003
50. a) 15/1365   b) 126/1365   c) 141/1365   d) 540/1365

Réponses aux exercices de révision et de synthèse (nombres pairs) - Chapitre 3

52. a) $P(NC) = 100/800 = 0,125$ b) $P(Y) = 400/800 = 0,5$ c) $P(X \cap C) = 360/800 = 0,45$

d) $P(C|X) = \dfrac{360/800}{400/800} = 0,90$

54. a) 0,65   b) 0,60   c) 0,85   d) 0   **56.** a) 0,15   b) 0,06   c) 0,49
58. i) 0,41   ii) 0,0508 ou 3/59   **60.** a) 35   b) 12

Chapitre 4 - Modèles probabilistes discrets

Corrigé des exercices d'apprentissage

Série 4.1

Exercice d'apprentissage no 1

a)
X	0\$	100\$	500\$	5000\$
$P(X=x)$	0,9969	0,002	0,001	0,0001

b) 99,69%

c) $E(X) = (0)(0,9969) + (100)(0,002) + (500)(0,001) + (5000)(0,0001) = 0,2 + 0,5 + 0,5 = 1,20\$$

d) 1,20

e) 1,20 - 2,00 = -0,80\$ (perte).

Exercice d'apprentissage no 2

a) $\alpha/2 + 3\alpha/2 + \alpha = 1$, $3\alpha = 1$, $\alpha = 1/3$.

b)
x	0	1	2
$f(x)$	1/6	1/2	1/3

c) $P(1 \leq X < 2) = P(X = 1) = 1/2$.

d) Pour $x = 1$, $P(X \leq x) = 1/6 + 1/2 = 2/3 = 0,666 > 0,6$.

Corrigé des exercices d'apprentissage - chapitre 4 (suite)

Série 4.2

Exercice d'apprentissage no 1

a) Le gérant reçoit ou ne reçoit pas de prime.

b) Succès: gérant reçoit une prime; probabilité = 0,22.

c) $P(X = 0 \mid n = 18, p = 0,22) = 0,0114$ (avec Excel).

d) On a $np = (18)(0,22) = 3,96$

$P(X > 3,96) = P(X \geq 4) = 1 - P(X \leq 3) = 1 - 0,4175 = 0,5825$ (avec Excel).

Exercice d'apprentissage no 2

a) On a $n = 12$, $p = 0,30$.

$P(X = 5 \mid n = 12, p = 0,30) = 0,1585$.

b) $P(X < 3) = P(X \leq 2 \mid n = 12, p = 0,30 = 0,0138 + 0,0712 + 0,1678 = 0,2528$.

c) $P(X \geq 4) = 0,2311 + 0,1585 + 0,0792 + 0,0291 + 0,0078 + 0,0015 + 0,0002 = 0,5074$.

Non, puisque la probabilité excède à peine 50%.

d) $E(X) = np = (12)(0,30) = 3,6$ entreprises.

Exercice d'apprentissage no 3

a) L'expression algébrique de la loi binomiale est dans ce cas:

$$b(x; n{=}10, p{=}0,08) = \binom{10}{x} \cdot (0,08)^x (0,92)^{10\text{-}x}, \ x = 0,1,2, ..., 10.$$

On veut $P(X = 2) = \binom{10}{2} \cdot (0,08)^2 (0,92)^8$

On obtient cette probabilité directement de la table des probabilités binomiales, soit

$P(X = 2) = 0,1478$. Il y a pratiquement 15 chances sur 100 que ...

b) $P(X < 3) = P(X \leq 2) = P(X = 0) + P(X = 1) + P(X = 2)$
$= 0,4344 + 0,3777 + 0,1478 = 0,9599$.

c) $P(X \geq 2) = 1 - P(X \leq 1) = 1 - 0,8121 = 0,1879$.

L'affirmation est ***inexacte*** puisque la probabilité trouvée est ***inférieure*** à 0,50.

d) 0.

Exercice d'apprentissage no 4

a) Puisque $\lambda = 1,6$ alors $P(X = x) = \dfrac{e^{-1,6}(1,6)^x}{x!}$, $x = 0,1,2,...$.

b) $\sigma(X) = \sqrt{1,6} = 1,2649$ accident/jour.

c) On veut $P(X > 2) = 1 - P(X \leq 2)$. $P(X \leq 2) = \sum_{x=0}^{x=2} p(x; 1,6) = 0,2019 + 0,3230 + 0,2584 = 0,7833$

La probabilité cherchée est donc: $P(X > 2) = 1 - 0,7833 = 0,2167$.

d) Puisque $E(X) = 1,6$ et que $\sigma(X) = 1,2649$, on veut calculer la probabilité suivante: $P(0,3351 \leq X \leq 2,8649)$.

D'autre part, la variable de Poisson est une variable aléatoire discrète qui prend les valeurs 0,1,2, ...; par conséquent $P(0,3351 \leq X \leq 2,8649) = P(1 \leq X \leq 2) = 0,3230 + 0,2584 = 0,5814$.

e) La probabilité maximale s'obtient à $x = 1$ avec probabilité 0,3230.

Corrigé des exercices d'apprentissage - Chapitre 4 (suite)

Série 4.2

Exercice d'apprentissage no 5

$E(X) = \lambda_1 + \lambda_2 = 2 + 3 = 5$
$P(X = 5 | \lambda = 5) = 0{,}1755$

Série 4.3

Exercice d'apprentissage no 1

a) Puisque $n = 80 > 20$ et $p = 0{,}015 < 0{,}10$, on peut obtenir une approximation de cette probabilité avec la loi de Poisson de paramètre $\lambda = 1{,}2$.

Notons par X, le nombre de factures d'achat ayant été acquittées deux fois par erreur dans un échantillon de taille $n = 80$.

Le lot est accepté si $X \leq 2$.

La probabilité d'acceptation du lot est donc:

$$P(X \leq 2) = \sum_{x=0}^{2} p(x; 1,2) = 0{,}3012 + 0{,}3614 + 0{,}2169$$

$$= 0{,}8795 ; \quad 0{,}88$$

On effectue un contrôle exhaustif du lot si $X \geq 3$. On veut $P(X \geq 3)$.

$$\text{Toutefois } P(X \geq 3) = 1 - P(X < 3) = 1 - P(X \leq 2)$$

$$= 1 - 0{,}8795$$

$$= 0{,}1205.$$

Exercice d'apprentissage no 2

a) 0,0476   b) 0,9512   c) i) 0,2565   ii) 0,1336   d) $x = 2$.

Réponses aux exercices d'application - Chapitre 4

1. a) X: résultat au test d'aptitude, variable continue, $0 \leq x \leq 120$.

b) X: nombre d'accidents de travail, variable discrète, $x = 0,1,2,..., k$

c) X: temps d'accès à un CD-Rom, variable continue, $0 \leq x \leq k$,
k est une valeur finie.

d) X: nombre d'observations sur 20 comme travail productif, variable discrète,
$x = 0,1,2,...,20$.

e) X: temps d'assemblage d'un montage, $x > 0$, variable continue.

f) X: nombre de pièces non conformes dans un échantillon de 12 pièces, variable discrète, $x = 0,1,2,3,..., 12$.

g) X: nombre de pannes hebdomadaires, $x = 0,1,2,...$, variable discrète.

h) X: nombre d'heures de travail supplémentaires, variable continue, $0 \leq x \leq k$.

i) X: durée d'une semaine de travail, variable continue, $0 \leq x \leq k$.

2. b)   0,672.   c) 0,852 < 0,95; non.   d) 5,2%.   **3.** a)   0,1   c) 0,2

4. 229 000$.   **5.** a) 19,75% b) 6,8218; 34,54%.   c) 0   d) L'entreprise de micro-ordinateurs.

6. a)   A: 32 750$; B: 28 500.   b) A: 6417,75$; B: 5937,17$.

c)   B est légèrement plus risqué.

d)   A: 31 750$; 6417,75$.   B: 27 500$; 5937,17$.

7. a) 12 000$ b) 147 000$ c) Gain anticipé = 3 000$.

Réponses aux exercices d'application - Chapitre 4 (suite)

8. b) 280 \$/jour c) 4 000,5625 ; 63,25 \$/jour

9. a) Loi binomiale b) 0,00227 c) 0,31182. d) 0,91156. e) 1,1.

10. a) 0,09702. b) 0,00472. c) 4. **11.** b) 3. c) À $x = 3$. d) 0,9998.

12. a) 0,0133 b) 0,9975 c) 0,0000 d) 1 e) $x = 1$ f) 0,0158

13. a) 0,194 b) 5,1 c) 0,0977 **14.** a) 0,125 d) 2; 1,75; 1,323 e) 0,118067

15. a) Soit X le nombre de foyers trouvant que le bac se manipule moins bien que les sacs à ordure dans un échantillon de $n = 12$ foyers.

   X sera un nombre entier (variable discrète) dont les valeurs possibles sont $x = 0,1,2,3, ..., 12$.

   b) $P(X = 6 \mid n = 12, p = 0,10) = 0,0005$.

   c) Vrai puisque $P(X = 0 \mid n = 12, p = 0,10) = 0,2824$.

16. a) $p = 0,75$, $n = 15$ b) 11,25 c) 1,677 d) 0,01336 e) 0,05662

17. b) Non c) 0,0189 d) 0,0002 e) 3

18. b) 8,8. c) 0,0002. d) 0,0621. e) 8. f) $\cong$ 29 j.

19. a) 0,04756. b) 0,951229. c) i) 0,2565. ii) 0,1336.

20. a) 0,3679. b) 0,9856. c) 0,9512. **21.** 0,4335.

22. b) 0,11346. c) 0,934456. d) 0,1468249. f) 3,4; 3,4. g) 0,1479.

23. a) 5,8 b) $x = 5$. c) 0,47842. d) 0,035

24. a) X : nombre de tubes non conformes dans l'échantillon, $x = 0,1,2,..., 150$.

   c) Loi de Poisson ; oui. d) 0,0186 e) 0,0549.

25. a) 153. b) 1/153. c) $x = 0,1,2$. e) 0,2941. **26.** b) 0,5.

27. b) 0,446896. c) 0,498522 d) Non e) Non, le lot n'en comporte que 3.

28. a) 0,7158. b) 0,2842.

29. a) 0,1755. b) 0,2506. c) 0,0136. d) 0,1183. **30.** c) 0,1680. **31.** 59,4%.

32. b) i) 0,2707. ii) 0,1804. iii) 0,012. c) 67,67%. d) 4. e) 9.

33. a) 0,0429. b) 0,03151. c) 20. **34.** 29 500\$.

35. 0,01492. **36.** a) 0,04096. b) 12,5.

Réponses aux exercices de révision et de synthèse (nombres pairs) - Chapitre 4

38. On sait que $p = 0,414$ (proportion des organismes qui font usage du chiffrier électronique Excel).

   a) Nombre d'organismes dans un échantillon de taille $n = 15$ utilisant Excel pour le traitement de données.

   b) Modèle binomial: $b(x; n = 15, p = 0,414)$.

   c) i) $P(X = 3 \mid n = 15, p = 0,414) = 0,0529$ (résultat obtenu avec la fonction LOI.BINOMIALE d'Excel)

   ii) $P(4 \le X \le 8) = P(X \le 8) - P(X \le 3) = 0,8843 - 0,0741 = 0,8102$

   iii) $P(X > 5) = 1 - P(X \le 5) = 1 - 0,3607 = 0,6393$

   iv) $P(X \le 6) = 0,5660$

   d) On a alors $n = 36$, $p = 0,414$.

   i) On cherche $P(X = 18 \mid n = 36, p = 0,414)$. Avec Excel, on obtient $P(X = 18) = 0,0769$

   ii) Avec la loi de Poisson, on a $np = (36)(0,414) = 14,904$. $P(X = 18 \mid np = 14,904) = 0,0692$.

   e) $N = 140$, $n = 36$.

   i) On a $\dfrac{n}{N} = \dfrac{36}{140} = 0,2571$, taux de sondage $> 0,10$. On utilise alors la loi hypergéométrique.

   ii) Avec la fonction LOI.HYPERGEOMETRIQUE, on trouve
   LOI.HYPERGEOMETRIQUE (18; 36; 58; 140) = 0,0749.

Chapitre 5 - Modèles probabilistes continus

Corrigé des exercices d'apprentissage

Exercice d'apprentissage no 1

a) $P(X > 23) = P(Z > -0,56) = 0,2123 + 0,5 = 0,7123$.

b) $P(X < a) = 0,12$, donc $P(a < X < \mu) = 0,38$ avec $a < \mu$. Sous forme centrée réduite, on a $P(z_1 < Z < 0) = 0,38$ et la valeur centrée réduite correspondante est $z_1 = -1,175$.
$a = \mu - 1,175\sigma = 24,4 - (1,175)(2,5) = 24,4 - 2,9375 = 21,4625 \cong 21,5$ heures.

c) $\mu - 1,4\sigma = 24,4 - 3,5 = 20,9$;
$\mu + 1,4\sigma = 24,4 + 3,5 = 27,9$
$P(20,9 \leq X \leq 27,9) = P(-1,4 \leq Z \leq 1,4)$. De la table de la loi normale centrée réduite, on trouve, pour $z = 1,4$, $P(0 \leq Z \leq 1,4) = 0,4192$. Par conséquent, $P(20,9 \leq X \leq 27,9) = 2 \times 0,4192 = 0,8384$.

Exercice d'apprentissage no 2

a) i) $X \sim N(11,56, 17,73^2)$.

$$P(X > 16) = P\left(Z > \frac{16 - 11,56}{17,73}\right) = P(Z > 0,25) = 0,5 - 0,0987 = 0,4013.$$

ii) $P(8 \leq X \leq 10,05) = P(-0,2 \leq Z \leq -0,085) = 0,0793 - 0,0339 = 0,0454$.

iii) $P(X > a) = 0,25$. Donc $0,25$.

b) $P(X < 0) = P\left(Z < \frac{0 - 11,56}{17,73}\right) = P(Z < -0,652) = 0,2572$.

c) $P(X < a) = 0,25$. La valeur centrée réduite correspondante est $z = -0,6745$.
$a = 11,56 - (0,6745)(17,73) = 11,56 - 11,96 = -0,4\%$. Rendement négatif.

Exercice d'apprentissage no 1

a) X : montant hebdomadaire pour l'entretien des unités de production.

b) $CV = \frac{\sigma}{\mu} \times 100$, $\sigma = (CV) \times \mu = 0,07 \times 400\$ = 28\$$.

c) On cherche $P(X > 456)$.

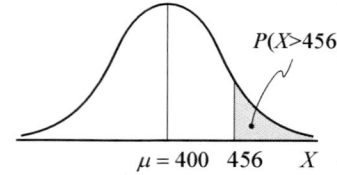

$X \sim N(400, 28^2)$

$P(X > 456) = P\left(Z > \frac{456 - 400}{28}\right) = P(Z > 2) = 0,5 - 0,4772 = 0,0228.$

Pratiquement 2 chances sur 100.

Exercice d'apprentissage no 2

a) Déterminons d'abord $P(X > 282)$ avec la loi normale centrée réduite.

$P(X > 282) = P\left(Z > \frac{282 - 250}{25}\right) = P(Z > 1,28) = 0,5 - 0,3997$; $0,10$. Cette probabilité devient la valeur de la proportion de succès, soit $p = 0,10$, dans le cas d'une loi binomiale.

On veut déterminer $P(X \leq 2 \mid n = 10, p = 0,10) = 0,3487 + 0,3874 + 0,1937 = 0,9298$.

b) $P(X = 1 \mid n = 10, p = 0,10) = 0,3874$.

Exercice d'apprentissage no 3

a) Coefficient de variation $= \dfrac{\sigma}{\mu} \times 100 = \dfrac{5}{216} \times 100 = 2,31\%$. La valeur du coefficient de variation étant faible, ceci indique une bonne homogénéité de la distribution de la dureté des coussins.

b) 0,1151   c) 212,6275   c) i) 84% ii) 16%   d) 220N; valeur voisine de 3,3N.

Exercice d'apprentissage no 4

On sait que le résultat au test est distribué normalement avec $\mu = 73,2$ et $\sigma = 8$.

Notons par x_0 ce résultat minimal et schématisons cette situation sur la courbe normale.

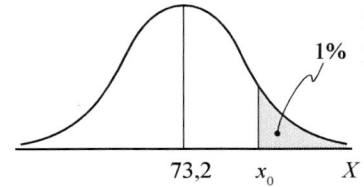

La valeur centrée réduite correspondant à l'aire indiquée est $z_0 = 2,33$.

Donc $x_0 = 73,2 + (2,33)(8) = 73,2 + 18,64 = 91,84$.

Exercice d'apprentissage no 5

52 438$.

Réponses aux exercices d'application - Chapitre 5

1. a) 0,2257. b) 0,4821. c) 0,0264. d) 0,0314. e) 0,7905. f) 0,0099.
g) 0,0505. h) 0,8413. i) 0,1359. j) 0,1915.

2. a) -0,5. b) 1,96. c) -1,0. d) 2,58. e) 2. f) 0.

3. a) 7,82%.   b) Pratiquement 14%.   **4.** $\cong$ 28 dactylos.

5. a) 10%.   b) 0,1151.   c) 466,5.   d) 0,6826.   e) 564.

6. a)   882$ b) i) 0,6454   ii) 0,3471.

7. a) 72$.   b) 0,0062; 0,9544; 0,5   c) 55 992 .

8. a) 0,7698   b) 0,0228   c) 75%   d) Entre 5010$ et 6390$ e) 620

9. a) 0,822   b) L'affirmation est erronée.   **10.** $\sigma = 20$.

11. a) 40,12.   b) 0,39 sur 100.   c) pratiquement 20 mois.

12. Oui, puisque 82,38% > 80%.

13. a) 0,1151 b) 67,804 c) 0,8664   d) Entre 67,804 et 78,596   e) 91,84   **14.** 155,55 min.

15. a)   0,0228 b) Non   c) 4,516 min.   **16.** a) 312. b) 0,0052 c) 0,002.

17. a) 0,6826.   b) 0,2610.   c) $\cong$ 48.   d) 353,98 g.   e) 338,13 g.   **18.** 108 164$

19. b)   A: 7506; B: 9281.   c) A: 21 840; B: 22 600.   d) A: [14567,28, 24 432,72]; B: [15 140,8, 25 259,2].

20. $\mu = 74,14$, $\sigma = 6,135$.

21. a) $\beta = 3$.   b) $\beta = 1,25$.   **22.** 0,375.   **23.** 0,5774.   **24.**   a) 51 min. b) 69 min.   c) 0.

25. a)   0,5   b) 0,25.

26. d) $F(x) = \begin{cases} 0 & ,\text{si } x < 0 \\ 1 - e^{-0,002x} & ,\text{si } x \geq 0 \end{cases}$ e) 0,221 f) 368   g) 346,57 heures.

27. a) $f(x) = \begin{cases} 0 & ,\text{si } x < 0 \\ \dfrac{1}{5}e^{-x/5} & ,\text{si } x \geq 0 \end{cases}$ b)   500. c) $(500)^2$. d) 0,3679. e) 0,67032.

28. a) $f(x) = \begin{cases} 0 & ,\text{si } x < 0 \\ 0,20e^{-0,20x} & ,\text{si } x \geq 0 \end{cases}$ b) 5 ans c) 0,3679   d) 6 mois.

Réponses aux exercices de révision et de synthèse (nombres pairs) - Chapitre 5

30. a) $\mu =$ médiane $= 51\,000\$$.   b) $\sigma = \dfrac{6500}{0,675} = 9629,63 \cong 9\,630\$$ c) $x_{0,25} = 51\,000 - 0,675\sigma = 44\,500\$$

32. a) X: rendement annuel. $X \sim N(\mu = 0,16,\ \sigma = 0,10)$

$$P(X > 0,30) = P\left(Z > \frac{0,30 - 0,16}{0,10}\right) = P\left(Z > \frac{0,14}{0,10}\right) = P(Z > 1,4) = 0,5 - 0,4192 = 0,0808.$$

b) $P(X < 0) = P\left(Z < \dfrac{0 - 0,16}{0,10}\right) = P(Z < -1,6) = 0,5 - 0,4452 = 0,0548.$

c) $X \sim N(\mu = 0,25,\ \sigma = 0,15)$. $P(X < 0) = P\left(Z < \dfrac{0 - 0,25}{0,15}\right) = P(Z < -1,667) = 0,5 - 0,4522 = 0,0477.$

Non, les chances sont légèrement plus faibles.

34. a) Intervalle requis: [8,12 cm]. $\mu = 10$, $\sigma = 1$

Jeter si $X < 8$ cm. X: longueur de la tige en cm.

$$P(X < 8) = P(Z < \frac{8 - 10}{1}) = P(Z < -2)$$

$= 0,5 - 0,4772 = 0,0228$ On devra en jeter $(0,0228)(10\,000) = 228$ tiges.

Modifier si $X > 12$. $P(X > 12) = P(Z > \frac{12 - 10}{1}) = P(Z > 2)$

$= 0,5 - 0,4772 = 0,0228$, soit 228 tiges à modifier.

b) Soit y, la quantité à modifier et x, la quantité à jeter

Pour 10 000 tiges, on a Coûts $= 5000\$ + 0,25y$ Revenu $= (0,90)(10\,000 - x)$
Profit $=$ Revenu $-$ Coût $= 0,90(10\,000 - x) - [5000 + 0,25y]$
       $= 9000 - 0,90x - 5000 - 0,25y = 4000 - 0,90x - 0,25y$
Profit $= 3\,737,80\$$.

36. Pour en avoir 1000 utilisables, il faut produire $\dfrac{1000}{0,9876} = 1013$ pièces.

38. a) 0,0668   b) 15,48   c) 1) 25%   2) 17,52

Chapitre 6 - Échantillonnage et estimation de paramètres

Corrigé des exercices d'apprentissage

Série 6.1

Exercice d'apprentissage no 1

a) **Population:** *Les PME de la région de la Montérégie*
    Base de sondage: *La liste des noms de ces PME*
    Unité statistique: *Les PME*
    Taille de la population: *N = 400*
    Taille requise de l'échantillon: *n = 25*
    Mode de tirage: *Sans remise (tirage exhaustif).*

b) $K = 400/25 = 16$ c) **Numéro sorti:** 10 (on ne retient que les deux derniers chiffres de *64410*)
d) *010   026   042   058   074   090   106   122   138   154   170   186   202*
    218   234   250   266   282   298   314   330   346   362   378   394

Exercice d'apprentissage no 2

a) Pas $= 16$. Nombre sorti: 07
b) 07 023 039 055 ..... 359 375 391

Série 6.2

Exercice d'apprentissage no 1

a) $n = 25$, $E(\overline{X}) = 664$, $Var(\overline{X}) = \dfrac{4096}{25} = 163{,}84$, $\sigma(\overline{X}) = 12{,}8$

b) $P(\overline{X} < 650) = P\left(Z < \dfrac{650 - 664}{12{,}8} \right) = P(Z < -1{,}094) = 0{,}5 - 0{,}363 = 0{,}137$

c) $P(638{,}40 \le \overline{X} \le 689{,}60) = P(-2 \le Z \le 2)$
$$= 2 \times P(0 \le Z \le 2) = (2)(0{,}4772) = 0{,}9544$$

d) $P(X > 760) = P\left(Z > \dfrac{760 - 664}{64} \right) = P(Z > 1{,}5) = 0{,}5 - 0{,}4332 = 0{,}0668$

   $(100\ 000)\,(0{,}0668) = 6680$ ménages.

Exercice d'apprentissage no 2

a) $n = 40$, $s = 9{,}06$, $s_{\overline{X}} = \dfrac{9{,}06}{\sqrt{40}} = 1{,}4325$

b) i) $z_{0,05} = 1{,}645$

   $69{,}3 \pm (1{,}645)\,(1{,}4325) = 69{,}3 \pm 2{,}356$, soit entre $66{,}94$ et $71{,}66$

   ii) $z_{0,025} = 1{,}96$

   $69{,}3 \pm (1{,}96)\,(1{,}4325) = 69{,}3 \pm 2{,}81$, soit entre $66{,}49$ et $72{,}11$

   iii) $z_{0,005} = 2{,}576$

   $69{,}3 \pm (2{,}576)\,(1{,}4325) = 69{,}3 \pm 3{,}69$, soit entre $65{,}61$ et $72{,}99$

c) Marge d'erreur statistique $= \pm\ 3{,}69$ minutes.

Exercice d'apprentissage no 3

a) D'après le niveau de confiance requis, on a

   $1 - \alpha = 0{,}95$, $\alpha = 0{,}05$, et $\alpha\,/\,2 = 0{,}025$.

De la table de la loi normale centrée réduite, on peut lire $z_{0,025} = 1{,}96$.

Avec $\sigma = 900$ et $E = 300\$$, on obtient pour n,

$$n = \left[\dfrac{z_{\alpha/2}\,\sigma}{E} \right]^2 = \left[\dfrac{(1{,}96)(900)}{300} \right]^2 = 34{,}574 \text{ , soit 35 entreprises.}$$

b) Dans ce cas, $E = 150\$$ et on obtient alors $n = \left[\dfrac{(1{,}96)(900)}{150} \right]^2 = 138{,}3$ soit 139 entreprises.

Exercice d'apprentissage no 4

a) $N = 400$, $\sigma = 200\$$, $E = 50\$$, $z_{0,0228} = 2$

$$n = \dfrac{N\,z_{\alpha/2}^2\,\sigma^2}{N\,E^2 + z_{\alpha/2}^2\,\sigma^2} = \dfrac{(400)(2)^2\,(200)^2}{(400)(50)^2 + (2)^2\,(200)^2} = \dfrac{64\ 000\ 000}{1\ 116\ 000} = 55{,}17 \cong 56 \text{ comptes.}$$

b) Marge d'erreur: $\pm\ 50\$$.

Exercice d'apprentissage no 1

a) $\bar{x} = 19\ 682\$$ b) $s_{\bar{X}} = 383,22\$$

c) $t_{0,025;19} = 2,093$, marge d'erreur $= (2,093)(383,22) = 802,08\$$.

d) $19\ 682 \pm 802,08$, soit entre $18\ 879,92\$$ et $20\ 484,08\$$.

Exercice d'apprentissage no 2

a) Marge d'erreur = 4%.   Niveau de confiance = 95%. $z_{0,025} = 1,96$

b) Le calcul de la taille de l'échantillon s'obtient de $n = \dfrac{z_{\alpha/2}^2\ \hat{p}(1-\hat{p})}{E^2}$

c) $n = \dfrac{(1,96)^2(0,46)(0,54)}{(0,04)^2} = \dfrac{0,9542}{0,0016} = 596,4$ soit 596 TPE (valeur arrondie).

Exercice d'apprentissage no 3

a) 34,5%. b) $300/6230 = 0,048$ soit 4,8%. c) Non, puisque le taux de sondage est inférieur à 5%.

d) $n = 300 > 30$, $n\hat{p} = (300)(0,345) = 103,5$, $n(1-\hat{p}) = (300)(0,655) = 196,5$. Les conditions sont vérifiées.

e) $1-\alpha = 0,95$, $\alpha = 0,05$, $z_{a/2} = 1,96$.

$\sigma(\hat{P}) = \sqrt{\dfrac{\hat{p}(1-\hat{p})}{n}} = \sqrt{\dfrac{(0,345)(0,655)}{300}} = 0,0274$, $z_{\alpha/2} \cdot \sigma(\hat{P}) = (1,96)(0,0274) = 0,054$.

La limite inférieure de l'intervalle de confiance est: $0,345 - 0,054 = 0,291$

La limite supérieure de l'intervalle de confiance est: $0,345 + 0,054 = 0,399$.

f) Marge d'erreur $= z_{\alpha/2} \cdot \sigma(\hat{P}) = (1,96)(0,0274) = 0,054$ soit 5,4%.

Exercice d'apprentissage no 4

a) Marge d'erreur = 4%.   Niveau de confiance = 95,44%. $z_{0,0228} = 2$

b) Le calcul de la taille de l'échantillon s'obtient de $n = \dfrac{1}{E^2} = \dfrac{1}{(0,04)^2} = 625$. .

c) $n = \dfrac{1}{E^2} = \dfrac{1}{(0,02)^2} = 2500$; 4 fois supérieure.

Exercice d'apprentissage no 5

a) $n = 28$, $\bar{x} = 225\$$, $s = 20\$$

$t_{0,025;27} = 2,0518$, $(t_{0,025;27})\left(\dfrac{s}{\sqrt{n}}\right) = (2,0518)(3,78) = 7,76\$$

Limite inférieure $= 225 - 7,76 = 217,25\$$

Limite supérieure $= 225 + 7,76 = 232,76\$$ b) Marge d'erreur $= \pm\ 7,76\$$

Réponses aux exercices d'application - Chapitre 6

1. a) $N = 5$, $\mu = \dfrac{120}{5} = 24$, $\sigma^2 = \dfrac{\sum (x_i - \mu)^2}{N} = \dfrac{40}{5} = 8$. b) $\dbinom{5}{2} = 10$

c)

Éléments	Moyennes
(20,22)	21
(20,24)	22
(20,26)	23
(20,28)	24
(22,24)	23
(22,26)	24
(22,28)	25
(24,26)	25
(24,28)	26
(26,28)	27

d) Espérance: 24, Variance: 3
e) La deuxième.
f) Le taux de sondage est 2/5 soit 0,40; non.

2. a) Distribution normale, $E(\overline{X}) = 600$, $Var(\overline{X}) = \dfrac{\sigma^2}{n} = \dfrac{(50)^2}{25} = 100$

b) $P(590 \le \overline{X} \le 610) = P(-1 \le Z \le 1) = 0{,}6826$. c) $P(\overline{X} < 585) = P(Z \le -1{,}5) = 0{,}0668$.

d) $600 \pm (1{,}96)(10)$ soit entre 580,4 et 619,6.

3. a) 0,1151 b) i) Normale ii) 90;3 c) 0 d) 0,9544 e) 0,0228

4. a) 0,0026. b) $\mu + 1{,}96\sigma/\sqrt{n}$ c) $1{,}96\ \sigma/\sqrt{n}$ d) $+3\ \sigma/\sqrt{n}$ e) μ f) $\pm 3\ \sigma/\sqrt{n}$

5. a) i) Pratiquement 13 chances sur 100 ii) Pratiquement 2 chances sur 100. b) 42,56%.

6. LI = 26,54 LS = 37,46

7. a) 66 059,33$ b) Variance = 14 890 290,79, erreur-type = 610,13$. c) LI = 64 863,47$, LS = 67 255,18$.

8. a) $1 - P(\mu - 5 \le \overline{X} \le \mu + 5) = 1 - P(-2{,}793 \le \overline{X} \le 2{,}793) = 1 - 0{,}9948 = 0{,}0052$. b) 0,0124.

9. a) 70,6. b) $62{,}86 \le \mu \le 78{,}34$. **10.** a) 250. b) [247,06, 252,94]

11. a) Vice-président exécutif: $174\,225{,}13 \le$ Salaire moyen pour l'ensemble $\le 176\,196{,}87$.
  b) Marge d'erreur: 985,87.

12. a) 180 845$ b) Erreur-type = 2757,66$ c) Entre 177 440$ et 186 250$ d) 5 405$.

13. $62{,}87 \le \mu \le 73{,}13$; $61{,}81 \le \mu \le 74{,}19$; $59{,}61 \le \mu \le 76{,}39$.

14. a) $9{,}847 \le \mu \le 10{,}553$. b) $9{,}736 \le \mu \le 10{,}664$ c) 0,353; 0,464 min. **15.** b) $36{,}09 \le \mu \le 37{,}71$. c) 0,811.

16. a) $n = 121$ foyers. b) $n/N = 121/2057 = 0{,}0588$. c) 17.
  d) 0031, 0048, 0065, 0082, 0099, 0116, 0133, 0150, 0167, 0184.

17. a) 65 questionnaires. b) $65/325 = 0{,}20$. c) Marge d'erreur $\le 10{,}89$$, soit $1{,}96\dfrac{\sigma}{\sqrt{n}}\sqrt{\dfrac{N-n}{N-1}}$.

  d) 5. e) Numéro est 44124 donc 004. f) 009, 014, 019, 024, 029; 324.

18. iii). **19.** a) 65. b) 222. c) 0,054; 0,185. **20.** 67.

21. Valeur moyenne = [416,41, 440,09$] Valeur totale = [1 936 306,50$, 2 046 415,50$].

22. $68{,}477 \le \mu \le 73{,}523$ **23.** a) $47{,}08\% \le p\% \le 54{,}92\%$ b) Marge d'erreur = $\pm 3{,}9\%$.

24. a) $0{,}2154 \le p \le 0{,}3256$ b) 5,56%

  c) i) 3,95% ii) $23{,}58\% \le p\% \le 31{,}48\%$ iii) Inférieure iv) La taille de l'échantillon.

25. a) 0,58. b) 0,20; oui. c) [0,466, 0,694]. d) 0,114. **26.** a) $\pm 4{,}4\%$ b) 0,854.

27. 801. **28.** a) $0{,}555 \le p \le 0{,}624$; $0{,}549 \le p \le 0{,}631$; $0{,}536 \le p \le 0{,}644$. b) 0,041.

29. a) 0,60 b) $0{,}56 \le p \le 0{,}64$. c) 0,04. d) Aucun. **30.** $0{,}41 \pm 0{,}0325$

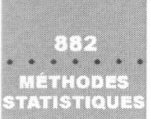
Réponses aux exercices de révision et de synthèse (nombres pairs) - Chapitre 6

32. a) Entre 9,2% et 16,8%;   entre 23,9% et 34,1%.   b) 5,7%.

34. a) 51,2%   b) $\pm 0,028$ soit patiquement 3%   c) 54,1%.

Chapitre 7 - Tests d'hypothèses

Corrigé des exercices d'apprentissage

Série 7.1

Exercice d'apprentissage no 1

a) H_0: $\mu = 2,5$, H_1: $\mu > 2,5$.   b) $\alpha = 0,01$. $Z = \dfrac{\overline{X} - \mu_0}{s/\sqrt{n}}$ avec $\mu_0 = 2,5$. $z_{0,01} = 2,33$.   Rejeter H_0 si $Z > 2,33$.

c) $z = \dfrac{2,85 - 2,5}{0,9/\sqrt{40}} = 2,46$.   Région de rejet de H_0.   L'hypothèse H_1.

Exercice d'apprentissage no 2

a) H_1: $\mu > 800 \, mg/\ell$.

b) $z_{0,01} = 2,33$; rejeter l'hypothèse nulle et favoriser l'hypothèse de recherche si $Z > 2,33$, sinon ne pas rejeter H_0.

c) $z = \dfrac{818,1 - 800}{130,2/\sqrt{33}} = \dfrac{18,1}{22,665} = 0,799$. $z = 0,799 < 2,33$, on ne peut rejeter l'hypothèse nulle.   L'hypothèse de recherche n'est pas retenue.

Série 7.2

Exercice d'apprentissage

a) H_0: $\mu = 0,515$, H_1: $\mu \neq 0,515$
b) 0,51682   c) $t = 2,485$
d) Rejeter H_0 si $T > 2,0518$ ou $T < -2,0518$, sinon, ne pas rejeter H_0.
e) Non puisque $t = 2,485 > 2,0518$.
f) Limite inférieure = 0,51532, limite supérieure = 0,5183.
g) Non; on rejette l'hypothèse nulle.

Série 7.3

Exercice d'apprentissage no 1

a) On a un test unilatéral à droite $\alpha_p = P(Z > 2,46) = 0,5 - 0,4931 = 0,0069$.

b) Puisque $\alpha_p = 0,0069 < 0,01$, l'hypothèse nulle est rejetée.

Exercice d'apprentissage no 2

a) H_0: $\mu = 200$, H_1: $\mu = \mu_1 = 215$.   c) $z_1 = -5,69$; $z_2 = -1,77$.   d) 0,0384   e) 0,9616

Série 7.4

a) Oui, $np = 15$, $n(1-p) = 110$.   b) H_0: $p = 0,12$, H_1: $p > 0,12$. $\alpha = 0,05$.

c) $Z = \dfrac{\hat{P} - p_0}{\sqrt{\dfrac{p_0(1 - p_0)}{n}}}$ avec $p_0 = 0,12$. Normale centrée réduite. $z_{0,05} = 1,645$.   Rejeter H_0 si $Z > 1,645$. $z = 0,2752 < 1,645$.

L'affirmation est exagérée.

d) Test unilatéral à droite. $\alpha_p = P(Z > 0,2752) = 0,5 - 0,1084 = 0,3916$.

Série 7.5

Exercice d'apprentissage no 1

a)

Tableau pour calcul des différences				Différence	Coefficients a_i	Calcul de b
Y1:	36,8	Y30:	50,1	13,3	0,4254	5,658
Y2:	37,8	Y29:	49,7	11,9	0,2944	3,503
Y3:	38,1	Y28:	47,0	8,9	0,2487	2,213
Y4:	39,6	Y27:	46,6	7,0	0,2148	1,504
Y5:	41,0	Y26:	45,6	4,6	0,1870	0,860
Y6:	41,2	Y25:	45,2	4,0	0,1630	0,652
Y7:	41,4	Y24:	44,9	3,5	0,1415	0,495
Y8:	41,5	Y23:	44,6	3,1	0,1219	0,378
Y9:	41,5	Y22:	44,2	2,7	0,1036	0,280
Y10:	41,8	Y21:	44,0	2,2	0,0862	0,190
Y11:	41,8	Y20:	43,7	1,9	0,0697	0,132
Y12:	42,0	Y19:	43,5	1,5	0,0537	0,081
Y13:	42,0	Y18:	43,3	1,3	0,0381	0,050
Y14:	42,6	Y17:	43,2	0,6	0,0227	0,014
Y15:	42,6	Y16:	43,1	0,5	0,0076	0,004
					Somme:	16,013

b) $w = \dfrac{b^2}{(n-1)s^2} = \dfrac{(16,013)^2}{(29)(9,169)} = 0,9643.$

c) $w_{5\%;30} = 0,927.$ Puisque $0,9643 > 0,927$, on ne peut rejeter l'hypothèse selon laquelle la caractéristique de qualité est distribuée normalement.

Exercice d'apprentissage no 2

a) $H_0: \sigma^2 \leq 9$, $H_1: \sigma^2 > 9$ b) $\chi^2_{0,05;29} = 42,5569$ c) Rejeter H_0 si $\chi^2 > 42,5569$, sinon ne pas rejeter H_0.

d) $\chi^2 = \dfrac{(29)(9,169)}{9} = 29,54 < 42,5569$; la variabilité est maîtrisée. On suppose que les données proviennent d'une population normale.

e) De la table de khi-deux, avec 29 dl, valeur $p > 0,25$.

f) Avec Excel, on obtient: valeur $p = 0,437$.

g) Rejeter H_0 (la variabilité du procédé est maîtrisée) si la valeur $p < 0,05$, sinon ne pas rejeter H_0.

Exercice d'apprentissage no 3

a) ii)

b) Nous sommes en présence d'un petit échantillon; il faut que les données proviennent d'une population normale. Cette hypothèse fondamentale a été vérifiée à l'exemple 7.12.

c) i) 19 682$ ii) 383$ iii) -0,83.

d) $\alpha_p = 0,79$

e) Non, puisque $\alpha_p = 0,79 > 0,05$; on ne peut rejeter l'hypothèse nulle.

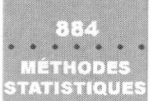

Réponses aux exercices d'application - Chapitre 7

1. a) $H_0: \mu = 18,5$, $H_1: \mu \neq 18,5$.   b) $H_0: \mu = 10,24$, $H_1: \mu \neq 10,24$ c) $H_0: \mu = 3$, $H_1: \mu > 3$.

d) $H_0: \mu = 35$, $H_1: \mu \neq 35$ e) $H_0: \mu = 12$, $H_1: \mu \neq 12$.   f) $H_0: \mu = 48\,000$, $H_1: \mu > 48\,000$

g) $H_0: \mu = 1,4$, $H_1: \mu > 1,4$.   h) $H_0: p = 0,025$, $H_1: p \neq 0,025$.   i) $H_0: p = 0,60$, $H_1: p > 0,60$

j) $H_0: p = 0,53$, $H_1: p \neq 0,53$.   k) $H_0: p = 2/5$, $H_1: p \neq 2/5$ l) $H_0: p = 0,85$, $H_1: p \neq 0,85$

m) $H_0: p = 0,55$, $H_1: p > 0,55$. n) $H_0: p \leq 0,01$, $H_1: p > 0,01$ o) $H_0: p = 0,70$, $H_1: p \neq 0,70$.

2. a) Rejeter H_0 si $Z > 1,96$ ou $Z < -1,96$, sinon ne pas rejeter H_0.   b) Non, $z = -1,56$

3. Puisque $z = 12,27 > 1,645$, nous rejetons H_0 et favorisons H_1.

4. $z = -1,89$; l'hypothèse nulle est vraisemblable.

5. a) $H_0: \mu \leq 98\,500$, $H_1: \mu > 98\,500$.   b) $z = 2,105 > 1,645$, nous rejetons H_0 et favorisons H_1.

6. b) Non.   c) Rejeter H_0 si $\overline{X} < 13,93$, sinon ne pas rejeter H_0.   d) Oui.

7. c) $z = -3,97 < -1,96$, nous rejetons H_0 et favorisons H_1. Le coût moyen est plutôt inférieur à 13 500$.

8. a) $\alpha_p = 0,0008$ b) Puisque $\alpha_p = 0,0008 < 0,05$, l'hypothèse nulle n'est pas crédible; nous favorisons H_1.

9. a) 0,1236   b) 0,0808   c) 0,0359   d) 0,01   e) 0,05.

10. a) $H_0: \mu = 40$, $H_1: \mu > 40$ b) $\alpha_p = 0,1894$ c) Non   d) 0,09121; 0,02275; 0,00383; 0,00043.   e) 42,47.

11. a) $\alpha = 0,01$; risque de rejeter à tort l'hypothèse H_0.   b) $\beta = 0,8194$.

12. a) $\alpha = 0,05$.   b) $\beta = 0,0457$.

13. a) $\alpha = 0,0456$; risque de première espèce.   b) 0,9544.   c) 0,7728; risque de deuxième espèce.   d) 0,2272.

14. a) $H_0: \mu = 2000$$, $H_1: \mu \neq 2000$.   b) $\overline{x}_{c_1} = 1969,04$$, $\overline{x}_{c_2} = 2030,96$$; nous rejetons H_0.

c) 0,0559.   d) risque β.   e) [2093,04$, 2154,96$].   f) Non.   g) [2 511 636$, 2 585 952$].

15. a) 6,6 g.   b) $H_0: \mu = 454$, $H_1: \mu \neq 454$.   c) [449,688, 458,312].   d) $\alpha = 0,05$.

e) Arrêter le procédé si $\overline{x} < 449,688$ ou $\overline{x} > 458,312$ g.

f) Il n'y a pas lieu d'intervenir.   g) 0,2215.   h) 0,7785. i) Oui.

j) Oui,, puisque $(1 - \beta) = 0,8829$.

16. a) $H_0: \mu = 800$, $H_1: \mu < 800$.   b) 0,05. c) 0,05   d) 0,4996; 0,4907; 0,4123; 0,1387; 0,2405.

f) Rejeter le lot si $\overline{x} < 786,292$.   g) 0,5; 0,4992; 0,4747; 0,2749; 0,1718; 0,95.

h) La courbe d'efficacité est plus discriminante.

17. L'affirmation $p > 76\%$ est favorisée au seuil $\alpha = 0,05$.   **18.** a) ±5,5%   b) Non.

19. a) $H_0: p = 0,75$, $H_1: p \neq 0,75$.

b) $z = -1,26$; on ne peut rejeter H_0. L'affirmation est vraisemblable.

20. $z = -4,42$; oui.   **21.** $H_0: p = 0,30$, $H_1: p < 0,30$. $z = -1,696 < -1,645$. L'affirmation n'est pas vraisemblable.

22. a) $H_0: p = 0,84$, $H_1: p \neq 0,84$.

b) Rejeter H_0 si $\hat{P} < 0,7795$ ou $\hat{P} > 0,8805$, sinon ne pas rejeter H_0.

c) On ne peut contredire l'affirmation au seuil de signification 5%.

23. b) 4%   c) 5   d) Le lot est considéré comme acceptable.   e) 0,1599; risque de 2e espèce.

24. a) Population normale   b) oui.   **25.** $\chi^2 = 7,2$; l'hypothèse est vraisemblable au seuil $\alpha = 0,05$.

26. Non.   **27.** a) 0,00000375.   b) $\chi^2 = 3,6$; le robot respecte l'exigence.   **28.** $0,0307 \leq \sigma^2 \leq 0,0976$.

Réponses aux exercices de révision et de synthèse (nombres pairs) - Chapitre 7

30. a) $H_0: \mu = 270$ $H_1: \mu \neq 270$. b) Valeur $p = 0,0548$.   c) $\alpha_p = 0,0548 > 0,05$; non.

32. a) 2 mm   b) 46   c) La machine semble ajuster correctement.   d) 0,0668

e) 0,000027 (avec Excel)   f) La dispersion semble conforme.   g) $1,67 \leq S^2 \leq 7,33$.

Chapitre 8 - Comparaison de moyennes et de variances

Corrigé des exercices d'apprentissage

Série 8.1

Exercice d'apprentissage no 1

b) H_0: $\mu_{compétitive} = \mu_{coopérative}$, H_1: $\mu_{compétitive} < \mu_{coopérative}$

a) Échantillons aléatoires provenant de deux populations normales de variances inconnues mais supposées égales.

c) Le t de Student. d) $t_{0,05;14} = 1,7613$.

e) Rejeter H_0 et favoriser H_1 si $t < -1,7613$, sinon ne pas rejeter H_0.

f) 208 614,21 g) $t = -1,7515$ h) Puisque $t = -1,7515 > -1,7613$, on ne peut rejeter H_0 au seuil 5%.

Exercice d'apprentissage no 2

Groupe 1: professionnels à leur compte Groupe 2: professionnels non à leur compte

a) $H_0 : \mu_1 = \mu_2$, $H_1 : \mu_1 > \mu_2$

b) Au seuil $\alpha = 0,05$, on a $z_{0,05} = 1,645$. Rejet de H_0 si $z > 1,645$. Puisque $z = 2,2 > 1,645$, nous rejetons H_0 et favorisons l'hypothèse de recherche.

Exercice d'apprentissage no 3

a) $H_0 : \mu_1 = \mu_2$, $H_1 : \mu_1 \neq \mu_2$ b) ii). c) 2,0301. d) 0,67

e) 0,628 f) $-1,487 \leq \mu_1 - \mu_2 \leq 2,820$ g) Non, puisque l'intervalle englobe $\mu_1 - \mu_2 = 0$.

Série 8.2

Exercice d'apprentissage no 1

a) b)

	Estimateurs		Différence
	A	B	A-B
Projet 1	59,2	60,1	-0,9
Projet 2	55,6	55,9	-0,3
Projet 3	85,4	83,6	1,8
Projet 4	105,2	103,5	1,7
Projet 5	68,2	69,5	-1,3
Projet 6	29,3	28,6	0,7
		Somme:	1,70
		Moyenne:	0,2833

c) $s_d^2 = 1,746$, $s(\overline{D}) = 0,5394$

d) $t = \dfrac{0,2833}{0,5394} = 0,525$

$t_{0,025;5} = 4,032$

Puisque $t = 0,525 < 4,032$, on peut conclure qu'il n'y a pas de différence significative entre les estimateurs.

Exercice d'apprentissage no 2

a)

Individu	Tension avant	Tension après	Différence
F	182	151	-31
G	193	176	-17
H	209	183	-26
I	185	159	-26
J	155	145	-10
K	169	146	-23
L	210	177	-33

b) $H_0 = \mu_d = 0$, $H_1 = \mu_d < 0$.

$\overline{d} = -18,583$

$t = -6,371$

$t_{0,05;11} = 1,7959$. Rejet de H_0 si $t < -1,7959$.

Oui, l'hypothèse de recherche est favorisée.

Série 8.3

Exercice d'apprentissage no 1

$F = 1,752 < 2,17$; oui.

Exercice d'apprentissage no 2

a) H_0: $\mu_{Montréal} = \mu_{Québec}$, H_1: $\mu_{Montréal} > \mu_{Québec}$. Rejet de H_0 si $t > 1,6859$.

b) Puisque $t = 3,7 > 1,6859$, nous rejetons H_0 et favorisons H_1.

Réponses aux exercices d'application - Chapitre 8

1. a) 3.   b) 4; 4.   c) $\sqrt{8}$.   d) Normale.   e) Non.   g) 1,061.

  h) Les résultats favorisent H_0.   i) 0,1446; on favorise H_0.

2. $z = -1,7516 < -1,645$; nous rejetons H_0 et favorisons H_1.

3. a) $z = -1,679$ tombe dans la région de non-rejet de H_0. La différence observée n'est pas significative.

  b) $-10,403 \leq \mu_A - \mu_B \leq +0,803$.   c) $\mu_A - \mu_B = 0$ se situe dans l'intervalle; même conclusion qu'en a).

4. $z = -7,376 < -1,645$; nous rejetons H_0. L'écart observé est très significatif.

5. $z = -40,754 < -1,645$; nous rejetons H_0 et favorisons H_1.

6. a) H_0: $\mu_1 = \mu_2$ (l'indice 1: structure centralisée; l'indice 2: structure décentralisée). H_1: $\mu_2 > \mu_1$ (ou

  $\mu_1 < \mu_2$).   c) 2,33.   e) $z = -0,3396 > -2,33$; nous ne pouvons rejeter H_0.

7. a) -5.   b) 5/2; 121/35.   c) 2,4407.   d) Approximativement normale.

  f) $z = -2,048$.   h) $-9,784 \leq \mu_1 - \mu_2 \leq -0,216$.   i) Oui.

8. a) Nous ne pouvons rejeter H_0; on ne peut affirmer que la variance est supérieure.

  b) $2,618 \leq \mu_1 - \mu_2 \leq 9,702$.   c) L'hypothèse nulle est rejetée.

9. a) $H_0 : \mu_A = \mu_B$, $H_1 : \mu_A \neq \mu_B$.   b) $t = 2,017 < 2,048$; on ne peut rejeter H_0 au seuil 5%.

10. b) $t = 8,418 > 2,4286$, nous rejetons H_0. Il y a eu, en moyenne, une réduction du placage.

11. a) $t = -2,4689 < -1,6859$, nous rejetons H_0 et favorisons H_1. Le choix de l'individu A est justifié.

  b) $F = 1,5 < 2,1682$, nous ne pouvons rejeter H_0. L'affirmation est inexacte.

12. a) $F = 2,3872 > 2,014$, nous rejetons H_0 et favorisons H_1. L'usine de Longueuil présente une plus grande variabilité.   b) Test d'égalité des espérances: observations de variances différentes.

  c) $t = 3,947 > 1,6848$; le niveau moyen d'absentéisme de l'usine St-Laurent est plus important.

13. $t = 2,7688 > 1,6859$. Nous rejetons H_0 et favorisons H_1. Le contenant de plastique donne, en moyenne, des ventes supérieures.

14. $t = 1,7811$

15. a) Non, les mesures sont prélevées sur les mêmes individus.   b) appariés.

  c) $t = 7,486 > 1,7709$, nous rejetons H_0. On peut conclure à une amélioration de la condition physique.

16. a) Non   b) $t = 2,584 > 1,8595$, nous rejetons H_0 et favorisons H_1. L'affirmation est plausible.

17. $t = -8,19 < -2,262$, nous rejetons H_0 et favorisons H_1. L'évaluation moyenne diffère.

18. $t = 8,508 > 2,718$, nous rejetons H_0 et favorisons H_1. Il y a eu augmentation significative de la performance.

19. $t = 0,9432 < 1,761$. On ne peut rejeter H_0. L'affirmation est fondée.

20. a) $z = 1,767 > -1,645$; nous ne pouvons rejeter H_0. L'hypothèse de recherche n'est pas retenue.

  b) $z = 2,235 > -1,645$, nous ne pouvons rejeter H_0. L'hypothèse de recherche n'est pas retenue.

21. Oui ($F = 1,204$).   **22.** $H_0 : \sigma_1^2 = \sigma_2^2$, $H_1 : \sigma_1^2 \neq \sigma_2^2$.   b) Même variabilité.

23. Les deux procédés n'ont pas la même variabilité.   **24.** a) 0,47318.   b) On favorise H_0.   **25.** Oui.

Réponses aux exercices de révision et de synthèse (nombres pairs) - Chapitre 8

26. a) $F = 0,25789 < 2,2652$; on ne peut rejeter l'hypothèse d'égalité des variances.

  b) $t = 2,239 > 2,018$; rejet de l'hypothèse nulle.

28. a) Non, les données ne proviennent pas de deux populations indépendantes   b) $\mu_d = 0$

  c) $t = 1,926 < 2,0930$; la moyenne des différences constatée n'est pas significative au seuil de signification de 5%.

30. a) $t = 3,296 > 1,6859$; nous rejetons l'hypothèse nulle.   b) $t = 4,9217 > 2,0244$; nous rejetons l'hypothèse nulle.

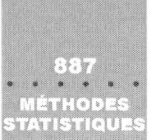

Chapitre 9 - Comparaison de proportions, tableau croisé et test d'ajustement

Corrigé des exercices d'apprentissage

Série 9.1

a) Oui   b) $H_0: p_1 = p_2$, $H_1: p_1 \neq p_2$ c) $\hat{p}_1 = 0,881$; $\hat{p}_2 = 0,825$. d) Z

e) test bilatéral   f) $Z = \dfrac{\hat{P}_1 - \hat{P}_2}{\sqrt{\hat{p}(1-\hat{p})\left(\dfrac{1}{n_1} + \dfrac{1}{n_2}\right)}}$ g) -2,58 et 2,58

h) Rejeter H_0 si $Z < -2,58$ ou $Z > 2,58$ et favoriser H_1, sinon ne pas rejeter H_0.

i) $\hat{p} = 0,8527$, $s(\hat{P}_1 - \hat{P}_2) = 0,0335$, $z = 1,67$. L'hypothèse nulle est favorisée au seuil 1%.

Série 9.2

Exercice d'apprentissage no 1

b) Oui, toutes les fréquences théoriques sont ≥ 5.   c) Non.

d)

Modalités (i,j)	Fréquence observée	Fréquence théorique	Différence (Observée - Théorique)	Différence au carré	Contribution au khi-deux
(1,1)	30	23,78	6,22	38,64	1,62
(1,2)	224	213,19	10,81	116,87	0,55
(1,3)	50	67,03	-17,03	289,92	4,33
(2,1)	19	17,52	1,48	2,18	0,12
(2,2)	153	157,09	-4,09	16,70	0,11
(2,3)	52	49,39	2,61	6,82	0,14
(3,1)	6	13,69	-7,69	59,16	4,32
(3,2)	116	122,72	-6,72	45,21	0,37
(3,3)	53	38,58	14,42	207,80	5,39
			Khi-deux =		16,94

e) 16,94   f) 9,488   g) Les caractères sont indépendants.   h) Oui   i) 0,1098.

Exercice d'apprentissage no 2

a) Opinion sur la gestion des fonds publics b) 9,4877 c) $\chi^2 = 3,58 < 9,4877$; non, on ne peut rejeter l'hypothèse d'indépendance.

Série 9.3

a) $Z = \dfrac{x - 12986}{754}$ b) i) -0,777 ii) 0,814 e) 1,1837   f) 1   g) 3,8415   h) Oui, $1,1837 < 3,8415$.

Réponses aux exercices d'application - Chapitre 9

1. $z = -1,644$; il n'y a pas de différence significative entre les deux groupes d'âge.
2. $z = -0,562 < 2,33$; nous ne pouvons rejeter H_0.
3. i) $z = -4,429 < -1,96$, nous rejetons H_0. La différence est significative.
   ii) $z = 2,914$; nous rejetons H_0 et favorisons H_1.
4. a) $\hat{p} = 0,31$. b) Puisque $-2,58 < z = -0,53 < 2,58$, nous ne pouvons rejeter H_0. L'hypothèse nulle est confirmée par les données.
5. b)   On suppose que l'échantillon a été prélevé au hasard dans la population; les fréquences théoriques sont toutes supérieures à 5. Les conditions sont respectées. c)   Non, toutes les fréquences théoriques sont d'au moins 5.

   d) $\chi^2 = 3,58$.   e) $\chi^2_{critique} = 9,4877$.

   f)   L'opinion des répondants concernant la gestion des fonds publics est indépendante de l'âge.

   g) $\chi^2 = 3,58 < 9,4877$. On ne peut rejeter H_0. On ne peut affirmer que l'âge est un facteur explicatif dans l'opinion des répondants concernant la gestion des fonds publics.

6. a)   Nous rejetons l'hypothèse d'indépendance.   b) $V = 0,219$. **7.** b) $\chi^2 = 17,5223$. Oui.

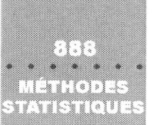
8. a) Khi-deux = 60,25, nous rejetons l'hypothèse nulle. b) Khi-deux = 25,9322, nous rejetons l'hypothèse nulle.

9. i) Oui (χ^2 = 15,504) ii) Oui (χ^2 = 4,24). **10.** Khi-deux = 4,585; l'hypothèse de recherche n'est pas retenue.

11. Khi-deux = 3,325; on ne peut rejeter l'hypothèse d'égalité des proportions.

12. Oui, puisque χ^2 = 3,249 < 5,99147. **13.** Non, nous rejetons l'hypothèse nulle (χ^2 = 21,6394).

14. b) Khi-deux = 3,0809 c) Puisque khi-deux = 3,0809 < 7,8147, nous ne pouvons rejeter l'hypothèse nulle. L'hypothèse de normalité concernant les temps d'empaquetage est vraisemblable au seuil 5%.

15. a) Fréquence absolue de 506 pour chaque modèle. c) Khi-deux = 1,549+0,126+0,957+0,008 = 2,64
d) 7,8147 e) L'hypothèse selon laquelle la part de marché de ces modèles est identique est vraisemblable au seuil de signification 5%.

16. b) Moyenne = 148,083, écart-type = 12,983. d) χ^2 = 3,00 < 5,9915; l'hypothèse de normalité est vraisemblable.

17. c) $\chi^2_{0,05;3}$ = 7,8147 d) Khi-deux = 53,484; nous rejetons l'hypothèse nulle.

18. a) Nous rejetons l'hypothèse nulle (χ^2 = 8,6418). b) z = 2,94, nous rejetons H_0: $p_1 = p_2$.

19. a) 0,50; 0,135; 0,365. c) χ^2 = 3,0646. d) Oui.

Réponses aux exercices de révision et de synthèse (nombres pairs) - Chapitre 9

20. a) i) 72,28 ii) 40,58 iii) 55,0 b) Oui, toutes les fréquences théoriques sont > 5
c) Modalité (2,3): 72,28 0,72 0,51 0,01
d) Variable dépendante: attitudes concernant la façon de gérer ses finances personnelles.
Variable indépendante: catégorie d'âge

e) χ^2 = 17,868 f) $\chi^2_{0,05;9}$ = 16,919 g) Les attitudes des individus concernant la façon de gérer ses finances personnelles sont indépendantes de la catégorie d'âge.

h) χ^2 = 17,868 > 16,919; nous rejetons l'hypothèse d'indépendance. Il semble exister un lien entre ces deux variables. i) V = 0,072; la force du lien est très faible. j) i) 0,75; 0,69 ii) z = 1,577; non.

22. Puisque khi-deux = 2,043 est plus petit que 5,9915, nous ne pouvons rejeter l'hypothèse nulle au seuil 5%.

Le niveau de satisfaction (ou d'insatisfaction) est identique, peu importe le profil du cycliste.

24. c) 5,9915 d) L'hypothèse nulle puisque khi-deux = 2,073 < 5,9915.

Chapitre 10 - Introduction à l'analyse de variance

Corrigé des exercices d'apprentissage

Série 10.1

Exercice d'apprentissage no 1

a) Nombre d'unités vendues. b) Couleur de l'emballage avec trois modalités.
c) Le niveau moyen des ventes du nouveau produit est identique, peu importe la couleur de l'emballage.
d) SCT = 1076,8, SCA = 11,4, SC_{RES} = 1065,4.

Exercice d'apprentissage no 2

a) CM_A = 5,7, CM_{RES} = 39,46, F = 0,144, $F_{0,05;2,27}$ = 3,354. Rejet de H_0 si F > 3,354, sinon ne pas rejeter H_0.
b) Puisque F = 0,144 < 3,354, l'hypothèse nulle est vraisemblable au seuil 5%.

Exercice d'apprentissage no 3

a) Individus avec 4 modalités. b) $H_0 : \mu_1 = \mu_2 = \mu_3 = \mu_4$ H_1 : les u_j ne sont pas toute égales.

c) i) 3 ii) 16. d) 173,75 e) 57,917 f) 8,375 g) 6,915 h) 0,003 i) Non, valeur p = 0,003 < 0,05.

Série 10.2

Exercice d'apprentissage no 1

a) Maison modèle. b) Consommation d'énergie en kwh c) Système de climatisation d) 4 modalités
e) SCT = 30 379,8 f) SCB = 19 838,8 g) $SCTR$ = 3720,6 h) SC_{RES} = 6820,4.

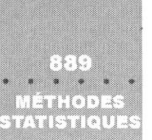
Série 10.2 (suite)

Exercice d'apprentissage no 2

a) $CMB = 4959,7$, $CMTR = 1240,2$, $CM_{RES} = 568,367$, $F_{Blocs} = 8,726$, $F_{Traitements} = 2,182$.

b) Puisque $F = 2,182 < 3,49$, on ne peut rejeter l'hypothèse nulle. La consommation moyenne d'énergie semble identique au seuil 5%.   c) $CM_{RES} = 26\ 659,2/16 = 1666,2$.

Exercice d'apprentissage no 3

a) i) Résultats au test d'appréciation ii) Secteurs de fabrication.   b) i) 2; ii) 93.   c) 3

d) 2 835   e) 1 417   f) 543   g) 2,61   h) 0,079   i) Oui, $\alpha_p = 0,079 > 0,05$.

Série 10.3

a) $k_1 = 2$, $k_2 = 3$, $n = 2$ b) i) 80,67 ii) 57,67   c) 2   d) 66   e) 960,333

f) Position de l'allée   g) i) $p = 0,002 < 0,05$; oui   ii) $p = 0,004 < 0,05$; oui   iii) $p = 0,810 > 0,05$; non.

Réponses aux exercices d'application - Chapitre 10

1.   a)   Les moyennes des résultats sont identiques.

b) $\bar{y} = 80,2$, $\bar{y}_1 = 80,4$, $\bar{y}_2 = 85,2$, $\bar{y}_3 = 75$.   c) $SCT = 596,4$, $SCA = 260,4$, $SC_{RES} = 336$.

e) $F = 130,2/28 = 4,65$; rejet de H_0.

f)   Les moyennes des résultats selon les trois méthodes d'apprentissage sont différentes.

2.   a) H_0: $\mu_1 = \mu_2 = \mu_3 = \mu_4$ b) $\bar{y} = 28,69$, $\bar{y}_1 = 31,46$, $\bar{y}_2 = 26,44$, $\bar{y}_3 = 29,54$, $\bar{y}_4 = 27,32$.

c) $SCT = 116,098$, $SCA = 76,674$, $SC_{RES} = 39,424$.

e) $F = 25,558/2,464 = 10,373$; rejet de H_0 au seuil 5%.

3.   b) H_0: $\mu_A = \mu_B = \mu_C$ d) $\bar{y} = 85$, $\bar{y}_A = 82$, $\bar{y}_B = 84$, $\bar{y}_C = 89$.

f) $F = 130/107,11 = 1,2137$; on ne peut rejeter H_0.

g)   Valeur $p = 0,3128 > 0,05$; on ne peut rejeter H_0.

4. $CM_{RES} = 130,5425$, $CMA = 152,35$, $F = 1,167$. Au seuil $\alpha = 0,05$, $F_{0,05;2,80} = 3,1108$.

Puisque $F = 1,167 < 3,1108$, on ne peut rejeter l'hypothèse nulle.

5. $\bar{y}_1 = 31,46$, $\bar{y}_2 = 26,44$, $\bar{y}_3 = 29,54$, $\bar{y}_4 = 27,32$. $w = 2,843$

V_2 V_4 $\underline{V_3}$ V_1

6.   a) $CMA = 76$, $CM_{RES} = 8,144$.   b) Carrés moyens

c) $F = 9,33 > 3,28$; différence significative.

d)   Estrie et Outaouais ne diffèrent pas de façon significative.

7.   a)   Type A: 37,5; type B: 33,0.   b) Écart pour A: 2,25; écart pour B: -2,25.   c) $s_c^2 = 611 / 22 = 27,772$.

d) H_0: $\mu_1 = \mu_2$, $t = 2,092 > t_{0,025;22} = 2,074$, nous rejetons H_0 au seuil 5%.

e) $CMA = 121,5$, $CM_{RES} = 27,7727$, $SCT = 732,5$ avec 23 dl.   f) 27,7727.

g)   Elles sont identiques.   h) oui.   i) $F = 4,375 \cong (2,092)^2$.

8.   a)   68 031$; 69043$.   b) Entreprise C.   c) 39 455 759,05.

d)   Non, $F = 22,269 > 2,5534$..

9.   a)   689,333   b) A: 690, B: 678, C: 700.

c) $CMA = 1820$, $CM_{RES} = 231,762$, $SCT = 13\ 374$.

d) $F = 7,853 > F_{0,05;2,42} = 3,22$; nous rejetons l'hypothèse nulle. Le temps moyen de réponse n'est pas identique pour les trois systèmes.

f) $\underline{\bar{y}_B}$ $\bar{y}_A$ $\bar{y}_C$

10. a) 5. b) 15. c) $CMA = 5,075$, $CM_{RES} = 0,389$.

d) $F = 13,001 > F_{0,05;4,10} = 3,48$; nous rejetons l'hypotèse nulle. Le degré de décapage a un effet significatif sur l'adhérence des carreaux.

11. a) $y_{ij} = \mu + \tau_j + B_i + \varepsilon_{ij}$. b) Blocs: projets; traitements: estimateurs. c) $H_0: \mu_A = \mu_B = \mu_C$.

e) $F = 0,1183$ $F_{0,05;2,10} = 4,103$; il n'y a pas de différence significative entre les estimateurs.

12. a) 4. b) 3. c) $F = 28,125 > F_{0,05;3,6} = 4,76$, nous rejetons l'hypothèse nulle.

d) $F = 10,5 > F_{0,05;2,6} = 5,14$, nous rejetons l'hypothèse nulle.

13. a) Marché d'alimentation

c) $y_{ij} = \mu + B_i + \tau_j + \varepsilon_{ij}$ B_i: effet (bloc) de la région i τ_j: effet de la présentation de type j

d) Régions; type de présentation e) $H_0: \mu_A = \mu_B = \mu_C$

f) $SCT = 2108,25$, $SCTR = 100,5$, $SCB = 1894,917$, $SC_{RES} = 112,833$.

h) $F = 50,25/18,805 = 2,672$; $F_{0,05;2,6} = 5,1432$. Puisque $F = 2,672 < 5,1432$, nous ne pouvons rejeter H_0. Il n'y a pas de différence significative. i) $F = 33,5879 > F_{0,05;3,6} = 4,757$; effet bloc significatif.

14. c) $SCT = 52\ 615$ d) $SC_{emplacements} = 7015$, $SC_{jours} = 38\ 472$, $SC_{RES} = 7128$.

e) $F = 3,9366 > F_{0,05;3,12} = 3,49$; nous rejetons l'hypothèse selon laquelle l'affluence moyenne est identique.

f) A B D C

15. a) $t = -0,943 > -2,144$; on ne peut rejeter l'hypothèse nulle. Les intentions d'achat ne changent pas de façon significative. c) $CM_{blocs} = 3,943$, $CMTR = 4,033$, $CM_{RES} = 4,533$.

e) $F = 0,8897 < F_{0,05;1,14} = 4,6$; on ne peut rejeter H_0. Il n'y a pas de différence significative dans les intentions d'achat.

g) $-2,4 \leq \mu_d \leq 0,934$; l'intervalle englobe la valeur $\mu_d = 0$.

16. a) $SCT = 5804,944$. b) $SCB = 4036,944$. c) $SCTR = 1240,111$ d) $SC_{RES} = 527,89$.

f) $F = 11,746 > F_{0,05;2,10} = 3,10$, nous rejetons l'hypothèse nulle. L'effet des traitements sur la variable dépendante diffère entre eux.

g) $CM_{RES} = 304,322$. h) $F = 2,037 < F_{0,05;2,15} = 3,68$. Aucun effet attribuable aux traitements.

Réponses aux exercices de révision et de synthèse (nombres pairs) - Chapitre 10

18. $F = \dfrac{CM_A}{CM_{RES}} = \dfrac{6,8639}{1,141} = 6,015$. $F_{0,05;1,137} = 3,9102$ (avec la fonction de Excel).

Puisque $F = 6,015 > 3,9102$, nous rejetons H_0. Il y a une différence significative concernant le niveau moyen d'appréciation entre les gestionnaires de firmes exportatrices et non exportatrices.

20. a) Shampooing

Source de variation	Somme de carrés	Degrés de liberté	Carrés moyens	Rapport F
Entre groupes	24,509	2	12,254	16,235
Résiduelle	113,22	150	0,7548	
Totale	137,729	152		

b) $H_0: \mu_{G1} = \mu_{G2} = \mu_{G3}$. $F_{0,05;2,150} = 3,0564$ avec Excel. Puisque $F = 16,235 > 3,0564$, nous rejetons H_0. Le niveau moyen de satisfaction n'est pas identique au seuil $\alpha = 0,05$. C'est le groupe G3 qui semble différer des deux autres groupes.

c)

Source de variation	Somme de carrés	Degrés de liberté	Carrés moyens	Rapport F
Entre groupes	33,445	2	16,772	25,262
Résiduelle	97,97	148	0,662	
Totale	131,415	150		

d) $H_0: \mu_{G1} = \mu_{G2} = \mu_{G3}$. $F_{0,05;2,148} = 3,057$ avec Excel. Puisque $F = 25,262 > 3,057$, nous rejetons H_0. Le niveau moyen de satisfaction n'est pas identique au seuil $\alpha = 0,05$. C'est le groupe G3 qui semble différer des deux autres groupes.

Réponses aux exercices de révision et de synthèse (nombres pairs) - Chapitre 10(suite)

22. a)

Politique de prix	Type de publicité		
	Pub -Circulaires (1)	Pub - Journaux (2)	Sans pub (3)
	Moyennes	Moyennes	Moyennes
Sans rabais (1)	6,05	4,3	3,8
Avec rabais (2)	6,9	5,5	4,4

b) i)

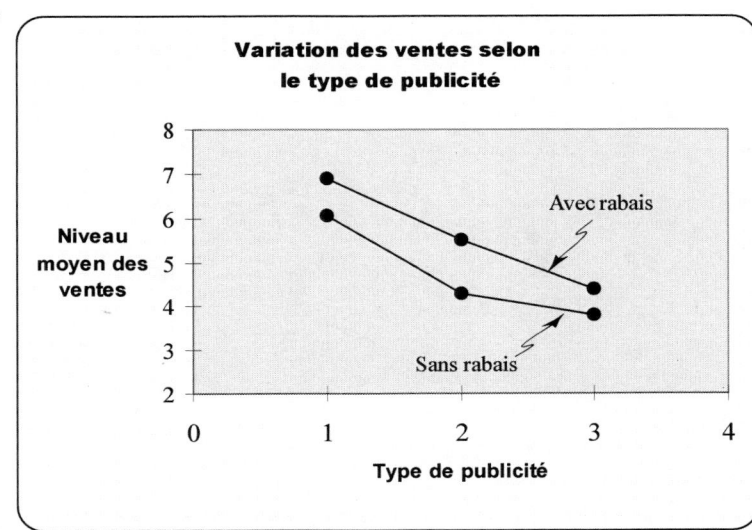

ii)

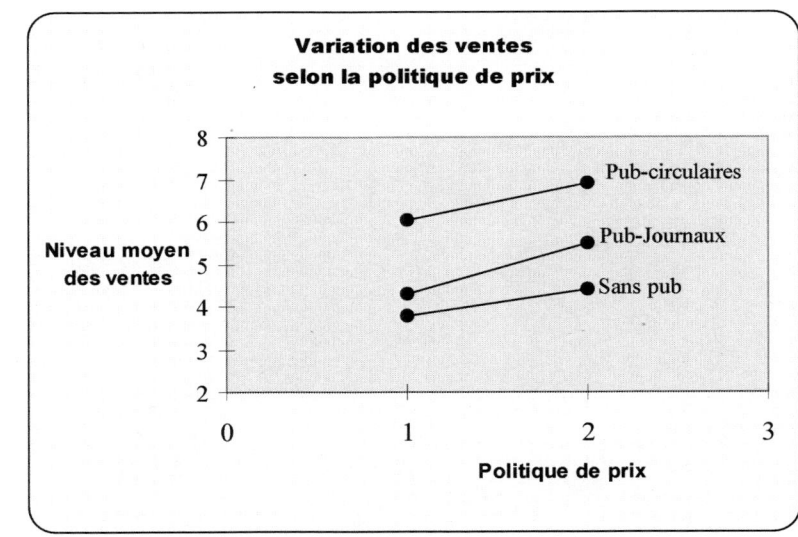

c) i) ii) Il semble exister un effet attribuable au type de publicité (les courbes ne sont pas à l'horizontale) ainsi qu'à la politique de prix. Peut-être également un léger effet d'interaction.

d) i) $F = 28,959 > F_{\text{critique}} = 5,9874$; rejet de H_0. La politique de prix a un effet sur les ventes.

ii) $F = 72,258 > F_{\text{critique}} = 5,1432$; rejet de H_0. Le type de publicité a un effet sur les ventes.

iii) $F = 1,124 < 5,1432$; non rejet de H_0. Pas d'effet d'interaction sur les ventes.

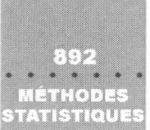

Chapitre 11- Corrélation linéaire simple et régression

Corrigé des exercices d'apprentissage

Exercice d'apprentissage no 1

a)

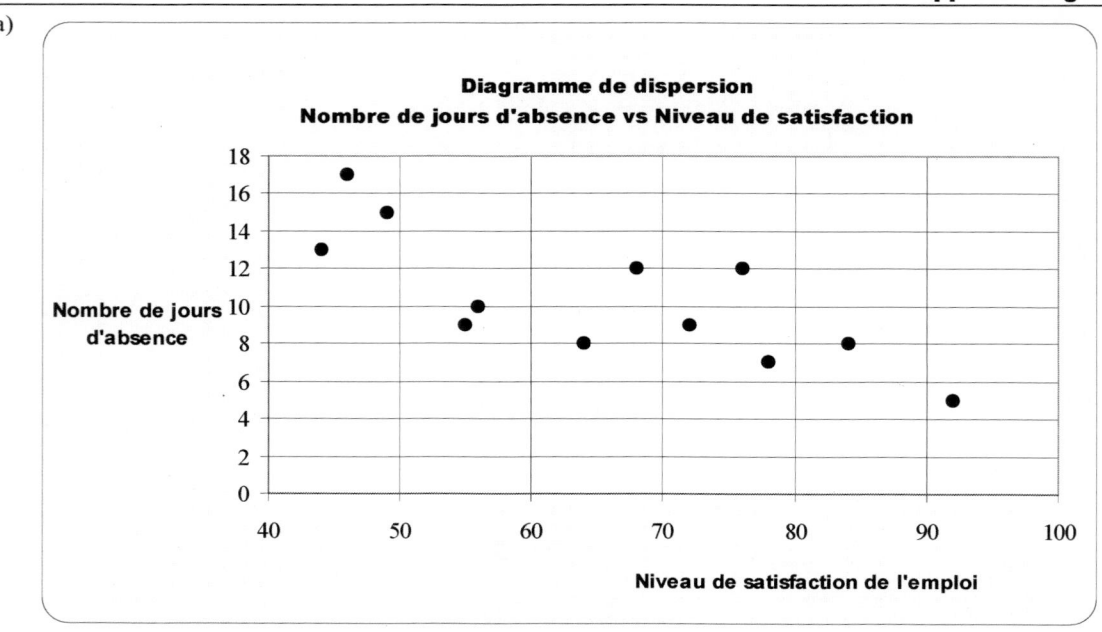

Diagramme de dispersion
Nombre de jours d'absence vs Niveau de satisfaction

b)　　oui.　　c) Oui.　　　d) Droite de pente négative.

Exercice d'apprentissage no 2

a)

Région	Délai	Prix de vente	$x_i y_i$	x_i^2	y_i^2
Basse-ville	131	67,3	8816,3	17161	4529,3
Haute-ville	127	103,3	13119,1	16129	10670,9
Secteur Ancienne-Lorette	107	64,5	6901,5	11449	4160,3
Secteur Sainte-Foy	133	82,9	11025,7	17689	6872,4
Secteur Val-Bélair	131	47,2	6183,2	17161	2227,8
Secteur Charlesbourg	132	56,5	7458	17424	3192,3
Secteur Beauport	126	53,4	6728,4	15876	2851,6
Secteur Saint-Romuald	164	56,7	9298,8	26896	3214,9
Secteur Lévis	119	74,2	8829,8	14161	5505,6
Somme	1170	606	78361	153946	367236,0

b) Le calcul du coefficient de corrélation donne : $r = -0,1983$.

c) La corrélation est très faible; un plus grand nombre d'observations serait requis pour une meilleure appréciation de la corrélation entre ces deux variables.

Exercice d'apprentissage no 3

a)　　175 (000$).

b)　　$r = \dfrac{(10)(229100) - (1250)(1750)}{\sqrt{(10)(180100) - (1250)^2}\sqrt{(10)(314900) - (1750)^2}} = \dfrac{103500}{143632,343} = 0,721.$

c)　　Oui, puisque que la corrélation est positive.

Exercice d'apprentissage no 4

a) $r = \dfrac{4344 - 5104}{\sqrt{380}\sqrt{1520}} = \dfrac{-760}{760} = -1.$ b) Corrélation linéaire négative parfaite.

Exercice d'apprentissage no 1

a) $b_1 = \dfrac{\sum (x_i - \bar{x})(y_i - \bar{y})}{\sum (x_i - \bar{x})^2} = \dfrac{7232}{736} = 9,8261$

$b_0 = \bar{y} - b_1\bar{x} = \dfrac{(10956)}{12} - (9,8261)\dfrac{(480)}{12} = 913 - (9,8261)(40) = 913 - 393,044 = 519,956$

b) $\hat{y}_i = 519,956 + 9,8261x_i$ c) $s_{y1x}^2 = 203,374$, Somme de carrés = $(203,374)(10) = 2033,74$

d) $y_i = \hat{y}_i + e_i$ À $x_i = 40$, $\hat{y}_i = 519,956 + (9,8261)(40) = 519,956 + 393,044 = 913$. Alors $y_i = 913 + 7 = 920$.

e) Variation expliquée = 73 096 - 2033,74 = 71 062,26

$r^2 = \dfrac{71062,26}{73096} = 0,9722$

f) Variation du coût de la main-d'oeuvre pour une variation unitaire de la taille des lots

g) i) $\hat{y}_{x_i=40} = 519,956 + (9,8261)(40) = 913$ ii) $\hat{y}_{x_i=45} = 519,956 + (9,8261)(45) = 962,13$

iii) $\hat{y}_{x_i=50} = 519,956 + (9,8261)(50) = 1011,26$

h) Pour la valeur $x = 40$, puisque celle-ci correspond à $\bar{x} = 40$, ce qui assure que la marge d'erreur est la plus faible.

Exercice d'apprentissage no 2

a) $SCT = 73\ 096$, $SCR = 71\ 062,26$, $SC_{RES} = 2033,74$.
b) $CMR = 71\ 062,26$ c) $CM_{RES} = 203,374$ d) $F = 71\ 026,26 / 203,374 = 349,24$, $F_{0,05;1,10} = 4,96$.
e) $s(b_1) = 0,5257$, $t_{0,025;10} = 2,2281$, $t \times s(b_1) = 1,1713$, $9,8261 \pm 1,1713$ soit entre 8,65 et 11.

Exercice d'apprentissage no 3

$r = \sqrt{0,9722} = 0,986$, corrélation positive puisque la pente de la droite de régression est positive.

Exercice d'apprentissage no 4

a) 913\$ b) $s(d_h) = 14,261 \times \sqrt{\dfrac{13}{12}} = 14,843$, $t_{0,025;10} = 2,2281$, $t \times s(d_h) = 33,07$, $913 \pm 33,07$ soit entre 879,93\$ et 946,07\$.

Exercice d'apprentissage no 5

a) $\hat{y} = 3,04 + 0,5x$ b) 242,1   c) $F = 14,24$, $F_{0,05;1,19} = 4,38$; la régression est significative.   d) 19
e) 3 446,6   f) 17,14 jours   g) 33 - 17,14 = 15,86 jours   h) $r^2 = 42,8\% < 60\%$, performance inadéquate.

Exercice d'apprentissage no 1

a) On constate qu'il y a une tendance linéaire dans l'évolution des ventes et cette tendance s'est manifestée depuis pratiquement le début de cette période d'analyse.
b) i) Le taux de croissance est moindre (14,544 par rapport à 20,503 pour le modèle 2000P).
ii) À l'aide de l'équation de régression à $x_{31} = 31$, on obtient 752,434.

Exercice d'apprentissage no 2

C'est le produit 2000P avec un coefficient $R^2 = 0,7928$ qui est de beaucoup inférieur à celui du produit 2100U. Les ventes du produit 2000P sont plus éparpillées autour de la tendance.

a)   Temps requis: nombre de factures.   b) i) Positive ii) Oui.   c) $\hat{y}_i = 0,596 + 0,0129x_i$ d) 0,305

e) 90,6%   f) 16,464   g) Oui, valeur $p < 0,05$ h) 3,2 heures   i) $d_l = 1,34$, $d_u = 1,48$

j) $D = 1,514$ k) Oui, $D = 1,514 > 1,48$.

Réponses aux exercices d'application - Chapitre 11

1.   b)   Les deux variables varient dans le même sens.   c) Forme linéaire.   d) $r = 0,9947$

2.   b)   Non les deux variables varient en sens contraire.   c) Oui.   d) $r = -0,9899$.

3.   b) $r = 0$.   c) Non; il faut examiner le diagramme de dispersion.   d) Non; la relation entre y et x n'est pas linéaire.

4.   b)   Corrélation linéaire positive.

5.   b)   Oui.   c) Oui.   d) $r = 0,8145$.   e) Oui, $t = 7,4288$.   f) Dépenses inférieures.

6.   a)   Nous rejetons l'hypothèse nulle.   b) Supérieur.   **8.**   Non, la corrélation n'est pas significative.

7.   Non; le diagramme n'indique aucun lien apparent.   **9.** Oui, $t = -9,2143$.   b) $r_c = -0,13$.

10. $r_{c_1} = 0,2876$, $r_{c_2} = 0,3439$.   **11.** a) $0,62 \leq \rho \leq 0,76$ b) Oui ($\rho = 0$ n'est pas dans l'intervalle de confiance).

12. c) Corrélation positive   d) $r = 0,8586$ e) Forte.

13.   b) $\hat{y}_i = 1,02134 + 2,73476x_i$.   c) 58,4512.   d) 3,54878; le résidu.   e) Oui.

14.   a)   Sa valeur algébrique est requise pour obtenir les estimations avec la droite de régression dans l'intervalle
      $60 \leq X \leq 80$.   b)   2000$.   c) 25 avec 64 degrés de liberté.   d) $t = 9,6$; nous rejetons H_0 et
      favorisons H_1.   e)   Même conclusion.

15.   a)   Oui, corrélation linéaire.   b) $\hat{y}_i = 19,874469 + 0,9585643x_i$.   c) $t = 24,46$; oui.

      d)   i) oui.   ii) 1 396 950$.   e) 57 508.

16.   b) $s(b_1) = 0,0200587$.   c) H_0: $\beta_1 = 1$.   d) Rejet de l'hypothèse nulle, $t = 2,592$.

17.   b)   Il semble exister une légère corrélation.   c) négative.   d) $\hat{y}_i = 24,085 - 0,7057x_i$.   e) environ 18%.

18.   a)   i) Distribution normale.   ii) $E(y_i) = \beta_0 + \beta_1 x_i$.   iii) Non; 0.   b) $\hat{y}_i = -35,2664 + 0,05248x_i$.   c) 1,515.

      d)   L'affirmation n'est pas exacte.   e) i) H_0: $\beta_1 = 0$, H_1: $\beta_1 > 0$.   ii) Rejet de H_0, $t = 12,26$.

      f)   Cette affirmation n'est pas plausible au risque spécifié.   g) 721,25.   h) $\pm$ 0,0627 g.   i) 715,89 g.

19   a)   475.   b) 25.   c) -0,9747.   **20.** $F = 72$.

21.   b) $\hat{y}_i = 7643,75778 - 395,721x_i$.   c) 50 152,8288.   d) iv.   e) 1010,713 h.   f) 85,87%.

22.   a) $-t_{\alpha/2, n-2} \cdot s(b_1)$; $t_{\alpha/2, n-2} \cdot s(b_1)$.   b) -1,03435, 1,03435.   c) Puisque $b_1 = -5$, nous rejetons H_0.

23.   a)   À $x_h = 8$, $87,10979 \leq E(y_h) \leq 112,8702$, $x_h = 20$, $147,1098 \leq E(y_h) \leq 172,8902$.

      b)   À $x_h = 8$, $65,602976 \leq E(y_h) \leq 134,397$, $x_h = 20$, $125,60298 \leq E(y_h) \leq 194,39702$.

      c)   Non, la marge d'erreur est identique.

24.   a) $\hat{y}_i = 25,59 + 1,26x_i$.   b) Faux.   c) 2223,904.   d) Nous devons rejeter l'affirmation.   e) $\bar{y} = 51$.

      f)   Faux; c'est le contraire.   g) $t = 6,5 > 1,7459$, nous rejetons H_0 et favorisons H_1.   h) 27,43%.

      i)   L'affirmation n'est pas vraisemblable au niveau de confiance 95%.   j) 20,167 m.   k) $\pm$ 5,89 centiheures.

25.   a) $\hat{y}_i = 44\,339,89 + 750,10x_i$.   b) $\cong$ 44 340$.   c) 211 506,586.   d) Entre 671,61$ et 828,59$.

e) Oui   f) $50\,088,82 \leq E(y_h) \leq 50\,592,54$$.

26.   a) $\hat{y}_i = 1,70 + 1,605x_i$.   b) 1,227.   c) 0,7268.   d) Oui, $F = 47,886$.   e) Non, il semble plutôt exister une tendance
      quadratique.

27.   b) $\hat{y}_i = 846,333 + 59,758x_i$.   c) Augmentation de 59,76$.   d) 1503,67$.

28.   b)   Oui, tendance à la hausse.   c) 739 148,43.

29.   a) $b_0 = 21,10758$, $b_1 = -0,75245$ c) Diminution de 0,75245 d) 11,3258 e) -5,1742   f) Sousestime.

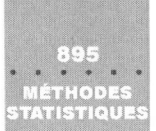

30. a) i) 1152. ii) 38 779 994$. b) Oui, corrélation linéaire positive.

c) $\hat{y}_i = -6868231,578 + 41789,63791x_i$ d) 41 273 431,29.

31. a) Oui. b) 6,4031. c) $\hat{y}_i = -60 + 0,8x_i$. d) 44. e) i) Oui. ii) Non, les résidus indiquent une tendance quadratique. iii) Non, il existe un lien de nature quadratique.

32. a) 63,9%; 62,9%. b) Régression 1: Autocorrélation négative. Régression 2: Absence d'autocorrélation. c) Régression 2. d) Oui, $t = 10,16$.

33. a) 2500, c'est-à-dire la pente de la droite de régression b) 7,4 années c) 2006.

Réponses aux exercices de révision et de synthèse (nombres pairs) - Chapitre 11

34. b) Oui. c) Positive.

d) Le calcul du coefficient de corrélation linéaire donne : $r = 0,9577$.

e) y : nombre de personnes embauchées x : montant accordé

f) $\hat{y}_i = -6,4235 + 65,1798x_i$

g) $\hat{y}_i = -6,4235 + 65,1798(2) = 123,9361$ ... Approximativement 124 personnes

$\hat{y}_i = -6,4235 + 65,1798(4) = 254,2957$ ... Approximativement 254 personnes

h) $r^2 = (0,9577)^2 = 0,9173$.

i) $b_1 = 65,1798$. Donc plutôt 65 nouveaux emplois. j) i) r passe de 0,9577 à 0,633 ii) r^2 passe de 0,9173 à 0,4010

k) Approximativement 118 emplois; Approximativement 183 emplois.

36. a) $b_{c_1} = -5 - (2,0687)(0,5) = -6,034$ $b_{c_2} = -5 + (2,0687)(0,5) = -3,966$. b) Nous rejetons H_0: $\beta_1 = -5$ et favorisons H_1.

38. a) 1,625 b) 0,375 d) 0,8125 e) +0,9014 f) 0,3062 g) Rejeter H_0 si $F > 7,71$, sinon ne pas rejeter H_0. h) $F = 17,33 > 7,71$; nous favorisons H_1.

40. b) $-10,262 \le \beta_0 \le 3,354$. d) i) $\hat{y} = 2,264x$; ii) 0,049; iii) $t = 46,24$. e) $64,96 \le E(y_h) \le 70,87$.

Chapitre 12- Régression linéaire multiple

Corrigé des exercices d'apprentissage

Série 12.1

Exercice d'apprentissage no 1

a)

Source de variation	Somme de carrés	Degrés de liberté	Carrés moyens
Régression	271,656	5	54,3312
Résiduelle	126,644	8	15,8305
Totale	398,3	13	

b) $y = \beta_0 + \beta_1 x_1 + \beta_2 x_2 + \beta_3 x_3 + \beta_4 x_4 + \beta_5 x_5 + \varepsilon$. c) Quatorze observations ont été effectuées.

d) $H_0: \beta_1 = \beta_2 = \beta_3 = \beta_4 = \beta_5 = 0$. H_1: Au moins un des β_j est différent de 0.

e) Rejeter H_0 si $F > F_{0,10,5,8} = 2,73$. $F = 54,3312/15,8305 = 3,4321$. On rejette H_0 et on retient H_1 au niveau de signification 10% puisque $F = 3,4321 > 2,73$.

f) Oui. g) $R^2 = \dfrac{SCR}{SCT} = \dfrac{271,656}{398,3} = 0,68204$. Donc 68,2%. h) $s = \sqrt{15,831} = 3,98$. i) $s^2 = 15,831$.

Exercice d'apprentissage no 2

Entre 0,10 et 0,05.

Exercice d'apprentissage no 3

0,0595

Exercice d'apprentissage no 4

a) $\hat{y}_i = 13,340 + 0,0436x_{i1} + 0,258x_{i2}$ b) 95,2%% c) 104,014 d) Oui, $F = 118,58$.

a) 85,12%.   b) $F = 21,4474$; oui.   c) Non, au moins une des variables est significative.   d) Non.

e) Année de service; la valeur du t de Student la plus faible en valeur absolue.   f) $-0,0240 \leq \beta_4 \leq 0,5981$

g) Non, puisque l'intervalle englobe $\beta_4 = 0$.   h) Oui, valeur $p < 0,05$.

i) $\hat{y}_i = 1,447 + 0,0656\ Rémunération + 0,1507\ \hat{Age}$; $R^2 = 81,27\%$.

Exercice d'apprentissage no 1

a) Niveau de satisfaction des clients envers le service des ressources humaines.

b) $y_i = \beta_0 + \beta_1 x_{i_1} + \beta_2 x_{i_2} + \beta_3 x_{i_3} + \varepsilon_i$.

x_{i_1} : type de structure auquel appartient le répondant i.

x_{i_2} : endroit de travail du répondant i.

x_{i_3} : sexe du répondant i.

c) $x_{i_1} = \begin{cases} 1, & \text{service décentralisé} \\ 0, & \text{service centralisé} \end{cases}$ $x_{i_2} = \begin{cases} 1, & \text{en région} \\ 0, & \text{siège social} \end{cases}$ $x_{i_3} = \begin{cases} 1, & \text{masculin} \\ 0, & \text{féminin} \end{cases}$

d) i) On utilise $F = \dfrac{R^2 / k}{(1 - R^2)/\ n - k - 1}$ avec $R^2 = 0,0784$, $k = 4$ et $n = 496$.

$F = \dfrac{(0,0784)\ /\ 4}{(1 - 0,0784)\ /\ 496 - 5} = 10,44$. $F_{0,05;4,491} = 2,39$. Puisque $F = 10,44 > 2,39$, nous rejetons l'hypothèse

nulle. La régression est significative dans son ensemble au seuil 5%.

ii) $SCR = R^2\ SCT = (0,0784)\ (603,9) = 47,346$

Exercice d'apprentissage no 2

a) Avec Excel, on obtient $t_{0,025,491} = 1,965 \cong z_{0,025}$. $t_j = \dfrac{b_j}{s(b_j)}$.

Rejet de H_0: $\beta_j = 0$ si $t > 1,965$ ou $t < -1,965$, sinon ne pas rejeter H_0.

$t_{b_1} = 4,67 > 1,965$, significatif $t_{b_2} = 2,57 > 1,965$, significatif

$t_{b_3} = -2,45 < -1,965$, significatif $t_{b_4} = -5,54 < -1,965$, significatif

Tous les termes sont significatifs.

b) $\hat{y} = 3,69 + 0,90x_1 + 0,42x_2 - 0,28x_3 - 1,31x_1x_2 = (3,69) + 0,90 + 0,42 - 0 - (1,31)\,(1) = 3,7$.

Exercice d'apprentissage no 3

a) i) 0,41190   ii) 10,268   b) i) 84,3%   ii) 13,89 c) $F = 36,45$; oui   d) i) 107,968   ii) 26,992
e) 3 f) 11 692   g) 12 711$ h) Non, valeur $p < 0,10$ i) Oui, 9 859$.   j) 130 845$.

a) i) r_{y1}: corrélation entre la performance de l'individu et son habileté en com. (x_1).
   ii) r_{21}: corrélation entre les variables explicatives x_2 et x_1.
   iii) r_{32}: corrélation entre les variables explicatives x_3 et x_2.

b) Variable x_2 (relations interpersonnelles) parce qu'elle présente la plus forte corrélation linéaire simple avec la variable dépendante ($r_{y2} = 0,8728$).

c) $r_{y2.1}^2 = \dfrac{R_{y.1,2}^2 - R_{y.1}^2}{1 - R_{y.1}^2} = \dfrac{(0,7709 - 0,1188)}{1 - 0,1188} = \dfrac{0,6521}{0,8812} = 0,74$, soit 74%.

d) $r_{y2.1} = \sqrt{0,74} = 0,86$.

Série 12.4 (suite)

e) $r_{y3.1,2}^2 = \dfrac{(0,8 - 0,7709)}{(1 - 0,7709)} = \dfrac{0,0291}{0,2291} = 0,127$

$r_{y3.1,2} = \sqrt{0,127} = 0,356.$

Réponses aux exercices d'application - Chapitre 12

1. a) Variable dépendante: Le chiffre d'affaires annuel

b) x_1: montant d'argent alloué en publicité, x_2: superficie de la succursale, x_3: revenu médian de la région

c) $y_i = \beta_0 + \beta_1 x_{i1} + \beta_2 x_{i2} + \beta_3 x_{i3} + \varepsilon_i$

2. a) 13,418. b) $\hat{y}_i = 13,418 - 1,739\, x_{i_1} + 0,0622\, x_{i_2}$. c) $s^2 = 4,264$. d) 2,065.

3. a) 148. b) $\cong 29,85$. c) 118,15. d) 9dl; 7 dl; 2 dl.

4. a) Faux, de 1739$. b) 10 440$. c) -1440$.

5. a) $SCT = 27\,587,43 - \dfrac{(517,3)^2}{10} = 27\,587,43 - 26\,759,929 = 827,501.$

b) $SCR = (9,7852)(517,3) + (0,20136)(93\,915,96) + (1,278)(2822) - 26\,759,929 = 27\,579,318 - 26\,759,929 = 819,389.$ c) $SC_{RES} = 827,501 - 819,389 = 8,112.$

d)

Source de variation	Somme de carrés	Degrés de liberté	Carrés moyens
Régression	819,389	2	409,69
Résiduelle	8,112	7	1,16
Totale	827,501	9	

e) $s^2 = CM_{RES} = 1,16.$

f) $R^2 = \dfrac{SCR}{SCT} = \dfrac{819,39}{827,501} \times 100 = 99,02\%.$

6. a) -6,372. b) $\hat{y}_i = -6,372 + 4,2555 x_i + 0,307\, x_{i_2}$. c) 1 433 400$. d) 404. e) 340,0875.

f) 63,9125. h) 9,13. i) 84,18%.

7. a) $R^2 = 0,90$; $R_a^2 = 0,775$. b) $R^2 = 0,90$; $R_a^2 = 0,8947$.

8. a) Modèle 1: $R_a^2 = 0,5925$. Modèle 2: $R_a^2 = 0,6944$.

9. b) $H_0 : \beta_1 = \beta_2 = \beta_3 = \beta_4 = \beta_5 = \beta_6 = 0$. c) $H_1\ (F = 80,78)$. e) 96,42%.

10. a) 5930,32. b) 4. c) 515,68. d) 103,136. e) $F = 14,375\ (H_1$ est favorisée).

11. a) 126,3 b) 11,7. c) 0,3194. d) $F = 2,699$; la régression n'est pas significative dans son ensemble.

12. $F = 3,4857$ (régression significative dans son ensemble).

13. b) $\hat{y}_i = 1,612 + 1,524\, x_{i_1} + 1,362\, x_{i_2}$. d) $\bar{y}$ soit 51. e) x_2. f) 11,02%; 72,56%.

h) $p = 7,49\text{E} - 10 < \alpha = 0,05$; régression significative dans son ensemble. i) $s^2 = 32,810$. j) 0,939.

14. b) 6,2522. c) $H_0 : \beta_1 = \beta_2 = \beta_3 = \beta_4 = 0$; $F = 32,8125$; on favorise H_1.

d) $H_0 : \beta_j = 0$, $H_1 : \beta_j \neq 0$. f) La contribution marginale de x_3 n'est pas significative. g) variable x_3.

15. a) 3644,77. b) 376. c) La contribution marginale est significative.

16. a) $\hat{y} = 110,5 + 32,8 x_1 - 56,3 x_2 + 85 x_3 - 27,6 x_4$. b) $F = 6,76 > 4,057$, contribution marginale significative.

c) 5,598. d) -4,93. e) Oui.

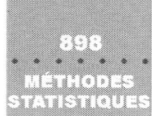

Réponses aux exercices d'application - Chapitre 12 (suite)

17. a) Degré d'utilisation du réseau Internet.   b) $F = 10,761$, régression significative dans son ensemble.

c) Toutes les variables ont une contribution marginale significative.

d) Valeur $p = 0,07877 > \alpha = 0,05$; on ne peut introduire cette variable au seuil $\alpha = 0,05$.

18. a) 1300,989.   b) 0,74629.   c) $F = 17,6487 > 3,16$, régression significative dans son ensemble.

d)

Source de variation	Somme de carrés	Degrés de liberté
Due à x_1	981,326	1
Résiduelle	761,955	20
Totale	1743,281	21

19. a) i) $F = 25,758$.   ii) 6,3228.   iii) $F = 5,267$.   b) 0,563; 0,67204; 0,74629.   c) Modèle 3.

20. a) $\hat{y}_i = 852,189 + 12,399\, x_{i_1}$.   b) 86,36%.   c) Oui.

d) La contribution marginale est significative au seuil 5%.

21. a) 3.   b) 2.   c) $E(y) = \beta_0 + \beta_1 x_1 + \beta_2 x_2$.   d) $E(y) = \beta_0 + \beta_2$.

22. a) 70.   b) 670.   c) 560.

23. a) $H_0: \beta_2 = \beta_3 = 0$.   b) $F = 6,99 > 3,20$; effet significatif du programme de formation.

24. a) $F = 225,0255$, très significatif.   b) $F = 118,795$, l'affirmation n'est pas vraisemblable.

25. a) 3.   c) $F = 237,315 > 3,13$; oui.

26. a) $\hat{y}_i = 74,5603 + 0,3164 x_1 + 0,2589 x_2 + 0,1944 x_3$.   b) $F = 98,5$, régression très significative dans son ensemble.

c) i) 73,677   ii) 44,223   iii) 45,812   d) Aucune variable n'est retranchée.

f) Contribution marginale de x_1, x_2 et x_3 significative.

g) i) 4,384   ii) 0,5849   iii) Valeur $p = 0,5628$ iv) Contribution marginale de la variable «sexe» non significative

h) 0,90229.   i) On pourrait retenir C.   j) marge d'erreur $\cong 7,32$, soit 7 montages.

27. a) 0,9318.   b) 0,6126.   c) 0,9653.   d) 0,7827.   e) 6721,182.

28. a) 66,15%; 78,32%; 48,57%.   b) Variable x_3.   c) i) 59,11%   ii) +0,7688.

d) $F = 47,695$; contribution marginale significative.   e) 167,122.   f) +0,542.

29. a) i) 0,7737   ii) 0,0399   iii) Faux, c'est le contraire.

b) i) 26,844; 4,28; 5,436; 16,43.   ii) Revenu mensuel.   iii) Pratiquement 60%.

c) 7,18%; 10,25%; 31,12%.   d) Locataire-propriétaire; pourcentage de réduction le plus élevé.

e) 26 273 313,1.   f) Oui, $F = 7,682 > 4,451$.

g) $F = 15,136 > 3,026$, nous ne pouvons retrancher la variable «revenu mensuel» de l'équation au seuil $\alpha = 0,10$.

h) i) $F = 22,25$ iii) Oui. i) Scolarité du chef de famille.   j) Non.   k) 0,359.   l) Oui.

30. a) i) Oui. ii) Non.   b) Espace habitable.   c) ii)

d) i) 0,0147   ii) -0,2124   iii) 0,3558   iv) 0,253.   e) Nombre de salles de bains.

f) i) Espace habitable, nombre de salles de bains, garage.   ii) $F = 63,512$.   iii) 84,1%.

g) 0,000; 0,019; 0,083.   h) Non.   j) 9859$.

Réponses aux exercices de révision et de synthèse (nombres pairs) - Chapitre 12

32. Il faut $R^2 > 0,4502$.

34. a) 56,623   b) $48,971 \le E(y_h) \le 64,275$ c) Marge d'erreur $= (2,3646)(3,236) = 7,652$.

d) Prévision $= 56,623$; $35,453 \le y_h \le 77,793$

36. a) La variable auxiliaire VSEXE se définit comme suit:

$$VSEXE = \begin{cases} 0 & \text{si féminin} \\ 1 & \text{si masculin} \end{cases}$$

Avec Excel, on obtient $\hat{y}_i = 34\,068,846 + 12,0629\ VSEXE$.

36. b) $\hat{y}_{mas} = 34\,068,846 + 12,0629 = 34\,080,91\$.$ $\hat{y}_{fém} = 34\,068,85\$.$

c) Il représente l'écart entre le salaire annuel moyen des employés de sexe féminin et de sexe masculin. $\cong 12\$.$

d) Du tableau d'analyse de variance, on obtient $F = 0,00014$, valeur $p = 0,99$. On ne peut rejeter l'hypothèse nulle. Il n'y a pas de discrimination attribuable au sexe de l'employé.

e) i) $H_0 : \mu_{masculin} = \mu_{féminin}$

$H_1 : \mu_{masculin} \neq \mu_{féminin}$

ii) Avec Excel, on obtient: $s_c^2 = 30940519,01$.

iii) $CM_{RES} = 30940519,01$. Les valeurs sont identiques.

iv) $1\,019,10\$$ v) $t = 0,0118$ vi) Non, puisque $t = 0,0118 < 1,98$. vii) Oui, $F = t^2$.

f) i) La régression dans son ensemble est très significative.

ii) La contribution marginale de la variable explicative «sexe» n'est pas significative ($t = -1,35 > -1,96$).

iii) Valeur $p = 0,1781 > 0,05$. La contribution marginale de la variable «sexe» est non significative.

g) i) 78,88%. ii) oui iii) $SC_{marginale\ x_3} = (6,155)^2 * 6590683,64 = 249705276,0$

iv) Augmentation de $(1412,72) \times 2 = 2825,43\$.$

Réponses aux tests d'évaluation des connaissances

Test no 1

1. V	**10.** V	**19.** F			
2. V	**11.** F	**20.** V	**21.** F	**22.** F	**23.** V
3. V	**12.** F	**24.** V	**25.** V		
4. V	**13.** V	**26.** a) ii) b) i) c) iii) d) iii) e) ii) f) ii); iii).			
5. V	**14.** F	**27.** a) ii) b) iii) c) iii).			
6. F	**15.** V	**28.** iii)			
7. V	**16.** V	**29.** a) ii) b) iii) c) iii) d) ii) e) iii).			
8. V	**17.** V	**30.** ii)			
9. V	**18.** F	**31.** a) iii) b) iii) c) ii) d) ii) e) ii) f) iii).			

Test no 2

1. F	**10.** V	**19.** iii)	**20.** iii)	**21.** b) f) j) n).		
2. F	**11.** V	**22.** a) iii) b) ii) c) ii) d) ii).				
3. V	**12.** V	**23.** a) ii) b) iii) c) ii) d) iii)				
4. F	**13.** F	**24.** iii).	**25.** ii)			
5. F	**14.** V	**26.** a) ii) b) iii) c) iii) d) ii)				
6. F	**15.** F	e) ii) f) ii g) iii).				
7. F	**16.** F	**27.** ii)	**28.** a) ii) b) iii)	**29.** ii)	**30.** ii)	
8. V	**17.** F					
9. F	**18.** V					

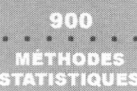
Réponses aux tests d'évaluation des connaissances (suite)

Test no 3

1. F	7. F	13. V	19. i)	20. iv)	21. ii)
2. V	8. V	14. V	22. ii)	23. ii)	24. ii)
3. V	9. V	15. V	25. iii)	26. ii)	27. iii)
4. F	10. V	16. F	28. i)	29. iii)	30. iii)
5. F	11. V	17. ii)	31. a) iv) b) ii)	32. ii)	33. i)
6. V	12. V	18. iii)	34. iii)	35. iv)	36. ii)

37. a) iv) b) iii)　　38. a) iii) b) iv).

Test no 4

1. V	14. V	27. F
2. V	15. F	28. F
3. F	16. F	29. V
4. F	17. F	30. V
5. F	18. V	31. ii)
6. F	19. F	32. iii)
7. F	20. F	33. a) iii)　b) iii)　c) iii) d) iii)
8. F	21. F	34. a) iii)　b) iii)　c) ii)
9. F	22. V	35. a) ii)　b) iii)　c) iii)
10. F	23. V	
11. F	24. F	
12. V	25. V	
13. V	26. V	

Test no 5

1. F	2. F	3. F		
4. F	5. V	6. F	7. F	8. V
9. V	10. F	11. V	12. V	13. F
14. V	15. V	16. F	17. F	18. F

19. iii)

20. iii) 21. iv) 22. ii) 23. ii) 24. iii)

25. ii)

26. a) ii) b) iii) c) iii)

27. a) ii) b) iii)

28. iii)

29. a) ii) b) iii) c) iii)

30. a) ii) b) iii) c) ii) d) ii) e) iii)

31. a) ii) b) ii) c) ii)

32. a) iii) b) ii) c) iii)

Réponses aux tests d'évaluation des connaissances (suite)

Test no 6

1. F
2. F
3. V
4. F
5. F
6. V
7. V
8. V
9. F
10. V
11. V
12. F
13. V
14. V
15. V

16. F
17. V
18. a) ii)　　b) ii) c) iii) d) V; F; F
19. i)
20. i)
21. iv)
22. iii)
23. ii)
24. a) iii)　b) ii) c) ii)

Test no 7

1. V
2. F
3. F
4. V
5. F
6. V
7. V
8. F
9. V; F
10. V
11. F
12. V
13. V

14. F
15. V
16. V
17. F
18. V
19. a) ii)　　b) iii) c) iii) d) ii)
　　e) ii)　　f) iii) g) ii)
20. a) iii)　b) ii) c) iii) d) ii) e) ii) f) ii)
21. a) iii)　b) ii) c) iii) d) ii)
22. a) iii)　b) iii) c) ii) d) iii)

Test no 8

1. V
2. F
3. V
4. V
5. F
6. V
7. V

8. F
9. V
10. V
11. F
12. F
13. iv)
14. i)

15. iii)
16. iv)
17. v)
18. a) iv)　b) iii) c) i)
19. a) iii)　b) ii) c) iii)
　　d) ii)　e) iii) f) iii)
20. a) iii)　b) ii) c) ii)
　　d) ii)　e) iii) f) ii) g) ii)

Test no 9

1. V	5. F	9. F
2. F	6. V	10. F
3. V	7. F	11. a) ii) b) iii) c) i) d) iii) e) i)
4. F	8. F	12. a) i) b) ii) c) iii) d) iii) e) ii) f) ii)

Test no 10

1. V	9. V	17. iii)
2. V	10. V	18. a) iii) b) ii)
3. F	11. F	19. ii)
4. V	12. V	20. a) ii) b) iii) c) iii) d) ii) e) ii)
5. V	13. V	21. iii)
6. F	14. V	22. a) iii) b) ii) c) ii) d) iii) e) iii) f) iv)
7. V	15. V	
8. F	16. iv)	

Test no 11

1. F	12. F	23. V
2. F	13. V	24. F
3. F	14. F	25. iii)
4. V	15. V	26. iv)
5. V	16. F	27. iv)
6. F	17. V	28. a) ii) b) iii) c) iii) d) ii) e) ii)
7. F	18. F	29. iv)
8. F	19. F	30. a) iii) b) iii) c) ii)
9. F	20. F	31. a) ii) b) iii) c) iii) d) ii) e) ii)
10. V	21. F	32. a) ii) b) ii) c) iii) d) ii) e) iii)
11. F	22. F	33. a) iv) b) ii) c) ii) d) ii) e) iii)
		f) ii) g) ii) h) ii)

Test no 12

1. F	10. V	19. V
2. V	11. V	20. F
3. V	12. V	21. a) iii) b) ii) c) iii) d) iii)
4. F	13. V	22. a) ii) b) ii) c) iii) d) i)
5. F	14. V	23. a) ii) b) iii) c) ii) d) ii)
6. V	15. F	24. a) iii) b) ii) c) ii) d) ii)
7. F	16. F	25. a) iii) b) ii) c) ii)
8. F	17. F	26. a) iv) b) iii) c) iii) d) iii) e) iii)
9. F	18. F	f) iii) g) ii) h) ii)

Tables statistiques

Table A1. Table de la loi binomiale

$$P(X = x) = \binom{n}{x} \cdot p^x \cdot (1-p)^{n-x}$$

Formule dans Excel

	D3	▼		f_x	=LOI.BINOMIALE(A3;5;0,03;FAUX)		
	A	B	C	D	E	F	G
1	*n* =5						
2	*x*	*p* =1%	*p* =2%	*p* =3%	*p* =4%	*p* =5%	*p* =6%
3	0	0,9510	0,9039	0,8587	0,8154	0,7738	0,7339
4	1	0,0480	0,0922	0,1328	0,1699	0,2036	0,2342

n =5

x	*p* =1%	*p* =2%	*p* =3%	*p* =4%	*p* =5%	*p* =6%	*p* =7%	*p* =8%	*p* =9%	*p* =10%
0	0,9510	0,9039	0,8587	0,8154	0,7738	0,7339	0,6957	0,6591	0,6240	0,5905
1	0,0480	0,0922	0,1328	0,1699	0,2036	0,2342	0,2618	0,2866	0,3086	0,3281
2	0,0010	0,0038	0,0082	0,0142	0,0214	0,0299	0,0394	0,0498	0,0610	0,0729
3	0,0000	0,0001	0,0003	0,0006	0,0011	0,0019	0,0030	0,0043	0,0060	0,0081
4		0,0000	0,0000	0,0000	0,0000	0,0001	0,0001	0,0002	0,0003	0,0005
5						0,0000	0,0000	0,0000	0,0000	0,0000

n =8

x	*p* =1%	*p* =2%	*p* =3%	*p* =4%	*p* =5%	*p* =6%	*p* =7%	*p* =8%	*p* =9%	*p* =10%
0	0,9227	0,8508	0,7837	0,7214	0,6634	0,6096	0,5596	0,5132	0,4703	0,4305
1	0,0746	0,1389	0,1939	0,2405	0,2793	0,3113	0,3370	0,3570	0,3721	0,3826
2	0,0026	0,0099	0,0210	0,0351	0,0515	0,0695	0,0888	0,1087	0,1288	0,1488
3	0,0001	0,0004	0,0013	0,0029	0,0054	0,0089	0,0134	0,0189	0,0255	0,0331
4	0,0000	0,0000	0,0001	0,0002	0,0004	0,0007	0,0013	0,0021	0,0031	0,0046
5			0,0000	0,0000	0,0000	0,0000	0,0001	0,0001	0,0002	0,0004
6							0,0000	0,0000	0,0000	0,0000

n =10

x	*p* =1%	*p* =2%	*p* =3%	*p* =4%	*p* =5%	*p* =6%	*p* =7%	*p* =8%	*p* =9%	*p* =10%
0	0,9044	0,8171	0,7374	0,6648	0,5987	0,5386	0,4840	0,4344	0,3894	0,3487
1	0,0914	0,1667	0,2281	0,2770	0,3151	0,3438	0,3643	0,3777	0,3851	0,3874
2	0,0042	0,0153	0,0317	0,0519	0,0746	0,0988	0,1234	0,1478	0,1714	0,1937
3	0,0001	0,0008	0,0026	0,0058	0,0105	0,0168	0,0248	0,0343	0,0452	0,0574
4	0,0000	0,0000	0,0001	0,0004	0,0010	0,0019	0,0033	0,0052	0,0078	0,0112
5			0,0000	0,0000	0,0001	0,0001	0,0003	0,0005	0,0009	0,0015
6					0,0000	0,0000	0,0000	0,0000	0,0001	0,0001
7									0,0000	0,0000

n =12

x	*p* =1%	*p* =2%	*p* =3%	*p* =4%	*p* =5%	*p* =6%	*p* =7%	*p* =8%	*p* =9%	*p* =10%
0	0,8864	0,7847	0,6938	0,6127	0,5404	0,4759	0,4186	0,3677	0,3225	0,2824
1	0,1074	0,1922	0,2575	0,3064	0,3413	0,3645	0,3781	0,3837	0,3827	0,3766
2	0,0060	0,0216	0,0438	0,0702	0,0988	0,1280	0,1565	0,1835	0,2082	0,2301
3	0,0002	0,0015	0,0045	0,0098	0,0173	0,0272	0,0393	0,0532	0,0686	0,0852
4	0,0000	0,0001	0,0003	0,0009	0,0021	0,0039	0,0067	0,0104	0,0153	0,0213
5		0,0000	0,0000	0,0001	0,0002	0,0004	0,0008	0,0014	0,0024	0,0038
6				0,0000	0,0000	0,0000	0,0001	0,0001	0,0003	0,0005
7							0,0000	0,0000	0,0000	0,0000

Table A1. Table de la loi binomiale (suite)

n = 10

x	p = 5 %	p = 10 %	p = 15 %	p = 20 %	p = 25 %	p = 30 %	p = 35 %	p = 40 %	p = 45 %	p = 50 %
0	0,5987	0,3487	0,1969	0,1074	0,0563	0,0282	0,0135	0,0060	0,0025	0,0010
1	0,3151	0,3874	0,3474	0,2684	0,1877	0,1211	0,0725	0,0403	0,0207	0,0098
2	0,0746	0,1937	0,2759	0,3020	0,2816	0,2335	0,1757	0,1209	0,0763	0,0439
3	0,0105	0,0574	0,1298	0,2013	0,2503	0,2668	0,2522	0,2150	0,1665	0,1172
4	0,0010	0,0112	0,0401	0,0881	0,1460	0,2001	0,2377	0,2508	0,2384	0,2051
5	0,0001	0,0015	0,0085	0,0264	0,0584	0,1029	0,1536	0,2007	0,2340	0,2461
6		0,0001	0,0012	0,0055	0,0162	0,0368	0,0689	0,1115	0,1596	0,2051
7		0,0000	0,0001	0,0008	0,0031	0,0090	0,0212	0,0425	0,0746	0,1172
8			0,0000	0,0001	0,0004	0,0014	0,0043	0,0106	0,0229	0,0439
9				0,0000	0,0000	0,0001	0,0005	0,0016	0,0042	0,0098
10						0,0000	0,0000	0,0001	0,0003	0,0010

n = 12

x	p = 5 %	p = 10 %	p = 15 %	p = 20 %	p = 25 %	p = 30 %	p = 35 %	p = 40 %	p = 45 %	p = 50 %
0	0,5404	0,2824	0,1422	0,0687	0,0317	0,0138	0,0057	0,0022	0,0008	0,0002
1	0,3413	0,3766	0,3012	0,2062	0,1267	0,0712	0,0368	0,0174	0,0075	0,0029
2	0,0988	0,2301	0,2924	0,2835	0,2323	0,1678	0,1088	0,0639	0,0339	0,0161
3	0,0173	0,0852	0,1720	0,2362	0,2581	0,2397	0,1954	0,1419	0,0923	0,0537
4	0,0021	0,0213	0,0683	0,1329	0,1936	0,2311	0,2367	0,2128	0,1700	0,1208
5	0,0002	0,0038	0,0193	0,0532	0,1032	0,1585	0,2039	0,2270	0,2225	0,1934
6	0,0000	0,0005	0,0040	0,0155	0,0401	0,0792	0,1281	0,1766	0,2124	0,2256
7		0,0000	0,0006	0,0033	0,0115	0,0291	0,0591	0,1009	0,1489	0,1934
8			0,0001	0,0005	0,0024	0,0078	0,0199	0,0420	0,0762	0,1208
9			0,0000	0,0001	0,0004	0,0015	0,0048	0,0125	0,0277	0,0537
10				0,0000	0,0000	0,0002	0,0008	0,0025	0,0068	0,0161
11						0,0000	0,0001	0,0003	0,0010	0,0029
12							0,0000	0,0000	0,0001	0,0002

n = 15

x	p = 5 %	p = 10 %	p = 15 %	p = 20 %	p = 25 %	p = 30 %	p = 35 %	p = 40 %	p = 45 %	p = 50 %
0	0,4633	0,2059	0,0874	0,0352	0,0134	0,0047	0,0016	0,0005	0,0001	0,0000
1	0,3658	0,3432	0,2312	0,1319	0,0668	0,0305	0,0126	0,0047	0,0016	0,0005
2	0,1348	0,2669	0,2856	0,2309	0,1559	0,0916	0,0476	0,0219	0,0090	0,0032
3	0,0307	0,1285	0,2184	0,2501	0,2252	0,1700	0,1110	0,0634	0,0318	0,0139
4	0,0049	0,0428	0,1156	0,1876	0,2252	0,2186	0,1792	0,1268	0,0780	0,0417
5	0,0006	0,0105	0,0449	0,1032	0,1651	0,2061	0,2123	0,1859	0,1404	0,0916
6	0,0000	0,0019	0,0132	0,0430	0,0917	0,1472	0,1906	0,2066	0,1914	0,1527
7		0,0003	0,0030	0,0138	0,0393	0,0811	0,1319	0,1771	0,2013	0,1964
8		0,0000	0,0005	0,0035	0,0131	0,0348	0,0710	0,1181	0,1647	0,1964
9			0,0001	0,0007	0,0034	0,0116	0,0298	0,0612	0,1048	0,1527
10			0,0000	0,0001	0,0007	0,0030	0,0096	0,0245	0,0515	0,0916
11				0,0000	0,0001	0,0006	0,0024	0,0074	0,0191	0,0417
12					0,0000	0,0001	0,0004	0,0016	0,0052	0,0139
13						0,0000	0,0001	0,0003	0,0010	0,0032
14							0,0000	0,0000	0,0001	0,0005
15									0,0000	0,0000

Table A1. Table de la loi binomiale (suite)

n = 16

x	p = 5 %	p = 10 %	p = 15 %	p = 20 %	p = 25 %	p = 30 %	p = 35 %	p = 40 %	p = 45 %	p = 50 %
0	0,4401	0,1853	0,0743	0,0281	0,0100	0,0033	0,0010	0,0003	0,0001	0,0000
1	0,3706	0,3294	0,2097	0,1126	0,0535	0,0228	0,0087	0,0030	0,0009	0,0002
2	0,1463	0,2745	0,2775	0,2111	0,1336	0,0732	0,0353	0,0150	0,0056	0,0018
3	0,0359	0,1423	0,2285	0,2463	0,2079	0,1465	0,0888	0,0468	0,0215	0,0085
4	0,0061	0,0514	0,1311	0,2001	0,2252	0,2040	0,1553	0,1014	0,0572	0,0278
5	0,0008	0,0137	0,0555	0,1201	0,1802	0,2099	0,2008	0,1623	0,1123	0,0667
6	0,0001	0,0028	0,0180	0,0550	0,1101	0,1649	0,1982	0,1983	0,1684	0,1222
7	0,0000	0,0004	0,0045	0,0197	0,0524	0,1010	0,1524	0,1889	0,1969	0,1746
8		0,0001	0,0009	0,0055	0,0197	0,0487	0,0923	0,1417	0,1812	0,1964
9		0,0000	0,0001	0,0012	0,0058	0,0185	0,0442	0,0840	0,1318	0,1746
10			0,0000	0,0002	0,0014	0,0056	0,0167	0,0392	0,0755	0,1222
11				0,0000	0,0002	0,0013	0,0049	0,0142	0,0337	0,0667
12					0,0000	0,0002	0,0011	0,0040	0,0115	0,0278
13						0,0000	0,0002	0,0008	0,0029	0,0085
14							0,0000	0,0001	0,0005	0,0018
15								0,0000	0,0001	0,0002
16									0,0000	0,0000

n = 18

x	p = 5 %	p = 10 %	p = 15 %	p = 20 %	p = 25 %	p = 30 %	p = 35 %	p = 40 %	p = 45 %	p = 50 %
0	0,3972	0,1501	0,0536	0,0180	0,0056	0,0016	0,0004	0,0001	0,0000	0,0000
1	0,3763	0,3002	0,1704	0,0811	0,0338	0,0126	0,0042	0,0012	0,0003	0,0001
2	0,1683	0,2835	0,2556	0,1723	0,0958	0,0458	0,0190	0,0069	0,0022	0,0006
3	0,0473	0,1680	0,2406	0,2297	0,1704	0,1046	0,0547	0,0246	0,0095	0,0031
4	0,0093	0,0700	0,1592	0,2153	0,2130	0,1681	0,1104	0,0614	0,0291	0,0117
5	0,0014	0,0218	0,0787	0,1507	0,1988	0,2017	0,1664	0,1146	0,0666	0,0327
6	0,0002	0,0052	0,0301	0,0816	0,1436	0,1873	0,1941	0,1655	0,1181	0,0708
7	0,0000	0,0010	0,0091	0,0350	0,0820	0,1376	0,1792	0,1892	0,1657	0,1214
8		0,0002	0,0022	0,0120	0,0376	0,0811	0,1327	0,1734	0,1864	0,1669
9		0,0000	0,0004	0,0033	0,0139	0,0386	0,0794	0,1284	0,1694	0,1855
10			0,0001	0,0008	0,0042	0,0149	0,0385	0,0771	0,1248	0,1669
11			0,0000	0,0001	0,0010	0,0046	0,0151	0,0374	0,0742	0,1214
12				0,0000	0,0002	0,0012	0,0047	0,0145	0,0354	0,0708
13					0,0000	0,0002	0,0012	0,0045	0,0134	0,0327
14						0,0000	0,0002	0,0011	0,0039	0,0117
15							0,0000	0,0002	0,0009	0,0031
16								0,0000	0,0001	0,0006
17									0,0000	0,0001
18										0,0000

Table A1. Table de la loi binomiale (suite)

n = 20

x	p = 5 %	p = 10 %	p = 15 %	p = 20 %	p = 25 %	p = 30 %	p = 35 %	p = 40 %	p = 45 %	p = 50 %
0	0,3585	0,1216	0,0388	0,0115	0,0032	0,0008	0,0002	0,0000	0,0000	0,0000
1	0,3774	0,2702	0,1368	0,0576	0,0211	0,0068	0,0020	0,0005	0,0001	0,0000
2	0,1887	0,2852	0,2293	0,1369	0,0669	0,0278	0,0100	0,0031	0,0008	0,0002
3	0,0596	0,1901	0,2428	0,2054	0,1339	0,0716	0,0323	0,0123	0,0040	0,0011
4	0,0133	0,0898	0,1821	0,2182	0,1897	0,1304	0,0738	0,0350	0,0139	0,0046
5	0,0022	0,0319	0,1028	0,1746	0,2023	0,1789	0,1272	0,0746	0,0365	0,0148
6	0,0003	0,0089	0,0454	0,1091	0,1686	0,1916	0,1712	0,1244	0,0746	0,0370
7	0,0000	0,0020	0,0160	0,0545	0,1124	0,1643	0,1844	0,1659	0,1221	0,0739
8		0,0004	0,0046	0,0222	0,0609	0,1144	0,1614	0,1797	0,1623	0,1201
9		0,0001	0,0011	0,0074	0,0271	0,0654	0,1158	0,1597	0,1771	0,1602
10		0,0000	0,0002	0,0020	0,0099	0,0308	0,0686	0,1171	0,1593	0,1762
11			0,0000	0,0005	0,0030	0,0120	0,0336	0,0710	0,1185	0,1602
12				0,0001	0,0008	0,0039	0,0136	0,0355	0,0727	0,1201
13				0,0000	0,0002	0,0010	0,0045	0,0146	0,0366	0,0739
14					0,0000	0,0002	0,0012	0,0049	0,0150	0,0370
15						0,0000	0,0003	0,0013	0,0049	0,0148
16							0,0000	0,0003	0,0013	0,0046
17								0,0000	0,0002	0,0011
18									0,0000	0,0002
19										0,0000
20										0,0000

n = 24

x	p = 5 %	p = 10 %	p = 15 %	p = 20 %	p = 25 %	p = 30 %	p = 35 %	p = 40 %	p = 45 %	p = 50 %
0	0,2920	0,0798	0,0202	0,0047	0,0010	0,0002	0,0000	0,0000	0,0000	0,0000
1	0,3688	0,2127	0,0857	0,0283	0,0080	0,0020	0,0004	0,0001	0,0000	0,0000
2	0,2232	0,2718	0,1739	0,0815	0,0308	0,0097	0,0026	0,0006	0,0001	0,0000
3	0,0862	0,2215	0,2251	0,1493	0,0752	0,0305	0,0102	0,0028	0,0007	0,0001
4	0,0238	0,1292	0,2085	0,1960	0,1316	0,0687	0,0289	0,0099	0,0028	0,0006
5	0,0050	0,0574	0,1472	0,1960	0,1755	0,1177	0,0622	0,0265	0,0091	0,0025
6	0,0008	0,0202	0,0822	0,1552	0,1853	0,1598	0,1061	0,0560	0,0237	0,0080
7	0,0001	0,0058	0,0373	0,0998	0,1588	0,1761	0,1470	0,0960	0,0499	0,0206
8	0,0000	0,0014	0,0140	0,0530	0,1125	0,1604	0,1682	0,1360	0,0867	0,0438
9		0,0003	0,0044	0,0236	0,0667	0,1222	0,1610	0,1612	0,1261	0,0779
10		0,0000	0,0012	0,0088	0,0333	0,0785	0,1300	0,1612	0,1548	0,1169
11			0,0003	0,0028	0,0141	0,0428	0,0891	0,1367	0,1612	0,1488
12			0,0000	0,0008	0,0051	0,0199	0,0520	0,0988	0,1429	0,1612
13				0,0002	0,0016	0,0079	0,0258	0,0608	0,1079	0,1488
14				0,0000	0,0004	0,0026	0,0109	0,0318	0,0694	0,1169
15					0,0001	0,0008	0,0039	0,0141	0,0378	0,0779
16					0,0000	0,0002	0,0012	0,0053	0,0174	0,0438
17						0,0000	0,0003	0,0017	0,0067	0,0206
18							0,0001	0,0004	0,0021	0,0080
19							0,0000	0,0001	0,0006	0,0025
20								0,0000	0,0001	0,0006
21									0,0000	0,0001
22										0,0000
23										0,0000
24										0,0000

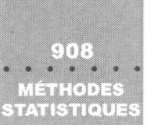
Table A2. Table de la loi de Poisson

$$P(X = x) = \frac{e^{-\lambda}\lambda^{x}}{x!}$$

Formule dans Excel

		F2		▼		f_x	=LOI.POISSON(B2;0,4;FAUX)	
		A	B	C	D	E	F	G
1			x	$\lambda = 0,1$	$\lambda = 0,2$	$\lambda = 0,3$	$\lambda = 0,4$	$\lambda = 0,5$
2			0	0,9048	0,8187	0,7408	0,6703	0,6065
3			1	0,0905	0,1637	0,2222	0,2681	0,3033

x	$\lambda = 0,1$	$\lambda = 0,2$	$\lambda = 0,3$	$\lambda = 0,4$	$\lambda = 0,5$	$\lambda = 0,6$	$\lambda = 0,7$	$\lambda = 0,8$	$\lambda = 0,9$	$\lambda = 1,0$
0	0,9048	0,8187	0,7408	0,6703	0,6065	0,5488	0,4966	0,4493	0,4066	0,3679
1	0,0905	0,1637	0,2222	0,2681	0,3033	0,3293	0,3476	0,3595	0,3659	0,3679
2	0,0045	0,0164	0,0333	0,0536	0,0758	0,0988	0,1217	0,1438	0,1647	0,1839
3	0,0002	0,0011	0,0033	0,0072	0,0126	0,0198	0,0284	0,0383	0,0494	0,0613
4	0,0000	0,0001	0,0003	0,0007	0,0016	0,0030	0,0050	0,0077	0,0111	0,0153
5		0,0000	0,0000	0,0001	0,0002	0,0004	0,0007	0,0012	0,0020	0,0031
6			0,0000	0,0000	0,0000	0,0000	0,0001	0,0002	0,0003	0,0005
7							0,0000	0,0000	0,0000	0,0001
8										0,0000

x	$\lambda = 1,1$	$\lambda = 1,2$	$\lambda = 1,3$	$\lambda = 1,4$	$\lambda = 1,5$	$\lambda = 1,6$	$\lambda = 1,7$	$\lambda = 1,8$	$\lambda = 1,9$	$\lambda = 2,0$
0	0,3329	0,3012	0,2725	0,2231	0,2231	0,2019	0,1827	0,1653	0,1496	0,1353
1	0,3662	0,3614	0,3543	0,3347	0,3347	0,3230	0,3106	0,2975	0,2842	0,2707
2	0,2014	0,2169	0,2303	0,2510	0,2510	0,2584	0,2640	0,2678	0,2700	0,2707
3	0,0738	0,0867	0,0998	0,1255	0,1255	0,1378	0,1496	0,1607	0,1710	0,1804
4	0,0203	0,0260	0,0324	0,0471	0,0471	0,0551	0,0636	0,0723	0,0812	0,0902
5	0,0045	0,0062	0,0084	0,0141	0,0141	0,0176	0,0216	0,0260	0,0309	0,0361
6	0,0008	0,0012	0,0018	0,0035	0,0035	0,0047	0,0061	0,0078	0,0098	0,0120
7	0,0001	0,0002	0,0003	0,0008	0,0008	0,0011	0,0015	0,0020	0,0027	0,0034
8	0,0000	0,0000	0,0001	0,0001	0,0001	0,0002	0,0003	0,0005	0,0006	0,0009
9			0,0000	0,0000	0,0000	0,0000	0,0001	0,0001	0,0001	0,0002
10							0,0000	0,0000	0,0000	0,0000

x	$\lambda = 2,1$	$\lambda = 2,2$	$\lambda = 2,3$	$\lambda = 2,4$	$\lambda = 2,5$	$\lambda = 2,6$	$\lambda = 2,7$	$\lambda = 2,8$	$\lambda = 2,9$	$\lambda = 3,0$
0	0,1225	0,1108	0,1003	0,0907	0,0821	0,0743	0,0672	0,0608	0,0550	0,0498
1	0,2572	0,2438	0,2306	0,2177	0,2052	0,1931	0,1815	0,1703	0,1596	0,1494
2	0,2700	0,2681	0,2652	0,2613	0,2565	0,2510	0,2450	0,2384	0,2314	0,2240
3	0,1890	0,1966	0,2033	0,2090	0,2138	0,2176	0,2205	0,2225	0,2237	0,2240
4	0,0992	0,1082	0,1169	0,1254	0,1336	0,1414	0,1488	0,1557	0,1622	0,1680
5	0,0417	0,0476	0,0538	0,0602	0,0668	0,0735	0,0804	0,0872	0,0940	0,1008
6	0,0146	0,0174	0,0206	0,0241	0,0278	0,0319	0,0362	0,0407	0,0455	0,0504
7	0,0044	0,0055	0,0068	0,0083	0,0099	0,0118	0,0139	0,0163	0,0188	0,0216
8	0,0011	0,0015	0,0019	0,0025	0,0031	0,0038	0,0047	0,0057	0,0068	0,0081
9	0,0003	0,0004	0,0005	0,0007	0,0009	0,0011	0,0014	0,0018	0,0022	0,0027
10	0,0001	0,0001	0,0001	0,0002	0,0002	0,0003	0,0004	0,0005	0,0006	0,0008
11	0,0000	0,0000	0,0000	0,0000	0,0000	0,0001	0,0001	0,0001	0,0002	0,0002
12	0,0000	0,0000	0,0000	0,0000	0,0000	0,0000	0,0000	0,0000	0,0000	0,0001
13	0,0000	0,0000	0,0000	0,0000	0,0000	0,0000	0,0000	0,0000	0,0000	0,0000

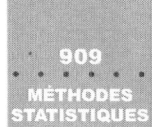

Table A2. Table de la loi de Poisson (suite)

x	λ = 3,1	λ = 3,2	λ = 3,3	λ = 3,4	λ = 3,5	λ = 3,6	λ = 3,7	λ =3,8	λ =3,9	λ = 4,0
0	0,0450	0,0408	0,0369	0,0334	0,0302	0,0273	0,0247	0,0224	0,0202	0,0183
1	0,1397	0,1304	0,1217	0,1135	0,1057	0,0984	0,0915	0,0850	0,0789	0,0733
2	0,2165	0,2087	0,2008	0,1929	0,1850	0,1771	0,1692	0,1615	0,1539	0,1465
3	0,2237	0,2226	0,2209	0,2186	0,2158	0,2125	0,2087	0,2046	0,2001	0,1954
4	0,1733	0,1781	0,1823	0,1858	0,1888	0,1912	0,1931	0,1944	0,1951	0,1954
5	0,1075	0,1140	0,1203	0,1264	0,1322	0,1377	0,1429	0,1477	0,1522	0,1563
6	0,0555	0,0608	0,0662	0,0716	0,0771	0,0826	0,0881	0,0936	0,0989	0,1042
7	0,0246	0,0278	0,0312	0,0348	0,0385	0,0425	0,0466	0,0508	0,0551	0,0595
8	0,0095	0,0111	0,0129	0,0148	0,0169	0,0191	0,0215	0,0241	0,0269	0,0298
9	0,0033	0,0040	0,0047	0,0056	0,0066	0,0076	0,0089	0,0102	0,0116	0,0132
10	0,0010	0,0013	0,0016	0,0019	0,0023	0,0028	0,0033	0,0039	0,0045	0,0053
11	0,0003	0,0004	0,0005	0,0006	0,0007	0,0009	0,0011	0,0013	0,0016	0,0019
12	0,0001	0,0001	0,0001	0,0002	0,0002	0,0003	0,0003	0,0004	0,0005	0,0006
13	0,0000	0,0000	0,0000	0,0000	0,0001	0,0001	0,0001	0,0001	0,0002	0,0002
14					0,0000	0,0000	0,0000	0,0000	0,0000	0,0001
15										0,0000

x	λ = 4,1	λ = 4,2	λ = 4,3	λ = 4,4	λ = 4,5	λ = 4,6	λ = 4,7	λ =4,8	λ =4,9	λ = 5,0
0	0,3329	0,0150	0,0136	0,0123	0,0111	0,0101	0,0091	0,0082	0,0074	0,0067
1	0,3662	0,0630	0,0583	0,0540	0,0500	0,0462	0,0427	0,0395	0,0365	0,0337
2	0,2014	0,1323	0,1254	0,1188	0,1125	0,1063	0,1005	0,0948	0,0894	0,0842
3	0,0738	0,1852	0,1798	0,1743	0,1687	0,1631	0,1574	0,1517	0,1460	0,1404
4	0,0203	0,1944	0,1933	0,1917	0,1898	0,1875	0,1849	0,1820	0,1789	0,1755
5	0,0045	0,1633	0,1662	0,1687	0,1708	0,1725	0,1738	0,1747	0,1753	0,1755
6	0,0008	0,1143	0,1191	0,1237	0,1281	0,1323	0,1362	0,1398	0,1432	0,1462
7	0,0001	0,0686	0,0732	0,0778	0,0824	0,0869	0,0914	0,0959	0,1002	0,1044
8	0,0000	0,0360	0,0393	0,0428	0,0463	0,0500	0,0537	0,0575	0,0614	0,0653
9	0,0000	0,0168	0,0188	0,0209	0,0232	0,0255	0,0281	0,0307	0,0334	0,0363
10	0,0000	0,0071	0,0081	0,0092	0,0104	0,0118	0,0132	0,0147	0,0164	0,0181
11	0,0000	0,0027	0,0032	0,0037	0,0043	0,0049	0,0056	0,0064	0,0073	0,0082
12	0,0000	0,0009	0,0011	0,0013	0,0016	0,0019	0,0022	0,0026	0,0030	0,0034
13	0,0000	0,0003	0,0004	0,0005	0,0006	0,0007	0,0008	0,0009	0,0011	0,0013
14	0,0000	0,0001	0,0001	0,0001	0,0002	0,0002	0,0003	0,0003	0,0004	0,0005
15	0,0000	0,0000	0,0000	0,0000	0,0001	0,0001	0,0001	0,0001	0,0001	0,0002
16	0,0000				0,0000	0,0000	0,0000	0,0000	0,0000	0,0000

x	λ = 5,1	λ = 5,2	λ = 5,3	λ = 5,4	λ = 5,5	λ = 5,6	λ = 5,7	λ =5,8	λ =5,9	λ = 6,0
0	0,0061	0,0055	0,0050	0,0045	0,0041	0,0037	0,0033	0,0030	0,0027	0,0025
1	0,0311	0,0287	0,0265	0,0244	0,0225	0,0207	0,0191	0,0176	0,0162	0,0149
2	0,0793	0,0746	0,0701	0,0659	0,0618	0,0580	0,0544	0,0509	0,0477	0,0446
3	0,1348	0,1293	0,1239	0,1185	0,1133	0,1082	0,1033	0,0985	0,0938	0,0892
4	0,1719	0,1681	0,1641	0,1600	0,1558	0,1515	0,1472	0,1428	0,1383	0,1339
5	0,1753	0,1748	0,1740	0,1728	0,1714	0,1697	0,1678	0,1656	0,1632	0,1606
6	0,1490	0,1515	0,1537	0,1555	0,1571	0,1584	0,1594	0,1601	0,1605	0,1606
7	0,1086	0,1125	0,1163	0,1200	0,1234	0,1267	0,1298	0,1326	0,1353	0,1377
8	0,0692	0,0731	0,0771	0,0810	0,0849	0,0887	0,0925	0,0962	0,0998	0,1033
9	0,0392	0,0423	0,0454	0,0486	0,0519	0,0552	0,0586	0,0620	0,0654	0,0688
10	0,0200	0,0220	0,0241	0,0262	0,0285	0,0309	0,0334	0,0359	0,0386	0,0413

Table A2. Table de la loi de Poisson (suite)

x	λ = 5,1	λ = 5,2	λ = 5,3	λ = 5,4	λ = 5,5	λ = 5,6	λ = 5,7	λ =5,8	λ =5,9	λ = 6,0
10	0,0200	0,0220	0,0241	0,0262	0,0285	0,0309	0,0334	0,0359	0,0386	0,0413
11	0,0093	0,0104	0,0116	0,0129	0,0143	0,0157	0,0173	0,0190	0,0207	0,0225
12	0,0039	0,0045	0,0051	0,0058	0,0065	0,0073	0,0082	0,0092	0,0102	0,0113
13	0,0015	0,0018	0,0021	0,0024	0,0028	0,0032	0,0036	0,0041	0,0046	0,0052
14	0,0006	0,0007	0,0008	0,0009	0,0011	0,0013	0,0015	0,0017	0,0019	0,0022
15	0,0002	0,0002	0,0003	0,0003	0,0004	0,0005	0,0006	0,0007	0,0008	0,0009
16	0,0001	0,0001	0,0001	0,0001	0,0001	0,0002	0,0002	0,0002	0,0003	0,0003
17	0,0000	0,0000	0,0000	0,0000	0,0000	0,0001	0,0001	0,0001	0,0001	0,0001
18	0,0000	0,0000	0,0000	0,0000	0,0000	0,0000	0,0000	0,0000	0,0000	0,0000

x	λ = 6,1	λ = 6,2	λ = 6,3	λ = 6,4	λ = 6,5	λ = 6,6	λ = 6,7	λ =6,8	λ =6,9	λ = 7,0
0	0,0022	0,0020	0,0018	0,0017	0,0015	0,0014	0,0012	0,0011	0,0010	0,0009
1	0,0137	0,0126	0,0116	0,0106	0,0098	0,0090	0,0082	0,0076	0,0070	0,0064
2	0,0417	0,0390	0,0364	0,0340	0,0318	0,0296	0,0276	0,0258	0,0240	0,0223
3	0,0848	0,0806	0,0765	0,0726	0,0688	0,0652	0,0617	0,0584	0,0552	0,0521
4	0,1294	0,1249	0,1205	0,1162	0,1118	0,1076	0,1034	0,0992	0,0952	0,0912
5	0,1579	0,1549	0,1519	0,1487	0,1454	0,1420	0,1385	0,1349	0,1314	0,1277
6	0,1605	0,1601	0,1595	0,1586	0,1575	0,1562	0,1546	0,1529	0,1511	0,1490
7	0,1399	0,1418	0,1435	0,1450	0,1462	0,1472	0,1480	0,1486	0,1489	0,1490
8	0,1066	0,1099	0,1130	0,1160	0,1188	0,1215	0,1240	0,1263	0,1284	0,1304
9	0,0723	0,0757	0,0791	0,0825	0,0858	0,0891	0,0923	0,0954	0,0985	0,1014
10	0,0441	0,0469	0,0498	0,0528	0,0558	0,0588	0,0618	0,0649	0,0679	0,0710
11	0,0244	0,0265	0,0285	0,0307	0,0330	0,0353	0,0377	0,0401	0,0426	0,0452
12	0,0124	0,0137	0,0150	0,0164	0,0179	0,0194	0,0210	0,0227	0,0245	0,0263
13	0,0058	0,0065	0,0073	0,0081	0,0089	0,0099	0,0108	0,0119	0,0130	0,0142
14	0,0025	0,0029	0,0033	0,0037	0,0041	0,0046	0,0052	0,0058	0,0064	0,0071
15	0,0010	0,0012	0,0014	0,0016	0,0018	0,0020	0,0023	0,0026	0,0029	0,0033
16	0,0004	0,0005	0,0005	0,0006	0,0007	0,0008	0,0010	0,0011	0,0013	0,0014
17	0,0001	0,0002	0,0002	0,0002	0,0003	0,0003	0,0004	0,0004	0,0005	0,0006
18	0,0000	0,0001	0,0001	0,0001	0,0001	0,0001	0,0001	0,0002	0,0002	0,0002
19		0,0000	0,0000	0,0000	0,0000	0,0000	0,0001	0,0001	0,0001	0,0001
20							0,0000	0,0000	0,0000	0,0000

x	λ = 7,1	λ = 7,2	λ = 7,3	λ = 7,4	λ = 7,5	λ = 7,6	λ = 7,7	λ =7,8	λ =7,9	λ = 8,0
0	0,0008	0,0007	0,0007	0,0006	0,0006	0,0005	0,0005	0,0004	0,0004	0,0003
1	0,0059	0,0054	0,0049	0,0045	0,0041	0,0038	0,0035	0,0032	0,0029	0,0027
2	0,0208	0,0194	0,0180	0,0167	0,0156	0,0145	0,0134	0,0125	0,0116	0,0107
3	0,0492	0,0464	0,0438	0,0413	0,0389	0,0366	0,0345	0,0324	0,0305	0,0286
4	0,0874	0,0836	0,0799	0,0764	0,0729	0,0696	0,0663	0,0632	0,0602	0,0573
5	0,1241	0,1204	0,1167	0,1130	0,1094	0,1057	0,1021	0,0986	0,0951	0,0916
6	0,1468	0,1445	0,1420	0,1394	0,1367	0,1339	0,1311	0,1282	0,1252	0,1221
7	0,1489	0,1486	0,1481	0,1474	0,1465	0,1454	0,1442	0,1428	0,1413	0,1396
8	0,1321	0,1337	0,1351	0,1363	0,1373	0,1381	0,1388	0,1392	0,1395	0,1396
9	0,1042	0,1070	0,1096	0,1121	0,1144	0,1167	0,1187	0,1207	0,1224	0,1241
10	0,0740	0,0770	0,0800	0,0829	0,0858	0,0887	0,0914	0,0941	0,0967	0,0993
11	0,0478	0,0504	0,0531	0,0558	0,0585	0,0613	0,0640	0,0667	0,0695	0,0722
12	0,0283	0,0303	0,0323	0,0344	0,0366	0,0388	0,0411	0,0434	0,0457	0,0481
13	0,0154	0,0168	0,0181	0,0196	0,0211	0,0227	0,0243	0,0260	0,0278	0,0296
14	0,0078	0,0086	0,0095	0,0104	0,0113	0,0123	0,0134	0,0145	0,0157	0,0169

Table A2. Table de la loi de Poisson (suite)

x	$\lambda = 7,1$	$\lambda = 7,2$	$\lambda = 7,3$	$\lambda = 7,4$	$\lambda = 7,5$	$\lambda = 7,6$	$\lambda = 7,7$	$\lambda = 7,8$	$\lambda = 7,9$	$\lambda = 8,0$
15	0,0037	0,0041	0,0046	0,0051	0,0057	0,0062	0,0069	0,0075	0,0083	0,0090
16	0,0016	0,0019	0,0021	0,0024	0,0026	0,0030	0,0033	0,0037	0,0041	0,0045
17	0,0007	0,0008	0,0009	0,0010	0,0012	0,0013	0,0015	0,0017	0,0019	0,0021
18	0,0003	0,0003	0,0004	0,0004	0,0005	0,0006	0,0006	0,0007	0,0008	0,0009
19	0,0001	0,0001	0,0001	0,0002	0,0002	0,0002	0,0003	0,0003	0,0003	0,0004
20	0,0000	0,0000	0,0001	0,0001	0,0001	0,0001	0,0001	0,0001	0,0001	0,0002
21	0,0000	0,0000	0,0000	0,0000	0,0000	0,0000	0,0000	0,0000	0,0001	0,0001
22	0,0000	0,0000	0,0000	0,0000	0,0000	0,0000	0,0000	0,0000	0,0000	0,0000

x	$\lambda = 8,5$	$\lambda = 9,0$	$\lambda = 9,5$	$\lambda = 10,0$	$\lambda = 10,5$	$\lambda = 11,0$	$\lambda = 11,5$	$\lambda = 12,0$	$\lambda = 12,5$	$\lambda = 13,0$
0	0,0002	0,0001	0,0001	0,0000	0,0000	0,0000	0,0000	0,0000	0,0000	0,0000
1	0,0017	0,0011	0,0007	0,0005	0,0003	0,0002	0,0001	0,0001	0,0000	0,0000
2	0,0074	0,0050	0,0034	0,0023	0,0015	0,0010	0,0007	0,0004	0,0003	0,0002
3	0,0208	0,0150	0,0107	0,0076	0,0053	0,0037	0,0026	0,0018	0,0012	0,0008
4	0,0443	0,0337	0,0254	0,0189	0,0139	0,0102	0,0074	0,0053	0,0038	0,0027
5	0,0752	0,0607	0,0483	0,0378	0,0293	0,0224	0,0170	0,0127	0,0095	0,0070
6	0,1066	0,0911	0,0764	0,0631	0,0513	0,0411	0,0325	0,0255	0,0197	0,0152
7	0,1294	0,1171	0,1037	0,0901	0,0769	0,0646	0,0535	0,0437	0,0353	0,0281
8	0,1375	0,1318	0,1232	0,1126	0,1009	0,0888	0,0769	0,0655	0,0551	0,0457
9	0,1299	0,1318	0,1300	0,1251	0,1177	0,1085	0,0982	0,0874	0,0765	0,0661
10	0,1104	0,1186	0,1235	0,1251	0,1236	0,1194	0,1129	0,1048	0,0956	0,0859
11	0,0853	0,0970	0,1067	0,1137	0,1180	0,1194	0,1181	0,1144	0,1087	0,1015
12	0,0604	0,0728	0,0844	0,0948	0,1032	0,1094	0,1131	0,1144	0,1132	0,1099
13	0,0395	0,0504	0,0617	0,0729	0,0834	0,0926	0,1001	0,1056	0,1089	0,1099
14	0,0240	0,0324	0,0419	0,0521	0,0625	0,0728	0,0822	0,0905	0,0972	0,1021
15	0,0136	0,0194	0,0265	0,0347	0,0438	0,0534	0,0630	0,0724	0,0810	0,0885
16	0,0072	0,0109	0,0157	0,0217	0,0287	0,0367	0,0453	0,0543	0,0633	0,0719
17	0,0036	0,0058	0,0088	0,0128	0,0177	0,0237	0,0306	0,0383	0,0465	0,0550
18	0,0017	0,0029	0,0046	0,0071	0,0104	0,0145	0,0196	0,0255	0,0323	0,0397
19	0,0008	0,0014	0,0023	0,0037	0,0057	0,0084	0,0119	0,0161	0,0213	0,0272
20	0,0003	0,0006	0,0011	0,0019	0,0030	0,0046	0,0068	0,0097	0,0133	0,0177
21	0,0001	0,0003	0,0005	0,0009	0,0015	0,0024	0,0037	0,0055	0,0079	0,0109
22	0,0001	0,0001	0,0002	0,0004	0,0007	0,0012	0,0020	0,0030	0,0045	0,0065
23	0,0000	0,0000	0,0001	0,0002	0,0003	0,0006	0,0010	0,0016	0,0024	0,0037
24			0,0000	0,0001	0,0001	0,0003	0,0005	0,0008	0,0013	0,0020
25				0,0000	0,0001	0,0001	0,0002	0,0004	0,0006	0,0010
26					0,0000	0,0000	0,0001	0,0002	0,0003	0,0005
27							0,0000	0,0001	0,0001	0,0002
28								0,0000	0,0001	0,0001
29									0,0000	0,0001
30										0,0000

Table A2. Table de la loi de Poisson

(Probabilités cumulées)

x	$\lambda=1{,}0$ $P(X<=x)$	$\lambda=1{,}5$ $P(X<=x)$	$\lambda=2{,}0$ $P(X<=x)$	$\lambda=2{,}5$ $P(X<=x)$	$\lambda=3{,}0$ $P(X<=x)$	$\lambda=3{,}5$ $P(X<=x)$	$\lambda=4{,}0$ $P(X<=x)$	$\lambda=4{,}5$ $P(X<=x)$	$\lambda=5{,}0$ $P(X<=x)$	$\lambda=5{,}5$ $P(X<=x)$	$\lambda=6{,}0$ $P(X<=x)$	$\lambda=6{,}5$ $P(X<=x)$
0	0,3679	0,2231	0,1353	0,0821	0,0498	0,0302	0,0183	0,0111	0,0067	0,0041	0,0025	0,0015
1	0,7358	0,5578	0,4060	0,2873	0,1991	0,1359	0,0916	0,0611	0,0404	0,0266	0,0174	0,0113
2	0,9197	0,8088	0,6767	0,5438	0,4232	0,3208	0,2381	0,1736	0,1247	0,0884	0,0620	0,0430
3	0,9810	0,9344	0,8571	0,7576	0,6472	0,5366	0,4335	0,3423	0,2650	0,2017	0,1512	0,1118
4	0,9963	0,9814	0,9473	0,8912	0,8153	0,7254	0,6288	0,5321	0,4405	0,3575	0,2851	0,2237
5	0,9994	0,9955	0,9834	0,9580	0,9161	0,8576	0,7851	0,7029	0,6160	0,5289	0,4457	0,3690
6	0,9999	0,9991	0,9955	0,9858	0,9665	0,9347	0,8893	0,8311	0,7622	0,6860	0,6063	0,5265
7	1,0000	0,9998	0,9989	0,9958	0,9881	0,9733	0,9489	0,9134	0,8666	0,8095	0,7440	0,6728
8		1,0000	0,9998	0,9989	0,9962	0,9901	0,9786	0,9597	0,9319	0,8944	0,8472	0,7916
9			1,0000	0,9997	0,9989	0,9967	0,9919	0,9829	0,9682	0,9462	0,9161	0,8774
10				0,9999	0,9997	0,9990	0,9972	0,9933	0,9863	0,9747	0,9574	0,9332
11				1,0000	0,9999	0,9997	0,9991	0,9976	0,9945	0,9890	0,9799	0,9661
12					1,0000	0,9999	0,9997	0,9992	0,9980	0,9955	0,9912	0,9840
13						1,0000	0,9999	0,9997	0,9993	0,9983	0,9964	0,9929
14							1,0000	0,9999	0,9998	0,9994	0,9986	0,9970
15								1,0000	0,9999	0,9998	0,9995	0,9988
16									1,0000	0,9999	0,9998	0,9996
17										1,0000	0,9999	0,9998
18											1,0000	0,9999
19												1,0000

x	$\lambda=7{,}0$ $P(X<=x)$	$\lambda=7{,}5$ $P(X<=x)$	$\lambda=8{,}0$ $P(X<=x)$	$\lambda=8{,}5$ $P(X<=x)$	$\lambda=9{,}0$ $P(X<=x)$	$\lambda=9{,}5$ $P(X<=x)$	$\lambda=10{,}0$ $P(X<=x)$	$\lambda=10{,}5$ $P(X<=x)$	$\lambda=11$ $P(X<=x)$	$\lambda=11{,}5$ $P(X<=x)$	$\lambda=12{,}0$ $P(X<=x)$	$\lambda=12{,}5$ $P(X<=x)$
0	0,0009	0,0006	0,0003	0,0002	0,0001	0,0001	0,0000	0,0000	0,0000	0,0000	0,0000	0,0000
1	0,0073	0,0047	0,0030	0,0019	0,0012	0,0008	0,0005	0,0003	0,0002	0,0001	0,0001	0,0001
2	0,0296	0,0203	0,0138	0,0093	0,0062	0,0042	0,0028	0,0018	0,0012	0,0008	0,0005	0,0003
3	0,0818	0,0591	0,0424	0,0301	0,0212	0,0149	0,0103	0,0071	0,0049	0,0034	0,0023	0,0016
4	0,1730	0,1321	0,0996	0,0744	0,0550	0,0403	0,0293	0,0211	0,0151	0,0107	0,0076	0,0053
5	0,3007	0,2414	0,1912	0,1496	0,1157	0,0885	0,0671	0,0504	0,0375	0,0277	0,0203	0,0148
6	0,4497	0,3782	0,3134	0,2562	0,2068	0,1649	0,1301	0,1016	0,0786	0,0603	0,0458	0,0346
7	0,5987	0,5246	0,4530	0,3856	0,3239	0,2687	0,2202	0,1785	0,1432	0,1137	0,0895	0,0698
8	0,7291	0,6620	0,5925	0,5231	0,4557	0,3918	0,3328	0,2794	0,2320	0,1906	0,1550	0,1249
9	0,8305	0,7764	0,7166	0,6530	0,5874	0,5218	0,4579	0,3971	0,3405	0,2888	0,2424	0,2014
10	0,9015	0,8622	0,8159	0,7634	0,7060	0,6453	0,5830	0,5207	0,4599	0,4017	0,3472	0,2971
11	0,9467	0,9208	0,8881	0,8487	0,8030	0,7520	0,6968	0,6387	0,5793	0,5198	0,4616	0,4058
12	0,9730	0,9573	0,9362	0,9091	0,8758	0,8364	0,7916	0,7420	0,6887	0,6329	0,5760	0,5190
13	0,9872	0,9784	0,9658	0,9486	0,9261	0,8981	0,8645	0,8253	0,7813	0,7330	0,6815	0,6278
14	0,9943	0,9897	0,9827	0,9726	0,9585	0,9400	0,9165	0,8879	0,8540	0,8153	0,7720	0,7250
15	0,9976	0,9954	0,9918	0,9862	0,9780	0,9665	0,9513	0,9317	0,9074	0,8783	0,8444	0,8060
16	0,9990	0,9980	0,9963	0,9934	0,9889	0,9823	0,9730	0,9604	0,9441	0,9236	0,8987	0,8693
17	0,9996	0,9992	0,9984	0,9970	0,9947	0,9911	0,9857	0,9781	0,9678	0,9542	0,9370	0,9158
18	0,9999	0,9997	0,9993	0,9987	0,9976	0,9957	0,9928	0,9885	0,9823	0,9738	0,9626	0,9481
19	1,0000	0,9999	0,9997	0,9995	0,9989	0,9980	0,9965	0,9942	0,9907	0,9857	0,9787	0,9694
20		1,0000	0,9999	0,9998	0,9996	0,9991	0,9984	0,9972	0,9953	0,9925	0,9884	0,9827
21			1,0000	0,9999	0,9998	0,9996	0,9993	0,9987	0,9977	0,9962	0,9939	0,9906
22				1,0000	0,9999	0,9999	0,9997	0,9994	0,9990	0,9982	0,9970	0,9951
23					1,0000	0,9999	0,9999	0,9998	0,9995	0,9992	0,9985	0,9975
24						1,0000	1,0000	0,9999	0,9998	0,9996	0,9993	0,9988
25								1,0000	0,9999	0,9998	0,9997	0,9994
26									1,0000	0,9999	0,9999	0,9997
27										1,0000	0,9999	0,9999
28											1,0000	1,0000

Table A3. Table de la loi normale centrée réduite

$P(0 < Z \leq z)$ = Aire entre 0 et z

Les entrées dans la table représentent l'aire sous la courbe normale centrée réduite entre 0 et z.

L'expression dans Excel pour obtenir l'aire entre 0 et z est:

$P(0 \leq Z \leq z) = P(Z \leq z) - 0,5 = LOI.NORMALE.STANDARD(z) - 0,5$

Z	0	0,005	0,01	0,015	0,02	0,025	0,03	0,035	0,04	0,045	0,05	0,055	0,06	0,065	0,07	0,075	0,08	0,085	0,09	0,095
0	0,0000	0,0020	0,0040	0,0060	0,0080	0,0100	0,0120	0,0140	0,0160	0,0179	0,0199	0,0219	0,0239	0,0259	0,0279	0,0299	0,0319	0,0339	0,0359	0,0378
0,1	0,0398	0,0418	0,0438	0,0458	0,0478	0,0497	0,0517	0,0537	0,0557	0,0576	0,0596	0,0616	0,0636	0,0655	0,0675	0,0695	0,0714	0,0734	0,0753	0,0773
0,2	0,0793	0,0812	0,0832	0,0851	0,0871	0,0890	0,0910	0,0929	0,0948	0,0968	0,0987	0,1006	0,1026	0,1045	0,1064	0,1083	0,1103	0,1122	0,1141	0,1160
0,3	0,1179	0,1198	0,1217	0,1236	0,1255	0,1274	0,1293	0,1312	0,1331	0,1350	0,1368	0,1387	0,1406	0,1424	0,1443	0,1462	0,1480	0,1499	0,1517	0,1536
0,4	0,1554	0,1573	0,1591	0,1609	0,1628	0,1646	0,1664	0,1682	0,1700	0,1718	0,1736	0,1754	0,1772	0,1790	0,1808	0,1826	0,1844	0,1862	0,1879	0,1897
0,5	0,1915	0,1932	0,1950	0,1967	0,1985	0,2002	0,2019	0,2037	0,2054	0,2071	0,2088	0,2106	0,2123	0,2140	0,2157	0,2174	0,2190	0,2207	0,2224	0,2241
0,6	0,2257	0,2274	0,2291	0,2307	0,2324	0,2340	0,2357	0,2373	0,2389	0,2405	0,2422	0,2438	0,2454	0,2470	0,2486	0,2502	0,2517	0,2533	0,2549	0,2565
0,7	0,2580	0,2596	0,2611	0,2627	0,2642	0,2658	0,2673	0,2688	0,2704	0,2719	0,2734	0,2749	0,2764	0,2779	0,2794	0,2808	0,2823	0,2838	0,2852	0,2867
0,8	0,2881	0,2896	0,2910	0,2925	0,2939	0,2953	0,2967	0,2981	0,2995	0,3009	0,3023	0,3037	0,3051	0,3065	0,3078	0,3092	0,3106	0,3119	0,3133	0,3146
0,9	0,3159	0,3173	0,3186	0,3199	0,3212	0,3225	0,3238	0,3251	0,3264	0,3277	0,3289	0,3302	0,3315	0,3327	0,3340	0,3352	0,3365	0,3377	0,3389	0,3401
1,0	0,3413	0,3426	0,3438	0,3449	0,3461	0,3473	0,3485	0,3497	0,3508	0,3520	0,3531	0,3543	0,3554	0,3566	0,3577	0,3588	0,3599	0,3610	0,3621	0,3632
1,1	0,3643	0,3654	0,3665	0,3676	0,3686	0,3697	0,3708	0,3718	0,3729	0,3739	0,3749	0,3760	0,3770	0,3780	0,3790	0,3800	0,3810	0,3820	0,3830	0,3840
1,2	0,3849	0,3859	0,3869	0,3878	0,3888	0,3897	0,3907	0,3916	0,3925	0,3934	0,3944	0,3953	0,3962	0,3971	0,3980	0,3988	0,3997	0,4006	0,4015	0,4023
1,3	0,4032	0,4041	0,4049	0,4057	0,4066	0,4074	0,4082	0,4091	0,4099	0,4107	0,4115	0,4123	0,4131	0,4139	0,4147	0,4154	0,4162	0,4170	0,4177	0,4185
1,4	0,4192	0,4200	0,4207	0,4215	0,4222	0,4229	0,4236	0,4244	0,4251	0,4258	0,4265	0,4272	0,4279	0,4285	0,4292	0,4299	0,4306	0,4312	0,4319	0,4325
1,5	0,4332	0,4338	0,4345	0,4351	0,4357	0,4364	0,4370	0,4376	0,4382	0,4388	0,4394	0,4400	0,4406	0,4412	0,4418	0,4424	0,4429	0,4435	0,4441	0,4446
1,6	0,4452	0,4458	0,4463	0,4468	0,4474	0,4479	0,4484	0,4490	0,4495	0,4500	0,4505	0,4510	0,4515	0,4520	0,4525	0,4530	0,4535	0,4540	0,4545	0,4550
1,7	0,4554	0,4559	0,4564	0,4568	0,4573	0,4577	0,4582	0,4586	0,4591	0,4595	0,4599	0,4604	0,4608	0,4612	0,4616	0,4621	0,4625	0,4629	0,4633	0,4637
1,8	0,4641	0,4645	0,4649	0,4652	0,4656	0,4660	0,4664	0,4667	0,4671	0,4675	0,4678	0,4682	0,4686	0,4689	0,4693	0,4696	0,4699	0,4703	0,4706	0,4710
1,9	0,4713	0,4716	0,4719	0,4723	0,4726	0,4729	0,4732	0,4735	0,4738	0,4741	0,4744	0,4747	0,4750	0,4753	0,4756	0,4759	0,4761	0,4764	0,4767	0,4770
2,0	0,4772	0,4775	0,4778	0,4780	0,4783	0,4786	0,4788	0,4791	0,4793	0,4796	0,4798	0,4801	0,4803	0,4805	0,4808	0,4810	0,4812	0,4815	0,4817	0,4819
2,1	0,4821	0,4824	0,4826	0,4828	0,4830	0,4832	0,4834	0,4836	0,4838	0,4840	0,4842	0,4844	0,4846	0,4848	0,4850	0,4852	0,4854	0,4856	0,4857	0,4859
2,2	0,4861	0,4863	0,4864	0,4866	0,4868	0,4870	0,4871	0,4873	0,4875	0,4876	0,4878	0,4879	0,4881	0,4882	0,4884	0,4885	0,4887	0,4888	0,4890	0,4891
2,3	0,4893	0,4894	0,4896	0,4897	0,4898	0,4900	0,4901	0,4902	0,4904	0,4905	0,4906	0,4907	0,4909	0,4910	0,4911	0,4912	0,4913	0,4915	0,4916	0,4917
2,4	0,4918	0,4919	0,4920	0,4921	0,4922	0,4923	0,4925	0,4926	0,4927	0,4928	0,4929	0,4930	0,4931	0,4931	0,4932	0,4933	0,4934	0,4935	0,4936	0,4937

Table A3. Table de la loi normale centrée réduite(suite)

Les entrées dans la table représentent l'aire sous la courbe normale centrée réduite entre 0 et z.

$P(0 < Z \leq z)$ = Aire entre 0 et z

L'expression dans Excel pour obtenir l'aire entre 0 et z est:

$P(0 \leq Z \leq z) = P(Z \leq z) - 0{,}5$
$= LOI.NORMALE.STANDARD(z) - 0{,}5$

Z	0	0,005	0,01	0,015	0,02	0,025	0,03	0,035	0,04	0,045	0,05	0,055	0,06	0,065	0,07	0,075	0,08	0,085	0,09
2,5	0,49379	0,49388	0,49396	0,49405	0,49413	0,49422	0,49430	0,49438	0,49446	0,49454	0,49461	0,49469	0,49477	0,49484	0,49492	0,49499	0,49506	0,49513	0,49520
2,6	0,49534	0,49541	0,49547	0,49554	0,49560	0,49567	0,49573	0,49579	0,49585	0,49592	0,49598	0,49603	0,49609	0,49615	0,49621	0,49626	0,49632	0,49637	0,49643
2,7	0,49653	0,49658	0,49664	0,49669	0,49674	0,49678	0,49683	0,49688	0,49693	0,49697	0,49702	0,49707	0,49711	0,49715	0,49720	0,49724	0,49728	0,49732	0,49736
2,8	0,49744	0,49748	0,49752	0,49756	0,49760	0,49764	0,49767	0,49771	0,49774	0,49778	0,49781	0,49785	0,49788	0,49791	0,49795	0,49798	0,49801	0,49804	0,49807
2,9	0,49813	0,49816	0,49819	0,49822	0,49825	0,49828	0,49831	0,49833	0,49836	0,49839	0,49841	0,49844	0,49846	0,49849	0,49851	0,49853	0,49856	0,49858	0,49861
3,0	0,49865	0,49867	0,49869	0,49872	0,49874	0,49876	0,49878	0,49880	0,49882	0,49884	0,49886	0,49887	0,49889	0,49891	0,49893	0,49895	0,49896	0,49898	0,49900
3,1	0,49903	0,49905	0,49906	0,49908	0,49910	0,49911	0,49913	0,49914	0,49916	0,49917	0,49918	0,49920	0,49921	0,49922	0,49924	0,49925	0,49926	0,49928	0,49929
3,2	0,49931	0,49932	0,49934	0,49935	0,49936	0,49937	0,49938	0,49939	0,49940	0,49941	0,49942	0,49943	0,49944	0,49945	0,49946	0,49947	0,49948	0,49949	0,49950
3,3	0,49952	0,49953	0,49953	0,49954	0,49955	0,49956	0,49957	0,49957	0,49958	0,49959	0,49960	0,49960	0,49961	0,49962	0,49962	0,49963	0,49964	0,49964	0,49965
3,4	0,49966	0,49967	0,49968	0,49968	0,49969	0,49969	0,49970	0,49970	0,49971	0,49971	0,49972	0,49972	0,49973	0,49973	0,49974	0,49974	0,49975	0,49975	0,49976
3,5	0,49977	0,49977	0,49978	0,49978	0,49978	0,49979	0,49979	0,49980	0,49980	0,49980	0,49981	0,49981	0,49981	0,49982	0,49982	0,49982	0,49983	0,49983	0,49983
3,6	0,49984	0,49984	0,49985	0,49985	0,49985	0,49986	0,49986	0,49986	0,49986	0,49987	0,49987	0,49987	0,49987	0,49988	0,49988	0,49988	0,49988	0,49989	0,49989
3,7	0,49989	0,49989	0,49990	0,49990	0,49990	0,49990	0,49990	0,49991	0,49991	0,49991	0,49991	0,49991	0,49992	0,49992	0,49992	0,49992	0,49992	0,49992	0,49992
3,8	0,49993	0,49993	0,49993	0,49993	0,49993	0,49993	0,49994	0,49994	0,49994	0,49994	0,49994	0,49994	0,49994	0,49994	0,49995	0,49995	0,49995	0,49995	0,49995
3,9	0,49995	0,49995	0,49995	0,49995	0,49996	0,49996	0,49996	0,49996	0,49996	0,49996	0,49996	0,49996	0,49996	0,49996	0,49996	0,49996	0,49997	0,49997	0,49997
4,0	0,49997																		
4,2	0,49999																		
4,4	0,49999																		
4,6	0,50000																		
4,8	0,50000																		
5	0,50000																		

Table A4. Table de la loi de Student

Les entrées dans la table correpondent à $t_{\alpha;\nu}$.

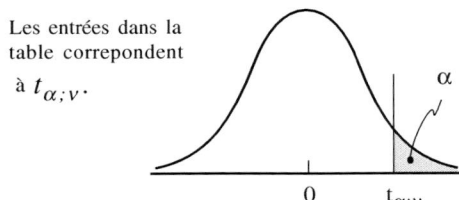

Dans Excel, il faut utiliser l'expression
LOI.STUDENT.INVERSE(probabilité;degrés_liberté)

où probabilité = 2α pour obtenir la valeur $t_{\alpha;\nu}$

ν	$\alpha = 0,25$	$\alpha = 0,10$	$\alpha = 0,05$	$\alpha = 0,025$	$\alpha = 0,01$	$\alpha = 0,005$
1	1,0000	3,0777	6,3137	12,7062	31,8210	63,6559
2	0,8165	1,8856	2,9200	4,3027	6,9645	9,9250
3	0,7649	1,6377	2,3534	3,1824	4,5407	5,8408
4	0,7407	1,5332	2,1318	2,7765	3,7469	4,6041
5	0,7267	1,4759	2,0150	2,5706	3,3649	4,0321
6	0,7176	1,4398	1,9432	2,4469	3,1427	3,7074
7	0,7111	1,4149	1,8946	2,3646	2,9979	3,4995
8	0,7064	1,3968	1,8595	2,3060	2,8965	3,3554
9	0,7027	1,3830	1,8331	2,2622	2,8214	3,2498
10	0,6998	1,3722	1,8125	2,2281	2,7638	3,1693
11	0,6974	1,3634	1,7959	2,2010	2,7181	3,1058
12	0,6955	1,3562	1,7823	2,1788	2,6810	3,0545
13	0,6938	1,3502	1,7709	2,1604	2,6503	3,0123
14	0,6924	1,3450	1,7613	2,1448	2,6245	2,9768
15	0,6912	1,3406	1,7531	2,1315	2,6025	2,9467
16	0,6901	1,3368	1,7459	2,1199	2,5835	2,9208
17	0,6892	1,3334	1,7396	2,1098	2,5669	2,8982
18	0,6884	1,3304	1,7341	2,1009	2,5524	2,8784
19	0,6876	1,3277	1,7291	2,0930	2,5395	2,8609
20	0,6870	1,3253	1,7247	2,0860	2,5280	2,8453
21	0,6864	1,3232	1,7207	2,0796	2,5176	2,8314
22	0,6858	1,3212	1,7171	2,0739	2,5083	2,8188
23	0,6853	1,3195	1,7139	2,0687	2,4999	2,8073
24	0,6848	1,3178	1,7109	2,0639	2,4922	2,7970
25	0,6844	1,3163	1,7081	2,0595	2,4851	2,7874
26	0,6840	1,3150	1,7056	2,0555	2,4786	2,7787
27	0,6837	1,3137	1,7033	2,0518	2,4727	2,7707
28	0,6834	1,3125	1,7011	2,0484	2,4671	2,7633
29	0,6830	1,3114	1,6991	2,0452	2,4620	2,7564
30	0,6828	1,3104	1,6973	2,0423	2,4573	2,7500
31	0,6825	1,3095	1,6955	2,0395	2,4528	2,7440
32	0,6822	1,3086	1,6939	2,0369	2,4487	2,7385
33	0,6820	1,3077	1,6924	2,0345	2,4448	2,7333
34	0,6818	1,3070	1,6909	2,0322	2,4411	2,7284
35	0,6816	1,3062	1,6896	2,0301	2,4377	2,7238
36	0,6814	1,3055	1,6883	2,0281	2,4345	2,7195
37	0,6812	1,3049	1,6871	2,0262	2,4314	2,7154
38	0,6810	1,3042	1,6860	2,0244	2,4286	2,7116
39	0,6808	1,3036	1,6849	2,0227	2,4258	2,7079
40	0,6807	1,3031	1,6839	2,0211	2,4233	2,7045

Table A4. Table de la loi de Student (suite)

Les entrées dans la table correpondent à $t_{\alpha;\nu}$.

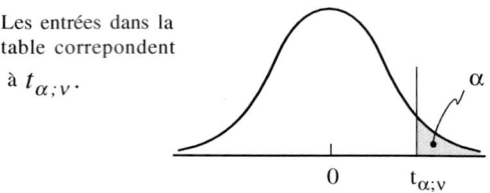

ν	$\alpha = 0,25$	$\alpha = 0,10$	$\alpha = 0,05$	$\alpha = 0,025$	$\alpha = 0,01$	$\alpha = 0,005$
41	0,6805	1,3025	1,6829	2,0195	2,4208	2,7012
42	0,6804	1,3020	1,6820	2,0181	2,4185	2,6981
43	0,6802	1,3016	1,6811	2,0167	2,4163	2,6951
44	0,6801	1,3011	1,6802	2,0154	2,4141	2,6923
45	0,6800	1,3007	1,6794	2,0141	2,4121	2,6896
46	0,6799	1,3002	1,6787	2,0129	2,4102	2,6870
47	0,6797	1,2998	1,6779	2,0117	2,4083	2,6846
48	0,6796	1,2994	1,6772	2,0106	2,4066	2,6822
49	0,6795	1,2991	1,6766	2,0096	2,4049	2,6800
50	0,6794	1,2987	1,6759	2,0086	2,4033	2,6778
51	0,6793	1,2984	1,6753	2,0076	2,4017	2,6757
52	0,6792	1,2980	1,6747	2,0066	2,4002	2,6737
53	0,6791	1,2977	1,6741	2,0057	2,3988	2,6718
54	0,6791	1,2974	1,6736	2,0049	2,3974	2,6700
55	0,6790	1,2971	1,6730	2,0040	2,3961	2,6682
56	0,6789	1,2969	1,6725	2,0032	2,3948	2,6665
57	0,6788	1,2966	1,6720	2,0025	2,3936	2,6649
58	0,6787	1,2963	1,6716	2,0017	2,3924	2,6633
59	0,6787	1,2961	1,6711	2,0010	2,3912	2,6618
60	0,6786	1,2958	1,6706	2,0003	2,3901	2,6603
61	0,6785	1,2956	1,6702	1,9996	2,3890	2,6589
62	0,6785	1,2954	1,6698	1,9990	2,3880	2,6575
63	0,6784	1,2951	1,6694	1,9983	2,3870	2,6561
64	0,6783	1,2949	1,6690	1,9977	2,3860	2,6549
69	0,6781	1,2939	1,6672	1,9949	2,3816	2,6490
70	0,6780	1,2938	1,6669	1,9944	2,3808	2,6479
71	0,6780	1,2936	1,6666	1,9939	2,3800	2,6469
72	0,6779	1,2934	1,6663	1,9935	2,3793	2,6458
73	0,6779	1,2933	1,6660	1,9930	2,3785	2,6449
74	0,6778	1,2931	1,6657	1,9925	2,3778	2,6439
75	0,6778	1,2929	1,6654	1,9921	2,3771	2,6430
76	0,6777	1,2928	1,6652	1,9917	2,3764	2,6421
77	0,6777	1,2926	1,6649	1,9913	2,3758	2,6412
78	0,6776	1,2925	1,6646	1,9908	2,3751	2,6403
79	0,6776	1,2924	1,6644	1,9905	2,3745	2,6395
80	0,6776	1,2922	1,6641	1,9901	2,3739	2,6387
84	0,6774	1,2917	1,6632	1,9886	2,3716	2,6356
89	0,6773	1,2911	1,6622	1,9870	2,3690	2,6322
94	0,6771	1,2906	1,6612	1,9855	2,3667	2,6291
99	0,6770	1,2902	1,6604	1,9842	2,3646	2,6264

Table A5. Table de la loi de khi-deux

Les entrées dans la table correspondent à $\chi^2_{\alpha;v}$.

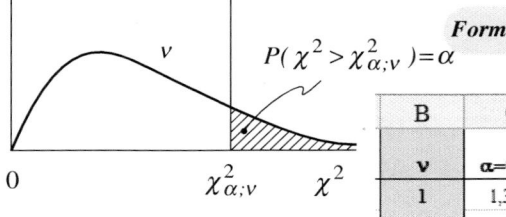

$$P(\chi^2 > \chi^2_{\alpha;v}) = \alpha$$

Formule dans Excel

=KHIDEUX.INVERSE(0,05;B3)

B	C	D	E	F
v	α=0,25	α=0,10	α=0,05	α=0,025
1	1,3233	2,7055	3,8415	5,0239
2	2,7726	4,6052	5,9915	7,3778

v	α=0,25	α=0,10	α=0,05	α=0,025	α=0,01	α=0,005
1	1,3233	2,7055	3,8415	5,0239	6,6349	7,8794
2	2,7726	4,6052	5,9915	7,3778	9,2104	10,5965
3	4,1083	6,2514	7,8147	9,3484	11,3449	12,8381
4	5,3853	7,7794	9,4877	11,1433	13,2767	14,8602
5	6,6257	9,2363	11,0705	12,8325	15,0863	16,7496
6	7,8408	10,6446	12,5916	14,4494	16,8119	18,5475
7	9,0371	12,0170	14,0671	16,0128	18,4753	20,2777
8	10,2189	13,3616	15,5073	17,5345	20,0902	21,9549
9	11,3887	14,6837	16,9190	19,0228	21,6660	23,5893
10	12,5489	15,9872	18,3070	20,4832	23,2093	25,1881
11	13,7007	17,2750	19,6752	21,9200	24,7250	26,7569
12	14,8454	18,5493	21,0261	23,3367	26,2170	28,2997
13	15,9839	19,8119	22,3620	24,7356	27,6882	29,8193
14	17,1169	21,0641	23,6848	26,1189	29,1412	31,3194
15	18,2451	22,3071	24,9958	27,4884	30,5780	32,8015
17	20,4887	24,7690	27,5871	30,1910	33,4087	35,7184
18	21,6049	25,9894	28,8693	31,5264	34,8052	37,1564
19	22,7178	27,2036	30,1435	32,8523	36,1908	38,5821
20	23,8277	28,4120	31,4104	34,1696	37,5663	39,9969
21	24,9348	29,6151	32,6706	35,4789	38,9322	41,4009
22	26,0393	30,8133	33,9245	36,7807	40,2894	42,7957
23	27,1413	32,0069	35,1725	38,0756	41,6383	44,1814
24	28,2412	33,1962	36,4150	39,3641	42,9798	45,5584
25	29,3388	34,3816	37,6525	40,6465	44,3140	46,9280
26	30,4346	35,5632	38,8851	41,9231	45,6416	48,2898
27	31,5284	36,7412	40,1133	43,1945	46,9628	49,6450
28	32,6205	37,9159	41,3372	44,4608	48,2782	50,9936
29	33,7109	39,0875	42,5569	45,7223	49,5878	52,3355
31	35,8871	41,4217	44,9853	48,2319	52,1914	55,0025
34	39,1408	44,9032	48,6024	51,9660	56,0609	58,9637
39	44,5395	50,6598	54,5722	58,1201	62,4281	65,4753
44	49,9129	56,3685	60,4809	64,2014	68,7096	71,8923
50	56,3336	63,1671	67,5048	71,4202	76,1538	79,4898
55	61,6650	68,7962	73,3115	77,3804	82,2920	85,7491
60	66,9815	74,3970	79,0820	83,2977	88,3794	91,9518
65	72,2848	79,9730	84,8206	89,1772	94,4220	98,1049
70	77,5766	85,5270	90,5313	95,0231	100,4251	104,2148
75	82,8581	91,0615	96,2167	100,8393	106,3929	110,2854
80	88,1303	96,5782	101,8795	106,6285	112,3288	116,3209
90	98,6499	107,5650	113,1452	118,1359	124,1162	128,2987
100	109,1412	118,4980	124,3421	129,5613	135,8069	140,1697

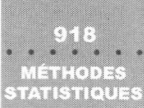

Table A5. Table de la loi de khi-deux(suite)

Les entrées dans la table correspondent à $\chi^2_{\alpha;v}$.

v	α=0,995	α=0,99	α=0,975	α=0,95	α=0,75	α=0,50
1	0,0000	0,0002	0,0010	0,0039	0,1015	0,4549
2	0,0100	0,0201	0,0506	0,1026	0,5754	1,3863
3	0,0717	0,1148	0,2158	0,3518	1,2125	2,3660
4	0,2070	0,2971	0,4844	0,7107	1,9226	3,3567
5	0,4118	0,5543	0,8312	1,1455	2,6746	4,3515
6	0,6757	0,8721	1,2373	1,6354	3,4546	5,3481
7	0,9893	1,2390	1,6899	2,1673	4,2549	6,3458
8	1,3444	1,6465	2,1797	2,7326	5,0706	7,3441
9	1,7349	2,0879	2,7004	3,3251	5,8988	8,3428
10	2,1558	2,5582	3,2470	3,9403	6,7372	9,3418
11	2,6032	3,0535	3,8157	4,5748	7,5841	10,3410
12	3,0738	3,5706	4,4038	5,2260	8,4384	11,3403
13	3,5650	4,1069	5,0087	5,8919	9,2991	12,3398
14	4,0747	4,6604	5,6287	6,5706	10,1653	13,3393
15	4,6009	5,2294	6,2621	7,2609	11,0365	14,3389
17	5,6973	6,4077	7,5642	8,6718	12,7919	16,3382
18	6,2648	7,0149	8,2307	9,3904	13,6753	17,3379
19	6,8439	7,6327	8,9065	10,1170	14,5620	18,3376
20	7,4338	8,2604	9,5908	10,8508	15,4518	19,3374
21	8,0336	8,8972	10,2829	11,5913	16,3444	20,3372
22	8,6427	9,5425	10,9823	12,3380	17,2396	21,3370
23	9,2604	10,1957	11,6885	13,0905	18,1373	22,3369
24	9,8862	10,8563	12,4011	13,8484	19,0373	23,3367
25	10,5196	11,5240	13,1197	14,6114	19,9393	24,3366
26	11,1602	12,1982	13,8439	15,3792	20,8434	25,3365
27	11,8077	12,8785	14,5734	16,1514	21,7494	26,3363
28	12,4613	13,5647	15,3079	16,9279	22,6572	27,3362
29	13,1211	14,2564	16,0471	17,7084	23,5666	28,3361
31	14,4577	15,6555	17,5387	19,2806	25,3901	30,3359
34	16,5013	17,7891	19,8062	21,6643	28,1361	33,3357
39	19,9958	21,4261	23,6543	25,6954	32,7369	38,3354
44	23,5836	25,1480	27,5745	29,7875	37,3631	43,3352
49	27,2494	28,9406	31,5549	33,9303	42,0104	48,3350
54	30,9811	32,7934	35,5863	38,1162	46,6755	53,3348
59	34,7704	36,6982	39,6619	42,3393	51,3561	58,3347
64	38,6097	40,6485	43,7759	46,5949	56,0500	63,3346
70	43,2753	45,4417	48,7575	51,7393	61,6983	69,3345
75	47,2061	49,4751	52,9419	56,0541	66,4167	74,3344
80	51,1719	53,5400	57,1532	60,3915	71,1445	79,3343
90	59,1963	61,7540	65,6466	69,1260	80,6247	89,3342
100	67,3275	70,0650	74,2219	77,9294	90,1332	99,3341

Table A6. Table de la loi de Fisher-Snedecor

Les entrées dans la table correspondent à $F_{\alpha;v_1,v_2}$.

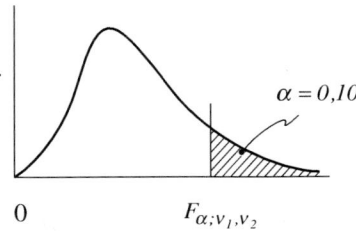

$\alpha = 0,10$

$0 \qquad F_{\alpha;v_1,v_2}$

Formule dans Excel

=INVERSE.LOI.F(0,1;$F$2;B5)

F5	▼		=INVERSE.LOI.F(0,1;$F$2;B5)						
	B	C	D	E	F	G	H	I	J	K
2		1	2	3	4	5	6	7	8	9
3	1	39,86	49,50	53,59	55,83	57,24	58,20	58,91	59,44	59,8
4	2	8,526	9,000	9,162	9,243	9,293	9,326	9,349	9,367	9,38
5	3	5,538	5,462	5,391	5,343	5,309	5,285	5,266	5,252	5,24

Nombre de degrés de liberté du numérateur (v_1)

v_2	1	2	3	4	5	6	7	8	9	10	12	15	20	25	30	40	50
1	39,86	49,50	53,59	55,83	57,24	58,20	58,91	59,44	59,86	60,19	60,71	61,22	61,74	62,05	62,26	62,53	62,69
2	8,526	9,000	9,162	9,243	9,293	9,326	9,349	9,367	9,381	9,392	9,408	9,425	9,441	9,451	9,458	9,466	9,471
3	5,538	5,462	5,391	5,343	5,309	5,285	5,266	5,252	5,240	5,230	5,216	5,200	5,184	5,175	5,168	5,160	5,155
4	4,545	4,325	4,191	4,107	4,051	4,010	3,979	3,955	3,936	3,920	3,896	3,870	3,844	3,828	3,817	3,804	3,795
5	4,060	3,780	3,619	3,520	3,453	3,405	3,368	3,339	3,316	3,297	3,268	3,238	3,207	3,187	3,174	3,157	3,147
6	3,776	3,463	3,289	3,181	3,108	3,055	3,014	2,983	2,958	2,937	2,905	2,871	2,836	2,815	2,800	2,781	2,770
7	3,589	3,257	3,074	2,961	2,883	2,827	2,785	2,752	2,725	2,703	2,668	2,632	2,595	2,571	2,555	2,535	2,523
8	3,458	3,113	2,924	2,806	2,726	2,668	2,624	2,589	2,561	2,538	2,502	2,464	2,425	2,400	2,383	2,361	2,348
9	3,360	3,006	2,813	2,693	2,611	2,551	2,505	2,469	2,440	2,416	2,379	2,340	2,298	2,272	2,255	2,232	2,218
10	3,285	2,924	2,728	2,605	2,522	2,461	2,414	2,377	2,347	2,323	2,284	2,244	2,201	2,174	2,155	2,132	2,117
11	3,225	2,860	2,660	2,536	2,451	2,389	2,342	2,304	2,274	2,248	2,209	2,167	2,123	2,095	2,076	2,052	2,036
12	3,177	2,807	2,606	2,480	2,394	2,331	2,283	2,245	2,214	2,188	2,147	2,105	2,060	2,031	2,011	1,986	1,970
13	3,136	2,763	2,560	2,434	2,347	2,283	2,234	2,195	2,164	2,138	2,097	2,053	2,007	1,978	1,958	1,931	1,915
14	3,102	2,726	2,522	2,395	2,307	2,243	2,193	2,154	2,122	2,095	2,054	2,010	1,962	1,933	1,912	1,885	1,869
15	3,073	2,695	2,490	2,361	2,273	2,208	2,158	2,119	2,086	2,059	2,017	1,972	1,924	1,894	1,873	1,845	1,828
16	3,048	2,668	2,462	2,333	2,244	2,178	2,128	2,088	2,055	2,028	1,985	1,940	1,891	1,860	1,839	1,811	1,793
17	3,026	2,645	2,437	2,308	2,218	2,152	2,102	2,061	2,028	2,001	1,958	1,912	1,862	1,831	1,809	1,781	1,763
18	3,007	2,624	2,416	2,286	2,196	2,130	2,079	2,038	2,005	1,977	1,933	1,887	1,837	1,805	1,783	1,754	1,736
19	2,990	2,606	2,397	2,266	2,176	2,109	2,058	2,017	1,984	1,956	1,912	1,865	1,814	1,782	1,759	1,730	1,711
20	2,975	2,589	2,380	2,249	2,158	2,091	2,040	1,999	1,965	1,937	1,892	1,845	1,794	1,761	1,738	1,708	1,690
21	2,961	2,575	2,365	2,233	2,142	2,075	2,023	1,982	1,948	1,920	1,875	1,827	1,776	1,742	1,719	1,689	1,670
22	2,949	2,561	2,351	2,219	2,128	2,060	2,008	1,967	1,933	1,904	1,859	1,811	1,759	1,726	1,702	1,671	1,652
23	2,937	2,549	2,339	2,207	2,115	2,047	1,995	1,953	1,919	1,890	1,845	1,796	1,744	1,710	1,686	1,655	1,636
24	2,927	2,538	2,327	2,195	2,103	2,035	1,983	1,941	1,906	1,877	1,832	1,783	1,730	1,696	1,672	1,641	1,621
25	2,918	2,528	2,317	2,184	2,092	2,024	1,971	1,929	1,895	1,866	1,820	1,771	1,718	1,683	1,659	1,627	1,607
26	2,909	2,519	2,307	2,174	2,082	2,014	1,961	1,919	1,884	1,855	1,809	1,760	1,706	1,671	1,647	1,615	1,594
27	2,901	2,511	2,299	2,165	2,073	2,005	1,952	1,909	1,874	1,845	1,799	1,749	1,695	1,660	1,636	1,603	1,583
28	2,894	2,503	2,291	2,157	2,064	1,996	1,943	1,900	1,865	1,836	1,790	1,740	1,685	1,650	1,625	1,592	1,572
29	2,887	2,495	2,283	2,149	2,057	1,988	1,935	1,892	1,857	1,827	1,781	1,731	1,676	1,640	1,616	1,583	1,562
30	2,881	2,489	2,276	2,142	2,049	1,980	1,927	1,884	1,849	1,819	1,773	1,722	1,667	1,632	1,606	1,573	1,552
31	2,875	2,482	2,270	2,136	2,042	1,973	1,920	1,877	1,842	1,812	1,765	1,714	1,659	1,623	1,598	1,565	1,543
32	2,869	2,477	2,263	2,129	2,036	1,967	1,913	1,870	1,835	1,805	1,758	1,707	1,652	1,616	1,590	1,556	1,535
33	2,864	2,471	2,258	2,123	2,030	1,961	1,907	1,864	1,828	1,799	1,751	1,700	1,645	1,608	1,583	1,549	1,527
34	2,859	2,466	2,252	2,118	2,024	1,955	1,901	1,858	1,822	1,793	1,745	1,694	1,638	1,601	1,576	1,541	1,520
35	2,855	2,461	2,247	2,113	2,019	1,950	1,896	1,852	1,817	1,787	1,739	1,688	1,632	1,595	1,569	1,535	1,513
40	2,835	2,440	2,226	2,091	1,997	1,927	1,873	1,829	1,793	1,763	1,715	1,662	1,605	1,568	1,541	1,506	1,483
50	2,809	2,412	2,197	2,061	1,966	1,895	1,840	1,796	1,760	1,729	1,680	1,627	1,568	1,529	1,502	1,465	1,441
60	2,791	2,393	2,177	2,041	1,946	1,875	1,819	1,775	1,738	1,707	1,657	1,603	1,543	1,504	1,476	1,437	1,413
80	2,769	2,370	2,154	2,016	1,921	1,849	1,793	1,748	1,711	1,680	1,629	1,574	1,513	1,472	1,443	1,403	1,377
100	2,756	2,356	2,139	2,002	1,906	1,834	1,778	1,732	1,695	1,663	1,612	1,557	1,494	1,453	1,423	1,382	1,355

Nombre de degrés de liberté du dénominateur (v_2)

Table A6. Table de la loi de Fisher-Snedecor(suite)

Les entrées dans la table correspondent à $F_{\alpha; v_1, v_2}$.

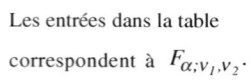

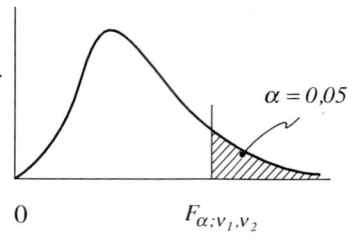

Formule dans Excel

=INVERSE.LOI.F(0,05;$F$2;A4)

F4	▼		=INVERSE.LOI.F(0,05;$F$2;A4)

	A	B	C	D	E	F	G	H	I	J
2		1	2	3	4	5	6	7	8	9
3	1	161,4	199,5	215,7	224,6	230,2	234,0	236,8	238,9	240,5
4	2	18,51	19,00	19,16	19,25	19,30	19,33	19,35	19,37	19,38

Nombre de degrés de liberté du numérateur (v_1)

	1	2	3	4	5	6	7	8	9	10	11	12	13	14	15	16	17	18
1	161,4	199,5	215,7	224,6	230,2	234,0	236,8	238,9	240,5	241,9	243,0	243,9	244,7	245,4	245,9	246,5	246,9	247,3
2	18,51	19,00	19,16	19,25	19,30	19,33	19,35	19,37	19,38	19,40	19,40	19,41	19,42	19,42	19,43	19,43	19,44	19,44
3	10,13	9,55	9,28	9,12	9,01	8,94	8,89	8,85	8,81	8,79	8,76	8,74	8,73	8,71	8,70	8,69	8,68	8,67
4	7,71	6,94	6,59	6,39	6,26	6,16	6,09	6,04	6,00	5,96	5,94	5,91	5,89	5,87	5,86	5,84	5,83	5,82
5	6,61	5,79	5,41	5,19	5,05	4,95	4,88	4,82	4,77	4,74	4,70	4,68	4,66	4,64	4,62	4,60	4,59	4,58
6	5,99	5,14	4,76	4,53	4,39	4,28	4,21	4,15	4,10	4,06	4,03	4,00	3,98	3,96	3,94	3,92	3,91	3,90
7	5,59	4,74	4,35	4,12	3,97	3,87	3,79	3,73	3,68	3,64	3,60	3,57	3,55	3,53	3,51	3,49	3,48	3,47
8	5,32	4,46	4,07	3,84	3,69	3,58	3,50	3,44	3,39	3,35	3,31	3,28	3,26	3,24	3,22	3,20	3,19	3,17
9	5,12	4,26	3,86	3,63	3,48	3,37	3,29	3,23	3,18	3,14	3,10	3,07	3,05	3,03	3,01	2,99	2,97	2,96
10	4,96	4,10	3,71	3,48	3,33	3,22	3,14	3,07	3,02	2,98	2,94	2,91	2,89	2,86	2,85	2,83	2,81	2,80
11	4,84	3,98	3,59	3,36	3,20	3,09	3,01	2,95	2,90	2,85	2,82	2,79	2,76	2,74	2,72	2,70	2,69	2,67
12	4,75	3,89	3,49	3,26	3,11	3,00	2,91	2,85	2,80	2,75	2,72	2,69	2,66	2,64	2,62	2,60	2,58	2,57
13	4,67	3,81	3,41	3,18	3,03	2,92	2,83	2,77	2,71	2,67	2,63	2,60	2,58	2,55	2,53	2,51	2,50	2,48
14	4,60	3,74	3,34	3,11	2,96	2,85	2,76	2,70	2,65	2,60	2,57	2,53	2,51	2,48	2,46	2,44	2,43	2,41
15	4,54	3,68	3,29	3,06	2,90	2,79	2,71	2,64	2,59	2,54	2,51	2,48	2,45	2,42	2,40	2,38	2,37	2,35
16	4,49	3,63	3,24	3,01	2,85	2,74	2,66	2,59	2,54	2,49	2,46	2,42	2,40	2,37	2,35	2,33	2,32	2,30
17	4,45	3,59	3,20	2,96	2,81	2,70	2,61	2,55	2,49	2,45	2,41	2,38	2,35	2,33	2,31	2,29	2,27	2,26
18	4,41	3,55	3,16	2,93	2,77	2,66	2,58	2,51	2,46	2,41	2,37	2,34	2,31	2,29	2,27	2,25	2,23	2,22
19	4,38	3,52	3,13	2,90	2,74	2,63	2,54	2,48	2,42	2,38	2,34	2,31	2,28	2,26	2,23	2,21	2,20	2,18
20	4,35	3,49	3,10	2,87	2,71	2,60	2,51	2,45	2,39	2,35	2,31	2,28	2,25	2,22	2,20	2,18	2,17	2,15
21	4,32	3,47	3,07	2,84	2,68	2,57	2,49	2,42	2,37	2,32	2,28	2,25	2,22	2,20	2,18	2,16	2,14	2,12
22	4,30	3,44	3,05	2,82	2,66	2,55	2,46	2,40	2,34	2,30	2,26	2,23	2,20	2,17	2,15	2,13	2,11	2,10
23	4,28	3,42	3,03	2,80	2,64	2,53	2,44	2,37	2,32	2,27	2,24	2,20	2,18	2,15	2,13	2,11	2,09	2,08
24	4,26	3,40	3,01	2,78	2,62	2,51	2,42	2,36	2,30	2,25	2,22	2,18	2,15	2,13	2,11	2,09	2,07	2,05
25	4,24	3,39	2,99	2,76	2,60	2,49	2,40	2,34	2,28	2,24	2,20	2,16	2,14	2,11	2,09	2,07	2,05	2,04
26	4,23	3,37	2,98	2,74	2,59	2,47	2,39	2,32	2,27	2,22	2,18	2,15	2,12	2,09	2,07	2,05	2,03	2,02
27	4,21	3,35	2,96	2,73	2,57	2,46	2,37	2,31	2,25	2,20	2,17	2,13	2,10	2,08	2,06	2,04	2,02	2,00
28	4,20	3,34	2,95	2,71	2,56	2,45	2,36	2,29	2,24	2,19	2,15	2,12	2,09	2,06	2,04	2,02	2,00	1,99
29	4,18	3,33	2,93	2,70	2,55	2,43	2,35	2,28	2,22	2,18	2,14	2,10	2,08	2,05	2,03	2,01	1,99	1,97
30	4,17	3,32	2,92	2,69	2,53	2,42	2,33	2,27	2,21	2,16	2,13	2,09	2,06	2,04	2,01	1,99	1,98	1,96
31	4,16	3,30	2,91	2,68	2,52	2,41	2,32	2,25	2,20	2,15	2,11	2,08	2,05	2,03	2,00	1,98	1,96	1,95
32	4,15	3,29	2,90	2,67	2,51	2,40	2,31	2,24	2,19	2,14	2,10	2,07	2,04	2,01	1,99	1,97	1,95	1,94
33	4,14	3,28	2,89	2,66	2,50	2,39	2,30	2,23	2,18	2,13	2,09	2,06	2,03	2,00	1,98	1,96	1,94	1,93
34	4,13	3,28	2,88	2,65	2,49	2,38	2,29	2,23	2,17	2,12	2,08	2,05	2,02	1,99	1,97	1,95	1,93	1,92
35	4,12	3,27	2,87	2,64	2,49	2,37	2,29	2,22	2,16	2,11	2,07	2,04	2,01	1,99	1,96	1,94	1,92	1,91
40	4,08	3,23	2,84	2,61	2,45	2,34	2,25	2,18	2,12	2,08	2,04	2,00	1,97	1,95	1,92	1,90	1,89	1,87
50	4,03	3,18	2,79	2,56	2,40	2,29	2,20	2,13	2,07	2,03	1,99	1,95	1,92	1,89	1,87	1,85	1,83	1,81
60	4,00	3,15	2,76	2,53	2,37	2,25	2,17	2,10	2,04	1,99	1,95	1,92	1,89	1,86	1,84	1,82	1,80	1,78
80	3,96	3,11	2,72	2,49	2,33	2,21	2,13	2,06	2,00	1,95	1,91	1,88	1,84	1,82	1,79	1,77	1,75	1,73
100	3,94	3,09	2,70	2,46	2,31	2,19	2,10	2,03	1,97	1,93	1,89	1,85	1,82	1,79	1,77	1,75	1,73	1,71

Nombre de degrés de liberté du dénominateur (v_2)

Table A6. Table de la loi de Fisher-Snedecor(suite)

Les entrées dans la table correspondent à $F_{\alpha;\nu_1,\nu_2}$.

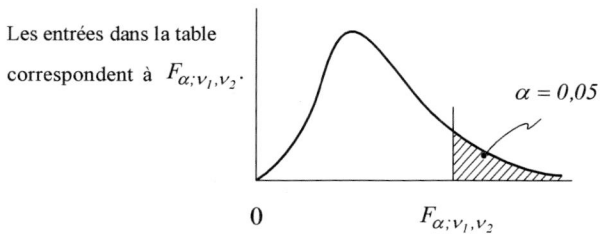

$\alpha = 0,05$

$0 \qquad F_{\alpha;\nu_1,\nu_2}$

	Nombre de degrés de liberté du numérateur (ν_1)																	
	19	**20**	**22**	**24**	**25**	**26**	**28**	**30**	**32**	**35**	**40**	**45**	**50**	**60**	**70**	**80**	**90**	**100**
1	247,7	248,0	248,6	249,1	249,3	249,5	249,8	250,1	250,4	250,7	251,1	251,5	251,8	252,2	252,5	252,7	252,9	253,0
2	19,44	19,45	19,45	19,45	19,46	19,46	19,46	19,46	19,46	19,47	19,47	19,47	19,48	19,48	19,48	19,48	19,48	19,49
3	8,67	8,66	8,65	8,64	8,63	8,63	8,62	8,62	8,61	8,60	8,59	8,59	8,58	8,57	8,57	8,56	8,56	8,55
4	5,81	5,80	5,79	5,77	5,77	5,76	5,75	5,75	5,74	5,73	5,72	5,71	5,70	5,69	5,68	5,67	5,67	5,66
5	4,57	4,56	4,54	4,53	4,52	4,52	4,50	4,50	4,49	4,48	4,46	4,45	4,44	4,43	4,42	4,41	4,41	4,41
6	3,88	3,87	3,86	3,84	3,83	3,83	3,82	3,81	3,80	3,79	3,77	3,76	3,75	3,74	3,73	3,72	3,72	3,71
7	3,46	3,44	3,43	3,41	3,40	3,40	3,39	3,38	3,37	3,36	3,34	3,33	3,32	3,30	3,29	3,29	3,28	3,27
8	3,16	3,15	3,13	3,12	3,11	3,10	3,09	3,08	3,07	3,06	3,04	3,03	3,02	3,01	2,99	2,99	2,98	2,97
9	2,95	2,94	2,92	2,90	2,89	2,89	2,87	2,86	2,85	2,84	2,83	2,81	2,80	2,79	2,78	2,77	2,76	2,76
10	2,79	2,77	2,75	2,74	2,73	2,72	2,71	2,70	2,69	2,68	2,66	2,65	2,64	2,62	2,61	2,60	2,59	2,59
11	2,66	2,65	2,63	2,61	2,60	2,59	2,58	2,57	2,56	2,55	2,53	2,52	2,51	2,49	2,48	2,47	2,46	2,46
12	2,56	2,54	2,52	2,51	2,50	2,49	2,48	2,47	2,46	2,44	2,43	2,41	2,40	2,38	2,37	2,36	2,36	2,35
13	2,47	2,46	2,44	2,42	2,41	2,41	2,39	2,38	2,37	2,36	2,34	2,33	2,31	2,30	2,28	2,27	2,27	2,26
14	2,40	2,39	2,37	2,35	2,34	2,33	2,32	2,31	2,30	2,28	2,27	2,25	2,24	2,22	2,21	2,20	2,19	2,19
15	2,34	2,33	2,31	2,29	2,28	2,27	2,26	2,25	2,24	2,22	2,20	2,19	2,18	2,16	2,15	2,14	2,13	2,12
16	2,29	2,28	2,25	2,24	2,23	2,22	2,21	2,19	2,18	2,17	2,15	2,14	2,12	2,11	2,09	2,08	2,07	2,07
17	2,24	2,23	2,21	2,19	2,18	2,17	2,16	2,15	2,14	2,12	2,10	2,09	2,08	2,06	2,05	2,03	2,03	2,02
18	2,20	2,19	2,17	2,15	2,14	2,13	2,12	2,11	2,10	2,08	2,06	2,05	2,04	2,02	2,00	1,99	1,98	1,98
19	2,17	2,16	2,13	2,11	2,11	2,10	2,08	2,07	2,06	2,05	2,03	2,01	2,00	1,98	1,97	1,96	1,95	1,94
20	2,14	2,12	2,10	2,08	2,07	2,07	2,05	2,04	2,03	2,01	1,99	1,98	1,97	1,95	1,93	1,92	1,91	1,91
21	2,11	2,10	2,07	2,05	2,05	2,04	2,02	2,01	2,00	1,98	1,96	1,95	1,94	1,92	1,90	1,89	1,88	1,88
22	2,08	2,07	2,05	2,03	2,02	2,01	2,00	1,98	1,97	1,96	1,94	1,92	1,91	1,89	1,88	1,86	1,86	1,85
23	2,06	2,05	2,02	2,01	2,00	1,99	1,97	1,96	1,95	1,93	1,91	1,90	1,88	1,86	1,85	1,84	1,83	1,82
24	2,04	2,03	2,00	1,98	1,97	1,97	1,95	1,94	1,93	1,91	1,89	1,88	1,86	1,84	1,83	1,82	1,81	1,80
25	2,02	2,01	1,98	1,96	1,96	1,95	1,93	1,92	1,91	1,89	1,87	1,86	1,84	1,82	1,81	1,80	1,79	1,78
26	2,00	1,99	1,97	1,95	1,94	1,93	1,91	1,90	1,89	1,87	1,85	1,84	1,82	1,80	1,79	1,78	1,77	1,76
27	1,99	1,97	1,95	1,93	1,92	1,91	1,90	1,88	1,87	1,86	1,84	1,82	1,81	1,79	1,77	1,76	1,75	1,74
28	1,97	1,96	1,93	1,91	1,91	1,90	1,88	1,87	1,86	1,84	1,82	1,80	1,79	1,77	1,75	1,74	1,73	1,73
29	1,96	1,94	1,92	1,90	1,89	1,88	1,87	1,85	1,84	1,83	1,81	1,79	1,77	1,75	1,74	1,73	1,72	1,71
30	1,95	1,93	1,91	1,89	1,88	1,87	1,85	1,84	1,83	1,81	1,79	1,77	1,76	1,74	1,72	1,71	1,70	1,70
31	1,93	1,92	1,90	1,88	1,87	1,86	1,84	1,83	1,82	1,80	1,78	1,76	1,75	1,73	1,71	1,70	1,69	1,68
32	1,92	1,91	1,88	1,86	1,85	1,85	1,83	1,82	1,80	1,79	1,77	1,75	1,74	1,71	1,70	1,69	1,68	1,67
33	1,91	1,90	1,87	1,85	1,84	1,83	1,82	1,81	1,79	1,78	1,76	1,74	1,72	1,70	1,69	1,67	1,66	1,66
34	1,90	1,89	1,86	1,84	1,83	1,82	1,81	1,80	1,78	1,77	1,75	1,73	1,71	1,69	1,68	1,66	1,65	1,65
35	1,89	1,88	1,85	1,83	1,82	1,82	1,80	1,79	1,77	1,76	1,74	1,72	1,70	1,68	1,66	1,65	1,64	1,63
40	1,85	1,84	1,81	1,79	1,78	1,77	1,76	1,74	1,73	1,72	1,69	1,67	1,66	1,64	1,62	1,61	1,60	1,59
50	1,80	1,78	1,76	1,74	1,73	1,72	1,70	1,69	1,67	1,66	1,63	1,61	1,60	1,58	1,56	1,54	1,53	1,52
60	1,76	1,75	1,72	1,70	1,69	1,68	1,66	1,65	1,64	1,62	1,59	1,57	1,56	1,53	1,52	1,50	1,49	1,48
80	1,72	1,70	1,68	1,65	1,64	1,63	1,62	1,60	1,59	1,57	1,54	1,52	1,51	1,48	1,46	1,45	1,44	1,43
100	1,69	1,68	1,65	1,63	1,62	1,61	1,59	1,57	1,56	1,54	1,52	1,49	1,48	1,45	1,43	1,41	1,40	1,39

Nombre de degrés de liberté du dénominateur (ν_2)

Table A6. Table de la loi de Fisher-Snedecor

Les entrées dans la table correspondent à $F_{\alpha;\nu_1,\nu_2}$.

$\alpha = 0,025$

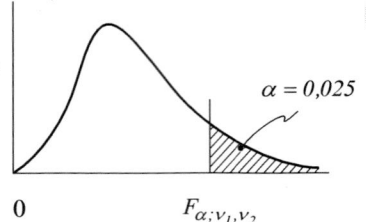

$0 \qquad F_{\alpha;\nu_1,\nu_2}$

Formule dans Excel

=INVERSE.LOI.F(0,025;$F$2;A4)

		F4	▼		=INVERSE.LOI.F(0,025;$F$2;A4)				
	A	B	C	D	E	F	G	H	I	J
2		1	2	3	4	5	6	7	8	9
3	1	647,8	799,5	864,2	899,6	921,8	937,1	948,2	956,6	963,3
4	2	38,51	39,00	39,17	39,25	39,30	39,33	39,36	39,37	39,39

Nombre de degrés de liberté du numérateur (ν_1)

ν_2	1	2	3	4	5	6	7	8	9	10	11	12	13	14	15	16	17	18
1	647,8	799,5	864,2	899,6	921,8	937,1	948,2	956,6	963,3	968,6	973,0	976,7	979,8	982,5	984,9	986,9	988,7	990,3
2	38,51	39,00	39,17	39,25	39,30	39,33	39,36	39,37	39,39	39,40	39,41	39,41	39,42	39,43	39,43	39,44	39,44	39,44
3	17,44	16,04	15,44	15,10	14,88	14,73	14,62	14,54	14,47	14,42	14,37	14,34	14,30	14,28	14,25	14,23	14,21	14,20
4	12,22	10,65	9,98	9,60	9,36	9,20	9,07	8,98	8,90	8,84	8,79	8,75	8,72	8,68	8,66	8,63	8,61	8,59
5	10,01	8,43	7,76	7,39	7,15	6,98	6,85	6,76	6,68	6,62	6,57	6,52	6,49	6,46	6,43	6,40	6,38	6,36
6	8,81	7,26	6,60	6,23	5,99	5,82	5,70	5,60	5,52	5,46	5,41	5,37	5,33	5,30	5,27	5,24	5,22	5,20
7	8,07	6,54	5,89	5,52	5,29	5,12	4,99	4,90	4,82	4,76	4,71	4,67	4,63	4,60	4,57	4,54	4,52	4,50
8	7,57	6,06	5,42	5,05	4,82	4,65	4,53	4,43	4,36	4,30	4,24	4,20	4,16	4,13	4,10	4,08	4,05	4,03
9	7,21	5,71	5,08	4,72	4,48	4,32	4,20	4,10	4,03	3,96	3,91	3,87	3,83	3,80	3,77	3,74	3,72	3,70
10	6,94	5,46	4,83	4,47	4,24	4,07	3,95	3,85	3,78	3,72	3,66	3,62	3,58	3,55	3,52	3,50	3,47	3,45
11	6,72	5,26	4,63	4,28	4,04	3,88	3,76	3,66	3,59	3,53	3,47	3,43	3,39	3,36	3,33	3,30	3,28	3,26
12	6,55	5,10	4,47	4,12	3,89	3,73	3,61	3,51	3,44	3,37	3,32	3,28	3,24	3,21	3,18	3,15	3,13	3,11
13	6,41	4,97	4,35	4,00	3,77	3,60	3,48	3,39	3,31	3,25	3,20	3,15	3,12	3,08	3,05	3,03	3,00	2,98
14	6,30	4,86	4,24	3,89	3,66	3,50	3,38	3,29	3,21	3,15	3,09	3,05	3,01	2,98	2,95	2,92	2,90	2,88
15	6,20	4,77	4,15	3,80	3,58	3,41	3,29	3,20	3,12	3,06	3,01	2,96	2,92	2,89	2,86	2,84	2,81	2,79
16	6,12	4,69	4,08	3,73	3,50	3,34	3,22	3,12	3,05	2,99	2,93	2,89	2,85	2,82	2,79	2,76	2,74	2,72
17	6,04	4,62	4,01	3,66	3,44	3,28	3,16	3,06	2,98	2,92	2,87	2,82	2,79	2,75	2,72	2,70	2,67	2,65
18	5,98	4,56	3,95	3,61	3,38	3,22	3,10	3,01	2,93	2,87	2,81	2,77	2,73	2,70	2,67	2,64	2,62	2,60
19	5,92	4,51	3,90	3,56	3,33	3,17	3,05	2,96	2,88	2,82	2,76	2,72	2,68	2,65	2,62	2,59	2,57	2,55
20	5,87	4,46	3,86	3,51	3,29	3,13	3,01	2,91	2,84	2,77	2,72	2,68	2,64	2,60	2,57	2,55	2,52	2,50
21	5,83	4,42	3,82	3,48	3,25	3,09	2,97	2,87	2,80	2,73	2,68	2,64	2,60	2,56	2,53	2,51	2,48	2,46
22	5,79	4,38	3,78	3,44	3,22	3,05	2,93	2,84	2,76	2,70	2,65	2,60	2,56	2,53	2,50	2,47	2,45	2,43
23	5,75	4,35	3,75	3,41	3,18	3,02	2,90	2,81	2,73	2,67	2,62	2,57	2,53	2,50	2,47	2,44	2,42	2,39
24	5,72	4,32	3,72	3,38	3,15	2,99	2,87	2,78	2,70	2,64	2,59	2,54	2,50	2,47	2,44	2,41	2,39	2,36
25	5,69	4,29	3,69	3,35	3,13	2,97	2,85	2,75	2,68	2,61	2,56	2,51	2,48	2,44	2,41	2,38	2,36	2,34
26	5,66	4,27	3,67	3,33	3,10	2,94	2,82	2,73	2,65	2,59	2,54	2,49	2,45	2,42	2,39	2,36	2,34	2,31
27	5,63	4,24	3,65	3,31	3,08	2,92	2,80	2,71	2,63	2,57	2,51	2,47	2,43	2,39	2,36	2,34	2,31	2,29
28	5,61	4,22	3,63	3,29	3,06	2,90	2,78	2,69	2,61	2,55	2,49	2,45	2,41	2,37	2,34	2,32	2,29	2,27
29	5,59	4,20	3,61	3,27	3,04	2,88	2,76	2,67	2,59	2,53	2,48	2,43	2,39	2,36	2,32	2,30	2,27	2,25
30	5,57	4,18	3,59	3,25	3,03	2,87	2,75	2,65	2,57	2,51	2,46	2,41	2,37	2,34	2,31	2,28	2,26	2,23
31	5,55	4,16	3,57	3,23	3,01	2,85	2,73	2,64	2,56	2,50	2,44	2,40	2,36	2,32	2,29	2,26	2,24	2,22
32	5,53	4,15	3,56	3,22	3,00	2,84	2,71	2,62	2,54	2,48	2,43	2,38	2,34	2,31	2,28	2,25	2,22	2,20
33	5,51	4,13	3,54	3,20	2,98	2,82	2,70	2,61	2,53	2,47	2,41	2,37	2,33	2,29	2,26	2,23	2,21	2,19
34	5,50	4,12	3,53	3,19	2,97	2,81	2,69	2,59	2,52	2,45	2,40	2,35	2,31	2,28	2,25	2,22	2,20	2,17
35	5,48	4,11	3,52	3,18	2,96	2,80	2,68	2,58	2,50	2,44	2,39	2,34	2,30	2,27	2,23	2,21	2,18	2,16
40	5,42	4,05	3,46	3,13	2,90	2,74	2,62	2,53	2,45	2,39	2,33	2,29	2,25	2,21	2,18	2,15	2,13	2,11
50	5,34	3,97	3,39	3,05	2,83	2,67	2,55	2,46	2,38	2,32	2,26	2,22	2,18	2,14	2,11	2,08	2,06	2,03
60	5,29	3,93	3,34	3,01	2,79	2,63	2,51	2,41	2,33	2,27	2,22	2,17	2,13	2,09	2,06	2,03	2,01	1,98
80	5,22	3,86	3,28	2,95	2,73	2,57	2,45	2,35	2,28	2,21	2,16	2,11	2,07	2,03	2,00	1,97	1,95	1,92
100	5,18	3,83	3,25	2,92	2,70	2,54	2,42	2,32	2,24	2,18	2,12	2,08	2,04	2,00	1,97	1,94	1,91	1,89

Nombre de degrés de liberté du dénominateur (ν_2)

Table A6. Table de la loi de Fisher-Snedecor(suite)

Les entrées dans la table correspondent à $F_{\alpha;\nu_1,\nu_2}$.

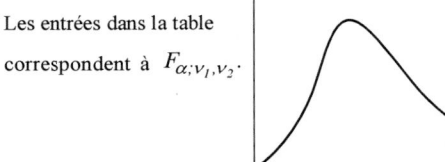

$\alpha = 0,025$

$0 \qquad F_{\alpha;\nu_1,\nu_2}$

	Nombre de degrés de liberté du numérateur (ν_1)																		
	19	**20**	**22**	**24**	**25**	**26**	**28**	**30**	**32**	**35**	**40**	**45**	**50**	**60**	**70**	**80**	**90**	**100**
1	991,8	993,1	995,4	997,3	998,1	998,8	1000,2	1001,4	1002,5	1003,8	1005,6	1007,0	1008,1	1009,8	1011,0	1011,9	1012,6	1013,2
2	39,45	39,45	39,45	39,46	39,46	39,46	39,46	39,46	39,47	39,47	39,47	39,48	39,48	39,48	39,48	39,49	39,49	39,49
3	14,18	14,17	14,14	14,12	14,12	14,11	14,09	14,08	14,07	14,06	14,04	14,02	14,01	13,99	13,98	13,97	13,96	13,96
4	8,58	8,56	8,53	8,51	8,50	8,49	8,48	8,46	8,45	8,43	8,41	8,39	8,38	8,36	8,35	8,33	8,33	8,32
5	6,34	6,33	6,30	6,28	6,27	6,26	6,24	6,23	6,21	6,20	6,18	6,16	6,14	6,12	6,11	6,10	6,09	6,08
6	5,18	5,17	5,14	5,12	5,11	5,10	5,08	5,07	5,05	5,04	5,01	4,99	4,98	4,96	4,94	4,93	4,92	4,92
7	4,48	4,47	4,44	4,41	4,40	4,39	4,38	4,36	4,35	4,33	4,31	4,29	4,28	4,25	4,24	4,23	4,22	4,21
8	4,02	4,00	3,97	3,95	3,94	3,93	3,91	3,89	3,88	3,86	3,84	3,82	3,81	3,78	3,77	3,76	3,75	3,74
9	3,68	3,67	3,64	3,61	3,60	3,59	3,58	3,56	3,55	3,53	3,51	3,49	3,47	3,45	3,43	3,42	3,41	3,40
10	3,44	3,42	3,39	3,37	3,35	3,34	3,33	3,31	3,30	3,28	3,26	3,24	3,22	3,20	3,18	3,17	3,16	3,15
11	3,24	3,23	3,20	3,17	3,16	3,15	3,13	3,12	3,10	3,09	3,06	3,04	3,03	3,00	2,99	2,97	2,96	2,96
12	3,09	3,07	3,04	3,02	3,01	3,00	2,98	2,96	2,95	2,93	2,91	2,89	2,87	2,85	2,83	2,82	2,81	2,80
13	2,96	2,95	2,92	2,89	2,88	2,87	2,85	2,84	2,82	2,80	2,78	2,76	2,74	2,72	2,70	2,69	2,68	2,67
14	2,86	2,84	2,81	2,79	2,78	2,77	2,75	2,73	2,72	2,70	2,67	2,65	2,64	2,61	2,60	2,58	2,57	2,56
15	2,77	2,76	2,73	2,70	2,69	2,68	2,66	2,64	2,63	2,61	2,59	2,56	2,55	2,52	2,51	2,49	2,48	2,47
16	2,70	2,68	2,65	2,63	2,61	2,60	2,58	2,57	2,55	2,53	2,51	2,49	2,47	2,45	2,43	2,42	2,40	2,40
17	2,63	2,62	2,59	2,56	2,55	2,54	2,52	2,50	2,49	2,47	2,44	2,42	2,41	2,38	2,36	2,35	2,34	2,33
18	2,58	2,56	2,53	2,50	2,49	2,48	2,46	2,44	2,43	2,41	2,38	2,36	2,35	2,32	2,30	2,29	2,28	2,27
19	2,53	2,51	2,48	2,45	2,44	2,43	2,41	2,39	2,38	2,36	2,33	2,31	2,30	2,27	2,25	2,24	2,23	2,22
20	2,48	2,46	2,43	2,41	2,40	2,39	2,37	2,35	2,33	2,31	2,29	2,27	2,25	2,22	2,20	2,19	2,18	2,17
21	2,44	2,42	2,39	2,37	2,36	2,34	2,33	2,31	2,29	2,27	2,25	2,23	2,21	2,18	2,16	2,15	2,14	2,13
22	2,41	2,39	2,36	2,33	2,32	2,31	2,29	2,27	2,26	2,24	2,21	2,19	2,17	2,14	2,13	2,11	2,10	2,09
23	2,37	2,36	2,33	2,30	2,29	2,28	2,26	2,24	2,22	2,20	2,18	2,15	2,14	2,11	2,09	2,08	2,07	2,06
24	2,35	2,33	2,30	2,27	2,26	2,25	2,23	2,21	2,19	2,17	2,15	2,12	2,11	2,08	2,06	2,05	2,03	2,02
25	2,32	2,30	2,27	2,24	2,23	2,22	2,20	2,18	2,17	2,15	2,12	2,10	2,08	2,05	2,03	2,02	2,01	2,00
26	2,29	2,28	2,24	2,22	2,21	2,19	2,17	2,16	2,14	2,12	2,09	2,07	2,05	2,03	2,01	1,99	1,98	1,97
27	2,27	2,25	2,22	2,19	2,18	2,17	2,15	2,13	2,12	2,10	2,07	2,05	2,03	2,00	1,98	1,97	1,95	1,94
28	2,25	2,23	2,20	2,17	2,16	2,15	2,13	2,11	2,10	2,08	2,05	2,03	2,01	1,98	1,96	1,94	1,93	1,92
29	2,23	2,21	2,18	2,15	2,14	2,13	2,11	2,09	2,08	2,06	2,03	2,01	1,99	1,96	1,94	1,92	1,91	1,90
30	2,21	2,20	2,16	2,14	2,12	2,11	2,09	2,07	2,06	2,04	2,01	1,99	1,97	1,94	1,92	1,90	1,89	1,88
31	2,20	2,18	2,15	2,12	2,11	2,10	2,07	2,06	2,04	2,02	1,99	1,97	1,95	1,92	1,90	1,89	1,87	1,86
32	2,18	2,16	2,13	2,10	2,09	2,08	2,06	2,04	2,02	2,00	1,98	1,95	1,93	1,91	1,88	1,87	1,86	1,85
33	2,17	2,15	2,12	2,09	2,08	2,06	2,04	2,03	2,01	1,99	1,96	1,94	1,92	1,89	1,87	1,85	1,84	1,83
34	2,15	2,13	2,10	2,07	2,06	2,05	2,03	2,01	2,00	1,97	1,95	1,92	1,90	1,88	1,85	1,84	1,83	1,82
35	2,14	2,12	2,09	2,06	2,05	2,04	2,02	2,00	1,98	1,96	1,93	1,91	1,89	1,86	1,84	1,82	1,81	1,80
40	2,09	2,07	2,03	2,01	1,99	1,98	1,96	1,94	1,93	1,90	1,88	1,85	1,83	1,80	1,78	1,76	1,75	1,74
50	2,01	1,99	1,96	1,93	1,92	1,91	1,89	1,87	1,85	1,83	1,80	1,77	1,75	1,72	1,70	1,68	1,67	1,66
60	1,96	1,94	1,91	1,88	1,87	1,86	1,83	1,82	1,80	1,78	1,74	1,72	1,70	1,67	1,64	1,63	1,61	1,60
80	1,90	1,88	1,85	1,82	1,81	1,79	1,77	1,75	1,73	1,71	1,68	1,65	1,63	1,60	1,57	1,55	1,54	1,53
100	1,87	1,85	1,81	1,78	1,77	1,76	1,74	1,71	1,70	1,67	1,64	1,61	1,59	1,56	1,53	1,51	1,50	1,48

Nombre de degrés de liberté du dénominateur (ν_2)

Table A6. Table de la loi de Fisher-Snedecor(suite)

Les entrées dans la table correspondent à $F_{\alpha; \nu_1, \nu_2}$.

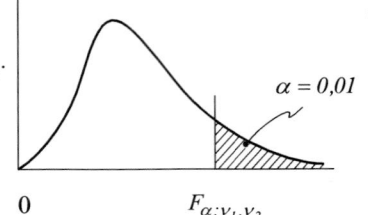

$\alpha = 0,01$

$$0 \qquad F_{\alpha; \nu_1, \nu_2}$$

Formule dans Excel

=INVERSE.LOI.F(0,01;$F$2;A4)

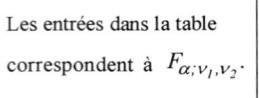

	A	B	C	D	E	F	G	H	I	J
2		1	2	3	4	5	6	7	8	9
3	1	4052,2	4999,3	5403,5	5624,3	5764,0	5859,0	5928,3	5981,0	6022,4
4	2	98,50	99,00	99,16	99,25	99,30	99,33	99,36	99,38	99,39

Nombre de degrés de liberté du numérateur (ν_1)

ν_2	1	2	3	4	5	6	7	8	9	10	11	12	13	14	15	16	17	18
1	4052,2	4999,3	5403,5	5624,3	5764,0	5859,0	5928,3	5981,0	6022,4	6055,9	6083,4	6106,7	6125,8	6143,0	6157,0	6170,0	6181,2	6191,4
2	98,50	99,00	99,16	99,25	99,30	99,33	99,36	99,38	99,39	99,40	99,41	99,42	99,42	99,43	99,43	99,44	99,44	99,44
3	34,12	30,82	29,46	28,71	28,24	27,91	27,67	27,49	27,34	27,23	27,13	27,05	26,98	26,92	26,87	26,83	26,79	26,75
4	21,20	18,00	16,69	15,98	15,52	15,21	14,98	14,80	14,66	14,55	14,45	14,37	14,31	14,25	14,20	14,15	14,11	14,08
5	16,26	13,27	12,06	11,39	10,97	10,67	10,46	10,29	10,16	10,05	9,96	9,89	9,82	9,77	9,72	9,68	9,64	9,61
6	13,75	10,92	9,78	9,15	8,75	8,47	8,26	8,10	7,98	7,87	7,79	7,72	7,66	7,60	7,56	7,52	7,48	7,45
7	12,25	9,55	8,45	7,85	7,46	7,19	6,99	6,84	6,72	6,62	6,54	6,47	6,41	6,36	6,31	6,28	6,24	6,21
8	11,26	8,65	7,59	7,01	6,63	6,37	6,18	6,03	5,91	5,81	5,73	5,67	5,61	5,56	5,52	5,48	5,44	5,41
9	10,56	8,02	6,99	6,42	6,06	5,80	5,61	5,47	5,35	5,26	5,18	5,11	5,05	5,01	4,96	4,92	4,89	4,86
10	10,04	7,56	6,55	5,99	5,64	5,39	5,20	5,06	4,94	4,85	4,77	4,71	4,65	4,60	4,56	4,52	4,49	4,46
11	9,65	7,21	6,22	5,67	5,32	5,07	4,89	4,74	4,63	4,54	4,46	4,40	4,34	4,29	4,25	4,21	4,18	4,15
12	9,33	6,93	5,95	5,41	5,06	4,82	4,64	4,50	4,39	4,30	4,22	4,16	4,10	4,05	4,01	3,97	3,94	3,91
13	9,07	6,70	5,74	5,21	4,86	4,62	4,44	4,30	4,19	4,10	4,02	3,96	3,91	3,86	3,82	3,78	3,75	3,72
14	8,86	6,51	5,56	5,04	4,69	4,46	4,28	4,14	4,03	3,94	3,86	3,80	3,75	3,70	3,66	3,62	3,59	3,56
15	8,68	6,36	5,42	4,89	4,56	4,32	4,14	4,00	3,89	3,80	3,73	3,67	3,61	3,56	3,52	3,49	3,45	3,42
16	8,53	6,23	5,29	4,77	4,44	4,20	4,03	3,89	3,78	3,69	3,62	3,55	3,50	3,45	3,41	3,37	3,34	3,31
17	8,40	6,11	5,19	4,67	4,34	4,10	3,93	3,79	3,68	3,59	3,52	3,46	3,40	3,35	3,31	3,27	3,24	3,21
18	8,29	6,01	5,09	4,58	4,25	4,01	3,84	3,71	3,60	3,51	3,43	3,37	3,32	3,27	3,23	3,19	3,16	3,13
19	8,18	5,93	5,01	4,50	4,17	3,94	3,77	3,63	3,52	3,43	3,36	3,30	3,24	3,19	3,15	3,12	3,08	3,05
20	8,10	5,85	4,94	4,43	4,10	3,87	3,70	3,56	3,46	3,37	3,29	3,23	3,18	3,13	3,09	3,05	3,02	2,99
21	8,02	5,78	4,87	4,37	4,04	3,81	3,64	3,51	3,40	3,31	3,24	3,17	3,12	3,07	3,03	2,99	2,96	2,93
22	7,95	5,72	4,82	4,31	3,99	3,76	3,59	3,45	3,35	3,26	3,18	3,12	3,07	3,02	2,98	2,94	2,91	2,88
23	7,88	5,66	4,76	4,26	3,94	3,71	3,54	3,41	3,30	3,21	3,14	3,07	3,02	2,97	2,93	2,89	2,86	2,83
24	7,82	5,61	4,72	4,22	3,90	3,67	3,50	3,36	3,26	3,17	3,09	3,03	2,98	2,93	2,89	2,85	2,82	2,79
25	7,77	5,57	4,68	4,18	3,85	3,63	3,46	3,32	3,22	3,13	3,06	2,99	2,94	2,89	2,85	2,81	2,78	2,75
26	7,72	5,53	4,64	4,14	3,82	3,59	3,42	3,29	3,18	3,09	3,02	2,96	2,90	2,86	2,81	2,78	2,75	2,72
27	7,68	5,49	4,60	4,11	3,78	3,56	3,39	3,26	3,15	3,06	2,99	2,93	2,87	2,82	2,78	2,75	2,71	2,68
28	7,64	5,45	4,57	4,07	3,75	3,53	3,36	3,23	3,12	3,03	2,96	2,90	2,84	2,79	2,75	2,72	2,68	2,65
29	7,60	5,42	4,54	4,04	3,73	3,50	3,33	3,20	3,09	3,00	2,93	2,87	2,81	2,77	2,73	2,69	2,66	2,63
30	7,56	5,39	4,51	4,02	3,70	3,47	3,30	3,17	3,07	2,98	2,91	2,84	2,79	2,74	2,70	2,66	2,63	2,60
31	7,53	5,36	4,48	3,99	3,67	3,45	3,28	3,15	3,04	2,96	2,88	2,82	2,77	2,72	2,68	2,64	2,61	2,58
32	7,50	5,34	4,46	3,97	3,65	3,43	3,26	3,13	3,02	2,93	2,86	2,80	2,74	2,70	2,65	2,62	2,58	2,55
33	7,47	5,31	4,44	3,95	3,63	3,41	3,24	3,11	3,00	2,91	2,84	2,78	2,72	2,68	2,63	2,60	2,56	2,53
34	7,44	5,29	4,42	3,93	3,61	3,39	3,22	3,09	2,98	2,89	2,82	2,76	2,70	2,66	2,61	2,58	2,54	2,51
35	7,42	5,27	4,40	3,91	3,59	3,37	3,20	3,07	2,96	2,88	2,80	2,74	2,69	2,64	2,60	2,56	2,53	2,50
40	7,31	5,18	4,31	3,83	3,51	3,29	3,12	2,99	2,89	2,80	2,73	2,66	2,61	2,56	2,52	2,48	2,45	2,42
50	7,17	5,06	4,20	3,72	3,41	3,19	3,02	2,89	2,78	2,70	2,63	2,56	2,51	2,46	2,42	2,38	2,35	2,32
60	7,08	4,98	4,13	3,65	3,34	3,12	2,95	2,82	2,72	2,63	2,56	2,50	2,44	2,39	2,35	2,31	2,28	2,25
80	6,96	4,88	4,04	3,56	3,26	3,04	2,87	2,74	2,64	2,55	2,48	2,42	2,36	2,31	2,27	2,23	2,20	2,17
100	6,90	4,82	3,98	3,51	3,21	2,99	2,82	2,69	2,59	2,50	2,43	2,37	2,31	2,27	2,22	2,19	2,15	2,12

Nombre de degrés de liberté du dénominateur (ν_2)

Table A6. Table de la loi de Fisher-Snedecor(suite)

Les entrées dans la table correspondent à $F_{\alpha;\nu_1,\nu_2}$.

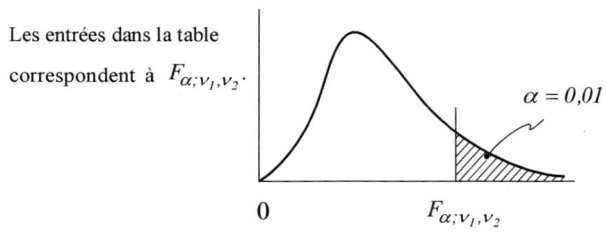

$\alpha = 0,01$

$0 \qquad F_{\alpha;\nu_1,\nu_2}$

Nombre de degrés de liberté du dénominateur (ν_2)

	Nombre de degrés de liberté du numérateur (ν_1)																	
	19	**20**	**22**	**24**	**25**	**26**	**28**	**30**	**32**	**35**	**40**	**45**	**50**	**60**	**70**	**80**	**90**	**100**
1	6200,7	6208,7	6223,1	6234,3	6239,9	6244,5	6252,9	6260,4	6266,9	6275,3	6286,4	6295,7	6302,3	6313,0	6320,9	6326,5	6330,7	6333,9
2	99,45	99,45	99,46	99,46	99,46	99,46	99,46	99,47	99,47	99,47	99,48	99,48	99,48	99,48	99,48	99,48	99,49	99,49
3	26,72	26,69	26,64	26,60	26,58	26,56	26,53	26,50	26,48	26,45	26,41	26,38	26,35	26,32	26,29	26,27	26,25	26,24
4	14,05	14,02	13,97	13,93	13,91	13,89	13,86	13,84	13,81	13,79	13,75	13,71	13,69	13,65	13,63	13,61	13,59	13,58
5	9,58	9,55	9,51	9,47	9,45	9,43	9,40	9,38	9,36	9,33	9,29	9,26	9,24	9,20	9,18	9,16	9,14	9,13
6	7,42	7,40	7,35	7,31	7,30	7,28	7,25	7,23	7,21	7,18	7,14	7,11	7,09	7,06	7,03	7,01	7,00	6,99
7	6,18	6,16	6,11	6,07	6,06	6,04	6,02	5,99	5,97	5,94	5,91	5,88	5,86	5,82	5,80	5,78	5,77	5,75
8	5,38	5,36	5,32	5,28	5,26	5,25	5,22	5,20	5,18	5,15	5,12	5,09	5,07	5,03	5,01	4,99	4,97	4,96
9	4,83	4,81	4,77	4,73	4,71	4,70	4,67	4,65	4,63	4,60	4,57	4,54	4,52	4,48	4,46	4,44	4,43	4,41
10	4,43	4,41	4,36	4,33	4,31	4,30	4,27	4,25	4,23	4,20	4,17	4,14	4,12	4,08	4,06	4,04	4,03	4,01
11	4,12	4,10	4,06	4,02	4,01	3,99	3,96	3,94	3,92	3,89	3,86	3,83	3,81	3,78	3,75	3,73	3,72	3,71
12	3,88	3,86	3,82	3,78	3,76	3,75	3,72	3,70	3,68	3,65	3,62	3,59	3,57	3,54	3,51	3,49	3,48	3,47
13	3,69	3,66	3,62	3,59	3,57	3,56	3,53	3,51	3,49	3,46	3,43	3,40	3,38	3,34	3,32	3,30	3,28	3,27
14	3,53	3,51	3,46	3,43	3,41	3,40	3,37	3,35	3,33	3,30	3,27	3,24	3,22	3,18	3,16	3,14	3,12	3,11
15	3,40	3,37	3,33	3,29	3,28	3,26	3,24	3,21	3,19	3,17	3,13	3,10	3,08	3,05	3,02	3,00	2,99	2,98
16	3,28	3,26	3,22	3,18	3,16	3,15	3,12	3,10	3,08	3,05	3,02	2,99	2,97	2,93	2,91	2,89	2,87	2,86
17	3,19	3,16	3,12	3,08	3,07	3,05	3,03	3,00	2,98	2,96	2,92	2,89	2,87	2,83	2,81	2,79	2,78	2,76
18	3,10	3,08	3,03	3,00	2,98	2,97	2,94	2,92	2,90	2,87	2,84	2,81	2,78	2,75	2,72	2,70	2,69	2,68
19	3,03	3,00	2,96	2,92	2,91	2,89	2,87	2,84	2,82	2,80	2,76	2,73	2,71	2,67	2,65	2,63	2,61	2,60
20	2,96	2,94	2,90	2,86	2,84	2,83	2,80	2,78	2,76	2,73	2,69	2,67	2,64	2,61	2,58	2,56	2,55	2,54
21	2,90	2,88	2,84	2,80	2,79	2,77	2,74	2,72	2,70	2,67	2,64	2,61	2,58	2,55	2,52	2,50	2,49	2,48
22	2,85	2,83	2,78	2,75	2,73	2,72	2,69	2,67	2,65	2,62	2,58	2,55	2,53	2,50	2,47	2,45	2,43	2,42
23	2,80	2,78	2,74	2,70	2,69	2,67	2,64	2,62	2,60	2,57	2,54	2,51	2,48	2,45	2,42	2,40	2,39	2,37
24	2,76	2,74	2,70	2,66	2,64	2,63	2,60	2,58	2,56	2,53	2,49	2,46	2,44	2,40	2,38	2,36	2,34	2,33
25	2,72	2,70	2,66	2,62	2,60	2,59	2,56	2,54	2,52	2,49	2,45	2,42	2,40	2,36	2,34	2,32	2,30	2,29
26	2,69	2,66	2,62	2,58	2,57	2,55	2,53	2,50	2,48	2,45	2,42	2,39	2,36	2,33	2,30	2,28	2,26	2,25
27	2,66	2,63	2,59	2,55	2,54	2,52	2,49	2,47	2,45	2,42	2,38	2,35	2,33	2,29	2,27	2,25	2,23	2,22
28	2,63	2,60	2,56	2,52	2,51	2,49	2,46	2,44	2,42	2,39	2,35	2,32	2,30	2,26	2,24	2,22	2,20	2,19
29	2,60	2,57	2,53	2,49	2,48	2,46	2,44	2,41	2,39	2,36	2,33	2,30	2,27	2,23	2,21	2,19	2,17	2,16
30	2,57	2,55	2,51	2,47	2,45	2,44	2,41	2,39	2,36	2,34	2,30	2,27	2,25	2,21	2,18	2,16	2,14	2,13
31	2,55	2,52	2,48	2,45	2,43	2,41	2,39	2,36	2,34	2,31	2,27	2,24	2,22	2,18	2,16	2,14	2,12	2,11
32	2,53	2,50	2,46	2,42	2,41	2,39	2,36	2,34	2,32	2,29	2,25	2,22	2,20	2,16	2,13	2,11	2,10	2,08
33	2,51	2,48	2,44	2,40	2,39	2,37	2,34	2,32	2,30	2,27	2,23	2,20	2,18	2,14	2,11	2,09	2,07	2,06
34	2,49	2,46	2,42	2,38	2,37	2,35	2,32	2,30	2,28	2,25	2,21	2,18	2,16	2,12	2,09	2,07	2,05	2,04
35	2,47	2,44	2,40	2,36	2,35	2,33	2,30	2,28	2,26	2,23	2,19	2,16	2,14	2,10	2,07	2,05	2,03	2,02
40	2,39	2,37	2,33	2,29	2,27	2,26	2,23	2,20	2,18	2,15	2,11	2,08	2,06	2,02	1,99	1,97	1,95	1,94
50	2,29	2,27	2,22	2,18	2,17	2,15	2,12	2,10	2,08	2,05	2,01	1,97	1,95	1,91	1,88	1,86	1,84	1,82
60	2,22	2,20	2,15	2,12	2,10	2,08	2,05	2,03	2,01	1,98	1,94	1,90	1,88	1,84	1,81	1,78	1,76	1,75
80	2,14	2,12	2,07	2,03	2,01	2,00	1,97	1,94	1,92	1,89	1,85	1,82	1,79	1,75	1,71	1,69	1,67	1,65
100	2,09	2,07	2,02	1,98	1,97	1,95	1,92	1,89	1,87	1,84	1,80	1,76	1,74	1,69	1,66	1,63	1,61	1,60

Table A7. Table Shapiro-Wilk
Valeurs critiques pour la statistique W

n \ Seuil%	1%	2%	5%	10%	50%	n \ Seuil%	1%	2%	5%	10%	50%
3	0,753	0,756	0,767	0,789	0,959	26	0,891	0,904	0,920	0,933	0,965
4	0,687	0,707	0,748	0,792	0,935	27	0,884	0,906	0,923	0,935	0,965
5	0,686	0,715	0,762	0,806	0,927	28	0,896	0,908	0,924	0,936	0,966
						29	0,898	0,910	0,926	0,937	0,966
6	0,713	0,743	0,788	0,826	0,927	30	0,900	0,912	0,927	0,939	0,967
7	0,730	0,760	0,803	0,838	0,928						
8	0,749	0,778	0,818	0,851	0,932	31	0,902	0,914	0,929	0,940	0,967
9	0,764	0,791	0,829	0,859	0,935	32	0,904	0,915	0,930	0,941	0,968
10	0,781	0,806	0,842	0,869	0,938	33	0,906	0,917	0,931	0,942	0,968
						34	0,908	0,919	0,933	0,943	0,969
11	0,792	0,817	0,850	0,876	0,940	35	0,910	0,920	0,934	0,944	0,969
12	0,805	0,828	0,859	0,883	0,943						
13	0,814	0,837	0,866	0,889	0,945	36	0,912	0,922	0,935	0,945	0,970
14	0,825	0,846	0,874	0,895	0,947	37	0,914	0,924	0,936	0,946	0,970
15	0,835	0,855	0,881	0,901	0,950	38	0,916	0,925	0,938	0,947	0,971
						39	0,917	0,927	0,939	0,948	0,971
17	0,851	0,869	0,892	0,910	0,954	40	0,919	0,928	0,940	0,949	0,972
18	0,858	0,874	0,897	0,914	0,956						
19	0,863	0,879	0,901	0,917	0,957	41	0,920	0,929	0,941	0,950	0,972
20	0,868	0,884	0,905	0,920	0,959	42	0,922	0,930	0,942	0,951	0,972
						43	0,923	0,932	0,943	0,951	0,973
21	0,873	0,888	0,908	0,923	0,960	44	0,924	0,933	0,944	0,952	0,973
22	0,878	0,892	0,911	0,926	0,961	45	0,926	0,934	0,945	0,953	0,973
23	0,881	0,895	0,914	0,928	0,962						
24	0,884	0,898	0,916	0,930	0,963	46	0,927	0,935	0,945	0,953	0,974
25	0,888	0,901	0,918	0,931	0,964	47	0,928	0,936	0,946	0,954	0,974
						48	0,929	0,937	0,947	0,954	0,974
						49	0,929	0,937	0,947	0,955	0,974
						50	0,930	0,938	0,947	0,955	0,974

À noter que les valeurs des coefficients a_{n-i} sont sur le CD-Rom accompagnant cet ouvrage (feuille Excel - coef Shapiro).

Table A8. Table de Tukey

Statistique $Q_{0,01}$

v \ k	2	3	4	5	6	7	8	9	10	11	12	13	14	15	16	17	18	19	20
1	90,0	135	164	186	202	216	227	237	246	253	260,0	266	272	277	282	286	290,0	294	298
2	14,0	19,0	22,3	24,7	26,6	28,2	29,5	30,7	31,7	32,6	33,4	34,1	34,8	35,4	36,0	36,5	37,0	37,5	37,9
3	8,26	10,6	12,2	13,3	14,2	15,0	15,6	16,2	16,7	17,1	17,5	17,90	18,20	18,5	18,8	19,1	19,3	19,5	19,8
4	6,51	8,12	9,17	9,96	10,6	11,1	11,5	11,90	12,3	12,6	12,8	13,1	13,3	13,5	13,7	13,9	14,1	14,2	14,4
5	5,70	6,97	7,80	8,42	8,91	9,32	9,67	9,97	10,24	10,48	10,70	10,89	11,08	11,24	11,40	11,55	11,68	11,81	11,93
6	5,24	6,33	7,03	7,56	7,97	8,32	8,61	8,87	9,10	9,30	9,49	9,65	9,81	9,95	10,08	10,21	10,32	10,43	10,54
7	4,95	5,92	6,54	7,01	7,37	7,68	7,94	8,17	8,37	8,55	8,71	8,86	9,00	9,12	9,24	9,35	9,46	9,55	9,65
8	4,74	5,63	6,20	6,63	6,96	7,24	7,47	7,68	7,87	8,03	8,18	8,31	8,44	8,55	8,66	8,76	8,85	8,94	9,03
9	4,60	5,43	5,96	6,35	6,66	6,91	7,13	7,32	7,49	7,65	7,78	7,91	8,03	8,13	8,23	8,32	8,41	8,49	8,57
10	4,48	5,27	5,77	6,14	6,43	6,67	6,87	7,05	7,21	7,36	7,48	7,60	7,71	7,81	7,91	7,99	8,07	8,15	8,22
11	4,39	5,14	5,62	5,97	6,25	6,48	6,67	6,84	6,99	7,13	7,25	7,36	7,46	7,56	7,65	7,73	7,81	7,88	7,95
12	4,32	5,04	5,50	5,84	6,10	6,32	6,51	6,67	6,81	6,94	7,06	7,17	7,26	7,36	7,44	7,52	7,59	7,66	7,73
13	4,26	4,96	5,40	5,73	5,98	6,19	6,37	6,53	6,67	6,79	6,90	7,01	7,10	7,19	7,27	7,34	7,42	7,48	7,55
14	4,21	4,89	5,32	5,63	5,88	6,08	6,26	6,41	6,54	6,66	6,77	6,87	6,96	7,05	7,12	7,20	7,27	7,33	7,39
15	4,17	4,83	5,25	5,56	5,80	5,99	6,16	6,31	6,44	6,55	6,66	6,76	6,84	6,93	7,00	7,07	7,14	7,20	7,26
16	4,13	4,78	5,19	5,49	5,72	5,92	6,08	6,22	6,35	6,46	6,56	6,66	6,74	6,82	6,90	6,97	7,03	7,09	7,15
17	4,10	4,74	5,14	5,43	5,66	5,85	6,01	6,15	6,27	6,38	6,48	6,57	6,66	6,73	6,80	6,87	6,94	7,00	7,05
18	4,07	4,70	5,09	5,38	5,60	5,79	5,94	6,08	6,20	6,31	6,41	6,50	6,58	6,65	6,72	6,79	6,85	6,91	6,96
19	4,05	4,67	5,05	5,33	5,55	5,73	5,89	6,02	6,14	6,25	6,34	6,43	6,51	6,58	6,65	6,72	6,78	6,84	6,89
20	4,02	4,64	5,02	5,29	5,51	5,69	5,84	5,97	6,09	6,19	6,29	6,37	6,45	6,52	6,59	6,65	6,71	6,76	6,82
24	3,96	4,54	4,91	5,17	5,37	5,54	5,69	5,81	5,92	6,02	6,11	6,19	6,26	6,33	6,39	6,45	6,51	6,56	6,61
30	3,89	4,45	4,80	5,05	5,24	5,40	5,54	5,65	5,76	5,85	5,93	6,01	6,08	6,14	6,20	6,26	6,31	6,36	6,41
40	3,82	4,37	4,70	4,93	5,11	5,27	5,39	5,50	5,60	5,69	5,77	5,84	5,90	5,96	6,02	6,07	6,12	6,17	6,21
60	3,76	4,28	4,60	4,82	4,99	5,13	5,25	5,36	5,45	5,53	5,60	5,67	5,73	5,79	5,84	5,89	5,93	5,98	6,02
120	3,70	4,20	4,50	4,71	4,87	5,01	5,12	5,21	5,30	5,38	5,44	5,51	5,56	5,61	5,66	5,71	5,75	5,79	5,83
∞	3,64	4,12	4,40	4,60	4,76	4,88	4,99	5,08	5,16	5,23	5,29	5,35	5,40	5,45	5,49	5,54	5,57	5,61	5,65

Table A8. Table de Tukey (suite)

Statistique $Q_{0,05}$

v \ k	2	3	4	5	6	7	8	9	10	11	12	13	14	15	16	17	18	19	20
1	18,0	27,0	32,8	37,1	40,4	43,1	45,4	47,4	49,1	50,6	52,0	53,2	54,3	55,4	56,3	57,2	58,0	58,8	59,6
2	6,09	8,3	9,8	10,9	11,7	12,4	13,0	13,5	14,0	14,4	14,7	15,1	15,4	15,7	15,9	16,1	16,4	16,6	16,8
3	4,50	5,91	6,82	7,5	8,04	8,48	8,85	9,18	9,46	9,72	9,95	10,15	10,35	10,52	10,69	10,84	10,98	11,11	11,24
4	3,93	5,04	5,76	6,29	6,71	7,05	7,35	7,60	7,83	8,03	8,21	8,37	8,52	8,66	8,79	8,91	9,03	9,13	9,23
5	3,64	4,60	5,22	5,67	6,03	6,33	6,58	6,80	6,99	7,17	7,32	7,47	7,60	7,72	7,83	7,93	8,03	8,12	8,21
6	3,46	4,34	4,90	5,31	5,63	5,89	6,12	6,32	6,49	6,65	6,79	6,92	7,03	7,14	7,24	7,34	7,43	7,51	7,59
7	3,34	4,16	4,68	5,06	5,36	5,61	5,82	6,00	6,16	6,30	6,43	6,55	6,66	6,76	6,85	6,94	7,02	7,09	7,17
8	3,26	4,04	4,53	4,89	5,17	5,40	5,60	5,77	5,92	6,05	6,18	6,29	6,39	6,48	6,57	6,65	6,73	6,80	6,87
9	3,20	3,95	4,42	4,76	5,02	5,24	5,43	5,60	5,74	5,87	5,98	6,09	6,19	6,28	6,36	6,44	6,51	6,58	6,64
10	3,15	3,88	4,33	4,65	4,91	5,12	5,30	5,46	5,60	5,72	5,83	5,93	6,03	6,11	6,20	6,27	6,34	6,40	6,47
11	3,11	3,82	4,26	4,57	4,82	5,03	5,20	5,35	5,49	5,61	5,71	5,81	5,90	5,99	6,06	6,14	6,20	6,26	6,33
12	3,08	3,77	4,20	4,51	4,75	4,95	5,12	5,27	5,40	5,51	5,62	5,71	5,80	5,88	5,95	6,03	6,09	6,15	6,21
13	3,06	3,73	4,15	4,45	4,69	4,88	5,05	5,19	5,32	5,43	5,53	5,63	5,71	5,79	5,86	5,93	6,00	6,05	6,11
14	3,03	3,70	4,11	4,41	4,64	4,83	4,99	5,13	5,25	5,36	5,46	5,55	5,64	5,72	5,79	5,85	5,92	5,97	6,03
15	3,01	3,67	4,08	4,37	4,60	4,78	4,94	5,08	5,20	5,31	5,40	5,49	5,58	5,65	5,72	5,79	5,85	5,90	5,96
16	3,00	3,65	4,05	4,33	4,56	4,74	4,90	5,03	5,15	5,26	5,35	5,44	5,52	5,59	5,66	5,72	5,79	5,84	5,90
17	2,98	3,63	4,02	4,30	4,52	4,71	4,86	4,99	5,11	5,21	5,31	5,39	5,47	5,55	5,61	5,68	5,74	5,79	5,84
18	2,97	3,61	4,00	4,28	4,49	4,67	4,82	4,96	5,07	5,17	5,27	5,35	5,43	5,50	5,57	5,63	5,69	5,74	5,79
19	2,96	3,59	3,98	4,25	4,47	4,65	4,79	4,92	5,04	5,14	5,23	5,32	5,39	5,46	5,53	5,59	5,65	5,70	5,75
20	2,95	3,58	3,96	4,23	4,45	4,62	4,77	4,90	5,01	5,11	5,20	5,28	5,36	5,43	5,49	5,55	5,61	5,66	5,71
24	2,92	3,53	3,90	4,17	4,37	4,54	4,68	4,81	4,92	5,01	5,10	5,18	5,25	5,32	5,38	5,44	5,50	5,54	5,59
30	2,89	3,49	3,84	4,10	4,30	4,46	4,60	4,72	4,83	4,92	5,00	5,08	5,15	5,21	5,27	5,33	5,38	5,43	5,48
40	2,86	3,44	3,79	4,04	4,23	4,39	4,52	4,63	4,74	4,82	4,91	4,98	5,05	5,11	5,16	5,22	5,27	5,31	5,36
60	2,83	3,40	3,74	3,98	4,16	4,31	4,44	4,55	4,65	4,73	4,81	4,88	4,94	5,00	5,06	5,11	5,16	5,20	5,24
120	2,80	3,36	3,69	3,92	4,10	4,24	4,36	4,48	4,56	4,64	4,72	4,78	4,84	4,90	4,95	5,00	5,05	5,09	5,13
∞	2,77	3,31	3,63	3,86	4,03	4,17	4,29	4,39	4,47	4,55	4,62	4,68	4,74	4,80	4,85	4,89	4,93	4,97	5,01

Table A9. Table de valeurs critiques r_c pour le coefficient de corrélation de Pearson

Taille de l'échantillon	Degrés de liberté	alpha=0,05		alpha=0,025	
		t de Student	Rc	t de Student	Rc
5	3	2,3534	0,8054	3,1824	0,8783
10	8	1,8595	0,5494	2,3060	0,6319
12	10	1,8125	0,4973	2,2281	0,5760
15	13	1,7709	0,4409	2,1604	0,5140
20	18	1,7341	0,3783	2,1009	0,4438
22	20	1,7247	0,3598	2,0860	0,4227
24	22	1,7171	0,3438	2,0739	0,4044
25	23	1,7139	0,3365	2,0687	0,3961
28	26	1,7056	0,3172	2,0555	0,3739
30	28	1,7011	0,3061	2,0484	0,3610
32	30	1,6973	0,2960	2,0423	0,3494
34	32	1,6939	0,2869	2,0369	0,3388
35	33	1,6924	0,2826	2,0345	0,3338
36	34	1,6909	0,2785	2,0322	0,3291
40	38	1,6860	0,2638	2,0244	0,3120
45	43	1,6811	0,2483	2,0167	0,2940
50	48	1,6772	0,2353	2,0106	0,2787
60	58	1,6716	0,2144	2,0017	0,2542
70	68	1,6676	0,1982	1,9955	0,2352
80	78	1,6646	0,1852	1,9908	0,2199
90	88	1,6624	0,1745	1,9873	0,2072
100	98	1,6606	0,1654	1,9845	0,1966
120	118	1,6579	0,1509	1,9803	0,1793
125	123	1,6573	0,1478	1,9794	0,1757
150	148	1,6552	0,1348	1,9761	0,1603
160	158	1,6546	0,1305	1,9751	0,1552
161	159	1,6545	0,1301	1,9750	0,1547
175	173	1,6537	0,1247	1,9738	0,1484
200	198	1,6526	0,1166	1,9720	0,1388
250	248	1,6510	0,1043	1,9696	0,1241
275	273	1,6505	0,0994	1,9687	0,1183
300	298	1,6500	0,0951	1,9680	0,1133
350	348	1,6492	0,0881	1,9668	0,1049
400	398	1,6487	0,0824	1,9659	0,0981
500	498	1,6479	0,0736	1,9647	0,0877

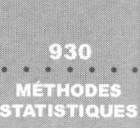

Table A10. Transformation de Fisher

Coefficient de corrélation	Z de Fisher	Coefficient de corrélation	Z de Fisher	Coefficient de corrélation	Z de Fisher	Coefficient de corrélation	Z de Fisher
0,00	0,0000	0,26	0,2661	0,52	0,5763	0,78	1,0454
0,01	0,0100	0,27	0,2769	0,53	0,5901	0,79	1,0714
0,02	0,0200	0,28	0,2877	0,54	0,6042	0,80	1,0986
0,03	0,0300	0,29	0,2986	0,55	0,6184	0,81	1,1270
0,04	0,0400	0,30	0,3095	0,56	0,6328	0,82	1,1568
0,05	0,0500	0,31	0,3205	0,57	0,6475	0,83	1,1881
0,06	0,0601	0,32	0,3316	0,58	0,6625	0,84	1,2212
0,07	0,0701	0,33	0,3428	0,59	0,6777	0,85	1,2562
0,08	0,0802	0,34	0,3541	0,6	0,6931	0,86	1,2933
0,09	0,0902	0,35	0,3654	0,61	0,7089	0,87	1,3331
0,10	0,1003	0,36	0,3769	0,62	0,7250	0,88	1,3758
0,11	0,1104	0,37	0,3884	0,63	0,7414	0,89	1,4219
0,12	0,1206	0,38	0,4001	0,64	0,7582	0,90	1,4722
0,13	0,1307	0,39	0,4118	0,65	0,7753	0,910	1,5275
0,14	0,1409	0,40	0,4236	0,66	0,7928	0,920	1,5890
0,15	0,1511	0,41	0,4356	0,67	0,8107	0,930	1,6584
0,16	0,1614	0,42	0,4477	0,68	0,8291	0,940	1,7380
0,17	0,1717	0,43	0,4599	0,69	0,8480	0,945	1,7828
0,18	0,1820	0,44	0,4722	0,7	0,8673	0,950	1,8318
0,19	0,1923	0,45	0,4847	0,71	0,8872	0,960	1,9459
0,20	0,2027	0,46	0,4973	0,72	0,9076	0,970	2,0923
0,21	0,2132	0,47	0,5101	0,73	0,9287	0,980	2,2976
0,22	0,2237	0,48	0,5230	0,74	0,9505	0,985	2,4427
0,23	0,2342	0,49	0,5361	0,75	0,9730	0,990	2,6467
0,24	0,2448	0,50	0,5493	0,76	0,9962	0,995	2,9945
0,25	0,2554	0,51	0,5627	0,77	1,0203	0,999	3,8002

Table A11. Table de Durbin-Watson

$\alpha = 0,01$

n	d_L (k=1)	d_U (k=1)	d_L (k=2)	d_U (k=2)	d_L (k=3)	d_U (k=3)	d_L (k=4)	d_U (k=4)	d_L (k=5)	d_U (k=5)
15	0,81	1,07	0,70	1,25	0,59	1,46	0,49	1,70	0,39	1,96
16	0,84	1,09	0,74	1,25	0,63	1,44	0,53	1,66	0,44	1,90
17	0,87	1,10	0,77	1,25	0,67	1,43	0,57	1,63	0,48	1,85
18	0,90	1,12	0,80	1,26	0,71	1,42	0,61	1,60	0,52	1,80
19	0,93	1,13	0,83	1,26	0,74	1,41	0,65	1,58	0,56	1,77
20	0,95	1,15	0,86	1,27	0,77	1,41	0,68	1,57	0,60	1,74
21	0,97	1,16	0,89	1,27	0,80	1,41	0,72	1,55	0,63	1,71
22	1,00	1,17	0,91	1,28	0,83	1,40	0,75	1,54	0,66	1,69
23	1,02	1,19	0,94	1,29	0,86	1,40	0,77	1,53	0,70	1,67
24	1,04	1,20	0,96	1,30	0,88	1,41	0,80	1,53	0,72	1,66
25	1,05	1,21	0,98	1,30	0,90	1,41	0,83	1,52	0,75	1,65
26	1,07	1,22	1,00	1,31	0,93	1,41	0,85	1,52	0,78	1,64
27	1,09	1,23	1,02	1,32	0,95	1,41	0,88	1,51	0,81	1,63
28	1,10	1,24	1,04	1,32	0,97	1,41	0,90	1,51	0,83	1,62
29	1,12	1,25	1,05	1,33	0,99	1,42	0,92	1,51	0,85	1,61
30	1,13	1,26	1,07	1,34	1,01	1,42	0,94	1,51	0,88	1,61
31	1,15	1,27	1,08	1,34	1,02	1,42	0,96	1,51	0,90	1,60
32	1,16	1,28	1,10	1,35	1,04	1,43	0,98	1,51	0,92	1,60
33	1,17	1,29	1,11	1,36	1,05	1,43	1,00	1,51	0,94	1,59
34	1,18	1,30	1,13	1,36	1,07	1,43	1,01	1,51	0,95	1,59
35	1,19	1,31	1,14	1,37	1,08	1,44	1,03	1,51	0,97	1,59
36	1,21	1,32	1,15	1,38	1,10	1,44	1,04	1,51	0,99	1,59
37	1,22	1,32	1,16	1,38	1,11	1,45	1,06	1,51	1,00	1,59
38	1,23	1,33	1,18	1,39	1,12	1,45	1,07	1,52	1,02	1,58
39	1,24	1,34	1,19	1,39	1,14	1,45	1,09	1,52	1,03	1,58
40	1,25	1,34	1,20	1,40	1,15	1,46	1,10	1,52	1,05	1,58
45	1,29	1,38	1,24	1,42	1,20	1,48	1,16	1,53	1,11	1,58
50	1,32	1,40	1,28	1,45	1,24	1,49	1,20	1,54	1,16	1,59
55	1,36	1,43	1,32	1,47	1,28	1,51	1,25	1,55	1,21	1,59
60	1,38	1,45	1,35	1,48	1,32	1,52	1,28	1,56	1,25	1,60
65	1,41	1,47	1,38	1,50	1,35	1,53	1,31	1,57	1,28	1,61
70	1,43	1,49	1,40	1,52	1,37	1,55	1,34	1,58	1,31	1,61
75	1,45	1,50	1,42	1,53	1,39	1,56	1,37	1,59	1,34	1,62
80	1,47	1,52	1,44	1,54	1,42	1,57	1,39	1,60	1,36	1,62
85	1,48	1,53	1,46	1,55	1,43	1,58	1,41	1,60	1,39	1,63
90	1,50	1,54	1,47	1,56	1,45	1,59	1,43	1,61	1,41	1,64
95	1,51	1,55	1,49	1,57	1,47	1,60	1,45	1,62	1,42	1,64
100	1,52	1,56	1,50	1,58	1,48	1,60	1,46	1,63	1,44	1,65

Table A11. Table de Durbin-Watson (suite)

$\alpha = 0,05$

n	k=1		k=2		k=3		k=4		k=5	
	d_L	d_U	d_L	d_U	d_L	d_U	d_L	d_U	d_L	d_U
15	1,08	1,36	0,95	1,54	0,82	1,75	0,69	1,97	0,56	2,21
16	1,10	1,37	0,98	1,54	0,86	1,73	0,74	1,93	0,62	2,15
17	1,13	1,38	1,02	1,54	0,90	1,71	0,78	1,90	0,67	2,10
18	1,16	1,39	1,05	1,53	0,93	1,69	0,82	1,87	0,71	2,06
19	1,18	1,40	1,08	1,53	0,97	1,68	0,86	1,85	0,75	2,02
20	1,20	1,41	1,10	1,54	1,00	1,68	0,90	1,83	0,79	1,99
21	1,22	1,42	1,13	1,54	1,03	1,67	0,93	1,81	0,83	1,96
22	1,24	1,43	1,15	1,54	1,05	1,66	0,96	1,80	0,86	1,94
23	1,26	1,44	1,17	1,54	1,08	1,66	0,99	1,79	0,90	1,92
24	1,27	1,45	1,19	1,55	1,10	1,66	1,01	1,78	0,93	1,90
25	1,29	1,45	1,21	1,55	1,12	1,66	1,04	1,77	0,95	1,89
26	1,30	1,46	1,22	1,55	1,14	1,65	1,06	1,76	0,98	1,88
27	1,32	1,47	1,24	1,56	1,16	1,65	1,08	1,76	1,01	1,86
28	1,33	1,48	1,26	1,56	1,18	1,65	1,10	1,75	1,03	1,85
29	1,34	1,48	1,27	1,56	1,20	1,65	1,12	1,74	1,05	1,84
30	1,35	1,49	1,28	1,57	1,21	1,65	1,14	1,74	1,07	1,83
31	1,36	1,50	1,30	1,57	1,23	1,65	1,16	1,74	1,09	1,83
32	1,37	1,50	1,31	1,57	1,24	1,65	1,18	1,73	1,11	1,82
33	1,38	1,51	1,32	1,58	1,26	1,65	1,19	1,73	1,13	1,81
34	1,39	1,51	1,33	1,58	1,27	1,65	1,21	1,73	1,15	1,81
35	1,40	1,52	1,34	1,58	1,28	1,65	1,22	1,73	1,16	1,80
36	1,41	1,52	1,35	1,59	1,29	1,65	1,24	1,73	1,18	1,80
37	1,42	1,53	1,36	1,59	1,31	1,66	1,25	1,72	1,19	1,80
38	1,43	1,54	1,37	1,59	1,32	1,66	1,26	1,72	1,21	1,79
39	1,43	1,54	1,38	1,60	1,33	1,66	1,27	1,72	1,22	1,79
40	1,44	1,54	1,39	1,60	1,34	1,66	1,29	1,72	1,23	1,79
45	1,48	1,57	1,43	1,62	1,38	1,67	1,34	1,72	1,29	1,78
50	1,50	1,59	1,46	1,63	1,42	1,67	1,38	1,72	1,34	1,77
55	1,53	1,60	1,49	1,64	1,45	1,68	1,41	1,72	1,38	1,77
60	1,55	1,62	1,51	1,65	1,48	1,69	1,44	1,73	1,41	1,77
65	1,57	1,63	1,54	1,66	1,50	1,70	1,47	1,73	1,44	1,77
70	1,58	1,64	1,55	1,67	1,52	1,70	1,49	1,74	1,46	1,77
75	1,60	1,65	1,57	1,68	1,54	1,71	1,51	1,74	1,49	1,77
80	1,61	1,66	1,59	1,69	1,56	1,72	1,53	1,74	1,51	1,77
85	1,62	1,67	1,60	1,70	1,57	1,72	1,55	1,75	1,52	1,77
90	1,63	1,68	1,61	1,70	1,59	1,73	1,57	1,75	1,54	1,78
95	1,64	1,69	1,62	1,71	1,60	1,73	1,58	1,75	1,56	1,78
100	1,65	1,69	1,63	1,72	1,61	1,74	1,59	1,76	1,57	1,78

Table A12. Table de nombres aléatoires

12651	61646	11769	75109	86996	97669	25757	32535	07122	76763
81769	74436	02630	72310	45049	18029	07469	42341	98173	79260
36737	98863	77240	76251	00654	64688	09343	70278	67331	98729
82861	54371	76610	94934	72748	44124	05610	53750	95938	01485
21325	15732	24127	37431	09723	63529	73977	95218	96074	42138
74146	47887	62463	23045	41490	07954	22597	60012	98866	90959
90759	64410	54179	66075	61051	75385	51378	08360	95946	95547
55683	98078	02238	91540	21219	17720	87817	41705	95785	12563
79686	17969	76061	83748	55290	83612	41540	86492	06447	60568
70333	00201	86201	69716	78185	62154	77930	67663	29529	75116
14042	53536	07779	04157	41172	36473	42123	43929	50533	33437
59911	08256	06596	48416	69770	68797	56080	14223	59199	30162
62368	62623	62742	14891	39247	52242	98832	69533	91174	57979
57529	97751	54976	48957	74599	08759	78494	52785	68526	64618
15469	90574	78033	66885	13936	42117	71831	22961	94225	31816
18625	23674	53850	32827	81647	80820	00420	63555	74489	80141
74626	68394	88562	70745	23701	45630	65891	58220	35442	60414
11119	16519	27384	90199	79210	76965	99546	30323	31664	22845
41101	17336	48951	53674	17880	45260	08575	49321	36191	17095
32123	91576	84221	78902	82010	30847	62329	63898	23268	74283
26091	68409	69704	82267	14751	13151	93115	01437	56945	89661
67680	79790	48462	59278	44185	29616	76531	19589	83139	28454
15184	19260	14073	07026	25264	08388	27182	22557	61501	67481
58010	45039	57181	10238	36874	28546	37444	80824	63981	39942
56425	53996	86245	32623	78858	08143	60377	42925	42815	11159
82630	84066	13592	60642	17904	99718	63432	88642	37858	25431
14927	40909	23900	48761	44860	92467	31742	87142	03607	32059
23740	22505	07489	85986	74420	21744	97711	36648	35620	97949
32990	97446	03711	63824	07953	85965	87089	11687	92414	67257
05310	24058	91946	78437	34365	82469	12430	84754	19354	72745
21839	39937	27534	88913	49055	19218	47712	67677	51889	70926
08833	42549	93981	94051	28382	83725	72643	64233	97252	17133
58336	11139	47479	00931	91560	95372	97642	33856	54825	55680
62032	91144	75478	47431	52726	30289	42411	91886	51818	78292
45171	30557	53116	04118	58301	24375	65609	85810	18620	49198
91611	62656	60128	35609	63698	78356	50682	22505	01692	36291
55472	63819	86314	49174	93582	73604	78614	78849	23096	72825
18573	09729	74091	53994	10970	86557	65661	41854	26037	53296
60866	02955	90288	82136	83644	94455	06560	78029	98768	71296
45043	55608	82767	60890	74646	79485	13619	98868	40857	19415
17831	9737	79473	75945	28394	79334	70577	38048	03607	06932
40137	03981	07585	18128	11178	32601	27994	05641	22600	86064
77776	31343	14576	97706	16039	47517	43300	59080	80392	63189
69605	44104	40103	95635	05635	81673	68657	09559	23510	95875
19916	52934	26499	09821	87331	80993	61299	36979	73599	35055
02606	58552	07678	56619	65325	30705	99582	53390	46357	13244
65183	73160	87131	35530	47946	09854	18080	02321	05809	04898
10740	98914	44916	11322	89717	88189	30143	52687	19420	60061
98642	89822	71691	51573	83666	61642	46683	33761	47542	23551
60139	25601	93663	25547	02654	94829	48672	28736	84994	13071

Fonctions statistiques et modèles probabilistes avec Excel

Sommaire

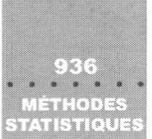

Fonctions statistiques

Il existe au-delà de 80 fonctions statistiques dans Excel. On accède à ces fonctions soit à l'aide de la barre de menus en sélectionnant **Insertion/Fonction** ou en cliquant sur le bouton f_x de la barre d'outils. Les catégories de fonctions sont alors affichées; il s'agit alors de sélectionner **Statistiques** dans la catégorie de fonctions indiquées.

Version Excel 2002	**Version Office 97**

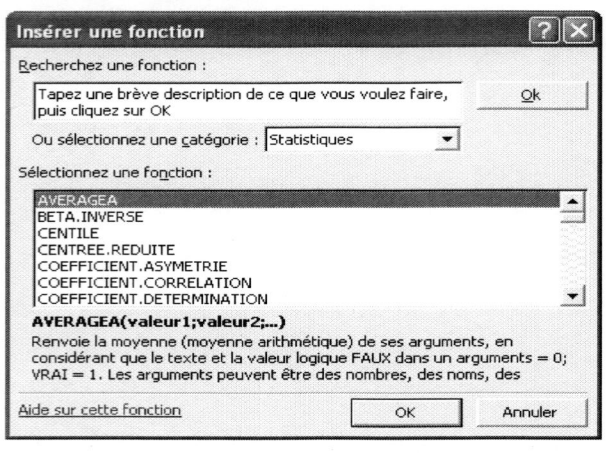

Les diverses fonctions statistiques sont énumérées ci-après.

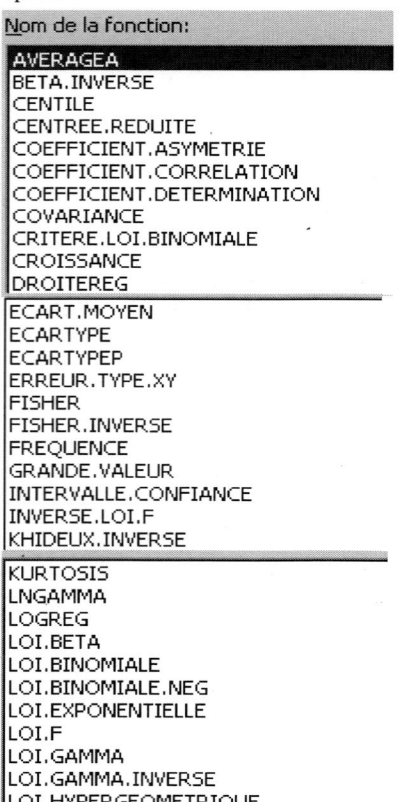

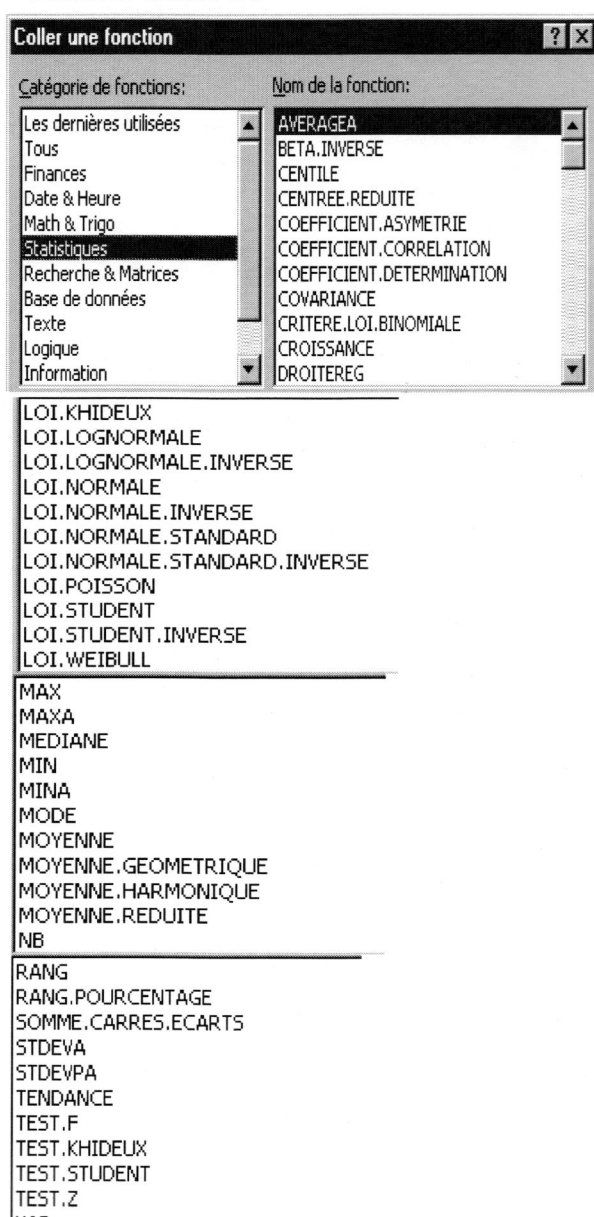

Modèles probabilistes

On peut, à partir des fonctions statistiques de Excel, étudier plusieurs lois de probabilités qui caractérisent des variables discrètes et continues. Nous donnons ici que les modèles les plus courants. La plupart des notes explicatives sont tirées de l'Aide de Excel.

Lois discrètes

LOI.BINOMIALE

Renvoie la probabilité d'une variable aléatoire discrète suivant la loi binomiale. Utilisez la fonction LOI.BINOMIALE dans les problèmes comportant un nombre fixe de tests ou d'essais, lorsque le résultat de chaque essai est soit un succès, soit un échec, que les essais sont indépendants et que la probabilité de succès reste constante pendant toute la durée de l'expérience.

Syntaxe

LOI.BINOMIALE(nombre_succès; tirages; probabilité_succès; cumulative)

nombre_succès représente le nombre de succès obtenus lors des tirages.
tirages représente le nombre de tirages indépendants.
probabilité_succès représente la probabilité d'obtenir un succès à chaque tirage.
cumulative représente une valeur logique déterminant le mode de calcul de la fonction : cumulatif ou non.

Si l'argument cumulative est VRAI, la fonction LOI.BINOMIALE renvoie la probabilité suivant une loi binomiale pour qu'un événement aléatoire se reproduise un nombre de fois inférieur ou égal à x ; si l'argument cumulative est FAUX, la fonction renvoie la probabilité suivant une loi binomiale pour qu'un événement se reproduise x fois exactement.

Expression de la loi

La probabilité d'avoir x succès en n épreuves dont l'issue de chaque épreuve est soit «succès» avec une probabilité p, soit «insuccès» avec une probabilité $q = 1-p$ est donnée par l'expression :

$$P(X = x) = \binom{n}{x} \cdot p^x \cdot (1-p)^{n-x}$$
$$= \frac{n!}{x!(n-x)!} \cdot p^x \cdot q^{n-x}$$
$$x = 0,1,2,...,n \quad 0 < p < 1.$$

Cette loi est dite **loi binomiale** et dépend de n et p.

Exemple

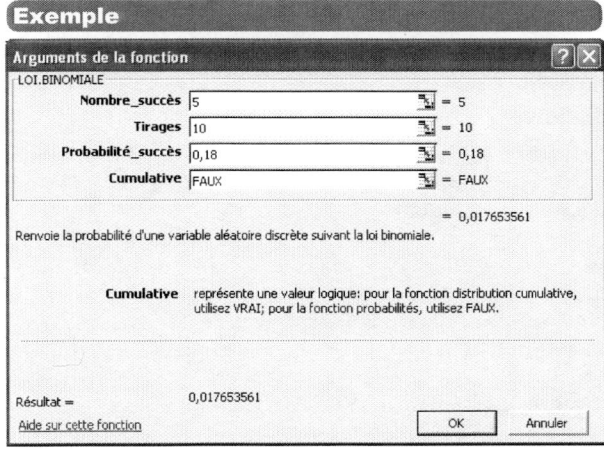

LOI.POISSON

Renvoie la probabilité d'une variable aléatoire suivant une loi de Poisson. Une application courante de la loi de Poisson est la prédiction du nombre d'événements susceptibles de se produire sur une période de temps déterminée.

Syntaxe

LOI.POISSON(x; espérance; cumulative)

x représente le nombre d'événements.
espérance représente l'espérance mathématique
cumulative représente une valeur logique déterminant le mode de calcul de la fonction : cumulatif ou non.
Si l'argument cumulative est VRAI, la fonction LOI.POISSON renvoie la probabilité de Poisson pour qu'un événement aléatoire se reproduise un nombre de fois inférieur ou égal à x. Si l'argument cumulative est FAUX, la fonction renvoie la probabilité de Poisson pour qu'un événement se reproduise x fois exactement.

Expression de la loi

Une variable aléatoire X prenant les valeurs entières $0,1,2,...,n,...$
avec les probabilités

$$P(X = x) = \frac{e^{-\lambda} \lambda^x}{x!}, \lambda > 0, e = 2,71828...$$

est dite obéir à une **loi de Poisson** de paramètre λ (lambda).

Exemple

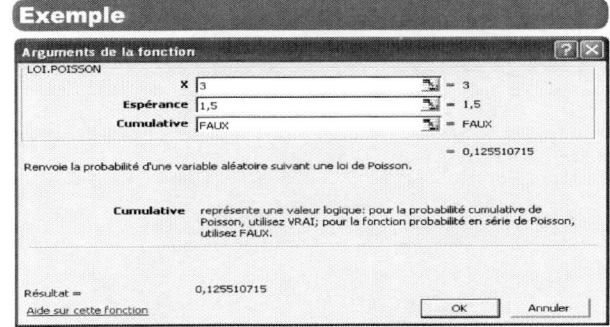

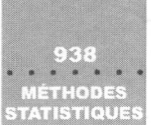

LOI.HYPERGEOMETRIQUE

Renvoie la probabilité d'obtenir un nombre donné de tirages «succès» sur un échantillon, connaissant la taille de l'échantillon, le nombre de succès de la population et sa taille.

Syntaxe

LOI.HYPERGEOMETRIQUE(succès_échantillon; nombre_échantillon; succès_population; nombre_population)

succès_échantillon représente le nombre de succès de l'échantillon.
nombre_échantillon représente la taille de l'échantillon.
succès_population représente le nombre de succès de la population.
nombre_population représente la taille de la population.

La fonction LOI.HYPERGEOMETRIQUE est utilisée dans les échantillonnages sans remise à partir d'une population finie.

Expression de la loi

Soit une population finie de N éléments dont "a" sont identifiés succès et "b" insuccès ($N = a+b$). On prélève un échantillon de taille n de cette population. La probabilité de trouver x succès (et n-x insuccès) dans l'échantillon est donnée par l'expression

$$P(X=x)=\frac{\binom{a}{x}\binom{b}{n-x}}{\binom{N}{n}}, où\ x=\begin{cases}0,1,...,n & si\ n\leq a\\0,1,...,a & si\ n>a\end{cases}$$

Cette loi est dite **loi hypergéométrique** et dépend de N, n, p.

Lois continues

LOI.EXPONENTIELLE

Renvoie la probabilité d'une variable aléatoire continue suivant une loi exponentielle. Utilisez la fonction LOI.EXPONENTIELLE pour modéliser le délai entre deux événements.

Syntaxe

LOI.EXPONENTIELLE(x; lambda; cumulative)

x représente la valeur de la fonction.
lambda représente la valeur du paramètre.
cumulative représente une valeur logique déterminant le mode de calcul de la fonction : cumulatif ou non.

Si l'argument cumulative est VRAI, la fonction LOI.EXPONENTIELLE renvoie la probabilité suivant une loi exponentielle pour qu'un événement aléatoire se reproduise un nombre de fois inférieur ou égal à x ; si l'argument cumulative est FAUX, la fonction renvoie la probabilité pour qu'un événement se reproduise x fois exactement.

Expression de la loi

Une variable aléatoire continue X obéit à une **loi exponentielle** de paramètre β ($\beta > 0$) si sa densité de probabilité est définie par l'expression suivante:

$$f(x)=0\quad si\ x<0$$
$$f(x)=\frac{1}{\beta}e^{-x/\beta}\ si\ x\geq0$$

La loi exponentielle dépend uniquement de β, un nombre réel strictement positif. Si nous posons $\lambda=\frac{1}{\beta}$, alors $f(x)=\lambda e^{-\lambda x}$, expression qui est également utilisée.

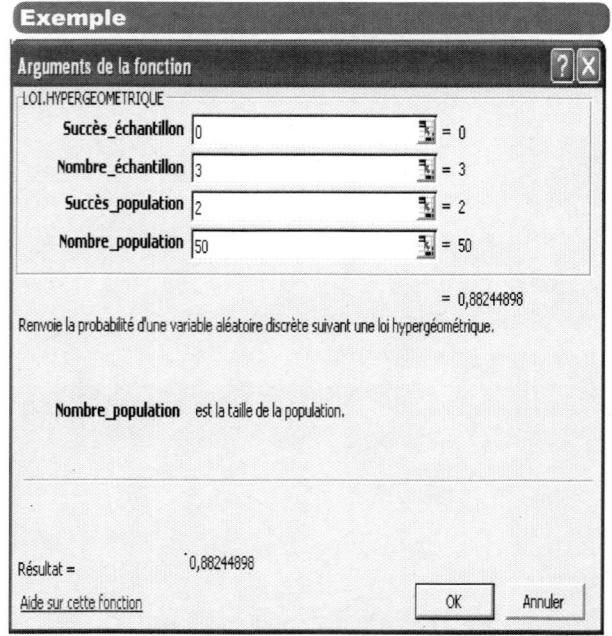

LOI.NORMALE

Renvoie la probabilité d'une variable aléatoire continue suivant une loi normale pour la moyenne et l'écart type spécifiés. Cette fonction a de nombreuses applications en statistique, y compris dans les tests d'hypothèse.

Syntaxe

LOI.NORMALE(x; espérance; écart_type; cumulative)

x représente la valeur dont vous recherchez la distribution
espérance représente l'espérance mathématique de la distribution
écart_type représente l'écart-type de la distribution
cumulative représente une valeur logique déterminant le mode de calcul de la fonction : cumulatif ou non.

Si l'argument cumulative est VRAI, la fonction LOI.NORMALE renvoie la probabilité suivant une loi normale pour qu'un événement aléatoire se reproduise un nombre de fois inférieur ou égal à x ; si l'argument cumulative est FAUX, la fonction renvoie la probabilité suivant une loi normale pour qu'un événement se reproduise x fois exactement.

Expression de la loi

Une variable aléatoire continue X est dite distribuée selon une loi normale si l'expression de sa densité est

$$f(x) = \frac{1}{\sigma\sqrt{2\pi}} e^{-1/2\left(\frac{x-\mu}{\sigma}\right)^2}, -\infty < x < \infty$$

π et e sont deux constantes: $\pi = 3,14592...$, et e = 2,71828... La loi normale dépend de deux paramètres: μ et σ^2, $-\infty < \mu < \infty$ et $\sigma > 0$.

Exemple

$P(X < 212,63) = 0,25$ avec X distribuée selon $N(216, 5^2)$.

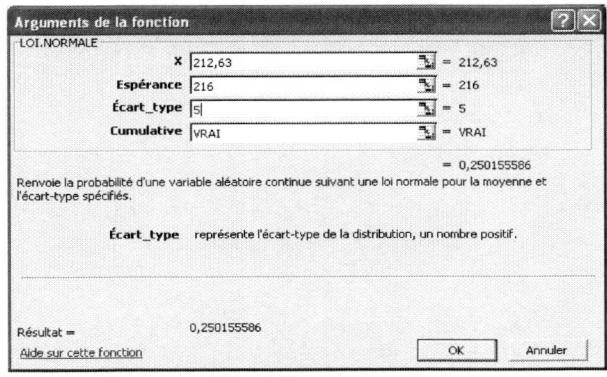

LOI.NORMALE.STANDARD

Renvoie la probabilité d'une variable aléatoire continue suivant une loi normale standard (ou centrée réduite). Cette distribution a une moyenne égale à zéro et un écart type égal à 1. La présente fonction remplace l'usage de la table donnant la valeur des aires comprises sous une courbe normale centrée réduite entre - ∞ et z.

Syntaxe

LOI.NORMALE.STANDARD(z)

z représente la valeur dont vous recherchez la distribution.

Expression de la loi

Soit X une variable aléatoire continue distribuée d'après une loi normale de moyenne μ et de variance σ^2. La variable Z, obtenue de la transformation

$$Z = \frac{X - \mu}{\sigma} \quad (X = \sigma Z + \mu)$$

est dite **variable aléatoire normale centrée réduite** et elle est distribuée selon une loi normale de moyenne $E(Z) = 0$ et de variance $Var(Z) = \sigma^2 = 1$. La densité f(x) devient alors

$$f(z) = \frac{1}{\sqrt{2\pi}} e^{-1/2 z^2}, -\infty < z < \infty$$.

Exemple

$P(Z \le 0,5) = 0,69146$.

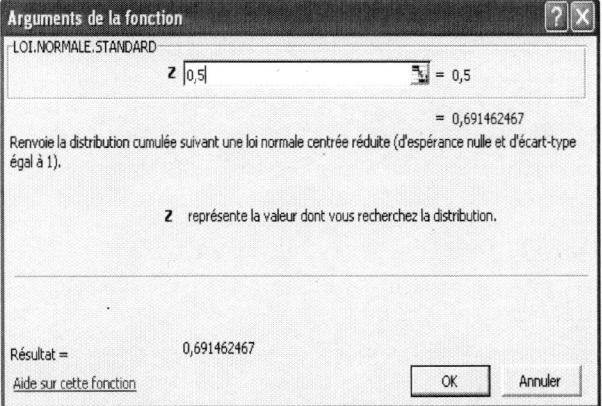

$P(Z \le -1) = 0,15865$.

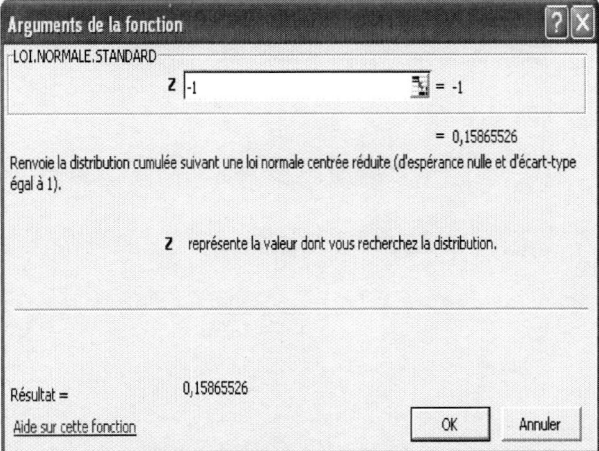

Si on veut obtenir $P(0 \le Z \le z)$, il faut alors calculer dans une autre cellule de la feuille $P(0 \le Z \le z) = P(Z \le z) - 0,5$.

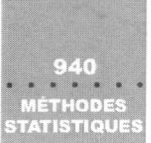

Autres fonctions connexes

LOI.NORMALE.INVERSE Renvoie, pour une probabilité donnée, la valeur d'une variable aléatoire suivant une loi normale pour la moyenne et l'écart type spécifiés.

LOI.NORMALE.STANDARD.INVERSE Renvoie, pour une probabilité donnée, la valeur d'une variable aléatoire suivant une loi normale standard (ou centrée réduite). Cette distribution a une moyenne égale à zéro et un écart type égal à 1.

LOI.LOGNORMALE Renvoie la probabilité d'une variable aléatoire continue suivant une loi lognormale de x, où ln(x) est normalement distribué à l'aide des paramètres spécifiés par les arguments moyenne et écart_type. Cette fonction vous permet d'analyser des données après leur transformation logarithmique.

LOI.LOGNORMALE.INVERSE Renvoie l'inverse de la probabilité pour une variable aléatoire suivant la loi lognormale, où ln(x) est normalement distribué avec les paramètres espérance et écart_type. Si p = LOI.LOGNORMALE(x;...), alors LOI.LOGNORMALE.INVERSE(p;...) = x.

LOI.STUDENT

Renvoie la probabilité d'une variable aléatoire suivant une loi *T* de Student. La loi de *T* est utilisée pour les tests d'hypothèse sur des échantillons de petite taille. Utilisez cette fonction au lieu d'une table des valeurs critiques de la loi de *T*.

Syntaxe

LOI.STUDENT(x; degrés_liberté; uni/bilatéral)

x représente la valeur numérique à laquelle la distribution doit être évaluée.

degrés_liberté représente un nombre entier indiquant le nombre de degrés de liberté.

uni/bilatéral indique le type de distribution à renvoyer : unilatérale ou bilatérale.

Si l'argument uni/bilatéral = 1, la fonction LOI.STUDENT renvoie la distribution unilatérale. Si l'argument uni/bilatéral = 2, la fonction LOI.STUDENT renvoie la distribution bilatérale.

Exemple

$P(T \geq 1,8125) = 0,049996$ avec 10 degrés de liberté.

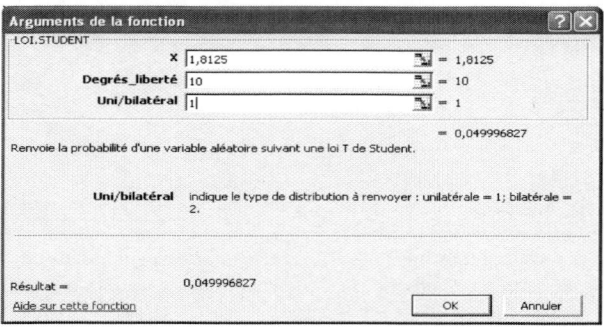

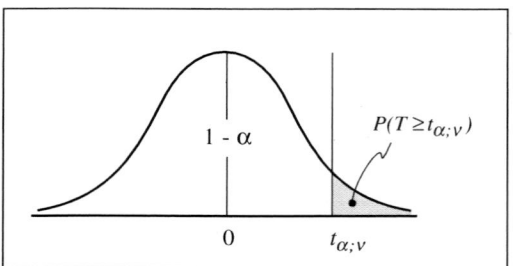

Si on sélectionne 2 comme argument, on obtient alors la probabilité sous la courbe de Student entre $-\infty$ et $-t_{\alpha;v}$ et entre $t_{\alpha;v}$ et ∞ c.-à-d 2α .

La probabilité qu'on obtient avec la fonction LOI.STUDENT est habituellement comparée au seuil de signification d'un test d'hypothèse.

LOI.STUDENT.INVERSE

Renvoie, pour une probabilité donnée, la valeur d'une variable aléatoire suivant une loi *T* de Student pour le nombre de degrés de liberté spécifié.

Syntaxe

LOI.STUDENT.INVERSE(probabilité; degrés_liberté)

probabilité représente la probabilité associée à la loi bilatérale T de Student.

degrés_liberté représente le nombre de degrés de liberté caractérisant la distribution.

Exemple

Valeur tabulée du *T* au seuil 5% (bilatéral) et 19 degrés de liberté = 2,0930247.

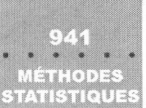
LOI.KHIDEUX

Renvoie la probabilité d'une variable aléatoire continue suivant une loi unilatérale du khi-deux. La loi de khi-deux est associée à un test du khi-deux. Utilisez ce test pour comparer des valeurs observées avec des valeurs attendues et décider ainsi de la validité de l'hypothèse de départ.

Syntaxe

LOI.KHIDEUX(x; degrés_liberté)

x   représente la valeur à laquelle vous voulez évaluer la distribution

degrés_liberté   représente le nombre de degrés de liberté.

Exemple

$P\left(\chi^2 \geq 15,5073\right)= 0,050000218$ avec 8 degrés de liberté.

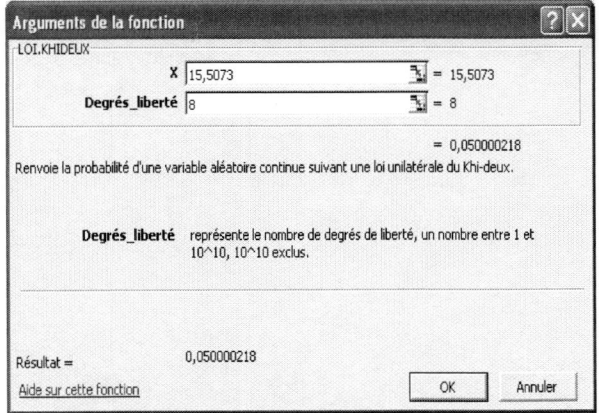

KHIDEUX.INVERSE

Renvoie, pour une probabilité unilatérale donnée, la valeur d'une variable aléatoire suivant une loi du Khi-deux.

Si l'argument probabilité = LOI.KHIDEUX(x,...), la fonction KHIDEUX.INVERSE(probabilité,...) = x.

Exemple

Valeur tabulée du χ^2 au seuil 5% (unilatéral) et 15 degrés de liberté : 24,9957967

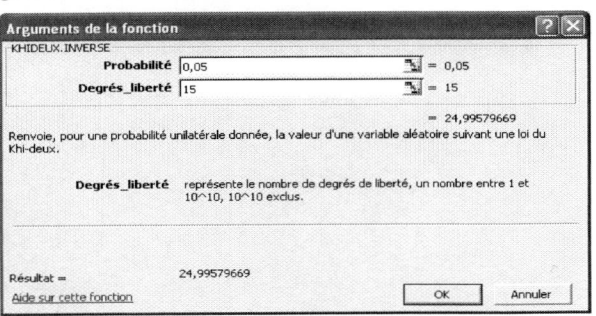

LOI.F

Renvoie la probabilité d'une variable aléatoire suivant une loi F.

Syntaxe

LOI.F(x; degrés_liberté1; degrés_liberté2)

x   est la valeur à laquelle la fonction doit être évaluée.

degrés_liberté1   représente le nombre de degrés de liberté du numérateur (v_1).

degrés_liberté2   représente le nombre de degrés de liberté du dénominateur (v_2).

Exemple

On veut la probabilité que la variable de Fisher prenne une valeur supérieure ou égale à 2,75 sachant que $v_1 = 10$ et que $v_2 = 12$. On obtient 0,05019908.

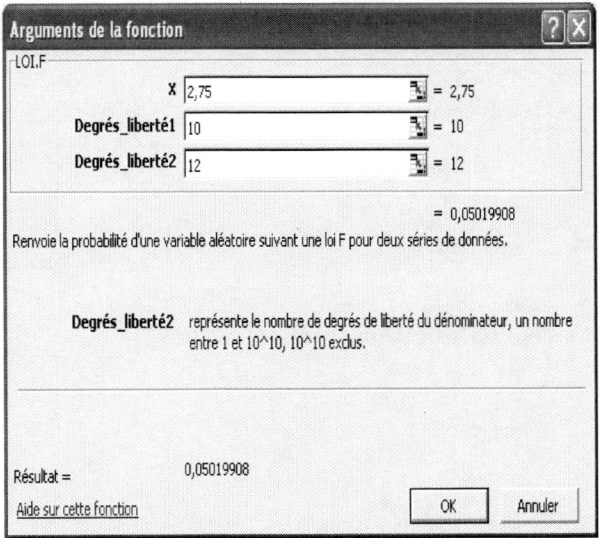

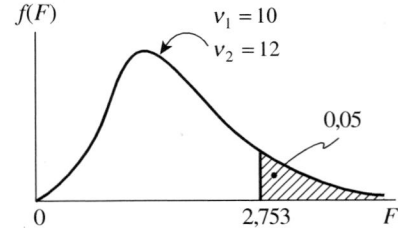

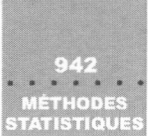
INVERSE.LOI.F

Renvoie, pour une probabilité donnée, la valeur d'une variable aléatoire suivant une loi F. Si l'argument p = LOI.F(x,...), la fonction INVERSE.LOI.F(p,...) = x.

Syntaxe

INVERSE.LOI.F(probabilité; degrés_liberté1; degrés_liberté2)

probabilité   représente la probabilité associée à la distribution cumulée F.

degrés_liberté1   représente le nombre de degrés de liberté du numérateur.

degrés_liberté2   représente les degrés de liberté du dénominateur.

Exemple

On veut déterminer la valeur de la variable de Fisher au seuil 2,5% avec $v_1 = 9$ et $v_2 = 9$. On obtient $F = 4{,}0259918$.

Arguments de la fonction   ? X

INVERSE.LOI.F

Probabilité	0,025	= 0,025
Degrés_liberté1	9	= 9
Degrés_liberté2	9	= 9

= 4,025991984

Renvoie l'inverse de la distribution de probabilité suivant une loi F: si p = LOI.F (x,...), alors INVERSE.LOI.F (p,...) = x.

Degrés_liberté2   représente le nombre de degrés de liberté du dénominateur, un nombre entre 1 et 10^10, 10^10 exclus.

Résultat =   4,025991984

Aide sur cette fonction   OK   Annuler

Autres lois continues

Les fonctions statistiques d'Excel comportent plusieurs autres lois continues:

LOI.BETA
LOI.GAMMA
LOI.WEIBULL

Index analytique